Giovinezza di Michelangelo

Il volume è stato curato e realizzato da
ArtificioSkira, Firenze-Milano

Progetto grafico
Marcello Francone

Copertina
Sabina Carandini

Coordinamento redazionale
Romina Bigi

Impaginazione
Fayçal Zaouali

Redazione
Giorgio Bigatti

Traduzioni dall'inglese
Marta Keller
Alessandra Sarchi

In prima e in quarta di copertina
Michelangelo, *Angelo reggicandelabro*,
Bologna, chiesa di San Domenico

Crediti fotografici
Aldo Mela, Pisa
Archivio fotografico Soprintendenza per i Beni Artistici
e Storici di Modena e Reggio Emilia
Bardazzi fotografia, Firenze
Marcello Bertoni fotografo, Firenze
The British Museum, Department of Prints
and Drawings, Londra
Cooper-Hewitt, National Design Museum, Smithsonian
Institution, Art Resource, New York
Jean Michel Fidanza, Photographe, Tolone
Fondazione Biblioteca Morcelli - Pinacoteca Repossi,
Chiari
Foto Lensini, Siena
Guido Mannucci, Firenze
Luciano Pedicini, Napoli
The Metropolitan Museum of Art, New York
Museum Boijmans Van Beuningen, Rotterdam
National Gallery, Picture Library, Londra
Nationalmuseum, Stoccolma
Réunion des Musées Nationaux, Parigi
Studio Art 74, Bologna
Studio fotografico Idini, Roma
Studio fotografico Rapuzzi, Brescia
Studio Giovetti, Novara
Studio Pym/Nicoletti e Cesari, Bologna
Studio Quattrone, Firenze

L'editore rimane a disposizione di altri eventuali aventi
diritto che non è stato possibile contattare.

Finito di stampare nel settembre 1999
a cura di Skira, Ginevra-Milano

Giovinezza di Michelangelo

Catalogo a cura di

Kathleen Weil-Garris Brandt

Cristina Acidini Luchinat, James David Draper, Nicholas Penny

Giovinezza di Michelangelo

Firenze, Palazzo Vecchio, Sala d'Arme
Casa Buonarroti
6 ottobre 1999 – 9 gennaio 2000

Mostra promossa da

Comune di Firenze
Assessorato alla cultura

Assessore
Rosa Maria Di Giorgi
Direttore della direzione cultura
Sergio De Claricini
Dirigente servizi attività culturali
Sergio Goretti

Ministero per i Beni e le Attività Culturali
Soprintendenza per i Beni Artistici
e Storici di Firenze, Pistoia e Prato

Soprintendente
Antonio Paolucci
Ispettore centrale per i beni archeologici, architettonici, artistici e storici
Cristina Acidini Luchinat

Ente Cassa di Risparmio

Presidente
Alberto Carmi
Vicepresidente
Edoardo Speranza

Ente Casa Buonarroti

Presidente
Luciano Berti
Direttore
Pina Ragionieri

Opificio delle Pietre Dure

Soprintendente
Giorgio Bonsanti

Fondazione Roberto Longhi

Presidente
Mina Gregori

New York University, New York

Presidente
L. Jay Oliva
Vicepresidente
Robert Berne

New York University, Villa La Pietra

Direttore
Juan E. Curradi

Ideazione e ordinamento della mostra e del catalogo
Kathleen Weil-Garris Brandt

Comitato scientifico
Cristina Acidini Luchinat
Luciano Berti
Giorgio Bonsanti
Angelo Bottini
James David Draper
Mina Gregori
Antonio Paolucci
Nicholas Penny
Pina Ragionieri

Assistenza scientifica ai curatori e coordinamento del catalogo
Elena Capretti

Ricerca archivistica e documentaria
Nicoletta Baldini *(coordinamento)*
Donatella Lodico
Anna Maria Piras

Assistenza tecnico-informatica
Stefano Nottoli
Filippo Zucchetti

Le schede delle opere sono state redatte da
Nicoletta Baldini [N.B.]
Piera Bocci [P.B.]
Giorgio Bonsanti [G.B.]
Kathleen Weil-Garris Brandt [K.W.-G.B.]
Elena Capretti [E.C.]
Doris Carl [D.C.]
Philippe Costamagna [P.C.]
James David Draper [J.D.D.]
Claudia Echinger-Maurach [C.E.-M.]
Christoph Luitpold Frommel [C.L.F.]
Kristina Hermann-Fiore [K.H.-F.]
Paul Joannides [P.J.]
Donatella Lodico [D.L.]
Lorenza Melli [L.M.]
Nicholas Penny [N.B.P.]
Anna Maria Piras [A.M.P.]
Nicoletta Pons [N.P.]
Susanne E.L. Probst [S.E.L.P.]
Raphael Rosenberg [R.R.]
Eike D. Schmidt [E.D.S.]
Carlo Sisi [C.S.]
Jack Soultanian [J.S.]
Simonetta Tozzi [S.T]
Letizia Treves [L.T.]
Lisa Venturini [L.V.]

La curatrice, il comitato scientifico e i promotori della mostra desiderano ringraziare coloro che con il loro consiglio e con i loro studi hanno contribuito alla realizzazione della mostra
David A. Brown
Keith Christiansen
Elisabeth Cropper
Charles Davis
Margaret Daly Davis
Charles Dempsey
Caroline Elam
Andrea Emiliani
Everett Fahy
Anna Forlani Tempesti
Cristoph Luitpold Frommel
Giancarlo Gentilini
Annamaria Giusti
James Hankins
Detlef Heikamp
Kristina Hermann-Fiore
James Holderbaum
David Jaffé
Paul Joannides
Martin Kemp
Margrit Lisner
Rudolf Preimesberger
Anthony Radcliffe
Olga Raggio
Ursula Schlegel
Barbara Schleicher
Eike D. Schmidt
Max Seidel
Maria Sframeli
Carl Brandon Strehlke
Davis Summers
Richard Turner
Jack Wasserman
Matthias Winner

Mostra prodotta e realizzata da

Firenze Mostre

Soci fondatori
Comune di Firenze
INA Assitalia S.p.A
Cassa di Risparmio di Firenze S.p.A
Banca Toscana S.p.A
Monte dei Paschi di Siena S.p.A
Banca Popolare di Lodi S.C.A.R.L
Banca Federico del Vecchio S.p.A

Presidente
Guido Clemente

Segreteria
Sara Luciani
Nina Screti

Direzione della mostra
Claudia Beltramo Ceppi Zevi

Progetto dell'allestimento
Adolfo Natalini, Piero Guicciardini, Marco Magni

Segreteria generale
Romina Bigi

Segreteria di produzione
Silvia Bacci
Rita Filardi
Caroline Godard

Assistenza al Comitato scientifico
Rita Boddi
Maria Bonsanti

Grafica della mostra
Sabina Carandini

Calchi
I calchi della *Battagli dei centauri* sono stati realizzati da Paolo Nencetti

Ufficio stampa
DF Studio, Ester di Leo

Servizio visite guidate
Cooperativa Sigma, Firenze

Biglietteria
TICKET ONE

Realizzazione dell'allestimento
Far mobili, Monteroni d'Arbia (Siena)
Atlas e Livelux, Firenze
Galli Allestimenti, Firenze

Assicurazioni

Trasporti
Propileo Transport
In collaborazione con
Gerlach art packers & shippers, Rotterdam
Hasenkamp, Berlino
Kunsttrans, Vienna
LP Art, Parigi
Masterpiece International LTD, New York
Wingate & Johnston, Londra
Wilson, Stoccolma

La mostra è stata realizzata con il generoso contributo di

CORRIERE DELLA SERA

Ringraziamenti

Elenchiamo qui di seguito i Musei e le Istituzioni che hanno collaborato a questa mostra e che desideriamo ringraziare per la loro generosa disponibilità:

Biblioteca Apostolica Vaticana
Biblioteca Civica Carlo Negroni, Novara
Biblioteca Nazionale Vittorio Emanuele III, Napoli
British Museum, Dept. of Prints and Drawnings, Londra
Casa Buonarroti, Firenze
Chiesa dei Santi Jacopo e Filippo, Scarperia
Chiesa di Sant'Anna dei Lombardi, Napoli
Chiesa di San Domenico, Bologna
Collection Frits Lugt, Institut Néerlandais, Parigi
Comune di Firenze
Cooper-Hewitt, National Design Museum, Smithsonian Institution, New York
Fondazione Biblioteca Morcelli -Pinacoteca Repossi, Chiari
Gabinetto Comunale delle Stampe, Roma
Gabinetto Disegni e Stampe degli Uffizi, Firenze
Galleria Borghese, Roma
Galleria degli Uffizi, Firenze
Galleria Estense, Modena
Galleria Palatina, Palazzo Pitti, Firenze
Gipsoteca Istituto d'Arte, Firenze
Graphische Sammlung Albertina, Vienna
Kunsthistorisches Institut in Florenz, Firenze
Kunsthistorisches Museum Kunstkammer, Vienna
The Metropolitan Museum, New York
Ministère des Affaires Étrangères, Republique Française
Musée des Beaux-Arts, Tolone
Musée du Louvre, Parigi
Musei Capitolini, Roma
Musei Civici di Brescia
Museo Archeologico, Firenze
Museo Archeologico Nazionale, Napoli
Museo Bandini, Fiesole
Museo di Palazzo Davanzati, Firenze
Museo Nazionale del Bargello, Firenze
Museo Stibbert, Firenze
Museum Boijmans Van Beuningen, Rotterdam
Nationalmuseum, Stoccolma
Opera della Primaziale, Pisa
Opera della Metropolitana, Siena
Skulpturensammlung, Staatliche Museen, Berlino
The National Gallery, Londra
Villa Medicea di Poggio a Caiano

Nell'ambito delle suddette Istituzioni la nostra gratitudine particolare va a tutti coloro che si sono personalmente impegnati a dirimere le tante e difficili questioni inerenti a prestiti di tanto impegno.
In particolare vogliamo ringraziare:

Daniel Alcouffe, Carmen Bambach, Ione Belotti, Jadranka Bentini, Maria van Berge-Gerbaud, Stefano Bruni, Senio Bruschelli, Stefano De Caro, Chris Dercon, Arne Effenberger, Don Raffaele Farina, Stefano Francolini, Giovanna Gaeta Bertelà, Brigitte Gaillard, Jean Galard, Mauro Giancaspro, George Goldner, Anthony Griffiths, Olle Granath, David Jaffé, Michael Knuth, Volker Krahn, Manfred Leithe-Jasper, Mario Lolli Ghetti, Marcello Lotti, Jean Lavit, Neil MacGregor, Guglielmo Marechiodi, Padre Mario Mazzoleni, Philippe de Montebello, Peta Motture, Konrad Oberhuber, Pierfrancesco Pacini, Roberta Passalacqua, Anna Maria Petrioli Tofani, Cristina Piacenti, Dianne Pilgrim, Don Tommaso Pizzilli, Jane Roberts, Pierre Rosenberg, Mario Scalini, Max Seidel, Wilfried Seipel, Chiara Silla, Matilde Simari, Anna Mura Sommella, Nicola Spinosa, Renata Stradiotti, Claudio Strinati, Maria Elisa Tittoni, Laetitia Treves, Filippo Trevisani, Maria Carla Uglietti, Mariella Utili, Hubert Vèdrine, Françoise Viatte, Paul Williamson.

Un ringraziamento particolare all'Opificio delle Pietre Dure per la collaborazione prestata nelle operazioni di messa a terra, imballaggio e trasporto delle opere; nonché per tutti gli interventi finalizzati all'esposizione in mostra.
In particolare la nostra gratidudine a:
Carlo Biliotti, Roberto Boddi, Cristina Danti, Annamaria Giusti, Francesca Kumar, Giancarlo Raddi delle Ruote, Maria Grazia Vaccari.

Siamo riconoscenti anche a tutti coloro che, in modo diverso, ma sempre con la massima disponibilità hanno voluto aiutarci nella realizzazione di questa mostra:

Elisabetta Archi, Maria Grazia Benini, Padre Vito Boddi, Francesco Caglioti, Luisa Cervati, Irene Cotta, Amedeo De Vincentiis, Arianne Godat Di Vito, Paolo Di Vito, Sergio Fancelli, Corinne Giudici, Aldo Graziosi, Francesco Guidi Bruscoli, Elena Lombardi, Anna Padoa Rizzo, Liberto Perugi, Francesca Trivellato.
I funzionari e il personale dell'Archivio di Stato di Prato, l'Archivio di Stato di Firenze, l'Archivio di Stato di Roma, l'Archivio dell'Arciconfraternita di San Giovanni dei Fiorentini di Roma, della Biblioteca Apostolica Vaticana,Roma, dell'Archivio Provinciale della Toscana dei Frati Minori di Firenze, la Biblioteca Nazionale Centrale di Firenze.

I sentiti ringraziamenti dovuti dalla mostra alle molte Istituzioni e al loro personale a Firenze, nonché in altri luoghi d'Italia, d'Europa e degli Stati Uniti, sono espressi in dettaglio altrove, ma desidero precisare la mia gratitudine per diverse persone che, di fatto, hanno reso la mostra possibile dopo i primi contatti avvenuti a New York con Mina Gregori e Cristina Acidini Luchinat.
I miei primi ringraziamenti vanno alle Istituzioni fiorentine che mi hanno invitato a partecipare a questa impresa: in particolare al Prof. Antonio Paolucci e alla Dott.ssa Cristina Acidini Luchinat per la Soprintendenza per i Beni Artistici e Storici, e al Prof. Guido Clemente per il Comune di Firenze, del quale era allora Assessore alla Cultura. È stato grazie alla New York University, al suo Department of Fine Arts e l'Institute of Fine Arts, che ho potuto accettare. Sono vivamente grata al Preside L. Jay Oliva, al vice Preside Robert Berne, ai Decani Phillip Furmanski e Jess Ben Habbib, al Direttore del Department of Fine Arts Edward Sullivan, al Direttore dell'Istituto James McCredie, al vice Direttore Donald Posner e ai miei colleghi per avermi concesso questa opportunità.
Molti e preziosi sono stati gli aiuti che la mostra ha ricevuto da ogni parte: ma non sarebbe stata realizzabile, in particolare, senza la dedizione di Giorgio Bonsanti, con l'intero Opificio delle Pietre Dure, e l'appoggio ineguagliabile di Pierre Rosenberg.
Con la loro immancabile cortesia i colleghi della Galleria degli Uffizi, della Biblioteca degli Uffizi, del Museo Nazionale del Bargello e dell'Archivio di Stato di Firenze, che pure sono costantemente sopraffatti da richieste d'aiuto, hanno reso il lavoro molto più facile e anche piacevole.
È stato particolarmente importante il sostegno generoso degli istituti e delle biblioteche ospiti qui a Firenze, specialmente del Kunsthistorisches Institut in Florenz, con il suo Direttore Prof. Max Seidel e i Dottori Maia Häderli, Margaret Daly Davis, Martina Hansmann e Anchise Tempestini.
L'Harvard's Center for Renaissance Studies at Villa I Tatti, il suo Direttore Prof. Walter Kaiser, il suo staff straordinario e molti degli studiosi hanno continuato, come in passato, ad accogliermi e aiutarmi in ogni modo possibile, così come ha fatto la New York University a Villa La Pietra, con il suo direttore Prof. Juan Corradi e i suoi assistenti.
La mia ricerca per il catalogo e la mostra è stata immensamente sostenuta, anche in questo caso una volta ancora, dal personale straordinario di altri grandi archivi e biblioteche di ricerca: a Roma, la Bibliotheca Hertziana, gli Archivi e le Biblioteche del Vaticano, l'Archivio di Stato di Roma; a Londra specialmente gli istituti Warburg e Courtauld; e a New York la Frick Library e le biblioteche del Metropolitan Museum of Art, della Columbia University e della New York University.
A parte le complicazioni che si incontrano normalmente durante la preparazione di una mostra così complessa, il nostro lavoro è stato interrotto a metà del tempo – già così drammaticamente breve – che ci era concesso all'inizio per la realizzazione della mostra, a causa di un incidente occorso a chi scrive.
Con la data d'inaugurazione così vicina, l'annullamento della mostra sembrava la sola linea d'azione ragionevole; invece gli Enti promotori e il Comitato scientifico hanno deciso di correre il rischio, e di tentare di mantenere il nostro appuntamento con il giovane Michelangelo.
Di fronte a questo scoraggiante ostacolo, numerosi colleghi e amici davvero eccezionali sono venuti in aiuto in modo spettacolare per fare l'impossibile.
Non ho parole per esprimere la mia gratitudine a Caroline Elam e al mio co-curatore, Nicholas Penny, che con la prontezza, l'ingegno e la generosità solo a loro propri sono intervenuti in modo decisivo nel momento di massima necessità, per rendere possibile il completamento di questo catalogo.
Ringraziamenti del tutto speciali vanno anche agli altri curatori, Cristina Acidini Luchinat e James David Draper.
Per le discussioni stimolanti sulla mostra e i suoi argomenti vorreri ringraziare la professoressa Paola Barocchi, guida indiscussa degli studi michelangioleschi, il professor Michael Hirst, il Dott. Jean-René Gaborit e la Dott.ssa Giovanna Gaeta Bertelà.
Cinque studiosi dell'arte del Rinascimento che mi hanno dato il loro aiuto e la loro amicizia, e che hanno incoraggiato la mostra fin dall'inizio, non hanno vissuto abbastanza per vederla inaugurata, ma in questa occasione desidero tributar loro un pensiero speciale di gratitudine: Franca Camiz, Bernice Davidson, Sydney Freedberg, Cecil Grayson e Wendy Steadman Sheard.
Per concludere con una nota più allegra, desidero particolarmente esprimere quale privilegio e piacere sia stato lavorare con colleghi italiani e soprattutto con la generazione più giovane di eccellenti studiosi, assistenti e amici.

Sebbene coloro che sono ringraziati qui di seguito siano citati solo una volta, meritano la nostra gratitudine per una grande varietà di contributi diversi che hanno dato alla mostra.

Nicoletta Baldini, Roberta Bartoli, Sylvie Beguin, Rita Boddi, Maria Bonsanti, Beverly Brown, David A. Brown, Francesco Buranelli, Suzanne Butters, Francesco Caglioti, Elena Capretti, Alessandro Cecchi, Marco e Françoise Chiarini, Juan Corradi, Margaret Davis Daly, Maria Antonietta De Angelis, Giuseppe De Juliis, Frederick Den Broeder, Florenz e Karin Deuchler, Giorgio Di Stefano, Constance Ellis, Andrea Emiliani, Everett Fahy, Anna Forlani Tempesti, Maria Fossi Todorov, Ornella Osti Francisci, Elena Fumagalli, Laurie Fusco, Gabriele Geier, Barbara e Thomas Gaetgens, Prisca Giovannini, Richard Goldthwaite, Giuliana Guidi de Juliis, Margaret Haines, Evelyn Harrison, Frances e Larissa Haskell, Detlef Heikamp, Clare Hills Nova, Neil Harris, Ulrike Ilg, Seth Jayson, Trinita Kennedy, Julian Kliemann, Guenter Kopcke, Robert La France, Liliana Leopardi, Ralph Lieberman, Paolo Liverani, Alick e Barbara McLean, Alessandra Marquori, Christoph von Meran, Anna Modigliani, Luisa Monaci, Catherine Monbeig-Goguel, Giovanni Morello, Jennifer Montagu, Antonio Natali, Jonathan Nelson, Arnold Nesselrath, Nicola Nottoli, Pier Nicola Pagliara, John Paoletti, Beatrice Paolozzi-Strozzi, Joan Payson, Anna Maria Petrioli Tofani, Sabine Poeschl, Gary Radke, Nicolai e Ruth Rubinstein, Fiorenza Scalia, Barbara Schleicher, Anne e Juergen Schulz, Erkinger e Claudia Schwarzenberg, Maria Sframeli, Barbara e Craig Hugh Smyth, Eike D. Schmidt, Giandomenico Spinola, Barbara Steindl, Tilmann von Stockhausen, Luke Syson, William Wallace e Timothy Wilson.

Kathleen Weil-Garris Brandt

Michelangelo e Firenze. Ancora un incontro particolare, suggestivo e, alla base, una ricerca specialistica, una proposta culturale di rilievo, che consentono alla città di concentrarsi di nuovo sul grande artista, seguendo un percorso che parte da lontano e che si sviluppa secondo forme, materiali e temi molto vari, a dimostrare la grande versatilità di quest'uomo che ha affascinato intere generazioni, non solo per quanto ha significato nella nostra storia dell'arte, ma anche per quello che è stato il suo percorso di vita, le sue scelte difficili e la sua complessa vicenda umana. Andremo a questa bellissima mostra per cercare in quelle opere giovanili già l'impronta del suo spirito, per riconoscerne la forza espressiva, il tormento dell'anima, la sofferenza e la potenza che le sue figure esprimono nella loro fisicità violenta, ma anche per godere della infinita dolcezza di certi sguardi. Siamo tutti chiamati a un'importante sollecitazione intellettuale, al confronto con un classico della storia dell'arte che classico non è mai stato. La scelta di esporre le opere in due luoghi diversi della città, Sala d'Arme in Palazzo Vecchio e Casa Buonarroti, suggerisce una sorta di intimo coinvolgimento della città, una presenza discreta di Firenze, come un invito a percorrerne le strade alla ricerca di quei suoni, di quelle atmosfere, di quelle forme che erano familiari a Michelangelo, che ne hanno plasmato lo spirito e che rappresentano anche per noi fiorentini del nuovo millennio l'anima profonda della città, che emerge nel respiro dei palazzi, nelle pietre delle strade e nei volti delle persone. Davvero un incontro particolare. Vogliamo esserci.

Rosa Maria Di Giorgi
Assessore alla Cultura
del Comune di Firenze

I giornali parleranno soprattutto del Fanciullo di New York e della sua disputata attribuzione al giovane Michelangelo. È questo, in effetti, il "colpo di teatro" dentro la mostra che si apre, all'ottobre del '99, fra la Sala d'Arme di Palazzo Vecchio e Casa Buonarroti. Viviamo tutti dentro il fuoco dei media e l'informazione, oggi, è quasi soltanto novità e clamore. Il resto non conta.

Di ciò eravamo e siamo consapevoli.

Eppure questa iniziativa che inaugura la stagione di Firenze Mostre non è un evento "pop".

L'attribuzione clamorosa (alla quale io credo) di un'opera fino a ieri pressoché incognita allo scultore più famoso del mondo, non è la cosa più importante.

La cosa importante è l'analisi sistematica per opera e per scripta (analisi sistematica per la prima volta resa visibile da una mostra e quindi argomentabile e anche confutabile) di un periodo cruciale della storia dell'arte universale: il periodo che coincide con la formazione e con le prime prove del giovane Michelangelo.

La cosa importante sono i prestiti che questa mostra ha ottenuto e le opere che per la prima volta possono essere messe a confronto: la Madonna di Manchester, le sculture di Siena, di Bologna, di Napoli.

Costruire una mostra come questa, ottenere prestiti di tale rilievo, era una scommessa temeraria. Se ci siamo riusciti è perché il mondo internazionale degli studi – dall'Italia agli Stati Uniti, dall'Inghilterra alla Francia – ha creduto nell'importanza scientifica della iniziativa. Per questo la National Gallery di Londra ha concesso la Madonna di Manchester, la Soprintendenza di Firenze ha messo in campo tutti i suoi crediti, l'Opificio delle Pietre Dure di Giorgio Bonsanti ha offerto consulenze e garanzie, i soprintendenti e i direttori di Museo di mezza Italia hanno autorizzato prestiti in altri tempi e per altre occasioni improponibili prima ancora che inconcedibili. Il primato della ricerca, il desiderio di capire per la via ardua della disamina filologica degli originali e del confronto scientifico con le attribuzioni la genesi del genio michelangiolesco, hanno sovrastato ogni altra pur legittima preoccupazione. Di questo ringrazio gli amici e i colleghi italiani e stranieri.

A Kathleen Weil-Garris Brandt che la mostra ha voluto con indomita determinazione, a Cristina Acidini e a Nicholas Penny che l'hanno aiutata nella difficile impresa, alla New York University, all'Ente Casa Buonarroti, alla Fondazione Roberto Longhi che tanta parte hanno avuto nelle garanzie istituzionali e nel supporto scientifico, a Filippo Zevi di Artificio che ha curato l'organizzazione senza mai dubitare del risultato, va la viva gratitudine mia personale e della Amministrazione che rappresento.

A Guido Clemente, presidente della Firenze Mostre un augurio: che questa sia la prima di una lunga serie di mostre altrettanto importanti per qualità scientifica e internazionale prestigio.

Antonio Paolucci
Soprintendente per i Beni Artistici e Storici delle province di Firenze, Pistoia e Prato

L'Ente Cassa di Risparmio di Firenze è stato molto lieto di accogliere l'invito a farsi promotore della Mostra "Giovinezza di Michelangelo" insieme al Comune di Firenze e alla Soprintendenza per i Beni Artistici e Storici di Firenze, Pistoia e Prato.
La mostra viene effettuata con la collaborazione dell'Opificio delle Pietre Dure, della Fondazione Longhi e della New York University, nella Sala d'Arme di Palazzo Vecchio e nelle sale di Casa Buonarroti e accoglie opere che testimoniano la formazione e il contenuto culturale in cui l'artista trovò alimento. Essa costituisce un'occasione irripetibile per ammirare molte opere di Michelangelo riunite insieme e messe a disposizione dalle più prestigiose istituzioni mondiali, tra le quali il Metropolitan Museum di New York, la National Gallery di Londra, il Louvre di Parigi. Vi può essere ammirata anche la scultura giovanile di Michelangelo Fanciullo arciere*, recentemente ritrovata a New York.*
Tutti conosciamo le opere della maturità di questo genio universale, mentre sappiamo troppo poco sulle sue opere giovanili. Di queste, infatti, molte sono andate perdute e altre sono state distrutte dallo stesso artista. Ma in questi ultimi anni si è risvegliato un notevole interesse degli studiosi e degli appassionati per l'attività giovanile di Michelangelo, con organizzazione di mostre significative e realizzazione di studi approfonditi.
L'attuale mostra nasce proprio sulla scia di questo nuovo interesse.
I promotori della mostra e tutto lo staff organizzatore si sono posti l'obiettivo di raggiungere in questa manifestazione il massimo di qualità mostrando la capacità di Firenze di porsi come protagonista indiscusso nell'attività di promozione e valorizzazione dei beni culturali.
Anche il catalogo predisposto in occasione dell'esposizione, al quale hanno collaborato studiosi di fama internazionale e che sarà sostenuto da fondamentali nuove ricerche d'archivio, documenta i risultati del notevole lavoro che i curatori della mostra hanno fatto per portare all'attenzione del grande pubblico questo pur importante momento della vita dell'artista e della storia dell'arte.
L'Ente Cassa di Risparmio di Firenze è sensibile a tutto quanto è legato a Firenze, al suo territorio, alla sua storia, e non ha voluto far mancare la sua presenza e anche un suo contributo per rendere possibile questa importante manifestazione che pone ancora una volta la nostra città all'attenzione del mondo culturale e che interessa non solo gli esperti della materia.
L'iniziativa, infatti, ben si inserisce nell'attività connessa con gli scopi dell'Ente Cassa di Risparmio di Firenze che impiega tutte le sue risorse disponibili per le proprie finalità statutarie tra le quali in primo luogo la cultura di Firenze e della Toscana e la salvaguardia delle loro memorie storiche. Esse costituiscono un patrimonio che deve essere conosciuto e curato allo scopo di goderne e di poterlo trasmettere integro a chi ci seguirà.

Alberto Carmi
Presidente
Ente Cassa di Risparmio di Firenze

L'Opificio delle Pietre Dure e Laboratori di Restauro di Firenze, Istituto Nazionale e Statale di Restauro, con sede a Firenze ma attivo su tutto il territorio italiano, è lieto di partecipare a un'iniziativa dell'importanza scientifica della mostra michelangiolesca. Il nostro Istituto mette volentieri a disposizione, ai fini della migliore riuscita dell'esposizione, le proprie competenze relative alle operazioni di trasporto alla sede espositiva di alcune fra le opere presentate, e al conseguimento delle migliori condizioni climatiche nella Sala d'Arme di Palazzo Vecchio. Nel primo caso, si tratta di studiare la più sicura estrazione dal contesto di appartenenza di opere di straordinaria importanza (da Siena, Bologna, Scarperia) e di sorvegliare le operazioni di imballaggio, trasporto e collocazione in mostra. Nel secondo, di garantire alle opere e ai prestatori la disponibilità di un ambiente per quanto possibile climaticamente stabile, e idoneo a conservare senza pericoli manufatti che hanno alle spalle parecchi secoli di storia, in situazioni a volte decisamente particolari (si pensi al San Procolo *di Bologna, danneggiato dalla caduta di una scala pochi decenni dopo la sua realizzazione per mano di Michelangelo). Essenziale è stata dunque la collaborazione dei settori di restauro dei materiali lapidei e dei mosaici e pietre dure, diretti da Annamaria Giusti, ove hanno operato Carlo Biliotti e Giancarlo Raddi delle Ruote; e di climatologia e conservazione preventiva, diretto da Cristina Danti, e in cui si segnala la presenza di Roberto Boddi, particolarmente conosciuto in questo ambiente disciplinare.*

Tredici anni dopo la mostra "Donatello e i Suoi", altre sculture di straordinaria importanza vengono, dunque, presentate al pubblico della nostra città e a quello internazionale nel contesto di un'esposizione. Questo genere di presentazione comporta e permette la veduta ravvicinata di opere spesso scarsamente valutabili a causa della loro collocazione elevata, e l'osservazione integrale compreso dunque, in particolare, il retro, per opere destinate invece a una nicchia. La fruizione di queste statue nell'occasione attuale è dunque spesso decisamente diversa da quella prevista e voluta a suo tempo dall'artista, ma consente eccezionalmente, in condizioni di improbabile ripetibilità, uno studio certamente stimolatore di nuove idee e di inedite direttrici di ricerca. Nella mostra attuale, per di più, la presenza della Madonna di Manchester *offre la straordinaria possibilità di avere a Firenze, a poche decine di metri di distanza l'uno dall'altro, l'unico dipinto completato da Michelangelo, il* Tondo Doni *degli Uffizi, e uno dei due soli tuttora esistenti e lasciati incompiuti (insieme con l'altro dipinto londinese della* Deposizione di Cristo*) dallo stesso artista. Ecco allora che l'utilità scientifica delle mostre d'arte, a volte non più che un'asserzione di comodo, può trovarsi nell'occasione presente validamente confermata.*

Giorgio Bonsanti
Soprintendente dell'Opificio delle Pietre Dure e Laboratori di Restauro di Firenze

Ben volentieri la Casa Buonarroti accoglie nelle sue sale parte di una mostra che prende le mosse dai due capolavori, la Madonna della scala *e la* Battaglia dei centauri, *lasciati dallo stesso Michelangelo nella casa di famiglia come testimonianza basilare del suo esordio, già tanto pregnante di futuro.*
D'altronde, negli ultimi quindici anni più di una volta abbiamo affrontato con nuove ricerche gli ardui temi della giovinezza di Michelangelo; e in particolare le nostre mostre "Michelangelo e i maestri del Quattrocento" (1985), "Michelangelo e l'arte classica" (1987) e "Il giardino di San Marco" (1992) hanno voluto diffondere presso un pubblico non soltanto nazionale l'immagine del genio già così scattante nella sua prima fase.
Proprio per questo apprezziamo come merita il nuovo, e assai impegnato, contributo offerto da questa mostra per la soluzione dei molti enigmi che ancora velano l'intero periodo iniziale di Michelangelo e il suo processo formativo, certamente complesso: anche perché l'artista attuava sempre un assorbimento profondo delle tematiche, riuscendo fino dall'adolescenza a pervenire a soluzioni personalissime e di alta sintesi.
Ci piace sottolineare, infine, come i due preziosi rilievi marmorei, da sempre emblema della Casa Buonarroti, si presentino in questa occasione a un pubblico più vasto nelle condizioni di limpida lettura permesse da recenti restauri (rispettivamente, la Battaglia dei centauri *nel 1992, la* Madonna della scala *nel 1997); mentre il* Crocifisso *di Santo Spirito, dopo essere stato esposto per oltre trent'anni nel nostro Museo, farà parte delle opere di Michelangelo raccolte in Sala d'Arme, presentandosi restaurato con finanziamento del Comune di Firenze che ne ha la proprietà; per tornare, terminata la mostra, alla sua sede originaria nella splendida basilica di Oltrarno.*

Luciano Berti
Presidente
Ente Casa Buonarroti

Pina Ragionieri
Direttrice
Ente Casa Buonarroti

Dalla Fondazione Roberto Longhi è venuta la proposta di partecipare, alla città che più di ogni altra ne ha il titolo, i risultati dell'intenso lavoro su scala internazionale che sta ridisegnando la giovinezza di Michelangelo, un periodo misterioso e reso problematico già a partire dalla non concordanza delle fonti primarie, il Condivi e il Vasari, e dalla reticenza con la quale in maturità l'artista ne ha voluto ricostruire la trama.

La possibilità di portare a buon fine questo progetto, che mi sembrava ormai non potersi rimandare, si presentò con l'iniziale consenso accordatomi dalla direzione della National Gallery di Londra a prestare a Firenze la tavola della Madonna di Manchester. *L'idea della mostra fu fatta propria dall'assessore Guido Clemente, che ha coordinato la necessaria e preziosa partecipazione delle altre istituzioni preposte alla tutela, ed è stata accolta con la consueta generosità dall'Ente Cassa di Risparmio di Firenze.*

Una letteratura di alta levatura, come richiedono gli argomenti, ha offerto, si diceva, indicazioni di grande portata per pervenire a questo progetto di mostra.

In breve. Il saggio del 1964 di Margrit Lisner ha restituito a Michelangelo, non senza riserve da parte di altri studiosi, il Crocifisso *ligneo di Santo Spirito. Al giardino di San Marco è stato ridato nel 1992, dalla mostra di Casa Buonarroti curata da Paola Barocchi e dal saggio di Caroline Elam, quel ruolo indicato dalle fonti che recentemente gli era stato negato.*

Una svolta importante e un'esemplare e stimolante lezione di metodo ha rappresentato, a mio vedere, la mostra, curata nel 1994 da Nicholas Penny e da Michael Hirst alla National Gallery di Londra, che ha riproposto l'autografia delle due tavole londinesi, la Madonna di Manchester *e il* Seppellimento di Cristo, *come testimonianze della prima attività di Michelangelo pittore e della sua formazione, negata dal Condivi, nella bottega del Ghirlandaio, nonché tappe necessarie per pervenire al* Tondo Doni. *L'esposizione ha offerto altresì consistenti indicazioni tecniche attraverso il referto di Jill Dunkerton a continuazione delle prime indagini fotografiche e di laboratorio avviate negli anni sessanta, e potendosi riferire anche ai risultati delle ricerche condotte a Firenze sul* Tondo Doni.

Il 1992 vide ancora il ritrovamento a Manhattan, dovuto a James David Draper, del marmo del Fanciullo arciere *che, apparso a Londra alla vendita Bardini nel 1902 con l'attribuzione al Buonarroti, era stato ripubblicato nel 1968 come tale, ma senza conoscerne l'ubicazione, da Alessandro Parronchi. Kathleen Weil-Garris Brandt ne ha rilanciato nel 1996 la paternità michelangiolesca, accolta anche da Colin Eisler e da James Draper, mentre Michael Hirst si è pronunciato in favore di Bertoldo. Strada facendo la scultura ritrovata ha guadagnato altri consensi come autografa del Buonarroti (e il mio è tra questi). Le ricerche successive hanno portato ulteriori affascinanti elementi per ricostruirne l'identità e l'attribuzione a Michelangelo, la conferma della provenienza Borghese, già dal Seicento, menzionata dal Bardini, e il recupero dello stato nel quale si trovava nel Settecento, grazie a un disegno di Jean-Robert Ango, e riaprono il problema dell'identificazione con il* Cupido/Apollo *di Michelangelo ricordato come appartenente a Jacopo Gallo dal Condivi e dalla descrizione di Ulisse Aldrovandi.*

Il Fanciullo arciere *è il più appassionante quesito della mostra fiorentina. Un'insostituibile opportunità di studio viene offerta in questa occasione, consentendo il confronto, nelle sedi della Sala d'Arme in Palazzo Vecchio, di Casa Buonarroti e di Bargello, con le superstiti prime opere di Michelangelo compiute a Firenze e nel primo soggiorno romano – con l'assenza del* Seppellimento di Cristo *di Londra e della* Pietà *di San Pietro in Vaticano – e con parte dei marmi eseguiti per Bologna e per Siena. Tra queste prime opere è esposto anche un putto, proposta collaborazione per la tomba napoletana in Sant'Anna dei Lombardi di Benedetto da Maiano, lo scultore che, sebbene le fonti non ne parlino, è stato giustamente considerato nella problematica giovanile del Buonarroti. E ancora sono stati riuniti disegni relativi a opere perdute e ipotesi, come quelle per l'*Ercole *proposte da Paul Joannides.*

La presenza di Bertoldo è tuttavia il principale complemento per affrontare sul campo il problema nella sua totalità, comprese le divergenze di opinioni e le riserve ancora aperte.

Le opere esposte permettono di seguire i due percorsi paralleli del giovane artista, il maturarsi della pienezza formale e l'accesso all'erotismo nell'imitazione e interpretazione dell'antico e la profondità della meditazione spirituale di ispirazione leonardesca e neoplatonica nei temi religiosi.

Dedico la mostra ai fiorentini, alla intelligenza e vis *critica, alla viva capacità di partecipazione e al legame di affetti mai interrotti con i grandi della loro storia che li distinguono.*

Mina Gregori
Presidente della Fondazione Roberto Longhi

New York University enjoys a special relationship with the city of Florence due in large part to the magnificent bequest of the Villa La Pietra by Sir Harold Acton. This wonderful gift serves as the cornerstone of our academic and research activities in Europe. This semester we have over two hundred students studying in Florence and benefiting from the city's rich cultural, intellectual, and social activities and traditions.

The "Giovinezza di Michelangelo" exhibition is one of many important collaborations that comprise our strong ties with Florence. We are enormously grateful that so many religious organizations, museums and private collectors from all over Europe are participating in this unique exhibition of Michelangelo's early works. I note with great pride that one of our own faculty members from NYU's esteemed Institute of Fine Arts and the Department of Fine Arts, Professor Kathleen Weil-Garris Brandt, was able to devote herself to this marvelous endeavor. We are sure you will find this exhibition an incredibly enjoyable and educational experience.

La New York University è felice di questo speciale connubio instauratosi con la città di Firenze, dovuto soprattutto al lascito di Villa La Pietra da parte di Sir Harold Acton. Questo splendido dono è una pietra angolare per le attività accademiche e di ricerca in Europa. In questo semestre abbiamo più di duecento studenti che studiano a Firenze e si arricchiscono del suo straordinario patrimonio culturale, intellettuale e sociale.

La mostra "Giovinezza di Michelangelo" non è che una delle molte occasioni che rafforzano il nostro forte legame con Firenze. Siamo profondamente grati alle numerose istituzioni religiose, ai musei e ai collezionisti privati che da tutta Europa hanno partecipato a questa straordinaria mostra dedicata all'opera giovanile di Michelangelo. È motivo di grande orgoglio che un nostro professore, del prestigioso Institute of Fine Arts e il Department of Fine Arts, professoressa Kathleen Weil-Garris Brandt, si sia dedicata a questa incredibile impresa. Siamo sicuri che troverete questa mostra davvero piacevole e sarà una grande esperienza educativa.

Dr. L. Jay Oliva,
President
New York University

Sommario

Elenco delle abbreviazioni che compaiono nei testi

ASP	Archivio di Stato di Prato
ASF	Archivio di Stato di Firenze
ASR	Archivio di Stato di Roma
ASVR	Archivio Storico del Vicariato di Roma
ASV	Archivio Segreto Vaticano, Città del Vaticano
AASGFR	Archivio dell'Arciconfraternita di San Giovanni dei Fiorentini di Roma
APTFMF	Archivio Provinciale della Toscana dei Frati Minori di Firenze
BAV	Biblioteca Apostolica Vaticana, Città del Vaticano
BNCF	Biblioteca Nazionale Centrale di Firenze
ISRF	Istituto di Studi del Rinascimento di Firenze
GDSU	Gabinetto Disegni e Stampe degli Uffizi, Firenze
SBAS	Soprintendenza per i Beni Artistici e Storici, Firenze, Prato e Pistoia
DAG	Départment des Arts Graphiques, Louvre, Parigi

Introduzione alla mostra

Le opere della maturità di Michelangelo sono immagini emblematiche dell'arte occidentale: l'inconfondibile coerenza d'immagine ed espressione evidente in tutta la produzione michelangiolesca, si tratti di disegni, pittura, scultura o architettura, rende quest'arte immediatamente riconoscibile per il grande pubblico.

Sulle opere giovanili di Michelangelo, invece, sappiamo fin troppo poco. Della quantità di opere menzionate nelle fonti rinascimentali, molte sono andate perdute o sono rimaste non riconosciute. I documenti indicano che il giovane artista ha realizzato altre opere non indicate dai biografi. Inoltre l'artista stesso ha sistematicamente cancellato le tracce dei suoi primi tentativi, come strategia nell'autocreazione del mito della propria identità di *enfant prodige* che compare sulla scena tutt'a un tratto, perfettamente formato, autodidatta divinamente ispirato, che non ha mai avuto né maestri, né apprendistato, né esperimenti o incertezze artistiche. Più tardi, sempre con l'intervento diretto di Michelangelo stesso, le biografie di Condivi e di Vasari davano a questo mito l'impostazione e la forma canonica.

Il mito ha continuato a trasformarsi secondo le esigenze culturali dei secoli successivi. Con la riscoperta alla fine del Settecento, da parte di Reynolds, di Michelangelo, quest'ultimo diventò esemplare per il sublime, forse a svantaggio di altri aspetti della sua arte. Così, la coerenza unica dello stile michelangiolesco, eroico, squisitamente personale e sempre riconoscibile come tale, diventa un articolo di fede romantica nella libertà, autonomia e originalità dell'individuo inteso come cittadino e come creatore. Invece le nuove filologie "scientifiche" del tardo Ottocento e del nostro secolo hanno contribuito in modo essenziale a rimpicciolire e razionalizzare il vasto numero di opere tradizionalmente attribuito al maestro, seguendo i criteri paralleli della documentazione archivistica e di una ricerca visiva accurata per stabilire la *Eigenhändigkeit* (il segno grafico autentico dell'artista). Corollario di questo approccio era la convinzione che una "prova" del genio fosse l'inevitabilità del suo ulteriore "progresso lineare" verso una sempre più perfetta espressione personale.

Finché l'immagine familiare dell'arte matura di Michelangelo restava il criterio in base al quale riconoscere le sue opere giovanili, vi è stato scarso consenso a proposito fra gli studiosi. Opere evidentemente in stretta correlazione con quelle documentate, ma di aspetto "diverso" dall'eroico Michelangelo canonico, non potevano essere considerate autentiche, ma dovevano invece essere copie o imitazioni. Le condizioni fisiche problematiche di un'opera (come per esempio il *San Procolo* di Bologna), e così la sua "imperfetta" bellezza o maestria, sembravano in tal modo escludere l'*Eigenhändigkeit* michelangiolesca.

Come si vedrà più sotto, la nostra mostra e il suo catalogo propongono sia nuovi documenti e immagini, sia un approccio volutamente aperto a sottoporre a revisione critica anche ciò che è dato per scontato.

Perciò va detto subito e con enfasi, che le revisioni proposte qui all'immagine di un divino Michelangelo non sono da considerare un tentativo di smantellamento o di denigrazione delle ineguagliabili conquiste di Michelangelo e della sua reputazione.

Non cerchiamo nemmeno di invalidare il mito di Michelangelo. Al contrario ci focalizziamo su un realtà storica che ancora esercita uno straordinario potere sulla coscienza e il subconscio dei nostri tempi. Se i miti del passato hanno reso difficoltoso inquadrare gli esordi del grande maestro, l'evidenza delle nuove informazioni circa il brillante adolescente può solo accrescere la nostra ammirazione per il suo merito e il suo coraggio mettendo in risalto quanto la lotta sia stata più dura e quanto gli sforzi e le frustrazioni siano stati più grandi, sulla via della maestria, rispetto a quello che il giovane artista stesso aveva ritenuto dignitoso.

Comunque ogni nuovo incontro con l'arte e la vita di Michelangelo continua a rendere storicamente più fondato e ricco di risonanza quello che è stato e rimasto, credo, il profondo significato del mito di Michelangelo, che lo rende vitale e prezioso in tutto il mondo anche per le persone che non hanno interesse particolare per il Rinascimento o per l'arte.

Già da giovane e contro l'autorità del padre e a dispetto degli atteggiamenti della società, Michelangelo scelse la scultura. Nella ribellione di adolescente e in quello che si sapeva della sua vita adulta, Michelangelo era riuscito, in modo eroico e inaudito per il suo tempo, con la sola forza della sua arte e del suo carattere, a piegare alla sua volontà le istituzioni del potere e le consuetudini della società per ottenere la libertà di stabilire la propria vita; monito, esempio e speranza per tutto quello che può l'individuo.

È altamente significativo che questa mostra, così diversa e così ampiamente internazionale nei prestiti e nei collaboratori, sia stata generosamente sponsorizzata, organizzata e realizzata dentro e dalla stessa città di Firenze e che studiosi fiorentini abbiano contribuito in maniera così determinante al suo catalogo.

L'impegno dedicato dalle istituzioni e dagli studiosi fiorentini a questo progetto indica la convinzione, sostenuta da tutti coloro che sono coinvolti, che si onori maggiormente Michelangelo qualora lo si consideri come un vitale protagonista riguardo al quale vi è ancora così tanto da dire e così tante domande non ancora poste o a cui ancora non si è trovata una risposta alla fine del ventesimo secolo.

Infatti, è proprio l'abbondanza dei recenti epocali ripensamenti sull'attività giovanile di Michelangelo che ha reso possibile e auspicabile la nostra presente impresa. Innanzitutto, lavori come quelli di questa mostra sono fondamentalmente indebitati all'insegnamento di Johannes Wilde, soprattutto alla sua intuizione che l'attribuzione, per esempio di disegni, a Michelangelo doveva essere basata sui criteri della funzione, preparazione e produzione dell'opera e non solo sul gusto o senso per la qualità estetica del conoscitore. Così, Wilde ha potuto riconoscere che tutto un gruppo di disegni negati al maestro per la loro fattura sfaccettata e rapida erano disegni autentici ma ricoprivano un'altra funzione nel processo compositivo rispetto ai disegni più compiuti. Il disegno per la tomba di Giulio II del 1505 (vedi cat. n. 11) è stato identificato da Hirst come un esempio di questo tipo.

Questo genere particolare dell'ampliamento dell'œuvre ha profondamente influito anche sull'attribuzione ad altri grandi quali Leonardo e Raffaello, come si vede nei lavori di studiosi come Shearman, Oberhuber, Joannides, Frommel. Ugualmente, i vecchi criteri di contrapposizione binaria nell'attribuzione (tra Michelangelo o non Michelangelo) non sembrano più adeguati o appropriati. Invece l'analisi critica va basata su una più precisa conoscenza delle procedure pratiche utilizzate nella produzione delle opere d'arte. Così come hanno dimostrato Kemp e Brown per Leonardo, anche se una pittura veniva portata a termine da altri, il maestro aveva potuto fornirne il disegno o cartone sottostante. Queste considerazioni valgono ancora di più per la scultura. Una superfice malridotta e "brutta" non è di per sé indizio sicuro che Michelangelo non abbia iniziato il lavoro. Più recentemente si è scoperta la straordinaria validità di quest'osservazione durante il restauro della tomba di Giulio II compiuta da Michelangelo e aiutanti per la chiesa di San Pietro in Vincoli.

In tempi recenti, l'importante mostra fiorentina "*Il giardino di San Marco*" del 1992 e le ricerche di Caroline Elam hanno dato nuova concretezza storica a quello che era erroneamente discreditato come mito vasariano della formazione di Michelangelo sotto l'egida di Lorenzo il Magnifico. Nel 1994, una piccola ma altamente significativa mostra allestita alla National Gallery di Londra si è incentrata su due tavole, la *Madonna di Manchester* e la *Deposizione* di Londra, emarginate dalla critica della prima parte del nostro secolo come derivati o pastiches dopo Michelangelo. Michael Hirst, Jill Dunkerton e Nicholas Penny hanno presentato il formidabile dossier storico e scientifico a sostegno dell'antica attribuzione al giovane Michelangelo stesso. La mostra ha cambiato in molti le convinzioni tradizionali riguardo la giovinezza di Michelangelo e confesso con piacere che è stata proprio l'esperienza di questa mostra ad aprirmi gli occhi e la mente circa la possibile candidatura del *Fanciullo arciere* di New York e le vaste implicazioni per l'opera michelangiolesca. Nel 1997 le mie *Slade Lectures* all'Università di Oxford mi hanno dato un'ulteriore opportunità di riflettere sulla giovinezza di Michelangelo e i miti che l'accompagnano e determinano i nostri giudizi in proposito.

Grazie alla straordinaria generosità di musei e chiese d'Italia, e di musei europei e statunitensi, la mostra fiorentina riunisce, per la prima volta in assoluto, le opere giovanili certe di Michelangelo – sculture, pitture, disegni. Sarà possibile vedere per la prima volta anche le opere che sembravano più conosciute: affermazione, questa, che può apparire bizzarra, ma che assume valore dato che la maggior parte di questi lavori di fatto sono rimasti invisibili perché conservati in posizioni molto elevate nei contesti architettonici o nel buio delle chiese.

Queste opere vengono confrontate con un nucleo di altre opere famose che in passato sono state ritenute solo riflessi della sua arte, ma che le più recenti ricerche scientifiche ripropongono come autentiche prove del giovane maestro.

Abbiamo il privilegio unico di mettere a confronto opere come la *Madonna di Manchester* di Londra, cui non è mai stato permesso di uscire dalla National Gallery, con altre fiorentine come il *Crocifisso* ligneo di Santo Spirito, che è in procinto di lasciare, dopo molti anni, la Casa Buonarroti. I prestiti includono anche opere come le tre sculture michelangiolesche di Bologna, il *San Paolo* di Siena, e il *Putto* accattivante, attribuito a Michelangelo, dell'altare marmoreo di Benedetto da Maiano a Napoli, cioè opere che non sono mai state presentate prima d'ora nell'ambito d'una mostra, nonché novità come il *Fanciullo arciere* in marmo di New York.

Questa scultura è incompiuta e danneggiata, ma una delicata pulizia e una serie di esami alla luce diurna dei laboratori di restauro del Metropolitan Museum, così come le nuove ricerche riguardanti la lontana provenienza della scultura, offrono sostegno documentario all'opinione, dal consenso sempre crescente, che la statuetta, in apparenza così "poco michelangiolesca" nel senso più comune del termine, in realtà rifletta l'ambiente del giardino di Lorenzo il Magnifico, mettendo quindi a dura prova le convinzioni più radicate circa gli esordi di Michelangelo.

Il catalogo

Anche il catalogo esce dalle aspettative usuali. Non vuol essere divulgativo, né enciclopedico; non si propone come un riepilogo completo delle informazioni disponibili. Grazie alle eccellenti ricerche più recenti possiamo spesso limitarci ad accenni e a bibliografie. Trattiamo solo certi argomenti sui quali speriamo di aggiungere qualche nuova domanda o informazione. La mostra non comprende tutte le opere documentate prima del *David*. Nell'assenza dell'originale, limitiamo il discorso sulla *Pietà* vaticana, anche se quest'opera è un'indiscutibile pietra di paragone per l'opera giovanile e per qualsiasi confronto. Del resto dobbiamo prescindere dalla discussione su varie opere smarrite, quali, per esempio, l'*Ercole*, il *David* di bronzo, il *San Giovannino*, e, fra i dipinti, il *San Francesco* e la *Battaglia di Cascina*. Né certo intendiamo confrontarci con tutte le proposte di attribuzione a Michelangelo che si sono via via affacciate negli studi. Inoltre non è un caso che i disegni esposti nella mostra, tranne possibilmente uno o due, sono da datare solo dopo il ritorno dell'artista da Roma verso il 1501 quando era diventato già celebre. Sfioreremo appena la problematica riguardante la *Madonna di Bruges*.

Nel catalogo gli argomenti sono trattati in saggi, in brevi introduzioni alle sezioni della mostra, in schede dedicate alle singole opere (in una sequenza che richiama, per quanto possibile, l'ordinamento della mostra). Nei limiti imposti dal catalogo e dal tempo, i saggi esplorano soltanto una selezione dei temi riaperti di recente da revisioni critiche nei confronti della formazione e della prima attività di Michelangelo. Nel catalogo, i nostri collaboratori esprimono talvolta opinioni divergenti su argomenti comuni, dimostrando così la vitalità dell'attuale ricerca. Offriamo, inoltre, una cronologia ragionata dalla nascita di Michelangelo nel 1475 al suo ritorno a Firenze nel 1501, ma che, per certi aspetti, ci conduce anche nel pieno Cinquecento, permettendoci di seguire da vicino, con nuova precisione, gli spostamenti e le vicende dell'artista e delle *dramatis personae* della sua vita in quel movimentato periodo. La cronologia diventa strumento di integrazione che rivela incontri e svolte determinanti per la vita sociale, politica e professionale di Michelangelo agli esordi; numerosi nuovi documenti provenienti dagli archivi di Firenze e Roma fanno da guida all'inizio di una vera e propria riscoperta di quel grande continente sconosciuto che fu la giovinezza dell'artista.

Nella stesura dei saggi come in quella delle schede è stato attribuito un grande rilievo alla valutazione degli aspetti di tecnica e di conservazione delle opere di importanza cruciale per la ricostruzione del profilo dell'artista da giovane: aspetti rilevanti non solo e non tanto per se stessi, ma soprattutto come strumenti di comprensione critica. Infatti le osservazioni per così dire tecniche si propongono di servire come strumenti per interpretare anzitutto in qual modo l'opera fu realizzata, poi quale fu la sua vicenda materiale nel tempo e infine come le sue attuali condizioni influenzino il nostro giudizio su di essa. In alcune sculture michelangiolesche, per fare solo un esempio, il trattamento "non finito" coesiste e si mischia con le mancanze derivanti dai traumi e dai danni del tempo, in un'intrigante compresenza con "rilavorazioni" autografe o estranee: cosicché solo una decifrazione analitica delle superfici e dei volumi porta ad attribuire a ciascuna delle componenti la giusta posizione ed estensione, e dunque il giusto peso nella valutazione generale. I risultati di queste riletture ravvicinate e capillari, anche di capolavori celeberrimi, sono spesso sorprendenti, poiché vengono a smentire la convinzione diffusa (anche tra gli specialisti) che l'opera di un grande maestro sia al di fuori del tempo, compiuta senza possibilità di pentimenti o nuovi interventi, con piena soddisfazione dell'artista stesso.

Una mostra-città

La mostra è ospitata sia nella Sala d'Arme di Palazzo Vecchio sia a Casa Buonarroti, la casa che Michelangelo stesso acquistò per la sua famiglia. Con il fitto programma di dipinti e sculture seicentesche che rappresentano la storia e l'apoteosi del "Divino", la Casa Buonarroti è diventata la sorgente a cui hanno ampiamente attinto la fama e il mito di Michelangelo, specie nel corso dell'Ottocento, tradotti in chiave romantica (non dimentichiamo che proprio nel 1859 l'edificio è stato aperto al pubblico come museo). In Casa Buonarroti sono conservate le più famose opere della prima giovinezza del Buonarroti, *La Madonna della Scala* e la *Battaglia dei centauri*. In questa occasione le riesaminiamo da vicino con risultati inaspettati che portano a rivederne la cronologia e lo stato di conservazione. Inoltre ci serviamo di calchi, interi e parziali, preparati appositamente per la mostra, e di elaborazioni grafiche per aprire nuove prospettive critiche su queste opere tanto note, eppure mai comprese a pieno. Nell'allestimento è stato inserito un calco dei *Centauri* situandolo molto più in alto rispetto all'originale, per l'esigenza di migliorarne il confronto con il visitatore: infatti, caratteristiche precise del rilievo dimostrano che esso fu progettato per una sistemazione più alta, ovvero per una veduta da un punto di vista ribassato, come del resto era concepita anche la *Madonna della Scala* e quasi tutte le sculture rinascimentali. Fatto inedito, ancor più spettacolare, è l'uso che abbiamo fatto di alcuni calchi parziali della scultura: essi ci permettono di vedere il rilievo proprio secondo le angolazioni adottate da Michelangelo mentre scolpiva l'opera.

Poi si inquadrano queste straordinarie sculture in vari contesti culturali e sociali, visivi e letterari, archeologici e moderni, che ci invitano a ripensare a fondo il carattere della prima formazione del giovane. Invece del parto magico artistico incontaminato del genio bambino, assistito solo dai padrini della più alta nomenclatura intellettuale e politica, non saranno stati almeno ugualmente determinanti, per la sua bravura precoce, proprio gli insegnamenti di tradizioni di tecnica e di visualizzazione che facevano parte delle esperienze normali delle botteghe fiorentine?

Il discorso delle radici artistiche culturali della giovinezza michelangiolesca si sviluppa ancora nella Sala d'Arme. Naturalmente nel suo *background* c'è l'intera scultura del Quattrocento, con maestri sommi come Donatello e Luca Della Robbia, culminante nell'insegnamento di Bertoldo, *spiritus rector* del giardino di Lorenzo il Magnifico a San Marco, e di Benedetto da Maiano, suo probabile mentore nella scultura del marmo.

In Sala d'Arme vediamo anzitutto una ripresa dell'argomento della *Battaglia dei centauri*, con un calco intero e alcuni calchi parziali di singole figure e gruppi, che non solo offrono il tramite con la sezione di Casa Buonarroti, ma forniscono strumenti specializzati di confronto con le opere michelangiolesche di pittura, scultura e disegno riunite in Palazzo Vecchio, così come consentono di evidenziare anche nuove forti somiglianze con i maestri dell'artista, che ha sempre negato tali debiti. Le opere della maturità di Michelangelo presentano una tale unità che è facile trascurare un fatto risaputo, ovvero che in realtà le opere giovanili di cui è generalmente accertata la paternità dell'artista presentano fra loro differenze radicali. La mostra intende dimostrare quanto queste discrepanze corrispondano a scelte coscienti di modelli e modalità diversi finalizzate al "decoro visivo": per il giovane Michelangelo ogni immagine deve rispondere al particolare tipo di soggetto rappresentato e al relativo contesto. Il corpo del Cristo crocifisso è in tutto diverso da un centauro o da un Bacco.

Quando si riesce a considerare questa diversità quasi simultanea come elemento positivo dell'artista, risulterà forse possibile in futuro riconoscere anche altre opere della giovinezza che rimangono "invisibili" perché il loro aspetto non è conforme all'immagine mitica dell'arte michelangiolesca, considerata sempre eroica e monumentale. Tuttavia, così si inserisce Michelangelo in un discorso che attualmente impegna sempre di più la critica anche per altri grandi artisti quali Leonardo, Raffaello o Rubens: la necessità di riesaminare i postulati in base ai quali crediamo di identificare le opere giovanili di un grande artista.

Le ultime sezioni della mostra seguono le tracce dell'artista nel suo primo e determinante incontro con la Roma delle splendide antichità e dei grandi mecenati moderni e finisce con accenni a certe metafore poetiche e figurative michelangiolesche, presenti già nelle opere giovanili perdurando come sottofondo in quelle più tarde: si tratta di immagini che ci rivelano le sue più profonde intuizioni e convinzioni riguardo a che cosa sia l'arte e l'essere artista.

Ma a Firenze la mostra si estenderà oltre le sedi proprie, per diventare una "mostra-città". I visitatori sono invitati a seguire un itinerario cittadino per studiare anche opere della giovinezza di Michelangelo, di suoi maestri e contemporanei che rimangono nelle loro sedi: al Museo Nazionale del Bargello il *Bacco*, il *Tondo Pitti*, i *Musicisti* di Benedetto da Maiano, agli Uffizi il *Tondo Doni* e all'Accademia, naturalmente, il *David*; a Santa Maria Novella gli affreschi dipinti dal Ghirlandaio nel periodo in cui il giovane Michelangelo studiava con lui.

Il pubblico italiano può accedere alle opere della giovinezza di Michelangelo conservate nelle città d'arte, ma ciò nonostante, la distanza fra lo spettatore e le opere ha sempre reso le comparazioni visive specifiche e più decisive inaccessibili ai visitatori.

Perciò, in aggiunta alle opere originali, la mostra enfatizza la documentazione visiva. Per affrontare i problemi cognitivi insiti nella visione della scultura ci serviremo di immagini fotografiche e anche tridimensionali, per focalizzare specifici contorni, forme e tecniche comuni alle diverse opere, che in genere rimangono invisibili all'osservatore, e che hanno permesso di rivelare un affascinante "nuovo" Michelangelo.

Sebbene le tecniche di creazione di immagini tridimensionali al computer siano sempre più evolute, per adesso i calchi rimangono il modo migliore di documentare la scultura in forma tridimensionale. Oggi esistono nuove tecniche e nuovi materiali che permettono di fare grandi progressi nella finitura dei calchi.

In passato i musei hanno scrupolosamente evitato di esporre gli originali in vicinanza con i calchi, ma la mostra londinese del 1994 ha dimostrato quanto sia utile questo confronto. I calchi hanno oggi un ruolo importante sotto molti punti di vista. Documentano opere di scultura non esposte ma indispensabili, valgono come documenti della tecnica, della condizione, dello stato di deterioramento dell'opera; come strumenti per stabilire l'attribuzione, in quanto possono rivelare nuovi punti di vista, perfino degli originali esposti.

Per il tardo ventesimo secolo, i calchi in gesso delle opere di scultura incorporano l'inautentico, sono il simbolo della mano repressiva e soffocante imposta sull'arte moderna dalla tradizione accademica. Sono state distrutte quantità incalcolabili di calchi e i superstiti, di solito disprezzati, si sono ricoperti di polvere e risultano davvero repellenti. Non stupisce che molti musei disdegnino di esporli. Tuttavia comincia a diventare sempre più evidente il valore unico di collezioni come la gipsoteca di Firenze, del Victoria and Albert Museum e dei musei di calchi presenti in tutta Europa. Oggi i calchi, non più spregiati come insufficienti surrogati dell'originale, diventano elementi essenziali della documentazione storica e strumenti della visualizzazione.

Con questi mezzi offriamo confronti visivi altamente differenziati al livello che richiede lo scienziato e che potrebbero apparire contrari a quello che, come si dice spesso ed erroneamente, "piace al pubblico". Dietro questa frase comune, con la sua speciosa risonanza di democrazia e saggezza comune, sono in agguato tacite premesse, circa il più basso comune denominatore, che sono perniciose e offensive. Questa mostra offre a ognuno la libertà dei propri giudizi nella fede che sia pratico e prudente in una democrazia dare giusto riconoscimento all'intelligenza del pubblico.

Kathleen Weil-Garris Brandt

James Hankins

Ambiente mediceo nella Firenze del tardo Quattrocento

Nei primi scritti biografici su Michelangelo, sia Giorgio Vasari sia Ascanio Condivi ci raccontano con scrupolo descrittivo di come il giovane scultore conobbe Lorenzo il Magnifico. Lorenzo era un inveterato scopritore di talenti, un famoso mecenate. Era anche un appassionato collezionista di oggetti antichi, aveva raccolto una grande quantità di sculture, monete, medaglie, gemme intagliate, cammei e altri esemplari nel suo palazzo di via Larga e nel giardino del convento di San Marco, molto più giù lungo la strada. Le sue attività in qualità di mecenate e collezionista non erano aspetti distinti dalla sua vita intellettuale; al contrario, erano strettamente connessi. Tuttavia le collezioni medicee non erano destinate solamente al puro godimento o allo sfoggio. Esse erano anche considerate veri e propri strumenti didattici, modelli di ispirazione per gli artisti della sua epoca, visto che lo scopo precipuo di Lorenzo in veste di mecenate, così come quello di altri grandi mecenati del Rinascimento, era teso a incentivare un "revival" artistico, letterario e filosofico. Tale revival avrebbe ingentilito e nobilitato Firenze materialmente e spiritualmente – una "nuova Atene", come disse Poliziano –, consegnandola a eterna gloria.

Pertanto, qualunque sia l'enfasi retorica del racconto di Vasari[1], è del tutto plausibile supporre che Lorenzo abbia davvero invitato Domenico Ghirlandaio, uno dei maestri più famosi del tempo, a chiamare nel "giardino delle sculture" di San Marco alcuni tra gli allievi più dotati di talento per imparare l'arte della scultura. Là avrebbero avuto come guida il custode del giardino, Bertoldo di Giovanni, che era stato uno studente di Donatello. Fu in questo giardino che, per la prima volta, uno degli apprendisti del Ghirlandaio, Michelangelo Buonarroti, venne notato da Lorenzo. La storia è oltremodo famosa.

> Lorenzo vedendo si bello spirito lo tenne sempre in molta aspettazione, et egli inanimito dopo alcuni giorni si misse a contrafare con un pezzo di marmo una testa che v'era d'un fauno vecchio antico e grinzo, che era guasta nel naso e nella bocca rideva. Dove a Michelagnolo, che non aveva mai più tocco marmo né scarpegli, successe di contrafarla così bene, che il Magnifico ne stupì, e visto che fuor della antica testa di sua fantasia gli aveva trapanato la bocca e fattogli la lingua e vedere tutti i denti, burlando quel signore con piacevolezza, come era suo solito, gli disse: "Tu doveresti pur sapere che i vecchi non hanno mai tutti i denti e sempre qualcuno ne manca loro". Parve a Michelagnolo in quella semplicità, temendo et amando quel signore, che gli dicessi il vero; né prima si fu partito, che subito gli roppe un dente e trapanò la gengia di maniera, che pareva che gli fussi caduto; et aspettando con desiderio il ritorno del Magnifico, che venuto e veduta la semplicità e bontà di Michelagnolo, se ne rise più d'una volta contandola per miracolo a' suoi amici; e fatto proposito di aiutare e favorire Michelagnolo, mandò per Lodovico suo padre e gliene chiese, dicendogli che lo voleva tenere come un de' suoi figliuoli, et egli volentieri lo concesse; dove il Magnifico gli ordinò in casa sua una camera, e lo faceva attendere,

1. Si veda come riferimento K. Weil-Garris Brandt *The Nurse of Settignano: Michelangelo's Begininnigs as a Sculptor*, in *The Genius of the Sculptor in Michelangelo's Work*, catalogo della mostra, Montreal 1992, pp. 21-43.

dove del continuo mangiò alla tavola sua co' suoi figliuoli et altre persone degne e di nobiltà, che stavano col Magnifico, dal quale fu onorato[2].

Pare che l'incontro sia avvenuto nel 1489, quando Michelangelo aveva all'incirca quattordici anni. Stando alle nostre fonti, egli soggiornò a palazzo Medici fino all'aprile del 1492, anno in cui Lorenzo morì.

C'è sempre stato pieno accordo sul fatto che questi anni della prima gioventù trascorsi vivendo nel palazzo di Lorenzo, a contatto con lo straordinario talento artistico, letterario e filosofico della cerchia dei Medici, siano stati decisivi per la crescita intellettuale di Michelangelo. Oggetto di discussione è stato invece risalire alla precisa influenza che l'ambiente mediceo ha esercitato sul giovane scultore. Per buona parte di questo secolo, gli studiosi di Michelangelo risolsero il problema in una parola sola: neoplatonismo. Un tempo gli studiosi, da Erwin Panofsky a Edgar Wind, da Charles de Tolnay a André Chastel, erano perfettamente d'accordo sul fatto che i temi platonici sparsi qua e là nella poesia di Michelangelo, poi espressi nella sua arte, fossero scaturiti direttamente dagli insegnamenti di Marsilio Ficino. Pare che Ficino fosse a capo di un'associazione di platonici conosciuta come l'"Accademia Platonica di Firenze", che si riuniva nella villa Medici di Careggi sotto la protezione dello stesso Lorenzo. Secondo alcune delle prime interpretazioni, l'"Accademia Platonica di Firenze" rappresentava l'anima e il corpo della vita intellettuale medicea e quasi tutta l'arte e la letteratura del periodo potevano essere lette utilizzando il platonismo come una sorta di chiave d'oro che ne svelava i segreti.

A partire dagli anni sessanta, questo "panplatonismo" (secondo la definizione di Eugenio Garin) è diventato sempre più oggetto di forte critica. Lo stesso Garin, che aveva posto molta enfasi sull'eclettismo della vita intellettuale laurenziana, in un importante articolo pubblicato per la prima volta nel 1965, minò alle basi la teoria del presunto neoplatonismo di Michelangelo. Garin sintetizzò l'opinione tradizionale in questo modo:

> Michelangelo si trovò in anni decisivi alla corte di Lorenzo accanto a Ficino, Landino, Poliziano, Pico; tutti platonici. Ne sentì l'influenza, dunque ebbe un avvìo platonico: infatti considerò il corpo un carcere terreno, vide l'idea nascosta nella materia, sentì la tensione fra vita attiva e contemplativa, capì il senso della forma che emerge dall'informe. Poi subì il contraccolpo, ma anche il fascino, della predicazione savonaroliana. Così la sua ispirazione si tese fra la rinascita del neoplatonismo e i bisogni di una riforma piagnona; e tutto questo sullo sfondo degli ultimi aneliti dell'umanesimo civile della morente repubblica di Firenze[3].

Prendendo le distanze da questa convinzione, Garin esortò alla prudenza e a un esame scrupoloso delle sfumature. Il platonismo di Ficino e quello di Landino non erano identici e scaturivano da origini e motivazioni diverse. Poliziano non poteva assolutamente essere considerato un platonico e Pico, critico impenitente di Ficino, costruì il suo sistema di concordanze in aperta competizione con la teologia platonica di Ficino. Per quanto concerne Michelangelo, Garin osservò che i "ragionamenti d'amore" nella sua poesia richiamavano in modo molto generico la teoria sull'amore del *De amore* di Ficino e che invece potevano essere meglio interpretati all'interno del contesto della tradizione poetica fiorentina, in particolare Dante, Petrarca e i loro esegeti. Pur non dubitando del fatto che Michelangelo potesse effettivamente aver subito alcune influenze del platoni-

2. G. Vasari, *Le vite dei più eccellenti pittori, scultori e architetti*, 1568, ed. a cura di L. e C.L. Ragghianti, Milano 1978, IV, p. 316.

3. E. Garin, *Il pensiero di Michelangelo*, in *Michelangelo: artista, pensatore, scrittore*, a cura di M. Salmi, Novara 1965, ristampato in id., *L'Età nuova. Ricerche di storia della cultura dal XII al XVI secolo*, Napoli 1969, pp. 347-383.

smo – le orazioni volgari del ficiniano Giovanni Nesi, per esempio – si chiedeva in che modo il giovane Michelangelo, con un'istruzione da scuola elementare, potesse veramente aver padroneggiato "tutta la complessa e torbida cultura del neoplatonismo ficiniano... la sua sintesi fra antichità e cristianesimo secondo i modi e i simboli del grande platonico". In modo ancor più radicale, egli si domandava se tutti gli sforzi tesi a ricostruire il pensiero di Michelangelo ravvisando nella sua arte tracce delle dottrine platoniche non derivassero fondamentalmente da un errore di valutazione; al contrario, egli esigeva un contesto che, se pur modesto, bastasse a delineare i contorni del mondo culturale in cui Michelangelo si muoveva.

Nel corso degli anni ottanta e novanta, l'approccio "panplatonico" verso la cultura laurenziana è stato notevolmente screditato. Con lo sviluppo delle teorie revisionistiche, il ruolo di Marsilio Ficino all'interno della cerchia di Lorenzo ha perso via via l'importanza che gli era stata attribuita, rinvigorendo, per contro, quello di Pico e di Poliziano. Lo studio del carteggio di Lorenzo da parte di Riccardo Fubini e il lavoro eseguito da Sebastiano Gentile sulle lettere e i primi scritti di Ficino hanno permesso di venire a conoscenza dei forti contrasti che intercorrevano fra il politico e il filosofo. Il momento di massima influenza di Ficino su Lorenzo è probabilmente collocabile al 1473-74, quando il giovane statista intraprese alcuni studi occasionali con il grande platonico. Era il periodo in cui Lorenzo scrisse il *De summo bono* (oggi conosciuto come *L'Altercazione*), che indubbiamente mostra una robusta impronta ficiniana[4]. Tuttavia, per motivi ancora poco chiari, Ficino perse abbastanza rapidamente la fiducia di Lorenzo. Fubini ha suggerito che i rapporti, numerosi e stretti, intrattenuti da Ficino con persone implicate nella congiura dei Pazzi finirono per compromettere la stima di Lorenzo nei suoi confronti[5]. Gentile crede invece che Ficino rimase deluso dal fatto che Lorenzo non fosse riuscito a realizzare quell'immagine di re-filosofo di cui aveva letto nelle opere di Platone; fallì, in sostanza, il tentativo di sostenere i progetti ficiniani di riforma nello Studio fiorentino[6]. Fu solo verso la fine degli anni ottanta che Ficino sembra aver riacquistato un ruolo, per quanto modesto, all'interno dell'intima cerchia di Lorenzo. Ma, a quel tempo, sia Pico sia Poliziano si erano ormai affermati come i consiglieri intellettuali più devoti di Lorenzo; inoltre, molti altri filosofi e uomini di lettere si contendevano la sua attenzione. Ficino rimase in disparte[7].

Recentemente, nuovi studi hanno contribuito a cambiare notevolmente la nostra opinione sulla cosiddetta "Accademia Platonica di Firenze". Nel 1988 Arthur Field pubblicò una monografia in cui sostenne che il revival filosofico che ebbe luogo nella Firenze del Quattrocento non fu un'iniziativa unicamente medicea ma un movimento ampiamente strutturato che coinvolgeva diversi membri dell'élite, inclusi gli avversari dei Medici. Sebbene i Medici rappresentassero i tutori più importanti di Ficino, non erano affatto gli unici[8]. D'altro canto, la pubblicazione di documenti sullo Studio fiorentino, curata da Armando Verde, ha reso evidente che il centro-simbolo dell'attività culturale di Lorenzo era per l'appunto lo Studio fiorentino, un'istituzione che Lorenzo rifondò nel 1473 e che appoggiò generosamente fino alla sua morte[9]. Negli articoli pubblicati nei primi anni novanta, chi scrive argomentò la tesi secondo cui la concezione tradizionale dell'"Accademia Platonica di Firenze", teorizzata da Arnaldo Della Torre nel 1902[10], era in gran parte frutto di immaginazione e, di conseguenza, l'*academia* o il *gymnasium* di Ficino (la voce "Accademia Platonica" non compare nelle fonti coeve) doveva probabilmente essere una scuola privata modesta e informale con connessioni circoscritte ai Medici. Il patrocinio filosofico di Lorenzo non era affatto limitato al platonismo ma ab-

4. Vedi l'introduzione del mio commento filosofico al *De summo bono* di imminente pubblicazione, insieme all'edizione del testo a cura di Bernard Toscani, nella collana di "Studi e testi" dell'Istituto nazionale di studi sul Rinascimento.

5. R. Fubini, *Ficino e Medici all'avvento di Lorenzo il Magnifico*, in "Rinascimento", serie II, XXIV, 1984, pp. 3-52; id., *Ancora su Ficino e i Medici*, in "Rinascimento", serie II, XXVII, 1987, pp. 275-291; M.M. Bullard, *Marsilio Ficino and the Medici. The Inner Dimensions of Patronage*, in *Christianity and the Renaissance. Image and Religious Imagination in the Quattrocento*, a cura di T. Verdon e J. Henderson, Syracuse (NY) 1990, pp. 467-492.

6. S. Gentile, *Ficino e il platonismo di Lorenzo*, in *Lorenzo de' Medici: New Perspectives*, a cura di B. Toscani, New-York 1993, pp. 23-47.

7. J. Kraye, *Lorenzo and the Philosophers*, in *Lorenzo the Magnificent: Culture and Politics*, a cura di M. Mallett e N. Mann, London 1996, pp. 151-166.

8. A. Field, *The Origins of the Platonic Academy of Florence*, Princeton 1988.

9. A. Verde, *Lo Studio fiorentino, 1473-1503: Ricerche e documenti*, 5 voll., Firenze 1973-1993.

10. *Storia dell'Accademia Platonica di Firenze*, Firenze 1902.

bracciava a ventaglio un'ampia gamma di scuole filosofiche e orientamenti del tardo Quattrocento[11]. Questa tendenza a "deplatonizzare" la Firenze laurenziana si è altresì sviluppata di pari passo nella saggistica di storia dell'arte e, nel modo forse più significativo, nella recente monografia di Charles Dempsey sulla *Primavera*[12]. Dempsey sostiene che il dipinto mitologico di Botticelli dovrebbe essere letto come una sorta di poema visivo secondo la tradizione della classica poesia d'amore fiorentina, rifiutando così il punto di vista tradizionale secondo cui il quadro incarnava il platonismo fiorentino.

Al tempo in cui il giovane Michelangelo era un commensale nel palazzo di Lorenzo in via Larga, gli entusiasmi di Lorenzo e della sua cerchia per il platonismo si erano in gran parte spenti. Ficino continuò a scrivere e ad attirare discepoli; la sua fama oltrepassò le mura di Firenze diffondendosi ovunque in Europa grazie al potere della carta stampata; tuttavia non era più così intimo di Lorenzo. Con Argyropoulos, Landino e Bartolomeo della Fonte, egli apparteneva alla vecchia generazione che i giovani fiorentini attenti alla moda rispettavano ma ignoravano in larga misura. A partire dai primi anni ottanta, la scena fiorentina era stata dominata da due giovani di straordinario talento, Angelo Poliziano e Giovanni Pico della Mirandola. Come è tipico dei giovani saper trarre profitto dalle situazioni, essi non vedevano l'ora di smascherare gli errori e i limiti dei loro predecessori. Nella sua stesura originaria, il *Commento* (1486), opera giovanile di Pico, costituisce essenzialmente una critica pungente e in diversi punti personale del libro più conosciuto di Ficino, il *De amore* (1469). Pico si impegnò costantemente in una disputa filosofica con Ficino sulle questioni fondamentali, mentre le sue ricerche cabalistiche miravano a disfarsi della mite magia naturale di Ficino sostituendola con quella angelica e più potente degli antichi ebrei. Anche Poliziano, assai vicino a Pico, espresse chiaramente il suo distacco dal lavoro costruito dalle generazioni precedenti:

> Chi si cimenta nello studio dei poeti, deve studiare non solo accanto alla lampada di Aristofane, ma anche a quella di Cleante. Né deve prendere in esame solamente le famiglie dei filosofi, ma anche quelle dei giuristi, dottori, esperti nell'arte della dialettica e chiunque rientri nell'orbita del sapere che noi chiamiamo *encyclia* – inclusi tutti i filologi. Tuttavia non basta un rapido resoconto, occorre invece studiarli da vicino – non solo, per così dire, un saluto dall'ingresso e dall'anticamera, ma un invito ad entrare per fare amicizia[13].

In altre parole, la poesia deve essere studiata sia ai fini di scoprirne il significato nascosto, sia per intrattenimento, usando la filosofia come guida. Questo fu già il messaggio di Landino. Ma Poliziano andò oltre, insistendo sul fatto che per comprendere la poesia a fondo non bastava il sapere filosofico, occorreva una conoscenza enciclopedica di tutte le discipline. E non solo una conoscenza superficiale e generale (come sosteneva il suo vecchio rivale Della Fonte), ma una reale, profonda comprensione della cultura antica in tutta la sua pienezza.

Questa, indubbiamente, costituiva una sfida per gli eruditi contemporanei, ma cosa poteva significare per un adolescente come Michelangelo? Che cosa poteva mai aver appreso, seduto intorno al tavolo con persone del calibro di Lorenzo, Pico e Poliziano? Desterebbe sorpresa sapere che il fanciullo quindicenne fosse in grado di afferrare le sottili sfumature della filosofia delle concordanze di Pico o la filologia neoalessandrina di Poliziano. Tuttavia deve aver capito certe cose molto bene. Avrebbe imparato, ammesso che non ne fosse già a conoscenza, che la mente di questi nobili colti era satura di nozioni di

11. Cfr. i miei precedenti studi *Cosimo de' Medici and the "Platonic Academy"* in "Journal of the Warburg and Courtauld Institutes", LIII, 1990, pp. 144-162; *The Myth of the Platonic Academy of Florence*, in "Renaissance Quarterly", XLIV, 1991, pp. 429-475; *Lorenzo de' Medici as a Patron of Philosophy*, in "Rinascimento", nuova serie, XXXIV, 1994, pp. 15-53.

12. C. Dempsey, *The Portrayal of Love: Botticelli's Primavera and Humanist Culture at the Time of Lorenzo the Magnificent*, Princeton 1992.

13. A. Poliziano, *Opera omnia*, ed. I Maïer, 3 voll. Torino 1970, I, 517 (= *Miscellanea*, cap. 4): "Qui poetarum interpretationem suscipit, eum non solum (quod dicitur) ad Aristophanis lucernam, sed etiam ad Cleanthis oportet lucubrasse. Nec prospiciendae autem philosophorum modo familiae, sed et iureconsultorum et medicorum item et dialecticorum, et quicumque doctrinae illum orbem faciunt quae vocamus encyclia, sed et philologorum quoque omnium. Nec prospiciendae tantum, verum introspiciendae magis, neque (quod dicitur) ab limine ac vestibulo salutandae, sed arcessendae potius in penetralia et in intimam familiaritatem".

letteratura italiana classica e moderna, e che un uomo desideroso di fare carriera tra i grandi di questo mondo doveva parlare la loro lingua. Tutto ciò è ovvio. Ma al di là di questo, le capacità intellettuali e personali degli uomini intorno a lui devono averlo colpito in qualche modo. Deve aver notato l'insaziabile sete di conoscenza – la più recondita possibile – che animava gli spiriti degli amici più vecchi e stimati. Deve aver riconosciuto in Pico e Poliziano la superiorità imperturbabile nei confronti di opinioni assodate, fiacca retorica, gretti canoni tradizionali e rigide gerarchie. Egli era probabilmente consapevole del fatto che sia Pico sia Poliziano (con l'aiuto della biblioteca di Lorenzo) stavano allargando enormemente gli orizzonti della letteratura e filosofia contemporanee, arricchendo la cultura umanistica di un nuovo pluralismo. Deve aver intuito il loro sommo disprezzo per le tradizioni accademiche, lo slancio fiducioso con cui davano continuità e si equiparavano ai grandi uomini del mondo classico. Forse (si potrebbe speculare) avevano qualcosa in comune con l'impeto del fanciullo teso a infrangere gli stili consolidati del laboratorio fiorentino. Vivendo a villa Medici nel periodo in cui la disputa di Poliziano con Paolo Cortesi sul "Ciceronismo" era in pieno svolgimento, Michelangelo deve indubbiamente aver capito che il suo dotto amico stava difendendo il diritto dell'uomo moderno di attingere al mondo classico senza dover subire pesanti limitazioni; il diritto "di esprimere me stesso, non Cicerone", secondo la formula di Poliziano. Soprattutto non poteva rimanere indifferente davanti alla straordinaria, quasi maniacale ambizione culturale della cerchia di Lorenzo, ambizione oggi quasi inconcepibile. Dopo tutto, questa era una città dove Ficino e Pico, in aperta competizione, cercavano di elaborare grandiosi sistemi che comprendessero tutto lo scibile umano e divino, sistemi che avrebbero sostituito le teologie ufficiali, cristiane e non, dell'antichità e del medioevo. Era una città in cui Lorenzo con la sua biblioteca e Pico con i suoi studi si adoperavano per recuperare e organizzare in forma enciclopedica tutto il sapere ancora in vita degli antichi. Era una città dove Lorenzo poteva seriamente tentare di trasformare il toscano nella terza grande lingua classica e Firenze nella Nuova Atene. Nel giro di alcuni anni, sotto l'influenza del Savonarola, sarebbe diventata una città che nutriva l'aspirazione ancor più eroica di incarnare la Nuova Gerusalemme. Non si poteva trovare un ambiente migliore che preparasse Michelangelo alla Roma di Giulio II.

Piera Bocci Pacini

La riscoperta dell'antico*

1. L'incontro con l'arte greca e romana

"Francesco Petrarca fu il primo il quale ebbe tanta grazia d'ingegno, che riconobbe e rivocò in luce l'antica leggiadria dello stile perduto e spento"; così Leonardo Bruni nella sua vita del Petrarca (1436) consacra quello che fu, fra gli umanisti, diffuso giudizio: essere stata l'opera di Messer Francesco l'aurora del nuovo giorno spuntato dalla barbarie e dalla tenebra medievale[1]. Infatti il Petrarca, proteso alla ricerca intorno alla natura delle cose, oppone una umile filosofia degli uomini e della città terrena da loro edificata. Egli è il primo, in compagnia di Giovanni Colonna, a visitare Roma sulla base di Virgilio e di Livio, per scoprire i luoghi dove si erano svolti importanti eventi della storia romana, dove avevano operato gli Scipioni e i Cesari. Petrarca possiede anche una piccola raccolta di monete romane[2] che gli permettono di spiegare un passo di Svetonio e di acquistare una certa conoscenza dell'iconografia imperiale romana. Non a caso proprio a Padova inizierà la serie delle medaglie rinascimentali[3] da parte dei Carrara che, su ispirazione del Petrarca, avevano dipinto la sala dei "Virorum illustrium".

Comincia col Petrarca il periodo dei grandi viaggi archeologici; Ciriaco d'Ancona, che visita la Grecia e l'Oriente dove copia epigrafi e schizza monumenti, spiega che viaggia "per risuscitare i morti".

Il Boccaccio nel suo soggiorno a Napoli subisce il fascino dell'antico e in particolare delle epigrafi; in visita a Baia definirà "le macerie pur sempre nuove per spiriti moderni". A Firenze si conserva, in un codice laurenziano, un'epigrafe greca trovata a San Felice a Ema, trascritta, anche se in modo un po' incerto, dal Boccaccio[4].

Lo studio delle epigrafi è portato avanti a Firenze da Coluccio Salutati, che costituisce l'anello di congiunzione tra il Petrarca e il nuovo umanesimo[5]. Il suo volume *De laboribus Erculis* è probabilmente alla base della decorazione della porta della Mandorla del Duomo di Firenze, in cui si esplica una decorazione già rinascimentale con racemi d'acanto da cui emergono figure nude, una raffigurazione di Ercole con la pelle di leone sulla spalla sinistra e quella di Apollo con la lira[6]. Di Ercole, poi, sono rappresentate alcune delle fatiche come la lotta col leone nemeo, quella con Anteo e con l'Idra, riprese probabilmente da sarcofagi romani; il motivo di Apollo può derivare, invece, dal pilastro romano delle Grotte vaticane in cui è rappresentato con Marsia[7].

Le visite a Roma diventano una tappa obbligata: Niccolò Niccoli, il grande collezionista fiorentino, chiede a Poggio Bracciolini, segretario papale, di fargli da guida fra le rovine di Roma; lo stesso, nel 1427, gli chiede Cosimo de' Medici, che si farà accompagnare a Ostia. Poggio Bracciolini[8] approfitta dei soggiorni romani per studiare Roma sulla base dei classici; ad esempio, verifica gli acquedotti con Frontino alla mano, studia le mura serviane e quelle aureliane delle quali dà conto delle varie tecniche murarie nel *De varietate Fortunae* (1448).

Nel 1432-34, in occasione della visita dell'imperatore Sigismondo, lo accompagna in una visita alle antiche rovine Ciriaco d'Ancona[9], che si rattrista "della zotichezza dei Ro-

* Il terzo paragrafo del saggio anticipa l'articolo *Tentativi di lettura dell'Etrusco nel Cinquecento*, a cura di G. Bartoloni e P. Bocci, per gli "Annali della Facoltà di Lettere e filosofia dell'Università di Siena".

1. E. Garin, *L'umanesimo italiano*, Roma-Bari 1986, p. 25.

2. R. Weiss, *La scoperta dell'antichità classica nel Rinascimento*, Padova 1989, p. 43.

3. G.H. Hill, *A Corpus of Italian Renaissance Medals before Cellini*, London 1939; J. Graham Pollard, *Medaglie italiane del Rinascimento al Bargello*, I, Firenze 1984 (esemplificazione dello sviluppo nel settore). Sulla moneta romana come elemento propulsore per la nascita del ritratto vedi E. Parlato, in *Da Pisanello alla nascita dei Musei Capitolini. L'antico a Roma alla vigilia del Rinascimento*, Roma, Musei Capitolini, 20 novembre 1987-19 luglio 1988, pp. 73 sgg.

4. Weiss 1989, p. 51.

5. *Ibid.*, p. 62.

6. N. Himmelmann, *Nudità ideale*, in *Memoria dell'antico nell'arte italiana*, a cura di S. Settis, II, Torino 1985, pp. 233 sgg. (vedi anche *L'acanthe dans la sculpture monumentale de l'antiquité à la Renaissance*, Paris 1993).

7. *Ibid.*, fig. 186.

8. Weiss 1989, pp. 71-74.

9. *Ibid.*, p. 104.

mani i quali delle ruine e delle statue fanno calce". Sulla stessa linea è Poggio che inveisce contro la maligna fortuna "che si è divertita a trasformare in porcili le sedi dei magistrati romani"[10]. In questa occasione sembra che l'Alberti sia stato spinto a fare una pianta di Roma attraverso una serie di triangolazioni in cui si inserivano gli edifici di maggior rilievo[11]; ma il primo vero studio topografico nuovo è costituito dalla *Roma instaurata* di Flavio Biondo (1444-46), che si cimenta nel rilievo della città e nella funzione degli antichi edifici[12]. Il suo studio sarà portato avanti da Bernardo Rucellai che, nel *De urbe Roma*, non si limita allo studio dei testi antichi, ma utilizza anche monete, iscrizioni e opere d'arte[13].

1. Sarcofago romano rinvenuto nel 1240 circa. Cortona, Museo Diocesano.

Nel 1471 Lorenzo de' Medici visita Roma con Bernardo Rucellai e Donato Acciaioli, e avrà per guida l'Alberti[14].

Accanto agli umanisti anche gli artisti vanno ad abbeverarsi a Roma tra il 1425 e il 1430, negli stessi anni in cui il Pisanello[15] copia gli antichi monumenti di questa città[16].

Il Ghiberti, che possiede una collezione con un vaso neoattico di marmo, racconta nei *Commentarii* di aver visto "una statua d'un ermafrodito di grandezza d'una fanciulla". R. Krautheimer[17] pensa che in questo soggiorno egli deve essere stato influenzato dall'Alberti perché da questo momento non nasconde più le figure desunte dai marmi classici sotto vesti bibliche, ma utilizza l'antico in maniera più libera e più disinvolta. Il Ghiberti farà più di un viaggio a Roma, come d'altra parte hanno fatto Filippo Brunelleschi e Donato Bardi, che misurano gli edifici e le rovine di Roma antica praticando scavi in vari luoghi tanto da essere chiamati "quelli del tesoro"[18].

Di ritorno da una visita a Roma, Donatello si ferma a Cortona; così il Vasari: "Donato nel passar poi da Cortona entrò in Pieve e vide un pilo antico bellissimo, dov'era una sorta di marmo, cosa allora rara, non essendosi allora dissotterrata quella abbondanza che si è fatta a' tempi nostri [...] accesesi Filippo d'una ardente volontà di vederlo [...] ed essendogli piaciuto il pilo lo ritrasse con la penna in disegno e con quello tornò a Fiorenza" (fig. n. 1)[19].

Il passo vasariano dà conto della febbre che coglieva gli scultori rinascimentali alla scoperta di un monumento antico e ancora dà conto del fatto che essi li disegnassero; pertanto nelle botteghe degli artisti esistevano modelli dell'antico che venivano ricopiati e tramandati.

Per inciso, se osserviamo il fregio in terracotta invetriata di Bertoldo di Giovanni e di Andrea Sansovino, e l'affresco con la morte di Laocoonte di Filippino Lippi a Poggio a Caiano, per certi motivi possiamo risalire a sei lastre presenti in un edificio eretto a ricordo della vittoria navale di Ottaviano ad Azio, e successivamente riutilizzate nella basilica di San Lorenzo fuori le mura, come riporta il disegno di Marten van Heemskerck (fig. 21r del taccuino di Berlino)[20] ma, prima di questo artista i motivi delle lastre sono ripresi da Filippino Lippi nella cappella Carafa a Santa Maria sopra Minerva, da Giuliano da San Gallo nel Codice Barberiniano latino 4424 della Biblioteca Apostolica Vaticana, dalla bottega del Ghirlandaio nel foglio 43v del Codice Escurialensis alla Biblioteca di El Escurial, da Amico Aspertini nel Codice Wolfegg, nel castello omonimo (ff. 27v-28r), e poi da anonimi italiani dell'Italia Settentrionale, da anonimi veneti e l'elenco continua.

Ritornando a Cortona, il sarcofago veduto da Donatello e da Brunelleschi sarà usato come urna del Beato Guido Vagnottelli. In effetti, quando i corpi dei primi "santi furono portati dentro la cerchia delle mura [di Roma] perché avessero degno ricetto, furono ricercati sotto le volte crollanti delle terme i *labri* (vasche) da bagno in marmi preziosi per collocarli nelle basiliche a maniera di avelli"[21].

10. Garin 1986, p. 76.
11. *Descriptio urbis Romae.*
12. D. Gnoli, *Di alcune piante topografiche di Roma ignote o poco note*, in "Bullettino della Commissione archeologica comunale di Roma", 13, 1885, pp. 66 sgg. e tavv. IX, X.
13. G. Scaglia, *The Origins of an archeological Plan of Rome by Alessandro Strozzi*, in "Journal of the Warburg and Courtauld Institutes", XXVII, 1964, pp. 136-163. La pianta dello Strozzi deriva da quella del Biondo.
14. Weiss 1989, pp. 90-93: B. Rucellai, 1448-1514.
15. *Ibid.*, p. 90.
16. È datato tra il 1427 e il 1432 il foglio delle civiche raccolte milanesi, attribuito a Pisanello, con lo schizzo della testa di Marco Aurelio e del cavallo del suo monumento. L'opera è interpretata già giustamente dal Platina (Bernardo Rucellai aveva suggerito il nome di Antonino Pio); sull'argomento: Weiss 1989, pp. 92-93, con nota 47 per il Platina. Il disegno in questione è riprodotto alla fine del Quattrocento da Jacopo Ripanda: v. L. De Lachenal, *Sulla fortuna di Marco Aurelio, "il chaval di Sa(nc)ti Jannis"*, in "Prospettiva", 51, 1987, pp. 49 sgg. I disegni più antichi del Marco Aurelio, conservati a oggi, sono quelli di Gentile da Fabriano, che passano per eredità al Pisanello: v. A. Nesselrath, *I libri di disegni di antichità. Tentativo di una tipologia*, in *Memoria dell'antico nell'arte italiana*, a cura di S. Settis, III, Torino 1986, pp. 110 sgg. con bibliografia.
17. R. Krautheimer, *Lorenzo Ghiberti*, Princeton, New Jersey, 1982, p. 357, nota 27.
18. *Ibid.*, pp. 319 sgg.
19. G. Vasari, *Le vite de' più eccellenti pittori, scultori e architettori nelle redazioni del 1550 e 1568*, a cura di R. Bettarini e P. Barocchi, Firenze 1966-1987, pp. 151-152; M.L. Micheli, *Aneddoti sul sarcofago del Museo Diocesano di Cortona*, in "Xenia", 5, 1983, p. 93.
20. L. Leoncini, *Storia e fortuna del cosiddetto "fregio di San Lorenzo"*, in "Xenia", 14, 1987, pp. 59 sgg.
21. R. Lanciani, *Storia degli scavi di Roma e notizie intorno le collezioni romane di antichità*, I, Roma 1907, p. 4.

2. Sarcofago romano con particolare della *Battaglia contro i Galati*. Roma, Museo Capitolino.

3. Sarcofago romano di *Elogia puerorum*, particolare. Roma, palazzo Torlonia.

Dopo questa fase, fino dall'età longobarda, si ricercano sarcofagi per depositarvi le ossa dei santi, o per usarli in cattedrali o cimiteri come segni di prestigio[22]; e da Roma, tramite il porto di Ostia, si approvvigionano molte cattedrali dal Nord alla Sicilia. In certi casi, però, sarcofagi di pregevole fattura sono ritrovati anche lontano da Roma, nelle province stesse in cui hanno lasciato un segno famiglie e personaggi che hanno offerto un valido contributo al potenziamento della gloria imperiale (il sarcofago di Cortona sembra essere stato trovato nel 1240 in un campo sotto le mura di questa cittadina).

Il cimitero monumentale di Pisa, ancora intatto[23], è un esempio di questa concentrazione di sarcofagi antichi.

Anche la cattedrale di Firenze aveva una raccolta di sarcofagi acquistati per essere riutilizzati; ne è un esempio il bellissimo sarcofago con la drammatica caduta della quadriga di Fetonte, visto dal giovane Ghiberti (che vi si ispira per alcune figure), reimpiegato con la fronte volta verso il muro per il monumento di Piero Farnese, progettato nel 1395 ed eseguito qualche anno dopo[24].

Un altro sarcofago sempre all'Opera del Duomo, del tipo a colonne, presenta una scena nuziale; oggi, grazie a uno schizzo di V. Borghini nella Biblioteca Nazionale di Firenze, se ne è riconosciuto il coperchio al Louvre[25]. Il recupero è particolarmente interessante perché la porta scolpita al centro[26] può aver ispirato un'analoga soluzione nel fregio di terracotta invetriata della villa di Poggio a Caiano[27]; con il recupero del coperchio – decorato con una scena circense di quadrighe al galoppo – i punti di convergenza aumentano.

Anche ad Arezzo dovevano esistere sarcofagi romani: uno, particolarmente significativo (in quanto collegato da F. Matz[28] ai rilievi bronzei donatelliani della sagrestia di San Lorenzo) trattava dell'infanzia di Dioniso; al Museo Archeologico di Arezzo[29] ne resta un lato, gli altri sono pervenuti a Princeton e a Woburn Abbey.

Un altro sarcofago è stato reimpiegato come architrave del portale della Badia di Agnano[30].

G.F. Gori, nelle sue *Inscriptiones Antiquae* (III, tav. 44), cita un sarcofago "In dormitorio Monasteri Monacharum Camaldolensium S. Mariae in Gradibus", dove questo poteva trovarsi da lungo tempo. La parte centrale, oggi al Museo Archeologico di Arez-

22. I. Ragusa, *The re-use and public Exhibition of Roman Sarcophagi during the Middle Ages and Early Renaissance*, Dissertatio, New York 1951; B. Andreae - S. Settis, *Colloquio sul reimpiego dei sarcofagi romani nel Medioevo*, Marburg 1984.
23. P. Lasinio, *Raccolta di sarcofagi, urne e altri monumenti di scultura del Campo Santo di Pisa*, Pisa 1814; *Camposanto monumentale di Pisa, Le antichità*, II, Pisa 1977, a cura di S. Settis, Modena 1984.
24. *Il Museo dell'Opera del Duomo a Firenze*, I, a cura di L. Becherucci e G. Brunetti, Firenze s.d., tav. 5 e scheda 4, a p. 212, a cura di P. Bocci Pacini. Per altro sarcofago con il mito di Fetonte vedi M. Horster, *Eine unbekannte Renaissance Zeichnung*, in "Archaeologische Anzeiger", 90, 1975, pp. 403 sgg.
25. G. Ciampoltrini, *Il sarcofago di Q. Petronius Melior (CIL XI, 1595). Un contributo ed un'ipotesi*, in "Prospettiva", 50, 1987, pp. 42-44 (il Ms. Borghini è alla Biblioteca Nazionale Centrale di Firenze: II, X, 109).
26. B. Haarov, *The half-open Door. A Common Symbolic Motif within Roman Sepulchral Sculpture*, Odense 1977, p. 134, VI c5.
27. C. Acidini Luchinat, in *"per bellezza, per studio, per piacere". Lorenzo il Magnifico e gli spazi dell'arte*, a cura di F. Borsi, Firenze 1991, pp. 167 sgg., figg. 25-34.
28. F. Matz, *Die Dionysischen Sarkophage*, I-IV, Berlin 1968-75, n. 202b, tav. 213, 2.
29. P. Bocci Pacini - S. Nocentini Sbolci, *Museo Archeologico Nazionale di Arezzo*, Roma 1983, n. 60.
30. Ciampoltrini 1987, p. 44, nota 17.

zo[31], raffigura il trasporto a braccia del corpo di Meleagro ucciso nella caccia[32]; questo tema è ripreso in varie Deposizioni di Cristo. Donatello si ispira più volte a questo tema: a Padova riprende il sarcofago di proprietà Montalvo, allora a Firenze e oggi in proprietà privata a Torino, che è disegnato anche dal Bambaia[33].

Un altro sarcofago dionisiaco attira l'attenzione di Donatello[34] e non solo di questo artista visto che questa volta si ha la possibilità di avere a disposizione la fronte del sarcofago pervenuto al British Museum. Questo è stato copiato nel fregio del camino di Ercole e Iole, nel Palazzo Ducale di Urbino da Michele di Giovanni di Bartolo[35]. Di questo sarcofago si conoscevano finora alcuni particolari in un foglio del più importante libro di schizzi del Rinascimento, quello di Marten van Heemskerck a Berlino degli inizi del Cinquecento[36].

Un altro codice di disegni, conservato nel castello di Wolfegg[37], riproduce i due lati del sarcofago e reca la dicitura "A Santa Maria Maggiore a Roma", da cui si deduce la sua collocazione nel Quattrocento.

Figure desunte dallo stesso sarcofago – tra cui la famosa Menade con timpano – sono in altri disegni databili intorno alla metà del Quattrocento, attribuiti alla cerchia del Pisanello[38].

Abbiamo voluto dar conto di questa ampia divulgazione di figure e di motivi di sarcofagi romani prima di dire che anche per la *Madonna della Scala* Michelangelo può aver guardato con attenzione a prototipi antichi; infatti il putto che essa abbraccia può risalire all'antico attraverso Donatello (il riquadro esterno, tra le mensole, della cantoria di Santa Maria del Fiore riprende il frammento con due putti ai lati di un cesto di frutta del Museo Arcivescovile di Ravenna)[39]. Anche la figura della Madonna risente dell'antico e, in particolare, di alcune tragiche eroine del mito, colte in un momento sospeso di meditazione. S. Settis[40] mette in luce come dopo Euripide (431 a.C.) si trovi una Medea colta nel conflitto di emozioni devastanti prima del delitto, rappresentata "cunctans in ense", ovvero mentre medita, sospesa tra l'odio e l'amore secondo quanto le fonti attribuiscono alla Medea di Timomaco[41], che faceva coppia, a quel che sembra, con un Aiace prima del suicidio. La fama della Medea di Timomaco raggiunge, nel novero degli epigrammi dell'Antologia Greca, quasi l'Afrodite marina di Apelle (si ricorda, per inciso, che Plinio – N.H., XXXV, 145 – dice che la fama del dipinto era ancora maggiore, perché non finito).

Anche l'Aiace di Timomaco (Philostr., *Vita Apoll.*, II, 22) era raffigurato non mentre si gettava sulla spada, ma mentre meditava il suicidio[42].

Per esprimere il concetto della meditazione o dei conflitti interni, gli artisti greci raffigurano persone con le gambe accavallate, il gomito destro appoggiato al ginocchio, il braccio sinistro accanto al corpo. È così rappresentata la statua di Penelope, seduta su una roccia, dei Musei Vaticani[43]; mentre sullo *skyphos* attico a figure rosse di Chiusi – del "Pittore di Penelope"[44] – essa è avvolta nel manto che le copre anche la testa (come si addice a una sposa), e medita sulle difficili scelte nella sua condizione di donna sola e fedele al marito lontano. Entrambe queste raffigurazioni risalgono a un prototipo del V secolo a.C.

Così pure Elettra, che appoggia un braccio sull'urna del padre deposta alle sue ginocchia, appoggia l'altra mano verso la testa nel cratere a figure rosse del Pittore del Primato[45].

I sarcofagi romani riprendono diverse figure femminili in questo atteggiamento di meditazione, sia in contesti mitologici sia in scene di vita domestica.

31. Bocci Pacini - Nocentini Sbolci 1983, n. 64.

32. G. Koch, *Die mythologischen Sarkophage*, VI, "Meleager", in *Die Antiken Sarkophagrelief*, XII, 6, Berlin 1975.

33. C. Gasparri, recensione a Koch 1975, in "Prospettiva", II, 1977, pp. 67 sgg., nota 31, con molti confronti tra l'antico e il Rinascimento.

34. Matz 1968, n. 90; si veda anche E. Simon, *Dionysischer Sarkophag in Princeton*, in "Römische Mitteilungen", 69, 1962, pp. 155 sgg. Secondo il Matz nel Rinascimento erano noti quaranta sarcofagi; vedi *Antiquity in the Renaissance*, 1979, a cura di W. Stedman Sheard, Massachusetts 1979; M. Bonanno, *Un gruppo di sarcofagi romani con scene di vendemmia*, in "Prospettiva", 13, 1978, pp. 43 sgg.

35. B. Degenhart, *Michele di Giovanni di Bartolo: disegni dall'antico e il camino "della Iole"*, in "Bollettino d'Arte", 35, 1950, pp. 208 sgg.

36. K. Huelsen - H. Egger, *Heemskercks Römische Skizzenbücher*, Berlin 1913-16, tavv. 92-93.

37. P. Pray Bober, *Drawings after the Antique by Amico Aspertini,* in *Aspertinis Sketchbooks in the British Museum*, Studies of the Warburg Institute 21, 1957 (con discussione sul Codice Wolfegg); G. Sceweikhart, *Der Codex Wolfegg. Zeichnung nach der Antiken von Amico Aspertini*, London 1986.

38. Vedi nota 16 e B. Degenhart - A. Schmitt, *Corpus der italienischen Zeichnungen 1300-1450*, I, Berlin 1968.

39. L. Beschi, *I rilievi ravennati dei "troni"*, in "Felix Ravenna", serie IV, CXXVII- CXXX, 1984-85, p. 47, fig. 9 per Donatello e fig. 10 per il frammento antico di Ravenna.

40. S. Settis, *Immagini della meditazione dell'incertezza e del pentimento nel mondo antico*, in "Prospettiva", 2, 1975, pp. 10-16 con figure relative.

41. *Ibid.*, n. 40, fig. 17: la pittura parietale del Museo Nazionale di Napoli (prototipo 460 a.C.) presenta uno schema diverso da quello di Timomaco, che si trova in una pittura ercolanese ma simile alla Penelope.

42. *Ibid.*, fig. 26: gemma già nella Coll. Bartholdy.

43. *Ibid.*, fig. 18.

44. *Ibid.*, fig. 21 e schema di ricostruzione grafica a fig. 22.

45. *Ibid.*, fig. 25: Napoli, Museo Nazionale.

4. Cratere neoattico col motivo di menadi e sileni, da un disegno di Piranesi. Parigi, Musée du Louvre; già Roma, collezione Borghese.

Il sarcofago romano del Palazzo Ducale di Mantova presenta una Andromaca in chitone e *himation*, con il braccio sinistro sulle ginocchia e con la mano dalle dita spiegate, mentre la destra è sollevata fino al volto in un gesto di pianto[46].

Ancora più frequenti, perché reiterati in successivi episodi, sono le madri presenti in sarcofagi fatti per i figli morti anzitempo[47]. La madre sta per ricevere dalla fantesca il figlioletto appena nato ed è colta da presentimenti dolorosi; ha le gambe intrecciate a esprimere un atteggiamento raccolto in se stessa, una mano è abbandonata in grembo e l'altra è portata verso la testa. Nello stesso atteggiamento la ritroviamo seduta presso il figlio ammalato adagiato sul letto.

Se passiamo a osservare la *Madonna della Scala* di Michelangelo, parlando dal punto di vista strettamente archeologico-antiquario, potremmo notare qualche incertezza nel trattamento della veste (velo? manto?): la sposa antica è sempre *velato capite* e lo stesso *himation* passa sulla testa per avvolgere completamente la figura; sotto è il chitone sottile di lino che si può intravedere presso il collo e il petto, e che fuoriesce dal manto presso le caviglie o sotto il ginocchio in un gioco di fitte minute piegoline verticali, di stoffa leggera, che contrasta con le pieghe larghe e curvilinee dello *himation*.

Michelangelo avvolge la figura con un *himation*; il chitone è solo intuibile nel ventaglio di pieghe sopra il piede sinistro. L'impostazione della Madonna seduta con le gambe incrociate, una mano sulle ginocchia, nell'atto di sostenere il gomito dell'altro braccio portato al petto con l'indice in evidenza (come nelle rappresentazioni di Penelope); le dita frementi che cincischiano la veste (come nella Sterope del frontone est di Olimpia e nelle stele attiche) ricordano la gestualità antica. Così pure si dica dello sguardo non rivolto al figlio, ma concentrato e fisso davanti a sé, che ricorda quello di Penelope e delle madri dei sarcofagi romani, colte in atteggiamento sospeso, in un presentimento del dramma.

Se passiamo poi al cubo su cui siede la *Madonna della Scala*, constatiamo che, rispetto ai sedili classici e agli antichi blocchi rocciosi, Michelangelo è più essenziale, non ha descrittivismo di sorta.

La gestualità delle mani della Madonna è, poi, accentuata dall'incontro con le mani contorte del Bambino. Nell'autenticare l'ipotesi di una libera rivisitazione dei sarcofagi romani, si deve comunque ribadire che Michelangelo supera il dato narrativo e coglie il drammatico conflitto di sentimenti che è già stato espresso con un simile schema fin dalla metà del V secolo in Attica.

Se passiamo a esaminare il profilo del volto della Madonna di Michelangelo, vediamo che esso è assai più vicino a quello della *Madonna Pugliese-Dudley* di Donatello[48] (almeno nella parte inferiore del volto) che alla Madonna dei Pazzi, a Berlino e a quella delle nuvole di Boston[49], che nel profilo ricorda incisioni eseguite a Roma verso la metà del I secolo a.C., ad esempio la Menade in pasta vitrea bluastra, attestata dall'inventario di Piero de' Medici[50].

La fronte della *Madonna della Scala* è bassa e arcuata, mentre il grande occhio infossato – con l'iride segnata e la pupilla forata, come sarà in maniera più accentuata nel *David* – ricorda gemme ellenistiche di derivazione scopadea. Si veda, come macroscopico esempio, la fronte e gli occhi di Medusa che campeggia all'esterno della Tazza Farnese, acquistata da Lorenzo nel 1471[51].

Completamente diversa è la situazione nella *Battaglia dei centauri*. È doveroso ricordare, a questo proposito, il sarcofago di Cortona, la cui scoperta entusiasma, si è detto, un artista colto e aggiornato come Donatello (nella *Crocifissione* oggi al Bargello è sta-

46. *Ibid.*, fig. 30: Penelope è in questa composizione l'equivalente di Andromaca.
47. Per alcuni esempi vedi A. Borghini, *"Elogia puerorum": testi, immagini e modelli antropologici*, in "Prospettiva", 22, 1980, p. 2 e figg. 2, 4 e 5 (particolare della fronte del sarcofago romano a palazzo Torlonia in Roma).
48. F. Caglioti, in *Il giardino di San Marco. Maestri e compagni del giovane Michelangelo*, catalogo della mostra, Firenze, a cura di P. Barocchi, Cinisello Balsamo (Milano) 1992.
49. *Ibid.*, scheda 17 (a cura di M. Hirst).
50. *Il tesoro di Lorenzo il Magnifico. Repertorio di gemme e di vasi*, Firenze 1980, n. 35, p. 62, tav. VIII.
51. Vedi nota 48: Tazza Farnese, n. 43 (a cura di A. Giuliano); vedi anche E. La Rocca, *L'età d'oro di Cleopatra*, Roma 1984.

ta sottolineata un'abile citazione della testa di barbara del coperchio, oltre che di un combattente e di un caduto, sulla fronte). In ogni caso, il rilievo di quest'opera, che fin dal Rinascimento è stata intesa come la rappresentazione di una battaglia tra centauri e lapiti, figura più verosimilmente una amazzonomachia di Dioniso. I centauri sono solo due e trascinano il carro del giovane Dioniso coronato di edera; essi fanno parte del *thiasos* del dio; anche in un cammeo di Lorenzo si ritrova un centauro che porta sulla spalla un cratere circondato da foglie d'edera[52].

Nel sarcofago cortonese non sono pertanto presenti i lapiti, ma i carii e i lelegi; nella lotta tra lapiti e centauri la lotta è, in effetti, più concitata ed esasperata: i centauri, ebbri di vino, al banchetto di nozze di Peiritoos rovesciano i tavoli, rapiscono le donne dei lapiti mentre Reto dà l'avvio alla mischia con il cratere. Il combattimento di Cortona, pur affidato ad abili soluzioni di movimento, risulta più generico. Non sarà inutile ricordare, per il significato insito nel centauro, che già prima della edizione a stampa di Luciano che descrive il quadro di Zeuxis, Plinio (N.H., XXXV, 66) aveva ricordato che in quest'opera il grande maestro aveva dipinto una centauressa che allattava i suoi due piccoli, uno umano e uno puledro[53].

Potremmo anche ricordare come, dopo l'affermazione di Niccolò Acciaioli nella IV crociata, il nipote Nerio diventa duca di Atene e dal 1388 vive nel palazzo costruito sull'Acropoli utilizzando i Propilei[54]. In questo sito soggiorna anche Ciriaco d'Ancona[55] nel 1435-37[56] e nel 1444[57]; lo studioso riesce a identificare il "mirabile" tempio marmoreo di Pallade, "Phidiae mirificum opus" come aveva affermato "Plinius noster"; e, sopra le colonne, scopre l'epistilio dove "Thessalicae Centaurorum et Lapitarum pugnae mirifice consculptae videntur". Ciriaco non riconosce il tema del frontone occidentale, ma vi nota "Hominum et Equorum". Ne restano alcuni schizzi nel Ms. Hamilton 254 della Biblioteca Statale di Berlino (a f 85r) e nel Codice Barberiniano 4424 in Vaticano (a f 28v) attribuito a Giuliano da Sangallo; quest'ultimo foglio documenta la situazione del frontone occidentale del Partenone, la veduta del lato meridionale con alcune metope della centauromachia. "Resta da vedere – commenta a questo proposito il Beschi[58] – se a Firenze, dove è attestato un lungo soggiorno di Ciriaco con frequentazione di artisti come Donatello e Ghiberti, i suoi disegni abbiano potuto lasciar traccia."

In ogni caso, nel crogiolo letterario e figurativo della Firenze di quest'epoca, è presumibile che siano stati commentati i temi affrontati da Fidia. La "battaglia" di Michelangelo, o forse la sfida intellettuale tra uomini e centauri inestricabilmente intrecciati, è una lettura archeologica estremamente complessa. Infatti se l'emergere delle teste e dei corpi dal fondo può evocare a prima vista l'effetto plastico di una gemma, la loro emergenza dal fondo e il loro risommergersi in maniera caleidoscopica, nonché i volumi ovoidali delle teste ricordano Sostratos o, meglio, il satiro danzante del cammeo in agata – onice di Lorenzo; l'opera non è firmata ma l'attribuzione all'artista viene ribadita proprio per la peculiare trattazione della figura, in particolare della testa[59].

Si potrebbe aggiungere, a proposito della lettura della gemma, che il loro effetto plastico è affidato alle stesse condizioni di luce; già il Ghiberti osserva: "Molte cose le quali sono invisibili [...] appariranno le cose che sono in quello ch'erano nascoste dalla luce debole"[60].

Nella *Battaglia* di Michelangelo le singole figure ricordano schemi classici, ma l'insieme rimanda al sarcofago di Bertoldo di Giovanni, che, a sua volta, segue molto strettamente il prototipo antico della Primaziale Pisana, con battaglia di romani e barbari, oggi purtroppo lacunoso nella parte centrale.

52. *Il tesoro di Lorenzo*... 1980, n. 35, tav. VIII.
53. A. Giuliano, *La famiglia dei Centauri. Ricerca di un tema iconografico*, in *Studi di storia dell'arte in onore di Valerio Mariani*, Napoli 1971, pp. 123 sgg.
54. L. Beschi, *L'incontro rinascimentale col mondo greco*, in *Memoria dell'antico*... 1986, III, pp. 314 sgg.
55. E.W. Bodnar, *Cyriacus of Ancona and Athens*, in "Latomus", XLIII, Bruxelles 1960.
56. Come documentano le lettere a Leonardo Bruni, in Bodnar 1960, p. 23.
57. Lettere riportate da: Targioni-Tozzetti, *Relazioni d'alcuni viaggi fatti in Toscana*, V, 1773, pp. 66 e 408-440.
58. L. Beschi, *I disegni ateniesi di Ciriaco: analisi di una tradizione*, in *Ciriaco d'Ancona e la cultura antiquaria dell'Umanesimo*, Atti Convegno Accademia Marchigiana di Scienze Lettere ed Arti, 1988, pp. 83-94.
59. A. Giuliano, in *Il tesoro di Lorenzo*... 1980, n. 9, p. 46.
60. N. Dacos, in *Il tesoro di Lorenzo*... 1980, p. 91.

Questo sarcofago è stato eseguito nel momento in cui inizia la rottura tra l'arte di tutto il periodo precedente e ci si avvia a un cambiamento di valori che porta al "tardo antico". Il sarcofago di Pisa è datato al 190 d.C.

Numerose scene di battaglia si avviano dal fregio di Traiano che irrompe tra i nemici, inserito nell'arco di Costantino, fino al sarcofago Ludovisi, dove è una veduta verticale che addensa le figure e le intreccia in modo che i tre piani della composizione non sono più distinguibili a prima vista; il tutto si mescola in un quadro unico dal quale appena spicca il generale vittorioso. Rodenwaldt[61], trattando di un sarcofago tardo antico, parla di abbandono della prospettiva, di astrazione dal piano di fondo, di visione ottica pittorica che si contrappone alla visione plastica dell'arte greca ed ellenistica fino ad arrivare a un rapporto gerarchico delle proporzioni. R. Bianchi Bandinelli insiste, invece, sulla veduta "a volo d'uccello" sulla "decursio"[62], ovvero nella parata di cavalleria che aveva luogo in occasione di apoteosi imperiali, raffigurata nella base[63] di una colonna creata in onore di Antonino Pio ma dedicata da Marco Aurelio a Lucio Vero. Questo altorilievo presenta una fila di fanti con due signiferi al centro, sopra e sotto uno squadrone di cavalleria che esegue evoluzioni dando l'impressione di un movimento circolare. Anche nel rilievo di Michelangelo le figure si muovono in onde concentriche rispetto alla figura centrale del centauro vittorioso con clamide sulle spalle[64].

2. La conoscenza della ceramica antica all'epoca di Michelangelo

L'interesse per la ceramica antica figurata è relativamente recente[65]: si può considerare come emblematica la data del 1764 legata alla prima edizione de *La storia delle arti del disegno presso gli antichi*, edita in tedesco a Dresda da J.J. Winckelmann[66]; questo storico espone l'ipotesi – poi rivelatasi veritiera – che la maggior parte dei vasi trovati in Italia provenisse dalla Grecia. Nello stesso anno W. Hamilton è mandato come ambasciatore inglese presso il re delle due Sicilie a Napoli dove ammassa una tale quantità di vasi da costituire la splendida collezione passata poi al British Museum, che sarà pubblicata in quattro volumi da P.F.H. D'Hancarville[67], tra il 1766 e il 1767, per offrire dei modelli di buon disegno agli artisti del suo tempo.

La prima edizione di un vaso attico si trova nel *Romanum Museum* del Causeus (M.A. de la Chausse) nel 1690, in cui è riprodotta una pelike attica a figure nere della collezione Barberini, precedentemente disegnata da Cassiano dal Pozzo[68].

Questo non significa che nelle collezioni non esistessero altri vasi figurati: i Grimani e i Benavides a Venezia[69], i Medici a Firenze hanno già nel Cinquecento vasi figurati, anche se questa rappresentanza è legata all'Italia meridionale e nella maggior parte all'Apulia[70]. Questo è il risultato raggiunto dallo studio sistematico di tutti i vasi che costituivano il Gabinetto delle Terre del granduca Pietro Leopoldo, intrapreso da chi scrive con M. Grazia Marzi[71]. "I dua vasi all'antica di terra con alcuni lavori e dua manichi di terra coloriti nero et giallo" – segnati in ASF, Guardaroba medicea 73 del 1570 – evidenziano un cratere e un'anfora apuli tardi, alti quasi un metro, riconosciuti in due esemplari del Museo Archeologico di Firenze[72].

M.G. Marzi riporta[73] una lettera a Baccio Valori in cui Vincenzo Borghini, reduce da un viaggio a Taranto, scrive a proposito di un vaso: "a mio avviso egli è di quelli che intorno all'anno 1536 si trovarono vicino a Metaponto, là presso Taranto in certi sepolcri, che furono tanti e tali che se ne riempie l'Italia". Sulla base di quanto, per sommi capi, siamo venuti esponendo, anche il "grande vaso fittile", di cui il Poliziano scrive a Lorenzo da Venezia nel 1491 e di cui gli annunzia l'invio, non doveva essere figurato. Un

61. Rodenwaldt, *Jagdsarkophag in Reims*, in "Römische Mitteilungen", LIX, 1944.
62. R. Bianchi Bandinelli, *L'arte romana nel centro del potere*, Milano 1969, fig. 331.
63. A. Frova, *L'arte di Roma e del mondo romano*, II, Torino 1961, p. 274, fig. 237.
64. R. Harpath - H. Wrede, *Antikenzeichnung und Antikenstudium in Renaissance und Frühbarock*, Mainz am Rhein 1989; cit. di R. Harpath sul Codex Coburgensis cc. 145 (sarcofago con lapiti e centauri con clamide) in Lasinio 1814, tav. II c.
65. L. Beschi, *La scoperta dell'arte greca*, in *Memoria dell'antico*... 1986, III.
66. J.J. Winckelmann, *Geschichte der Kunst des Alterthums*, Dresden 1764; traduzione italiana: *La storia delle arti del disegno presso gli antichi*, Roma 1783.
67. P.F.H. D'Hancarville, *Antiquités etrusques, grècques et romaines, tirées du cabinet de M. Hamilton*, I-IV, Napoli 1766- 67.
68. C. Vermeule, in "Art Bulletin", XXXVIII, 1956, pp. 31 sgg., e in *Transaction of the American Philosophical Society*, I, 1960, parte 5; si veda anche G. Conti, *Disegni dell'antico agli Uffizi*, in RIASA ("Rivista dell'Istituto di Archeologia e Storia dell'Arte"), V, 1982, pp. 41 e 72- 73.
69. I. Favaretto, *I vasi italioti: la ceramica antica nelle collezioni venete del XVI secolo*, in *Marco Mantova Benavides*, Atti della giornata di studio nel IV centenario della morte, Padova 1984, p. 163 b; e p. 166.
70. M.G. Marzi, *Dagli archivi fiorentini, notizie sul collezionismo di ceramica apula nel XVI secolo*, in *Venezia, l'archeologia e l'Europa*, congresso internazionale, Venezia, 27- 30 giugno 1994, Roma 1996, pp. 131 sgg.
71. P. Bocci Pacini - M.G. Marzi, *Il Gabinetto delle Terre di Pietro Leopoldo nella Galleria degli Uffizi*, in corso di stampa.
72. Marzi 1996, figg. 3 e 4 e tav. XXXVII.
73. *Ibid.*, pp. 133-134.

fine conoscitore di miti come il Poliziano si sarebbe dilungato a descrivere le eventuali figure, a interpretare o a creare un nuovo mito. D'altra parte l'amore di Lorenzo per le forme purissime dei vasi in pietra dura giustifica l'invio di un vaso "di Grecia" di una forma particolare.

Anche certe proposte di dipendenze formali vanno accolte con la dovuta prudenza: è stata rilevata, ad esempio, una stretta analogia tra le soluzioni anatomiche di un vaso attico dell'inizio delle figure rosse (530 a.C.) e quelle di un noto affresco del Pollaiolo "primo pittore anatomista"; ma, nonostante il brillante raffronto[74], non è sostenibile l'ipotesi che egli le abbia imitate. I confronti convincenti sono solo dovuti al fatto che la problematica degli artisti del Rinascimento era la stessa, *mutatis mutandis*, di quella su cui si cimentavano i ceramografi attici che sostituiscono la tecnica a figure nere con quella a figure rosse, risparmiando il fondo dell'argilla per poter esprimere meglio col pennello – al posto del graffito – l'anatomia del corpo umano. Ricorrendo a un segno ora sottile e ora grosso o diluito, il ceramografo suggeriva la muscolatura e i gangli funzionali del movimento come il ginocchio, la piegatura dei torsi, la flessibilità del collo; capire come era fatto il corpo umano e come si muoveva era l'assunto degli artisti attici dello "Stile Severo".

Il ricordato parallelismo tra le peculiarità anatomiche attiche e quelle rinascimentali è pertanto motivato dalla fortuita coincidenza che, a distanza di secoli, gli artisti affrontino uno studio sistematico del corpo umano, di cui "si afferma la centralità nella realtà" (Ficino). Questa tendenza è esemplificata e semplificata, tra l'altro, da questa riflessione di F. Filelfo in una epistola del 1450: "Io non capisco come ci si possa dimenticare del corpo, dal momento che l'uomo non è solo anima"[75].

Se passiamo poi dai vasi figurati alla ceramica a vernice nera o alle terre sigillate, dobbiamo pensare che queste fossero note agli artisti del Quattrocento; infatti furono fatte in quantità per imitare i vasi da mensa in bronzo e in argento di cui i ricchi romani andavano pazzi, come ironizza Marziale ("Cesellata dalla mano di Mentore, vive così sulla coppa una lucertola che si ha paura di toccare l'argento"; oppure: "Guarda i pesci, prezioso cesello di arte fidiaca: se aggiungi l'acqua nuoteranno")[76].

La richiesta sempre crescente di vasi metallici favorì il sorgere delle loro imitazioni nei vasi di argilla a vernice nera, con iridescenze metalliche, assai più a buon mercato. Internamente verniciati di nero come all'esterno, hanno molto spesso una decorazione a stampiglia, con motivi per lo più floreali come palmette e rosette, da sole o alternate o contrapposte all'interno di piatti o coppe. Il tipo è caratteristico dell'intera età repubblicana (III-I a.C.) e la fabbrica più bella è quella "Malacena" di Volterra, largamente esportata.

La ceramica a vernice nera accompagna nei corredi tombali le urne etrusche; se ne ha traccia anche negli inventari medicei: citiamo, per esempio, ASF, Guardaroba medicea 30 del 1553, f. 28, tralasciandone altri in cui non è riportata la parola "antichi": "tre vasetti di terra nera antichi col manico", o "6 vasi di terra antichi tra quali sono due lucernette".

La rosetta a sette petali dello "Skyphos" tenuto in mano dal *Bacco* di Michelangelo, sembra ripetere la rosetta di età ellenistica che si trova, oltre che sui vasi a vernice nera, su altri utensili, tra cui un peso da telaio al Museo di Arezzo[77].

La ceramica a vernice nera dà luogo alle terre sigillate che ugualmente si rifanno a prototipi toreutici, e durano dal III secolo a.C. al VII d.C. Traggono il nome dai "sigilla" che ne decorano la superficie. Tra le terre sigillate ebbero uno straordinario successo i va-

74. F.R. Shapley, *A Student of Ancient Ceramics, Antonio Pollaiolo*, in "Art Bulletin", 2, 1919, pp. 78-96, riproposto fino ai giorni nostri.

75. E. Garin 1986, p. 59 e nota 16.

76. G. Becatti, *Arte e gusto negli scrittori latini*, Firenze 1951; epigrammi 171, 172, p. 207.

77. Come cortesemente mi comunica Paola Zamarchi Grassi, direttrice del Museo Archeologico di Arezzo.

si aretini secondo quanto indicano le fonti, da Plinio (*N. H.*, 35, 160) a Marziale (*Epigr.* I, 53, XIV, 98), a Persio (*Satirae*, I, 2). Nel 1282 ne fa un'accurata disamina Restoro d'Arezzo in *La composizione del mondo*[78]: "e feciarli de doi colori, com'è azzurro [la ceramica a vernice nera lucente di cui abbiamo] e rosso, ma più rossi. E questi colori erano sì perfetti che, standо sotto terra, la terra non li potea corrompare né guastare [...] E segno de questo si è quello ch'avemo veduto che quando se cavava [...] dentro da la città o de fore presso quasi doe millia d'attorno trovavanse grande quantità [...] quali se ne trovavano scolpite e disegnate tutte le generazioni de le piante e de le follie e de li fiori [...] e trovalise stormi e batallie [...] e trovalise fatta lussuria in ogni diverso atto. E trovalise spiriti volare per aere en modo de garzoni nudi, portando pendoli [festoni] d'ogni deversità de poma [...] che li conoscitori [...] per lo grandissimo diletto [...] vociferavano ad alto, e uscieno da sé, e deventavano quasi stupidi, e li non conoscenti [li] voleano spezzare e gettare. E quando alcuni di questi pecci [pezzi] venia a mano a scolpitori o a desegnatori [...] tenielli en modo de cose santuarie [...] e diciano che quelli artifici fuoro divini e quelle vasa descesero de cielo".

In Arezzo dovettero esistere un centinaio di fabbriche, alcune in città, altre nelle vicinanze, per cui è assolutamente attendibile la notizia riportata da Giorgio Vasari che nel 1484, alle Carciarelle, sarebbero stati rinvenuti dal proprio nonno tre archi [vasche da decantazione], delle fornaci antiche e intorno a essi "di quella mistura molti vasi rotti e degl'interi quattro, i quali, andando in Arezzo il Magnifico Lorenzo de' Medici, da Giorgio, per introduzione del vescovo gl'ebbe in dono"[79]. Nello stesso luogo, alla presenza di Giovanni de' Medici, poi Leone X, sarebbe stata trovata la fabbrica di Calidius. In effetti, un inventario delle eredità medicee (ASF, Guardaroba medicea 30 del 1553) registra "tre coccie di terra rossa antiche l'una senza manico" e, più avanti, "Una cocchetta di terra rossa antica". In ASF, Guardaroba medicea 132 del 1587 – steso in occasione della morte di Francesco I – è citata "una scodella rossa lavorata a fogliami in una scatola bianca", che evoca un vaso aretino con un grande fregio vegetale.

Detto questo, è opportuno precisare che la coppa esibita dal *Bacco* di Michelangelo è "all'antica, ma non propriamente antica" (Panofsky); infatti lo scultore non definisce le lingue d'appoggio che sormontano le anse né quelle presso l'attacco inferiore come nei vasi più antichi di età augustea[80], ma le tratta velocemente. Anche la forma non è appropriata un vaso da bere (che si presenta più aperto), ma evidenzia una breve spalla rientrante prima di terminare con la normale doppia modanatura. Sulla breve spalla è una fila di tondini tipici della ceramica sigillata come la ripetitività delle modanature che col tempo si fanno sempre più pesanti. Anche la fitta e insistita stampigliatura sul lato esterno rientra nelle caratteristiche della serie se pure la rosetta, di solito, ha cuore centrale e piccoli petali[81].

Michelangelo ha mescolato motivi antichi con quelli di età più avanzata e ha creato una forma da cui è difficile bere. La scelta della ceramica aretina è invece appropriata perché vi sono vasi da mensa in cui dominano i motivi legati al ciclo bacchico; in definitiva, Michelangelo non ha copiato, ma ha voluto "contraffare l'antico".

3. La conoscenza delle antichità etrusche nel granducato di Toscana tra Quattrocento e Cinquecento

La pubblicazione del *De Etruria regali* di Th. Dempster, corredata da un apparato illustrativo a cura di F. Buonarroti nel 1723, segna l'inizio ufficiale degli studi di etruscologia.

Prima di questa data, pur essendoci una serie di reperti venuti alla luce occasionalmente, non si riscontra, se non episodicamente (cfr. Vasari[82]), una consapevolezza di

78. Restoro D'Arezzo, *La composizione del mondo*, 1282 a cura di A. Morino, Firenze 1976, pp. 198-200.
79. F. Gandolfo, *Arezzo nelle due "Vite"* [del Vasari], Arezzo 1974, p. 173.
80. B. Andreae, *Baia. Il ninfeo imperiale sommerso di punta Epitaffio*, Napoli 1983, p. 49, nn. 81-85: vi è riprodotta, tradotta in marmo, la coppa di bronzo che Ulisse presenta a Polifemo.
81. *Il Museo Archeologico Nazionale di Arezzo* (a cura di G. Maetzke), Firenze 1987: si veda *Ceramica aretina* di P. Zamarchi Grassi, a pp. 81 sgg.; A. Oxè-H. Comfort, *Corpus Vasorum Arretinorum*, Bonn 1908, tav. 10 con esempi di molteplici bolli a tav. 10.
82. G. Vasari, *Le vite de' più eccellenti pittori, scultori e architetti*, ediz. G. Milanesi, I, Firenze, 1878, pp. 221-222. Cfr. M. Pallottino, *Vasari e la Chimera*, in "Prospettiva", 8, 1977, pp. 4-6.

un'arte a sé stante, nemmeno dopo la scoperta dei grandi bronzi come la Minerva, la Chimera e l'Arringatore. La Chimera veniva spiegata attraverso confronti con monete greche di Sicione, presenti già nelle collezioni medicee[83]; l'Arringatore era considerato uno Scipione. Cosimo I più tardi utilizza queste scoperte politicamente per ottenere dal papa l'investitura a *Magnus Dux Etruriae*[84].

Dopo gli anni quaranta Cosimo sarà proiettato invece verso Roma e costruirà il primo Antiquarium a palazzo Pitti solo in base a marmi romani. La Minerva viene relegata in un terrazzino, la Chimera ugualmente trascurata sotto un cumulo di roba[85]; solo l'Arringatore, in qualità di Scipione, avrà l'onore di essere esposto nella camera di Cosimo I.

Gli etruschi sembrano tuttavia essere utili strumenti per avallare il potere di una dinastia dalla Magra al Tevere e agli Appennini, per cui già Lorenzo è celebrato come *Tusciae Dominus*.

La riscoperta dei codici antichi, perpetrata con furore dagli umanisti[86], porta alla luce la situazione dell'Italia antica prima dei romani.

L'Alberti nel *De re aedificatoria*, ripercorrendo l'inizio dell'edilizia così come è tramandato dalle fonti (Vitruvio), si sofferma nell'osservare le fortificazioni "che offrono allo sguardo un certo sentore di arcaica e severa durezza"; le varie cinte urbiche ancora in vista da Fiesole a Cortona, a Orbetello, a Perugia, a Tarquinia possono suffragare le sue parole.

Accanto alla monumentalità delle mura colpiscono l'attenzione di Alberti i resti intriganti "di quelle lettere, che in parte sembravano latine, in parte greche, ma il cui significato era assolutamente incomprensibile"; tale associazione (mura e iscrizioni) si riscontrerà ancora nei disegni dei Sangallo[87].

Annio da Viterbo (1432-1502), un frate domenicano cabalista e orientalista che mescola l'Antico Testamento e la storia greco-romana, nelle *Antiquitates* fa rimontare le ascendenze etrusche all'origine del mondo. Il primato dell'antichità spetta, secondo Annio, agli etruschi che ne furono i veri fondatori[88].

Il mito di Annio ha importanti ripercussioni a Firenze: infatti egli asserisce come Ercole, figlio di Osiride, avesse bonificato la palude dell'Arno "et loca aquis impedita habitatione hominum commoda fecit". La distanza temporale, che Annio crea trasportando i primi abitanti d'Italia dopo il diluvio, favorisce il mito di una popolazione selvaggia ai primordi della storia. Le illustrazioni incise con gli uomini "selvatici" nelle diverse edizioni di Vitruvio, *De Architettura*, a cominciare da quella di Cesare Cesariano nel 1521[89], attestano il parallelismo etruschi e selvaggi primordiali. Si potrebbero forse interpretare in questa chiave anche le scene di lotta del Pollaiolo.

Annio stesso organizza degli scavi in territorio viterbese, a Cipollara, scoprendo per caso (?), alla presenza di papa Alessandro VI Borgia, sarcofagi etruschi[90]. Questi dovevano essere divenuti parte integrante dell'arredo urbano di Viterbo se nel 1510 Francesco Albertini vide "in civitate Viterb. Statuas uetustiss. Repertas in colle Cybellario: Cybelis; Iasii; Armoniae Vestalis et Electrae de quibus a Jo. Viterb. Satis dictum est" (*Opusculum de mirabilibus novae et veteris urbis Romae*, Romae, per Jacob. Mazochium, MDC, c. 3 r)[91]. Un tentativo realistico di portare nella storiografia locale il supporto di documenti archeologici ed epigrafici viene effettuato da Sigismondo Tizio, morto nel 1528 e autore delle *Historiae Senenses*, dedicate all'Etruria antica. Fino all'età di Annio o di Sigismondo Tizio i monumenti etruschi appaiono più un'opera di ricostruzione che originali veri e propri: esemplificativa la cosiddetta urna fittile di Porsenna, donata dai senesi a Lorenzo il Magnifico (CIL XI, 260)[92] o la statua di Porsenna, plasmata da Andrea Sansovino per la città di Montepulciano[93].

83. M. Cristofani, *Per una storia del collezionismo archeologico nella Toscana granducale. I grandi bronzi*, in "Prospettiva", 17, 1979, p. 4, figg. 9-11.

84. G. Cipriani, *Il mito etrusco nel Rinascimento fiorentino*, Firenze 1980; M. Cristofani, *La collezione di sculture classiche*, in *Gli Uffizi. Catalogo generale della Galleria*, Firenze 1980, p. 1087.

85. G. Spence, *Letters from the Grand Tour*, a cura di S. Klima, Montreal - London 1975, p. 126.

86. Poggio Bracciolini in una lettera a Guarino Veronese parla di "codici reclusi liberati dagli ergastoli barbarici ai quali erano stati crudelmente condannati".

87. *Fortuna degli Etruschi*, a cura di F. Borsi, Milano 1985, pp. 40-43.

88. M. Doni Garfagnini, *Sigismondo Tizio e Annio da Viterbo*, in "Critica Storica", XXVII, 1990, p. 672.

89. G. Morolli, *Gli Etruschi e la letteratura architettonica del Classicismo*, in *Fortuna degli Etruschi*, 1985, p. 82.

90. M. Cristofani, *Le mythe étrusque en Europe entre le XVI et le XVIII siècle*, in *Les Etrusques et l'Europe*, Paris 1993, p. 282.

91. M. Cristofani, *Linee di una storia del revival etrusco in Toscana nel XVI secolo*, in *Mito etrusco e ideologia medicea*, in "Annali della Facoltà di Lettere e Filosofia dell'Università di Siena", II, 1991, p. 196.

92. *Ibid.*, p. 196.

93. *Il giardino di San Marco*... 1992, pp. 20-22.

Nel primo capitolo della sua opera[94] Sigismondo Tizio raccoglie alcune iscrizioni su urne etrusche dell'area senese, che erano visibili nel primo ventennio del XVI secolo. Un *excerptum* della prima parte delle *Historiae Senenses* di Sigismondo Tizio, quella relativa alle lettere etrusche, tradotto in volgare, è riportato su un taccuino del 1552 con appunti manoscritti, redatto da don Diego de Mendoza, ambasciatore a Roma di Carlo V; questo documento è passato in seguito nella collezione Sloane, ora al British Museum (Ms. Sloane 3524, cc. 59 r –67 r). Alle iscrizioni di Tizio vengono aggiunti altri monumenti inscritti di rinvenimento successivo nell'area senese, dimostrando l'ampliarsi dell'interesse per gli etruschi anche fuori d'Italia.

L'interesse per le iscrizioni, per l'alfabeto e quindi per la lingua etrusca fa passare in secondo ordine la scoperta di opere monumentali come la tomba a tholos di Quinto Fiorentino detta la Mula[95], la cui data di rinvenimento tra il 1481 e il 1484 si evince da graffiti di visitatori[96], anche se di questa tomba non si conosceva suppellettile alcuna.

Maggior fortuna ebbe, invece, un analogo rinvenimento a Castellina in Chianti, di cui resta testimonianza in un disegno attribuito a Leonardo[97]. Di questo tumulo[98], scoperto il 29 gennaio del 1507, si hanno notizie da un manoscritto Magliabechiano del 1541-45 di Sante Marmocchini[99], e dal *Gello* di Pier Francesco Giambullari[100], che descrivono una tomba "dove si trovano statue, ceneri, ornamenti e lettere etrusche"[101]: nella cella di sinistra "erano vasi di terra pieni di ceneri di morti, di gente di bassa mano", mentre in quella di destra "erano sepolti e' nobili, eranvi [...] una mensa di ornamenti di una regina, cioè uno specchio d'argento [...], una donna infino al busto d'alabastro con un filo d'oro d'armacollo [...]. Trovovvisi pietre preziose e tanti fogliami d'argento in quantità che si venderono a Siena ed io parlai con l'orefice che gli comprò. Vidi una sepoltura che vi era una donna scolpita, che aveva in mano una scodella, [...] eravi il nome di quella con caratteri etruschi: e molte urne di marmo e di pietra entrovi cenere, vi si trovò"[102]. La descrizione è sufficiente a riconoscere nel materiale: urne di alabastro e di pietra con coperchio, sia a doppio spiovente sia del tipo con defunto recumbente, ornamenti d'oro e d'argento, pietre preziose, vasellame e utensili metallici. Di questa tomba, la cui struttura con la copertura a falsa cupola, ben riconoscibile nel disegno del Louvre, rimanda al periodo orientalizzante e la suppellettile in maggior numero alla fase ellenistica[103], precedentemente aveva dato notizia Sigismondo Tizio: "apud Castellinam tempestate mea sub antro repertae urnae atque sepulchra cum litteris"[104], dimostrando l'interesse per questo monumento nella comunità di letterati e artisti della Firenze medicea.

Già precedentemente un umanista di Sarzana con interessi archeologici e topografici, Antonio Ivani (circa 1430-1482), dà notizia nel 1466 di scoperte a Volterra, una delle città maggiormente indiziate per i resti etruschi; questi riferisce di uno scavo di tombe contenenti "sarcofagi, urne e vasi di ceramica e frammenti"[105].

Ma forse il dato più rilevante si ricava dal poema di Verino, che nel *De illustratione urbis Florentiae*, manoscritto nel 1483, ricorda gli "spirantia signa etrusci Donati" mostrando di valutare l'influenza dell'arte etrusca su Donatello[106]. Nel suo tempo libero, ponendo accanto all'antichissima dinastia medicea alcune famiglie nobili della Val d'Elsa, che abitavano a Pogni in una zona d'influenza volterrana, esclama "Ponnia Tuscorum statio celeberrima quondam; marmora Thyrrenis testantur sculpta figuris" e più avanti "obruta ruderibus testudo inclusa tegebat, temporibus nostris reclusa et cognita nullis litera, quippe notis sculptor signarat Etruscis. Haec lingua antica et populi periere vetusti". Il suo poemetto, rimasto manoscritto per un secolo, fu stampato a Parigi nel 1583 e

94. Sigismondo Tizio, *Historiae Senenses*, manoscritto della Biblioteca Comunale di Siena, D III 6, 1. Copia del 1725-26 dell'originale della Biblioteca Vaticana (Chis. G.I. 35).

95. E. Petersen, *La Mula*, in "Römische Mitteilungen", 19, 1904, p. 252. La tomba è inquadrabile nell'orientalizzante recente (fine VII - inizio VI secolo a.C.). Probabilmente fu depredata in antico; attualmente è inserita come cantina in una villa. Recenti indagini a cura della Soprintendenza archeologica per la Toscana hanno messo in luce manufatti di prestigio che la accomunano con la vicina tomba della Montagnola, scoperta negli anni sessanta del nostro secolo.

96. G. Caputo, *La Montagnola di Quinto Fiorentino, l'orientalizzante e le tholoi dell'Arno*, in "Bollettino d'Arte", 47, 1962, p. 131. W. Helbig, *Antica tomba a cupola scoperta presso Quinto Fiorentino*, in "Bullettino dell'Instituto di Corrispondenza Archeologica", 1885, p. 196, precisa 1481-1485.

97. M. Martelli, *Un disegno attribuito a Leonardo e una scoperta archeologica degli inizi del '500*, in "Prospettiva", 10, 1977, pp. 58-61.

98. Sugli scavi rinascimentali e del nostro secolo a Castellina da ultimo G.C. Cianferoni, in *Gli Etruschi nel Chianti*, Radda in Chianti 1991, pp. 25 sgg.

99. Biblioteca Nazionale Centrale di Firenze, fondo Magliabechiano, classe XXVIII, cod. 20, S. Marmocchini, *Dialogo in defensione della lingua Toschana*, dedicato a Cosimo I.

100. *Il Gello di Pierfrancesco Giambullari, Accademico Fiorentino*, in Fiorenza MDXLVI, p. 45.

101. *Ibid.*

102. Marmocchini, cc. 21 e sgg.

103. Per il riutilizzo di tombe arcaiche nel periodo ellenistico cfr. G. Bartoloni, *Esibizione di ricchezza a Roma nel VI e V secolo: doni votivi e corredi funerari*, in "Scienze dell'Antichità", I, 1987, pp. 143 sgg.

104. *Siena le origini*, Siena 1979, p. 125.

105. C. Frulli, in *Fortuna degli Etruschi*, 1985, p. 106 con riferimenti bibliografici.

106. M. Martelli, *Un passo di Ugolino Verino, una collezione, un "castellum" etrusco*, in "Prospettiva", 15, 1978, pp. 12-18.

riedito nel 1780 in volgare a cura di Francesco Soldini[107]: "Chi potrà ben parlare di Bentacordi oppur de Tigliamochi o di quei Ghini, che vennero dall'Elsa? [...] ovver da Pogna, paese un tempo di toscane schiatte soggiorno celeberrimo e frequente, *siccome le sculture etrusche in marmi ne fanno fede per la lor gran copia*, che colà giace abbandonata, dove i villani agricoltori ai torchi gli poser per sedili e per sostegni; che trovati furono entro le grotte sotto i frantumi di mole disfatte: ai nostri tempi simili memorie si scopersero scritte con parole a tutti conosciute e da sculture con caratteri etruschi e in lingua antica intagliate già furo: né per questo era dato ad alcun d'interpretarle".

Marina Martelli, riprendendo l'argomento, associa le notizie di Verino con ritrovamenti a Pogni di due urne della collezione Gaddi[108] rese note da Filippo Buonarroti[109]. Nel 1778 i Gaddi vendono la loro collezione, e le due urne ricordate, dopo varie vicissitudini, passano al Louvre; queste[110] presentano due bassorilievi con il riconoscimento di Paride e l'uccisione di Agamennone, che riportano a una delle più belle botteghe di urne di alabastro di Volterra facenti capo al Maestro di Myrtilos e all'"Atelier des rosettes et palmettes"[111].

La conoscenza delle urne volterrane in alabastro (denominato nel Rinascimento ancora marmo) è attestata sin dal XV secolo, secondo il Targioni Tozzetti che vide[112], nel popolo di San Michele situato nella necropoli del Portone, un casale quattrocentesco con la muratura quasi esclusivamente costituita da urne e per questo chiamata "casa dei Marmi"[113].

Le tre più importanti necropoli della città erano perfettamente conosciute. Leandro Alberti nella sua *Descrittione* [114] dice di attingere le notizie da una memoria, oggi scomparsa, dello scultore e naturalista Zaccaria Zacchi (1474-1544) e scrive: "seguitando Zacharia prima mi rivolterò a tre di quelli 5 colli congiunti colla città nominati Monte Bradone, Portone e Ulimeto".

Ma l'attenzione degli eruditi del Rinascimento sembra volgersi principalmente alle monete. Pier Francesco Giambullari, a proposito del tipo di moneta volterrana con delfino, sotto il nome della città *velathri* leggeva Orisela e pensava che fossero monete non emesse dalla sola Volterra ma per tutta la nazione etrusca[115].

Oltre alle urne e alle monete, risale all'età rinascimentale la conoscenza di due sculture iscritte: la stele di un guerriero[116] e una *kourotrophos*, che avrebbero poi fatto parte dell'antica collezione Maffei[117]. La stele mostra di essere stata scalpellata dal lato destro e in basso; un disegno conservato alla Biblioteca Marucelliana forse ne dà la spiegazione poiché la scultura risulta inserita in una nicchia accanto alla *kourotrophos*[118]. Il Merulà nella sua *Cosmographia* del 1610 ricorda la stele "Cursium Martium signum Martes est marmoreum; cum armis aliquot ex alabastrite, in quibus litterae conspiciuntur Etruscae, cuius generis, ut et Latinae, multae ibi passim Inscriptiones". Anche Fra Mario Giovannelli, nella sua cronistoria nel 1613, ricorda ancora "nella via di Corso Martio una statua di Marte molto artificiosamente lavorata nel marmo con alcune urne d'alabastro con grand'artifizio historiate, ove si vedevano alcune lettere toscane. Similmente giaceva una statua di marmo rappresentante una donna vestita tenendo nelle braccia un fanciullo fasciato, havend'in una delle larghe maniche della veste sottilmente intagliate alcune lettere toscane". Le due opere passarono nel palazzo Maffei di via Guidi già nel XVII secolo; Raffaele Maffei, il Volterrano, nei suoi *Commentari Urbani* del 1506 (Roma, libro 33 p. 463), ricorda che in Volterra erano stati scavati monumenti etruschi con iscrizioni e riproduce alcune lettere che sembrano riferirsi alla iscrizione sulla stele di Avile Tite. La statua femminile sembra sia stata trovata nel 1494, fra le rovine dell'antico teatro[119].

107. D'Ugolino Verino poeta celeberrimo fiorentino libri tre in versi originali latini: *De illustratione urbis Florentiae* con la versione toscana, terza edizione, Parigi (?) 1790, pp. 142-144.

108. C. Acidini Luchinat, *Niccolò Gaddi collezionista e dilettante del Cinquecento*, in "Paragone", 359-361, gennaio - marzo 1980, pp. 141-175.

109. Ph. Buonarroti, *Ad Monumenta Etrusca operi Dempsteriano addita explicationes et conjecturae*, II, Florentiae 1724, pp. 31 sgg., tav. LXXXI, 1-2.

110. MA 3605 – MA 3606 (Martelli, cit., a n. 22, figg. 2-3).

111. F.H. Massa Pairault, *Recherches sur quelques séries d'urnes de Volterra à représentations mythologiques*, Rome 1972.

112. G. Targioni Tozzetti, *Relazione di alcuni viaggi fatti in diverse parti della Toscana*, II ed., III, 1769, p. 202.

113. E. Fiumi, in *Corpus delle urne etrusche* 2, 1, Firenze 1977, p. 9.

114. L. Alberti, *Descrittione di tutta Italia*, Bologna 1550, p. 49.

115. L. Consortini, *Pier Francesco Giambullari e le monete etrusche volterrane*, in "Rassegna Volterrana", XIV - XVI, 1942, pp. 251-253.

116. M. Sprenger - G. Bartoloni, *Die Etrusker. Kunst und Geschichte*, München 1977, tav. 67.

117. P. Bocci Pacini, *Un sopralluogo di Luigi Lanzi a Volterra*, in "Archeologia Classica", XLIII, 1991, pp. 512 -513.

118. G. Cruciani Fabozzi, *Le antichità figurate etrusche e l'opera di A.F. Gori*, in *Kunst der Barock in der Toskana*, München 1976, pp. 175 sgg.

119. B. Falconcini, *Vita del nobil'uomo Raffaello Maffei detto il Volterrano*, Roma 1722, p. 113.

Come abbiamo veduto da queste considerazioni, le urne erano largamente visibili a Volterra, anche se non tesaurizzate; infatti, come riporta E. Fiumi[120] citando Guardaroba medicea Riccobaldi del Bava nella sua *Dissertazione istorica etrusca sopra l'origine di Volterra*, Firenze 1758, p. 154, ancora agli inizi del Settecento "gl'ingordi contadini nel lavorare i campi, accorgendosi benissimo dove è voto sotto il terreno, aprono di notte i sepolcri e se nulla vi trovano di pregio, ne fanno di nascosto quell'esito che possono". Evidentemente si tendeva a raccogliere ancora ori e bronzi: questi ultimi erano venduti "a vil prezzo ai fabbri per uso di ferramenta". Nonostante le parole fustigatrici di del Bava le urne etrusche si possono considerare note fin dal medioevo perché, come si può verificare proprio a Volterra, le reliquie di san Clemente e di santa Attinia[121] erano state disposte nel XVI secolo in due urne etrusche. Sempre nel medioevo il vescovo Ruggero si fece seppellire in un sarcofago romano, ancora inedito, conservato nel Museo Diocesano della città[122].

Nella cattedrale di Pistoia un'urna di alabastro di Volterra, con Pelope e Ippodamia sulla quadriga, utilizzata per i resti di un santo venne alla luce nel 1414[123]. Ugualmente Attilio Alessi che trascrive in manoscritto italiano un testo del padre: *Historia dell'Antichità di Arezzo*, 1552 [124], ricorda "una urna di pietra tuvertina" presso la porta della chiesa di San Lorenzo "dove nel frontespitio sono le infrascritte lettere [...] dentro la quale i sacerdoti hoggi tengono l'acqua benedetta" e ci sono lettere "similmente in un'altra urna di pietra nella villa di Fontiano e appresso al Duomo Vecchio in un marmo assai mal polito e abbozzato questi ancora versi".

Alessi entra nel dibattito, aperto da Annio, sull'alfabeto etrusco accettando l'origine aramaica. Appare senza seguito, e anzi contrastata da Alessi, l'intuizione del greco Giovanni Laschera che "si è sforzato dare a intendere i latini aver accettato dai greci i caratteri, o vero corpi delle lettere [...] e sono sorelle delle toscane"[125]. Nella memoria dell'Alessi vengono menzionati anche i monumenti antichi di Arezzo in vista, quali l'anfiteatro "giorno per giorno derupato e guasto", le terme "con meraviglioso *pavimento* di vetro" e "pavimenti bellissimi di musaico sotto terra con mirabile arte scolpiti".

Se Alessi insiste sull'antichità di Arezzo, è pure vero che la città romana era nota fin dagli inizi del Quattrocento grazie all'*elogium* di Quinto Fabio Massimo, riportato da Poggio Bracciolini e da Ciriaco d'Ancona e ripreso in parte da Paolo Uccello nel 1436 nel monumento funebre di Giovanni Acuto in Santa Maria del Fiore per nobilitare mediante il testo antico la figura del condottiero[126].

Ogni città della Toscana vanta la sua antichità; Poliziano stesso in una lettera a Pietro de' Medici osserva a proposito delle mura di Fiesole che "ab Atlante, illo Caelifero conditas, at vetus fama refert, et doctissimus Johannes Boccaccius confirmat"[127]. Anche Ciriaco de' Pizzicolli aveva notato la struttura delle mura fiesolane prive di malta: "magnis edita lapidibus moenia conspexi quamvis magna ex parte longinqua vetustate collapsa videntur"[128].

Tra le varie città della Toscana tuttavia quella che risulta emergente per il suo passato etrusco è Chiusi, grazie alla descrizione pliniana[129] di un passo di Varrone sul sepolcro di Porsenna, il re etrusco per eccellenza (L. Battista Alberti[130] e il Filarete[131] riportano la notizia). La descrizione di un "labyrinthus inestricabilis" coperto con *petasos pyramides* e *tintinnabula* alimenterà la fantasia degli artisti dal Quattrocento al Settecento (ad esempio Piranesi). Anche nel Rinascimento vari sono i tentativi di ricostruzione; ricordiamo tra i più antichi i disegni di Baldassarre Peruzzi[132] e Antonio da Sangallo[133].

120. Fiumi 1977.
121. M. Bonamici, *Urne etrusche come reliquiari*, in *Colloquio sul reimpiego dei sarcofagi romani nel Medioevo*, Marburger Winckelmann Programm, 1984, pp. 205-207.
122. *Ibid.*, p. 208.
123. *Ibid.*, pp. 208-209.
124. Codice Riccardiano 2026.
125. *Ibid.* Si deve trattare di Costantino Lascaris (1434-1501), umanista greco-bizantino.
126. A. Gunnella, in *Magnificenza alla corte dei Medici*, Firenze 1997, n. 13, p. 43.
127. N. Mancini, *Orazione e discorsi istorici sopra l'antica città di Fiesole*, Firenze 1728, p. 40.
128. *Commentariorum Ciriaci Anconitani nova fragmenta*, Pesaro 1773, p. 18.
129. Plinio il Vecchio, *Naturalis Historia,* XXXVI, 91-93.
130. L.B. Alberti, *De re aedificatoria*, VIII, 3.
131. J.R. Spencer, *Filarete's Treatise on Architecture*, New Haven-London 1965, I, p. 14.
132. O. Vasori, *I monumenti antichi in Italia nei disegni degli Uffizi*, in *Quaderni di Xenia*, 1, Roma 1981, pp. 79-82, fig. 56.
133. *Ibid.*, pp. 95-96, f. 69, f. 70 cui si aggiunga *Fortuna degli Etruschi* 1985, nn. 3-6, pp. 38-40 con ulteriore bibliografia.

In effetti, alla luce degli scavi recenti Chiusi si evidenzia rispetto alle altre città dell'Etruria per la ricchezza delle decorazioni in pietra dei suoi ipogei e dei suoi tumuli.

Anche Vasari[134] descrivendo lo scavo a Chiusi di una consueta tomba ellenistica a più camere scavate nel tufo fa riferimento al sepolcro di Porsenna e al labirinto.

L'interesse del Vasari per il mondo etrusco è attestato anche da un manoscritto senese[135] dove è un tentativo a lui attribuito di formulazione di una serie alfabetica etrusca. La sensibilità critica del Vasari è evidente nella sua descrizione di "alcune tegole di terra cotta, dentrovi figure di mezzo rilievo tanto eccellenti e di sì bella maniera che facilmente si può riconoscere l'arte non esser cominciata appunto in quel tempo, anzi, per la perfezione di quei lavori, essere più vicina al colmo che al principio".

La conoscenza delle urnette fittili chiusine con scene per lo più di battaglie è attestata anche da uno schizzo di Francesco di Giorgio Martini con l'indicazione "achiusi"[136]. Chiusi, antica sede del re Porsenna, visitata dai maggiori studiosi di antichità del XVI secolo, Sigismondo Tizio e Teofilo Gallacini, appare luogo ideale per la ricerca del materiale.

Fioriscono anche piccole collezioni locali che solo col tempo, nel Settecento con l'etruscheria, per la maggior parte confluiranno nel tesoro mediceo.

La storia di Chiusi esercitava un fascino particolare perché "di lei si legge essere stata regina della Toscana et haver competuto colli Romani, che pur son sempre stati quasi sempre signori et patroni del mondo, al tempo del re Porsenna"[137].

Appendice - Esempi di collezionismo archeologico a Firenze

La collezione di un artista: Lorenzo Ghiberti, 1378-1455[138]

L'Albertini, nel suo *Memoriale di molte statue et picture [che] sono nella inclita città di Florentia*, ricorda di aver visto nel 1510, in casa Ghiberti, "un vaso grande marmoreo intagliato bellissimo, il quale Lorenzo Ghiberti fece portare di Grecia, cosa bellissima". Non abbiamo nessuna ulteriore notizia sull'argomento ma, dopo la felice intuizione di J. Von Schlosser (*Leben und Meinungen des florentinischen Bildners L. Ghiberti*, Basel 1941, p. 123), si pensa che si tratti di un vaso neoattico. Il fatto è verosimile perché molti crateri marmorei erano attestati anche presso le chiese di Roma[139]; un cratere a calice di marmo bianco pentelico era visibile nella seconda metà del XIII secolo a Pisa, collocato sul lato meridionale degli scalini del Duomo, su un supporto a forma di leone e una colonna di porfido, secondo quanto tramanda il disegno di G.A. Dosio (cfr. Hülsen, *Das Skizzenbuch des G. Dosio*, Berlin 1933, fig. 17, n. 43, tav. 24, e Bober-Rubinstein, n. 91).

Il cratere è ora visibile nel Camposanto monumentale di Pisa e sul posto è stata collocata una copia. L'originale è abbastanza corroso per una lunga esposizione all'aperto, ma tuttavia è possibile leggere un gruppo centrale con Dioniso vecchio, barbuto, avvolto nello *himation* che si appoggia col braccio sinistro piegato su un satirello; davanti a lui un satiretto gli scioglie i calzari, dietro è un altro satiro danzante con tirso che si rivolta verso un ermafrodita. Il retro del cratere presenta una danza di menadi che si tengono per mano finché l'ultima si salda alla pelle di Pan. Sotto il labbro del vaso è un'ampia fascia di viticci d'uva. Il cratere, oltre a essere stato una fonte primaria di ispirazione per Nicola Pisano, ha avuto molta fortuna anche nei secoli successivi.

Poiché la maggior parte dei vasi neoattici ha soggetti dionisiaci[140], si potrebbe pensare che anche quello del Ghiberti rientrasse in questa serie; si sa infatti che, dopo la sua morte, fu venduto a Roma tramite monsignore Giovanni Gaddi.

Anche la leggera ed elegante decorazione a viticci della Porta del paradiso (Krautheimer 1982, fig. 138b) richiama la disposizione dei tralci d'uva sotto i vasi neoattici.

Nei *thiasoi* bacchici dei crateri tornano poi satiri danzanti alternati a menadi con cembali in mano, come nel più noto e rappresentativo cratere firmato da Salpion, in cui la ninfa Nysa, che sta per ricevere il piccolo Dioniso da Hermes, ha le gambe incrociate e la mano destra che tocca la veste all'altezza del petto e la sinistra posata sulla coscia. Nysa è presente an-

134. Vasari, *Le vite* 1962, I, pp. 169 sgg. *Proemio.*

135. Biblioteca Comunale di Siena, Manoscritti Benvoglienti.

136. F.P. Fiore e M. Tafuri, *Francesco di Giorgio architetto*, Milano 1993, p. 352, fig. XX, 33.

137. Biblioteca Nazionale Centrale, Firenze (BNCF), fondo Magliabechiano, classe XXV, cod. 8 c. 1v.: G. Gori, *Dell'historie della città di Chiusi di Toscana di Messer Giacomo Gori da Lanza* (1590 ca).

138. Questo paragrafo è stato scritto in collaborazione con Fiorella Lapi.

139. T. Ashby, *Museo John Sloane*, London, *Architettura civilis Andreae Coneri Antiqua Monumenta Roma*, in "Papers British School at Romae", II, 1904.

140. Possiamo ricordare che solo nel vaso neoattico di Madrid sono presenti centauri e lapiti: v. D. Grassinger, *Römische Marmorkratere*, Mainz am Rhein 1991, n.33, tav. 251.

che in una gemma di Lorenzo con infanzia di Dioniso (Giuliano, in *Il tesoro di Lorenzo...* 1980, cat. 5, fig. 1).
Anche le singole teste dei profeti della porta nord del Duomo di Firenze ricordano, al di là dei palmari confronti portati dal Krautheimer (1982, figg. 109-112) per le teste riprese dal sarcofago di Fedra del Camposanto di Pisa, le singole teste di sileni e di bacchi barbuti usate come appliques all'attacco inferiore delle anse dei crateri a calice. In Heemskerck è disegnata in un giardino di Roma la parte inferiore di un cratere di marmo, visto dal basso, con linguette e due teste di Bacco barbuto come attacchi delle anse. Della parte figurata si notano solo due figure femminili in movimento (Grassinger 1991, n. 62, fig. 252).
Abbiamo voluto soffermarci sui crateri del Ghiberti e di Pisa perché questi sono un'altra fonte da cui gli artisti del Rinascimento potevano attingere motivi antichi, e così pure le lastre di terracotta, cosiddette Campane, presenti già nelle collezioni del Sodoma[141]. Evidentemente un artista poteva raccogliere materiali più accessibili, anche frammentari o umili – come la terracotta – per aver termini di confronto diretto con l'antico. Spesso i disegni ci documentano frammenti di braccia o di gambe, utili per uno studio dell'anatomia degli antichi.
Nella collezione del Ghiberti si ricordano "alcuni torsi di figure, alcune teste maschili e femminili"[142], ma il pezzo più famoso era considerato un rilievo, non si sa se di bronzo o di marmo, con "il letto di Policleto", un soggetto molto famoso, probabilmente erotico, che alludeva agli amori di Venere e di Vulcano, di grande successo a giudicare dalle repliche, attribuito a Policleto, che tuttavia non trova supporto nelle fonti[143].
Il Ghiberti possedeva anche una gamba di bronzo a grandezza naturale, che sarà ammirata da Michelangelo[144]. Anche Jacopo della Quercia aveva una testa bronzea di vecchio e due "ignudi di metallo": agli artisti poteva essere utile verificare anche sul piano tecnico il modello antico.
R. Krautheimer ipotizza che Ghiberti avesse un ricco portfolio di disegni e anche di calchi presi nelle sue visite a Pisa e nei numerosi viaggi a Roma.

La collezione di un umanista

Poggio Bracciolini è l'umanista fiorentino che si dimostra più attratto dal collezionismo e in particolare dalla statuaria greca[145].
Probabilmente è proprio la lunga dimestichezza con Cicerone che lo spinge a emularlo e a cercare statue per il giardino della sua villa a Terranuova[146].
Cicerone protesta in una lettera con Attico, che gli ha inviato delle Baccanti, che non sono un ornamento adatto per la sua biblioteca per la quale aveva invece richiesto delle Muse[147].
Poggio si dà da fare con gli amici in Grecia per ottenere una statua di Atena; questa è una importante testimonianza del mito della Grecia antica nell'ambito dell'umanesimo fiorentino. Infatti Poggio – che lavora nella Curia romana (1403-18) e che visita, ricopiando epigrafi, Tivoli, Alatri, Tuscolo e Ferentino – avrebbe potuto con molta più facilità acquistare statue antiche a Roma o nel territorio.
Quando a Firenze viene istituita la prima cattedra di greco (1395) con Manuele Crisolora, Leonardo Bruni dichiara che questa "è la sorgente di ogni dottrina"; infatti la conoscenza del greco permette al Ficino la traduzione di Platone e di Plotino.
Il prete fiorentino Cristoforo Buondelmonti, che esplora le isole dell'Egeo in cerca di manoscritti, ha notizia del ritrovamento di cinquanta statue a Rodi; Poggio viene a saperlo e, tramite intermediari, lo supplica di procurargli qualche esemplare[148]. Solo più tardi, Andreolo Giustiniani stabilitosi a Chio – intermediario dei collezionisti fiorentini N. Niccoli e Cosimo, oltre che del papa – gli invierà da Chio tre teste di marmo: una di Atena laureata, una di Giunone e una di Bacco "cum duobus curniculis"[149].
L. Beschi, considerando che i beni di Poggio Bracciolini confluiscono nelle raccolte medicee, pensa di poter identificare il Bacco nella testa, poi inserita in un busto, oggi agli Uffizi[150], proveniente dalla villa di Poggio Imperiale – ma con un iter ancora confuso – è poi la copia del *Dionysos Tauros* di Prassitele, dal volto infantile, che esprime un trasognato distacco dal mondo[151]. Nonostante la concorrenza dei collezionisti altolocati e le difficoltà dei trasporti, Poggio riesce ad arredare il suo giardino di pezzi antichi[152].

La collezione di un libraio (Niccolò Niccoli, libraio umanista, 1364-1437)

Figlio di un modesto lanaiolo, riuscì ad avere nella sua biblioteca ben 800 codici (*Vite di uomini illustri...*, Firenze 1859). Secondo Vespasiano da Bisticci "mangiava in vasi antichi bellissimi e avendo notizie da tutto il mondo, chi gli voleva gratificare gli mandava o statue di marmo o vasi fatti dagli antichi, sculture,

141. G.H. Hill, *Sodoma's Collection of Antiques*, in "Journal of Hellenic Studies", XXV, 1906, p. 281.
142. L. Medri, *Ghiberti e gli umanisti. La collezione di L. Ghiberti*, in *Lorenzo Ghiberti. Materia e Ragionamento*, catalogo mostra, Firenze 1978, pp. 559-567.
143. L. Beschi, in *Memoria dell'antico...*, 1986, III, p. 305: alla fig. 285 è un esemplare rinascimentale del rilievo.
144. L. Beschi, *Bronzi antichi del Rinascimento fiorentino: alcuni problemi*, in "Alba Regis", XXI, 1984, p. 119.
145. *Enciclopedia dell'arte antica*, Treccani, Suppl. II, voce *Collezioni: Firenze, Poggio Bracciolini.*
146. P. Castelli, *Poggio Bracciolini, 1350-1459. Un Toscano antico* catalogo della mostra a Terranuova Bracciolini.
147. C. Franzoni, *Le collezioni rinascimentali d'antichità*, in *Memoria dell'antico...* 1986, p. 316.
148. L. Beschi, *Collezioni d'arte greca in Italia*, in "Il Veltro", XXVII, 1983, pp. 256-257; nell'Epistola IV, 12, Poggio documenta che "Centum ferme statuas integras [...] repertas [...] Rhodii in antro quodam".
149. L. Beschi, *La scoperta dell'arte greca*, in *Memoria dell'antico,* 1986, III, p. 332
150. G.A. Mansuelli, Galleria degli Uffizi, *Le sculture*, Roma 1958-1961, I, n. 26, p. 49.
151. Meno classicistica dell'esemplare degli Uffizi risulta la replica in F. Parise Badoni, *Una replica del "Dioniso Tauro" di Prassitele*, in "Prospettiva" I, 1975, pp. 45 sgg.
152. Weiss 1989, p. 216.

epitaffi di marmo, pitture [...] molte cose di mosaico"[153].

In effetti il suo nome si trova accanto a quello di Cosimo in alcuni documenti per cui sembra essere probabile che egli avesse potuto acquistare pezzi così pregiati solo con l'aiuto finanziario di questo influente personaggio (Heikamp, in *Il tesoro di Lorenzo* 1980, p. 189).

Ambrogio Traversari (*Latinae Epistolae*, Firenze 1759) scrive al Niccoli (Krautheimer, p. 301) che Ciriaco di Ancona ha una gemma in onice, bellissima, di Scipione Minore. Anche Ciriaco aveva una collezione, soprattutto di gemme, e molto probabilmente è l'intermediario per gli acquisti medicei. Una gemma con Scilla destò tanta curiosità che ne fece calchi in piombo per gli amici già nel 1442-43[154].

Niccolò Niccoli, secondo quanto afferma il Gombrich[155], possedeva anche disegni di architettura e ricostruzioni di edifici antichi, come potevano essere anche nel Casino di Lorenzo.

Cosimo de' Medici

Cosimo de' Medici (1389-1464) è uno dei più grandi mecenati privati; si fece costruire un palazzo e lo riempì di opere d'arte. Secondo le testimonianze e gli inventari raccolse manoscritti, epigrafi, vasi in pietra dura, opere d'arte antica in bronzo e in marmo; fu l'iniziatore della raccolta di gemme. Un inventario del 1456 attesta come egli avesse già una ventina tra cammei e intagli[156]. Era già in suo possesso la famosa corniola con l'intaglio di Apollo che assiste al supplizio di Marsia, mentre Olympos invoca pietà. Il Ghiberti rilegò in oro la corniola decorandola con un drago tra foglie d'edera e riproducendo intorno l'iscrizione di una moneta neroniana. Questa incastonatura non era più presente nel Settecento.

Né il Ghiberti né il Filarete riconoscono il soggetto[157]. La corniola è considerata un pezzo particolarmente importante per il prestigio della famiglia tanto che ne esistono copie con l'iscrizione di Lorenzo in una corniola e in un cammeo a Napoli[158]; inoltre è riprodotta in una serie di placchette e di medaglie[159], su quadri, disegni, architetture[160], ed è stata usata anche nel frontespizio di libri, tra cui un incunabolo d'Omero della Biblioteca di Lorenzo[161].

Di questa gemma i Medici diffusero varie copie sostituendo alla figura di Apollo quella di Hermes, dio del commercio, a esaltazione della propria potenza[162].

Lorenzo il Magnifico

Nel 1471 Lorenzo diciassettenne si reca a Roma; così descrive la sua missione presso il pontefice: "Di settembre 1471 fui eletto ambasciatore a Roma per l'incoronazione di papa Sisto, dove fui molto onorato e di quindi portai le due teste di marmo antiche delle immagini di Augusto e di Agrippa, le quali mi donò detto papa e più portai la scudella, nostra di calcedonio intagliata [la tazza farnese] con molti altri cammei e medaglie che si comperarono allora, fra le altre e il calcedonio"[163].

Lorenzo in questa occasione acquista un gran numero di cammei, gemme e vasi in pietre dure[164]. Questi ultimi, in numero di 15 nel 1463, raggiungeranno con Lorenzo il numero di 33.

Nell'inventario del 1457 del cardinale Barbo (papa Paolo II dal 1464) erano citati 38 vasi in pietre dure; sembra che nel Quattrocento la sua fosse la più importante raccolta del genere. Inoltre egli possedeva 343 cammei e 578 intagli.

Molti acquisti di Lorenzo devono provenire dall'eredità Barbo[165].

Lorenzo predilige i cammei; isolati o applicati sono gioielli decorativi che si diffondono da Alessandria d'Egitto a partire dal III secolo a.C.

Ben diversi risultano gli intagli di per sé preziosi per le pietre usate e in più, essendo utilizzati come sigilli, sono strettamente legati alle figure di regnanti che se ne servono per necessità di Stato. Alessandro Magno ha un suo incisore, Pyrgoteles, che crea sigilli con l'immagine del re o simboli o personificazioni legate alla politica del sovrano.

I romani, dopo le loro vittorie sugli stati ellenistici, ne trasportano i tesori a Roma come bottino di guerra e li espongono nei santuari.

Antonio, dopo le guerre in Armenia, fa un ingresso trionfale ad Alessandria nel 34 come nuovo Dioniso, il dio che tornava dall'Oriente. Interprete della assimilazione di Antonio con Dioniso è l'incisore Sostratos; molte delle più belle gemme di Lorenzo risalgono al tesoro di Antonio.

La Tazza Farnese, poi, con una complessa e discussa allegoria dinastica, viene elaborata ad Alessandria, nelle officine reali, intorno alla metà del II secolo a.C.[166]

Dopo la sconfitta di Antonio ad Azio nel 31 a.C. e la vittoria di Ottaviano, il programma di restaurazione classicista si attua attraverso il suo incisore Dioskourides, che nella prima fase di attività ricorda la vittoria navale di Ottaviano assimilandolo a Nettuno; dopo che nel 27 a.C. Ottaviano ha ottenuto il titolo di Au-

153. R. Krautheimer (1982, p. 301) ricostruisce in maniera personale la figura del Niccoli.
154. Weiss 1989, p. 216.
155. Riportato da Nesserath, in *Memoria dell'antico...* 1986, III.
156. U. Pannuti, in *Il tesoro di Lorenzo...* 1980, p. 3.
157. N. Dacos, in *Il tesoro di Lorenzo...* 1980, p. 110, scheda n. 8.
158. *Ibid.*, p. III, elenco B.
159. *Ibid.*, p. III, elenco C.
160. *Ibid.*, p. III, elenco E.
161. *Ibid.*, p. III, elenco G.
162. A. Giuliano, *Il tesoro di Lorenzo...* 1980, n. 42.
163. E. Gori, *Prodromo della Toscana illustrata*, Livorno 1755, pp. 1919-1194: riporta questi "Ricordi" di Lorenzo.
164. V. Pannuti, in *Il tesoro di Lorenzo...* 1980, p. 4
165. A. Giuliano, in *Il tesoro di Lorenzo...* 1980, pp. 19-32.
166. V. Pannuti, in *Il tesoro di Lorenzo...* 1980, nota 2, 43, pp. 69 sgg.; da ultimo vedi La Rocca 1984.

gusto, è assimilato ad Apollo (si veda la corniola con Apollo che punisce Marsia); nell'ultima fase il ritratto di Augusto è esplicitamente espresso come Novus Mercurius o Apollo.
Il periodo glorioso delle gemme è quindi racchiuso nell'arco di tempo che si estende da Alessandro Magno ad Augusto.
La collezione di Lorenzo accresce il primo nucleo di Cosimo; lo studio dei primi pezzi della loro storia non fa che rendere più preziosa questa raccolta, proveniente da tesori di re orientali e dall'imperatore Augusto.
Nel primo cortile di palazzo Medici s'impone un fregio sopra le colonne, in cui gli stemmi di famiglia sono affiancati da 8 medaglioni di scuola donatelliana che riproducono 7 gemme, solo l'ottavo si rifà a un sarcofago romano già presso il Battistero.
N. Dacos[167] esclude che il ciclo voglia celebrare il tesoro di Lorenzo in quanto due delle gemme qui citate erano ancora nella collezione Barbo; tuttavia nel prosieguo del tempo troviamo spesso la reiterazione di pezzi famosi dalla R. Galleria alle ville, da villa Medici agli Uffizi.
Se le gemme sono replicate nelle placchette di bronzo e ispirano gli scultori fino in Francia, non si può non notare che le gemme rivisitate sono proprio quelle del Signore del Palazzo e non sono esclusivamente le sue per il buon gusto di Lorenzo. L. Beschi[168] distingue fra la disposizione dei pezzi archeologici nel Casino e le sculture antiche o dall'antico disposte come decorazione programmata nelle strutture del palazzo. Se a oggi il ciclo dei medaglioni non ha trovato una soddisfacente esegesi è pur interessante il tentativo Western-Simon[169] di interpretarlo come una illustrazione di due filoni filosofici, uno greco e uno latino, che si rifanno ai neoplatonici e a Lucrezio. D'altra parte lo stesso medaglione del centauro con il cesto di mele, disposte come le palle medicee, invita a cercare una interpretazione.
I medaglioni che si rifanno a gemme, considerate all'epoca di arte greca, anche per le firme di artigiani greci, si abbinano al programma decorativo realizzato dal Verrocchio: le teste degli imperatori sopra le porte.[170] Anche questo motivo, nato a palazzo Medici di via Larga, continuerà nelle ville medicee per secoli. Le due teste di Agrippa e di Augusto, donate da Sisto IV, inserite in busti e disposte nella Galleria degli Uffizi[171], sono state riconosciute da L. Beschi grazie ai medaglioni, già di P. Guadagni e ora al Victoria and Albert Museum di Londra, attribuiti a Giovanni della Robbia[172]. Considerati un tempo genericamente ispirati all'antico, L. Beschi ha potuto riconoscere i modelli tra cui, oltre al volto di Omero e a quello di Apollo, nel medaglione più grande sono Augusto e Agrippa nella iconografia dei due ritratti degli Uffizi, mentre il busto femminile in alto, in costume rinascimentale forse poteva raffigurare Giulia, figlia di Augusto e moglie di Agrippa.
L. Beschi[173] prende poi in esame i quattro rilievi esposti sopra la loggia che riguarda il giardino, di cui due ancora sul posto e due ricostruiti lì, e li considera semanticamente legati tra loro per esprimere i quattro principi di vita dei neoplatonici di Careggi.
Ai lati della porta del giardino che esce su via dei Ginori, Cosimo aveva fatto porre un bellissimo Marsia di marmo bianco a cui Lorenzo affianca un altro Marsia, "antichissimo e molto più bello che l'altro in pietra rossa" che, "essendo imperfettissimo", lo fa completare dal Verrocchio e "porre dirimpetto all'altro, dall'altra banda della porta"[174].
Le vicende dei due Marsia sono state ricostruite[175]: il Marsia in marmo rosso è purtroppo perduto; lo troviamo citato per l'ultima volta nel Casino di San Marco dove il cardinale Carlo Decano aveva trasportato molti marmi dal giardino di via Larga: è descritto "legato a sedere a tronco che fa da piedistallo", stante accanto all'altro Marsia[176]; mentre quest'ultimo sarà portato nella Galleria degli Uffizi, il primo resterà al Casino. La stima bassissima che viene data al Marsia rosso in confronto con gli altri marmi può spiegare perché sia stato lasciato nel giardino, dove si sarà ulteriormente deteriorato e forse riutilizzato come marmo.
Il Marsia bianco (in realtà di pavonazzetto), completato da Mino da Fiesole[177] che ha tinteggiato la parte superiore di restauro riprendendo le macchie del marmo antico, è giunto fino a noi per la sua migliore conservazione.
Che Lorenzo abbia voluto mostrare la continuità con Cosimo nel riproporre il suo Marsia sembra ovvio, ma le statue messe alle porte hanno una particolare valenza: in questo caso è ovvia una sottesa ideologia. L. Beschi ha proposto lo stesso messaggio del Marsia classico: un esempio di *hybris* punita. Ma anche nel cammeo che copia la gemma medicea con Marsia si sotituisce Apollo con Hermes e Marsia viene descritto come "Prometeo" ed è quindi il personaggio principale.
Nel primo medaglione del cortile di palazzo Medici è il satiro che porta Dioniso fanciullo sulle spalle, in un altro il centauro, creatura del ciclo dionisiaco, cui appartiene Chirone che, superata la sua natura ferina e raggiunta la ve-

167. N. Dacos, in *Il tesoro di Lorenzo...*, 1980, pp. 98-114.
168. L. Beschi, *Le Antichità di Lorenzo Il Magnifico*, in *Gli Uffizi. Quattro secoli di una Galleria*, a cura di P. Barocchi e G. Ragionieri, Firenze 1983.
169. Riassunto in *Il tesoro di Lorenzo...* 1980, nota 36.
170. L. Beschi, in *Gli Uffizi...* 1983, p. 166.
171. *Gli Uffizi, Studi e Ricerche*, 10, cit., nn. 4 e 5, pp. 16-19 (a cura di C. Monaco).
172. J. Pope-Hennessy, *Catalogue of Italian Sculpture in the Victoria and Albert Museum*, I-III, London 1964, n. 234; la serie è ai nn. 234-237.
173. L. Beschi, in *Gli Uffizi...* 1983, pp. 170-172.
174. *Ibid.*, pp. 168-169.
175. *Ibid.*, p. 168, nota 33.
176. P. Bocci-Pacini, *Nota in margine a "Boboli 90"*, in corso di stampa in "Prospettiva", volume in onore di Mauro Cristofani.
177. F. Caglioti, *Due "Ristauratori" per le Antichità dei primi Medici: Mino Da Fiesole, Andrea Del Verrocchio e il "Marsia Rosso"*, in "Prospettiva", 72, 1993, pp. 17-42.

ra sapienza, insegna ad Achille l'arte della musica. Questa arte risulta una delle più adatte a conseguire il trionfo delle passioni umane e la perfezione dell'anima secondo una concezione spiritualistica particolarmente in auge nel III secolo a.C., espressa nell'accentuata esaltazione del *monsikós anèj*, tanto che il gruppo di Achille e Chirone si trova anche in sarcofagi, tra cui uno nel Camposanto di Pisa[178].

E. Winternitz[179] ricorda, a proposito di Marsia, anche la reinterpretazione dello scorticamento fatta da Dante (*Paradiso*, 19) dove è visto come liberazione dell'anima che si purifica nell'unione mistica con Dio-Apollo ("O buon Apollo – scrive il poeta – / Entra nel petto mio, spira tue / si come quando Marsia traesti / dalla vagina delle membra sue"). Sempre il Winternitz osserva che la "piva" che suona Marsia nelle culture primitive è uno strumento iniziatico; per gli scrittori greci l'*aulòs* è lo strumento della passione degli impulsi, perciò è usato dal seguito di Dioniso, lo si ritrova nelle mani dei satiri.

Il Poliziano osserva nell'*Orfeo* che la poesia non è altro che la sapienza congiunta all'eloquenza, in modo da produrre un dolce canto[180]; a sua volta il Bruni[181] mostra come l'educazione alla poesia sia un rinnovare e riplasmare se stessi nella bellezza, nella sua divina grandezza, nella sua obiettiva validità ("*divina quaedam alienatio*").

G. Becatti[182] così sintetizza il neoplatonismo: "Plotino, greco-egizio, ricollegandosi con mentalità mistico-orientalizzante al *Simposio* platonico, cerca di fondere il bello con l'arte in un'ascesa dell'uno all'altra che pone l'anima come bene universale del fenomeno artistico, non consistente più nella simmetria classica *ma nella vivezza espressiva e vitale*".

Per noi Lorenzo il Magnifico rappresenta tanti valori, ma forse egli nel suo intimo si sentiva soprattutto seguace di Dioniso, un appassionato d'arte, un amico degli artisti: soprattutto, come Marsia, era un poeta.

178. A. Giuliano, *Museo Nazionale Romano*, I, 2, n. 50, p. 64.

179. E. Winternitz, G*li strumenti musicali e il loro simbolismo nell'arte occidentale*, Torino 1982, p. 124 e p. 139 con nota II.

180. M. Cocco, *L'Orfeo latino di Angiolo Poliziano*, in "Il Veltro", XL, 1996, p. 70.

181. Garin 1986, pp. 90-99.

182. Becatti 1951, p. 49.

Nicoletta Baldini

Quasi Adonidos hortum. Il giovane Michelangelo al giardino mediceo delle sculture*

Et movet ad doctas verba canora manus
[le dotte mani seguono le parole del canto]
(Agnolo Poliziano, *Manto*, Praefatio, 14)

La questione del tirocinio di Michelangelo presso le collezioni medicee ripropone un tema assai dibattuto anche dalla recente storiografia artistica: la funzione del giardino di Lorenzo il Magnifico "in sulla piazza di San Marco". Ricordato da tre fonti antiche: Giorgio Vasari, Ascanio Condivi e l'Anonimo Magliabechiano, soprattutto nelle *Vite* del 1568 questo sito è localizzato e descritto in modo piuttosto dettagliato: un insieme di edifici situati quasi all'angolo fra piazza San Marco e l'attuale via degli Arazzieri (fig. n. 1) – distinti dal palazzo di via Larga dove i Medici dimoravano, ma connessi alle strategie insediative della famiglia[1] – in cui il Magnifico aveva collocato sculture antiche, ma pure cartoni e disegni di maestri moderni, su cui giovani artisti potevano esercitarsi nel disegno e nella scultura sotto la direzione di Bertoldo di Giovanni che in quel luogo ricopriva anche il ruolo di custode e restauratore delle antichità conservatevi[2]. I giovanetti "fra gli altri che studiarono l'arti del disegno in questo giardino" sono elencati dallo stesso Vasari: "Michelagnolo di Lodovico Bonarroti, Giovanfrancesco Rustici, Torrigiano Torrigiani, Francesco Granacci, Niccolò di Domenico Soggi, Lorenzo di Credi e Giuliano Bugiardini, e de' forestieri: Baccio da Monte Lupo, Andrea Contucci dal Monte Sansavino, ed altri"[3]. Soprattutto per quanto riguarda il Buonarroti le fonti antiche ne descrivono in modo piuttosto puntuale l'attività – un'attività non disgiunta dalla frequentazione della casa del Magnifico – in questa istituzione, la cui esistenza, accettata sempre senza sospetto, venne messa in dubbio nel suo valore di "scuola" alla metà di questo secolo da André Chastel che vide in essa una mitizzazione del Vasari legata alla necessità di creare un precedente autorevole all'istituzione dell'Accademia del Disegno da parte di Cosimo I[4]. Partendo da considerazioni di ordine politico-ideologico e storico-critico lo studioso francese fondava la sua teoria sia sul silenzio a proposito dell'orto stesso e della sua funzione riscontrato in importanti fonti coeve – per esempio la *Vita di Lorenzo il Magnifico* di Niccolò Valori[5] – sia sulla negazione, sostenuta da Karl Frey nel 1907, di alcune affermazioni vasariane su artisti ricordati come ospiti della "scuola" medesima[6].

Per circa trent'anni l'assunto chasteliano è stato accolto da gran parte della critica, fino a quando nuove ricerche documentarie hanno riaffermato l'esistenza e la localizzazione dell'"orto" di Lorenzo, e la sua funzione di centro di raccolta di opere prevalentemente scultoree[7]. Tuttavia è sulla presenza dei già citati "giovanetti", che il Vasari ricorda a esercitarsi sui manufatti del giardino, e sul valore che le raccolte poterono avere nella loro educazione artistica, che continuano a manifestarsi i dubbi e le perplessità. E infatti Caroline Elam, cui si devono le nuove acquisizioni documentarie sull'esistenza del luogo[8], sostiene che se le notizie, assai scarne, su Leonardo ma soprattutto su Michelan-

* Una parte delle notizie e dei documenti di cui si dà conto in questo contributo sono desunti dal volume *Nuova documentazione sul giovane Michelangelo*, curato da K. Weil-Garris Brandt, in fase di preparazione.
Per le abbreviazioni adottate riguardo agli archivi consultati si veda l'elenco delle abbreviazioni a p. 16.

1. Sull'argomento si veda C. Elam, *Il palazzo nel contesto della città: strategie urbanistiche dei Medici nel gonfalone del Leon d'oro, 1415-1530*, in *Il Palazzo Medici Riccardi di Firenze*, a cura di G. Cherubini e G. Fanelli, Firenze 1990, pp. 44-57.

2. Nella prima edizione delle *Vite* il Vasari aveva parlato succintamente del giardino di San Marco nelle biografie dedicate a Michelangelo, al Granacci e al Torrigiani (G. Vasari, *Le vite de' più eccellenti architetti, pittori, et scultori italiani da Cimabue, insino a' tempi nostri*, Firenze 1550, 2 voll., ed. a cura di L. Bellosi e A. Rossi, Torino 1986, pp. 803-804; 882-883; id., *La vita di Michelangelo nelle redazioni del 1550 e del 1568*, a cura di P. Barocchi, Milano 1962, 5 voll., I, 1550, pp. 7-10); già in questa prima versione dava conto del luogo come di una "scuola", situata "in sulla piazza di San Marco" di cui Bertoldo era il curatore delle antichità conservatevi e la guida di giovani talenti provenienti tanto da botteghe di scultori come di pittori. Un altro accenno, sempre circostanziato, è fornito dallo stesso Vasari nei *Ragionamenti* dove, pur nell'esiguità del racconto, sono caratterizzati: il luogo, le raccolte e l'intento laurenziano (G. Vasari, *Ragionamenti*, Firenze 1588, in *Le opere di Giorgio Vasari*, a cura di G. Milanesi, Firenze 1878-1906, VIII, 1882, pp. 117-118). Sempre nel XVI secolo avevano parlato del giardino di San Marco l'Anonimo Magliabechiano il cui racconto si colloca fra il 1537 e il 1542 circa, che sostanzia la notizia del Vasari, soprattutto dell'edizione 1568, sull'essere i giovani artisti pagati dal signore (*Il Codice magliabechiano*, a cura di K. Frey, Firenze 1892, p. 110), e Ascanio Condivi (*Vita di Michelagnolo Buonarroti*, Roma 1553, ed. a cura di G. Nencioni, Firenze 1998, pp. 11-14) che, ponendo presso la fondazione medicea gli esordi del giovane Michelangelo, avvalora in parte il racconto vasariano.
Nella seconda edizione delle *Vite* il Vasari fornisce la maggior parte delle notizie: in modo piuttosto sintetico in quelle del Rustici (G. Vasari, *Le vite de' più eccellenti pittori scultori ed architettori*, Firenze 1568, 3 voll., ed. 1878-1906, VI, 1881, pp. 599-600), del Granacci (1568, ed. 1878-1906, V, 1880, pp. 339-340), del Bugiardini (1568, ed. 1878-1906, VI, 1881, p. 201) e del Sansovino (1568, ed. 1878-1906, IV, 1879, p. 513), mentre le amplia in quella di Michelangelo (*La vita di Michelangelo*..., 1962, I, 1568, pp. 8-14). Ma è soprattutto da quella del Torrigiano (1568, ed. 1878-1906, IV, 1879, pp. 256-259) che si attingono la maggior parte dei ricordi dai quali sono partiti i tentativi di reperimento di nuove testimonianze.

3. Vasari 1568, ed. 1878-1906, IV, 1879, pp. 256-59 (*Vita del Torrigiano*).

4. Le notizie riferite dalle tre fonti antiche erano state unanimamente accolte fino agli anni cinquanta di questo secolo. Reagendo a un'impostazione critica ancora romanti-

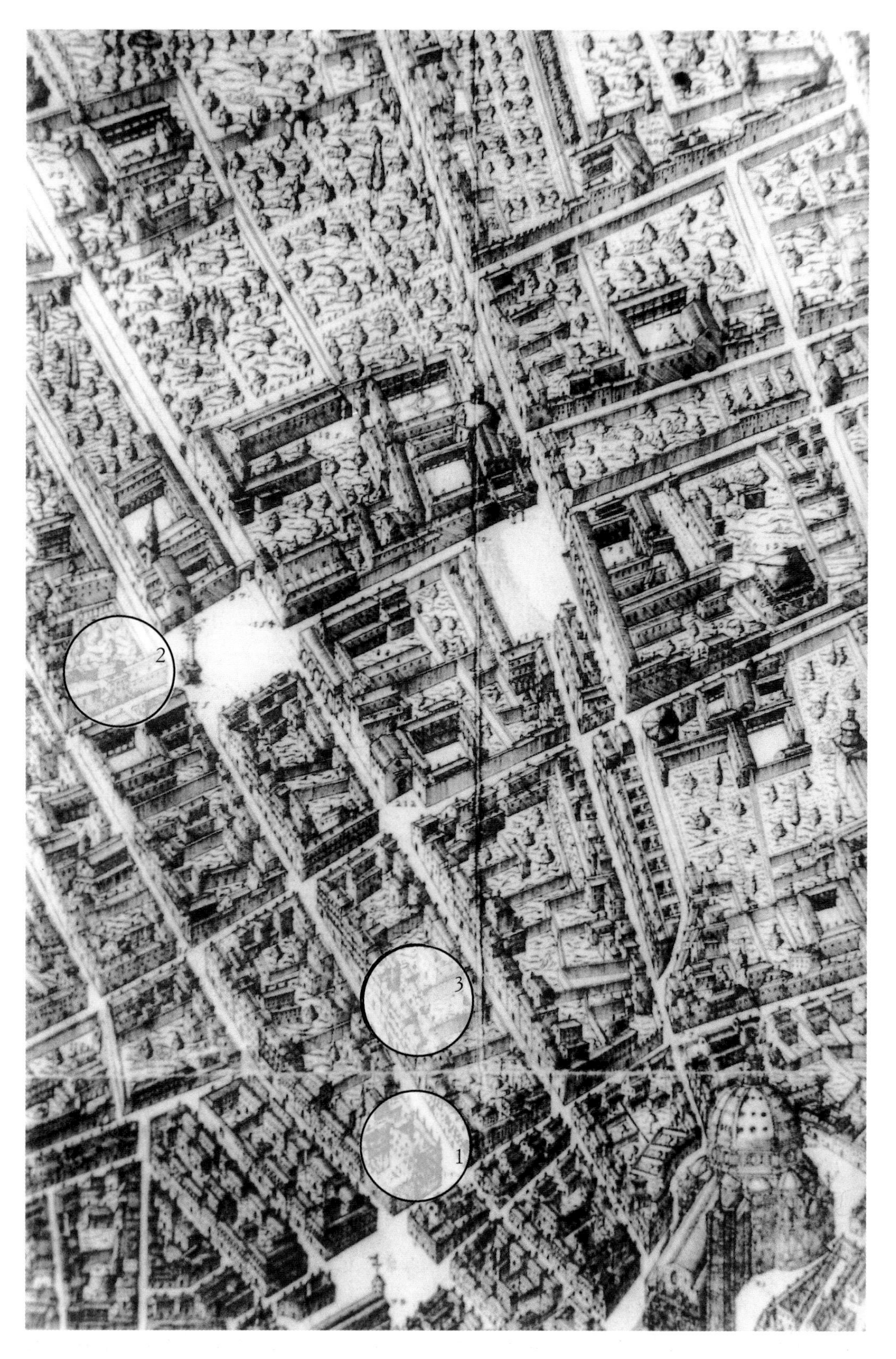

gelo, consentono di ritenere possibile per entrambi – come pure per il Torrigiani e il Granacci – questa frequentazione e una sorta di apprendistato, al contrario la citazione degli altri, ossia di un'aggregazione più numerosa, servì alla creazione del mito di un'età dell'oro laurenziana, cui del resto già faceva riferimento lo Chastel[9]. Sebbene ancora non possediamo documenti probanti che inducano a ritenere valido anche per gli altri giovani artisti un tirocinio presso l'orto di Lorenzo, dobbiamo tuttavia considerare che è la mancanza di uno studio sistematico su alcuni di essi, sui legami delle loro famiglie con l'entourage mediceo, sulle valutazioni dei tempi e dei modi di questo loro possibile tirocinio che rende ancora difficoltoso l'approfondimento del problema[10]. Quando infatti il supporto documentario ci consente di investigare tali aspetti, le parole del Vasari riac-

ca, André Chastel, in un contributo del 1952 (*Vasari et la légende médicéenne: l'"Ecole du Jardin de Saint Marc"*, in *Studi vasariani*, atti del Convegno internazionale per il IV centenario della I edizione delle *Vite* del Vasari (Firenze, Palazzo Strozzi, 16-19 settembre 1950), Firenze 1952, pp. 159-167, suppose che nel ricordo vasariano di una "scuola" di giovani artisti accolti al giardino di Lorenzo – giardino che poteva essere stato solo un luogo di raccolta di sculture – vi fosse l'intenzione di creare il mito dell'età dell'oro laurenziana. La tesi di Chastel (vedi anche A. Chastel, *Art et humanisme à Florence au temps de Laurent le Magnifique. Etudes sur la Renaissance et l'humanisme platonicien*, Paris 1959, ed. it. *Arte e Umanesimo a Firenze al tempo di Lorenzo il Magnifico. Studi sul Rinascimento e sull'Umanesimo platonico*, Torino 1964, pp. 13-31) fu seguita da gran parte della critica che sminuì nel complesso il valore del racconto vasariano.

5. N. Valori, *Vita di Lorenzo il Magnifico* [versione in volgare inizi XVI secolo], Palermo 1992.

6. K. Frey, *Michelagniolo Buonarroti. Sein Leben und seine Werke*, Berlin 1907 pp. 62-64. Fu questo il primo studio in cui, nel tentativo di far luce sugli esordi di Michelangelo, vennero vagliate le affermazioni vasariane e, in base a un documento di nuova acquisizione, si cercò di documentare la localizzazione del giardino e di riscontrare l'effettiva presenza degli artisti ricordati dal biografo aretino come allievi della "scuola". Le conclusioni del Frey (che per non aver individuato la giusta localizzazione del giardino ne posticipò i tempi di acquisizione da parte di Lorenzo e di conseguenza negò la possibile frequentazione di alcuni degli artisti ivi ricordati) furono alla base delle teorie dello Chastel.

7. Gran parte della critica successiva ha seguito le orme del critico francese (P. Barocchi, in Vasari, *La vita di Michelangelo*... 1962, 5 voll., II, pp. 89-92, n. 75; E. Camesasca, *Artisti in bottega*, Milano 1966, pp. 239-240); tuttavia Enrico Barfucci, dapprima nel 1940 (*Il Giardino di San Marco*, in "Illustrazione Toscana e dell'Etruria", XVIII, 1940, pp. 3-46) e poi nel 1964 (*Lorenzo de' Medici e la società artistica del suo tempo*, ed. aggiornata a cura di L. Becherucci, Firenze 1964, pp. 177-221), ribadiva il valore di scuola del giardino e ne ricostruiva i contorni in base alle notizie desunte dalle fonti antiche, quasi precorrendo i recenti studi sull'istituzione medicea.

8. A partire dalla prima metà degli anni ottanta alcuni contributi sul collezionismo mediceo e sugli esordi michelangioleschi hanno riportato in luce il problema del giardino di San Marco (L. Beschi, *Le antichità di Lorenzo il Magnifico: caratteri e vicende*, in *Gli Uffizi. Quattro secoli di una galleria*, atti del Convegno internazionale di studi (Firenze, 20-24 settembre 1982), a cura di P. Barocchi e P. Ragionieri, Firenze 1983, 2 voll., I, pp. 161-176; *Michelangelo e l'arte classica*, a cura di G. Agosti e V. Farinella, catalogo della mostra, Firenze [1987], pp. 15-36; C. Acidini Luchinat, in *"per bellezza, per studio, per piacere". Lorenzo il Magnifico e gli spazi dell'arte* a cura di F. Borsi, Firenze 1991, pp. 143-160; anche di recente L. Beschi, *Le sculture antiche di Lorenzo il Magnifico*, in *Lorenzo il Magnifico e il suo mondo*, atti del Convegno internazionale di studi (Firenze, 9-13 giugno 1992), a cura di G.C. Garfagnini, Firenze 1994, pp. 291-317); tuttavia nuove ricerche focalizzate proprio sulla questione del giardino furono iniziate da Ludovico Borgo e Ann. H. Sievers (*The Medici Gardens at San Marco*, in "Mitteilungen des Kunsthistorischen Institutes in Florenz", XXXIII, 1989, pp. 237-256) e proseguite e corrette da C. Elam, dapprima in *Il palazzo nel contesto della città*..., in *Il Palazzo Medici Riccardi*... 1990, pp. 44-57; e poi soprattutto nei fondamentali contributi: *Il giardino delle sculture di Lorenzo de' Medici*, in *Il giardino di San Marco. Maestri e compagni del giovane Michelange-*

1. S. Buonsignori - B. Billocardi, *Pianta prospettica di Firenze* (ed. G.G. De' Rossi, Roma 1660). Firenze. Museo topografico "Firenze com'era".
1.1 Palazzo dei Medici.
1.2. La zona intorno a piazza San Marco su cui s'affaccia il giardino mediceo.
1.3. Palazzo del Milanese.

quistano di validità: come nel caso della probabile frequentazione del giardino da parte di Andrea Sansovino e di Niccolò Soggi[11], dove, soprattutto per quest'ultimo, l'opportunità di esservi ammesso è imprescindibile dai rapporti diretti, e documentati, della sua famiglia con Lorenzo il Magnifico[12]. D'altro canto proprio per quanto pertiene più specificamente Michelangelo: sulla sua presenza al giardino, ma nondimeno sulla sua posizione presso la famiglia Medici, le fonti antiche, che lo pongono all'interno della temperie medicea in una posizione di sicuro anomala e di assoluto privilegio, sembrerebbero acquistare sempre maggiore credito dallo studio di altre testimonianze.

Nella narrazione del biografo aretino e del Condivi, infatti, la frequentazione dell'"orto" non è disgiunta per Michelangelo dall'accoglimento da parte di Lorenzo nella sua stessa casa dove gli venne data "una buona camera" e dove gli furono offerte "tutte quelle comodità ch'egli desiderava"[13], una "provvisione" "di cinque ducati il mese"[14], e dove "del continuo mangiò alla tavola sua *co' suoi figliuoli et altre persone degne di nobiltà*, che stavano col Magnifico, dal quale fu onorato"[15]. Testimonia di questa posizione raggiunta dal Buonarroti una lettera del secondo decennio del Cinquecento. Scrivendo a Michelangelo il 27 ottobre 1520 Sebastiano del Piombo afferma: "io so in che conto vi tien el Papa, et quando parla de vui par rasoni de un suo fratello, quassi con le lacrime agli ochii; perché m'à decto a me vui sette nutriti insiemi, et dimostra conoscervi et amarvi"[16]. Il pittore fa così un'esplicita menzione di come Giovanni de' Medici, figlio del Magnifico, divenuto papa nel marzo del 1513 col nome di Leone X, ricordasse la giovanile consuetudine con il Buonarroti, peraltro suo coetaneo. Un'attestazione non marginale quella del pontefice che sembra rimandare in modo evidente proprio a quel periodo trascorso da Michelangelo presso Lorenzo, godendo di quei privilegi fra i quali è fuor di dubbio rientrasse l'opportunità per lui, giovane scultore, di studiare le antichità medicee sotto la guida di quel Bertoldo di Giovanni, allievo di Donatello, che era familiare di casa Medici[17]. Non solo. È infatti con alcune di quelle "persone degne di nobiltà" di cui parla il Vasari, che il Buonarroti durante gli anni laurenziani poté instaurare quei solidi rapporti che agevoleranno il suo soggiorno a Roma nel 1496: Lorenzo di Pierfrancesco de' Medici soprattutto, e Baldassarre di Giovambattista del Milanese (si veda anche, in questo catalogo, il saggio *Michelangelo a Roma*).

Lorenzo di Pierfrancesco de' Medici (1463-1503), biscugino di Lorenzo vecchio, appartenente al ramo cadetto della famiglia[18], perduto il padre nel 1476, all'età di tredici anni, ricevette le attenzioni da parte del Magnifico che, come ricorda Niccolò Valori "quella cura n'ebbe come di figliuolo: proponendo al governo di lui huomini di costumi et per lettere eccellentissimi"[19]. Nelle premure spese da Lorenzo di Piero nei confronti del giovane va ricordato come egli ne sorvegliasse l'ingente patrimonio, consigliasse l'acquisto della villa di Castello, facendo inoltre rientrare i "contratti" matrimoniali di questi e del suo fratello minore, Giovanni, nel più ampio gioco della politica medicea[20], tuttavia si prese cura dell'educazione del giovane: e le parole del Valori trovano conferma in una documentazione non ricchissima ma molto articolata e precisa. Innanzitutto la sua relazione con alcuni umanisti che gravitavano nell'orbita laurenziana, con i quali lo stesso Michelangelo avrà l'opportunità di intrattenere rapporti proficui anche per la sua produzione artistica. Soprattutto Agnolo Poliziano. Il poeta dedicò a Lorenzo di Pierfrancesco due epigrammi in latino[21], un'elegia (*Ad Laurentium Medicem juniorem, epistola pene extemporanea*) in cui, descrivendone la villeggiatura nella villa laurenziana di Poggio a Caiano, afferma di essere stato allevato da garzoncello nella sua casa: "Ille domi vestrae tenero nutritus ab ungui, / Sed tuus ante omnis, Politianus amor"[22] e una selva, *Manto*, scrit-

lo, a cura di P. Barocchi, catalogo della mostra (Firenze), Cinisello Balsamo (Milano) 1992, pp. 157-172; *Lorenzo de' Medici's sculpture garden*, in "Mitteilungen des Kunsthistorischen Institutes in Florenz", XXXVI, 1992, pp. 41-84. In tali saggi vengono ampliati e chiariti i problemi relativi alla collocazione, all'acquisizione e alle vicende che dalla seconda metà del Quattrocento avevano riguardato l'orto di Lorenzo il Magnifico in piazza San Marco. Da tale ricostruzione il racconto del Vasari per ciò che riguarda proprietà e localizzazione è risultato assolutamente attendibile.

9. Caroline Elam afferma che se la scuola del giardino è un mito, esso non fu inventato dal Vasari, riferendosi al ricordo dell'Anonimo Magliabechiano a proposito di Leonardo (1992, p. 58), tuttavia sottolinea come solo per Michelangelo ci sia un ricordo del tempo che comprova la sua condizione di "ischultore dal giardino" (già in G. Poggi, *Della prima partenza di Michelangelo Buonarroti da Firenze*, in "Rivista d'Arte", IV, 1906, p. 34), mentre sostiene "for the other artists mentioned by Vasari we have non independent evidence, and the notion that they were attached in any formal sense to a school is almost certainly an elaboration by the myth-maker" (Elam 1992, p. 61).

10. La mancanza di notizie più circostanziate su molti degli artisti citati dal Vasari rende ancora valide le valutazioni del Frey che tuttavia, come abbiamo visto (nota 6), si basano in gran parte su dati errati.

11. Su Andrea Sansovino si veda N. Baldini, *"... d'Andrea Sansovino scultore eccellentissimo." Fonti letterarie e ricerca documentaria intorno ad Andrea di Niccolò di Menco de' Mucci*, in *Andrea Sansovino. I documenti*, a cura di N. Baldini e R. Giulietti, Firenze - Siena 1999, pp. 9-33; su Niccolò Soggi: N. Baldini, *Niccolò Soggi*, Firenze 1997, pp. 25-27.

12. Baldini 1997, pp. 25-27.

13. Condivi 1553, ed. 1998, p. 12.

14. Vasari, *La vita di Michelangelo...* 1962, I, 1550 e 1568, p. 11. Il Vasari ricorda come anche gli altri artisti fossero stipendiati da Lorenzo il Magnifico.

15. Vasari, *La vita di Michelangelo...* 1962, I, 1568, p. 11.

ta intorno al 1482, nella cui lettera dedicatoria il Poliziano ricorda al "nobili adulescenti" "tam mei amanti, tanto denique eam rem studio efflagitanti"[23], segno di quella solida consuetudine fra i due che rimanda al ruolo di istitutore svolto dal Poliziano presso i giovani Medici[24], e di cui aveva beneficiato e beneficiava lo stesso *Laurentius minor* – come lo ricorda Marsilio Ficino in alcune lettere a lui dedicate[25] – ma di cui beneficerà, e solo qualche anno dopo, intorno al 1490, lo stesso Buonarroti che "in quel tempo", mentre lavorava al giardino di Lorenzo, fu consigliato dall'Ambrogini di eseguire "in un pezzo di marmo datogli" dal Magnifico "la Battaglia di Ercole coi Centauri"[26].

Mentre già alla fine degli anni settanta, in tempi "noiosi e gravi per più rispecti", Alessandro Braccesi aveva dedicato a Lorenzo di Pierfrancesco il volgarizzamento "anzi rifacimento" dell'*Historia de duobus amantibus* di Enea Silvio Piccolomini[27], negli anni ottanta del Quattrocento l'interesse di Lorenzo iuniore verso gli "studia humanitatis" è testimoniato non solo da una sua lettera indirizzata al Magnifico nella quale gli raccomanda Michele "Marullo, nobile costantinopolitano, giovane virtuoso et mio intimo et cordiale amico" che fra l'altro gli offrì i suoi epigrammi latini[28] – e in lode del quale si era peraltro già espresso il Poliziano nei ricordati versi dedicati a Lorenzo di Pierfrancesco – ma nondimeno da una sua personale produzione letteraria certo circoscritta, ma di un qualche interesse per la ricostruzione del suo profilo. Una Sacra Rappresentazione, l'*Invenzione della Croce*, ancora inedita e conservata in un codice magliabechiano della Biblioteca Nazionale Centrale di Firenze riferita a circa il 1482[29], e la *Laude a Maria Vergine*, pubblicata a Firenze nel 1630 da Francesco Cionacci[30], attestano questa attività, sebbene il ricordo, sempre del Poliziano e già dal 1482, circa "amatoria carmina vernaculae"[31], scritte da Lorenzo, ne presupponga una produzione molto più ampia.

Ma ulteriori prove testimoniano della consentaneità di Lorenzo di Pierfrancesco con l'ambito culturale strettamente laurenziano nei tempi prossimi all'accoglimento in esso del giovane Michelangelo: quando nel settembre del 1485 Lorenzo vecchio fece sollecitare "la consegna dei fascicoli in corso di stampa del De Re Aedificatoria" dell'Alberti, apprendiamo che "la copia a disposizione del Magnifico", e che arrivava fino alla metà del libro sesto, era di proprietà proprio di Lorenzo di Pierfrancesco[32], il quale, impegnato probabilmente anche a impiantare la manifattura ceramica di Cafaggiolo[33], stava esprimendo in quegli stessi anni il suo orientamento in campo artistico attraverso le commissioni affidate a Sandro Botticelli, fra le quali rientrano le celeberrime tavole con la *Primavera* e la *Nascita di Venere*, forse la *Pallade e il Centauro* (Firenze, Galleria degli Uffizi) e l'illustrazione, ricordata già dall'Anonimo Magliabechiano, di una *Divina Commedia*[34]. Se l'impiego del Botticelli è sintomatico – come più volte sottolineato dalla critica – di un orientamento culturale conforme ai dettami del Poliziano[35], alle idee di un altro umanista, Giovanni Pico della Mirandola, sembrerebbe rifarsi la scelta di un emblema quale quello del serpente che forma un cerchio congiungendo la testa alla coda, che ritroviamo sul verso di una medaglia-ritratto di Lorenzo di Pierfrancesco (Firenze, Museo Nazionale del Bargello), ascrivibile all'ambito di Niccolò Fiorentino (cat. n. 21). La presenza del medesimo emblema simbolo dell'eternità e della perfezione[36] su due opere: *Cleopatra*, la cosiddetta *Simonetta Vespucci* (Chantilly, Musée Condé) di Piero di Cosimo e l'*Allegoria della famiglia Medici* (Firenze, Galleria degli Uffizi; fig. n. 2) di Filippino Lippi, pone di nuovo l'accento sulla posizione mecenatistica e politica del Medici mai sufficientemente indagata. Infatti, mentre per il dipinto di Piero di Cosimo si è ipotizzata la committenza da parte di Lorenzo iuniore[37], per la tavoletta degli Uffizi si è pensato a un riferimento al medesimo nel tema allegorico forse suggerito da Piero, figlio del Ma-

2. Filippino Lippi, *Allegoria della famiglia Medici*. Firenze, Galleria degli Uffizi.

Il corsivo è nostro. Devo il suggerimento sulle implicazioni desumibili dalla lettera di Sebastiano del Piombo alle illuminanti conversazioni con Caroline Elam.

16. *Il carteggio di Michelangelo*, a cura di P. Barocchi e R. Ristori, Firenze 1965-1983, 5 voll., II, 1967, pp. 252-253.

17. J.D. Draper, *Bertoldo di Giovanni. Sculptor of the Medici Household*, Columbia-London 1992, *passim*.

18. Sulle vicende si veda soprattutto G. Pieraccini, *La stirpe dei Medici di Cafaggiolo*, Firenze 1924-25, 3 voll., I, pp. 353-357.

19. Valori, [versione in volgare inizi XVI secolo], ed. 1992, p. 70.

20. Si veda in proposito A. Brown, *Lorenzo and public opinion in Florence. The problem of opposition*, in *Lorenzo il Magnifico e il suo mondo*... 1994, pp. 50, 71. Sull'acquisto della villa di Castello si veda riassuntivamente J. Shearman, *The Collections of the Younger Branch of the Medici*, in "The Burlington Magazine", CXVII, 1975, pp. 16-17. Sui matrimoni di Lorenzo e Giovanni di Pierfrancesco – il primo unitosi con Semiramide Appiani figlia di Giacomo III signore di Piombino, il secondo promesso a Luisa, figlia del Magnifico, che tuttavia morì prematuramente – cfr. Pieraccini 1924-25, 3 voll., I, pp. 345, 356-357.

21. *Prose volgari inedite e poesie latine e greche edite e inedite di Angelo Ambrogini Poliziano*, a cura di I. del Lungo, Firenze 1867, pp. 124-125.

22. *Prose volgari*... 1867, pp. 253-255.

23. A. Poliziano, *Silvae*, a cura di F. Bausi, Firenze 1996, p. 3.

24. In relazione proprio alla possibilità che Lorenzo di Pierfrancesco fosse considerato dal Magnifico quasi come un figlio è da notare che, per esempio, il 14 maggio 1481 il giovane fu accolto nella compagnia di Santo Spirito unitamente al figlio di Lorenzo, Piero: B. Wilson, *Music and Merchants. The Laudesi Companies of Republican Florence*, Oxford 1992, p. 134 n. 252.

gnifico[38]. Sebbene il confronto fra le due figure di giovani presenti nell'*Allegoria* ne evidenzi una somiglianza tale da "far pensare che esse siano lo stesso personaggio rappresentato due volte", tuttavia è stato asserito che "questo espediente narrativo viene di rado impiegato alla fine del Quattrocento"[39]: certo è che se le due figure rappresentassero veramente lo stesso personaggio, accettando l'interpretazione che mette in relazione la tavola al contrasto sorto dopo la morte del Magnifico fra Piero di Lorenzo e Lorenzo di Pierfrancesco, si potrebbe forse ipotizzare la rappresentazione di due momenti distinti nella vita di quest'ultimo. Così il giovane in piedi che il serpente avvinghia alle caviglie potrebbe essere *Laurentius minor* che si rivolge, in modo aperto e leale, al personaggio anziano seduto sotto la pianta di lauro (esplicito riferimento al Magnifico); la caduta dello stesso giovane rappresentato in primo piano, il serpente che gli esce dal petto e la frase esplicativa "NULLA DETERIOR PESTIS QUAM FAMILIARIS INIMICUS" potrebbero testimoniare e condannare il tradimento da parte di Lorenzo di Pierfrancesco del suo antico e profondo legame con Lorenzo vecchio, tradimento manifestato nella sua contrapposizione politica al figlio Piero[40]. Il vincolo quasi filiale – anche così drammaticamente esplicitato – e la condivisione di un clima culturale fra Lorenzo e Lorenzo di Pierfrancesco consentiranno a quest'ultimo, nel tempo dello sconvolgimento politico della seconda metà degli anni novanta del Quattrocento, di sostituirglisi per un breve periodo nella protezione del giovane Michelangelo.

Alla morte del Magnifico, l'8 aprile 1492, il figlio maggiore Piero gli successe nella cura degli interessi della famiglia e in quelli, ugualmente delicati, della cosa pubblica. Durante i due anni in cui egli godé del ruolo che era stato di suo padre non sappiamo se il giardino in piazza San Marco, rimanendo un punto di raccolta dei materiali di pregio giunti nelle collezioni medicee, venisse meno al suo ipotizzato intento formativo. La ricostruzione delle vicende di quella proprietà, fino e oltre la morte di Lorenzo, ha accertato come essa fosse restata un cardine strategico dei possedimenti della famiglia non mutando la sua originaria destinazione di luogo di conservazione[41]. È dunque legittimo presumere che in essa si continuasse, non solo a mantenere le collezioni di sculture, ma anche ad accrescerle e, sempre secondo il disegno laurenziano, ad accogliervi gli artisti, forse proprio coloro che vi erano stati precedentemente educati, e soprattutto Michelangelo[42]. Infatti in una lettera dell'ottobre del 1494 ser Amadeo, un giovane chierico, scrivendo a suo fratello lo scultore Adriano Fiorentino identifica ancora il Buonarroti come "ischultore dal giardino": tale testimonianza ha il duplice valore di confermare sia dell'attività non solo conservativa all'interno dell'orto, sia della continuazione della funzione svolta anche sotto Piero de' Medici, la cui importanza quale collezionista e protettore delle arti sta acquistando sempre di più contorni netti[43]. Tuttavia, come suggerisce anche la lettera citata, la situazione politica stava precipitando per il figlio del Magnifico e proprio il ricordo di ser Amadeo costituisce il *terminus ante quem* per la partenza di Michelangelo da Firenze che precede di pochi giorni la cacciata del Medici, e della sua famiglia, dalla città, e la successiva dispersione delle collezioni medicee (si veda, in questo catalogo, *Cronologia ragionata*)[44]. Già qualche mese prima, nel maggio, l'atteggiamento di opposizione alla politica di Piero aveva costretto al "confine" Lorenzo di Pierfrancesco e suo fratello Giovanni[45], che solo dopo la cacciata dei figli del Magnifico, nel novembre del 1494, poterono rientrare in patria assumendo – in senso politico – il cognome di Popolani: essi essendo "stati nimici particolari di Piero" poterono godere di un certo apprezzamento da parte dell'opinione pubblica fiorentina, apprezzamento che si esplicò per Lorenzo nella partecipazione alla difficile gestione della politica estera della

25. E.H. Gombrich, *Botticelli's Mythologies: A Study in the Neo-Platonic Symbolism of his Circle, in Symbolic Images. Studies in the Art of the Renaissance*, London 1972 (1ª ed. London 1942), p. 41.

26. Vasari, *La vita di Michelangelo*... 1962, I, 1568, p. 11; l'episodio è ricordato anche da Condivi 1553, ed. 1998, p. 13.

27. Su Alessandro Braccesi cfr. A. Perosa *ad vocem* in *Dizionario biografico degli italiani*, Roma 1971, XIII, pp. 602-608; il Braccesi era stato in rapporti diretti con il padre di Lorenzo, Pierfrancesco, e con il cancelliere Bartolomeo Scala, strettamente legato all'entourage mediceo e su cui si veda C. Acidini Luchinat, *Di Bertoldo e d'altri artisti*, in *La casa del cancelliere. Documenti e studi sul palazzo di Bartolomeo Scala a Firenze*, a cura di A. Bellinazzi, Firenze 1998, pp. 91-103.

28. *Prose volgari*... 1867, p. 125.

29. A. D'Ancona, *Origine del teatro italiano*, Torino 1891, 3 voll., I, pp. 267-268, 380-381.

30. F. Cionacci, *Rime sacre del m.co Lorenzo de' Medici il vecchio, di madonna Lucrezia sua madre, e d'altri della stessa famiglia*, Firenze 1680, p. 77.

31. Poliziano, ed. 1996, p. 4.

32. A. Belluzzi, *Chiese a pianta centrale di Giuliano da Sangallo*, in *Lorenzo il Magnifico e il suo mondo* 1994, p. 389 n. 17.

33. Esiste un ricordo epistolare da cui è stato desunto che fosse lo stesso Lorenzo di Pierfrancesco a fondare nel tardo Quattrocento la manifattura ceramica di Cafaggiolo: cfr. G. Guasti, *Di Cafaggiolo e d'altre fabbriche di ceramiche in Toscana*, Firenze 1902, pp. 64-65.

34. Su tale produzione si confronti, in modo riassuntivo, R. Lightbown, *Sandro Botticelli*, London 1978, 2 voll., I, pp. 69-99, 147-151; II, pp. 51-53, 57-60, 64-65, e inoltre M. Calì, *La "Calunnia" del Botticelli e il Savonarola*, in "Arte Documento", 3, 1989, pp. 88-99. Riguardo al "Dante in cartapecora [...] il che fu cosa meravigliosa tenuto" si veda *Il Codice Magliabechiano* 1892, p. 105.

35. Riassuntivamente si veda Calì 1989, pp. 88-99.

36. E. Wind, *Pagan Mysteries in the Renaissance*, London 1968 (1ª ed. London 1953), pp. 265-269; e successivamente J. Cox-Rearick, *Dynasty and Destiny in Medici Art. Pontormo, Leo X, and the Two Cosimo*, Princeton 1984, pp. 77-78.

37. A. Forlani Tempesti - E. Capretti, *Piero di Cosimo*, Firenze 1996, pp. 100-101.

38. J. Nelson, scheda n. 28, in *Il giardino di San Marco*... 1992, p. 132.

39. *Ibid.*

40. Sulla posizione politica di Lorenzo di Pierfrancesco, e di suo fratello Giovanni, nei confronti di Piero si veda riassuntivamente Pieraccini 1924-25, 3 voll., I, pp. 345-346, 353-355.

41. Secondo gli estensori del catalogo *Il giardino di San Marco* l'attività non si concluse con la morte di Lorenzo, ma proseguì anche sotto il patrocinio di Piero (*Il giardino di San Marco*... 1992, pp. 102-103, 109-111; 135-139); sul ruolo che il giardino continuò a svolgere anche sotto il figlio del Magnifico si veda Elam 1992, pp. 50-51, 57-58.

42. *Il giardino di San Marco*... 1992, pp. 102-103, 109-111; 135-139.

43. *Ibid.*, pp. 109-111.

44. Poggi 1906, p. 34 e soprattutto Elam, in *Il giardino di San Marco*... 1992, p. 169; Elam 1992, pp. 58, 73.

45. La *Calunnia* del Botticelli (Firenze, Galleria degli Uffizi) è stata posta in relazione allo scontro politico fra Lorenzo di Pierfrancesco e Piero di Lorenzo. Si è prospettato infatti che "il dipinto fosse stato commissionato da Lorenzo di Pierfrancesco de' Medici nel 1494, nel momento in cui fu accusato da Piero di tramare intrighi con Ludovico Sforza e per questo fu cacciato da Firenze" (Calì 1989, p. 98).

Repubblica[46]. Quando Michelangelo proveniente da Bologna ritornò a Firenze – fra la fine del 1495 e il gennaio del 1496 – Lorenzo il Popolano che in quel momento era "in favore dell'universale"[47] poteva, riallacciando con lui gli antichi legami, favorirlo, non solo commissionandogli un *San Giovannino*, oggi perduto[48], ma anche sostenerne, attraverso lettere di introduzione, il viaggio a Roma che il giovane Buonarroti intraprese nell'estate del 1496 (ma si veda anche in questo catalogo, il saggio *Michelangelo a Roma*). Non solo. La protezione che in questi pochi mesi Lorenzo dovette riversare su Michelangelo sembrerebbe manifestarsi proprio nel consiglio di abbandonare Firenze. Secondo il Vasari, infatti, Lorenzo di Pierfrancesco, lodando un *Cupido dormiente* eseguito da Michelangelo in questo torno di tempo, gli suggerì di renderlo antico e di mandarlo a Roma. Oltre alla prospettiva di maggiori occasioni per il giovane scultore nell'Urbe, c'era forse anche il riconoscimento da parte del Popolano di una situazione politica fiorentina sempre più difficile[49], e probabilmente senza futuro per l'artista. Mentre Lorenzo di Pierfrancesco – contemporaneamente a suo fratello Giovanni trasferitosi nella Romagna – si allontanava dalla città riparando per qualche tempo nelle Fiandre[50], Michelangelo il 25 giugno 1496 giungeva a Roma[51].

Nella vicenda del *Cupido dormiente* che prepara questo primo soggiorno romano del Buonarroti si inserisce tuttavia un altro personaggio fiorentino vicino a Lorenzo di Pierfrancesco e che aveva frequentato presumibilmente fin dalla giovinezza la famiglia Medici: Baldassarre del Milanese. Questi, che Giorgio Vasari ricorda in entrambe le edizioni delle *Vite* implicato nella vicenda del *Cupido dormiente*, sarebbe riuscito a vendere a Roma, come antica, l'opera che, abbiamo visto, Michelangelo eseguì a Firenze presumibilmente nei mesi in cui si trovò sotto la protezione di Lorenzo il Popolano. La figura del Milanese, mai indagata sistematicamente dalla storiografia artistica, che ha sovente considerato il personaggio alla stregua di un qualsiasi malfattore o di un "antiquario" privo di scrupoli, risulta invero assai singolare e di un certo interesse fra coloro che, a vario titolo, patrocinarono l'affermazione del giovane Buonarroti a Roma[52].

Discendente da una famiglia di origine pratese[53], Baldassarre, più giovane di un anno di Lorenzo di Pierfrancesco, era nato a Firenze nel 1464[54]. Come si evince ancora per il primissimo Quattrocento, il suo bisnonno, Luigi di Ricovero del Milanese, dedito al prestito di denaro e al commercio e in rapporti con compagnie romane[55], era assestato in territorio pratese. Tuttavia la portata al Catasto del 1427 evidenzia come un progressivo trasferimento da Prato a Firenze della famiglia, composta in quel momento da Baldassarre (seniore), nonno del nostro, e da sua madre Nanna, fosse favorito dall'appartenenza di quest'ultima a una casata fiorentina di un qualche credito[56]: fra i molti beni di Nanna viene ricordata una casa che ella "tiene appigione" "da Ruberto del Mancino" in via Larga (attuale via Cavour), che venne acquistata da suo figlio prima del 1451[57] e che passò in successione all'erede dei beni di famiglia, Giovambattista, padre di Baldassarre (iuniore)[58]. Dal Catasto del 1451 apprendiamo che Giovambattista in minore età, e le sue due sorelle Marietta ed Usanna (sic) non risiedevano in città, ma presso il ramo pratese della famiglia[59], tuttavia nel Catasto del 1457 il padre di Baldassarre, ricordando la casa in via Larga sempre di sua proprietà ma affittata ad Antonio di Lorenzo Buondelmonti, dichiara di rivolerla alla scadenza del contratto con quest'ultimo, il 31 di ottobre 1458, "per mio abitare che voglio tornare in chasa mia"[60].

L'interesse del palazzo fiorentino dei del Milanese non è marginale nella nostra vicenda: ubicato appunto "nel popolo di Santa Maria del Fiore e nella Via Largha"[61], nel quartiere di San Giovanni e gonfalone del Drago, esso, riconoscibile ancora oggi per lo

3, 4. Firenze, palazzo e stemma della famiglia del Milanese.

46. Per queste notizie si veda Pieraccini 1924-25, 3 voll., I, p. 353.
47. J. Pitti, *Istoria fiorentina*, in "Archivio Storico Italiano", I, 1842, p. 38.
48 . Vasari, *La vita di Michelangelo*... 1962, I, 1568 p. 15.
49. Come si evidenzia dalla ricostruzione di Donald Weinstein, nella tarda primavera del 1496 la situazione politica arrideva fortemente al Savonarola, infatti "la signoria eletta nel maggio era fortemente savonaroliana" (*Savonarola and Florence. Prophecy and Patriotism in the Renaissance*, Princeton 1970, ed. ital. *Savonarola e Firenze. Profezia e patriottismo nel Rinascimento*, Bologna 1976, pp 298-299); sebbene almeno inizialmente l'atteggiamento di Lorenzo di Pierfrancesco dovette essere di simpatia per il domenicano, "in seguito, come avvenne per gran parte degli

5. Area corrispondente all'antico giardino di San Marco.

stemma familiare (figg. n. 3,4; attuale n. 6 di via Cavour), si situa proprio davanti a palazzo Medici – che al momento del trasferimento definitivo dei del Milanese a Firenze era da poco edificato[62] – e in prossimità delle case di Pierfrancesco de' Medici, padre di Lorenzo il Popolano[63]. È altresì degno di nota che il padre di Baldassarre decidesse di risiedere stabilmente in città e nella casa prospiciente il palazzo di Cosimo il Vecchio e dei suoi nipoti in un momento politico assai delicato per i Medici, in cui il "pater patriae" si trovò ad "avere ancora una volta ragione dell'opposizione" interna[64]. Se è prematura una definizione di "patronato" da parte dei Medici sulla famiglia di Baldassarre, tuttavia era prassi usuale per una stirpe dominante, e soprattutto in momenti di difficoltà politiche, avere come vicine famiglie a loro fedeli[65], soprattutto quando la casata in questione aveva assai facilitato già nel primissimo Quattrocento, attraverso il potente e ricco Luigi di Ricovero del Milanese, l'introduzione di Giovanni di Bicci de' Medici – padre di Cosimo il Vecchio – nell'ambiente curiale romano, creando le condizioni per il predominio del banco mediceo "all'interno della Camera Apostolica"[66]. Questi legami avranno reso possibile l'instaurarsi di quei rapporti che si radicarono nel tardo Quattrocento fra alcuni dei membri più giovani delle due famiglie: Lorenzo di Pierfrancesco, naturalmente, e Baldassarre e Ricciardo del Milanese, rapporti che avrebbero coinvolto anche il Buonarroti.

Lorenzo di Pierfrancesco e Baldassarre avevano molto in comune: non solo una generica appartenenza a uno stesso quartiere e la vicinanza delle abitazioni, ma la militanza nella medesima arte e lo svolgimento dello stesso mestiere. Come i loro genitori, anch'essi erano dediti ai commerci, e mentre questa attività per Lorenzo è testimoniata, fra l'altro, da un documento dei tardi anni ottanta del Quattrocento[67], all'inizio dello stesso decennio il del Milanese, che si era iscritto all'arte del Cambio nel 1483, si trovava a Roma impiegato in attività commerciali per il ramo pratese della sua famiglia[68]. Non meraviglia tuttavia che la presumibile frequentazione dagli anni della loro giovinezza, ovvero dal tempo in cui Lorenzo di Pierfrancesco gravitava nell'entourage anche culturale del biscugino Lorenzo e in cui Michelangelo doveva essere impegnato nello studio presso le collezioni medicee, trovi testimonianza non solo nell'epistolario del Buonarroti stesso, ma anche nell'attività del fratello di Baldassarre, Ricciardo.

Nella lettera che Michelangelo inviò al Popolano da Roma il 2 luglio 1496 – recapitata presso Sandro Botticelli, che abbiamo visto in stretti rapporti con il Medici – e d cui siamo informati, fra le altre cose, dello sviluppo della questione legata alla vendita del *Cupido dormiente*, il Buonarroti ricorda il suo incontro con Baldassarre cui doveva consegnare una missiva di Lorenzo, che probabilmente cercava di intercedere per Michelangelo affinché il del Milanese restituisse la scultura all'artista[69]. Sapendo della loro consuetudine precedente, la frase che il Buonarroti ricorda pronunciata riguardo al Popolano da parte di Baldassarre che "emmolto si lamentò di voi, dicendo che avete sparlato di lui" – oltre a introdurre una vicenda assai complessa per cui si rimanda al saggio *Michelangelo a Roma* – non sorprende: nelle parole franche e schiette del Milanese, infatti, la testimonianza di un rapporto che non doveva essere superficiale e comunque sufficientemente paritario. La medesima familiarità con cui Michelangelo parla dell'incontro e della discussione avuta con Baldassarre dimostra che lui stesso vi era in rapporti di confidenza: la frase "mi rispose molto aspramente" lo testimonia in modo inoppugnabile. Il legame fra questi personaggi dunque sembrerebbe avere come denominatore la comune frequentazione, a vario titolo, di quella medesima temperie politica e culturale – di certo quella laurenziana – che consentì loro di instaurare rapporti duraturi. Altre considerazioni lo attesterebbero: il fratello di Baldassarre del Milanese, Ricciardo, nato a Firen-

ottimati, potrebbe essersi convertito ad un sentimento antisavonaroliano" (sentimento che fu di suo fratello Giovanni) (Calì 1989, p. 97).

50. Il padre di Lorenzo, Pierfrancesco, aveva fondato nel 1455 insieme a Piero e Giovanni di Cosimo de' Medici, Gierozzo di Jacopo de' Pigli e Angniolo di Jacopo Tani una società per la filiale del Banco a Bruges (R. De Roover, *The Rise and Decline of the Medici Bank (1397-1494)*, Cambridge (Mass.) 1963, ed. ital. *Il banco Medici dalle origini al declino (1397-1494)*, Firenze 1970, pp. 551-555). Lorenzo di Pierfrancesco soggiornò sicuramente nel nord Europa per qualche tempo, mentre, "nel maggio del 1499 si diceva che nemici politici quali Guidantonio Vespucci e Bernardo Rucellai da un lato e Paolantonio Soderini e Gianbattista Ridolfi dall'altro stessero discutendo l'opportunità di mettere in comune le forze sotto la guida di Lorenzo di Pierfrancesco Popolani per spartirsi il controllo del governo" (Weinstein 1970, ed. ital. 1976, p. 349). Per i rapporti fra i Vespucci e Lorenzo di Pierfrancesco si veda riassuntivamente Calì, 1989, pp. 88-99. È da notare come Amerigo Vespucci indirizzasse a Lorenzo di Pierfrancesco la lettera sul viaggio di Vasco de Gama nelle Indie Orientali, già ricordata in L.A. Ferrai, *Lorenzino de' Medici e la società cortigiana del Cinquecento*, Milano 1891, p. 5 n. 1.

51. La data dell'arrivo di Michelangelo a Roma si recupera dalla lettera inviata da questi a Lorenzo il Popolano (vedi *Cronologia ragionata*), e scritta il 2 luglio 1496 (*Il carteggio di Michelangelo* 1965-83, 5 voll., I, 1965, pp. 1-2).

52. Secondo Alessandra Civai, che ha studiato in modo indiretto il palazzo del Milanese e in modo meno superficiale, rispetto ad altre pubblicazioni, la famiglia, ne parla come, di un lestofante (A. Civai, *Palazzo Capponi Covoni in Firenze*, Firenze 1993, p. 20).

53. Sulla famiglia si veda riassuntivamente E. Fiumi, *Demografia, movimento urbanistico e classi sociali in Prato dall'età comunale ai tempi moderni*, Firenze 1968, pp. 433-435.

54. Primo dei cinque figli – dopo di lui: Luigi, Ricciardo, Raffaello e Ridolfo – nati dall'unione fra Giovambattista di Baldassarre e monna Angelica, Baldassarre era nato a Firenze il 19 settembre 1464 (ASF, Tratte 80, cc. 177, 204, 218).

55. Come si evince dalla portata al Catasto del 1427 il padre di Baldassarre seniore (nonno del nostro), Luigi – morto nel 1414 e ricordato come "segretario e consigliere di papa Giovanni XXIII" (D. Marzi, *La cancelleria della Repubblica fiorentina*, Rocca San Casciano 1910, p. 159, e inoltre Fiumi 1968, p. 434) –, svolgeva sicuramente attività inerenti il prestito di denaro e il commercio da cui gli derivava un'ingente ricchezza (ASF, Catasto 79, cc. 147v-149v).

56. Il nonno di Baldassarre, Baldassarre (seniore) di Luigi di Ricovero, appare come "civis" fiorentino nel Catasto del 1427, nel quartiere di San Giovanni, gonfalone del

ze nel 1469[70], è ricordato ancora alla metà del Settecento quale "letterato riguardevole"[71]: la sua produzione letteraria ancora ci sfugge, tuttavia non meraviglia che durante il papato di Leone X, figlio del Magnifico, egli rivestisse vari incarichi presso la curia romana quali quelli di "abbreviator de parco minori" e di "scriptor", legati presumibilmente a una sua precisa preparazione culturale testimoniata fra l'altro dalla sua presenza nelle fila della compagnia della Concezione presso la chiesa romana di San Lorenzo in Damaso, nella quale sono testimoniati i più importanti umanisti del momento[72], e non meraviglia che come come molti di essi egli venga definito da fonti più tarde "familiare" di papa Leone[73]. Tuttavia forse proprio a riprova della sua antica consuetudine con l'ambiente culturale laurenziano in cui si dovette instaurare anche il rapporto con Michelangelo abbiamo un ricordo di quest'ultimo risalente al 1524. Scrivendo da Firenze a Giovan Francesco Fattucci a Roma il Buonarroti sottolinea come "ultimamente, per messere Ricciardo del Milanese vi mandai a dire che voi tornassi a ogni modo e lasciassi la mia faccenda[74].

Se ancora nel terzo decennio del Cinquecento perduravano i contatti fra Michelangelo e la famiglia del Milanese possiamo porci un ulteriore quesito: quando nell'ottobre del 1494 Michelangelo abbandonò Firenze alla volta di Bologna (il cui signore, Giovanni Bentivoglio, fece da prestanome ai Medici per riacquistare, fra l'altro, il giardino di piazza San Marco[75]) la scelta dello scultore di riparare in quella città poteva in qualche modo essere favorita anche dalla famiglia di Baldassarre? Il ricordato Luigi di Ricovero, bisnonno di questi, già dal primo Quattrocento, "fu con papa Giovanni 23 in una gran gratia e credito, sì che il papa guidò per le man sue tutti i fatti di Bologna"[76]: se, come appare probabile, i buoni uffici della famiglia in favore della città avevano lasciato qualche traccia nella memoria locale[77], forse Michelangelo già in questa occasione, come successivamente, poté godere del sostegno di coloro che aveva conosciuto e frequentato all'ombra del lauro.

Drago, dove divide la portata con la madre Nanna di messer Baldo della Tosa (Tosinghi). Sebbene Baldassarre seniore dichiari a quel momento di abitare in una casa con "torre nel popolo della Pieve" di Prato, nel cui contado detiene la più parte dei possedimenti terrieri, tuttavia dal documento si evince che i beni della madre sono a Firenze (ASF, Catasto 79, cc. 147v-149v).

57. Baldassarre seniore si sposò nel 1428 con Ginevra di Niccolò di Guccio de' Nobili, tuttavia nel Catasto del 1451 risulta, come del resto la moglie, già morto (ASF, Catasto 716, parte prima, cc. 108-109).

58. Giovambattista era nato a Firenze il 18 ottobre 1441; aveva pertanto, al momento della portata del 1451, solo dieci anni (ASF, Tratte, 80, c. 194).

59. Essi avevano a quel momento moltissime botteghe e case a Firenze (ASF, Catasto 716, parte prima, cc. 108-109).

60. Dalla portata del 1457 si evince che in quel torno di tempo le molte case e botteghe in Firenze non erano più di loro proprietà, mentre erano stati incrementati i possedimenti in territorio pratese, fatto spiegabile con la loro dipendenza dal ramo pratese della famiglia (ASF, Catasto 826, cc. 97-98).

61. *Ibid.* La casa confinava "da primo via, secondo detto Ruberto, 1/3 Miche(le) Vai, 1/4 Chambino Chambini". Sulla casa rimasta ai del Milanese fino al primo Seicento, al momento della estinzione della casata, si rimanda a Civai 1993, *passim*.

62. D. Carl, *La casa vecchia dei Medici e il suo giardino*, in *Il Palazzo Medici Riccardi*... 1990, pp. 38-43.

63. Shearman 1975, p. 16. Le case di Lorenzo di Pierfrancesco e di suo fratello Giovanni, che risiedevano nel gonfalone del Lion d'oro, si trovavano sullo stesso lato della via Larga su cui si affacciava il palazzo di Lorenzo il Magnifico.

64. S. Raveggi, *Il committente: i Medici nel Quattrocento*, in *Il Palazzo Medici Ricardi*... 1990, pp. 12-13.

65. Come si evince dalla portata del 1427, Luigi del Milanese era uno degli uomini più ricchi d Firenze (ASF, Catasto 79, cc. 147v-149v).

66. Civai 1993, p. 18, cui si rimanda per notizie più specifiche desunte da J. Salviati, *Cronica o memoriale (1398-1411)*, ed. cons. in *Delizie degli eruditi toscani*, Firenze 1770-89, XVIII, 1784, pp. 175-361; B. Pitti, *Cronica (1412-1427ca.)* ed. cons. con note di G.B. Casotti, A.M. Salvini, S. Salvini, Firenze 1720 (ristampa Bologna 1902).

67. Pieraccini 1924-25, 3 voll., I, p. 354.

68. ASF, Manoscritti 542, Matricole de' Mercatanti 1235, s.c. (7 dicembre 1483). Baldassarre si iscrive all'arte con i fratelli, godendo del "beneficium patris", ossia dell'appartenenza del padre alla medesima arte.

69. *Il carteggio di Michelangelo* 1965-83, 5 voll., I, 1965, pp. 1-2.

70. ASF, Tratte 80, c. 218.

71. S. Salvini, *Catalogo cronologico de' canonici della chiesa metropolitana fiorentina compilato nell'anno 1751*, in Firenze 1782, p. 79.

72. T. Frenz, *Die Kanzlei der Päpste der Hochrenaissance (1471-1527)*, Tübingen 1986, pp. 438, 470, 475; sulla presenza della compagnia della Concezione S. Valtieri, *La basilica di San Lorenzo in Damaso nel palazzo della Cancelleria a Roma attraverso il suo archivio ritenuto scomparso*, Roma 1984, p. 68.

73. Salvini 1782, p. 79.

74 *Il carteggio di Michelangelo* 1965-83, 5 voll., III, 1973, p. 122.

75 Elam 1992, p. 165.

76 Civai 1993, p. 18 (vedi *supra* nota 66).

77 Non menziona tuttavia la famiglia del Milanese e i rapporti di questa con Bologna C. Ghirardacci, *Della Historia di Bologna* [seconda metà del secolo XVII], ed. a cura di A. Sorelli, Città di Castello 1932, 2 voll..

James David Draper

Bertoldo e Michelangelo

In uno di quei discorsi oracolari ai quali si abbandonava, Sir John Pope-Hennessy[1] evidenziava una lacuna nella mia monografia del 1992 su Bertoldo, poiché non forniva spiegazione "dell'entusiasmo che l'opera di Bertoldo aveva goduto a Firenze". Ahimé, la nostra fragile natura umana spesso ci fa trascurare ciò che è ovvio, e colgo dunque questa opportunità per renderne ragione. Bertoldo era amato, specialmente nella cerchia medicea, dove rivestiva il ruolo di cortigiano e compare, artista e *magister elegantiarum*, proprio perché era un *petit maître* cresciuto fra le mura di casa, che con successo aveva reintrodotto soggetti all'antica, che rappresentavano ancora una novità a questa altezza cronologica. Aveva osato esplorare l'antico e anche rivaleggiare con esso, per quanto con una produzione su scala ridotta.

La sua opera era sperimentale nella sua stessa essenza, poiché le statuette di bronzo, il suo più significativo e tipico raggiungimento, erano ancora piuttosto rare a quella data. Secondo i miei calcoli, lasciò sette statuette, ossia più di qualsiasi altro scultore del suo secolo. Diede molta attenzione allo studio del nudo e contribuì grandemente alla sua diffusione, sia a palazzo Scala sia nelle dimore medicee.

Era un artista e un maestro, che divulgava la sua visione dell'antichità, senza molte cerimonie, ai giovani che Lorenzo de' Medici attirava nel giardino di San Marco, un luogo che avremo modo di visitare più estesamente in seguito, e nel palazzo di famiglia in via Larga. Fu il principale interprete, per le arti visive, della simbologia medicea formulata dagli umanisti che sembrano sempre soggiacere alle opere d'arte del Magnifico. Molto del suo talento trovò espressione in un'inflessione rusticana, piena di fascino, sui fiorentini amanti dell'ozio campestre.

Nei suoi momenti migliori, è l'inventore di composizioni convincentemente poetiche, e talora in grado di elevarsi al sublime. Una ragione sufficiente per la popolarità di cui godette, credo, specialmente presso il giovane, e infinitamente ricettivo, Michelangelo. Uno sguardo ravvicinato su Bertoldo consente di ripercorrere, in un certo senso, il clima in cui il giovanissimo Michelangelo sbocciò.

Tenendo conto che la mia monografia non è forse a tutti nota, e che alcuni dettagli sono da allora stati aggiunti, vale la pena di racchiudere in alcune pagine la vita e le principali opere di Bertoldo. Rimane tuttora sconosciuta la sua data di nascita, anche se pare che la si debba portare oltre il 1420 circa o il 1430 circa normalmente fissati. Il più antico documento, risalente al 1463, parla di un piccolo deposito di denaro presso la Mercanzia da dare a un vasaio, Andrea di Ciaino, da parte di "Bertoldo di Giovanni di Bertoldo"[2]. Il padre Giovanni e il nonno Bertoldo rimangono ancora sconosciuti. Non vi è nulla che garantisca l'ipotesi di Middeldorf che Bertoldo fosse un bastardo della famiglia medicea[3].

Il suo intervento a fianco di Donatello nella decorazione dei pulpiti di San Lorenzo cadrebbe intorno al 1465, stando al racconto di Vasari[4]; ma se così fosse, occorre pensare il suo ruolo come minore e indistinguibile. Gli è stata attribuita l'esecuzione di intere

1. J. Pope-Hennessy, *Italian Renaissance Sculpture*, 4ª ed., London 1996, p. 403.
2. J.D. Draper, *Bertoldo di Giovanni di Bertoldo*, in "The Burlington Magazine", CXXXVI, 1994, p. 834.
3. U. Middeldorf, *On the Dilettante Sculpture*, in "Apollo", CVII, 1978, p. 314.
4. G. Vasari, *Le vite de' più eccellenti pittori, scultori ed architettori... di nuovo ampliate*, Firenze 1568, ed. in *Le opere di Giorgio Vasari* a cura di G. Milanesi, Firenze 1878-1885, II, 1878 pp. 416, 423-425 (*Vita di Donatello*); VII, 1881, pp. 141-142 (*Vita di Michelangelo*).

scene, ma non riesco ancora a trovare il suo personale tocco in nessuna[5]. Perfino il *Seppellimento*, con tutte le sue allusioni medicee, rimane nella quintessenza una meditazione visionaria di Donatello.

Le altre date importanti per Bertoldo sono il 1466, anno della morte di Donatello, e il 1469, quando faceva medaglie per l'imperatore Federico III e per Filippo de' Medici, un cugino del ramo principale della famiglia, arcivescovo a Pisa[6]. Un piccolo fregio con il *Trionfo di Sileno* (Bargello) ha l'impresa di Piero il Gottoso de' Medici, che morì alla fine del 1469[7]. Da allora, le vicende di Bertoldo sono in sostanza legate alle sorti del Magnifico.

Per svariate ragioni, i bronzi dell'*Ercole a cavallo* (cat. n. 27) e quelli che un tempo lo accompagnavano ossia un *Satiro* (New York, Frick Collection) e un *Uomo selvatico* (Vaduz, collezioni dei principi di Liechtenstein) avrebbero potuto essere eseguiti su richiesta di Lorenzo per il matrimonio di Ercole I d'Este nel 1473[8]. La posizione in sella di *Ercole a cavallo* è fermamente modellata, solidamente costruita come le tipologie di cavalli sul rovescio della medaglia di Federico III.

In una complicata transazione del 1474, Bertoldo era debitore presso il banco mediceo di un piccolo prestito[9]. Egli misurò la facciata di una chiesa – non sappiamo quale ma probabilmente si trattava del Duomo –, su commissione di Lorenzo[10]. Agli anni 1475-1480-81 appartengono opere di intenso lirismo botticelliano: le statuette bronzee del *Battista* (cat. n. 30), un *Supplice* perduto[11], il non finito *Apollo* (cat. n. 26), la figura lignea di *San Girolamo* (cat. n. 31)[12] e il rilievo straordinariamente espressivo della *Crocifissione*[13]. La medaglia che ricorda la congiura dei Pazzi fu eseguita sulla scia del noto attentato ai fratelli Medici del 1478, quando Giuliano venne assassinato e Lorenzo riuscì a fuggire[14]. Il medaglista Andrea Guacialoti – canonico di Prato – gettò quattro esemplari di questa e li mandò a Lorenzo, sottolineando che il disegno di questa "cossa immortale" era interamente dovuto a Bertoldo[15]. Nello stesso anno, 1478, Bertoldo fu uno dei tre disegnatori finiti in prigione a causa dei fuochi d'artificio per la girandola, costruita in occasione della festa di San Giovanni, che fu un totale fallimento[16], inoltre affittò una casa vicino al Duomo per tre anni[17]. Nel 1479, Bertoldo visitò l'abbazia Vallombrosana di Cuneo[18] e scrisse una lettera, spesso citata, in data 12 luglio da Poggio a Caiano a Lorenzo il Magnifico a Firenze[19].

Scriveva a ridosso della congiura dei Pazzi e nel momento culminante del dissidio col papato, coi toni di una persona di casa, litigiosa e gelosa, che blandisce per ottenere trattamenti di favore. Nella lettera rivendica la sua competenza sia nell'architettura sia nella scultura e afferma con orgoglio di essere "discepol di donato". Nel resto di questo discorso venato di paranoia declama i propri superiori talenti come cuoco e anticipa la vendetta contro Sisto IV, Girolamo Riario nipote del pontefice, e specialmente Luca Calvanese (un alleato di Lorenzo che aveva conquistato una posizione nell'ufficio alla Grascia, il comitato che soprassedeva al mantenimento dei livelli di cibo e di certi manufatti) pregando Dio di vedere quei tre "affogati in un tino di pevero".

Il fregio in terracotta policroma della villa a Poggio a Caiano risale approssimativamente a quel momento, e Bertoldo avrebbe potuto far riferimento a quello quando dice che in un accesso di rabbia aveva rotto una certa forma di terracotta ("dato quattro chalcj a quel toro"). Ma la lettera era prevalentemente intesa a distrarre Lorenzo al colmo dei suoi travagli. Anche la medaglia di Maometto II (1480 circa) nasce dal contesto di guerra in corso mentre Lorenzo cercava nel sultano un alleato[20]. Ha lo stesso tipo di destriero che s'impenna del gruppo bronzeo di *Bellerofonte e Pegaso* (cat. n. 28)[21], frut-

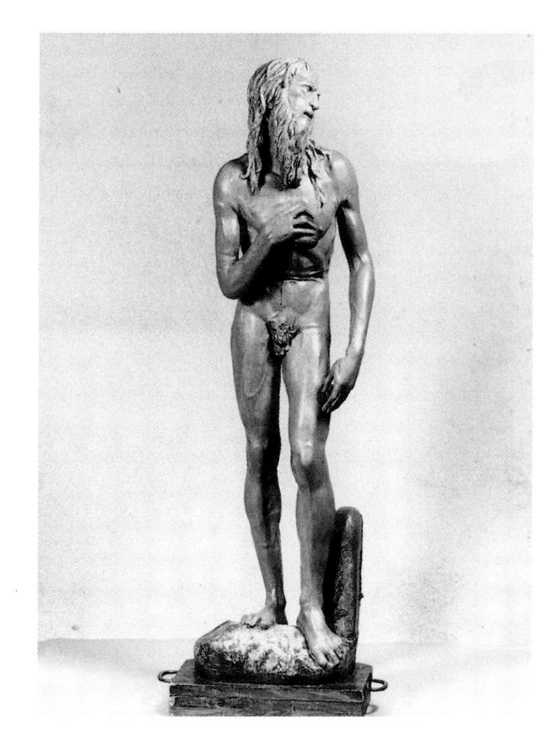

1. Bertoldo di Giovanni, *San Girolamo*. Faenza, Pinacoteca Comunale.

5. Vedi J.D. Draper, *Bertoldo di Giovanni, Sculptor of the Medici Household. Critical Reappraisal and Catalogue Raisonné*, Columbia (Miss.) 1992, pp. 18-22, per un racconto delle vicende attributive dei vari rilievi.
6. *Ibid.*, nn. 1 e 2, pp. 79-86.
7. *Ibid.*, n. 7, pp. 107-111.
8. *Ibid.*, nn. 12-14, pp. 149-159.
9. *Ibid.*, doc. 1, p. 269.
10. *Ibid.*, doc. 2a-c, pp. 269-270.
11. *Ibid.*, n. 16, pp. 164-165.
12. Purtroppo la Pinacoteca Comunale di Faenza non ha concesso il prestito del *San Girolamo* anche se sarebbe stato presentato in mostra come opera di Donatello. L'antica attribuzione a Donatello è stata occasionalmente sostenuta (J. Pope-Hennessy, *Donatello*, Firenze 1985, pp. 188-193; B. Boucher, *The St. Jerome in Faenza, a Case of Restitution*, in *Donatello-Studien*, München 1989, pp. 186-193; quest'ultimo suggerisce ma non può provare che Donatello si trovasse a Faenza per scolpire la statua). Tuttavia, le dimensioni, il fisico e le caratteristiche psicologiche dell'opera non sono all'altezza del maestro e l'idea viene giustamente respinta come "assolutamente impossibile" da D. Zervas e M. Hirst, *Florence: The Donatello Year*, in "The Burlington Magazine", CXXIX, 1987, p. 208. Riconoscerne la relativa magrezza non significa sminuire quest'opera affascinante. Il caso della riattribuzione a Bertoldo è estesamente presentato in Draper 1992, n. 19, pp. 186-197.
13. Draper 1992, n. 10, pp. 122-132.
14. *Ibid.*, n. 3, pp. 86-95.
15. *Ibid.*, doc. 4, p. 271.
16. *Ibid.*, doc. 3, p. 270.
17. *Ibid.*, doc. 5, p. 271.
18. *Ibid.*, doc. 6, pp. 271-272.
19. *Ibid.*, pp. 7-12, e doc. 7, pp. 272-273.
20. *Ibid.*, n. 4, pp. 95-101.
21. J. Pope-Hennessy, *An Exhibition of Italian Bronze Statuettes - I*, in "The Burlington Magazine", CV, 1963, p. 17, per primo individuò la possibilità di datare le opere attraverso i cambiamenti nella resa delle tipologie equine.

to della collaborazione con Adriano Fiorentino che probabilmente era anche lui un buon servitore dei Medici[22]. Lo stile di Bertoldo comincia a deteriorarsi nella medaglia dell'oratore imperiale Antonio Gratiadei (1481-1481)[23], un processo di degenerazione che continua inesorabilmente nella medaglia di una matrona veneziana, Letizia Sanudo[24], e nei dodici non meno singolarmente espressivi rilievi in stucco eseguiti per il cortile del palazzo di Bartolomeo Scala[25].

Nel 1483 e 1484, Bertoldo fu a Padova, in competizione con Giovanni Fonduli da Crema e il suo compagno di lavoro dei tempi di Donatello, Bartolomeo Bellano, per una commissione di rilievi con soggetti tratti dal Vecchio Testamento per decorare la basilica di Sant'Antonio. Il rilievo con Sansone presentato da Bertoldo fu rifiutato "perché non parea suffiziente" e la commissione di tutti i dieci rilievi fu aggiudicata a Bellano. Durante questo soggiorno padovano si trovava con Bertoldo un assistente o "garzono" sconosciuto[26].

Nel 1485 a Bertoldo venne data la commissione di scolpire due angeli in legno dorato destinati a decorare la parte superiore dell'organo della Sacrestia Nuova del Duomo di Firenze, ma nuovi angeli furono ordinati nel 1508 e pertanto Poggi concluse, probabilmente a ragione, che Bertoldo non avesse realizzato la coppia che gli era stata commissionata[27].

Bertoldo era solito accompagnare Lorenzo nelle sue escursioni in campagna, come risulta evidente dalla lettera del 1479 menzionata sopra, nella quale allude a una gita alla villa di Monte Gufoni, e da un promemoria con una lista del seguito che doveva accompagnare Lorenzo ai Bagni di Morba intorno al 1485 (il nome di Bertoldo è decimo dopo un cappellano, il grande musicista Francesco Squarcialupi, un cerimoniere, segretari e cantanti; ma viene prima del barbiere, dei camerieri, dell'assaggiatore di vini, degli arcieri, dello stalliere e dei cuochi, definendo uno *status* appena al di sopra di quello del servitore cortigiano)[28]. Ogni altro riferimento pervenutoci colloca Bertoldo nel cuore della vita domestica dei Medici. Nel 1489, un commerciante, Giovanni Buoninsegni da Siena, scriveva a Lorenzo che gli stava mandando diversi reperti archeologici affinché li esaminasse e che aveva sottoposto la questione a "Bertoldo vostro" senza ottenerne risposta[29]. Questo implica una posizione di una certa autorità sulle collezioni medicee, come per l'appunto riferiva Vasari (si veda oltre).

Bertoldo morì di una dolorosa angina, trovandosi a Poggio a Caiano, gli ultimi giorni del dicembre 1491. Lorenzo, che dal canto suo stava soffrendo terribilmente per la gotta, chiese con impazienza notizie al suo medico il 28 dicembre, ma Bertoldo morì il giorno successivo, con grande lutto del Magnifico, come sappiamo da due diverse fonti. Una delle fonti, ossia Bartolomeo Zeffi, scrisse: "Bertoldo scultore, che stava con lui [Lorenzo] in casa, s'è morto al Poggio, di spilanzia [squinanzia], con dispiacere anco di decto Lorenzo perché lo amava quanto altro suo familiare"[30]. L'altra, ossia Bartolomeo Dei, lo omaggiò con un discorso funebre più canonico: "Bertoldo scultore degnissimo, e di medaglie optimo fabricatore, el quale sempre col magnifico Lorenzo faceva cose degne, al Poggio s'è morto in dua dì. Che n'è danno assai e a lui è molto doluto, che non se ne trovava un altro in Toscana né forse in Italia, di sì nobile ingegno e arte in tali cose"[31]. Il 3 gennaio 1492, i canonici della chiesa di San Lorenzo, la chiesa di famiglia per i Medici, recitarono trenta messe per la sua anima e ci fu anche una funzione cantata: la madre di Bertoldo e la banca medicea se ne accollarono l'onere[32]. Il fatto che la madre gli fosse sopravvissuta getta qualche ombra di dubbio sulla versione vasariana della sua lunga vita – "ed ancora che e' fusse si vecchio, che non potesse operare"[33].

22. Per Adriano Fiorentino, vedi Draper 1992, pp. 44-52, dove si assume che Adriano fosse lo stalliere che portava messaggi per Lorenzo fra il 1483 e il 1484.
23. *Ibid.*, n. 5, pp. 101-104.
24. *Ibid.*, n. 6, pp. 104-106.
25. *Ibid.*, n. 21A-L, pp. 221-253; C. Acidini Luchinat, *Di Bertoldo di Giovanni e di altri artisti*, in *La casa del cancelliere. Documenti e studi sul Palazzo di Bartolomeo Scala a Firenze*, a cura di A. Bellinazzi, Firenze 1998, pp. 91-119.
26. Draper 1992, pp. 12-14 e doc. 8, pp. 273-275. Questo garzone probabilmente non era Adriano Fiorentino.
27. *Ibid.*, pp. 14-15 e doc. 9, pp. 275-276; G. Poggi, *Il Duomo di Firenze. Documenti sulla decorazione della chiesa e del campanile tratti dall'Archivio dell'Opera*, Berlin 1909, p. 136.
28. Draper 1992, p. 15 e doc. 10, pp. 276-277.
29. *Ibid.*, p. 15 e doc. 11, p. 277.
30. F. K. Kent, *Bertoldo "sculptore" and Lorenzo de' Medici*, in "The Burlington Magazine", CXXXIV, 1992, pp. 248-249.
31. Draper 1992, p. 17, doc. 12, pp. 277-278.
32. F.K. Kent, *Bertoldo scultore*, in "The Burlington Magazine", CXXXV, 1993, pp. 629-630.
33. Vasari 1568, ed. Milanesi 1878-1885, VII, 1881, p. 141.

Dopo la morte di Lorenzo nel 1492, l'inventario di palazzo Medici continua a chiamare una stanza la "camera di Bertoldo overo de' camerieri", lasciando intendere che la sua fosse stata una presenza speciale nel palazzo, per quanto avesse alloggiato coi domestici[34]. La stanza conteneva materassi, cavalletti, un nudo di bronzo con un braccio rotto, e dipinti di prospettiva con il Duomo e palazzo della Signoria. Non è difficile immaginare che il giovane Michelangelo abbia avuto occasione di visitare la stanza in questo stato; Condivi e Vasari concordano nel dire che Lorenzo diede una stanza nel suo palazzo al giovane e che lo trattò come se fosse uno della famiglia; Condivi poi aggiunge che Michelangelo visse lì per circa due anni, fino alla morte del Magnifico nel 1492; Vasari forse esagera nel dire che questo periodo durò quattro anni[35].

Dunque Michelangelo, nato da una famiglia della piccola nobiltà di Caprese il 6 marzo 1475, arrivò sulla scena quando la vita di Bertoldo era assai avanzata. All'età di tredici anni, il primo aprile 1488, era a bottega presso i pittori Domenico e Davide Ghirlandaio per un periodo che doveva durare tre anni[36]. Lo assoldarono come pittore, ma Vasari dice che passava la maggior parte del suo tempo a disegnare, mostrando un'inaudita forza nella linea, sia nel disegno dal vivo sia nel copiare i maestri fra cui anche Martin Schongauer[37]. Condivi sostiene che vi fosse attrito fra Michelangelo e Ghirlandaio, cosa che Vasari nega[38]. Il giovane artista lasciò la bottega prima che il suo apprendistato fosse terminato, e dunque a un certo punto intorno al 1490, forse un po' prima; secondo Condivi, Michelangelo fu accolto in casa del Magnifico intorno ai quindici o sedici anni, pertanto fra il 1490 e il 1491[39].

Fu un lasso di tempo assai breve per trarre beneficio dall'opera di Bertoldo, ma certamente ne beneficiò.

L'influenza del bronzo con *Scena di battaglia* (cat. n. 8) sulla *Battaglia dei centauri* del giovane Michelangelo è comunemente riconosciuta, per quanto il significato di quest'ultima sia del tutto diverso. Mentre la prima è una copia, per quanto riccamente elaborata, quest'ultima è assolutamente originale, una creazione in movimento di straordinaria ricchezza formale. Ho altrove insistito sull'importanza della particolare ponderazione delle posture delle opere di Bertoldo per il *Corpus* di Michelangelo a Santo Spirito e per il giovane satiro insieme al *Bacco* – è senz'altro il caso delle gambe che si incrociano l'una sull'altra con una dolcezza di movimento che Bertoldo stesso potrebbe aver derivato dai rilievi romani[40]. Lo stesso procedimento sembra animare il *Fanciullo arciere* (cat. n. 39), specialmente se visto dal dietro e dai lati. Per il satiro del *Bacco* e per il *Fanciullo arciere* vi è un precedente nell'*Apollo* di Bertoldo (cat. n. 26) per la maniera in cui il braccio si sospende sul petto. Possiamo solo ipotizzare quali discussioni abbiano avuto il più anziano e il giovane artista a proposito del "non finito", dei suoi effetti e delle sue implicazioni psicologiche[41]. È sorprendente che il novizio abbia lasciato incompiute due composizioni, manifestanti un intrigante potenziale quale appare nel *Fanciullo arciere* e nella *Battaglia dei centauri*, ma c'era giusto prima di lui l'*Apollo* bronzeo di Bertoldo come importante precedente. Il "non finito" ci colpisce come una metafora umanista da un lato, e dall'altro come una condizione che esercita enorme fascino sull'occhio moderno, ma quale significato aveva all'epoca? Così come per la scelta dei temi, possiamo ragionevolmente inferire il vaglio di Poliziano, che avrebbe accolto il non - finito come controparte della "furia" o impetuosità, valori letterari da lui incoraggiati[42].

È stata notata un grande affinità fra il *Bellerofonte* (cat. n. 28) e il nudo riverso all'indietro per scagliare un sasso sulla sinistra della *Battaglia dei centauri*[43]. Se, come si sospetta, la sua opera si trovava già a Padova, è sempre possibile che Bertoldo ne avesse te-

34. Draper 1992, p. 16 e doc. 13, p. 278; *Libro d'inventario dei beni di Lorenzo il Magnifico*, a cura di M. Spallanzani - G. Gaeta-Bertelà, Firenze 1992, p. 22.

35. A. Condivi, *Vita di Michelangelo Buonarroti*, Roma 1553, ed. a cura di G. Nencioni, Firenze 1998, p. 13; Vasari 1568, ed. Milanesi 1878-1885, VII, 1881, p. 143, afferma che tale periodo durò quattro anni.

36. Vasari cita il documento in cui viene stipulato il contratto, non più rinvenuto da allora; Vasari 1568, ed. Milanesi 1878-1885, VII, 1881, pp. 139-140.

37. *Ibid.*, pp. 139-140.

38. Condivi 1553, ed. 1998, p. 10; Vasari 1568, ed. Milanesi 1878-1885, VII, 1881, pp. 138-139.

39. "Era Michelagnolo, quando andò in casa del Magnifico d'età d'anni quindici in sedici, e vi stette fino alla morte di lui, che fu nel novantadue, intorno a due anni", Condivi, ed. 1998, p. 13.

40. Draper 1992, pp. 61-62, 174.

41. Per il tema del non finito si veda un riassunto in H. von Einem, *Michelangelo*, London 1973, pp. 256-265 e riferimenti a pp. 317-318.

42. Si veda D. Summers, *Michelangelo and the Language of Art*, Princeton 1981, pp. 247 e 523, n. 17.

43. J. Wilde, *Michelangelo. Six Lectures*, Oxford 1978, p. 28; M. Hirst, in *Il giardino di San Marco. Maestri e compagni del giovane Michelangelo*, catalogo della mostra (Firenze), a cura di P. Barocchi, Cinisello Balsamo (Milano), 1992, cat. 12, p. 61.

2. Bertoldo di Giovanni, verso della medaglia di Filippo de' Medici, arcivescovo di Pisa, con la scena del *Giudizio universale*. New York, Metropolitan Museum of Art.

3. Michelangelo, disegno per il *Giudizio universale*. Firenze, Casa Buonarroti.

nuto un modello o una copia a Firenze. Ho inoltre ipotizzato una certa influenza dell'affascinante *Madonna* in rilievo di Bertoldo al Louvre sulla *Madonna della Scala* di Michelangelo[44]. I principali elementi sono il nugolo di angeli sulla testa della Vergine, funzionali in entrambi i casi a enfatizzare la sua monumentalità, e i panneggi notevolmente complicati intorno alle loro caviglie.

Bode fece notare molto tempo fa una certa influenza che ancora oggi impressiona, quella del rovescio della medaglia di Filippo de' Medici con la scena circolare del *Giudizio universale* (fig. n. 2) sull'epico affresco di Michelangelo[45]. La verità dell'osservazione di Bode si verifica appieno esaminando uno schizzo preparatorio nel quale Michelangelo, ora artista maturo, è alle prese con la dinamica della piccola medaglia, e, nella parte più bassa, con lo spettacolo degli angeli su una predella intenti ad accogliere i salvati e ricacciare i dannati (fig. n. 3). Indulgo in una autocitazione: "Anche se i gruppi nella parte più alta del disegno e della medaglia non presentano legami nello schema compositivo, il margine superiore del disegno è ricurvo. Il Cristo di Michelangelo segue piuttosto da vicino la posa del nudo di Bertoldo coperto da un esiguo panneggio per metà seduto e col braccio sinistro alzato. Gli angeli raccolti in nuvole si espandono a raggiera e squillano le loro trombe come gli angeli di Bertoldo. Michelangelo è fin dall'inizio e per definizione più intenso e maestoso, ma la medaglia si riflette indelebilmente nel suo disegno"[46]. Ovviamente si può cogliere l'affinità al meglio tenendo la medaglia in mano come sicuramente Michelangelo ebbe modo di fare, concentrandosi attentamente su un pezzo che era stato gettato circa settant'anni prima. Bertoldo, quantunque sperimentali e realizzati su scala ridotta fossero i suoi sforzi, esercitò comunque un'influenza inestricabile sulla formazione stilistica di Michelangelo, e quest'ultimo modellò probabilmente parte del suo stesso atteggiamento psicologico nei confronti dell'arte, dal momento che egli ne subì l'influenza a un'età in cui era assai ricettivo e impressionabile. I legami fra i due risultano evidenti secondo una miriade di percorsi, perfino se prendiamo il punto di vista del temperamento. Ovviamente non si può sovrapporre l'irascibilità di Bertoldo con l'irrevocabile "terribilità" di Michelangelo, ma l'eco della prima si fa in qualche maniera sentire. È molto più rilevante comunque il fatto che il lirismo delle sue produzioni più piccole e meno ambiziose, informa, a distanza d'anni, i progetti di Michelangelo, anche alcuni di quelli percorsi dall'impeto più profondo e dal gesto grandioso.

È forse il momento di menzionare, per quanto dovremo poi eliminarle, le rivendicazioni fatte sulla paternità di Bertoldo di una statuetta bronzea di *Ercole* al Victoria and Albert Museum – rivendicazioni sostenute, fra gli altri, anche da Pope-Hennessy[47]. L'opera non si trova esposta in questa mostra in quanto, anche datandola al primo Rinascimento, appartiene pur sempre a un momento posteriore rispetto a quello qui indagato. Il legame con il *David* di Michelangelo è sempre emerso chiaro nella posizione frontale – suggerendomi che questa fosse stata imitata – tuttavia il metallo è stato lavorato a colpi di martello in maniera piuttosto monotona e non si produce alcuna delle vibrazioni di superficie che ci aspetteremmo da Bertoldo. Perfino nel *Bellerofonte e Pegaso* fuso da Adriano Fiorentino, che è dal punto di vista della superficie materica il meno riuscito dei bronzi di Bertoldo, i colpi di martello sono distribuiti in maniera selettiva e dinamica. Ad ogni modo Joannides ha di recente riaperto la questione, proponendo ora che l'autore della statuetta londinese sia lo stesso Michelangelo[48]. Ciò lo porta a difendere il lavoro di cesello su tutta la superficie, che da parte mia trovo poco espressivo, come corrispettivo dell'incrociarsi delle linee, per ottenere il chiaroscuro, nei disegni del maestro. Dal momento che nessuna delle statue bronzee di Michelangelo è sopravvissuta, siamo costret-

44. Draper 1992, pp. 41-42.
45. W. von Bode, *Bertoldo und Lorenzo de' Medici*, Freiburg im Breisgau 1925, p. 30.
46. Draper 1992, p. 86.
47. J. Pope-Hennessy, *Italian Renaissance Sculpture*, London 1958, p. 303, riaffermato nelle edizioni successive, anche se nel corso di una conversazione intorno al 1984 mi disse che aveva abbandonato l'idea. Si veda inoltre Draper 1992, pp. 262-264.
48. P. Joannides, *Michelangelo bronzista. Reflections on his Mettle*, in "Apollo", CXLV, n. 424, 1997, pp. 11-20.

ti a parlarne in termini generici, e talora per via di negazione, tuttavia trovo impossibile credere che fra i tratti stilistici che Michelangelo avrebbe tratto da Bertoldo debba essere inclusa questa spenta e inespressiva politura.

Parimenti non è sopravvissuta nessuna scultura in marmo di Bertoldo e forse nessuna venne mai eseguita. Trovo quindi estremamente difficile immaginare l'aspetto visivo di un marmo di sua mano. In ogni caso è impossibile valutare l'impatto che Bertoldo ebbe su Michelangelo, scultore in pietra, da un punto di vista tecnico e non compositivo. La natura altamente sperimentale del *Fanciullo arciere* e la sua arditezza compositiva puntano tutte a favore del maggior peso avuto da preoccupazioni di tipo espressivo piuttosto che pratico.

Un piccolo rilievo di marmo, che si potrebbe considerare genericamente bertoldesco, si trova all'Ashmolean Museum, a quanto si sa mai pubblicato fino a ora[49] (fig. n. 34). Largamente danneggiato, si direbbe da sassi scagliati contro, rappresenta un *Lapita e un centauro* che lottano con clave. L'esecuzione, specialmente negli ondeggiamenti dei panneggi, è secca, ma vi sono tracce di Bertoldo nei profili smussati e nel gesticolare angoloso. Il rapporto con Bertoldo non è dissimile da quello che si ritrova nei rilievi di Andrea Sansovino nell'altare Corbinelli a Santo Spirito[50]. Ci ricorda che il ruolo di Bertoldo come supervisore delle collezioni medicee rese possibile una sua influenza sugli scultori, oltre che sul giovane Michelangelo. Distinguere la differenza fra la piana linearità del pezzo di Oxford e il rutilante rilievo di Michelangelo della *Battaglia dei centauri* è come percorrere l'intero tragitto della medesima suggestione, dalla sua meno efficace comprensione al più poderoso dei risultati.

4. Seguace di Bertoldo, presumibilmente fiorentino, *Lotta tra un lapita e un centauro*. Oxford, Ashmolean Museum.

Il nostro modo di vedere Bertoldo e Michelangelo, nei brevi anni in cui furono in contatto è indelebilmente colorito dal racconto vasariano della "scuola e accademia" che operava, per quanto non istituzionalmente, nel Casino e giardino di proprietà dei Medici vicino a San Marco. A Lorenzo de' Medici va assegnata la responsabilità, secondo Vasari, di aver sistemato il suo anziano famiglio Bertoldo come "guida e capo", per coordinare gli sforzi dei giovani artisti, perlopiù di buona famiglia, alle prese con lo studio della scultura antica[51]. Abbiamo accennato al suo probabile incarico come custode delle collezioni di palazzo Medici (si veda la lettera in data 1489 di Giovanni Buoninsegni a Lorenzo, menzionata sopra). Vasari dice inoltre che Lorenzo aveva invitato Domenico Ghirlandaio a mandargli alcuni dei suoi migliori allievi per metterli a studiare. Il numero di questi includeva Michelangelo e Francesco Granacci, il pittore di cui Michelangelo era amico e che aveva raggiunto nella bottega del Ghirlandaio[52]. I loro compagni studenti, sempre secondo il racconto vasariano, dovevano includere Rustici, Torrigiano, Niccolò di Jacopo Soggi, Lorenzo di Credi, Bugiardini, Baccio da Montelupo, e Andrea Sansovino[53]. Stando sempre al racconto vasariano, fu in tale contesto di studio dell'antico sotto la supervisione di Bertoldo (lo studio prevedeva non solo la statuaria antica, ma cartoni, disegni, e modelli dei primi "maestri moderni", Donatello, Brunelleschi, Masaccio, Uccello, Fra Angelico e Fra Filippo Lippi[54]) che Michelangelo presentò il suo busto di satiro, a imitazione dell'antico, a Lorenzo[55]. Michelangelo non solo frequentava di giorno il giardino, ma, sia nella versione di Condivi sia in quella di Vasari, stava a palazzo anche di notte in una stanza offertagli dal Magnifico[56], che diede anche uno stipendio al giovane e, cosa più importante, pezzi di marmi su cui esercitarsi[57]. Siffatti segni di favore istigarono la gelosia di Torrigiano e il litigio che ebbe per risultato il famoso naso rotto.

Il racconto di Vasari sulla "scuola e accademia"[58] ha avuto i suoi detrattori, a co-

49. Dalla donazione di A.G.B. Russell nel 1958.
50. M. Lisner, *Andrea Sansovino und die Sakramentskapelle der Corbinelli mit Notizen zum Alten Chor von Santo Spirito in Florenz*, in "Zeitschrift für Kunstgeschichte", 50, 1987, pp. 204-207.
51. Vasari 1568, ed. Milanesi 1878-1885, VII, 1881, p. 141.
52. *Ibid.* (*Vita di Michelangelo*) e V, pp. 339-349 (*Vita di Granacci*).
53. *Ibid.*, IV, pp. 258-259 (*Vita di Torrigiano*).
54. *Ibid.*, pp. 257-258.
55. *Ibid.*, VII, 1881 pp. 142-143, in accordo con Condivi, ed. 1998, p. 11.
56. Condivi 1553, ed. 1998, p. 12; Vasari 1568, ed. Milanesi 1878-1885, VII, 1881, p. 143.
57. Vasari 1568, ed. Milanesi 1878-1885, VII, 1881, p. 143. Secondo Vasari tutti i giovani che frequentavano il giardino erano stipendiati, e Michelangelo guadagnava cinque ducati al mese che andavano in aiuto al padre per il quale Lorenzo trovò anche un lavoro alla dogana.
58. La frase ricorre nella *Vita di Torrigiano*: Vasari 1568, ed. Milanesi 1878-1885, IV, p. 256.

minciare da Frey che ha messo in dubbio la possibilità per gli "accademici" di essere nello stesso luogo e nello stesso momento[59]. Un articolo di Chastel, che si rivelò aver grande peso, mise poi in dubbio l'intero concetto di accademia, affermando che si trattava di un'idea artificiale prefabbricata per fornire un facile antecedente per la Medicea Accademia del Disegno fiorita in pieno Cinquecento[60]. Tuttavia un numero crescente di studiosi si trova ora d'accordo nell'affermare che l'accademia era un concetto del tutto accettabile all'interno della terminologia neoplatonica del Quattrocento. Il termine, derivato dal greco, veniva a designare il riunirsi di spiriti affini dediti alla contemplazione, alla meditazione specialmente sull'antico, e con una sede generalmente all'aperto[61].

L'accademia di Poggio Bracciolini (una stanza della sua villa che conteneva teste antiche)[62] e l'accademia di Careggi, presentata da Cosimo il Vecchio a Marsilio Ficino e i suoi amici[63], avevano entrambe un assetto non istituzionale. Il termine poteva denotare una scuola di pensiero (come per i platonici a Careggi o come per Pomponio Gaurico)[64], ma non implicava alcun corso di studi. Caroline Elam e altri studiosi hanno ora definitivamente dimostrato l'esistenza di un giardino mediceo a San Marco, caratterizzato come un piacevole luogo di ritiro[65]. Il giardino era senza dubbio noto a Leonardo da Vinci[66]. Michelangelo, a dar retta a Vasari, lasciò Firenze alla volta di Bologna e poi di Venezia poco prima l'espulsione di Piero di Lorenzo de' Medici[67] (1494). Lo scultore evidentemente aveva continuato a frequentare il giardino di San Marco come propria base; Vasari riferisce infatti che ne aveva le chiavi[68]. Un'eloquente memoria è offerta dal pettegolezzo inviato da Ser Amadeo da Firenze al fratello Adriano Giovanni de' Maestri (Adriano Fiorentino) a Napoli: "Sapi, che Michelagnolo ischultore dal g[i]ardino sene ito a Vinegia sanz dire nula a Piero"[69]. Insomma, ogni tipo di documentazione e di evidenza visiva sopravvive per garantire credibilità al racconto vasariano, ossia alla scena da lui dipinta del giardino come luogo di apprendimento e formazione in senso lato. Quantunque non fosse strettamente organizzato vien da credere che risultasse assai ricco di stimoli intellettuali. Lì Bertoldo, il fedele custode della casa, e Michelangelo, il giovane "stipendiario", potevano dedicarsi alla loro arte senza altre preoccupazioni economiche. Anzi, a ben riflettere, molto dell'idealismo riflesso nella loro arte potrebbe essere la conseguente espressione della loro libertà rispetto a tali ansietà. I marmi e i bronzi, intrisi di sperimentalismo e di significati reconditi e delle atmosfere sature del palazzo e del giardino, sono la miglior testimonianza del fervore culturale e delle possibilità di crescita artistica offerti da quei luoghi.

59. K. Frey, *Michelagniolo Buonarroti. Sein Leben und seine Werke*, I: *Michelagniolo's Jugendjahre*, Berlin 1907, pp. 45, 47-50.

60. A. Chastel, *Vasari et la legende médicéenne: L'école du jardin de San Marc*, in *Studi vasariani. Atti del Convegno internazionale di studi per il IV centenario delle "Vite" del Vasari*, Firenze 1952, pp. 159-167.

61. Per l'origine e le applicazioni del termine "accademia" si veda N. Pevsner, *Academies of Art. Past and Present*, Cambridge 1940, pp. 1-6; C. de Tolnay (introduzione a *Michelangelo e i Medici*, cat. della mostra, Firenze, Casa Buonarroti, 1980, pp. 8-9) si adoperò molto per riequilibrare i termini della questione, difendendo Vasari sulla cognizione del giardino come alternativa alla bottega dove Michelangelo trovò quegli stimoli intellettuali necessari alla sua evoluzione. Si veda inoltre *Il giardino di San Marco...* 1992, *Michelangelo*, *passim*; Draper 1992, pp. 67-75; id., *Medici Academy*, in "Florence part V, I" in *The Dictionary of Art*, London-New York 1996, 11, p. 217.

62. P. Bracciolini, *Opera omnia*, a cura di R. Fubini, Torino 1964-69, 3, p. 214.

63. A. Chastel, *Marsile Ficin et l'art. Travaux d'Humanisme et Renaissance*, Genève 1954, 14, pp. 8, 30-32.

64. P. Gaurico, *De scultura*, a cura di A. Chastel e R. Klein, Genève 1969, pp. 47-49.

65. L. Borgo e A.H. Sievers, *The Medici Gardens at San Marco*, in "Mitteilungen des Kunsthistorischen Institutes in Florenz", 33, 1989, pp. 233-256; C. Elam, *Il palazzo nel contesto della città: strategie urbanistiche dei Medici nel Gonfalone del Leon d'oro 1415-1430*, in *Il Palazzo Medici Riccardi di Firenze*, a cura di G. Cherubini e G. Fanelli, Firenze 1990, pp. 45-57; id., *Il giardino delle sculture di Lorenzo de' Medici*, in *Il giardino di San Marco...* 1992, pp. 159-171, rielaborato come *Lorenzo de' Medici's Sculpture Garden*, in "Mitteilungen des Kunsthistorischen Institutes in Florenz", 36, 1992, pp. 41-83, con un'appendice di documenti che riguardano il giardino.

66. Draper 1992, pp. 69-70.

67. Vasari 1568, ed. Milanesi 1878-1885, VII, 1881, p. 146.

68. *Ibid.*, p. 144.

69. Si veda Draper 1992, p. 69.

Luciano Berti

Due opere prime, un passaggio

Conservatesi fin dall'origine in casa di Michelangelo a Firenze, la *Madonna della Scala* e la *Centauromachia* formano una coppia di opere eccezionalmente rappresentativa, commentate in ogni manuale, ricercate e gustate dai visitatori non compressi dal turismo di massa. E d'altra parte con un loro senso di intimità, opere del Buonarroti "non pubblicate" all'esterno né cedute ad altri, ma mantenute proprio in sede domestica; e per lui Michelangelo rammemoranti un primissimo tempo biografico di piena felicità.

Però qui si è scritto volutamente *coppia* non soltanto per l'ipotesi, quanto mai probabile, che ambedue risalgano ancora al momento del giardino di San Marco, entro il 1492; ma specialmente perché esse costituiscono una dualità tra loro, divergente ma altresì complementare, situate come difatti sono sul profilo di valico dal primo Rinascimento al classicismo cinquecentesco; e la prima ancora affacciata su un versante, la seconda sull'altro. Mentre è inutile avvertire che non furono affatto coppia nel senso di affiancamento e omogeneità, ben diverse per formato, e senza alcun collegamento di temi, né di commissione (come riconsidereremo). Oltreché per il loro autore, in seguito, determinanti due reazioni assolutamente opposte: cioè il ripudio con il silenzio, quanto alla *Madonna della Scala*, non fatta menzionare al Condivi a correggere l'omissione vasariana nelle *Vite*, 1550; e invece il massimo compiacimento circa la *Centauromachia*: "... mi rammento udirlo dire, che, quando la rivede, cognosce, quanto torto egli habbia fatto alla natura a non seguitar l'arte della scultura, facendo giudicio per quel opera, quanto potesse riuscire" (Condivi 1553).

Ma perché quel rigetto invece della *Madonna della Scala*? È presumibile che spiacesse a Michelangelo apparirvi così sempre tributario di Donatello, il maestro per cui è da ritenere nutrisse gelosia, data la sua gloria ancora competitiva in pieno Cinquecento, popolarmente, con la sua: come ne è indicativo, per esempio, quello scarpellino di cui dice il Doni, il quale trovava continuità di maniera tra il *San Giorgio* di Orsanmichele e il *David* in piazza della Signoria; né poi a torto, diremmo, perché nel cavaliere in armatura e nel gigante ignudo la fierezza, di consapevole eroismo giovanile, ha la stessa radice morale ed espressiva.

Sebbene la *Madonna della Scala* non sia poi soltanto donatellesca, a mio avviso; e già ho proposto di avvertirvi un riferimento inoltre a Piero della Francesca. Così in quella impassibile solennità della Vergine che mi richiama l'Adamo morente in San Francesco d'Arezzo; o nei d'altronde tanto dominanti rapporti prospettici, ma anche armonici-proporzionali, determinati dalla figurazione della scala, con un *esprit de géométrie* che non è proprio, a tal grado, dell'empito donatellesco. Di Piero, invece, la cui scomparsa proprio nel 1492 deve aver ravvivato un interesse verso la sua arte, come accade. Eppoi Piero di patria nell'Aretino, non distante dal Caprese michelangiolesco, in "quell'aria sottile" di cui si diceva erede anche Michelangelo; né una visita del giovanissimo Buonarroti, durante la sua formazione, al coro di San Francesco ad Arezzo è escludibile, breve viaggio, anzi sarebbe strano che non lo avesse compiuto.

Ma vorremmo ancora insistere circa quella qualche ombra di mistero che si proietta sulla *Madonna della Scala*. Durante il suo recente restauro a opera sagace di Agnese Parronchi, Pina Ragionieri ha acutamente notato che nel retro la lastra presenta un punto di incavo, evidentemente posteriore: il che è da ritenersi dovuto all'asportazione eseguitavi del numero di inventario che vi era stato apposto, con vernice penetrata un tantino, quando il rilievo dapprima dopo la morte di Michelangelo passò in collezione medicea, per venire poi restituito dalla gentilezza di Cosimo II alla famiglia. Questa ipotesi è veramente la più probabile, e pertanto una numerazione in inventari medicei del momento si dovrebbe prima o poi ritrovare.

Però azzardiamoci in ulteriori congetture, seppure altrimenti rischiose. E se quell'asportazione – lavoro che esponeva anche a un qualche rischio il pezzo – avesse avuto un altro motivo? Mettiamo un'iscrizione incisa in quel punto, e giudicata, in vita di Michelangelo stesso, non più conveniente e anzi pericolosa.

Il pensiero, dato il soggetto religioso, può andare al Savonarola da cui il Buonarroti fu suggestionato, però condannato col 1498; o anche, guardando politicamente, ai Medici scacciati nel 1494; o, al contrario, a una dedica festeggiante quella cacciata. Michelangelo era così morbosamente apprensivo fin da allora... Il silenzio sull'opera mantenuto in seguito dal Grande si motiverebbe quindi non tanto con un giudizio critico, ma con un particolare biografico ritenuto da rimuovere.

Queste congetture a parte, la questione che resta aperta è comunque quella, per niente secondaria, se la *Madonna della Scala* sia stata un'opera commissionata a Michelangelo, o da lui condotta per se stesso; e, connessamente, se la sua iconografia sia stata suggerita al Buonarroti o invece da lui concepita; e chi scrive invero opta per la prima ipotesi, troppo Michelangelo in quei suoi inizi aveva bisogno di un sostegno esterno per estrinsecarsi, ancora non era il momento della sua orgogliosa solitudine.

Ma vediamo, come oggi si dice alla televisione. Psicologicamente l'opera si focalizza in prima istanza sull'allattamento, di iconografia già antichissima, catacombale, eppoi tornata in voga in Italia dal secolo XII. E appunto vi si presenta dominante, anche per il gorgo circolare (col giro di braccia della Vergine) che se ne costituisce ben sensibile sul centro della figurazione, la trasmissione di nutrimento vitale al Bambino Gesù. Il quale tutto si concentra nel suggere, voltandoci le spalle e il volto, e le cui forme un po' ercoline (invece che, come solitamente, graziose) forse sono state prescelte tali proprio per renderci già, nei suoi effetti, la potenza nutritiva, materiale e psichica, di quel latte.

Che il Bimbo in siffatta posa non ci mostri il volto è un'apparente sottrazione, però potrebbe mirare a una più arcana presenzialità del Dio, un Dio *lactens*; ancora, va notato come questo Bimbo sia privo (diversamente dalla Vergine) di aureola, a rendere il cui dischetto si sarebbe determinata un'intermissione magari figurativamente disturbante, ma non è mancanza iconografica simmetrica da poco: e se invece si potesse addurre una sua qualche giustificazione dottrinale? In un ambiente culturale così sottile quale quello del giardino di San Marco laurenziano, di *docta pietas* e allegorie e allusioni intreccianti cristianità e antico, non è ipotesi da potersi escludere in assoluto.

La Madonna d'altra parte mentre allatta non viene assorbita da questo impegno; e invece, monumentalmente seduta di profilo, ben composta come nel sovrapporsi così classicistico delle gambe tunicate, fissa lontano (anche nel tempo): presentandosi meditabonda, quindi magari profetica, ma senza alcun sconvolgimento correlativo come invece nelle figure della Volta Sistina.

Proseguiamo però inoltrandoci al di là dei due protagonisti, e passando ai putti, sfasati in altezza dalla scala. Essi costituiscono un motivo di secondo piano, ma ben vivace, di altro vitalismo dinamico che quello delle due sacre persone. Come un contrappunto musicale che colma la figurazione, e d'altronde la riequilibra da un troppo solenne. E d'altra parte quei putti non guardano affatto ai protagonisti, ma sono intenti a trastulli tra loro: l'ipotesi (Tolnay) che quel panno, cui due di essi attendono stendendolo, sia il manto funebre del Cristo è suggestiva, e siglerebbe il tema proprio in un'alfa e omega; ma resta un'ipotesi che altre concomitanze iconografiche potrebbero eliminare.

Perché c'è la scala, motivo figurativo certo caro a Donatello ma applicabile a esprimere significati ideologici ed edificanti, l'ascensione, la gradualità, o ancora. E allora quel manto chissà quale significazione potrebbe avere, per esempio di scoperta di verità, o di costituzione di un abito culturale, o altro... Se invece non è semplicemente una divagazione decorativa. Visualmente, comunque, quella scala immette un moto ascensivo e in profondità, una complicanza opposta al semplice cubo con cui si inizia dal sedile a destra, una energia che investe la visione complessiva, la solletica con le capacità e capziosità della prospettiva, le sue fughe, i suoi scorci, nonché le sfumature comportate dalla intervenente *prospettiva aerea*.

Misteriosa, concludendo, la genesi completa con le sue circostanze della *Madonna della Scala*, ma ben comprensibile d'altronde il suo configurarsi stilistico, tra l'eredità di Donatello e le consumate raffinatezze di Bertoldo, direttore della scuola al giardino di San Marco. Viceversa avviene per la *Centauromachia*, di cui sappiamo la commissione, mentre ignoriamo come vi avvenga quel trapasso che produce tanto mutamento, di "poetica" e anche tecnica, e di clima storico.

Perché la *Centauromachia*, che pure è un tema non di fede popolare cristiana ma dotto, umanistico, suggerito all'allievo Buonarroti da un sommo letterato quale il Poliziano, elimina volutamente tutta la puntuale copiosità primorinascimentale dimostrata dalla *Madonna della Scala*; e nemmeno si arrocca in iniziatiche ermeticità da estremismi di culti, come il mirabile fregio della villa a Poggio Caiano. Non c'è invece in quest'opera descrizione ambientale (cui semmai era destinata, con degli accenni architettonici, la fascia superiore rimasta grezza), non applicazione prospettica; nemmeno molta chiarezza di soggetto, in quella mischia dove ci si limita a constatare che alcuni contendenti hanno la bicorporalità dei centauri, altri sono armati di pietre pertanto corrispondono ai lapiti, e la contesa avviene per alcune terrorizzate figure dal profilo femminile.

È invece un turbinare intrecciato di figure in lotta, con poca profondità di palcoscenico, e un centro nemmeno tanto accentuato nella figura col braccio destro levato; che oggi più intensamente ci tocca perché vi troviamo un anticipo del *Giudizio* sistino. Ma si diceva di varco repentino anche come "poetica"; infatti, mentre nella *Madonna della Scala* vigeva in pieno la stretta fratellanza quattrocentesca, almeno in Italia, tra pittura e scultura, ambedue figlie del disegno (e in effetti quel bassorilievo potrebbe tradursi senza alcuna difficoltà in un dipinto), invece, nella *Centauromachia* l'essenza è ormai soltanto scultorea, e tutt'al più un'opera simile avrebbe potuto suggerire al poliformismo del barocco (e non per niente Rubens si fece due copie a carboncino del bassorilievo). La *Centauromachia* si svolge non più a melodia con le sue acutezze, ma a sinfonia plastica, ricchissima per questo lato di visuali oltre quella frontale, e cioè di fianco, sottosquadrate, circolanti, nonché più o meno rifinite; ed è una sinfonia tutta anatomica, giocata su questo unico elemento figurale moltiplicato al possibile (così il rappresentante dei Gonzaga, nel 1527, ne notava la concentrazione con "più di 25 teste e 20 corpi varii, et varie attitudini fanno").

D'altronde questo transito nel giovanissimo Michelangelo noi avvertiamo come risponda al trapasso del suo tempo, quel "circa 1492" che ha segnato il passaggio dell'Europa alla modernità, con le scoperte geografiche, con il costituirsi di grandi stati nazionali ai quali non saprà resistere la frazionata Italia: la quale d'altra parte nelle arti figurative maturava una grandiosità classicistica, e in tutto una raffinata civiltà, magistrale per l'umanità intera.

Il genio di Michelangelo ha compiuto per conto suo il passo, nella coppia di opere in Casa Buonarroti, che d'altronde risultano già capolavori, cioè raggiungimenti completi e complessi, e non esperienze sia pur toccanti nonché fruttifere. E questi capolavori d'altra parte hanno un loro particolare accomunamento, cioè mantengono comunque, per così dire, una taglia artistica come da giovinetto, una morbidità particolare di membra propria soltanto di quell'età. È quel non più che diciassettenne il quale che incantava il Magnifico Lorenzo, accolto nella sua casa e alla sua tavola come un figlio, magari anzi intendendolo già come un pari in intellettualità.

Kathleen Weil-Garris Brandt

I primordi di Michelangelo scultore

La "Madonna della Scala"

La *Madonna della Scala* (cat. n. 1) è l'esempio chiave del giovanissimo artista che imita modelli diversi: esercizio didattico quattrocentesco che insegnava una visione accurata e analitica e stimolava il desiderio di emulare e superare gli esempi più prestigiosi dell'arte antica e moderna. Inoltre tale pratica insegnava la scelta giusta dei modelli per i diversi compiti della scultura[1].

Come vediamo, nel piccolo rilievo di Casa Buonarroti Michelangelo unirà, in modo originale e sinergico, tre elementi molto diversi: le Madonne votive, i rilievi di "istoria" albertiana di Donatello e un tipo di rilievo funerario antico che permetteva al giovanissimo artista di comporre una tipologia espressiva, teologica e formale del tutto nuova.

La Madonna, vista di profilo e rivolta a sinistra, è seduta, con la parte destra del seno scoperta mentre tiene in grembo il Cristo bambino addormentato di schiena. Sta seduta su un cubo che potrebbe essere unito al muro o alle scale retrostanti. Dietro le sue ginocchia, sale in uno scorcio ripido una breve scalinata; il primo scalino è notevolmente più basso degli altri, che diventano prima più alti e poi diminuiscono in fuga prospettica verso il primo piano.

Una ringhiera piatta accompagna la scalinata, si piega per seguire un pianerottolo nascosto e per diventare un pilastro quadrato che potrebbe essere un elemento di una porta o porticato. In questa scena, due putti si abbracciano e sulla scalinata un bambino più grande si sostiene alla ringhiera con la mano sinistra, mentre si muove per sistemare, con la destra, un lungo panno tenuto anche da un altro bambino, che, correndo verso destra, si guarda alle spalle, mentre sembra portare via la stoffa. Nessuna di queste figure è dotata di ali e solamente la Madonna ha l'aureola.

Le caratteristiche della lastra marmorea, l'impostazione dell'immagine, l'uso e la sequenza dei ferri, la lettura del rilievo da varie angolazioni, con differente illuminazione, indicano che il rilievo è stato lavorato generalmente da sinistra a destra, da uno scultore mancino; cioè qualcuno che abitualmente tiene il mazzuolo nella mano sinistra e il ferro nella destra[2].

Questa osservazione concorda esattamente con i risultati degli esami svolti sulla *Centauromachia*. Per scolpire il marmo, cioè penetrare a zone di sottosquadro e da varie angolazioni, ogni scultore trova necessario un certo grado di ambidestrismo. Lo scultore Raffaello da Montelupo, amico del Buonarroti e suo collaboratore nelle sculture della cappella Medicea, riferì nella sua autobiografia che, come lui stesso, Michelangelo era mancino[3]. Quest'ultimo, racconta Montelupo, aveva imparato a non adoperare la sinistra per disegnare o dipingere, "salvo nei lavori di forza"; cioè, evidentemente, nella scultura.

Nella normale sequenza di lavoro sul marmo, a cui si attenne anche il giovane Michelangelo, lo scultore comincia con strumenti più grandi, per abbozzare le forme, ser-

1. Cfr. A. Rosenauer, *Stil pluralismus in Werk Donatellus*, in *Donatello Studien*, München 1989, pp. 24-27.
2. Mi preme dare la dovuta importanza in quest'indagine alla collaborazione della dott. Prisca Giovannini, del dott. Nicholas Penny e del dott. Eike Shmidt.
3. Cfr. R. Gatteschi, *Baccio da Montelupo. Scultore e architetto del Cinquecento*, Firenze 1993, p. 121.

vendosi via via di ferri sempre più fini. Nelle fasi iniziali, quindi, le forme rimangono volutamente più grandi e ampie di quanto saranno in forma compiuta, per permettere allo scultore la necessaria libertà, per così dire, di muoversi nel marmo. Tagliando via gradualmente le superfici per arrivare alla precisa forma desiderata, lo scultore per forza la snellisce. Per esempio, Michelangelo ha già iniziato questo assottigliamento al ginocchio destro della figura che sale, lasciando indietro, solo per il momento, un "alone o filo" di marmo attorno alla gamba, che evidenzia la dimensione e il contorno della forma inizialmente schizzata nel marmo. L'intervento successivo con gradine sempre più fini permette di rendere sempre più esplicite le forme e la loro superficie. In sculture altamente rifinite come il *Bacco* e ancora di più come la *Pietà* vaticana, Michelangelo segue un ulteriore lavoro realizzato con lime molto delicate e soltanto dopo questa graduale progressiva unificazione della superficie, questa va lustrata pazientemente con panni, polvere di smeriglio e altre sostanze[4].

Nello scolpire la *Madonna della Scala*, Michelangelo era arrivato alla penultima fase, in cui le forme incompiute dovevano ancora perdere il "soverchio" dell'ultimo sottile strato di marmo: questo si riconosce più facilmente nelle forme piuttosto solide e distese delle figure di secondo piano del rilievo, ma le medesime caratteristiche dei corpi si trovano anche, inaspettatamente, nel primo piano, oggi fortemente levigate.

Sotto la superficie brillante del rilievo, le strane zone piatte visibili sulla spalla della Madonna e sulla testa del Bambino erano parte dell'originale piano superiore della lastra marmorea, che si percepisce anche in certe altre zone appiattite. Invece l'assenza di struttura e coerenza spesso osservata dalla critica nel modellato dei piedi, ma anche nelle mani della Madre e del Figlio e nello scorcio del braccio di quest'ultimo, sono dovute al fatto che queste forme, rimaste ancora in fase di semi-abbozzo, come quelle che vediamo in secondo piano, hanno subìto un levigamento intenso e poco abile, senza l'intervento di un'ulteriore, necessaria fase di rifinimento con i ferri. Questa finitezza interessa gran parte della superficie di primo piano, anche se lo stato originario rimane visibile nei panni della Vergine vicino al piede destro.

Il giovanissimo Michelangelo, come testimoniano le sue prime sculture, godeva già di una straordinaria padronanza nell'uso dei ferri. Il fatto che abbia assiduamente seguito tutte le fasi intermedie di rifinitura delle sue opere più compiute (il *Bacco,* la *Pietà* vaticana) significa che l'artista vedeva l'omissione di tali fasi come contravvenzione alle regole dell'arte. L'aspetto "liscio" del rilievo, finora parte integrante della nostra immagine del giovane Michelangelo, dipende quindi dall'intervento di un'altra mano in un secondo momento; forse quando il rilievo è uscito dalla proprietà della famiglia Buonarroti, o forse quando la Casa Buonarroti è stata trasformata in museo.

Il piccolo rilievo evidenzia anche altri problemi, quali l'incoerenza delle proporzioni anatomiche, segni dell'inesperienza del "giovane artista che sta cercando la propria strada"[5], ma proprio questi elementi rimarranno fortemente caratteristici nell'arte michelangiolesca: nella *Pietà* vaticana, come è noto, ma anche nelle prime fasi del *Tondo Taddei*, in cui si vede ancora la prima fase "ciclopica" della Madonna. Queste anomalie potevano nascere, come abbiamo visto, proprio dallo scolpire "per forza di levare", ma per la maggior parte sono il risultato della volontà del giovane artista di affrontare consciamente i più alti e pericolosi rischi artistici.

Nella *Madonna della Scala* è proprio questa audacia artistica che tende a creare alcuni conflitti fra il "disegno" dell'immagine e la sua realizzazione nella terza dimensione. Per esempio, il corpo del fanciullo sulle scale non si sposta abbastanza in profondità così da

4. S.B. Butters, *The Triumph of Vulcan: Sculptor's Tools. Porphyr and the Prince in Ducal Florence*, Firenze 1996, 2 voll.

5. M. Hirst, in *Il giardino di San Marco. Maestri e compagni del giovane Michelangelo*, catalogo della mostra (Firenze), a cura di P. Barocchi, Cinisello Balsamo (Milano) 1992, p. 88.

evitare uno scontro meno che fortunato con l'aureola e la compressione del velo e del viso della Madonna. Rimane anche difficile comprendere la struttura fittizia dell'architettura dietro le sue spalle.

A prima vista, sembra problematica, sotto quest'aspetto, anche la spietata verticalità della scalinata stessa. È così ripida che in un primo momento la piega della ringhiera sembra incomprensibile; la scala superiore taglia le gambe dei putti e rende invisibile il piano sul quale posano; come del resto vengono accorciati a oltranza anche i piedi e il braccio sinistro del fanciullo che sale.

Colpisce anche la forte differenza di regime spaziale (notata anche dallo Hirst[6]) fra l'impostazione della figura della Madonna, messa piuttosto in parallelo alla lastra marmorea, e gli scorci violenti del secondo piano. Questo contrasto risulta dalla scelta, come modello d'imitazione, di due tipi d'immagine volutamente diversi nello stesso rilievo.

Vasari considerava la *Madonna della Scala* un'imitazione dei rilievi "stiacciati" donatelliani. Fra questi rilievi è facile comprendere la *Madonna Pugliese-Dudley*[7]. Comunque, è stato spesso notato il triste distacco psicologico della Madonna michelangiolesca perfino dal proprio Figlio, un atteggiamento che è stato interpretato in chiave profetica: la Vergine prevede la morte del Figlio perché, come ribadisce san Bernardino da Siena (1380-1444) seguendo l'idea patristica, la Vergine possiede tutta la sapienza dei profeti[8].

Questa *gravitas* tragica esiste nella *Giuditta* di Donatello, ma non è nella trama delle *Madonne* donatelliane. È stato Strzygowski il primo a vedere come il giovane Michelangelo avrebbe scelto il modello di dignità materna dei rilievi funerari antichi[9] per trasportarlo in chiave eroica e profetica nell'ambito delle *Madonne* quattrocentesche[10]. In questo modo, Michelangelo ha evidentemente conosciuto esempi che serviranno, poco più tardi, da ispirazione compositiva per le *Madonne* di Bruges e del Bargello. Ma già nella *Madonna della Scala* l'artista intuisce nell'esempio antico la possibilità che il bambino si giri per essere visto da dietro fra le braccia della madre.

Il richiamo ai rilievi funerari comportava anche altre conseguenze. Le *Madonne* sedute, viste per intero e di profilo, come la *Madonna Pugliese-Dudley*, normalmente guardano verso la nostra destra[11]. Invece, secondo l'usanza comune nei rilievi funerari antichi e nelle poche opere che li imitano, la Madre guarda verso la nostra sinistra. Questo ribaltamento adottato nella *Madonna della Scala* potrebbe essere un riferimento all'antico o semplicemente un effetto collaterale del rispecchiamento dell'immagine come metodo tradizionale delle botteghe per creare varietà nelle figure. In ogni modo, il cambiamento di direzione influisce sul significato del rilievo.

In una cultura logocentrica nella quale si legge da sinistra a destra, si ritiene che la prima implichi il passato e la seconda il futuro (questo spiega anche lo schema iconografico pressoché fisso dell'*Annunciazione*, con l'angelo a sinistra e la Vergine a destra). Lo sguardo "retrospettivo" verso sinistra del rilievo funerario antico rende il triste riflettere sulla vita già conclusa. Per la *Madonna della Scala* lo stesso sguardo verso il "passato" potrebbe implicare la sua consapevolezza di personificare il compimento delle Profezie.

Anche il lungo panno sorretto dai due fanciulli nel rilievo michelangiolesco è stato considerato come rappresentazione profetica della Sindone di Cristo[12]. Mentre ai fanciulli mancano le ali, quello alla nostra destra somiglia nell'azione e nell'impostazione a un angelo di Donatello nella *Madonna delle Nuvole* a Boston[13]. Anche i fanciulli

6. *Ibid.*, pp. 86-87.
7. Cfr. F. Caglioti, in *Il giardino di San Marco*... 1992.
8. Cfr. Ch. de Tolnay, *The Youth of Michelangelo,* Princeton 1943, p. 127.
9. *Ibid.*, pp. 128-129.
10. Un esempio inferiore di questo tipo antico stato, fino ai tempi recenti, murato nel cortile di palazzo Medici-Riccardi (Woelfflin citato da Tolnay 1943, pp. 128-129). Questo fatto non è una prova che questo rilievo appartenesse già ai Medici, addiritttura il giovane Michelangelo poteva conoscere ben altri esempi ancora più calzanti tramite i taccuini di disegni delle antichità di Roma, forse anche questi in possesso dei Medici (Barocchi, in *Il giardino di San Marco*... 1992, pp. 24-26, con bibl.).
11. Per un'eccezione quattrocentesca a Roma, ugualmente all'antica, cfr. Tolnay 1943, fig. 135.
12. *Ibid.*, p. 128, n. 6.
13. Caglioti, in *Il giardino di San Marco*... 1992, p. 70, tav. 13.

in secondo piano nel rilievo discendono dai putti reggifestoni dietro le Vergini donatelliane[14]. Invece i bambini più piccoli a sinistra, anche loro senza ali, sono maggiormente imparentati con gli "spiritelli" pagani, nel loro abbraccio giocoso all'ombra dei satiri, del fregio dei pergami donatelliani di San Lorenzo o sui sarcofagi romani ed etruschi[15]. Entrambi questi tipi di putto risalgono a rilievi di sarcofagi antichi e può darsi che i bambini uniscano ulteriormente nella *Madonna della Scala* significato onorifico e funerario.

Tolnay[16] e Janson[17] mettono a confronto senza commenti ulteriori la scala della *Madonna* di Casa Buonarroti e quella nel rilievo stiacciato di Donatello della *Danza di Salomè*, oggi a Lille, che fu di proprietà medicea ma che andò disperso col resto della collezione al tempo delle confische del 1495 (vedi Cronologia). È proprio in quest'opera, comunque, che troviamo le radici profonde di molte delle più straordinarie idee pittoriche e scultoree del rilievo michelangiolesco. Qui troviamo la ringhiera ripida che culmina in un portico in alto, la scalinata, dove sul primo gradino in basso siede una figura pensosa, di difficile lettura spaziale e il personaggio che cammina sulle scale. È da notare che anche i "rilievi" rappresentati nella parte sinistra della storia donatelliana hanno legami formali con le varie *Madonne* michelangiolesche.

In ogni modo, la grande novità della *Madonna della Scala* è che il giovane artista si serve della prassi didattica dell'imitazione di modelli diversi per trasformare il tipo scultoreo di *Madonna* votiva con un corredo narrativo in senso di *historia* albertiana; un abbinamento di due spazialità e due funzioni pittoriche diverse e contrastanti che esisteva finora solo nelle *Madonne* della pittura fiorentina negli ambienti dei Lippi, di Botticelli e di Leonardo.

Nel suo piccolo rilievo devozionale, il giovane Michelangelo già attua delle sperimentazioni, con altri mezzi appositi, per raggiungere quello che Leonardo aveva dimostrato in maniera monumentale nell'*Adorazione dei Magi* degli Uffizi, lasciata incompiuta nel 1481. In qualsiasi immagine costruita sulla rete unitaria della prospettiva albertiana, ogni figura viene immediatamente rimpicciolita, in quanto si muove in una profondità fittizia. Staccare la spazialità fra primo e secondo piano permette, invece, una dimensione più grande ai protagonisti più importanti in primo piano, e una maggiore visibilità e libertà d'azione alle figure in secondo piano, concedendo loro una partecipazione amplificata all'immagine e anche un contatto più diretto con lo spettatore. Infine, questa staccatura leonardesca permetteva anche l'esistenza autonoma di zone dedicate a effetti di distanza prospettici[18].

Nella *Madonna della Scala,* Michelangelo ripropone queste idee in modo da adeguarsi alle speciali esigenze della scultura. L'appiattimento della fuga prospettica assicura che, anche accostate con un'immagine votiva che riempie tutto il campo visivo, le figure di secondo piano abbiano dimensioni e visibilità maggiori di quanto avrebbero posseduto se innestate in un'illusione prospettica più "convincente". Ugualmente importante per lo scultore, l'estremo scorcio prospettico nel secondo piano crea un altissimo orizzonte che blocca il cielo e ogni necessità di includere nel rilievo qualsiasi elemento non figurato di staffage pittorico. Questa consuetudine visiva, acquisita dal Buonarroti così presto nella scultura, rimarrà per lui un principio basilare anche nella pittura.

Ciononostante, non deve essere esagerata la differenza fra i due regimi spaziali della *Madonna della Scala* nel desiderio di evidenziarla; hanno, evidentemente, scopi in comune. Inoltre sarebbe facile esagerare la diversità. Elementi tecnico-visivi cruciali del

14. G. Gentilini, in *Il giardino di San Marco...* 1992, pp. 90-92, fig. 42, tav. 18. Per gli angeli che reggono una tenda dietro la Vergine vedi Tolnay 1943, fig. 135.
15. A. Rosenauer, *Donatello,* 1984, p. 51.
16. Tolnay 1943, p. 129.
17. H. W. Janson, *The Sculpture of Donatello,* Princeton 1957, II, p. 129.
18. K. Weil-Garris Brandt, *Leonardo e la scultura,* Firenze 1999.

rilievo indicano che, anche nel primo piano, l'artista rimaneva in allerta rispetto alle questioni prospettiche.

Innanzitutto, il piede sinistro della Madonna e il braccio sinistro del Bambino addormentato sono chiaramente disegnati in scorcio, mentre le parti delle figure e panni tagliati a sottosquadro, visibili solo a chi guarda da sotto in su, sono rifiniti con grande cura. Ma la risoluzione tecnico-visiva delle superfici superiori, come quella del ginocchio della Madonna, non è stata ancora, veramente, studiata. L'angolo che si forma dall'intersezione della parte esterna della gamba con la superficie superiore, stranamente piatta, della coscia della Madonna, rappresenta il profilo più marcato della forma e indica l'angolazione dalla quale deve essere vista dallo spettatore. Quindi, anche quest'immagine extra-prospettica, in senso albertiano è specificamente scolpita in modo da essere vista da sotto in su. *A fortiori*, tutte le anomalie di spazialità che abbiamo descritto nel secondo piano dell'immagine, si risolvono in maniera straordinaria quando il rilievo è appeso più in alto.

Consono con i criteri museali dei primi anni cinquanta del nostro secolo, epoca a cui risale l'allestimento odierno di Casa Buonarroti, il rilievo è presentato senza cornice, isolato su un muro e appeso rispetto all'altezza dell'occhio del visitatore. Una tale sistemazione implica che l'oggetto così esposto è da considerare come opera d'arte autonoma, indipendente anche dal suo contesto storico, ed è studiata per invitare a un contatto oculare diretto e "sincero" fra lo spettatore e l'opera.

Al contrario, sappiamo bene che la zona visiva ritenuta appropriata per l'esposizione di ogni tipo d'oggetto nelle chiese, case e giardini rinascimentali, era normalmente molto più in alto rispetto allo spettatore. Questa collocazione poteva essere valida anche per opere non grandi, come tabernacoli o altari portatili, tanto più che le dimensioni dei mobili nelle case patrizie dell'epoca erano assai maggiori di oggi e i piani orizzontali posti più in alto.

Queste osservazioni ci invitano a riflettere su una convinzione normalmente data per scontata, ovvero che il rilievo della *Madonna della Scala* sia nato come semplice esercizio didattico. Gli scorci rifletterebbero niente di più che una risposta ambiziosa e brillante al dato di fatto che la lastra sarebbe stata in ogni modo sistemata in alto. Comunque niente esclude la possibilità che Michelangelo abbia realizzato il rilievo per un contesto preciso. Una straordinaria profondità e ricchezza di rilievo e una coerenza formale si evidenziano in modo del tutto inaspettato quando il rilievo viene illuminato con luce naturale venendo dalla sinistra dell'immagine. Probabilmente anche lo sguardo della Madonna verso sinistra potrebbe rispondere a una collocazione particolare, in cui la Madonna avrebbe guardato verso un muro o un altro ostacolo se fosse stata girata in modo più consueto verso la nostra destra. Nel primo Cinquecento, il rilievo donatelliano della *Madonna Pugliese-Dudley* divenne l'elemento centrale di un piccolo altare con sportelli dipinti di Fra' Bartolomeo[19] nei quali la prospettiva indica, fra l'altro, che l'insieme doveva essere guardato di sotto in su. Le scene dipinte della vita della Vergine forniscono l'elemento storico di secondo piano che mancava al rilievo stesso. C'è da indagare se questo tipo d'*ensemble* esisteva anche in altri esempi, o bisogna almeno chiedersi se la *Madonna della Scala* non facesse parte di un insieme architettonico di uso devozionale, in un contesto privato o in una cappella. La rifinitura "affrettata" del rilievo potrebbe suggerire l'ipotesi di una sua integrazione in un *ensemble*, anche in un secondo momento?

La discendenza della *Madonna della Scala* da modelli donatelliani è essenziale an-

19. Caglioti - De Marchi, in *Il giardino di San Marco...* 1992, pp. 72-78; 78-82.

che dal punto di vista del significato iconologico del rilievo di Casa Buonarroti. Se non esistessero prove ennesime e regolari pervenuteci dalla tradizione visiva cristiana, sembrerebbe difficile credere quanto si dava quasi per scontato, cioè che i panni della Vergine rappresentassero in modo metaforico, molto decoroso e suggestivo, il suo corpo. Si veda la *Madonna* bronzea di Donatello a Vienna e i disegni relativi attribuiti ad Alonso Berruguete negli Uffizi[20] in cui il Bambino, con la mano destra appoggiata sulla gamba della Madonna, tira il velo verso di sé come per vestirsi – simbolicamente – della carne immacolata della Vergine, come velo che copre la natura divina e come sindone. Addirittura le ginocchia della Madonna seduta alludono simbolicamente anche al suo ventre, divenendo immagine trasfigurata della tomba e dell'altare con la Vergine come arciprete[21].

Nel nostro contesto, l'esempio più potente del significato metaforico del corpo e dei panneggi della Vergine era la *Madonna* bronzea dell'altare del Santo di Padova. I panni della Madonna forniscono un'interpretazione razionalizzata della mandorla che racchiude il Bambino nell'iconografia bizantina, e rappresenta la carne attraverso la quale la Vergine presenta l'Incarnazione all'umanità. Il Bambino guarda in giù, verso di noi, ma rimane in trono sulla *Sedes sapientiae*.

Questa metafora visiva si diffuse largamente in un tipo di pala d'altare, specialmente nella discendenza di Filippo Lippi[22], dove il Bambino scende dal corpo della Vergine e dalla protezione dei panni materni, per raggiungere l'altare sottostante, luogo del suo sacrificio. La Vergine come "Scala" dell'incarnazione diventa un tema base per Michelangelo, che l'artista continua a riproporre nella *Madonna di Manchester* (cat. n. 46), che risuona ugualmente nella *Madonna* di Dublino del Granacci, ed è cruciale nel processo compositivo della *Madonna di Bruges*, e ancora del *Tondo Doni*.

Vi è una grande distanza temporale, nonché di altro tipo, fra la *Madonna della Scala* e la *Madonna Doni*: ma nel dipinto si mantiene il contrasto di regime visivo fra primo e secondo piano attraverso l'uso di pilastri e segmenti murali, e di efebi che s'abbracciano o che spiegano e tirano via un lungo panno di stoffa. La presenza del Battista nel dipinto, e nei suoi analoghi precedenti, ha suggerito un'interpretazione dei panni, dai colori cangianti, come parte del linguaggio battesimale; ma per l'esegesi cristiana il battesimo significa sia la morte sia la rinascita in Cristo.

Nel discorso visivo della *Madonna della Scala*, il giovane Michelangelo integra altre due tipologie ben diffuse anch'esse dal Trecento in poi. Il seno scoperto identifica la "Madonna Lactans", Maria-Ecclesia come madre e fonte di carità. Anche questo elemento sarà riproposto nella *Madonna di Manchester* e anche nel *Tondo Taddei* di Londra, dove sembra che il seno della Vergine sia stato coperto solo in una seconda fase di elaborazione, mentre la *Madonna* della Sagrestia Nuova è ancora una volta la "Madonna Lactans"[23].

Nella *Madonna della Scala* il Bambino dorme: anche questa è una tipologia, invocata dal Trecento in poi, del sonno come previsione della morte. Viene frequentemente sottolineata, invece, la novità della rappresentazione del Bambino dormiente da dietro. È il primo esempio pervenutoci di questa scelta che Michelangelo ribadisce con insistenza, forse con lo scopo "pliniano" di indicare così un'emozione troppo forte per essere ritratta, nonché come dimostrazione di bravura nel rappresentare la figura da qualsiasi angolazione.

Come abbiamo visto, l'artista avrebbe potuto "imitare" la muscolatura erculea di Cristo da vari tipi di rilievi antichi, ma la combinazione del dorso muscoloso e del ge-

20. Caglioti - Gentilini, in *Il giardino di San Marco...* 1992 p. 90, figg. 25, 42.
21. K. Weil-Garris Brandt, *Michelangelo's Pietà for the Cappella del Re di Francia*, in *"Il se rendit en Italie". Études offertes à André Chastel*, Paris-Roma 1987, pp. 77-108.
22. B. Berenson, *Italian Pictures of the Renaissance. Florentine School*, London 1963, II, *passim*; vedi specialmente la *Madonna* del Maestro della Natività di Castello a New Haven, nella monografia di Chiara Lachi (Firenze 1995).
23. M. Seidel, *"Ubera Matris". Die vielschichtige Bedeutung eines Symbols in der Mittelalterlichen Kunst,* in "Städel - Jahrbuch", nuova serie, 6, 1977, pp. 41-98.
24. Tolnay 1943.

sto inusuale col palmo destro aperto e girato verso di noi suggerisce che questa scelta fu effettuata, di nuovo, tramite Donatello. Si vede il motivo del cosiddetto "Letto di Policleto" nel rilievo di Lille e in un ribaltamento creativo di tipologia fisica e significato morale dall'Oloferne morto della *Giuditta* bronzea; un'opera alla quale il giovane Michelangelo ha rivolto lo sguardo con grande intensità per certi aspetti della *Madonna di Bruges*.

Il numero degli scalini della *Madonna* di Casa Buonarroti può essere calcolato in vari modi. Se non consideriamo il piano su cui è seduta la Madonna e quello su cui si abbracciano i putti, si contano cinque scalini; se includiamo il piano sono sei, numero denso di significati traslati deducibili attraverso la numerologia rinascimentale. In ogni caso, gli scalini evocano l'epiteto della Vergine come *Scala coeli,* la scala che conduce al paradiso con angeli che salgono e che scendono come nel sogno di Giacobbe nella *Genesi*. I teologi benedettini e altri vedono gli angeli come strumenti della Divina Provvidenza e la Vergine stessa come anello vivente dell'incarnazione che connette cielo e terra. In questo senso, la Vergine come mediatrice per l'uomo è anche la scala attraverso la quale i peccatori sperano di raggiungere la virtù e il paradiso[24].

Tutto questo insieme di tematiche visive e teologiche è di straordinaria tenacia e profondità nell'opera del giovane Michelangelo. Infatti, sembra molto significativo che un disegno attribuito a Berruguete[25], che imita il tipo della *Madonna Pugliese-Dudley,* o meglio il tipo conosciuto tramite il tondo bronzeo a Vienna, includa anche un altro schizzo, non notato, per una Madonna seduta in terra che si fa "scala" aiutando il Bambino a salire dal suolo sulle sua ginocchia; tema che diventerà basilare in tutte le altre *Madonne* michelangiolesche.

La "Battaglia dei centauri"

Non c'è menzione di alcun riferimento alla *Madonna della Scala* che risalga al periodo di vita di Michelangelo. I contemporanei di Michelangelo ritenevano che la sua prima opera fosse un altro rilievo, molto diverso, quello della *Battaglia dei centauri* (cat. n. 5). Come appare chiaramente dal primo riferimento a esso nel 1527 da parte di un agente della corte mantovana, sembra che il rilievo sia rimasto in possesso di Michelangelo. Inoltre nel dare le proprie indicazioni al Condivi, che scriveva la sua biografia, il Buonarroti, mentre tralasciò gran parte dei suoi primi lavori, prescelse questo rilievo come prova che la natura lo aveva designato come scultore. Ciò aprì la strada a Benedetto Varchi, che nell'orazione funebre dell'artista, nel 1564, ne parlò quasi come di una reliquia sacra: "Le prime figure che lavorasse di marmo questo angioletto, mandato dal cielo in terra da Dio, fu la zuffa de' Centauri"[26]. Più di qualsiasi altro lavoro di Michelangelo, esso anticipa la sua preoccupazione, che si svilupperà nella maturità, per il nudo eroico – e prevalentemente maschile – e, dal punto di vista della composizione, ha alcune analogie con la *Battaglia di Cascina* e perfino con il *Giudizio universale*[27].

Non vi è comunque ragione di ritenere che sia stato un prodotto così precoce come Michelangelo desiderava che si credesse[28].

Deve essere stato concepito sicuramente nel giardino di sculture dei Medici e di conseguenza prima della morte di Lorenzo de' Medici nel 1492, e, come vedremo e come asserisce Condivi, riflette le idee di Angelo Poliziano, il poeta e umanista, morto nel 1494. Il rilievo rimase incompiuto ma l'artista lo tenne nascosto nel suo studio durante gli anni fiorentini. G. Borromeo cercò invano di comprare la scultura per Federico Gonzaga a Firenze nel 1527 (vedi scheda della *Battaglia*) e si congratulò con se

25. Caglioti, in *Il giardino di San Marco*... 1992, pp. 69-71, figg. 25, 42.
26. Cit. in P. Barocchi, in G. Vasari, la *Vita di Michelangelo nelle redazioni del 1550 e del 1568*, Milano-Napoli 1962, II, pp. 99-100.
27. Il saggio basilare su questo rilievo rimane quello di M. Lisner, *Form und Sinngehalt von Michelangelos Kentaurenschlacht mit Notizen zu Bertoldo di Giovanni*, in "Mitteilungen des Kunsthistorischen Institutes in Florenz", XXIV, 1980, pp. 299-344. Vedi anche Weil-Garris Brandt, *The Nurse of Settignano: Michelangelo's Beginnings as a Sculptor*, in *The Genius of the Sculptor in Michelangelo's Work*, catalogo della mostra, Montreal 1992, M. Hirst, *The Artist in Rome*, in M. Hirst - J. Dunkerton, *Making and Meaning. The Young Michelangelo*, catalogo della mostra, London 1994, e la scheda in questo catalogo.
28. Per le varie datazioni proposte per la *Battaglia*, Barocchi 1962, II, p. 100, n. 88. Mi preme riconoscere che anche Ralf Lieberman si è schierato con l'ipotesi di un secondo intervento dello scultore, proponendo anzi una datazione più tarda anche per l'inizio del rilievo durante una conferenza alla College Art Association nel 1992. Bisogna riflettere su S. Meltzoff, *Botticelli, Signorelli and Savonarola. "Theologia poetica" and Painting from Boccaccio to Poliziano*, Firenze 1987, che enfatizza il coinvolgimento di Piero de' Medici in questa vicenda.
29. Cit. in Tolnay 1943, p. 133.

stesso per essere stato in grado di vedere l'opera[29]. In effetti, vi sono sorprendenti anomalie nella sua lavorazione, che suggeriscono che Michelangelo vi sia ritornato sopra almeno una volta dopo un certo tempo (si veda di seguito in questo saggio).

Inoltre, se osservato attentamente, il rilievo rivela non solo un genio autodidatta, un dono di natura o di Dio, ma anche la recettività di Michelangelo nei confronti degli insegnamenti altrui. Nella mostra viene ricreato un contesto che permette di considerare il rilievo come un contributo a un tema che impegnava Antonio del Pollaiolo, Andrea Mantegna, Leonardo e, ovviamente, Bertoldo. Deve molto anche ad Alberti.

Leon Battista Alberti morì tre anni prima della nascita di Michelangelo, ma i suoi scritti erano molto stimati nella cerchia di Lorenzo de' Medici, e in particolar modo da Angelo Poliziano (protetto di Cristoforo Landino, caro amico di Alberti), che indirizzò l'epistola dedicatoria della prima edizione del *De Architettura* di Alberti a Lorenzo[30]. Fu Poliziano a scegliere il soggetto del rilievo, senza dubbio modellando l'interpretazione che l'artista ne fece – sia il soggetto che il suo trattamento riflettono con grande chiarezza i dettati del *De Pictura* dell'Alberti, ma non nel senso abituale. Il rilievo non contiene nessuno dei celebri motivi derivati dai dettami albertiani, quali ad esempio l'interlocutore che indica, coinvolgendolo, lo spettatore, e di certo non è un dipinto, e non contiene alcuno spazio pittorico o alcuna ambientazione architettonica o paesaggistica, e neppure alcun delizioso abbellimento, quale ad esempio un cane, come indicava Alberti. Fu Poliziano ad adottare specificamente l'insegnamento di Alberti[31] secondo il quale il criterio di merito in arte fosse l'abilità nell'"esprimere le emozioni dell'animo". Alberti aveva stabilito che lo scopo primario della pittura fosse l'*historia*, cioè la narrazione, e che la "composizione dei corpi" fosse la sfida più aspra. Egli indica specificamente la *Battaglia dei centauri* come esempio paradigmatico, dato che richiede il più completo esercizio dell'ingegno dell'artista e lo conduce ai riconoscimenti e alla fama più elevati. Di conseguenza non stupisce che Poliziano abbia suggerito questo particolare soggetto al giovane scultore come dimostrazione d'arte autorevolmente certificata. Il *medium* della scultura favorisce particolarmente la radicale riduzione dell'*historia* al suo elemento più elevato, dato che Alberti ripete spesso che è il corpo in movimento l'elemento espressivo essenziale nell'arte narrativa. Perché gli animi degli spettatori vengano smossi, le figure rappresentate devono dimostrare le loro emozioni il più chiaramente possibile, e data una diversità di sentimenti, l'artista dovrebbe assicurarsi che lo stesso gesto o attitudine non si ripeta in nessuna figura.

La varietà della *Battaglia dei centauri* è in effetti veramente notevole. Include, come consigliava Alberti le fasi della lotta fino al più piccolo dettaglio, i morti, i feriti e i vivi. E "alcuni corpi sono rivolti verso di noi, e altri sulla destra, altri sulla sinistra", come si raccomandava Alberti. Altri hanno il volto nascosto, una tattica per la nostra partecipazione immaginativa alla loro sofferenza che veniva lodata da Alberti in quanto praticata nell'antichità. I corpi raffigurati (più marcatamente quello femminile in primo piano) potrebbero essere una risposta del giovane scultore alla preferenza di Alberti per il pudore nella rappresentazione[32]; inoltre la veduta da tergo era una sorta di sfida e uno dei pochi punti di confronto con la *Madonna della Scala*.

Il rapporto che sembra essersi stabilito tra Michelangelo e Poliziano è molto vicino a quello che Alberti raccomanda. Lo scrittore aiutò l'artista a preparare la composizione di una *historia*, la virtù più grande che vi è nell'invenzione. Egli guidò Michelangelo attraverso Ovidio "parte per parte" e Ovidio fu sicuramente una fonte per questa scultu-

30. Per le relazioni di Poliziano con l'Alberti, con gli umanisti della cerchia medicea e con gli artisti, vedi in particolar modo Meltzoff 1987 e Cecchi, in *L'officina della maniera*, catalogo della mostra (Firenze), Venezia 1996, pp. 16-22 et *passim*.

31. Meltzoff 1987, p. 29 e *passim*; Cecchi, in *L'officina...* 1996, pp. 16-22.

32. Alberti cit. in L. B. Alberti, *Della Pittura,* [1436], in *Opere volgari*, a cura di C. Grayson, Roma-Bari 1960-1973, 3 voll., III, 1973.

ra. Supponiamo anche che, sebbene possa darsi che Michelangelo abbia avuto accesso all'edizione in volgare dell'Alberti, Poliziano, che deve aver conosciuto quella originale in latino nella biblioteca dei Medici, abbia introdotto Michelangelo alle idee in essa contenute. Il latino del giovane Michelangelo era traballante, e così quando Poliziano gli illustrò la versione della leggenda dei centauri di Ovidio o di Igino, di fatto tradusse i testi in volgare a beneficio dell'artista. Ma le spiegazioni di Poliziano "parte per parte" non erano a senso unico, implicando una discussione bidirezionale sui testi e una lettura ad alta voce di quelle idee. Va sottolineato come tali incontri facessero parte della fiorente nonché dominante cultura orale, alla quale noi ovviamente abbiamo così poco accesso. Bisogna ricordarsi di ciò quando gli studiosi cercano di recuperare programmi iconografici dai testi, credendo che essi siano stabili e consistenti o che possano essere attribuiti rigidamente all'"artista", al "mecenate" o al "consulente umanista".

L'intero atteggiamento di Poliziano nei confronti dell'*imitatio* e dei modelli antichi sono altrettanto importanti per il rilievo, come ha indicato anche Giovanni Agosti. Poliziano non concordava con quei puristi che avrebbero voluto adoperare esclusivamente il vocabolario di Cicerone, ma preferì raccogliere il meglio da molte fonti e perfino si permise nuove parole per creare un latino moderno flessibile e persuasivo. In maniera più radicale dei suoi contemporanei, comunque, egli definì la necessaria condizione della bellezza in se stessa come la commistione di molte fonti di bellezza; ovvero ciò che chiama significativamente *contaminatio*. Egli studiò Plinio proprio nel 1490, così come altri antichi testi di storia, di retorica e poesia, che suggerirono questo corso visivo e verbale all'artista[33].

Questo aiuta a spiegare perché sembra che la *Battaglia dei centauri* non abbia una fonte antica unica, ma ancora, come è stato a lungo riconosciuto, deve essere compresa come imitazione dei rilievi antichi, specialmente quelli dei sarcofagi[34] e forse delle gemme. In verità, ci domandiamo se le urne etrusche ellenizzanti non fossero di particolare importanza dato che in esse troviamo combinato un intero gruppo di caratteristiche inusuali, condivise con il rilievo di Michelangelo. Tali urne erano già conosciute anche se non sempre identificate nello specifico, sebbene l'etrusco fosse una categoria di cui i fiorentini, attenti alle loro origini storiche, avevano già una qualche idea. Più degli esempi romani, quelli etruschi, specialmente se di pietra (alabastro), fornivano dei modelli per rilievi di formato più o meno squadrato, con combattimenti violenti ed emozionanti – le battaglie di centauri erano uno dei temi favoriti – dal rilievo profondo e affollato, e la scomparsa della policromia della superficie consentì al giovane scultore un barlume non inaspettato della superficie solo rozzamente rifinita, che rivelava esattamente come intagliavano gli antichi scultori.

L'apprendimento attraverso l'imitazione può suonare negativamente al giorno d'oggi, dato che per orecchi moderni implica una mancanza di originalità, ma gli scrittori e gli artisti rinascimentali lo vedevano sotto una luce totalmente positiva. L'imitazione stessa veniva considerata un'"invenzione"[35] necessaria per recuperare e padroneggiare le lingue, i testi, i pensieri e l'immaginario dell'antichità, per piegarli al servizio dell'intelligenza moderna, della persuasione retorica, della religione. Il *Cupido dormiente* di Michelangelo è ovviamente rilevante in questo discorso. Ma lo è anche il curioso racconto risalente al 1506: sia Michelangelo che Raffaello, dopo aver studiato e copiato gli affreschi nella Domus Aurea di Nerone, di cui si esploravano allora le camere sepolte, avrebbero distrutto gli originali, così da non far sapere da dove avevano rubato le loro idee[36].

33. Per Poliziano nell'ultimo decennio del Quattrocento, cfr. *Poliziano e il suo tempo*, atti del IV convegno internazionale di studi sul Rinascimento (1954), Firenze 1957.
34. Vedi Meltzoff 1987, p. 167; G. Agosti, in *Michelangelo e l'arte classica*, catalogo della mostra, a cura di G. Agosti e V. Farinella, Firenze 1987.
35. A. Bolland, *Art and Humanism in Early Renaissance Padua: Cennini, Vergerio and Petrach on Imitation*, in "Renaissance Quarterly", 49, 1996, pp. 469-487.
36. V. Farinella, *Archeologia e pittura a Roma tra Quattrocento e Cinquecento. Il caso di Jacopo Ripanda*, Torino 1992, p. 46.

Sottoquadri rifiniti per essere visti dal basso
Superficie originale della lastra
Ambiguità tridimensionali
Rottura
© Ideazione: K.Weil-Garris Brandt Realizzazione: Nicola Nottoli
"MADONNA DELLA SCALA"

Particolari studiati dal punto di vista dello scultore all'opera
© Ideazione: K.Weil-Garris Brandt Realizzazione: Nicola Nottoli
"LA BATTAGLIA DEI CENTAURI":
PUNTO DI VISTA DELLO SCULTORE ALL'OPERA

Uomini
Donne
Centauri maschi
Centauro femmina
Identità incerte
© Ideazione: K.Weil-Garris Brandt Realizzazione: Nicola Nottoli
"LA BATTAGLIA DEI CENTAURI": I PROTAGONISTI

Uomo
Centauro
Ratto o salvataggio (?)
Battaglia tra uomo e centauro
Contesa tra uomo e centauro per una donna
Feriti
Amanti centauri morti
© Ideazione: K.Weil-Garris Brandt Realizzazione: Nicola Nottoli
"LA BATTAGLIA DEI CENTAURI":
ANTAGONISTI, AMANTI E FERITI

Panneggi degli uomini
Panneggi dei centauri
Panneggio appartenente a persona di identità incerta
Arco
Pietre
Mazze di legno
© Ideazione: K.Weil-Garris Brandt Realizzazione: Nicola Nottoli
"LA BATTAGLIA DEI CENTAURI":
PANNEGGI ED ARMI

Zone appiattite
Ambiguità tridimensionali
Pentimento
Zona fragile
© Ideazione: K.Weil-Garris Brandt Realizzazione: Nicola Nottoli
"LA BATTAGLIA DEI CENTAURI":
AMBIGUITA' E CONTRADDIZIONI TECNICHE

Prima fase con figure più grandi
© Ideazione: K.Weil-Garris Brandt Realizzazione: Nicola Nottoli
"MADONNA TADDEI"

© Ideazione: K.Weil-Garris Brandt Realizzazione: Nicola Nottoli
"MADONNA DI MANCHESTER":
SCHEMA DEGLI ANGELI DI SINISTRA

Tra i debiti più ingenuamente nascosti del rilievo della *Battaglia* vi sono quelli nei confronti di Bertoldo – artista della generazione precedente, che aveva studiato gli antichi. Michelangelo, attraverso Condivi, enfatizzò il suo debito nei confronti di Poliziano a spese di quello nei confronti di Bertoldo, che, significativamente, viene escluso nel resoconto condiviano. Perfino Vasari, che fa di Bertoldo lo scultore incaricato del giardino di piazza San Marco, sottolinea che egli aveva virtualmente cessato l'attività – in effetti Bertoldo morì nel 1491. A troppi dei commentatori moderni (sebbene non a tutti) il contrasto tra Bertoldo e Michelangelo ha reso oscuro lo stretto legame che deve essere esistito fra i due. Per quanto ne sappiamo, comunque, Bertoldo fu soprattutto un modellatore e un esperto di piccoli bronzi (sebbene Draper gli abbia attribuito in maniera convincente il *San Girolamo* di Faenza), laddove per Michelangelo la scultura era principalmente l'arte dell'intaglio, arte di riduzione piuttosto che di aggiunta.

Con chi e quando Michelangelo abbia imparato a scolpire rimane un mistero. La proposta della Lisner e altri che egli abbia lavorato per Benedetto da Maiano è allettante, come lo è l'ipotesi, sempre della Lisner, che egli abbia potuto lavorare a uno dei putti forniti da Benedetto per Sant'Anna dei Lombardi (vedi Doris Carl in questo catalogo). Il bel *Tondo* realizzato da questo scultore per Scarperia supporta ulteriormente il collegamento (anche nei *Musicisti* di Benedetto del Museo Nazionale del Bargello, troviamo figure con significativi episodi di non finito, che suggeriscono già la tecnica michelangiolesca di usare i ferri).

Se anche Michelangelo può aver imparato a scolpire il marmo da qualcun altro e non da Bertoldo, questo non significa che egli non abbia avuto molto da guadagnare da questa associazione. I calchi della *Battaglia dei centauri*, che ci offrono la possibilità di studiare più facilmente le figure isolandole in qualche modo dall'intera composizione, mostrano quanto esse siano sorprendentemente vicine ai piccoli bronzi di Bertoldo. Le connessioni appaiono ancora più vicine se ribaltiamo la composizione della *Battaglia* di Bertoldo. Questo tipo di ribaltamento era una pratica comune nell'utilizzo dei cartoni e di sagome per ottenere simmetria nella pittura decorativa, o nella scultura architettonica, e veniva anche adottata nei più sofisticati propositi di occultamento dell'imitazione e nel perseguire la varietà figurativa nel disegno. Poteva perfino, come abbiamo già visto per la *Madonna della Scala*, avere una parte nel significato dell'immagine. Michelangelo, come Leonardo, rovesciò frequentemente le proprie figure, e deve aver imparato a farlo con quelle di altri fin da giovane. Abbiamo sorpreso Michelangelo in flagrante nel rigirare nel recto e nel verso un disegno di una figura in piedi con un braccio alzato del Louvre che riporta a un'intera serie di immagini che includono il *Fanciullo arciere*, il marmo del *David* e i *Prigioni* per la *Tomba di Giulio II*.

Inoltre gli scultori intagliano le loro figure come una serie di contorni, non tutti visibili simultaneamente; guardando da differenti punti di vista scopriamo pose e composizioni non solo molto diverse, ma anche assolutamente contrastanti. Se adottiamo la visione in diagonale che aveva Michelangelo stesso mentre scolpiva il rilievo, scopriremo nell'eroica figura che cammina verso la nostra destra il teso e stretto corpo del *Bellerofonte* nel bronzetto di Bertoldo a Vienna (cat. n. 28). Uno dei volti della *Battaglia* di Michelangelo, visto da una determinata angolazione, riflette il tipo espressivo dell'*Apollo* (cat. n. 26) di Bertoldo del Bargello. Invece, i volti sull'estrema destra del rilievo sono molto più vicini alla tipologia più dolce, e volutamente più bella, del *Fanciullo arciere* di New York (cat. n. 39) e a quello degli angeli che accompagnano la *Madonna di Manchester* (cat. n. 46).

Nel complesso, Bertoldo rispose più direttamente ai modelli antichi, ponendosi frequentemente come fonte mediatrice attraverso la quale il giovane Michelangelo li assimilò, combinandoli talvolta con gli elementi dello stesso Bertoldo. Questi deve essere stato una guida estremamente importante. E deve aver introdotto Michelangelo a quelli che possono essere considerati gli aspetti meno convenzionali o canonici dell'antichità – un'antichità alternativa, costituita da esemplari paleocristiani o bizantini o etruschi. Questo era un tipo di arte di cui Bertoldo aveva intrapreso l'esplorazione attraverso il suo maestro, Donatello. Fauni, satiri e centauri avevano un ruolo importante in questo mondo immaginario. In effetti sono un paio di centauri a portare il clipeo, con il nome di Donatello, supportato da lauro, sul fregio del pulpito di destra di San Lorenzo. Il fatto che i centauri portino delle torce funerarie fa notare che l'iscrizione è stata posta sopra il rilievo della Resurrezione come voto per la salvezza dell'artista e come speranza che i centauri che elevano il suo nome per la fama immortale possano anche difendere il diritto dell'artista alla licenza creativa e alla fantasia. Dopo la morte di Donatello, Bertoldo stesso lavorò a questo fregio ed è facilmente immaginabile che abbia messo al corrente il giovane Michelangelo del suo significato[37]. Nelle elaborazioni grafiche comprese in questo saggio si tenta di delucidare le identità e il genere delle ventisei figure che si possono discernere nell'aggrovigliata composizione della *Battaglia* di Michelangelo[38]. Il risultato di questo esercizio è sorprendente. I lapiti non appaiono come ci aspetteremmo razionali o eroici, né come ovvi vincitori finali. La donna lapita che maggiormente richiama l'attenzione resiste al centauro dominante in posizione centrale che cerca di portarla via brutalmente per i capelli.

Per Ovidio e per coloro che a lui si sono ispirati (da sottolineare Boccaccio e, in campo artistico, Piero di Cosimo) i centauri incarnavano l'energia primitiva naturale, pericolosa se il centauro è ubriaco, con la sua passione assecondata e lasciata libera di sfogarsi. Ma il centauro era anche, per i lettori di Orazio e Luciano e per Cennino Cennini – che scrisse un manuale per pittori nel tardo Trecento – un elemento creativo, un'invenzione della mente dell'artista e quindi incarnazione dell'invenzione e della *fantasia*, del potere dell'artista di superare la natura, di trasgredire al decoro[39]. Pfisterer propone che il *Bellerofonte che ammaestra Pegaso* venga considerato allegoricamente, come illustrazione del bisogno di ammaestrare e trattenere l'immaginazione selvaggia e volubile, se il cavallo e il cavaliere, insieme, stanno per raggiungere la vetta poetica. Dato che proprio il *Bellerofonte* in bronzo di Bertoldo era un insospettabile e cruciale modello visivo per il rilievo della *Battaglia* di Michelangelo la scelta di questo particolare bronzetto tende in se stessa a indicare che anche Michelangelo vide il proprio rilievo dei centauri come una metafora visiva di questo tipo. Forse concepì il rilievo, con il suo stallo perfettamente bilanciato di combattenti inestricabili, come messa in materia della tensione tra disciplina e licenza. Tradizionalmente tali allegorie dipendono dall'assunto che nell'arte deve essere la *ratio* a guidare e a trionfare. Nelle scene di battaglia, inoltre, il vincitore dovrà trovarsi in alto nella parte centrale del rilievo. Ma la sottile nobiltà e la bellezza distinta del giovane centauro nel nodo centrale di figure suggeriscono che in fin dei conti siano la fantasia e l'ingegno a possedere il potenziale più grande per l'arte e che siano un diritto dell'artista; una visione particolare che Poliziano e Botticelli sembrano aver presto intessuto col significato dei finti rilievi del dipinto della *Calunnia di Apelle* dello stesso Botticelli[40] e di cui Michelangelo fu promotore in vari modi durante la sua vita[41].

Che Michelangelo abbia avuto accesso a idee circa la supremazia dell'invenzione e

37. M. Collareta, *Considerazioni in margine al "De Statua" e alla sua fortuna,* in "Annali della Scuola Normale Superiore di Pisa. Classse di Lettera e filosofia", III, XII, I, 1982, pp. 171-188.
38. Per un'identificazione dei personaggi si veda E. Capretti su Piero di Cosimo in questo catalogo e per disaccordo sulle identificazioni si veda Lisner 1980 e R. Salvini, *La "Zuffa dei Centauri" di Michelangelo,* in "Antichità viva", 1987 XXVI, n. 5-6, pp. 44-47.
39. Per questo argomento cfr. Meltzoff 1987; D. Summers, *Michelangelo and the Language of Art*, Princeton 1981; U. Pfisterer, *Künstlerische "Potestas Audendi" und "Licentia" im Quattrocento. Benozzo Gozzoli, Andrea Mantegna, Bertoldo di Giovanni*, in "Römisches Jahrbuch der Bibliotheca Hertziana", 31, 1996, pp. 109-147 con bibl.
40. Meltzoff 1987, pp. 142-143, 166-169, 233 e *passim.*
41. Barolsky suggerì che il lapita con la faccia da satiro che assomiglia a Socrate e che sta gettando la pietra, sull'estrema sinistra del rilievo di Michelangelo, rifletta il racconto di Plinio che Apelle lo avesse dipinto esattamente nella stessa foggia. Ma dato che il vecchio lapita di Michelangelo combatte il giovane centauro della Fantasia, può avere più senso che il primo rappresenti i predecessori di Michelangelo: se non lo stesso Bertoldo, allora qualche altro maestro meno fantasioso?

dell'ispirazione per le arti, è di certo suggerito dal *Bacco*, il cui squilibrio non deve essere considerato come un semplice barcollio[42] da ubriaco, ma come estasi e *furor divinus* dell'artista[43]. Michelangelo, quando riprese il lavoro sul rilievo dei centauri, seguitò sicuramente a ponderare questo significato. Probabilmente fu proprio Poliziano a insegnargli la storia pliniana di come Apelle, il più grande pittore dell'antichità, firmasse i suoi lavori con "Apelles faciebat". Egli usava l'imperfetto per suggerire grammaticalmente che l'opera autografata restava comunque imperfetta artisticamente, ovvero incompiuta. Dato che la ricerca della perfezione è senza fine, l'artista nel frattempo può aver elaborato ulteriormente l'opera. Nell'adozione di questa formula per la firma della *Pietà*, la sua opera più compiuta, Michelangelo non può averla considerata come un'imposizione a lasciare la scultura a uno stato grezzo, ma deve essere stato legato all'idea di un continuo miglioramento. Da vecchio, a quasi ottant'anni, ritornando col pensiero al rilievo e a ciò che Condivi aveva scritto su di esso, egli insistette che era rimasto "in perfetto" ma anche su "le fatiche"[44], gli affanni dell'arte, e su come questi fossero di poco peso per coloro che amavano l'arte. Ma la lotta, come quella rappresentata nel rilievo, era destinata a continuare.

Osservazioni sul modo di scolpire nella "Battaglia dei centauri"

L'intaglio del rilievo spazia da soluzioni di incredibile abilità a errori tecnici effettivi tali da impedire il completamento dell'opera. In generale comunque, è chiaro che Michelangelo era già in grado di utilizzare gli strumenti da scultore nella lavorazione del rilievo a dispetto del fatto che i suoi biografi abbiano dichiarato altrimenti. Prisca Giovannini[40] ha pensato che l'utilizzo degli strumenti da parte di Michelangelo era così vicino a quello degli scalpellini "di quadro" da ipotizzare un considerevole intervallo in un cantiere durante il quale egli avrebbe appreso il mestiere. Può darsi infatti che l'esperienza nelle cave non fosse un fatto particolare riguardante il giovane Michelangelo ma fosse parte dell'*iter* formativo degli scultori del Quattrocento. Quando Michelangelo inizialmente si mise a intagliare una testa di Fauno nel giardino Medici, Vasari ci riferisce che coloro che lavoravano alla costruzione della biblioteca dei Medici dettero al giovane artista un pezzo di marmo architettonico ("conci") così come i ferri per lavorarlo. Questo indica che i due mestieri (di scalpellino e scultore) erano conseguenti. La predella che Nanni di Banco scolpì a Orsanmichele per le statue dei *Santi coronati*, i quattro protettori dell'Arte di pietra e legname, presenta chiaramente uno sviluppo di lavoro unitario che inizia col semplice taglio di quadro per progredire attraverso il lavoro decorativo dello scalpellino d'intaglio e arrivare infine alla piena scultura di figura. Ancora all'inizio del Seicento, nel *Discorso sopra la scultura*, Vincenzo Giustiniani specifica che per diventare un "buono scultore ... converrà che primieramente sia scarpellino per poter conoscere [le varie] pietre, per sapere lavorarle con quegl'istromenti [che a loro] sono propri"[46].

Michelangelo intaglia con grande raffinatezza, ma anche con deliberata temerarietà nel penetrare e sottosquadrare il marmo, con una considerevole varietà di ferri, fino ad arrivare a scarpelli molto appuntiti chiamati "saettuzze", che ci rimandano a quella categoria di strumenti che il Doni descrive come "artificiosi" o "fantastici", "che entrino in luoghi dove l'occhio non può discernere"[47] e che, come vedremo, hanno un grande significato simbolico per Michelangelo.

Fin dall'inizio, egli scolpì il rilievo su livelli graduali, aprendosi la strada nella profondità del marmo e elaborando le figure in maniera sempre più completa man ma-

42. Sia i centauri che il tema dell'*Ebreitas* si trovano tra i rilievi archeologici rappresentati da Bertoldo nel fregio del cortile dell'abitazione dello stretto alleato dei Medici, Bartolomeo della Scala (Agosti 1987, p. 21; J.D. Draper, *Bertoldo di Giovanni sculptor of the Medici household*, Columbia (Miss.)-London; C. Acidini Luchinat *Di Bertoldo e di altri artisti*, in La *casa del cancelliere. Documenti e studi sul Palazzo di Bartolomeo della Scala a Firenze*, a cura di A. Bellinazzi, Firenze 1998, p. 95 et *passim*).

43. Per simili concezioni in un contesto successivo, vedi Hermann-Fiore, *Il Bacchino malato e altre raffigurazioni barocche degli artisti del Rinascimento*, in *Novità del Caravaggio*, Roma 1992.

44. C. Elam, in A. Condivi, *Vita di Michelangelo Buonarroti* [1553], ed. a cura di G. Nencioni, Firenze 1998.

45. P. Giovannini, *Il "San Matteo" di Michelangelo: analisi delle tracce di lavorazione, studio degli strumenti e osservazioni sulla tecnica di scultura*, in "OPD. Restauro", X, 1998, pp. 205-208.

46. Cit. in Butters 1977, II, p. 451.

47. A.F. Doni, *Il Disegno*, Venezia 1549.

no che emergevano. Come gli altri scultori, egli usava una gradina a denti con spazi più larghi per abbozzare le forme, e successivamente progrediva verso quelli più sottili per elaborarle, un procedimento che aveva già seguito per la *Madonna della Scala*. Il rischio di danni irreparabili al marmo viene ridotto con uno strumento più fine e meno penetrante. Di conseguenza ci si aspetterebbe di trovare l'uso degli strumenti più fini sulle figure più compiute e aggettanti in primo piano nella *Battaglia*, mentre una superficie più rozza su quelli in secondo piano. Sorprendentemente, si avvera il contrario. Gli arti delle figure quali quella del lapita, simile a Socrate, sono portati a una superficie più fine di quella delle figure centrali in primo piano che sono state lavorate con una gradina dai denti ben più separati.

Il fatto che Michelangelo abbia portato perfino figure di secondo piano a un più alto grado di finitura con una gradina notevolmente fine, implica che anche le figure più grandi, aggettanti in primo piano e in posizione centrale, erano state portate in precedenza fino a questo grado di finitura. Evidentemente in un secondo momento Michelangelo, acquisita confidenza e quindi maggior disinvoltura nell'uso degli strumenti, rielaborò velocemente le figure in primo piano con tratti più ampi per farli corrispondere meglio alla domanda crescente di "rilievo" ottenuto mediante una muscolatura più forte, con luci e ombre.

Studi sulle sequenze d'intaglio del rilievo hanno anche indicato che, come la *Madonna della Scala*, anche il rilievo dei centauri è stato abbozzato da sinistra a destra e lavorato da uno scultore prevalentemente mancino. Sembra comunque che ci sia uno sviluppo temporale tra la scansione relativamente più ampia delle figure sulla nostra sinistra e il groviglio sempre più fitto sulla nostra destra, che fa scivolare la composizione giù, diagonalmente, fino a spingere le figure fuori della soglia del marmo utilizzabile.

Uno studio preliminare suggerisce che la striscia superiore di marmo oggi spianata con colpi grossi e mancini fosse prima molto più aggettante e potesse prevedere un elemento architettonico, quale una cornice o forse un'arcata tipo quella che si può vedere nel rilievo donatelliano di Lille, di cui abbiamo già parlato. Dobbiamo ancora indagare se, come sembra, questo cambiamento sia avvenuto in occasione della decisione dello scultore di inserire un altro gruppo di teste a integrazione della parte superiore della composizione.

In ogni modo, il giovane artista incontrava in questa parte alta delle difficoltà tecniche non risolvibili, come nel resto del rilievo. Nell'ambizione di dimostrare la sua bravura nel lavoro di sottosquadro, il giovane scultore crea un ponte di marmo pericolosamente sottile nel polso dell'arciere; se avesse seguitato a liberare la gamba anteriore del lapita che cammina eroicamente sulla nostra sinistra, ne sarebbe certamente scaturito un buco nero d'ombra, e la stessa cosa sarebbe successa dietro il giovane centauro. Paradossalmente, Michelangelo ha fallito più volte anche nel concedere spazio e materiale alle figure attigue, finendo per tirare fuori un corpo dal marmo di cui aveva bisogno per la figura posteriore, e creandosi delle difficoltà con i consistenti tentativi di collocare un piano di fondo. Tutti questi problemi, apparentemente diversi tra loro, come quelli della *Madonna della Scala*, hanno quasi sempre a che fare con la rappresentazione tridimensionale e la disposizione delle figure nello spazio: un'osservazione quantomeno singolare, se riferita a qualcuno che stava per divenire maestro supremo di scultura. In questo caso, Michelangelo può essersi servito di un modello bidimensionale, dove questi problemi di profondità non erano risolti. In ogni caso, non vi è nemmeno ragione di supporre che il "non finito" del rilievo così come noi lo conosciamo fosse negli intendimenti del giovane Michelangelo[48].

Il "Fanciullo arciere"[49]

Le complesse vicende conservative e il lungo viaggio da Firenze, attraverso Roma e l'Inghilterra, fino a New York, del *Fanciullo arciere* sono descritte approfonditamente in catalogo, nelle schede di Draper, Soultanian e Hermann-Fiore riferite a questa scultura.

Una volta che la statua giunse nel palazzo della Fifth Avenue nei primi anni del nostro secolo, l'architetto Stanford White la rese parte di una fontana collocata nell'atrio della casa Whitney.

Quando l'opera si ripropose all'attenzione degli studiosi, chi scrive guardava la piccola scultura così danneggiata con profondo scetticismo. Si pensava allora di eliminare il problema con la documentazione di nuove foto. Invece la sorprendente personalità e qualità dell'opera hanno convinto molti di coloro che hanno esaminato la scultura ad abbandonare, una dopo l'altra, le più probabili spiegazioni alternative per l'impressionante rassomiglianza con il lavoro giovanile di Michelangelo. Data la fama che aveva Bardini di essere un truffatore e, occasionalmente, un venditore di falsi, è stata considerata anche la possibilità che si trattasse di un falso, ma al ragazzo di marmo mancano tutte le caratteristiche delle imitazioni scultoree del diciannovesimo secolo, mentre le sue peculiarità – quali ad esempio la strana faretra sporgente – raramente sarebbero state incoraggiate da un falsario. Il *Fanciullo arciere* non assomiglia nemmeno alle sculture michelangiolesche del Cinquecento; ugualmente è da scartare la naturale supposizione che si tratti di uno scultore quale Pierino da Vinci o Tribolo. Più lo si studia, più appare strettamente vicino alle opere fiorentine del tardo Quattrocento dell'ambiente del giardino di Lorenzo de' Medici a piazza San Marco. Michelangelo, da adolescente, vi trascorse diversi anni prima della morte di Lorenzo nel 1492, e in seguito nuovamente con Piero, fino al 1494, inizialmente sotto la supervisione di Bertoldo (m. 1491), ultimo pupillo di Donatello, che sembra fosse incaricato di occuparsi della collezione di antichità di Lorenzo e dei giovani artisti accolti per studiare la collezione e apprendere l'arte della scultura.

Nel palazzo newyorkese, White commissionò le tre tartarughe che supportano la scultura e la sua base, come le maschere per il piedistallo. Queste, insieme alle tartarughe, furono sistemate con delle condotte per gettare acqua dalla fontana. Nella nuova sistemazione concepita da White, l'insieme sta su una bassa base circolare piantata sul pavimento di marmo della *rotunda*. La faccia principale del candelabro è allineata con la parte anteriore dell'altare, e anche la statua è montata frontalmente, in modo tale che viene enfatizzata la mancanza della parte inferiore delle gambe attraverso il taglio orizzontale della base.

Osservando e fotografando la scultura da altezze diverse, si rivela chiaramente che la statua si trova in posizione troppo elevata per offrire la massima coerenza visiva, che viene invece valorizzata da fotografie scattate da livelli più alti. L'illuminazione neutrale e multidirezionale del vestibolo riduce la scultura ai soli contorni e a piatte superfici non differenziate, cancellando di fatto il modellato e i dettagli. Un'illuminazione efficace rivela invece ricche strutture tridimensionali, altrimenti invisibili, e il modellato della superficie.

La figura, tronca, misura oggi un metro, dalla cima della testa alla frattura sotto il ginocchio destro. A dispetto della perdita di entrambe le braccia e della parte inferio-

48. J. Schulz, *Michelangelo's Unfinisched Works,* in "Art Bulletin", LVII, 1975.

49. Questo paragrafo è un estratto dell'articolo di K. Weil-Garris Brandt, *A Marble in Manhattan: the cose of Michelangelo,* in "The Burlington Magazine", CXXXVIII, 1996, pp. 644-659.

re delle gambe, si può vedere che la gamba sinistra del fanciullo è diretta nello stesso senso del busto e della testa in uno slancio ascensionale della figura verso sinistra. Questa posa inusuale – eccentrica sia in senso letterale che figurativo – non è conforme con gli schemi di equilibri dinamici che costituiscono la posa *contrapposto* nell'arte antica e del pieno Rinascimento (e l'assenza di questo *contrapposto* è proprio uno degli elementi che ci consente di collocare con sicurezza la statua nella produzione quattrocentesca).

Anche le proporzioni della figura mutila sono particolari. La testa ricciolutа, con il collo pieno, sembra troppo grande in confronto al corpo piccolo e esile. Le braccia dovevano essere molto sottili, come lo è la parte superiore del busto infantile, dalla vita alta, che però in basso si trasforma in un corpo dalla maturità sbocciante. Se vi si cammina intorno, ci si rende conto che non tutte le prospettive della figura, o i passaggi tra di esse, sono ugualmente risolte. Il punto di vista principale sembra trovarsi a un'angolazione di circa quarantacinque gradi sulla sinistra del fanciullo, ma il passaggio da lì verso la schiena presenta gli aspetti in assoluto meno coerenti. Le prospettive più ampie non offrono, come ci si potrebbe aspettare, l'immagine più compiuta della figura, ma le vedute migliori si presentano in maniera irregolare, spostandovisi intorno. La notevole strettezza del busto nella parte sinistra può rispecchiare una malfatta configurazione originaria del blocco di marmo – apparentemente marmo di Carrara traversato da venature scure, molto diffuse soprattutto sul retro della testa del fanciullo – a disposizione dello scultore. In contrasto, la sorprendente profondità compresa tra la parte anteriore della figura e la cima della faretra indica che la scultura non è stata concepita per una nicchia.

Le rimanenti fotografie del periodo in cui la scultura si trovava nella collezione Bardini mostrano che essa aveva già subito le perdite e i danneggiamenti visibili oggigiorno. La fotografia del 1902 rivela che la scultura era allora maggiormente centrata sulla base triangolare, attraverso la gamba sinistra, ben dentro la sua cima, e attraverso lo spazio verticale lasciato tra le gambe e la base. Una fotografia precedente, scattata quando la scultura era montata su un piedistallo quadrato, sottolinea quanto la statua abbia guadagnato in coerenza nel momento in cui è stata posizionata in maniera più razionale. Quando fu installata nuovamente sulla fontana di Manhattan, apparentemente piccoli ma significativi cambiamenti furono apportati nel rapporto tra la figura e il supporto. Oggi la gamba sinistra della statua sporge dietro la cima del candelabro e l'intera figura tende considerevolmente in avanti e verso la sua sinistra. Così viene esagerata l'ambiguità della posizione in bilico della figura, che sarebbe altrimenti ridotta se la gamba sinistra fosse piegata leggermente più in alto.

Il delicato intaglio della superficie del marmo nel punto della frattura del braccio e l'inserto del perno di metallo indicano che un restauro postrinascimentale fu aggiunto, per essere a sua volta rimosso. Anche il braccio sinistro è spezzato diagonalmente sotto la spalla ma la rozza superficie originaria della frattura mostra che non sono stati fatti tentativi di ripristinarlo. L'ampia faretra, a forma di zampa anteriore di leone, è continua con il blocco di marmo e sua parte integrante. Qualche tempo dopo la perdita del braccio, anche la faretra si è staccata dal corpo del fanciullo, ma la sottilissima frattura indica che è stata prontamente riallineata, e che non si tratta di un'unione di pezzi originariamente separati.

La bandoliera che regge la faretra imbracata sulla spalla sinistra del *Fanciullo* è stata danneggiata in vari modi nel corso della sua storia. Inizialmente passava dietro la schiena del putto, distaccandosi nelle estremità per unirsi ai lembi della faretra. Questo era uno degli ambiziosissimi, perfino avventati virtuosismi tecnici che caratterizzano l'opera.

Anche la punta del naso e una parte del labbro superiore sono mancanti, come del resto gran parte della palpebra superiore destra e una parte di quella inferiore. Protetto dall'angolazione della testa reclinata, l'occhio sinistro è meglio preservato, ma l'occhio destro, più visibile ed esposto, è in uno stato che preoccupa. Stefano Bardini ha svolto uno studio per il restauro della statua nella propria abitazione e non sarebbe sorprendente se fossero stati fatti dei tentativi in quel contesto per reintagliare la parte danneggiata. Danni ben più generali e insidiosi sono stati apportati alla superficie della faccia e di gran parte del torso dall'acqua, dalla corrosione e dalle macchie.

Il soggetto del marmo di Manhattan non può essere ancora stabilito in maniera certa (vedi più avanti). L'insistenza della posa rivolta all'insù e verso sinistra ha una corrispondenza diretta con le statue antiche e la scultura di rilievi; è caratteristica di figure bacchiche di qualsiasi tipo, di Eros, e di altri arcieri divini. È chiaro tuttavia che il suo artefice ha rievocato un certo tipo di bellezza efebica, radicato fortemente in esempi antichi. Non più bambini paffuti, ma di sicuro non ancora uomini, tali figure soggiornano brevemente nell'ambiguo regno sulla soglia della pubertà. Il *David* di bronzo di Donatello al Bargello è certamente l'evocazione visiva meglio conosciuta di questo tipo poetico che diviene di gran fascino, anzi, di gran moda, dal tardo Quattrocento in avanti. In quelle figure sparisce il bambino pasciuto, le proporzioni si allungano, ma la testa rimane ancora più grande di quanto sarà per gli adulti. Le braccia magre, come la parte superiore del corpo, coronano comunque una parte bassa notevolmente lunga e formosa che si appiattisce ripidamente dalla vita alle natiche.

Il piccolo bronzo di Bertoldo al Bargello, l'*Apollo* o *Orfeo*, dimostra il ruolo basilare che l'ultimo pupillo di Donatello ha avuto come tramite nella propagazione di questa tipologia. Lo schema sfaccettato del corpo e le transizioni disgiunte e sincopate da un'angolazione all'altra della figura, le tensioni nel corpo tra i passaggi "asciutti" e quelli voluttuosi, e la tensione emotiva tra melanconia elegiaca e una tumultuosa energia, prestano alle figure una nuova dimensione espressiva. In verità il paragone più stretto con la posa che potremmo ricostruire per il marmo di Manhattan, è con il bronzo perduto di Bertoldo rappresentante un Apollo, conosciuto solo attraverso un dipinto di Berlino del diciottesimo secolo. Le due figure condividono l'eccentrica combinazione di posa dall'equilibrio instabile con le gambe incrociate in una falcata ritmica, il braccio con un'angolazione elevata rispetto al corpo e la spinta Scopasiana della grossa testa. Il bronzo di Bertoldo del Bargello, leggermente diverso, mostra che una simile e deliberata irresolutezza di equilibrio è stata una meta particolare delle ricerche di Bertoldo, connessa ad altri esperimenti del movimento sbilanciato, diffusa largamente nella scultura del tardo Quattrocento e iscritta nel nostro marmo.

Appare riconoscibile in entrambi, nella postura e nella subordinazione delle vedute laterali, anche la posa fortemente inarcata del corpo e la melanconica passione nella spinta della testa e del corpo, accompagnata da una curiosa riservatezza che rasenta la freddezza. Un paragone dei due volti rivela sorprendenti consonanze nei dettagli, quali l'inclinazione della testa, il tondo contorno del volto e gli occhi appiattiti. Comunque le due immagini suggeriscono e rimandano a due sensibilità completamente differenti: una dotata della nervosa, eccentrica espressività del tardo Quattrocento, l'altra sognante ma già sicura di sé, con la sua qualità di forme potente ed erotica, che profuma di scultura antica. Caratteristiche, queste, che troviamo per la prima volta nell'opera di Michelangelo. Ritorneremo sulla relazione con Bertoldo dopo aver analizzato nei dettagli le possibili argomentazioni in favore di un'attribuzione a Michelangelo.

Un esame tecnico del marmo di New York rivela metodi di lavoro che possono essere riscontrati nelle prime sculture di Michelangelo. La testa a prima vista risulta di difficile lettura, dato che, per molti aspetti, non è finita. Con la mancanza della profondità e dello sguardo penetrante che ci aspettiamo dalle opere di Michelangelo, gli occhi risultano notevolmente appiattiti, non differenziati nella forma e opachi nell'espressione. Questo effetto sembra comunque derivare da incompletezza, piuttosto che da una scelta estetica o da mancanza di abilità. Il paragone della testa del *Bacco* di Michelangelo con quella del Bambino non finito del *Tondo Taddei* ci consente di ricapitolare la sequenza degli strumenti e delle tecniche utilizzate dal giovane Michelangelo per scolpire gli occhi. Prima di tutto la forma degli occhi viene incisa senza particolare rilievo o curvatura; in seguito vengono accennati un leggero rigonfiamento sopra la palpebra e una morbidezza, più piccola e in posizione corrispondente, al di sotto; questi due rigonfiamenti vengono abbozzati con una gradina: solo allora vengono scavate le forme tra gli occhi e il naso, con un piccolo scalpello e un trapano. In seguito, un profondo buco realizzato con il trapano dona profondità al condotto lacrimario e solo all'ultimo momento viene incisa la pupilla sulla superficie un po' piatta del bulbo oculare. Si può immaginare che gli occhi del fanciullo siano stati abbandonati a un primo livello di questa sequenza di lavoro.

Le due parti della testa differiscono notevolmente per grado di finitezza, in un modo che è anche vicino alla pratica conosciuta di Michelangelo. La scultura dell'orecchio destro del fanciullo e dei capelli è già piuttosto avanzata, ma laddove lo scultore deve ancora avanzare attraverso e dietro la fronte, lo stadio precedente di lavorazione è ancora pienamente visibile. I capelli vengono dapprima abbozzati come una cuffia di marmo compatta e unificata da cui emergono gradualmente le forme più piccole e leggermente accennate di singoli riccioli e dell'orecchio. Nella successiva fase di lavoro, trapani di vari diametri perforano profondamente queste forme e le tagliano sottosquadro. Solo successivamente vengono pienamente differenziati e rifiniti i vari passaggi e le varie superfici. Un livello precedente di una simile sequenza nella scultura dei capelli può essere osservato nel *Tondo Taddei*.

Rimuovendo con decisione le superfici dietro gli orecchi con tratti paralleli del ferro appuntito e incidendo la parte superiore fino alla zampa per abbozzare le frecce e la cima della faretra, lo scultore mostra grande finezza nell'uso della gradina fine con impronte multiple, con sensibili passaggi di tratteggio incrociato visibili qui e anche nelle parti meno compiute del balteo. Risulta che la zampa fu portata a un notevole grado di compimento quando un'intagliatura di una certa consistenza fu ricominciata e abbandonata. Le pieghe della pelle raccolta nella sua parte inferiore vicino all'ascella del Fanciullo furono aumentate e, quando cominciò a emergere la faretra con i suoi bordi curvi e le frecce raccolte, l'immagine divenne quella di una "faretra avvolta da una zampa di leone". Nel marmo è stato inciso, in maniera profonda, un buco cilindrico che corre parallelo alle frecce emergenti dalla faretra. Probabilmente era concepito per tenere una freccia, presumibilmente di metallo.

Sebbene si possano attuare fruttuosi paragoni con la scultura di Michelangelo dopo il 1500, il marmo di New York deve essere considerato nell'ambito della prima parte della sua attività. Le opere giovanili di Michelangelo sono state esplorate nell'importantissima mostra *The Young Michelangelo* alla National Gallery nel 1994. Sappiamo molto meno della prima parte della sua carriera che dei suoi conseguimenti successivi, in parte perché l'artista e il suo biografo hanno omesso le opere giudicate incomplete o altrimenti insoddisfacenti. Le opere di cui si parla nelle fonti sono perdute e quelle che sono sopravvissute offrono informazioni spesso non combacianti tra loro. Se non avessimo una testimonianza testuale evidente del fatto che Michelangelo adolescente abbia scolpito sia la *Madonna della Scala*, sia la *Battaglia dei centauri*, quale studioso potrebbe attribuire con sicurezza questi due rilievi così differenti entrambi allo stesso scultore e più o meno allo stesso periodo? Se il *San Procolo* di Bologna non fosse stato menzionato nelle fonti, quanti studiosi l'attribuirebbero a quella stessa identica mano dell'*Angelo* dello stesso monumento, o a Michelangelo piuttosto che a qualsiasi altro suo sconosciuto seguace bolognese? Vale comunque la pena di puntualizzare, in questo contesto, quanto il *San Procolo* ricorra alla tradizione figurativa dell'adolescente con il capo grosso e in posizione irrisolta come discusso sopra.

Il *Crocifisso di Santo Spirito*, identificato da Margrit Lisner come quello che Michelangelo realizzò per il priore di Santo Spirito, provoca ancora occasionale scetticismo perché non è conforme con il tipo fisico vigoroso, atletico, energico, che ci si aspetta dal maestro. E a dispetto della mostra del 1994, vi sono ancora alcuni studiosi che hanno avuto delle difficoltà ad accettare il dipinto non finito della National Gallery, noto come la *Madonna di Manchester*, come opera di Michelangelo piuttosto che di un assistente o di un imitatore.

Come la mostra di Londra ha dimostrato, l'*oeuvre* giovanile è frammentaria ed estremamente varia. Questa varietà può comunque in parte essere vista come conseguenza del decoro rinascimentale. Il giovane Michelangelo si preoccupava di scegliere il tipo di corpo appropriato per un dato soggetto. Gli scrittori antichi descrivevano il corpo di Bacco soffice e carnoso, tale da evocare sia il fascino maschile che quello femminile, e la scultura di Michelangelo del dio fu ritenuta degna di lode proprio da questo punto di vista. In contrasto col *Bacco*, Savonarola, nel 1492, scrisse che il corpo di Cristo era piccolo, delicato e vulnerabile, e il corpo di un Crocifisso devozionale in legno poteva appropriatamente riflettere la limitatezza fisica e la fragilità tradizionale per tali immagini.

Volendo approfondire le nozioni di decoro e di varietà delle tipologie fisiche, una buona parte dei comportamenti tecnici e immaginativi del giovanissimo Michelangelo che sono sembrati in un primo momento così contrastanti con la statua di New York adesso invitano a un confronto con quella. Il *Bacco* del 1496-97, ad esempio, comincia a offrire una varietà di allettanti giustapposizioni. Vi sono abbondanti punti di somiglianza: la strana inclinazione sbilanciata, la schiena lunga e "ondulata", l'enfasi dei muscoli sacro-iliaci, il contrappeso delle natiche e il contrasto tra la loro classica morbida compattezza e lo slancio della posa della figura. A parte il modellato delle scapole, forse la consonanza più impressionante è nella curva, anatomicamente "sbagliata", incisa nella spina dorsale, e nell'emergere insicuro delle vertebre cervicali dai muscoli che le proteggono. Efficaci paragoni possono effettuarsi anche con il retro del giovane satiro che accompagna Bacco e con le chiome di entrambe le figure. Il trattamento dei capelli nella statua di New York è, in verità, uno degli aspetti più chiaramente michelangioleschi di quest'opera. Sono caratteristiche dello scultore la tecnica con cui sono realizzati e la loro non finitezza, come la forma serpeggiante di ogni singolo ricciolo;

tutto questo può essere messo in costante parallelo nell'*oeuvre* dell'artista, mentre è difficile, se non impossibile, incontrare queste particolarità nell'opera di altri scultori del periodo.

Anche la visione frontale del *Bacco* fornisce delle sorprese. Le vedute "normative" della figura sono relativamente ricche e spazialmente convincenti. Tuttavia, se ci si muove oltre il contorno ideale, o *silhouette*, la coerenza strutturale e l'equilibrio della posa vengono immediatamente turbati. Evidentemente il *Bacco*, come il marmo di Manhattan, rimane inaspettatamente instabile e vulnerabile nelle fasi di transizione. Da tali angolazioni il *Bacco* rivela lateralmente un aspetto appiattito del corpo dalla vita alta, simile a quello che avevamo riscontrato nella figura di New York. Vi sono indubbiamente anche grandi differenze. Il *Bacco* è sotto ogni aspetto più coerente, più potente e più finemente lavorato di quanto non sia la nostra figura. Se il marmo di New York è dello stesso scultore, deve essere stato realizzato precedentemente.

Sebbene varino notevolmente a seconda del tipo iconografico, i volti delle prime figure di Michelangelo condividono alcuni elementi con quello della scultura di New York. La forma e l'inclinazione della testa sul collo, il sensuale abbandono della gola "gonfia", lo strano mento tondeggiante e le narici incise profondamente consentono un paragone con il *Bacco* e con il Cristo della *Pietà* vaticana; allo stesso modo il rigonfiamento sopra la palpebra sinistra, la forma e il rilasciamento della bocca, e il lungo, stretto naso donatelliano, ristretto ancor più sopra le narici, possono essere riscontrati nelle due sculture suddette, oltre che nella Madonna della *Pietà* e nel *Tondo Pitti*.

Le stranezze e gli elementi apparentemente non michelangioleschi del *Fanciullo arciere* si ritrovano più facilmente via via che retrocediamo nella cronologia di Michelangelo e, in verità, una delle potenziali attrattive dell'attribuzione è che aiuterebbe a unificare e a dare un senso alla prima parte dell'attività dell'artista e alla sua formazione. Per quanto riguarda le proporzioni sbiadite, il canone del corpo esile e sottile, l'asserzione esitante del diaframma e della sua muscolatura, il parallelo più vicino è con il *Crocifisso* di Santo Spirito del 1493-94 circa. Le forme e i contorni del corpo particolarmente stretto, le lunghe cosce con l'incurvatura concava sopra il ginocchio, perfino l'esecuzione del bacino, della pancia e dell'ombelico, sono tutti elementi che si avvicinano molto alla nostra figura. Se accettiamo il *Crocifisso* come attribuzione, esso dimostra che la correttezza anatomica non fu assolutamente il "marchio di garanzia" delle prime opere michelangiolesche. Fin dagli esordi, la superficie anatomica di Michelangelo è espressiva e convincente, ma sicuramente ha poco a che vedere con la correttezza delle profonde strutture del corpo.

La *Madonna di Manchester* offre alcuni tra i più interessanti paralleli con la figura di New York. Non solo la posa inclinata all'indietro degli angeli adolescenti sulla destra del dipinto richiama l'inclinazione sbilanciata del *Bacco* (come ha osservato Michael Hirst), ma anche la posizione incerta del fanciullo di marmo; molti altri dettagli di queste figure possono essere messi a confronto: la testa inclinata in avanti, i giovani volti pensosi, la morbida carnosità e i capelli ordinati e ricciuti, con i boccoli che dalla nuca cascano sul collo come se fossero stati raccolti fino a un attimo prima in una fascia. Di certo a coloro che hanno delle difficoltà ad accettare la *Madonna di Manchester* e il *Crocifisso* di Santo Spirito, la figura di New York aggiungerà indubbiamente ulteriori problemi.

Nel catalogo di Londra, la *Madonna di Manchester* è stata ipoteticamente datata intorno al 1497, ma potrebbe essere perfino anticipata. È comunque con queste opere giovanili, il *Crocifisso* di Santo Spirito, la *Battaglia dei centauri*, il *San Procolo* di Bologna e la *Madonna di Manchester*, che il marmo di New York sembra trovare le somiglianze maggiori. La questione allora che sorge è se il *Fanciullo arciere* possa essere, come suggerisce Parronchi, il rimanente dell'*Apollo/Cupido* perduto descritto da Condivi, Vasari, Varchi e Aldrovandi nella collezione Galli. Solamente alcuni appunti su questa complicata questione possono essere fissati in questa sede. Condivi colloca il *Cupido* dopo il *Bacco* e dichiara che fu commissionato dai Galli. Se queste affermazioni sono vere, la nostra figura può difficilmente essere quella in questione, dato che è sicuramente precedente. Ma bisogna fare presente che Condivi parla del *Bacco* come di una commissione per i Galli, mentre sappiamo che fu realizzato per il cardinale Riario. Fortemente suggestiva è l'identificazione fatta dall'Aldrovandi della statua Galli come Apollo: una figura che può essere identificata sia come Cupido che come Apollo, deve essere stata senza ali, come il nostro fanciullo, e più grande rispetto allo tipo standard di Cupido bambino. L'ultima parte della sorte della figura Galli è assolutamente oscura, sebbene alcuni studiosi abbiano affermato erroneamente che sia passata nella collezione Medici. Il problema deve essere per il momento lasciato aperto, e l'attribuzione della figura di New York non dovrebbe riguardare la sussistenza a meno della plausibilità di un'identificazione con il Cupido Galli: in verità, la storia dei tentativi, fin qui caduti lungo la strada, di identificare questa figura con una serie di marmi ammonisce contro qualsiasi forzatura dell'evidenza.

Sebbene tutto indichi una conscia emulazione della scultura antica, il *Fanciullo* è altrettanto, se non di più, inscrivibile nel gusto anticheggiante del Quattrocento fiorentino come in quello archeologico della Roma del primo Rinascimento. Se l'impressione iniziale più forte data dalla scultura è la sua desumibilità dal mondo di Lorenzo de' Medici, dobbiamo chiederci se sia un'opera del curatore del giardino di scultura piuttosto che del suo frequentatore. Come abbiamo visto, i parallelismi più vicini alla statua di New York, nel tipo di corpo e di postura, si sono riscontrati nell'opera di Bertoldo ed è apparso chiaramente fin dall'inizio che la possibilità che la scultura di Manhattan possa essere stata scolpita da Bertoldo (a noi noto solamente come un modellatore e lavoratore di bronzo di piccolo livello) deve essere considerata. Ma le incertezze e gli smarrimenti nella scultura di New York, insieme con la sua straordinaria ambizione e i suoi virtuosismi tecnici, suggeriscono che il suo autore fosse un giovane di poca esperienza, piuttosto che un artista affermato, o anziano (Bertoldo morì nel 1491). Inoltre, la sottile modulazione della superficie e l'accurata bellezza dei dettagli del marmo di Manhattan sembrano essere relativamente al di fuori delle consuetudini del vecchio maestro, e non vi è un parallelo nella sua opera per la tipologia della chioma. Le similitudini con l'opera conosciuta di Bertoldo, non meno delle significative differenze, suggeriscono che abbiamo a che fare con uno scultore che ha profondamente assorbito l'esempio di Bertoldo, più di quanto lo abbia assorbito qualsiasi altro artista del periodo. Sia che si debba attribuire a Michelangelo o a Bertoldo, la statua di New York dimostra ciò che Michelangelo si rifiutò di ammettere: che Bertoldo fu, nel modo più diretto, il suo maestro.

Il "Fanciullo arciere": identità significato e datazione

La questione del soggetto del cosiddetto *Fanciullo arciere* (cat. n. 39) è connessa strettamente con il conseguente problema riguardante l'identificazione dell'*Apollo/Cupido* descritto da Condivi, Vasari e Aldrovandi (cat. n. 53) come appartenente a Jacopo

Galli e ai suoi eredi a Roma. In queste pagine, intendo quindi considerare in maniera simultanea tali problemi, con le implicazioni relative alla datazione dell'opera, prima di approfondire le allusioni poetiche che la figura dell'arciere poteva evocare per il giovane Michelangelo.

Innanzitutto, è importante tenere presente che l'iconografia e gli attributi degli dei e degli esseri mitologici non erano codificati alla fine del Quattrocento, e che Michelangelo non poteva avere a disposizione i trattati di iconografia e iconologia di Ripa e Cartari.

Le fonti ricordano che, oltre al *Bacco*, in casa Galli era custodita anche un'altra figura marmorea scolpita dal giovane Michelangelo. Condivi afferma che era un Cupido, e altrettanto sostengono Varchi (che lo descrive come "dio d'Amore") e Vasari (1568). Invece Aldrovandi sostiene che si trattava di un Apollo. Questo porta a pensare che la figura scolpita non avesse le ali. Inoltre, scrivendo in un'epoca in cui si stava cercando di catalogare sistematicamente le divinità con i rispettivi attributi, l'Aldrovandi si sentì di dover dare un significato a tale assenza di ali (e probabilmente anche al vaso, cfr. *infra*). Dopo tutto i tre letterati cinquecenteschi che parlano di un Cupido conoscevano Michelangelo, dal quale Condivi attingeva direttamente le notizie: è dunque probabile che l'opera fosse stata concepita come un Cupido.

Merita a questo punto di essere inserita una notizia molto interessante gentilmente portata alla mia attenzione da Margaret Daly Davis. La traduzione dal latino in volgare della *Roma ristaurata* di Flavio Biondo, pubblicata a Venezia nel 1544, presenta una dedica a Michelangelo scritta da Michele Tramezzino che, insieme alle sculture della cappella Medici, menziona "il Cupidine, il Bacco". Sorge spontaneo il sospetto che si tratti di una citazione del *Cupido dormiente*, che già allora era divenuto un *topos* dell'"ingegno" michelangiolesco e dell'emulazione dell'antico[50]. Bisogna però ricordare che il *Cupido dormiente* non era più a Roma, e dunque il Tramezzino può essersi invece riferito al cosiddetto *Cupido/Apollo* certamente a quel tempo con il *Bacco* (la figura che l'autore menziona subito dopo) in casa Galli a Roma. Se così fosse, aumenterebbe la probabilità che la scultura Galli fosse davvero un Cupido.

In ogni modo, la scultura rappresentava un giovane nudo di grandezza naturale con frecce, una faretra "al lato" e "un vaso ai Piedi"[51].

Il *Fanciullo arciere* di New York condivide tutte queste particolarità con la statua di casa Galli. Inoltre, la descrizione del *Fanciullo* nel 1650, all'epoca in cui la scultura fu collocata nel giardino di villa Borghese, insieme con i due disegni della statua fatti dall'Ango nel tardo Settecento (cat. n. 61) dimostrano che, in origine, l'arciere "senz'ali" aveva una faretra avvolta in "una pelle di fiera", cioè di leone, pantera o tigre, sospesa alla sua sinistra e che il braccio destro era piegato di traverso sul corpo, anche se non conosciamo ancora la funzione precisa di questo gesto. Né la straordinaria somiglianza degli attributi fra le due sculture né le altre informazioni sul marmo Borghese risolvono il quesito posto della loro identità mitologica e simbolica.

I vari elementi che corredano iconograficamente entrambe queste opere si ritrovano in una serie di efebi della mitologia come Cupido, Apollo, Ercole, Bacco e i suoi satiri, Ganimede o anche Paride o Hylas, ma è ugualmente difficile incontrare frecce, arco, faretra, pelle di fiera e un grande vaso ai piedi di una figura maschile, senza ali, elementi tutti riuniti in un solo personaggio. In genere, gli arcieri non hanno tempo per i vasi e per il loro contenuto, mentre agli efebi che avevano accanto un vaso, difficilmente si sarebbero accompagnate le attrezzature di un arciere. Anche Ganimede, che

50. Cfr. P. Giovio, *Michaeli Angeli Vita*, [1523-27], in *Scritti d'arte del Cinquecento*, a cura di P. Barocchi, Milano-Napoli 1971-77, 3 voll.; vedi in catalogo la sezione sul *Cupido dormiente*.
51. K. Weil-Garris Brandt, *A Marble in Manhattan attributed to Michelangelo*, in "The Burlington Magazine", CXXXVIII, 1996, pp. 644-659; ead., *More on Michelangelo and the Manhattan Marble*, in "The Burlington Magazine", CXXXIX, 1997, pp. 400-404.

durante la sua vita mortale poteva anche essere un cacciatore, innalza, quasi per definizione, il boccale del nettare divino verso l'Olimpo e non sembra avere un vaso proprio in terra ai suoi piedi.

Per quanto riguarda la possibile identificazione con Cupido del *Fanciullo arciere* di New York vi sono diverse considerazioni da fare. L'età del ragazzo è un po' inusuale, ma si consideri anche l'uso nel XV-XVI secolo di rappresentare il san Giovannino in varie età, come faceva lo stesso Michelangelo. L'assenza delle ali è molto strana per un Cupido, ma si tenga presente che il Buonarroti non era entusiasta di rappresentare tali attributi. Realizza le ali nell'*Angelo* di Bologna (cat. n. 37), nella *Madonna di Manchester* (cat. n. 46) le ali sono rudimentali. Il *Fanciullo arciere* non è un tipico Cupido bambino, ma si trova alle soglie dell'adolescenza, come accennato. Leonardo da Vinci non era l'unico ad essere molto attento alle differenze di proporzione nel raffigurare le varie età e nota in particolare che la testa dei bambini è proporzionalmente molto più grande che negli adulti[52]. Già Properzio e Seneca (nella traduzione in versi di Vincenzo Cartari) sapevano che Cupido è arrivato "A l'eta' ch'assai può" o che gli amori "assai son grandi in dar' altrui dolore"[53]. *Amore fuggitivo*, il poema greco del Mosco, che fu tradotto in latino da Poliziano e poi in volgare, riassume questa diffusa tradizione poetica, presente in Petrarca, in Ficino e in molti altri, nel descrivere il corpo "giovane, tenero, molle, e delicato" di Cupido. "Crinita egli ha' la fronte, e fero il volto./Picciol braccio, e sottil, ma snello, e sciolto/ /Ond'ei lunge avvetar puo' un dardo acuto...".

Ancora troppo giovane per godere della forza fisica, il dio d'amore conquista tutti grazie ai poteri divini e alla propria bellezza; un concetto poetico che torna abbastanza bene anche riguardo al *David* di Donatello, opera che aveva avuto un impatto profondo e duraturo sul giovane Michelangelo. Ficino riflette un'opinione diffusa quando, nel *De amore*, definisce l'adolescenza come età ideale. Sembra ugualmente evidente che la scelta di rappresentare il dio d'amore come ideale efebico non sia priva di significato per la Firenze medicea del tardo Quattrocento[54].

Siamo così abituati a immaginare Michelangelo e l'ambiente mediceo nei termini del cosiddetto amore platonico e celeste, che fa bene ricordare con Suzanne Butters[55] i giochi di parole fatti a danno di Ficino proprio da Lorenzo il Magnifico, il quale scambia il "furor divino" e "l'amor divino" ficiniano in amor e furor "di vino"; battute che possono bene riflettere in chiave scherzosa le nozioni più serie riguardo all'ubriachezza estatica del *Bacco* e dei *Centauri*.

A un cupido del Rinascimento potevano, in effetti, mancare le ali, ma era un caso piuttosto raro. Per esempio, Eubulo avrebbe voluto rappresentare il dio d'amore in questo modo perché è più difficile farlo volar via una volta arrivato[56]. Ma più spesso, la mancanza di ali punta verso un amore "terrestre" o lascivo. Un esempio affascinante (1500 circa), di questo tipo, che portava anche una freccia di metallo, è nel piccolo gruppo in porfido di Venere e Cupido, scolpito da Pier Maria da Pescia, forse proprio per Piero di Lorenzo de' Medici[57]. Come nota L. Venturini a proposito del *Centauro* di Botticelli in questo catalogo, anche l'arco e la faretra colma di frecce possono esere usati come simboli dell'amore terreno.

Nella tradizione tramandata, fra gli altri, da Boccaccio, un tale Cupido sarebbe il "gemino amore" figlio di Venere, dea e pianeta. Riceve dalla madre il dono del fuoco stellare come un piccolo Prometeo, inventore delle arti, e possiede inoltre "molto potere d'intorno le cose inferiori... e specialmente nel generar figlioli...". In questa guisa Cupido diventa anche il governatore delle quattro stagioni e dei quattro elementi[58], potere che condivide, come vedremo, con il sole.

52. E.H. Gombrich *et al.*, *Leonardo da Vinci*, New Haven-London 1989, n. 29.
53. Cit. in C. Volpi, *Le immagini degli dei di Vincenzo Cartari*, Roma 1996, fol. 261.
54. Per le fonti antiche per questa sovrapposizione tipologica, vedi A.Furtwa[e]ngler, *Eros in der Vasenmalerei*, in J. Sieveking - L. Curtius, *Kleine Schriften von Adolf Furtwa[e]ngler*, München, 1912, pp. 4, 9, 10, 37, 48; e per l'ambiente fiorentino, M. Rocke, *Forbidden Friendships*, New York-Oxford, 1996.
55. Butters 1997, I, 140, n. 45.
56. A.Furtwa[e]ngler, in J. Sieveking - L. Curtius 1910, p. 4.
57. Butters 1977, p. 107, tavv. XXXIX-XLII.
58. V. von Flemming, *Arma Amoris Sprachbild und Bildsprache der Liebe*, Mainz 1996, pp. 322, 323, 325.

Un Cupido adolescente che sta per prendere una freccia da una faretra piena, sembrerebbe all'inizio della sua carriera di cacciatore erotico. Per quanto riguarda la faretra ricavata da una zampa di leone è importante sottolineare che Cupido, nella tradizione mitografica, risulta un grande amico dei leoni[59] e in guisa d'Ercole bambino, si può fregiare della pelle del leone.

Quest'associazione di idee fa parte d'una stessa tradizione concettuale diffusa con tutte le variazioni, che contrasta con la debolezza fisica del Cupido bambino, con la forza dell'amore che può domare i leoni e anche i loro stessi domatori come Ercole: "Omnia vincit amor vel cum domitore leonem".

Un grande vaso ai piedi è certamente insolito per un Cupido[60], ma è molto usuale in statue raffiguranti sua madre (infatti, colpisce come confronti per la posa del *Fanciullo* siano, anche per altri elementi, più facilmente reperibile nelle antiche rappresentazioni di Venere o di altre divinità femminili). A Michelangelo piacevano molto i vasi, tanto che inventò un nuovo tipo di balaustra con motivi aventi tale forma. Probabilmente però in questo caso i vasi avevano solo una funzione di supporto, senza alcun significato iconografico. Michelangelo potrebbe aver visto frammenti antichi di gambe sostenute da vasi, senza sapere a quale rappresentazione di dio mitologico appartenessero.

Ma l'identificazione della statua con un *Apollo* presenta anch'essa dei problemi. Né l'età, diciamo, di meno di dieci anni, né il vaso, sono tipici volendo raffigurare il dio del sole. Apollo, come Bacco, è una divinità che rimane eternamente giovane. Ma come mi ha gentilmente fatto notare Erchinger Schwarzenberg, la prima apparizione di Apollo come arciere è quando da bambino uccide il pitone[61].

Apollo, cioè il sole, governa ogni aspetto della vita e della morte sulla terra e, quindi, il tempo e le stagioni, ed è proprio nel suo ruolo di curatore delle stagioni dell'anno che compare nella tradizione allegorica con accanto dei vasi . Per assicurare che i quattro venti che cambiano le stagioni emergano in sequenza e in modo giusto, vuole il Cartari[62] che Apollo conservi ognuno di essi in un grande vaso a suoi piedi. Inoltre, il sole ha maggiore forza nel segno del Leone (di solito associato nel Rinascimento ai mesi di giugno e luglio).

Ma forse ancora più importante è il fatto che nella tradizione mitografica le caratteristiche di Cupido e, a dire il vero, di tutte le altre divinità, sono inglobate nella figura di Apollo-sole. È sempre ipotizzabile che si tratti, per la scultura newyorkese, di un vero e proprio esempio di queste divinità duplici o miste tanto care agli studiosi d'iconografia. Sembra più probabile, invece, che Cupido e Apollo si riscontrino in quanto entrambi invincibili arcieri. Da Ovidio a Petrarca e in seguito, queste divinità scoccano le frecce: "saette" e "strali" nella colta lingua poetica del Quattrocento, sono di natura esplicitamente visiva. Per Cupido, le saette sono gli sguardi degli amanti, terribilmente efficaci perché l'amore entra attraverso gli occhi[64]. Infine, Dante aveva associato il dio dell'amore con la "maggior licenza... di parlare" come giustificazione della libertà concessa ai poeti; un potere che Lattanzio aveva già esteso anche ai pittori e agli scultori[65].

Gli strali di Apollo, cioè i raggi del sole, possono anch'essi fare vivere o morire. Dato che il sole "vede ogni cosa", Apollo esemplifica le virtù di Prudenza e Giustizia[66] e quindi l'invenzione e il patrocinio di tutte le arti. Un tale intreccio concettuale aiuta a capire come nei panegirici politici e nella letteratura, Cupido fosse associato con Lorenzo il Magnifico e la sua discendenza, e anche più spesso essi venissero identificati con Sole/Apollo. Il fregio per il portico della villa di Lorenzo a Poggio a Caiano[67] testimonia come da personaggi quali Giuliano da Sangallo (architetto della villa), Poliziano e Bertol-

59. Luciano, *Dialoghi degli Dei*, cit. in R. Calza, *Antichità di Villa Doria Pamphilj*, Roma 1977, p. 123.
60. Un cupido dormiente potrebbe avere un sonnifero in un vaso presso il letto (vedi A. Parronchi, *Opere giovanili di Michelangelo. Il paragone con l'antico*, Firenze 1975, II, fig. 47a) ma, finora, non si è presentato il caso di un cupido sveglio che sta in piedi accanto a un vaso.
61. Vedi per esempio le miniature fiorentine del 1370-1380 circa, nella traduzione italiana di Arrigo Simintendi delle *Metamorfosi* di Ovidio, in Degenhart - Schmitt, *Corpus der italienischen Zeichnungen, 1300-1450*, parte II, vol. 2, Berlin 1980, pp. 359-360, fig. 580.
62. Volpi 1996, fol. 43.
63. J. Cox-Rearick, *Dynasty and Destiny in Medici Art. Pontormo, Leo X, and the Two Cosimos*, Princeton 1984, pp. 75, 83, 163 con bibl.
64. Si veda von Flemming, *Arma Amoris Sprachbild und Bildsprache der Liebe*, Mainz 1996, con ampia bibl.
65. Pfisterer 1996, pp. 115-116.
66. Volpi 1996, fols. 35-36.
67. Vedi Cox-Rearick 1984, pp. 65-86.

do (inventori del contenuto e dell'aspetto formale del fregio), nonché da Lorenzo de' Medici stesso (il committente), potesse pervenire al giovane Michelangelo l'idea che la figura di Sole/Apollo poteva ugualmente risultare consona ai concetti di potenzialità della vista, dell'arte e della sue origini nella prudenza [giudizio] e nell'ingegno.

L'identificazione del *Fanciullo arciere* con il Cupido/Apollo Galli rimane una questione aperta. L'aspetto del vaso ai piedi – in quanto elemento inusuale – corrisponde alla descrizione dell'Aldrovandi ed è presente nel disegno dell'Ango che documenta la scultura nel suo stato originario e fornisce un'ulteriore prova stringente per l'identificazione, che si aggiunge a quanto considerato all'inizio di questo contributo e che è superfluo ripetere. Ma rimangono almeno due problemi. Innanzitutto c'è la questione della faretra "a lato" ricordata dall'Aldrovandi, mentre il *Fanciullo arciere* porta la faretra dietro la spalla come, per esempio, l'*Apollo Belvedere* (cat. n. 71). Va detto, comunque, che questa collocazione della faretra è parte integrante della descrizione "standard" di Cupido. Il dio dell'amore è quasi per definizione nudo, con le "ale alla spalla" e ha "il turcasso a fianco", come cantano le terze rime quattrocentesche citate in *Le tems revient...* (1992, p. 109). Questa divergenza fra la scultura Galli e il *Fanciullo arciere* nel modo di portare la faretra non sembra un argomento decisivo per contestare l'identificazione, dato che il vaso fornisce un sostegno molto più puntuale.

Poi, sorgono i problemi di datazione. Condivi e Vasari dicono che il *Cupido* era stato fatto per Jacopo Galli, il che implicherebbe una datazione al 1496-97 (vedi la *Cronologia ragionata*). Una data così tarda, prossima al *Bacco*, opera tanto più matura, ci sembra proprio impossibile. D'altra parte, Condivi e Vasari ritengono che anche il *Bacco* fosse stato fatto per il Galli.

Sappiamo oggi che il cardinale Raffaele Riario era il committente del *Bacco* e un grande conoscitore d'arte (3) ma Condivi – e dietro le quinte Michelangelo stesso – faticarono per nascondere l'identità del committente della statua (si veda la scheda sul *Bacco*, cat. n. 54) e negano con veemenza il ruolo del Riario come mecenate. Se l'immagine del Riario come committente poteva essere capovolta a mo' di esempio negativo, diventa ugualmente facile pensare che anche il racconto esemplare d'impronta positiva sul Cupido Galli, abbia rielaborato la realtà. "Jacopo 'volse...che egli facesse' il Cupido": ma a che epoca? Come suggerì Caroline Elam, Jacopo Galli avrebbe potuto conoscere il *Cupido/Apollo* già all'inizio del 1496 quando andò a Firenze in cerca di Michelangelo, in veste di "gentilhoumo" del cardinale Riario, per indagare sull'identità dello scultore del *Cupido dormiente*. Secondo Condivi, era proprio Jacopo Galli che chiese a Michelangelo di venire a Roma per chiarire la faccenda col cardinale e per fare carriera[68]. Sarebbe stato facile per il Galli far portare l'opera a Roma per mostrare al cardinale un altro esempio della scultura del giovane fiorentino e così facilitare un'accoglienza favorevole da parte del cardinale. È sempre risultato difficile vedere come Michelangelo trovasse il tempo per fare il Cupido Galli, dato il numero delle altre commissioni che l'artista aveva ricevuto a Roma nel 1496-1501. Se il *Fanciullo* è il Cupido Galli, deve essere certo un lavoro eseguito precedemente, forse persino al tempo delle frequentazioni del giardino mediceo a Firenze, prima dell'autunno del 1494. Le fonti ricordano altre sculture iniziate da Michelangelo durante il soggiorno romano, ma anche rispetto a queste lo stile del *Fanciullo* risulta troppo precoce.

Accenniamo ancora brevemente ad alcune, tra le tante, particolarità del *Fanciullo arciere.* Certamente l'allestimento odierno della figura ne esagera lo squilibrio. Non di meno, l'instabilità è un aspetto base di Cupido il quale rende così pericoloso il suo potere.

68. Condivi 1553, ed. 1998, p. 18.

"Nihil firmum", come scrive Francesco Colonna a proposito di Cupido e delle sue armi. Molti autori lo descrivono dotato di ali proprio per questa ragione[69], e questo aspetto "volatile" del suo carattere diventa, nel Quattrocento, un tema visivo scelto come sfida artistica sia dai pittori che dagli scultori, come si vede nei vari "spiritelli" di Donatello, Verrocchio e altri, presenti nella mostra.

Per il giovane Michelangelo, il tema dello squilibrio ricorre, come è ben noto, nel *Bacco* la cui posa traballante è tutt'altro che un caso. Nasce, invece, da una riconsiderazione mirata e puntuale delle vedute laterali del *David* di Donatello che Michelangelo evidentemente interpreta come un fanciullo androgino in uno stato di "trance". Anche l'atteggiamento del *Bacco* corrisponde a uno stato di estasi nel senso letterale di essere fuori di sé, ubriaco del "furor divino". Ma al di là di questo caso particolare, la morfologia snella e flessibile di figure in pose lievemente barcollanti ricorrerà in tutte le figure giovanile di Michelangelo, come ad esempio nel giovinetto *San Procolo* (cat. n. 37), nel *Bacco* e negli angeli adolescenti della *Madonna di Manchester*, e sembra essere già annunciato nei giovani *Musicisti* di Benedetto da Maiano al Bargello (cat. n. 35).

La sezione dedicata al *Fanciullo arciere* si conclude in mostra con un capitolo finale dedicato alla figura dell'arciere nell'immaginario michelangiolesco. In un sonetto e due disegni il giovane Michelangelo ha articolato un tema che è diventato parte integrante della sua poesia verbale e visiva per tutta la vita: l'arciere, le sue armi, i suoi bersagli e le terribili ferite che infligge.

Di ascendenza antica, la tradizione di questo complesso di similitudini e metafore non è mai stata veramente interrotta. Invocare i nomi di Dante, Petrarca, Boccaccio e Ficino significa soltanto accennare agli esempi più conosciuti di un "topos" di vastissima diffusione. L'arciere si trovava al centro di un complesso nodo concettuale che include le divinità della mitologia classica, la natura, l'amore d'ogni tipo, le virtù morali o la loro mancanza; idee fra loro apparentemente diverse, ma che condividono, nel Rinascimento, tematiche di base che sono cruciali anche per le arti visive: il potere della vista, di raggiungere l'oggetto del desiderio, del giudizio e dell'ingegno.

In un disegno celebre di Michelangelo al Louvre, che non ha potuto essere esposto nella mostra per motivi di conservazione, l'artista traccia dei progetti per due statue di *David*; una di bronzo, l'altra per il colosso di marmo. Sul foglio scrisse: "Davicte con la fromba, io coll'arco, Michelangelo". Il significato di questo paragone viene dal fatto che alcuni strumenti impiegati dagli scultori, come il trapano "ad arco" o "archetto", avevano, per la loro funzione analoga, appellazioni identiche agli attrezzi dell'arciere. Così la similitudine dell'arciere crea un'identità metaforica fra il soggetto della sua statua e se stesso come scultore. In un altro importantissimo foglio conservato in Casa Buonarroti del 1510-11 circa (vedi la scheda in questo catalogo), Michelangelo arriverà all'autoidentificazione sotto forma di metafora attraverso gli strumenti utilizzati da un arciere che mira il bersaglio.

Negli ultimi anni, la critica ha giustamente associato quest' argomento con l'emblema rinascimentale dell'arciere che tira l'arco, come figura dell'"acutezza" e dell'ingegno artistico[70]; un concetto già presente nel commento su Virgilio di Cristoforo Landino del 1488[71].

L'ingegno, nei trattati di iconologia come quelli di Piero Valeriano e di Cesare Ripa, è rappresentato come un giovane con le ali e un elmo in atto di scoccare una freccia. La somiglianza a Mercurio di questa personificazione riflette la tradizione astrologica per cui gli artisti sono figli del pianeta e del dio Mercurio e quindi, come lui, abili in tutto

69. von Flemming 1996, p. 325.
70. Si veda I. Lavin, *Past Present. Essays on Historicism in Art from Donatello to Picasso,* Berkley-Los Angeles-Oxford 1993.
71. Vedi J. Kliemann, *Kunst als Bogenschiessen,* in "Römisches Jahrbuch der Bibliotheca Hertziana", vol. 31, 1996, pp. 275-311.

(vedi l'incisione di Baccio Baldini in mostra a Casa Buonarroti, cat. n. 4). In Casa Buonarroti sul soffito della galleria dipinta nel 1617, come esaltazione della vita di Michelangelo, suo nipote ha fatto dipingere una figura allegorica di "un giovane inerme e nudo, con ali alle tempie, come si dipigne Mercurio, con in mano un arco, e dall'altra tre saette": è la personificazione dell'ingegno[72].

È da notare comunque che l'*Ingegno* dipinto per Casa Buonarroti da Francesco Bianchi diverge dalla tradizione simbolica nell'enfatizzare la giovinezza di questa personificazione, anche privandola degli attributi più riconoscibili: le grandi ali e la corazza, quasi come per alludere proprio all'ingegno "nudo" (nato e non imparato) del giovane Michelangelo. La personificazione dell'Ingegno "mercuriale" normalmente scocca una sola freccia. In guisa d'Ercole, l'Ingegno, aveva "una frezza con tre punti per [l'investigazione delle cose] naturali, diuine, & matematiche"[73]. Il fatto che l'*Ingegno* di Casa Buonarroti sia armato con *tre* frecce, sembra indicare la padronanza che aveva Michelangelo fanciullo di tutte e tre le arti visive; il "topos" dominante del mito michelangelesco già durante la sua vita. Seconda questa chiave di interpretazione, il gesto del *Fanciullo arciere* di New York, di estrarre una freccia, renderebbe bene l'idea che questo giovane artista ha appena cominciato a tirare le frecce dell'ingegno visivo dalla faretra strapiena, che promette successi ancora più grandi nelle prove future. Insomma, se il *Fanciullo arciere* rappresenta sia un Cupido sia un Apollo al livello del significato iconografico "pubblico", si potrebbe ipotizzare che questa piccola statua, come il rilievo dei *Centauri* o il *Bacco*, proponga al tempo stesso anche un encomio delle arti visive e una risposta fiera alle loro sfide più estreme da parte dell'ingegno del giovane scultore.

1. Da Raffaello, *Sole e luna,* bordo di arazzo. Vaticano, Musei Pontifici.

Di solito, un arciere tiene l'arco nella mano sinistra e scocca la freccia con la destra più forte. Ma dato che il *Fanciullo* sembra prendere la freccia con la sinistra, avrebbe dovuto prendere l'arco con la destra, atteggiamento tipico di un arciere mancino. In ogni modo, tutto lo slancio della figura si rivolge completamente verso la parte sinistra del corpo.

In una coppia simmetrica di figure, il gesto dell'arciere sarà evidentemente reso in modo speculare da un gesto mancino nell'altro. Non di meno anche queste "necessità" venivano sfruttate nel complesso codice allegorico visivo-verbale che poteva riguardare gli arcieri. Quando gli arcieri celesti, Apollo e Diana compaiono come coppia nel bordo dell'arazzo di Raffaello in Vaticano, il fatto che la dea della luna sia presentata come arciere mancina, segue una lunga tradizione mitografica. Infatti, rappresentazioni nell'arte antica e moderna suggeriscono che gli arcieri erano allenati a usare l'arco con entrambe le mani.

Fatto è che un arciere mancino in una sola figura scolpita è estremamente inusuale. L'esame dell'uso degli strumenti per scolpire la *Madonna della Scala* e la *Battaglia dei Centauri* hanno indicato che questi rilievi sono stati lavorati da sinistra verso destra (vedi sopra) da uno scultore mancino. Ricordiamo che Raffaele da Montelupo, anch'egli mancino, testimonia che di natura lo era anche Michelangelo; ma che questi finiva per usare la sinistra solo quando era necessario imprimere maggiore forza; cioè quando scolpiva o tirava con l'arco.

Uno sguardo alla testa non finita del *Fanciullo arciere* rivela che anche questo fu scolpito da sinistra verso destra e la sua postura di arciere mancino ci ricorda che sebbene il colossale *David* di marmo tirasse di frombola con la mano destra, il suo sguardo e il suo gesto rimangono mancini. "Davicte con la fromba, io coll'arco": se il famoso ed enigmatico scritto del giovane Michelangelo accenna alla propria prodezza, con il "trapano ad arco" e con le "saettuzze" dello scultore, un *Fanciullo arciere*, mancino, potrebbe diventare un'altra immagine ideale dello scultore stesso.

72. U. Procacci, *La Casa Buonarroti a Firenze*, Firenze 1967, p. 222; A. Vliegenthart, *La galleria Buonarroti*, Firenze 1976; P. Ragionieri, *Casa Buonarroti*, Milano 1997.
73. Lavin 1992, p. 164, n. 13, citando Ripa e Valeriano.

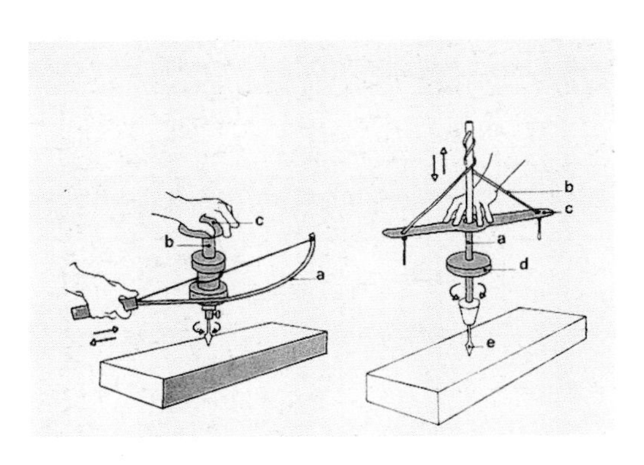

2. Trapano ad arco e trapano ad asta. Da M. Dumas, *Histoire géneral des tecniques,* Paris, 1964-69.

3. Giovanni da San Giovanni, *Armi e trofei,* particolare con gli strumenti dello scultore. Roma, I Quattro Santi Coronati.

Le armi dello scultore

Peter Rockwell asserisce "che i trapani ad arco e a corda fossero sconosciuti nell'Europa medievale e rinascimentale"[74]. Invece, C. Alfred[75], considera il "venerabile trapano ad archetto" come uno strumento che risale all'antichità. Invece per Arnulf von Ulmann[76], il "drillbohrer" sembra almeno includere il trapano ad asta, e vede tutti i tipi di trapani a corda come strumenti tradizionali, ma intravede nel nuovo uso fatto da esso una grande invenzione tecnologica proprio del primo Rinascimento italiano.

In origine, secondo lo studioso, i trapani a corda venivano utilizzati per arricchire le superfici in modo decorativo. Alle soglie del Quattrocento, invece, questi trapani venivano adoperati per penetrare nella profondità del marmo e per cavarne le forme e le figure. Così essi divennero condizione necessaria per lo sviluppo dei bassorilievi di complessa spazialità e per gli staordinari sottosquadri che li caratterizzano. Sotto quest'aspetto, i sottosquadri azzardatissimi del giovane Michelangelo nella *Battaglia dei centauri* e nel *Bacco* e che si trovano anche nel *Fanciullo arciere* , sono da considerare piuttosto come dimostrazione di abilità moderna e non come consuetudine di un passato quattrocentesco da abbandonare al più presto possibile[77].

74. P. Rockwell, *Lavorare la pietra*, Roma 1989, p. 34.
75. *Il mobilio fino alla fine dell'impero romano*, in *La storia della tecnologia*, II, 1 (1956) Torino 1993, pp. 232-235.
76. A. von Ulmann, *Bildhauertechnik des Spätmittelalter und der Früenaissance*, Damstadt 1984, pp. 40-42.
77. Cfr. R. Wittkower, *Sculpture, Processes and Principles*, Harmondsworth 1977.

1-3, 5-6. Michelangelo (attribuito a), *Fanciullo arciere,* intero e particolari. New York, Services Culturels de l'Ambassade de France.

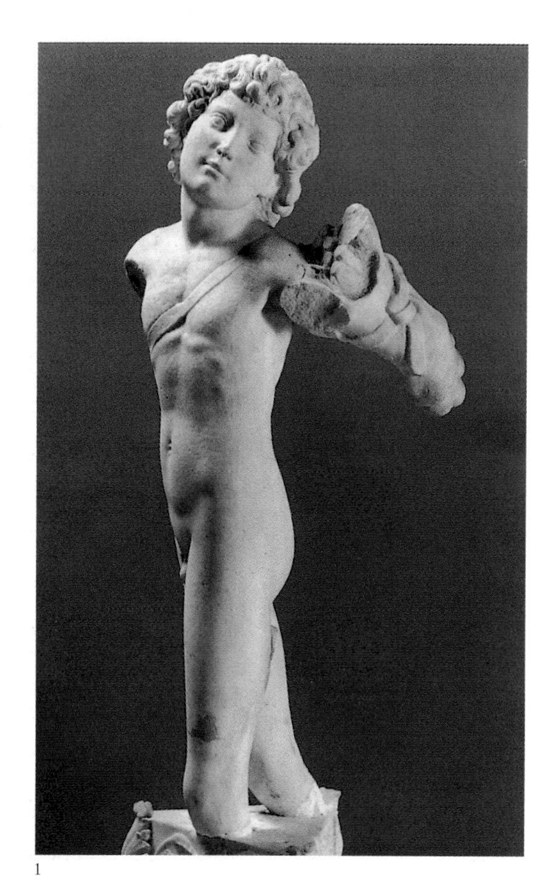

1

2

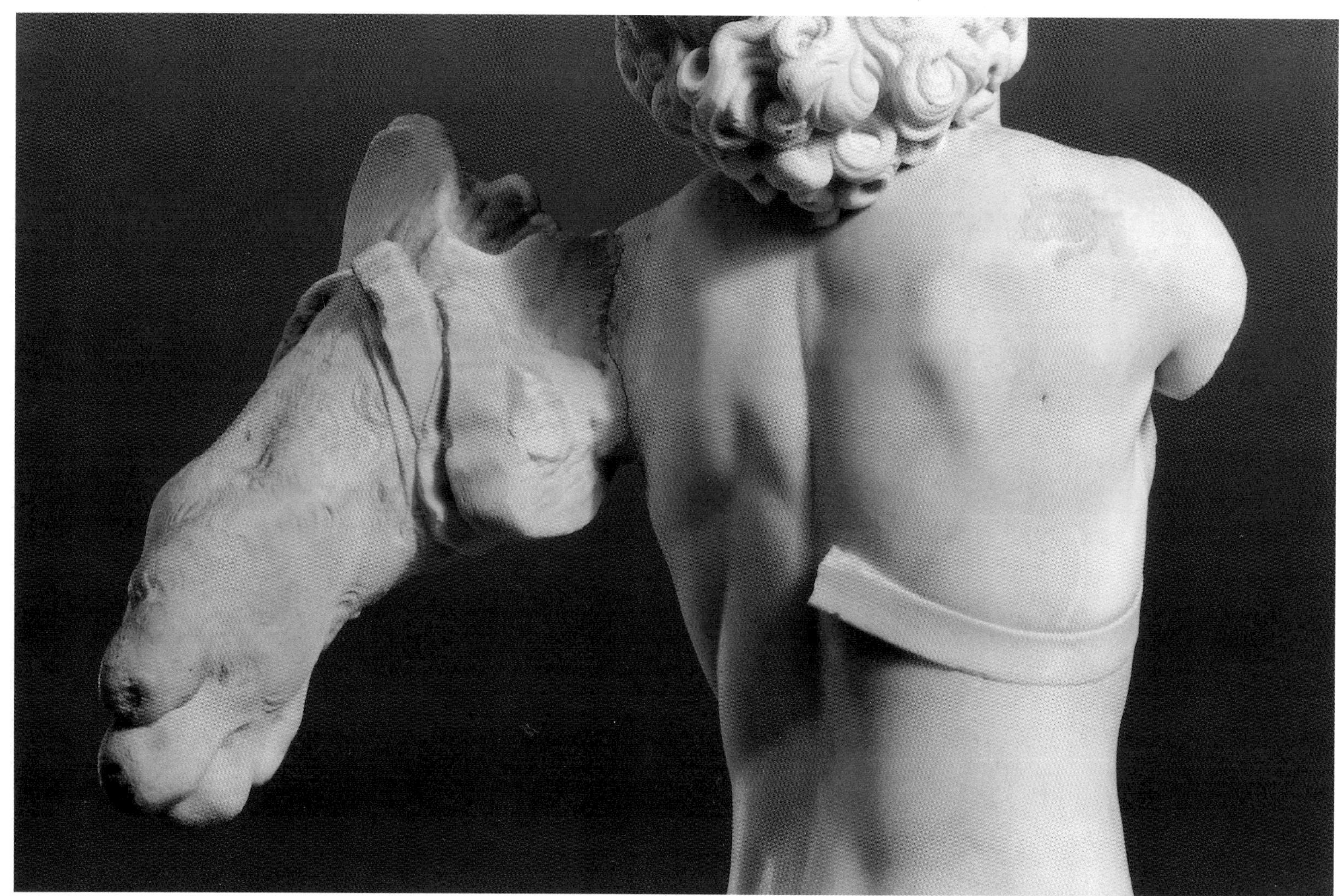

3

4. Michelangelo, *Crocifisso di Santo Spirito*, particolare, Firenze, in deposito a Casa Buonarroti.

4

5

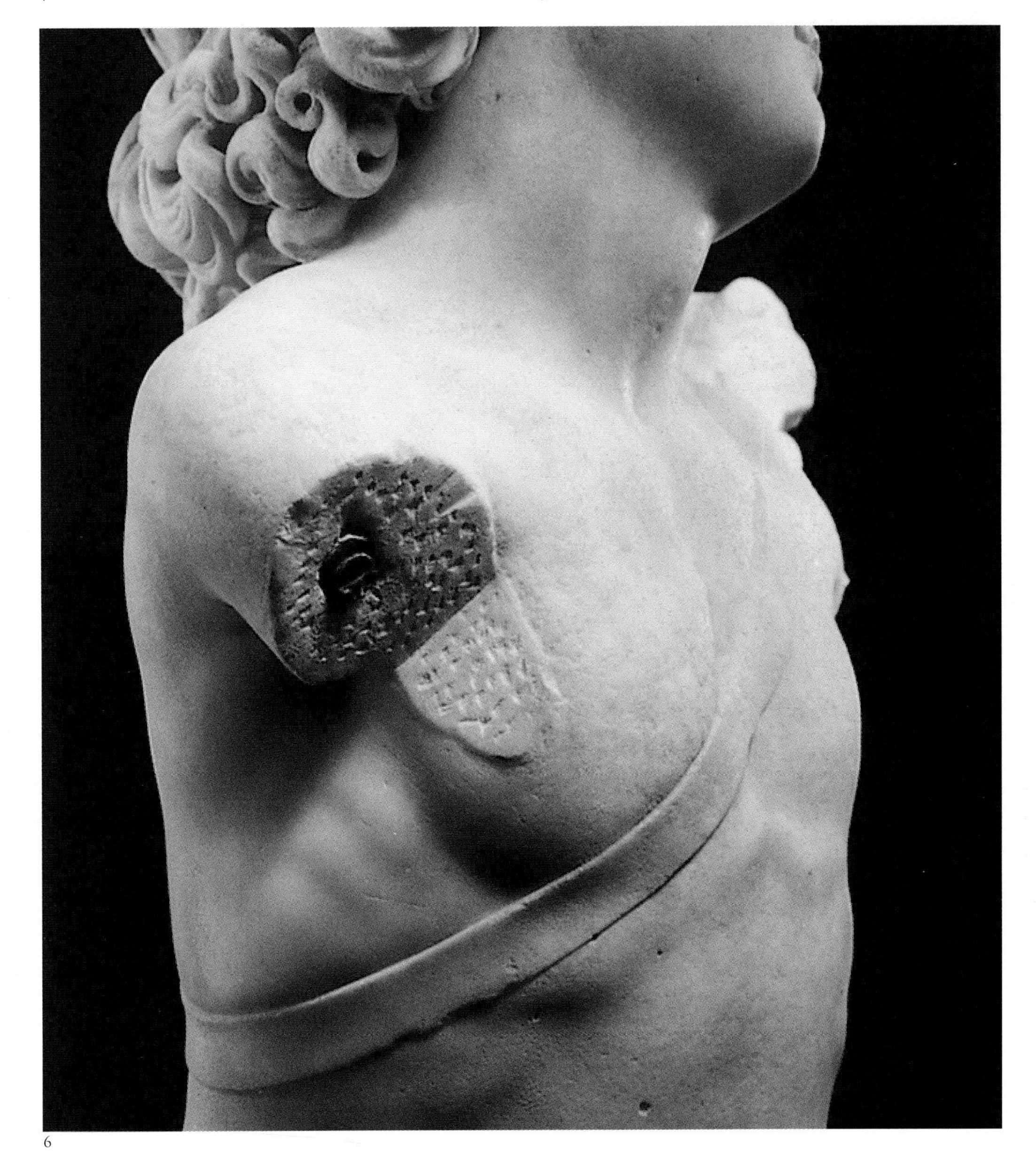

6

7

8

9

10

11

7, 11, 14. Michelangelo (attribuito a), *Fanciullo arciere.*

8, 10, 13. Michelangelo, *Bacco.*
Firenze, Museo Nazionale del Bargello.

9. Michelangelo, *Nudo maschile visto da tergo*, particolare. Firenze, Casa Buonarroti.

12. Michelangelo, *Pietà*, particolare
Città del Vaticano, San Pietro.

12

13

14

15

16

17

18

19

20

21

22

15, 18, 22. Michelangelo (attribuito a), *Fanciullo arciere*.

16, 20. Michelangelo, *Madonna di Manchester*, particolari. Londra, National Gallery.

17. Michelangelo, *Angelo reggicandelabro*, particolare. Bologna, San Domenico.

19. Michelangelo, *Bacco*, particolare.

21. Michelangelo, *Battaglia dei Centauri*, particolare. Firenze, Casa Buonarroti.

Cristina Acidini Luchinat

La formazione fiorentina di Michelangelo pittore

Nel catalogo di una mostra sulla giovinezza di Michelangelo, che ha il privilegio davvero eccezionale di ospitare la *Madonna di Manchester*, non si può esimersi dal trattare ancora una volta l'argomento degli esordi dell'artista nella pittura e dunque, a monte, della sua formazione professionale: un argomento sostanziato di poche verità e alimentato da molte leggende, quelle leggende che il grande maestro stesso in età avanzata riuscì a instillare nelle sue biografie, a opera del Condivi e del Vasari, e che hanno condizionato e condizionano l'approccio della critica specialistica, oscillante tra le opposte polarità dell'adesione totale alle fonti cinquecentesche e della loro messa in discussione fino al rifiuto. Michelangelo autodidatta; Michelangelo studioso dei sommi affreschi di Giotto e di Masaccio, sui muri delle chiese fiorentine; Michelangelo allievo del Ghirlandaio; Michelangelo in familiarità con Lorenzo il Magnifico tra le sculture del giardino di San Marco, tra le gemme del suo studiolo e tra i commensali della sua tavola nel palazzo di via Larga; queste e altre visioni del tirocinio del giovinetto prodigioso si incontrano, si scontrano, si compenetrano e si correggono nella letteratura artistica, dando luogo a una fisionomia d'artista non solo incerta, ma scomposta e conflittuale, come si vedrebbe riflessa nelle schegge d'uno specchio infranto. Documenti e disegni, per fortuna, s'incaricano di confermare e precisare qualche segmento d'informazione. E così, a sostenere un apprendistato presso la bottega dei Ghirlandaio che l'anziano Buonarroti avrebbe tentato di ricacciare nell'ombra, un documento del 28 giugno 1487 ce lo presenta dodicenne esattore di crediti per gli attivissimi Bigordi, nove mesi prima che fosse formalizzato il suo contatto triennale, noto al Vasari[1].

I disegni poi suggeriscono la sua attenzione non solo per Giotto e Masaccio, ma anche per Giovanni Pisano, Donatello, Uccello, Lippi, Pollaiolo, Pesellino e altri artisti del Tre e soprattutto Quattrocento, Leonardo compreso. Altri giri in Toscana – a Siena, a Pisa – avranno potuto arricchire il suo patrimonio di ricordi visivi. A Bologna, non si sarebbe fatto sfuggire qualche tratto delle formelle di Jacopo della Quercia in San Petronio[2]. Parrebbe, dalla ricognizione dei fogli, che le mura delle chiese fiorentine fossero dinanzi ai suoi occhi un manuale artistico, nel quale egli, con sveglia accortezza critica, introduceva distinzioni e gerarchie. Nelle due edizioni delle *Vite* il Vasari si limitò a riferire dei suoi indefessi studi da Masaccio ("disegnò molti mesi al Carmino...", 1550); ma da altri studi ancora dovevano alimentarsi i suoi ingegnosi cimenti di falsario, esercitato nel contraffare i disegni dei predecessori ("carte di mano di vari maestri vecchi"), nell'invecchiarli e nell'insudiciarli, fino a confondere, appunto, le carte stesse. Resta materia di congettura se, ed eventualmente quanto, i percorsi giovanili di studio del Buonarroti abbiano assunto, nelle confidenze fatte al Condivi e ad altri, il ruolo di un'embrionale sistemazione critica dell'arte specialmente quattrocentesca. Si affaccia, tuttavia suggestiva, l'ipotesi che sia dovuto a Michelangelo il consolidamento di un certo nucleo di giudizi di qualità e attribuzioni di valore già circolanti, corredati eventualmente da commenti – nel suo stile – penetranti e se del caso cattivi; in sostanza una scheletrica ma ba-

1. Per il documento e la sua discussione si veda J.K. Cadogan, *Michelangelo in the Workshop of Domenico Ghirlandaio*, in "The Burlington Magazine", CXXXV, 1993, pp. 30-31.

2. Rimando a L. Bellosi, *Michelangelo pittore*, Firenze 1970, poi a C. Sisi (a cura di), *Michelangelo e i maestri del Quattrocento*, catalogo della mostra, Firenze 1985.

1. Michelangelo, *Tondo Doni*. Firenze, Galleria degli Uffizi.

silare impalcatura concettuale, spettando poi al Vasari, coadiuvato da fonti, testimoni e consiglieri, il travaglio storiografico.

Quanto al giardino di San Marco e alla vicinanza con Lorenzo il Magnifico, dopo che André Chastel ebbe preso le distanze da una letteratura locale celebrativa e vacua sottoponendo a una doverosa revisione critica il mito che riconduceva ogni manifestazione artistica fiorentina entro una visione panlaurenziana[3], altri si sono adoperati a destituire d'ogni credibilità i referti vasariani: fino a ridurre il rapporto di protezione di Lorenzo nei confronti del tirocinante giovinetto a poco più d'un invito per un desinare o due, comprensivo di un'occasionale, forse fugace occhiata alle gemme[4]. E questo, mentre d'altronde con plausibili confronti vien proposto che all'origine della postura artificiosamente atletica della Madonna nel *Tondo Doni* vi sia il gesto di un satiro nel mettersi in spalla Dioniso bambino, visibile in una gemma della collezione medicea e nel medaglione in rilievo prodotto entro la cerchia di Donatello per il cortile del palazzo Medici in via Larga[5]. E sull'esistenza effettiva del giardino di San Marco, quale luogo fisico d'incontro e confronto per gli artefici tra se stessi e con l'antico (se si ha pudore di continuare a vederlo, col Vasari, come protoaccademico vivaio di talenti pensionati), crediamo comunque che solidi contributi siano venuti dal rinnovarsi degli studi laurenziani in vista del 1992[6].

Lo scetticismo della critica più recente ha anche, sia detto per inciso, investito (talvolta non senza ironia) il tradizionale collegamento tra l'apprendistato di Michelangelo e il clima di filosofia neoplatonica che si suol ritenere permeasse la cultura laurenziana

3. Tenendo presenti le celebrazioni laurenziane del 1939 e la produzione letteraria di E. Barfucci, si riveda in questo catalogo l'argomento del giardino di San Marco nel testo di Nicoletta Baldini.

4. P. Barolsky e W.E. Wallace, *The Myth of Michelangelo and il Magnifico*, in "Source. Notes in the History of Art", XII, 3, 1993, pp. 16-21.

5. G. Smith, *A Medici Source for Michelangelo's Doni Tondo*, in "Zeitschrift für Kunstgeschichte", XXXVIII, 1975, pp. 84-85. Per interpretazioni in chiave iconologica del gesto della Madonna e più in generale dell'attitudine della Sacra Famiglia, del san Giovannino e degli ignudi nel tondo, si vedano anche C. Eisler, *The Athlete of Virtue. The Iconography of Asceticism,* in M. Meiss (a cura di), *De Artibus Opuscula XL. Essays in Honor of Erwin Panofsky*, New York 1961, pp. 82-99, e M. Levi D'Ancona, *The Doni Madonna by Michelangelo: An Iconographic Study*, in "The Art Bulletin", L, 1968, pp. 43-50.

6. C. Acidini Luchinat, *La Santa Antichità, la scuola, il giardino*, in F. Borsi (a cura di), *"...per belleza, per studio, per piacere": Lorenzo il Magnifico e gli spazi dell'arte*, Firenze 1991; C. Elam *Il giardino delle sculture di Lorenzo de' Medici*, in P. Barocchi (a cura di), *Il giardino di San Marco*, catalogo della mostra (Firenze), Cinisello Balsamo (Milano) 1992, pp. 157-172.

degli anni novanta. In questo stesso catalogo, Hankins evidenzia con puntualità l'offuscarsi dell'astro del Ficino nella costellazione d'intellettuali "all'ombra del Lauro" dominata dal Poliziano e da Pico, salvo ammettere un suo tardivo ritorno in auge. E tuttavia, resto convinta che uno dei rarissimi (forse l'unico?) episodi di messa in figura letterale di un tema neoplatonico che s'incontra nell'arte fiorentina sia la *Scelta dell'anima* esposta ed esemplificata nel fregio in terracotta invetriata della villa di Poggio a Caiano[7], in una congiuntura di tempo e di persone – Bertoldo e i suoi al lavoro per Lorenzo, su indicazioni ficiniane, verso il 1491... – alla quale Michelangelo giovane dovette trovarsi (se ci crediamo ancora) vicinissimo.

Ma perché, potrebbe chiedersi il lettore, ostinarsi a distillare da fonti avare o adulterate i succhi volatili di una sostanza artistica – quella del giovanissimo Buonarroti alle prese con pennelli e colori – che ci si squaderna con tanta maggior dovizia e certezza dal *Tondo Doni* in poi, sui tanti metri quadri della volta sistina? Perché insistere ad abbracciare una sembianza che, come un'ombra dell'Ade greco e romano, a ogni tentativo si scompone ritornando nuvola di nebbia leggera? Non si tratta, come a prima vista parrebbe, di un mero esercizio accademico che veda contrapposte, in una immaginaria palestra intellettuale, squadre avversarie di studiosi: non-condiviani e non-vasariani contro condiviani e vasariani, i sostenitori dell'influenza del neoplatonismo ficiniano contro i dissenzienti, i fautori di questa o quell'attribuzione contro i discordi, più qualche "libero battitore" che assesta colpi a tutto e a tutti. Lo scopo della discussione, al di là dell'immagine poco edificante che ne può risultare (anche in forza di amplificazioni e deformazioni dovute ai mass media, avidi di pettegolezzi su un grandissimo come Michelangelo), è pur sempre quello di arricchire il numero e di potenziare l'efficacia degli strumenti conoscitivi a disposizione della comunità scientifica: cosicché si possa confidare sempre più di saper riconoscere, quando si presentasse, una primizia di Michelangelo rimasta celata o inosservata. Quanto più si costruiranno sicurezze sulla formazione di Michelangelo, sui suoi modelli, sui suoi tentativi, sulle sue frustrazioni, tanto più si vaglieranno attendibilmente le testimonianze artistiche che reclamano attenzione per la loro vicinanza ai possibili modi espressivi dell'artista, in quel tempo incerto e sperimentale. Aspettarsi di incontrare opere giovanili di Michelangelo perfettamente coerenti con il suo linguaggio artistico maturo può comportare disguidi e rinunce: occorre saper vedere al di là dell'incompletezza e dell'incoerenza, dell'alterità insomma, rispetto alla maniera compiuta e flagrante del maestro adulto. Come efficacemente commentava Giorgio Bonsanti, a proposito del tardivo accoglimento della *Madonna di Manchester* e dell'*Avvio di Cristo morto al sepolcro (o Seppellimento*, o *Pietà*, o *Entombment)* di Londra nel corpus michelangiolesco, "sembra che la critica d'arte si sia privata volontariamente di due dei tre soli dipinti eseguiti, per quanto sappiamo, interamente da Michelangelo nell'intero arco della sua vita"[8].

Senza questi due quadri, esaurientemente commentati da Hirst e Dunkerton[9], tra il tirocinio presso i Ghirlandaio (da anticipare, ricordiamo, almeno al 1487) e il *Tondo Doni*, di data incerta ma a mio avviso non troppo oltre il 1504, si espanderebbe un intollerabile vuoto di oltre tre lustri: tre lustri, fra l'altro, in cui non era mai venuto meno l'interesse del giovane Michelangelo per i maestri della pittura, tanto fiorentini quanto forestieri. Cade in questo periodo, nelle biografie, la menzione di una non mai abbastanza rimpianta tavoletta dipinta dall'artista, copiando e colorando un'incisione di Martin Schongauer con la *Tentazione di sant'Antonio*[10]. Se è vero che, come vogliono i biografi, ne fu messo nella curiosa condizione di inventarsi una gamma cromatica per risolvere in

7. Per questa interpretazione si veda C. Acidini Luchinat, *La scelta dell'anima: le vite dell'iniquo e del giusto nel fregio di Poggio a Caiano*, in "Artista", 1991, pp. 16-25. Per ulteriore letteratura cfr. cat. n. 32.

8. G. Bonsanti, *Michelangelo as a Painter before the Sistine Ceiling*, in *The Genius of the Sculptor in Michelangelo's Work*, catalogo della mostra, Montreal 1992.

9. Dopo gli articoli di C. Gould (specialmente: *Michelangelo's "Entombment": a Futher Addendum*, in "The Burlington Magazine", CXVI, 1974, pp. 31-32), fondamentali M. Hirst, *Michelangelo in Rome: an altar-piece and the "Bacchus"*, in "The Burlington Magazine", CXXIII, 1981, pp. 581-593, e poi M. Hirst - J. Dunkerton, *Making and Meaning: The Young Michelangelo*, National Gallery, London 1994 (cit. nell'edizione italiana, aggiornata con appendici, *Michelangelo giovane. Scultore e pittore a Roma 1496-1501,* Modena 1997). Aggiunte sulle circostanze dell'acquisto e del riconoscimento del quadro sono venute da M. Bailey, *The rediscovery of Michelangelo's Entombment*, in "Apollo", CXL, 392, 1994, pp. 30-33. Sulla committenza dell'*Entombment*, se volontà testamentaria del vescovo Giovanni Ebu o piuttosto iniziativa della Fiammetta cortigiana – una delle tante facenti capo a Sant'Agostino – si veda poi A. Nagel, *Michelangelo's London "Entombment" and the church of S. Agostino in Rome,* in "The Burlington Magazine", CXXXVI , 1994, pp. 164-167. Ma per Rab Hatfield (vedi qui la cronologia al 22 maggio 1501) il fatto che Michelangelo restituisse interamente la somma pattuita può significare che egli non aveva neppure iniziato il quadro; il che farebbe cadere sia la destinazione a Sant'Agostino sia la data, rimettendo in discussione aspetti fondamentali della genesi del quadro.

10. Non viene meno la speranza di ritrovarla o di identificarla, sebbene il massimo grado di vicinanza all'originale michelangiolesco finora comparso sia raggiunto, a quanto pare, dall'esemplare di ambito ghirlandaiesco esposto in mostra. Per l'opinione di Everett Fahy che vi sia la mano di Michelangelo, così come nel *San Giovannino* del Metropolitan Museum di New York, si veda qui cat. n. 18.

pittura le ali teratomorfe dei diavoli schongaueriani, col suo recarsi in pescheria a indagare certo gli esemplari più vistosamente irti di dorsali spinose, Michelangelo si sarebbe avvicinato come mai prima (e mai dopo) agli interessi naturalistici di Leonardo, e forse sviluppò nell'occasione quella indulgente tolleranza per i mostruosi ibridi d'invenzione – le "chimere" – vivi solo nella fantasia di pittori e poeti, che Francisco de Hollanda lo avrebbe inteso ammettere in vecchiaia. Ma dovette anche, da quel gioco combinatorio di pezzi di natura (se mai vi si cimentò davvero), riportare perplessità e forse fastidio, così come, del resto, dai tentativi sofisticati ma poco persuasivi di far spuntare il tenero piumaggio di un'ala dalla spalla carnosa di un adolescente, messi in atto nell'angelo marmoreo di Bologna e nell'angelo dipinto a destra della Madonna londinese: cosicché infine tutti i suoi spiriti, dèmoni o angeli, preferì dipingerli senz'ali.

Non hanno retto al tempo, ovvero alle verifiche filologiche in esso esperite, aurorali proposte attributive che enucleavano, nelle pitture ghirlandaiesche, quanto di più possente e nervoso si potesse ritrovare, per additarvi le prime, pur mimetiche prove del Buonarroti: né il *San Giovanni* dolente, intensamente prospettico, segnalato da Roberto Longhi[11], né i gravi personaggi e il robusto ignudo inginocchiato additati da Giuseppe Marchini entro il ciclo ghirlandaiesco della cappella Tornabuoni in Santa Maria Novella[12]. Anzi proprio questi ultimi affreschi, ultimamente restaurati e riconsiderati[13], rinfocolano la curiosità e acuiscono la delusione: giacché, pur rivelando oggi essi con maggior chiarezza la propria natura composita, davvero esemplificativa della prassi di una numerosa e ben guidata bottega, non siamo in grado di riconoscervi con certezza un intervento michelangiolesco. E tanto vale per altre importanti opere che sul finire del secolo vennero licenziate da Domenico e dai suoi parenti, come la monumentale pala di Rimini, sebbene meriti una seconda occhiata la coloritura del san Rocco, non per caso comunemente riferito al Granacci, con la sua veste rossa candeggiata dalla luce e le calze vivamente cangianti. Se la testimonianza documentaria, e insieme l'affezione che portiamo all'immagine vasariana del ragazzino Michelangelo che ritrae i compagni ghirlandaieschi sui ponteggi, ci indurranno a esperire tutte le connessioni possibili tra il frescante affermato e l'esordiente, dovremo congetturare che vi sia stato un rapporto – un "dare" e un "avere" scambievole – nel disegno, primo e principale strumento comune di tutti gli artefici fiorentini e toscani. Proprio sul ritocco di un disegno di figura femminile, del resto, s'incentra l'aneddoto riportato nella *Vita* giuntina e supportato, a dire del biografo, dalla carta in suo possesso.

Dalla tradizione toscana del disegno, di cui un passaggio molto vicino fu certamente il disegno costruttivo e vivace del Ghirlandaio[14], Michelangelo avrebbe potuto in parte far germinare quel suo modo non solo grafico, ma generalmente espressivo, di costruire figura e volume per fitti tratteggi, o di penna, o di pennello, o di scalpello: un modo personale e riconoscibile di far affiorare la superficie delle cose, in forma di luminosi fasci vibranti, dall'altrettanto fremente incrocio dei tratti d'ombra, che divengono, in scultura, i solchi e i colpi affondati nel marmo a creare il cosiddetto non finito. Dal canto suo, Michelangelo avrebbe ben potuto contribuire con disegni alla massima impresa su muro del suo maestro nonché collega anziano. Così all'incirca avrebbe funzionato di lì a poco (1503 circa) la collaborazione del giovane e dotatissimo Raffaello con l'affermato ma sorpassato Pinturicchio, a Siena: dove per la Libreria Piccolomini l'urbinate avrebbe fornito ben due pensieri compositivi, estraniandosi dalla loro trasposizione a fresco sulle pareti. Avrà poi guardato con attenzione al monumentale altar maggiore, sventuratamente disperso, della basilica domenicana[15]? Se sì, avrà forse ricordato volen-

11. R. Longhi, *Due proposte per Michelangelo giovine*, in "Paragone", 101, 1958, pp. 59-64.

12. G. Marchini, *The Frescoes in the Choir of Santa Maria Novella*, in "The Burlington Magazine", XCV, 1953, pp. 320-331.

13. C. Danti, *Osservazioni sugli affreschi di Domenico Ghirlandaio nella chiesa di Santa Maria Novella in Firenze*, in *Le pitture murali. Tecniche, problemi, conservazione*, Firenze 1990, pp. 39-58; e C. Danti e G. Ruffa, *Note sugli affreschi di Domenico Ghirlandaio nella chiesa di Santa Maria Novella in Firenze*, in "OPD - Rivista dell'Opificio delle Pietre Dure e Laboratori di Restauro di Firenze", 2, 1990, pp. 29-48.

14. J.C. Cadogan, *Observations on Ghirlandaio's Method of Composition*, in "Master Drawings", XXII, 1984, pp. 150-172, e id., *Reconsidering Some Aspects of Ghirlandaio's Drawings*, in "The Art Bulletin", LXV, 1983, pp. 274-290. Indispensabile la lettura del lavoro monografico di R.G. Kecks, *Ghirlandaio*, Firenze 1995. Per la discussione della tecnica grafica di Michelangelo, incluse affinità e divergenze col Ghirlandaio, si veda M. Dunkelmann, *Michelangelo's Earliest Drawing Style*, in "Drawing", I, 6, 1980, pp. 121-127.

15. Se ne veda la ricomposizione in C. Von Holst, *Domenico Ghirlandaio: l'altar maggiore di Santa Maria Novella a Firenze ricostruito,* in "Antichità Viva", VIII, 1969, pp. 36-41.

tieri i santi laterali, solidi come statue dipinte nelle loro nicchie dalle calotte a conchiglia sapientemente deformate dallo svariare prospettico, magari per raggiungere effetti simili (ma il montaggio lo avrebbe tradito) con le statue marmoree destinate alle nicchie dell'altare Piccolomini nel duomo di Siena, ormai in pieno 1503.

Ma poiché tutta Firenze, e specialmente le sue chiese, era un manuale aperto di fronte a Michelangelo negli anni, tutto sommato quieti e fruttuosi, dal 1487 circa al 1492; e poiché le collezioni medicee antiche e moderne gli erano, più o meno occasionalmente, accessibili prima che la morte di Lorenzo il Magnifico disperdesse la compagine del giardino e poi, nella politica cittadina, aprisse la crisi irreversibile del 1494; ecco che l'orizzonte dell'artista in formazione, che sappiamo critico e ricettivo, risulta straordinariamente ampio. Uccello, Pollaiolo, Lippi, Signorelli erano ben rappresentati in via Larga: e non c'è controversia sull'ispirazione signorelliana di aspetti caratterizzanti del *Tondo Doni*, dalla Madonna seduta in terra a modo di Umiltà, agli ignudi sullo sfondo, alle teste clipeate trasposte nella cornice lignea. E per venire all'attualità, come avrà valutato Michelangelo le pitture dei maestri più affermati di Firenze, via via che in quegli anni salivano sugli altari o adornavano ricche camere borghesi?

Non resta per ora che la *Madonna di Manchester*, la cui datazione oscilla fra il 1492 e il 1497[16], ad aprirci un varco verso il percorso formativo di Michelangelo pittore, originale sì, ma non per questo meno profondamente radicato nello *humus* artistico fiorentino, oltre che compatibile con un apprendistato tecnico presso il Ghirlandaio[17]: perché, se è vero che la composizione londinese presenta tratti insoliti e non riscontrabili nei pittori del periodo che le si assegna, è vero altrettanto che non le mancano completamente relazioni con tendenze artistiche coeve.

Non può esser sottaciuto, vista l'autorità delle fonti, l'argomento di un rapporto con Francesco Granacci, amico e inoltre vicino di casa, in quanto di famiglia inurbata da Villamagna nel quartiere orientale di Santa Croce, proprio in via Ghibellina. Non è tuttavia verosimile che Michelangelo abbia preso da lui, a sua volta esordiente benché un poco più grande, mentre al contrario sono da interpretare la *Madonna* di Dublino, definitivamente assegnata al Granacci, e più ancora la *Madonna* di Tolone come riflessi dei pensieri pittorici di Michelangelo in quegli anni novanta che li vedevano procedere paralleli.

Se ci fu però un luogo dove fu dato a Michelangelo di farsi, in brevissimo giro di passi e di sguardi, un'idea delle tendenze più in voga nella pittura fiorentina, quello fu il complesso agostiniano di Santo Spirito, che lo ospitò per un indimenticabile soggiorno tra il 1492 e il 1493[18]. Moderna pinacoteca sacra, nelle nicchie d'impianto brunelleschiano la magnifica chiesa d'Oltrarno veniva accogliendo pale d'altare rettangolari di autori diversi, armoniosamente seppure rigorosamente collegate alle monofore soprastanti e ai paliotti dipinti sottostanti. Se non mancavano espressioni di devota *naïveté*, erano affluite e affluivano opere di primo piano. Vi era la splendida tavola di Filippo Lippi, pittore non indifferente a Michelangelo, che avrebbe manifestato attenzione anche per l'opera del figlio Filippino. Erano giunte da poco la *Pala Bardi* di Sandro Botticelli (1485, oggi nella Neue Gemäldegalerie di Berlino) e la *Visitazione con santi* di Piero di Cosimo per i Capponi (1490, ora nella National Gallery of Art di Washington). Cosimo Rosselli, presente in chiesa fin dal 1482 con la pala della cappella di Tommaso Corbinelli, aveva introdotto ampia testimonianza della sua cerchia e in particolare di Biagio d'Antonio e dei fratelli Donnino e Agnolo di Domenico del Mazziere, questi ultimi autori tra la fine degli anni ottanta e i primissimi novanta di altre tavole che sono andate, fino a poco tem-

16. Mentre lo Hirst indicava come plausibile la data 1497, proponendo di ancorare la *Madonna di Manchester* all'acquisto di un quadro di legno da parte di Michelangelo in Roma per la modica cifra di tre carlini, Bonsanti aveva suggerito un inizio più precoce individuando per l'esecuzione due possibili periodi fiorentini, il primo nel biennio 1492-94, il secondo a cavallo tra gli ultimi mesi del 1495 (anzi, a guardare la cronologia, gli ultimi giorni secondo lo stile comune) e la prima metà del 1496.

17 Per l'analisi delle tecniche condotta da J. Dunkerton rimando a Hirst - Dunkerton 1994.

18. Si veda in mostra il *Crocifisso* di Santo Spirito (cat. n. 36), con tutto quanto attiene alla sua attribuzione a Michelangelo. Mi è capitato di far osservare come una fonte secentesca attribuisse a Michelangelo un giudizio lapidario e probabilmente venato d'ironia sull'architettura interna di Santo Spirito, da lui definita, per il paradossale fitto di colonne, un "canneto" (cfr. Acidini Luchinat *Dal Brunelleschi al Bernini, attraverso Michelangelo: il "canneto"*, in *"Settanta studiosi italiani". Scritti per l'Istituto Germanico di Storia dell'Arte di Firenze*, a cura di C. Acidini Luchinat, L. Bellosi, M. Boskovits, P.P. Donati, B. Santi, Firenze 1997, pp. 301-306.

po fa, sotto l'attribuzione convenzionale a un "Maestro di Santo Spirito"[19]; e forse proprio l'uso arcaico, spavaldo e un po' crudetto del colore di questi piccoli maestri ravvivò in Michelangelo – *si parva licet componere magnis* – memorie della viva tavolozza della pittura su tavola trecentesca e primo quattrocentesca, che si sarebbe affacciata forse nella *Madonna di Manchester*, la cui incompletezza però non ci lascia dire, e che certo si manifestò nel *Tondo Doni*, che il restauro a suo tempo ha rivelato di un fulgore cromatico ardito e glorioso, terso d'ogni possibile *fumus* leonardesco.

L'operoso Cosimo Rosselli, nei suoi pur indiscutibili limiti, non dovette passare inosservato sotto lo sguardo indagatore del giovane Michelangelo, al quale a un certo punto poterono avvicinarlo le comuni inclinazioni savonaroliane. Anziano e affermato, licenziò attorno al 1492 la *Madonna in trono col Bambino e santi* per la cappella Salviati nella chiesa del Cestello in Borgo Pinti (passato nelle Gallerie Fiorentine), nella quale non è indiscreto decifrare uno spunto di dialogo con la *Madonna di Manchester*: in entrambi i quadri le Vergini ampie e tornite si stagliano contro fondali di aria densa eppure incolore, accolgono i bambini come allegorie della Caritas, con l'ovale del volto inclinato, le palpebre abbassate a eclissare la malinconia dello sguardo, un seno esposto dalla veste tagliata o discinta a uso dell'allattamento. Anche le atmosfere bloccate dell'affollato immaginario soprannaturale di Cosimo, senz'aria né sorgente luminosa – basta correre col pensiero alla soffocante *Incoronazione di Maria* in Santa Maria Maddalena de' Pazzi – Michelangelo avrebbe potuto rievocarle molti anni più tardi, nel concepire il fondale del *Giudizio* sistino come impenetrabile lastra di lapislazzuli.

2. Cosimo Rosselli, *Vergine col Bambino e san Giovannino, incoronata da angeli, tra i santi Jacopo e Piero*. Firenze, Cenacolo di San Salvi.

Con i volti femminili di Lorenzo di Credi, dotato allievo del Verrocchio, la *Madonna* londinese si trova a condividere la tipologia solida e generosa, modellata per piani ampi.

Però Michelangelo, al di fuori o forse dopo la fine del rapporto di apprendistato col Ghirlandaio, dovette raggiungere il massimo accostamento elettivo con un altro pittore ancora, il cui nome non ricorre abbastanza spesso in relazione col suo, vale a dire Sandro Botticelli[20], col quale tra l'altro era abbastanza in confidenza da fargli recapitare nel 1496, da Roma, una lettera per Lorenzo di Pierfrancesco de' Medici, ben conosciuto da entrambi (cfr. la *Cronologia*). Nello scenario della pittura fiorentina solo il Botticelli, a ben guardare, offre tipologie corporee espressivamente allungate, cui basterà innestare sostanza di volumi poderosi per raggiungere la dimensione dell'eroico. Solo il Botticelli, a distanze astrali dai ritmi narrativi medi e pacati che caratterizzano le storie sacre dell'ultimo Quattrocento, padroneggia un registro emotivo che gradua dall'impassibilità più ieratica e non comunicante, all'eccesso di affetti capace di piegare in angolazioni innaturali le figure, fino a squilibrarle, accasciarle, spezzarle: forzature, queste, che interessarono Michelangelo a partire almeno dalla *Battaglia dei centauri* nella sua più precoce impostazione, per svilupparsi nella *Battaglia di Cascina* e oltre. In alcune opere tarde Sandro, sensibile al richiamo savonaroliano alla severità e alla semplicità, seppe rinunciare alle lusinghe del paesaggio per costruire scenari minimali, scanditi dalle scabre giaciture geologiche di poche rocce: così nel *Compianto sul Cristo morto* di Monaco, e più ancora nel *Compianto* del Museo Poldi Pezzoli a Milano (1492 circa), il quale ultimo merita di esser confrontato con la produzione giovanile di Michelangelo non solo e non tanto perché contiene lo stesso numero di figure, sette, dell'*Entombment* di Londra[21], ma perché l'accomuna alla *Madonna di Manchester* (per quel che è dato arguire dal suo stato incompleto) l'addensato accostamento delle figure, ognuna racchiusa in un sentimento intenso, eppur bloccato e composto, a formare in primo piano una siepe umana su

19. Per un'esauriente rassegna della pittura in Santo Spirito si rimanda al saggio di E. Capretti, *La pinacoteca sacra*, in C. Acidini Luchinat (a cura di), *La chiesa e il convento di Santo Spirito a Firenze*, Firenze 1996.

20. C. Von Holst, *Michelangelo in der Werkstatt Botticellis?*, in "Pantheon", 25, 1967, pp. 329-335.

21. L'osservazione è in Hirst - Dunkerton 1994, ed. italiana, p. 77, nota 49.

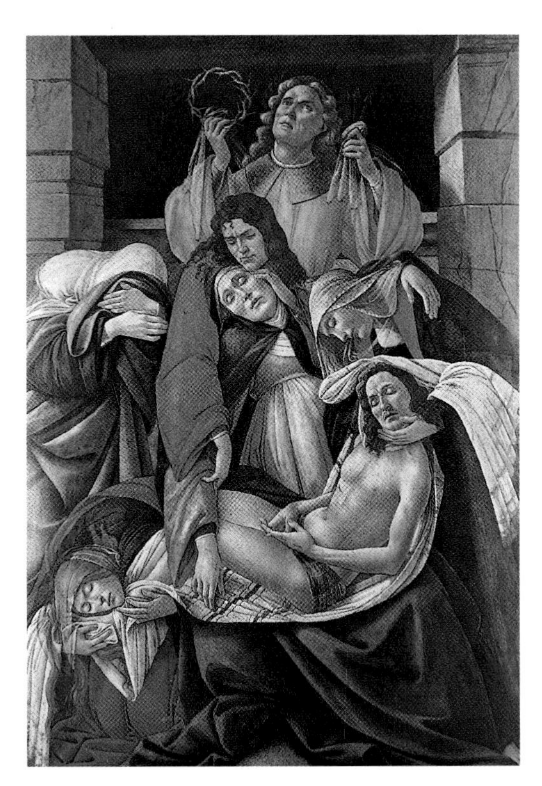

3. Sandro Botticelli, *Compianto sul Cristo morto*. Milano, Museo Poldi Pezzoli.

uno zoccolo roccioso: e sebbene movesse da altre considerazioni, l'Argan ebbe a osservare, a proposito del *Compianto* Poldi Pezzoli, che "soltanto Michelangelo saprà affermare, molti anni dopo, il senso di una composizione come questa, che evita insieme la crudezza del dramma e l'astrattezza dell'idea"[22]. A scendere poi nei particolari, non sfugge un sentore botticelliano nelle coppie d'angeli londinesi, con teste e corpi a due a due familiarmente accostati: perché se è vero che il gesto dei due più finiti a destra, di leggere all'unisono, l'uno poggiato all'altro, una carta, ha un precedente importante tra i giovinetti coristi della cantoria di Luca Della Robbia, non è men vero che quelle attitudini e quei gesti furono dal Botticelli attribuiti innumerevoli volte agli angeli stretti a corona, spesso fitti e un poco invadenti, tutt'intorno alle sue Madonne. Infine, anche il rapporto tra i protagonisti sembra riprendere, con un'originale variazione, uno dei temi ricorrenti nel Botticelli, la lettura al piccolo Gesù: che non è insegnamento giacché l'Infante è troppo piccolo per imparare a leggere, ma piuttosto educazione dell'orecchio e del cuore da parte di una Madre paziente, che c'immaginiamo leggere ad alta voce o salmodiare seguendo le righe del libro aperto, accompagnata dal canto angelico. Nella *Madonna* michelangiolesca, il dolce spunto botticelliano è declinato con accenti d'inquieto dinamismo: verso il libriccino prezioso il Bambino si allunga, dando la scalata al grembo materno con energia così determinata e improvvisa che Maria, pur allontanando il volumetto, non fa in tempo a sottrarne le pagine alla presa delle manine. Sia o no implicito in quello sfogliar di carte un silente dialogo simbolico inerente le Scritture[23], certo è che non poteva darsi del tradizionale rapporto tra la Madonna, il Bambino e il libro un'interpretazione più singolare e innovativa; e non senza però una tenera attenzione al naturale, come immediatamente riconosce chiunque abbia tentato, senza successo, di sottrarre un oggetto delicato a piccole dita rapaci.

Ulteriori attenzioni approfondite, su un altro versante, andrebbero infine dedicate alle coincidenze tra i due artisti nell'uso della tecnica pittorica[24], per la quale, a proposito della *Madonna di Manchester*, occorre approfondire ancora l'ipotesi dell'influenza ferrarese.

Non bisognosa del viaggio a Bologna iniziato nell'ottobre 1494 (con le ovvie conseguenze ferraresi), la *Madonna* londinese si mostra per diversi aspetti in tale sintonia di invenzioni e di tecniche con la pittura fiorentina degli anni ottanta e dei primissimi novanta, da far pendere la bilancia della datazione verso la fine del formativo soggiorno a Firenze, fra il 1493 e il 1494, assumendo così, anche per la mancanza di altre opere, il significato di una sintesi critica della complessa esperienza di Michelangelo, come apprendista e come "studioso" di pittura giunto alle soglie dei vent'anni. Sebbene non se ne abbiano prove, e neppure indizi, è suggestivo immaginare che l'incompiutezza del quadro sia dovuta alla partenza di Michelangelo per il settentrione nell'ottobre 1494, forse decisa in fretta, forse caldeggiata da Piero di Lorenzo de' Medici come parte di un'azione "diplomatica" nei confronti della Repubblica Serenissima e più ancora della signoria bentivolesca, che non avrebbe tuttavia scongiurato la disastrosa cacciata del 9 novembre.

Tra la *Madonna di Manchester* e il *Tondo Doni* si prospettano ancora, a dispetto delle appassionate indagini degli studiosi, dieci o dodici anni che rimarrebbero privi di testimonianze pittoriche certe, se non vi fosse l'*Entombment* londinese, indizio di un'impresa romana non giunta a buon fine.

Sembra verosimile che il rapido passaggio per Venezia abbia lasciato poche singole impressioni sull'artista, e che semmai egli si sia interessato ai monumentali apparati fu-

22. La citazione è opportunamente riportata in C. Caneva, *Botticelli*, Firenze 1990, n. 60.
23. Sono grata a Kathleen Weil-Garris Brandt per aver discusso a lungo e proficuamente con me questo, come del resto molti altri argomenti di questo testo.
24. È della Dunkerton l'osservazione che, per quanto la tavolozza testimoniata nella *Madonna di Manchester* presenti affinità con la pittura su tavola del Ghirlandaio, il modo di dipingere incarnati pieni e smaltati, torniti con cura, trova riscontri principalmente nei quadri del Botticelli (in Hirst - Dunkerton 1994, ed. italiana, p. 109, nota 25). Aggiungerei un appunto sulla continuazione, in Michelangelo giovane, del modo botticelliano di ottenere i chiari risparmiando e poi lavorando a velature il bianco dell'imprimitura.

nebri delle maggiori chiese, portando via qualche ricordo particolare della tomba Vendramin ai Santi Giovanni e Paolo con l'*Adamo* di Tullio Lombardo, oggi nel Metropolitan Museum a New York[25]. Più a lungo dimorante nella colta Bologna, difficilmente si sarà lasciato attrarre dal "gusto dolce" del Francia e del Costa, sintonizzati sulla fortuna interregionale del Perugino; mentre è certo che dedicò il suo apprezzamento ai ferraresi, magnificamente rappresentati in San Pietro con la cappella Garganelli, di Francesco del Cossa e Ercole de' Roberti, sventuratamente perduta[26]. Si sa che del paese di Argenta vicino a Ferrara era originario il suo assistente, Piero o Pietro, di cui si riconosce dubitativamente la mano in certi disegni e, per alcuni, nel gruppo di dipinti che Federico Zeri per primo riunì attorno alla personalità convenzionale del "Maestro della Madonna di Manchester": un gruppo rimasto pressoché intatto, anzi accresciuto da nuove attribuzioni, ma significativamente decapitato dopo che la *Madonna* londinese è tornata a Michelangelo in persona[27]. Senza azzardare collegamenti che rimarrebbero mere congetture, segnalo che, oltre ad altri compaesani, nell'area fiorentina fu poi attivo un Bernardo d'Argenta maestro d'organi, documentato tra il 1535 e il 1538 nella basilica di Santa Maria dell'Impruneta, presso Firenze.

4. Sandro Botticelli, *Madonna della Melagrana*. Firenze, Galleria degli Uffizi.

A Roma, dove si consumava l'ultima fase della committenza fastosa e autocelebrativa di papa Alessandro VI Borgia (che moriva nel 1503), poté forse imbattersi in ingegni peregrinanti e indagatori, come i bolognesi Ripanda e Aspertini, e certo non dovette sfuggirgli il successo stabilizzato di due viventi, Antoniazzo e il Pinturicchio; torna a lode di quest'ultimo il fatto ben noto che sia lui, sia Michelangelo si rivolgessero più tardi (1504-06) a una medesima fonte antica – un soffitto della villa Adriana a Tivoli – l'uno per il suo estremo e invero ben impostato affresco romano, vale a dire la volta del coro bramantesco di Santa Maria del Popolo, giocata sulla rotazione di un doppio quadrato, l'altro per un pensiero compositivo iniziale dedicato al suo primo affresco romano, la volta della cappella Sistina[28].

Se fosse stato finito o comunque visibile, l'*Entombment* non avrebbe mancato di introdurre un certo sconquasso nel pur variegato e tollerante universo artistico dell'Urbe, condannando a una repentina obsolescenza non solo i capiscuola dei cantieri romani e la galassia dei maestri minori loro vicini, ma anche artisti ben più solidi, come Filippino Lippi, attivo in quel tempo a Santa Maria sopra Minerva per il cardinale Carafa; avrebbe introdotto in pittura lo spartiacque tra la declinante età borgiana e l'imminente regno roveresco. Il solo, forse, nell'Italia centrale a poter subire quasi indenne il contraccolpo di quel dipinto grandiosamente innovativo sarebbe stato il maturo Luca Signorelli, che a cavallo dell'Anno Santo riempiva le pareti della cappella di San Brizio nel duomo di Orvieto con *Storie dell'Anticristo* di tale ferrigna potenza da lasciare il segno sul Buonarroti stesso.

Del soggiorno romano prima della Sistina non ci resta altro, essendo irreperibile la tavoletta su cui Michelangelo disegnò, affidandone ad altri la coloritura a tempera, *San Francesco che riceve le stigmate*, collocato in San Pietro in Montorio dove ancora lo vide il padre Sebastiano Resta[29]. Da un inventario francese sorge a reclamare un tributo di ricerche ulteriori, e quanto meno di attenzione, la citazione di un suo quadro raffigurante una *Pietà*, che avrebbe coincidenza tematica e cronologica con il gruppo statuario per il cardinale Jean Bilhères de Lagraulas del 1498-99, dal 1517 circa nella basilica petriana. La fiorita chiosa inventariale autorizza a raffigurarsi una versione più esplicitamente patetica del tema, trattato invece nel blocco marmoreo con sommessa armonia d'intonazioni dolorose[30].

Non va chiuso l'argomento della formazione pittorica specialmente, se non esclusi-

25. C. Hugh Smyth, *Venice and the Emergence of the High Renaissance in Florence: Observations and Questions,* in *Florence and Venice*, Firenze 1979, pp. 209-249. Ma si veda anche il capitolo *Venetian Renaissance Sculpture* di J. Pope-Hennessy, in *An Introduction to Italian Sculpture*, II. *Italian Renaissance Sculpture*, London 1996 (IV ed.)

26. Si veda soprattutto il saggio di A. Emiliani - K. Oberhuber, *Bologna 1490: dall'umanesimo severo alla suavitas rinascimentale*, in M. Faietti - K. Oberhuber (a cura di), catalogo della mostra *Bologna e l'Umanesimo, 1490-1510*, Bologna 1988, pp. XI-XXXIV.

27. F. Zeri, *Il Maestro della Madonna di Manchester*, in "Paragone", 43, 1953, pp. 15-27. Non sembra abbia trovato seguito l'ipotesi di identificare il "Maestro della Madonna di Manchester" in Pedro Nunyes, allievo portoghese di Michelangelo (N. Dacos, *Il "criado" portoghese di Michelangelo: il Maestro della Madonna di Manchester, ossia Pedro Nunyes*, in "Bollettino d'Arte", serie VI, LXXVIII, 77, 1993, pp. 29-46.

28. J. Schulz, *Pinturicchio and the Revival of Antiquity*, in "Journal of the Warburg and Courtauld Institutes", XXV, 1962, pp. 36-40; K.Weil-Garris Brandt, *Michelangelo's Early Projects for the Sistina Cailing: their Pratical and Artistic consequences*, in "Studies of the History of Art. National Gallery of Art, Washington", 33, 1992, pp. 56-57.

29. Il Resta ne lasciò uno schizzo sommario in margine a una sua carta nel British Museum. Hirst e Agosti, nel commentare un ricordo di Pablo de Cèspedes al riguardo, propongono di attribuire l'esecuzione del quadro a Pietro d'Argenta (*Michelangelo, Pietro d'Argenta and the "Stigmatisation of St Francis"*, in "The Burlington Magazine", CXXXVIII, 1996, pp. 683-684).

30. C.M. Brown, *"Une Nostre-Dame de la Pitié... de la main du grand Miguel-Ange." A Lost Painting Attributed to Michelangelo in the 1532 Inventory of the Chateau de Bury,* in "Bibliothèque d'Humanisme et Renaissance", XLIII, 1981, pp. 159-163.

5. Sandro Botticelli, *Madonna del Magnificat*, particolare. Firenze, Galleria degli Uffizi.

vamente, fiorentina di Michelangelo, senza dedicare qualche rapsodica osservazione a uno spunto forse marginale, ma foriero di variazioni e ricerche, che il maestro dovette far suo dal tempo, appunto, delle prime esperienze: quello del drappo tessile, complemento dialettico della figura che con essa interagisce vivacemente e imprevedibilmente[31]. Nella sua versione minimale, è nastro o cinta che avvolge, attraversa, sigla e insomma ridisegna la persona, e in scultura, pur col rilievo sottile, influenza al suo passaggio il modellato di panni e carni, come si vede, solo per fare qualche esempio, nel *Fanciullo arciere*, nella Vergine della *Pietà* vaticana, nel *David* colossale, nel *Genio della Vittoria,* negli *Schiavi*. Espanso, è manto svolazzante in anse, sempre ripreso e controllato: ma anche benda, preparatoria al sudario, come nell'*Entombment*. Quale sudario è stato anche interpretato il drappo teso dall'uno all'altro putto nella *Madonna della Scala*, e similmente i panni chiari che passano dall'un gruppo all'altro degli ignudi nel fondo del *Tondo Doni,* che però sudari non sono, come ha puntualizzato la Levi D'Ancona facendone osservare la policromia[32]. Drappi piuttosto cerimoniali che funebri, paiono evocare l'universo effimero degli addobbi tessili festivi, che nella Firenze del Quattrocento ebbero sviluppo ed esemplificazione, entrando in una tradizione lunga secoli le cui propaggini estreme erano, ancora fino a non molti anni fa, le tovaglie d'arazzo e i tappeti sventolanti alle finestre nel passaggio delle processioni solenni. Assorta nel suo compito di nutrice mentre ferve tutt'intorno l'attività dei fanciulletti "paratori", la *Madonna della Scala* potrebbe divenire da un momento all'altro, non appena il panno venisse sciorinato e steso a proteggerla, *Madonna del Baldacchino*. Non sarebbe, del resto, un esempio isolato e peregrino, poiché Benozzo Gozzoli, nella cappella dei Magi in palazzo Medici (che Michelangelo non poteva non conoscere) aveva raffigurato alcuni angeli intenti a un vero e proprio lavoro di allestimento di apparati: la preparazione dei festoni floreali, eseguita intrecciando ai pesanti ripieni frasche verdi e corolle recise.

Il tema del fanciullo o dell'adolescente che sostiene con grazia noncurante festoni (anche ingombranti) e nastri svolazzanti, originato dall'antico, aveva percorso l'arte del Quattrocento fiorentino, divenendo quasi un *topos* in scultura. Michelangelo, fattolo proprio fin dagli anni dell'apprendistato, lo reintepretò in modo svolto e grandioso fino a moltiplicarlo in continue varianti nella struttura compositiva più complessa che gli fu dato affrontare in pittura, la volta della cappella Sistina. La comunità degli ignudi poderosi che, a ridosso dell'architettura illusionistica, tengono sospesi medaglioni all'antica, sorreggono festoni gravosi e tendono drappi fino a lasciarsi catturare e avvolgere nel loro effimero gorgo, rappresenta da parte del Buonarroti un riconoscimento palese, e insieme un superamento definitivo, delle sue radici e dei suoi maestri di Firenze.

31. I. Cini, *Le vesti "profetiche" dei personaggi Michelangioleschi*, in *Michelangelo - La Cappella Sistina*, Novara 1994, 3 voll.; III, *Atti del Convegno Internazionale di Studi*, Roma (1990) a cura di K. Weil-Garris Brandt, Novara 1994, pp. 217-220.
32. M. Levi D'Ancona 1968, p.47, nota 46.

Nicholas Penny

La *Madonna di Manchester**

La *Madonna di Manchester* guadagnò vasto credito come opera di Michelangelo verso la metà del XIX secolo, più o meno nello stesso momento in cui gli studiosi credevano che il *Cupido* di marmo, da tempo perduto, donato da Michelangelo a Jacopo Galli fosse stato ritrovato. Val la pena seguire la storia di quest'ultimo prima di descrivere la fortuna critica del dipinto sopra menzionato. Ritrovato assieme ad altri pezzi di scultura antica nella cantina di una villa intorno al 1853 dall'esimio scultore e collezionista fiorentino Emilio Santarelli, il *Cupido* venne restaurato secondo l'idea che questi aveva dello stile di Michelangelo e del soggetto, e acquistato poi, nel dicembre 1860, dal South Kensington Museum (che poi diverrà Victoria and Albert Museum) su raccomandazione del più grande fra tutti i *connoisseurs* inglesi, J.C. Robinson[1].

Retrospettivamente è chiaro come l'entusiasmo di tali autorità mettesse a tacere il dibattito che sarebbe stato appropriato per una proposta tanto audace. Qualche decade più avanti taluni studiosi misero in discussione che si trattasse realmente del *Cupido* donato a Galli, ma nessuno sembra avere avuto dubbi sul fatto che fosse una autentica scultura di Michelangelo prima della monografia di Charles Holroyd uscita nel 1903[2]. Poco più di cinquant'anni dopo, la reale identità dell'opera, ossia un pezzo antico riscolpito e restaurato come *Narciso* nel Cinquecento da uno scultore minore, Valerio Cioli, fu rivelata da John Pope-Hennessy in un brillante articolo[3] apparso sul "Burlington Magazine" (fig. 1). Oggi la scultura è stata quasi completamente dimenticata. Questa vicenda (alla quale se ne potrebbero affiancare altre, ovviamente, ad esempio il caso delle *Tre Parche* di palazzo Pitti, considerate nel 1850 alla pari con il *Tondo Doni* degli Uffizi, o il caso del *San Giovanni* comprato da Bode per il museo di Berlino nel 1880) non costituisce solo un monito alla prudenza. Aiuta a spiegare perché l'attribuzione a Michelangelo della statua marmorea di un giovane arciere recentemente scoperta a Manhattan non fosse presa sul serio quando circa un centinaio d'anni fa[4] venne proposta a Londra: infatti, non solo molti erano convinti che il *Cupido* fosse già stato ritrovato, ma anche quelli che non vi credevano erano pur sempre persuasi che la scultura di Cioli e Santarelli fornisse una pietra di paragone sulla quale valutare la prima attività artistica di Michelangelo. Le credenziali del *Fanciullo arciere* sarebbero state meglio valutate se gli esperti lo avessero messo a confronto con la *Madonna di Manchester* della National Gallery di Londra (cat. n. 46).

Nel 1850 o 1851, probabilmente poco prima che Santarelli facesse la sua scoperta – o, come alcuni cinici reclamano, ordisse la sua trama – in una buia cantina di Firenze, il grande studioso e conoscitore tedesco Gustav Waagen, direttore delle collezioni reali a Berlino, fu invitato a pranzo a Stoke Park, vicino a Windsor, la residenza di Henry Labouchère (più tardi diverrà Lord Taunton), un politico liberale sulla cinquantina discendente da ugonotti francesi. Waagen fu impressionato dalle sculture di Labouchère – capolavori di Thorvaldsen, Canova, Tenerani, Schadow – e anche da alcuni dipinti fiamminghi e italiani come l'*Annunciazione* di Crivelli, ora alla National Gallery; ma dichiarò nel secondo volume dei *Treasures of Art in Great Britain* (1854) che "di gran lunga il mi-

* Parte di questo saggio è apparsa in un articolo del "The Times Literary Supplement", 21 ottobre 1994, pp. 16-17.
1. J. Pope-Hennessy, *Catalogue of Italian Sculpture in the Victoria and Albert Museum*, 3 voll., London 1964, II, pp. 452-455; J.C. Robinson, *Italian Sculpture of the Middle Ages and Period of the Revival of Art*, London 1986. Santarelli esaminava la scultura con Migliarini nella cantina dei giardini appartenenti al marchese Strozzi, per conto di Ottavio Gigli che stava costituendo una collezione più tardi assorbita in quella del marchese Campana, capo della Banca pontificia.
2. C. Holroyd, *Michael Angelo Buonarroti*, London 1903, p. 108.
3. J. Pope-Hennessy, *Michelangelo's Cupid – The end of a Chapter*, in "The Burlington Magazine", XCVIII, 1956, pp. 403-411.
4. La vendita di Stefano Bardini, da Christie's a Londra il 26-30 maggio 1902, lotto 584. Si potrebbe pensare che Bardini propose il titolo di "Ercole" per la statua a causa del convincimento che il *Cupido* fosse quello del Victoria and Albert Museum.

1. Valerio Cioli, *Narciso* (già identificato come *Cupido* e attribuito a Michelangelo), 1580 circa. Londra. Victoria and Albert Museum.

2a e 2b. Michelangelo, *Il fanciullo arciere*, particolari.

3. M. Venusti (da Michelangelo), *Il silenzio (Sacra Famiglia)*, 1560 circa. Londra, National Gallery.

glior pezzo della collezione" era un dipinto non finito della *Vergine con Bambino e san Giovannino* che "era stato acquistato dal signor Labouchère come opera di Domenico Ghirlandaio "da una certa signora Bonar".

Sappiamo da altra fonte che questa vendita avvenne tramite Colnaghi, per cinquecento guinee nel 1848, subito dopo che l'opera era stata esposta alla British Institution. "Questa", proseguiva Waagen, "sono convinto sia una produzione giovanile di Michelangelo" (dava qui l'impressione di aver dimenticato che Otto Mündler aveva attirato la sua attenzione sul dipinto come opera di Michelangelo nel 1846, nella speranza di venderlo a Berlino per conto della signora Bonar)[5].

Waagen capì come il dipinto avesse potuto essere attribuito al Ghirlandaio, ma faceva giustamente osservare che "le Vergini dell'artista non esprimono mai sentimenti che vadano oltre il materno e il decoroso. Invece la Vergine nel dipinto in questione si elevava a una purezza assoluta, consapevole del Divino Concepimento, tale che nessun altro artista, eccetto Michelangelo, avrebbe potuto realizzare". Nello scrivere la sua relazione, Waagen non aveva una testimonianza visiva del dipinto, ed è pertanto interessante notare che lo descriveva come se fosse di forma circolare, forse perché lo stava paragonando interiormente con l'unico dipinto da cavalletto finito di Michelangelo di cui si abbia notizia, il *Tondo Doni* degli Uffizi, e forse anche perché era colpito dalle sue affinità con il non finito di Michelangelo al Bargello, il *Tondo Pitti*. Scriveva che "la maniera in cui la gamba destra è posta sopra la sinistra è un gesto a sé stante che appare spesso nelle sue opere più tarde, ad esempio nella *Sacra Famiglia con il Bambino dormiente*". Le gambe della Vergine non sono in effetti incrociate, ma lo sporgere del fianco e la disposizione dei panneggi intorno richiamano il *Tondo Pitti*, la *Madonna* della cappella medicea e il disegno finito di Michelangelo (riprodotto in numerosi dipinti da Venusti) della *Sacra Famiglia con il Bambino dormiente*, conosciuta anche come *Il silenzio* (fig. 3)[6].

Waagen fu uno degli organizzatori della colossale mostra *Art Treasures* tenutasi a Manchester nel 1857, e infatti l'idea stessa della mostra scaturì in parte dai suoi libri. Il dipinto di Labouchère divenne una delle attrattive sensazionali dell'esposizione. Da allora in poi è noto come la *Madonna di Manchester*. L'attribuzione a Michelangelo ebbe un larghissimo sostegno: fra coloro che maggiormente la caldeggiarono vi fu Charles Blanc, redattore della "Gazette des Beaux-Arts", il neonato giornale francese dedicato agli studi e alla critica d'arte antica e moderna. Il primo articolo sul quinto numero, apparso il 1° marzo 1859, dava un entusiastico riassunto della bellezza di quest'opera d'arte che Blanc aveva pubblicato nei *Trésors de l'art à Manchester* nel 1857. Egli descriveva come si fosse precipitato subito verso quella parte dell'esposizione dove era in mostra il dipinto per contemplarne in silenzio "l'augusta eleganza" e "la grandezza altera". Trovò che la Vergine era "pensierosa, triste e fiera" e notò che il dipinto era "costruito con una simmetria architettonica, si compone e si bilancia come una scultura", "la si direbbe dipinta avendo sotto gli occhi un blocco di marmo"[7].

Per certo la descrizione data da Blanc non è mai stata superata. È senza dubbio la caratteristica più evidente del dipinto il fatto che ciascuno dei tre principali gruppi di figure possieda una compattezza come se fosse stato un tempo contenuto dentro un blocco di marmo, e per di più l'intera composizione allude al rilievo, senza sfondo e senza esibizione di alcuna prospettiva aerea o lineare.

Poiché non è finito e non fu verosimilmente mostrato, non sorprende che il dipinto non abbia avuto molto impatto sul lavoro di altri artisti. Se ne possono tuttavia cogliere

5. G. Waagen, *Treasures of Art in Great Britain*, 3 voll., London 1854, II, pp. 417-418 (l'intera parte su Stoke Park si trova alle pp. 416-423). Il prezzo di 500 guinee e la data del 1848 furono forniti da Moore nella sua deposizione al Comitato del Parlamento, cfr. la nota 20. La lettera di Mündler è stata pubblicata da Tilmann von Stockhausen, *Ein Michelangelo fur Berlin? Otto Mündler and Gustav Friedrich Waagen* in "Kunstchronik", XLVIII, 5 maggio 1995, pp. 177-182. Sono riconoscente a Florian Illies per avermelo segnalato.
6. L'errore di Waagen riguardo la forma del dipinto fu corretto nel volume supplementare del 1857, ma ripetuto nel nostro secolo da Berenson.
7. C. Blanc, *Les Trésors de l'art à Manchester*, Paris 1857, e *La Vièrge de Manchester: tableau de Michel Ange*, in "La Gazette des Beaux-Arts", 5, 1 marzo 1859, pp. 257-269.

i riflessi nei dipinti più tardi di Michelangelo stesso, e ancora di più nelle sculture: la maniera in cui il Bambino è tenuto fra le ginocchia della Vergine, il panneggio scomposto dal piede del Bambino, la posa in torsione del Battista, le piccole pieghe arrotolate di un drappeggio che cade sul plinto naturale di una roccia ai piedi dell'insolita calzatura della Vergine, la sua calma espressione non priva di tristezza, tutto si ritrova nella *Madonna col Bambino* che Michelangelo scolpì a Firenze subito dopo il 1500 e inviò a Bruges nel 1506.

Se il dipinto fosse stato portato a termine, l'abito della Madonna sarebbe stato ovviamente azzurro e ci sarebbero stati più ornamenti sui bordi delle rifiniture della veste o nell'acconciatura dei capelli, e forse qualche ciuffo di erba e altre piccole piante sarebbero spuntati intorno alla roccia ai suoi piedi. Ma l'austerità plastica delle figure sarebbe certamente rimasta assai accentuata in confronto con altri dipinti prodotti a Firenze in quel periodo. In questi ultimi siamo legittimati ad aspettarci una cortina di tessuto riccamente lavorato appeso dietro l'ornato trono marmoreo della Vergine o la Sacra Famiglia in riposo in un paesaggio pieno di uccelli e fiori con sentieri che serpeggiano fra boschetti e ruscelli verso città lontane e montagne azzurrognole. Il dipinto rivela in realtà un grande debito verso l'arte fiorentina che l'ha preceduto, ma significativamente si tratta di un debito verso un'opera di scultura: gli angeli richiamano il coro musicante della Cantoria di Luca della Robbia[8].

Il soggetto della *Madonna di Manchester* è il leggendario incontro fra san Giovannino e il cugino, un episodio che si suppone accaduto quando la Sacra Famiglia era sulla via del ritorno dall'Egitto, ma che fu spesso rappresentato dai pittori fiorentini come avvenuto subito dopo la Natività, durante la fuga da Betlemme. Nel nostro caso tuttavia, qualsiasi idea di una pausa durante una fuga è da escludere. Gli angeli sembrano esaminare ciò che il Battista ha portato, mentre Cristo si scosta dal cugino per studiare le profezie nel libro che gli altri angeli hanno già letto e che la Vergine con riluttanza gli porge. Il seno scoperto della Madonna accentua la precoce sapienza biblica del Cristo: anche attaccato al seno della madre egli comprende il suo destino. E parimenti la madre, anche se il sentimento materno assicura che è, al tempo stesso, "triste e fiera".

La voce di dissenso più interessante, in merito all'attribuzione a Michelangelo, è forse quella di un altro francese, Theophile Thoré, che era al seguito del principe Alberto quando per la prima volta visitò la mostra. Nel libro che dedicò alla mostra affermava: "Il catalogo non era ancora uscito e nella mia mente appariva che quest'opera dovesse essere vicina al Buonarroti; mi sembrò che avesse dovuto ispirarne il disegno e che l'esecuzione potesse spettare a uno della cerchia del Ghirlandaio". Non aveva dubbi sul fatto che si trattasse di un capolavoro: "Non conosco pittura dal carattere più elevato o dall'esecuzione più ferma"; chiamò perfino in causa la scultura policroma degli antichi greci. Il problema per lui era che non c'era nulla di "tormentato" nell'opera. "La *Madonna di Manchester* è sobria e semplice: ha tutto il grandioso stile di Michelangelo, senza averne gli eccessi"[9]. L'assenza della *terribilità* rimane anche oggi per alcuni un ostacolo all'accettazione del dipinto come opera di Michelangelo. Ma figure solenni e calme uscirono di certo dalla sua mano: l'*Angelo* del San Domenico di Bologna, il *San Pietro* di Siena e soprattutto la *Madonna di Bruges*.

Il proprietario della *Madonna di Manchester* espresse il desiderio che "l'opera entrasse un giorno a far parte delle collezioni nazionali" e dopo la sua morte, nel 1870, fu comperata presso gli amministratori dei suoi beni dalla National Gallery al prezzo di duemila guinee, la medesima cifra sborsata due anni prima per il *Seppellimento* di Michelangelo[10].

8. C.J. Holmes, *The National Gallery, Italian Schools*, London 1923, p. 83; con accortezza osservava: "Nella Cantoria di Luca a Firenze troverai proprio una composizione identica, salvo che il posto della Madonna e dei bambini è occupato da una figura barbuta che tiene uno strumento musicale". M. Hirst, in M. Hirst e J. Dunkerton, *The Young Michelangelo*, London 1994, p. 46, fa notare che gli angeli di Michelangelo "tipicamente non suonano mentre tengono in mano manoscritti bensì meditano sul futuro".
9. W. Burger [Thoré Burger], *Trésors d'art exposés à Manchester en 1857*, Paris-London 1857, pp. 40-42.
10. Gli esecutori testamentari di Lord Taunton lo avevano prestato all'esposizione d'inverno della Royal Gallery (n. 151). L'affermazione che Lord Taunton avesse "espresso il desiderio che l'opera entrasse un giorno a far parte delle collezioni nazionali" venne fatta da William Boxall, il successore di Eastlake nel ruolo di direttore, in una lettera a Lord Northbrook, uno degli esecutori di Taunton, datata 17 febbraio 1870 (copia nell'archivio della National Gallery). L'accordo degli amministratori all'acquisto fu riferito a Northbrook in una lettera del 2 marzo.

Per quanto Waagen rivendicasse di essere la prima persona ad aver fatto il nome di Michelangelo, e per quanto il dipinto fosse comunemente visto come una sua scoperta, già in precedenza era stato associato con Michelangelo. Waagen non sapeva che il numero sul dipinto corrispondeva a quello in un inventario della collezione Borghese, né che un dipinto non finito con il medesimo soggetto era descritto in una guida della collezione Borghese del 1700 come "dipinto del Buonaroti". Ma Mündler aveva attirato la sua attenzione sul dipinto nel 1846 e avrebbe facilmente potuto rintracciare più notizie sulla complicata storia recente del dipinto[11].

Uno dei più eminenti mercanti d'arte che si occuparono dei numerosi dipinti venduti dalla famiglia Borghese all'inizio del XIX secolo fu lo scozzese Alexander Day. Von Rumhor, nella sua *Italienische Forschungen* pubblicata nel 1831, stimò perfino superiore al *Tondo Doni* degli Uffizi una tempera non finita: "das schönere, halbbeendigte Gemälde a tempera" eseguita da Michelangelo e posseduta da "Madame Day zu Rom jetzt in England"[12]. Come spesso accade con i mercanti d'arte, ci fu forse un po' di confusione relativamente al possesso dell'opera, ovvero se fosse nella collezione privata del mercante o in vendita, e inoltre se fosse veramente del tutto una proprietà di Madame Day e non piuttosto della famiglia Day. Il dipinto venne venduto a Londra il 21 giugno 1833 e comprato per sole 41 guinee, come opera di Michelangelo, da parte di William Seguier, pittore, mercante, conoscitore e primo conservatore della National Gallery[13].

Non sappiamo se Seguier stesse facendo l'acquisto per se stesso. Il dipinto sembra aver attirato una considerevole attenzione fra gli esperti londinesi, dal momento che fu oggetto di una speciale "conversazione" – un simposio, diremmo oggi – diretta da William Young Ottley, artista, collezionista, mercante e fine conoscitore della pittura fiorentina del Quattrocento. La data di questo evento e le conclusioni cui si pervenne mi sono ignote, ma deve avere avuto luogo prima del 1836, data della morte di Ottley[14].

Nel 1844, l'anno dopo la morte di Seguier, il dipinto diventò di proprietà della signora Bonar, la quale testimoniò come il marito, ormai defunto, l'avesse comprato a Roma, ma, "per le manovre di persone inefficienti", non ne fosse entrato in possesso[15]. Solo in anni recenti era riuscita a ottenerlo. Ciò che probabilmente accadde fu che il marito lo comprò da uno dei soci in affari di Day, ma questi, inconsapevole del fatto, lo aveva già consegnato per essere venduto a Londra. Il socio avrebbe potuto essere Pietro Cammuccini, fratello del capofila dei pittori romani di punta del periodo, ossia Vincenzo Cammuccini; quest'ultimo sembra infatti aver fornito al signor Bonar un'opinione scritta sulla paternità michelangiolesca dell'opera, consigliandolo di acquistarlo[16]. Nella primavera del 1844 la vedova Bonar offrì il dipinto alla National Gallery. Il conservatore, Charles Eastlake, ne fu realmente impressionato, ma era un uomo cauto e scettico sia sulle vecchie attribuzioni sia sulle affermazioni dei conoscitori, come ad esempio i fratelli Cammuccini. Eastlake propose invece che si trattasse "probabilmente" del maestro di Michelangelo, il grande pittore fiorentino Domenico Ghirlandaio (giudizio che forse riflette le conclusioni raggiunte nella "conversazione" guidata da Ottley). Eastlake sollecitò gli amministratori del museo, durante il loro incontro di maggio, di offrire 250 sterline per il dipinto. Il consiglio approvò la richiesta, ma l'11 giugno la signora Bonar fece sapere che rifiutava l'offerta come inferiore al reale valore del dipinto[17].

Quantunque non vi sia menzione di nuove discussioni sul soggetto nelle succinte minute delle riunioni del consiglio, sappiamo dal rapporto di Eastlake all'inchiesta parlamentare del 1853 sulla gestione della National Gallery che "egli portò di nuovo l'argomento all'attenzione del consiglio nella seduta successiva dell'anno seguente. Il signor

11. D. Montelatici, *Villa Borghese fuori Porta Pinciana*, Roma 1700, p. 210. Il dipinto era anche registrato negli inventari Borghese del 1725 e 1765 come ancora presente nella villa. Fu forse messo in magazzino quando la villa venne completamente rinnovata nel tardo Settecento.

12. C.F. von Rumhor, *Italienische Forschungen*, Berlin-Stettin 1827-29, 3 voll., III, p. 96.

13. "The very capital collection of Italian pictures made by Alexander Day, Esq. in Italy". Christie's e Manson al Pantechnicon, Belgrave Square, lotto 31.

14. Che il quadro fosse stato "oggetto di grande interesse in una conversazione o seminario d'arte tenuto a Londra molti anni or sono dal signor Ottley" è menzionato nelle minute del consiglio d'amministrazione concernenti l'acquisizione del dipinto.

15. Il racconto della signora Bonar sulle vicende del dipinto si trova in una lettera indirizzata al colonnello Thwaites in data 11 giugno 1844, depositata nell'archivio della National Gallery.

16. Un riferimento all'opinione del "famoso conoscitore italiano Cammuccini" si trova in una lettera del colonnello Angerstein (che aveva accettato di fare da agente per Bonar) datata 17 giugno 1844 e indirizzata a un membro del consiglio d'amministrazione, il duca di Sutherland, che la passò il giorno seguente alla galleria. Anche questo documento si trova nell'archivio della National Gallery.

17. Lettera citata alla nota 15.

Rogers [il poeta e collezionista Samuel Rogers] mi aiutò; era anch'egli molto ansioso di comprare l'opera. Il consiglio si rifiutò di fare un'ulteriore offerta, e per correttezza nei confronti loro, devo dichiarare che Sir Martin Shee [presidente della Royal Academy] era decisamente contro l'acquisto di quel dipinto; e che il consiglio non poté sfuggire all'influenza e al peso del suo giudizio... Confesso di essere stato molto deluso del fatto che l'opera del Ghirlandaio fosse stata definitivamente rifiutata. Ero indifferente sul momento, sotto l'effetto della delusione, e per quanto riguardava l'azione del Consiglio..."

Eastlake proseguiva spiegando come a causa di questo stato di depressione si lasciò indurre all'errore di raccomandare l'acquisto di un ritratto che passava per un Holbein, o anche di non avere fatto abbastanza per mettere un freno al prematuro entusiasmo dei consiglieri per quell'opera, un errore che provocò la protesta pubblica e l'inchiesta del Parlamento[18].

Non è difficile capire perché il consiglio sia stato riluttante a offrire più denaro per il dipinto. Sapevano che Eastlake era interessato agli artisti fiorentini che avevano preceduto i grandi maestri del Rinascimento, e che era particolarmente interessato alla storia delle tecniche e che pertanto sarebbe stato attirato da questo dipinto che, in parte a causa del suo carattere di non finito, così chiaramente esemplificava il metodo della pittura con la tempera a uovo. La maggior parte dei membri del consiglio avrebbe probabilmente fatto eco ai sentimenti espressi in una nota a Eastlake da Sir Robert Peel in data 13 maggio 1844, quando non poté essere presente a una riunione per impegni d'ufficio: "Mi pare che si dovrebbe accordare una preferenza a quelle opere di eccezionale merito che possano servire come esempio agli artisti di questo paese, piuttosto che all'acquisto di curiosità della pittura che servono a illustrare i progressi dell'arte"[19].

John Morris Moore, un artista che proprio in quel momento doveva essersi reso conto di aver fallito nella propria carriera, e aveva cominciato a commerciare e collezionare – e nel frattempo scriveva lettere al "Times" caratterizzate da un crescente odio ossessivo per la National Gallery – mise in ridicolo l'incapacità di acquistare il dipinto che (come prova dell'inchiesta parlamentare del 1853, l'anno prima che Waagen pubblicasse la sua opinione) egli dichiarava essere opera di Michelangelo. Con atteggiamento tipicamente sleale accusò Eastlake piuttosto che il consiglio d'amministrazione[20]. Le attitudini nei confronti del Quattrocento e dell'utilità di illustrare i progressi dell'arte erano completamente cambiate nel 1870. Inoltre la posizione di curatore era stata rimpiazzata da quella più alta di direttore, la cui opinione il consiglio doveva ponderare con maggior attenzione. Eastlake stesso divenne il primo direttore nel 1855. Non sappiamo se fu convinto dall'attribuzione di Waagen, ma è interessante osservare come fu probabilmente all'inizio del 1850 che egli acquistò la bella *Vergine con il Bambino* di Domenico Ghirlandaio, ora alla National Gallery, che esemplifica perfettamente il sentimento "materno e decoroso" così come era stato descritto da Waagen. Egli la comprò per la sua collezione privata nella quale era uno dei pezzi più preziosi[21].

Una volta che Santarelli ebbe deciso che la scultura che aveva trovato nella cantina fiorentina era di Michelangelo, fu in grado di metterla in relazione con la testimonianza della statua perduta del *Cupido*. Un'obiezione sollevata contro l'attribuzione a Michelangelo della *Madonna di Manchester* (così come per il *Seppellimento*) consiste nel fatto che non corrisponde a nessuna opera descritta dai primi biografi di Michelangelo. Eastlake, che era un attento studioso di Vasari, e di altre fonti antiche, poté forse mettere in dubbio l'attribuzione proprio per questa ragione. L'obiezione non è tuttavia veramente fondata, dal momento che Michelangelo non avrebbe amato rendere note opere che non

18. *Report from the Select Committee on the National Gallery*, London 1853, pp. 431-432, paragrafi 6178-6180, deposizione consegnata il 17 giugno 1853.

19. La lettera è conservata nell'archivio della National Gallery.

20. *Report from the Select...* 1853, p. 696, dossier consegnato il 22 luglio 1853. Per quanto riguarda Moore in generale si veda F. Haskell, *Past and Present in Art and Taste*, New Haven-London 1987, pp. 154-174.

21. NG 3937. M. Davies, *The Earlier Italian Schools*, London 1961, pp. 220-221.

4. Francesco Granacci, *Riposo durante la fuga in Egitto, con san Giovannino*, 1494 circa. Dublino, National Gallery of Ireland.

aveva terminato, e i suoi biografi non avevano diretta conoscenza di quello che aveva realizzato nei primissimi anni della sua carriera. Per di più, recenti ricerche di archivio rivelano che comprò un pannello nel 1497 e accettò la committenza di una pala d'altare nel 1500, fatti non menzionati dai biografi. Tutto questo senza considerare il fatto che sarebbe piuttosto sorprendente che l'artista che dipinse il *Tondo Doni* nel 1504 o nel 1506, non abbia eseguito alcun dipinto durante i quindici anni successivi alla sua uscita dalla bottega del Ghirlandaio.

Sembra improbabile che si possa mai provare che la *Madonna di Manchester* sia di Michelangelo, e la certezza nell'attribuzione è andata declinando nel corso di questo secolo. Anzi, non appena il dipinto venne a far parte dell'esposizione permanente della National Gallery i critici cominciarono a limitare l'entusiasmo che avevano espresso quando era una novità in un allestimento provvisorio[22]. Il dipinto ebbe probabilmente più sostenitori fra gli impegnati studiosi del Rinascimento nel 1860 di quanti non ebbe nel 1890.

Fra coloro che hanno espresso perplessità in merito all'attribuzione a Michelangelo della *Madonna di Manchester* non vi è stato un ritorno dell'idea che fosse da attribuire a Domenico Ghirlandaio, ma hanno piuttosto proposto candidati fra gli altri allievi del Ghirlandaio, come ad esempio Francesco Granacci, il cui nome venne avanzato per la prima volta da Gustavo Frizzoni nel 1891[23].

Questa ipotesi merita un'attenta considerazione, non da ultimo perché i due artisti furono per un certo periodo strettamente legati. Molti visitatori del Metropolitan Museum devono essere stati abbagliati dalla grandezza di alcune delle figure e dei gruppi inclusi nella *Predica del Battista*, un dipinto eseguito da un aiutante del Granacci e pendant di un altro dipinto eseguito dal medesimo[24]. Queste invenzioni si spiegano assai facilmente come derivate da disegni fatti da Michelangelo per il suo vecchio amico. Il *Riposo durante la fuga in Egitto con san Giovannino* di Granacci, conservato alla National Gallery of Ireland (figg. 4 e 5), include brani di grande bellezza formale (segnatamente il gioco delle mani del bambino) e possiede una vistosa monumentalità (una qualità che viene a mancare in alcune delle repliche della composizione che Granacci fece a una data posteriore)[25]. Questo dipinto ha diversi punti di contatto con la *Madonna di Manchester*: in entrambi la Vergine è posta su un trono di roccia con un piede sollevato su un plinto naturale, mentre un bambino saltella per raggiungere il suo ginocchio. La maniera di Granacci è assai meno disciplinata, le sue linee di contorno di gran lunga più svogliate, e non mancano quegli elementi convenzionalmente narrativi, quegli orpelli decorativi e il paesaggio di sfondo che sono invece significativamente assenti nella *Madonna di Manchester*. Tuttavia, non ci si può esimere dal domandarsi se un disegno di Michelangelo non stia alla base del dipinto, come von Holst aveva già ventilato[26]. Se così fosse, Michelangelo avrebbe potuto concepire la *Madonna di Manchester* come una "radicale reinterpretazione" del dipinto eseguito dall'amico, come suggerito da Michael Hirst (con acutezza, per quanto cautamente, in una nota)[27]. Una composizione tarda di Granacci inclusa in questa mostra suggerisce inoltre che egli abbia avuto modo di studiare la *Madonna di Manchester*.

Di gran lunga più dannosa per la valutazione critica della *Madonna di Manchester* fu la proposta di includerla in un gruppo di altri cinque dipinti che possiamo meramente descrivere come deboli *pastiches* derivati da precedenti ideazioni di Michelangelo. La proposta venne avanzata in un brillante articolo dello scomparso Federico Zeri[28] pubblicato nel 1953, un momento storico in cui gran parte dell'opera dell'artista veniva sotto-

22. "È forse il dipinto ancora ammirato come lo era quando si trovava a Manchester? Abbiamo l'impressione esattamente contraria. Abbiamo perfino sentito esprimere dei dubbi a uomini di gusto che professavano entusiasmo nel 1857." F. Reiset, *Visite à la Galerie Nationale de Londres*, edizione rivista e ampliata, Paris 1887, pp. 93-95 (cfr. "Gazette des Beaux-Arts", 1877, I, pp. 244 sgg.). Frédéric Reiset divenne curatore del dipartimento di Disegni del Louvre nel 1849, curatore dei Dipinti nel 1861 e direttore dei Musei Nazionali dal 1874 al 1879.
23. G. Frizzoni, *Arte italiana nella Galleria nazionale di Londra*, 1891, p. 265. Holroyd 1903, pp. 157-158, era convinto che il dipinto fosse stato eseguito da Bugiardini usando i disegni di Michelangelo. Adolfo Venturi nel numero di "Arte" del 1932, pp. 332 e sgg., attribuiva il dipinto a Jacopino del Conte.
24. 1970.134.2. F. Zeri (con E.E. Gardner), *Italian Paintings: Florentine School. A Catalogue of the Collection of the Metropolitan Museum of Art*, New York 1971, pp. 183-185.
25. C. von Holst, *Francesco Granacci*, München 1974, pp. 129-130. Le versioni di Boughton House, Northants, Bob Jones University, S. Carolina, palazzo Spinola di Genova e anche altre sembrano tutte essere derivate dal medesimo cartone, ma non era lo stesso cartone che fu usato per il dipinto di Dublino.
26. *Ibid.*
27. Hirst 1994, p. 77, nota 27.
28. F. Zeri, *Il Maestro della Madonna di Manchester*, in "Paragone", XLIII, luglio 1953, pp. 15-27.

5. Particolare del *Riposo durante la fuga in Egitto*, di Francesco Granacci.

posta a un riesame sistematico (Pope-Hennessy stava in quel periodo preparando la discussione contro il cosiddetto *Cupido* del Victoria and Albert Museum). Zeri sviluppava un argomento formulato da Roberto Longhi negli anni quaranta come reazione a una proposta di Fiocco che affermava che parecchi di questi dipinti, compreso quello di Granacci a Dublino, fossero tutti in effetti di Michelangelo[29]. Nessuno può leggere oggi l'articolo di Zeri sul "Maestro della Madonna di Manchester" senza essere colpito dal fatto che esso finisce, piuttosto che iniziare, con la trattazione della *Madonna di Manchester.* È l'appiglio meno sicuro della sua argomentazione, non secondariamente perché ammette che si tratta di un dipinto in cui Michelangelo può aver messo mano. Non ha nemmeno molto da dire sulla maniera in cui è stato dipinto. Comunque, per quasi mezzo secolo, la considerazione ortodossa fra gli storici dell'arte è stata che il dipinto di Londra era da attribuire a un misterioso assistente o collega di Michelangelo.

In considerazione di ciò, Cecil Gould nel catalogo del 1962 adottò la formula "attribuito a Michelangelo" e lasciò aperta la questione se si trattasse del "capolavoro di anonimo pittore" o di un'opera nella quale "Michelangelo stesso era stato coinvolto in una certa misura"[30].

Del gruppo messo insieme da Zeri, il tondo all'Akademie der bildenden Künste a Vienna è il dipinto che più si avvicina alla *Madonna di Manchester*. Fu prestato alla mostra *The Young Michelangelo* tenutasi alla National Gallery di Londra nell'ottobre 1994, e l'enorme differenza di tecnica, tenuta esecutiva e disegno – in sostanza di qualità – risultò molto più evidente di quanto non fosse mai emerso dalle riproduzioni fotografiche. Il tondo è sicuramente legato a un disegno di Michelangelo: in effetti alcuni elementi non possono spiegarsi che come una cattiva lettura di tale disegno[31].

29. G. Fiocco, *Sull'inizio di Michelangelo*, in "Le Arti", IV, 1941, pp. 5-10 (cfr. "Critica d'Arte", agosto 1937, fasc. X, p. XV). R. Longhi, *ibid.*, p. 136.
30. C. Gould, *The Sixteenth-Century Italian Schools*, London 1962 (ristampa 1975), pp. 148-150. È forse significativo che due anni dopo, nel 1964, Kenneth Clark (ex direttore della National Gallery) escludesse il dipinto dal suo esame della produzione giovanile di Michelangelo, in *The Penguin Book of the Renaissance*, a cura di J.H. Plumb, Harmondsworth 1964, pp. 99-112.
31. Hirst 1994, pp. 39-40.

6. Michelangelo, *Deposizione nel sepolcro* (*Il seppellimento*), 1500-01. Londra. National Gallery.

Invece la *Madonna di Manchester* è legata a Michelangelo in maniera assai più profonda ed estesa. Waagen era stato colpito da questo aspetto quando aveva notato la somiglianza nella posa della Vergine con invenzioni più tarde dell'artista. I legami con la *Madonna di Bruges* sono già stati messi in rilievo. Possiamo anche rimarcare come lo straordinario nodo di pieghe del panneggio intorno al collo del secondo angelo, partendo da destra, ricorra intorno allo scollo della Vergine nella *Pietà* del Vaticano, e come il vigore plastico delle tuniche allacciate degli angeli richiami il panneggio dell'angelo di Bologna. Michael Hirst ha messo in luce molte altre connessioni, fra cui la somiglianza del piumaggio abbozzato con le piume delle ali dell'angelo di Bologna e il rapporto fra la torsione del Battista e il satiro giovane del *Bacco*[32].

Mentre gli altri dipinti del gruppo ricostruito da Zeri non hanno legami sotto il profilo della tecnica con la bottega del Ghirlandaio nella quale Michelangelo ricevette il proprio apprendistato, la *Madonna di Manchester*, come Eastlake aveva ben capito, fu eseguita a tempera precisamente con la tecnica che veniva insegnata nella bottega del Ghirlandaio[33]. Questo argomento ci porta al problema della datazione dell'opera. Hirst ha in via ipotetica associato il dipinto con la scoperta di un pagamento per un "chuadro di legno per dipignerlo" registrato alla data 27 giugno 1497 – "la più antica segnalazione in nostro possesso di Michelangelo come pittore"[34]. In tal caso la data del dipinto deve essere compresa nel periodo dopo il completamento del *Bacco*, un'opera di carattere assai più audace, poco prima della *Pietà* vaticana, che Michelangelo cominciò a scolpire nel 1498, e gli anni immediatamente precedenti *Il seppellimento* (fig. 6), che sembra essere stato commissionato nel 1500 (come Hirst ha persuasivamente dimostrato).

Il seppellimento è notevolmente diverso per tecnica, e ancor di più per la concezione pittorica e lo stile della raffigurazione. L'artista si è sforzato di eliminare qualsiasi elemento che richiami il rilievo o che si stagli in maniera statuaria, o anzi che abbia solidità statica, nel gruppo principale che consiste di figure precariamente in equilibrio colte nel mezzo di una complessa azione, con la figura centrale di Cristo riversa nello spazio retrostante e sostenuta dall'alto con i piedi che appena sfiorano il suolo. Vi è tuttavia una stringente somiglianza nel modo di rendere il modellato e nell'espressione fra la testa della Vergine della *Madonna di Manchester* e quella della donna sulla destra del *Seppellimento* (figg. 7 e 8).

La *Madonna di Manchester* è stata talora datata a un'epoca precedente, al momento del soggiorno bolognese dell'artista, fra 1494 e 1495. Una discussione in merito fu svolta all'inizio del secolo da Francesco Filippini in un libretto trascurato e da Charles Holmes[35]. Le affinità con le sculture fatte per l'Arca di San Domenico sono già state menzionate. Holmes ha inoltre notato una stretta parentela di tipologia facciale fra il *San Procolo* e gli angeli sulla destra della *Madonna di Manchester*. Se prendiamo per buono che questi angeli siano intenti a leggere le profezie del Battista, allora dove si trova l'altro usuale attributo del Battista, la croce? Che cosa doveva essere dipinto fra le sue dita sollevate della mano destra alzata? Un'elegante croce dorata come quella che si trova nel dipinto di Granacci? Ciò spiegherebbe la sua posa e la direzione del suo sguardo, e darebbe motivo anche della direzione dello sguardo triste della Vergine. Forse Michelangelo pensò che era meglio non arrischiare il completamento del quadro. Forse fu il mero incalzare di un'altra commissione, o il suo spostamento da Firenze a Bologna, o da Firenze a Roma che non gli permise di completarlo.

Le polemiche sorte intorno alla pubblicazione della statua marmorea dell'*Arciere*, riscoperto in quella che un tempo era la dimora dei Whitney sulla Fifth Avenue a New

32. *Ibid.*, p. 44. Hirst giustamente osserva che "questi riferimenti non sono la prova di un *pasticheur*; ma sono piuttosto la testimonianza di quelle ossessive ricapitolazioni che contrassegnano la sua lunga carriera".
33. J. Dunkerton, *The Painting Technique of the Manchester Madonna*, in Hirst e Dunkerton 1994, pp. 83-105.
34. Hirst 1994, p. 37.
35. Holmes 1923 e F. Filippini, *Michelangelo a Bologna*, Bologna 1928, specialmente p. 15.

7. Particolare della *Madonna di Manchester* di Michelangelo.

8. Particolare della *Deposizione nel sepolcro* di Michelangelo.

York, sono state sorrette dalle stesse disdicevoli motivazioni che si possono scorgere nel dibattito risalente a centocinquant'anni fa sulla *Madonna di Manchester*; quando Blanc finse stupore per il fatto che gli inglesi non si fossero accorti di avere in casa un Michelangelo, quando Moore rivalutò il dipinto giusto per screditare Eastlake, quando Waagen a bella posta dimenticò che altri studiosi avevano riconosciuto prima di lui la mano di Michelangelo nel dipinto. Ma l'*Arciere* non trova spazio nel percorso dell'artista solo sulla base di notazioni stilistiche come la *Madonna di Manchester*. Nuovi documenti relativi al suo originario aspetto e alla sua provenienza rendono quasi certo il fatto che si tratti del *Cupido*, descritto anche come *Apollo*, che si ricorda posseduto da Jacopo Galli. Se Condivi riferisce correttamente che questa statua fu commissionata da Galli a Michelangelo dopo che aveva finito il *Bacco*, allora daterebbe intorno al 1497. Tuttavia Condivi, o meglio la sua fonte, ossia Michelangelo stesso, non è del tutto affidabile intorno a questo periodo di attività e il *Cupido* deve certamente venir prima del *Bacco*, che sviluppa in maniera molto drammatica alcune delle medesime idee plastiche: audaci sporgimenti, perforazioni del materiale, e una notevole instabilità della posa. A ogni modo troviamo difficile resistere all'idea che sia stato scolpito più o meno nello stesso momento in cui fu dipinta la *Madonna di Manchester*, poiché l'*Arciere* è come un fratello degli angeli in quel dipinto. Ha gli stessi capelli cespugliosi sopra il collo e riccioluti, dotati nella stessa misura di volume plastico e di effetto pittoresco nelle punte. Da quando Kathleen Weil-Garris Brandt ha pubblicato il proprio articolo nel numero di ottobre 1996 del "Burlington Magazine", l'*Arciere* ha fornito un punto di connessione fra la *Battaglia dei centauri*, il *Crocifisso* di Santo Spirito e la *Madonna di Manchester*. Rendendo più comprensibile il carattere straordinariamente disparato e disorientante della primissima attività dell'artista. È stata fatta più sopra l'osservazione che "le credenziali del *Fanciullo arciere* sarebbero state meglio valutate se gli esperti lo avessero messo in relazione con la *Madonna di Manchester* della National Gallery". Ma abbiamo altresì notato come sia improbabile provare che la *Madonna di Manchester* sia di Michelangelo. Se dunque l'*Arciere* è una statua di Michelangelo di cui si possiede documentazione, allora potrebbe essere proprio la scultura che attualmente aiuta a definire l'attribuzione del dipinto.

Andrea Emiliani

Michelangelo a Bologna

Ciò che meglio si evince oggi, a una lettura equilibrata e appena più attenta delle tre opere di Michelangelo per Bologna e per l'Arca di San Domenico, è un aperto e sorprendente senso di qualità: una quota di perfezione diversa in ragione di diverse ispirazioni, ma in tutte ricondotta a una nascente, ben salda novità di espressione. Le tre statue, anche per essere sempre state considerate frutto di un episodio di vita in apparenza quasi adolescente e marginale rispetto all'evoluzione tutta fiorentina dello scultore, non hanno mai ottenuto un reale riconoscimento della loro bellezza assoluta e perfino del grado di avviamento di Michelangelo stesso, da esse testimoniato, entro il corpo vivo dell'arte italiana. Proprio a Bologna, Michelangelo sembra abbandonare gradualmente, forzatamente, il mondo intellettuale che era stato degli anni, dei mesi passati presso Lorenzo il Magnifico e la sua cerchia, per affrontare una serie complessa di novità: non tanto connesse al tema obbligato del confronto con altri artisti, passati oppure in vita (i veri paragoni sono con Niccolò dell'Arca da un lato e con i pittori ferraresi dall'altro) ma intese a individuare e a sviluppare le proprie latenti capacità. Crediamo che a Bologna, nel giro di pochi mesi, sia possibile vederle già trasformate in risultati di linguaggio stilistico, e ciò anche per l'improvvisa sperimentazione alla quale il giovane viene obbligato: con esiti che oggi dobbiamo definire altissimi. A vent'anni, la sua maturità procede molto sollecitamente e proprio da queste mura domenicane in Bologna rende possibile immaginare – piuttosto che presagire soltanto – il prodigioso sviluppo della sua personalità già agli inizi del Cinquecento. In questo senso, l'anno di Bologna, il 1495 dei suoi vent'anni, ci chiede anzi di ammirare con pienezza più che sbocciata ed esplicita la forma artistica che solo qualche anno più tardi diverrà carattere e peculiarità di Michelangelo.

Forse conviene tornare a guardare con miglior attenzione tre statue che pure sono quotidianamente esposte all'osservazione e all'ammirazione del pubblico e degli studiosi stessi. Troviamo finalmente utile che sia una mostra di studio e di documentazione a operare questo avvicinamento all'occhio del visitatore attento, piuttosto che elevare l'opera d'arte per gettarla nel confuso mondo delle immagini di successo.

Si dice che il primo impegno sia quello della realizzazione dell'*Angelo*, e non c'è ragione contraria. La novità di espressione di questa figura, legata da una tenue omogeneità ad alcuni passaggi della *Madonna della Scala*, trattiene di quella un senso compatto e insieme contratto del volume e della materia che lo permea. Il panneggio addensato e tuttavia sciolto sembra portare in sé un'ispirazione culturalmente memore di un linguaggio "antico", più modellato che scolpito, al modo che forse doveva presentarsi la prima versione della *Battaglia dei centauri*, se davvero essa è stata di nuovo scolpita da un più maturo Michelangelo, con il passare degli anni. E tuttavia, che presenza di intimo volume, che eleganza fin da ora suprema nella modellazione dei panni: e infine, retaggio degli anni laurenziani, quale precognizione del destino umanistico si fa evidente in quel volto affiso alle ragioni superiori dell'essere!

Bastano pochi mesi di lavoro, in quel 1495 sopravvenuto nella città dei Bentivoglio che stanno costruendo il loro palazzo di San Donato con maestranze artistiche bolognesi e anche umbro-toscane, e da un torsolo di marmo forse già appena impostato da Niccolò – che agli occhi del giovane resta il solo, vero uomo da ammirare – Michelangelo incomincia a trarre la figura elegante e insieme complessa per disegno e per realizzazione del *San Petronio*: anzi, dei panni del santo, proprio per quel vero e proprio tour de force che giustamente Pietro Lamo individuerà, fissandola nella sua oculatissima ricognizione. A riguardarlo fuori delle abitudini dalle quali quasi tutti siamo afferrati davanti alle imprese storiche più famose, come appunto il complesso dell'Arca di San Domenico, questo brano ci appare di una forma plasticamente così matura, di una tale sapienza di elaborazione materiale, di una così squisita misura intellettuale e infine d'una così raffinata meditazione sulla linea strutturale che approfondisce e insieme rileva nobili piegature e risvolti eleganti: realtà d'arte già tali da evocare, ora, il sapore inconfondibile del manierismo. È il procedimento mentale che ha già iniziato a mettere in crisi il classicismo proprio come un'irreversibile operazione intellettuale. Dal naturalismo flamboyant di Jacopo ormai vicino alla morte (1438) fino all'iperstilismo del Tura, ciò che emerge e che si concerta nella nuova cognizione della realtà sembra già ora attingere al dramma della forma classica assediata dalla sua stessa crisi, la maniera.

Forse il *San Procolo*, certamente istituito a confronto con l'avventurosa, laica e giovanile bellezza del *San Vitale* di Niccolò, non chiude l'avventura di Bologna: molto più importante e incisiva di quanto si dica in genere. Proprio l'evidente malia intellettuale della maniera potrebbe indurci a credere che l'ultimo colpo di scalpello di Michelangelo, com'è naturale avanti il ritorno tempestoso del 1506, renda proponibile che tocchi al *San Petronio* di completare l'arco di lavoro dell'anno bolognese. *San Procolo* è tutt'insieme la bellezza umanistica di Donatello e l'amore dello stile, la sperimentazione della forma dei grandi pittori ferraresi. La sua dimensione prospettica non ha più nulla di archeologico, l'attualità sembra modellarsi ricorrendo a un ordito che per varietà, scheggiatura di pieghe e di frammentazioni, affrontamento deciso dello spazio, sembra davvero potersi confrontare con la seduzione dettata da una libertà pittoresca.

La sua statura di sottinsù non rinuncia a un peso attivo, a una vivacità immanente: e così l'immagine si affaccia ardita, con quella speciale e aggrottata fissità di cui Michelangelo si servirà tanto ampiamente, fermo il piede sinistro sull'orlo del capitello di appoggio e il corpo riequilibrato sulla lancia che un tempo stava in pugno al santo protettore. È singolare, il corpo ha già una positura che conosceremo, analoga (solo per allusioni, naturalmente) alle movenze del *Cristo* della Minerva, tanti anni dopo. Nervosa, fitta di improvvisi raggrinzimenti della forma della tunicella, delle calze e dello stesso giovane corpo atteggiato a una prima mai vista sfiancatura, questa bella forma sta lasciando il gruppo degli astanti della bellissima, perduta cappella Garganelli in San Pietro e si avvia ad affrontare un mondo nuovo.

Precisazioni per il soggiorno di Michelangelo a Bologna

L'evento di riferimento per l'arrivo del giovane Michelangelo a Bologna è costituito dalla morte di Niccolò dell'Arca, avvenuta il 2 marzo 1494. Il commento più icastico per la scomparsa del temperamentale scultore di Apulia resta quello del domenicano padre Girolamo Borselli: "Fantasticus erat et barbarus moribus... Caput durum habens". Il che fa emergere indizi certi sui suoi critici rapporti con il convento di San Domenico e forse anche circa eventuali, lamentati ritardi nella conclusione della decorazione della parte superiore dell'Arca di San Domenico. In effetti, Niccolò moriva lasciando incompiuta l'impresa; e solo qualche mese più tardi Michelangelo, che aveva comunque lasciato Firenze prima del 14 ottobre per portarsi a Venezia, raggiunse sollecitamente Bologna, dove gli fu proposto di metter mano a nuove statue.

La prima narrazione è quella di Ascanio Condivi, che ne raccolse memoria diretta dalla voce dello scultore ormai in là negli anni, e che vale la pena di rileggere: "Un giorno, menandolo per Bologna [Giovan Francesco Aldrovandi] lo condusse a vedere l'Arca di San Domenico nella chiesa dedicata a detto Santo. Dove mancando due figure di marmo, cioè un San Petronio ed un angelo in ginocchioni con un candeliere in mano, domandando (a) Michelangelo se gli dava il core di farle, e rispondendo di sì, fece che fossero date a fare a lui: delle quali gli fece pagare ducati trenta, del San Petronio diciotto, e dell'agnolo dodici. Eran le figure d'altezza di tre palmi, e si posson vedere ancora in quel medesimo luogo". Precisa poi minuziosamente come il fiorentino si fermasse "con messer Giovan Francesco Aldrovandi poco più di un anno". Questo nell'edizione romana del 1553. Si spiegherà chi sia Giovan Francesco Aldrovandi, di quale statura sia la sua impegnativa personalità e infine quale sia il suo verosimile ruolo in tutta la vicenda.

Anche Giorgio Vasari percorre quella narrazione nella seconda edizione delle sue *Vite* nel 1568; e proprio come il Condivi precisa che il lavoro consisteva nella figura di un *Angelo* e in quella di un *San Petronio*. Ambedue gli scrittori, come si nota, tacciono sul conto d'una terza statuetta raffigurante *San Procolo*. Esisteva peraltro da anni una testimonianza in proposito più precisa perché di prima mano, ed era quella del domenicano bolognese Leandro Alberti. Questi, vestita la tonaca proprio nel '95, aveva registrato e stampato più tardi, ma comunque nel 1535, alcune informazioni ineccepibili. Il sapiente storico e geografo scriveva ricordando di persona: "per Michaelem Angelum Florentinum addi voluit nonnulla alia simulachra... vidilicet simulachrum divi Petroni, Proculi et alteris Angeli". Ancorché letta e divulgata solo nella seconda metà del secolo scorso da padre Bonora (1875), questa era e resta ancora oggi la testimonianza più attendibile riguardo all'intera vicenda.

Una seconda testimonianza indiretta ma importante apparirà più avanti negli anni nelle *Memorie* manoscritte di fra Ludovico da Prelormo, un domenicano piemontese, il quale ebbe cura particolare dell'arca e della sua buona conservazione dal 1522 al 1572. A detta di questa testimonianza, letta anch'essa dal Bonora nel 1875, si apprendono ulteriori particolari circa la reale responsabilità di Michelangelo. Il testo del Prelormo, linguisticamente piuttosto singolare, afferma: "Sciendum tamen est quod Imago Sancti Petroni quasi totta, et totta Imago Sancti Proculi, et totta illius Angeli qui genua flectit et è posto sopra il parapeto che fece Alphonso scultore, quale si è verso le fenestre, queste tre Imagine ha fatto quidam juvenis florentinus nomine Michael angelus imediate post mortem dicti M.ri Nicolai". Come si può notare, il Prelormo entra anche nel dettaglio di precisazioni preziose in fatto di attribuzione. Insieme all'Alberti, egli costituisce il portato prezioso della tradizione letteraria e archivistica del convento, ricca di elementi ma purtroppo emersa alla conoscenza solo nel 1875.

Nella realtà, molti seguiranno l'autorità del Condivi, come il Vasari stesso (1568), tenendosi in tal modo all'esistenza di due sole statue, il *San Petronio* e l'*Angelo* inginocchiato *a cornu Evangeli*. Anche Benedetto Varchi, nel 1564, seguirà quella narrazione che era stata edita in Roma nove anni prima. Pietro Lamo, nella sua preziosa *Graticola di Bologna* redatta nel 1560 circa (si veda la recente edizione critica a cura di M. Pigozzi, 1997), ricorda anch'egli soltanto un *Angelo* e *San Petronio*: ma insieme inaugura una sua bella intuizione destinata a fare strada, e che cioè soltanto il panneggio di *San Petronio* sia cosa di mano del giovane fiorentino ("un Angelo de man de Michelagnolo e lavorò in uno San Petronio cioè ne li pa[n]ni"). Oggettivamente, la testa del santo non ha la qualità del resto, e in più vi si leggono fratture e falsificazioni, fino a rendere ovvia una sua sostituzione più tarda. La limitazione affermata dal Lamo fu poi ripresa nel 1588 dal domenicano A.M. Piò che, nell'edizione dei suoi *Huomini Illustri* del 1620, riferisce alla mano di Michelangelo "buona parte di quella di San Petronio, prima rimas[t]a imperfetta".

Lungo questa via, la buona guida alle *Pitture, Scolture et Architetture di Bologna*, edizione 1776, curata e accresciuta da Carlo Bianconi e Marcello Oretti, tra gli altri, mutava la prima e generica affermazione del conte Malvasia nel 1686 ("vi fé l'Angelo a mano destra, e de'quattro Protettori li SS. Petronio, Francesco e Procolo", p. 223) in una nuova riduttiva ricognizione: "vi fè l'angelo a mano destra, cioè dalla parte del Vangelo, come pure lavorò ne'panni del San Petronio", p. 188. Su questa traccia, adottata dalle ultime guide storiche di Bologna (1776, 1782 e 1792), dovette muoversi a evidenza anche Jacob Burckhardt durante la stesura del suo *Cicerone* (Basel 1855). Il grande storico, dopo aver indirizzato all'*Angelo* una sua prima valutazione qualitativa, avanzò anch'egli una tesi relativa ai "panni", ma solo per dire che questo "panneggio manierato" dimostrava una possibile diversa datazione del *San Petronio* (ed. Firenze 1992, p. 730): constatazione di grande finezza interpretativa. L'opinione che il *San Petronio* fosse solo terminato dalla mano di Michelangelo fu raccolta ed elaborata da Cesare Gnudi nel suo libro famoso dedicato a Niccolò dell'Arca (1942, p. 38). Più avanti, anche sir John Pope-Hennessy confermava (1966, p. 306) come nulla si opponesse a tale ipotesi.

Come si vede, il ricordo della terza statuetta con il *San Procolo*, per quanto gratificata dall'ineccepibile testimonianza di Alberti e di Prelormo (che anzi ne descrive nel '72 la rovinosa caduta a opera di uno sbadato converso), rimane escluso dalla citazione storica e da quella itineraria. Sono le indagini di padre Bonora, pubblicate nel 1875, che segnano la ripresa di un interesse specifico per l'intero terzetto. E così, solo dopo quella data, diviene più agevole comprendere come venga affacciata, nel 1905, l'opinione di Wilhelm Bode (Berlin 1902-1912), e cioè come venga presa in considerazione anche la statua di *San Procolo*. Ciò vale anche per il giudizio di Frey, che però vi aggiunge di suo la convinzione che, iniziata di mano di Niccolò dell'Arca, la statua del santo guerriero verrà soltanto terminata da Michelangelo (Berlin 1907). Egli adotta così la versione che il Prelormo aveva tramandato per la statuetta di *San Petronio*.

Anche le considerazioni circa le sue suggestioni in ambiente locale sono a conti fatti piuttosto modeste. Per dovere di cronaca si deve almeno rammentare che appartiene a Heinrich Wölfflin la prima affermazione che vede l'influenza di Jacopo della Quercia specialmente nella statuetta di *San Petronio* (1891). Il Frey assegnò al *San Petronio* il primo luogo nel calendario del piccolo cantiere, seguito dall'*Angelo* e infine dal *San Procolo*. Così si espresse anche Pope-Hennessy: e immaginò, anzitutto, completato il *San Petronio* – forse abbozzato o incominciato appena da Niccolò – seguito poi dalle altre due statue, separate in ogni modo dal giro di pochi mesi. Infatti, il giovane rientrava in Firenze già sul finire del 1495.

Abbiamo detto come il Prelormo denunciasse la rovinosa caduta della statuetta di *San Procolo* il 4 agosto 1572, con numerose fratture. Le sue tragiche affermazioni sono fortunatamente eccessive rispetto al vero. Secondo Pope-Hennessy, il capo di san Petronio appare – con ragione – una sostituzione più tarda (1966, p. 307). Infine, a completare questo complicato percorso, c'è da sottolineare il fatto che il benemerito padre Bonora attribuisse il *San Procolo* tutto intero allo scultore reggiano Clemente Spani.

Personalità e sperimentazione

L'arco assai breve della prima esperienza bolognese di Michelangelo (la seconda, ben diversa, sarà del 1506), nitidamente tramandata nei suoi caratteri narrativi dalla testimonianza di Ascanio Condivi (1553), non sembra offrire troppo spazio ad analisi di cronologia o di linguaggio. In realtà le tre statuette, testimoniate *de visu* dal converso Leandro Alberti nel 1495 stesso, sono visibilmente diverse tra loro: e anche per questa ragione il gruppo ha imbarazzato gli studiosi. Manca di fatto uno studio adeguato alla notevole, affascinante qualità dell'argomento, che ha registrato soprattutto giudizi parziali in una discussione mai organica. Per tutti, basti ricordare il parere di de Tolnay il quale giudicò questo di Bologna un episodio marginale dell'attività di Michelangelo e ciò in ordine anche alla modestia della commessa dei domenicani (1969, I, pp. 22-23, al capitolo VII, intitolato significativamente *Bologna la Grassa*).

Ciò che sembra emergere è l'ipotesi che il soggiorno abbia fornito occasione a una serie di orientamenti i quali, al di là della naturale sperimentazione di un pur grande scultore ventenne, non mancano di proporsi di eccezionale impegno. Certo, per cominciare sembra davvero utile considerare l'*Angelo* con il candelabro – posto *a cornu Evangeli* – in parallelo all'altro squisito *Angelo* di Niccolò, al quale in certo modo è da ricondurre per materia, volume e generale assetto compositivo, come la prima tra le sculture eseguite: e dunque nell'inverno tra il 1494 e il 1495, se è utile avanzare supposizioni di questa natura. Lo dichiara anche lo stile, molto espressivo, fattosi esplicito in un panneggio tutt'insieme robusto e dolce, capace di ricondurci in modo allusivo verso la più straordinaria esperienza della prima giovinezza e cioè la *Madonna della Scala* di Casa Buonarroti, che si suole datare 1490-92. Armonioso appare il rapporto delle parti plastiche; e anche l'assetto morale del carattere, la ferma fisionomia possiedono già ora la forza destinata a divenire leggenda nelle opere più avanzate e famose. Questo sembra significare che a Bologna il giovane pensò di presentare in un primo momento una versione del suo stile già sperimentata e densa di un'attenzione marcata al problema del rapporto con la materia, animata da un panneggiare un po' torpido e rigonfio, quasi mielato: e tuttavia già ora in grado di esprimere, al di là della raffinatezza – omaggio a Niccolò – una solida forma in via di sviluppo tra spaziale e monumentale. Per certi versi, l'*Angelo* si colloca lungo un tracciato che si salda all'interno di un linguaggio molto personale, quello che unisce la *Battaglia dei centauri* (eseguita, si dice, intorno al 1492) – con la sua ricca animazione chiaroscurale, il senso aurorale della materia neoplatonica – alla serie di opere che vanno già nel nuovo secolo, come ad esempio la *Madonna Taddei* (1505-06 circa) o la stessa *Madonna Pitti*. Di più, non è da escludere davvero un senso di vera misura critica che Michelangelo sente di istituire in presenza della parte storica dell'Arca e dunque con l'immagine plastica polita, forte e simbolica, delle figurazioni domenicane di Nicola, Arnolfo e Lapo (Luchs 1978).

Anche il caso illustre di Michelangelo finisce per divenire un capitolo autonomo, e anzi molto indipendente, di quella storia figurativa che nella Bologna bentivolesca sembra essere dominata dalla scultura (ma vedi Perini, in corso di stampa, pp. 32-33 sgg.). Anche senza voler troppo divagare, i confronti eccitanti agli occhi di un ventenne, accompagnato da un uomo di cultura quale Giovan Francesco Aldrovandi, non mancavano davvero. Egli viene impegnato nell'impresa dell'Arca, tra le cose interminate di Niccolò; ed è forse destinato a darle un completamento. Inoltre, la maggiore impresa scultorea della città è in San Petronio, nella sua Porta Maggiore, opera clamorosa di Jacopo della Quercia, realizzata tra il 1425 e la morte avvenuta nel 1438. A questo confronto la critica si è spesso dedicata, a cominciare da Wölfflin nel 1891, fin quasi a tracciare il destino di Jacopo come indirizzato alla costruzione della personalità "muscolare" di Michelangelo. Tutto giusto, ma un esame delle tre statuette del giovane di Caprese sembra davvero condurne l'inquieta esperienza verso altre suggestioni.

La sua presenza a Bologna, anche per essere ineguale quanto a esiti, sembra dedicata piuttosto a una riflessione inquieta dove mettere in questione di nuovo tradizionali peculiarità fiorentine, a cominciare dalla memoria di Donatello, ripercorrere questa costante anche nel personalissimo archivio fornitogli dalla scultura di Niccolò dell'Arca, e infine affrontare quella che avrebbe potuto essere per lui la più impegnativa, certo la più inedita tra le sollecitazioni d'arte, e cioè il gusto dei ferraresi.

La fuga da Firenze, dopo la morte di Lorenzo il Magnifico, assume anche l'aspetto di un abbandono di culture preminenti come quella del neoplatonismo. La visita di Venezia, seguita da tutto quanto si sarà reso esplicito nella Padova donatelliana come pure nel diffuso ordito formale e prospettico di Ferrara, dovette avere un significato quasi eversivo rispetto ai normali modelli fiorentini. Di più, la parte davvero eletta delle esperienze pittoriche ferraresi si trovava proprio a Bologna, compendiata a date recenti (1475-85 circa) nell'imponente decorazione della cappella Garganelli in San Pietro: volta con gli *Evangelisti* e con i *Padri della Chiesa* di mano di Francesco del Cossa, morto nel '78; pareti laterali raffiguranti la *Crocifissione* e la *Morte della Vergine,* opere di Ercole Roberti. "Una meza Roma de bontà", si dice avesse mormorato Michelangelo stesso. E il suo lavoro è testimone di questa ammirazione.

L'intuizione di Roberto Longhi (1940, ed. 1956), che connetteva l'animosità plastica del panneggio di *San Petronio* con un possibile riflesso da Cosmè Tura (1940); e un ulteriore contatto di stile con *Ercole*, in particolare nel malconosciuto *San Procolo* (1958), hanno fortemente giovato a sbloccare una situazione che non aveva prospettive di soluzione seguitando a contenere ogni gioco di relazioni nel solo spazio fiorentino, e naturalmente neanche uno in un sistema soltanto bolognese. E anzi, a dir meglio, in un'immagine di lievitazione solo quercesca. Questo dei ferraresi è l'acquisto stilistico o forse la seduzione intellettualmente più pronunciata che il problematico soggiorno di Bologna abbia provocato nel ventenne fiorentino.

Certo, il riflesso dell'arte ferrarese si deve riconoscere anche alla luce dell'importanza riconosciutale con insistenza da Longhi (1934) e identificata in modo particolare nell'opera moderna di Ercole Roberti al carrefour degli anni 1475-85. Si può immaginare tuttavia cosa dovesse sembrare al giovane quella *Pala dei Mercanti*, ricca d'una densità plastica stupefacente, che il Cossa aveva dipinto nel 1474. Inoltre, eguale forte confronto il giovane avrà vissuto con vera intensità tra le opere di Niccolò, che gli erano state poste davanti proprio per essere completate. Fin dalla prima impostazione del *Compianto* di Santa Maria della Vita, che si dice in cantiere già dopo il 1463, lo schiavone era vissuto nei problemi d'una trasformazione delle esperienze napoletane e fiorentine della giovinezza, finendo per divenire il catalizzatore dell'ethos espressivo di provenienza ferrarese. E di esserne insieme investito.

Ben raramente lo storico entra in possesso di coordinate positive come quelle che, da almeno un secolo a questa parte, si dichiarano disponibili riguardo al viaggio e al soggiorno di Michelangelo a Bologna. Possediamo infatti nozione precisa dell'arrivo da Venezia e del ritorno in Toscana, conosciamo il nucleo delle opere eseguite nel corso di quest'anno – o poco più – passato entro queste mura, probabilmente impegnato nel più continuo lavoro, ospite negli ambienti di un convento ricco di grandi personalità della cultura, negli anni dell'acceso dibattito sapienzialistico, di erudizione e di spregiudicatezza culturale di cui erano avvolti personaggi come Urceo Codro o Filippo Beroaldo. Nulla di più singolare e insieme di estraneo agli occhi di un giovane che veniva dalla frequentazione adolescente dei giardini medicei e di una cerchia di intellettuali come quella di Lorenzo il Magnifico che non questa dimensione di icastica spettacolarità tra artigiana e antiquaria. "Fabulae sunt historiae, fabulae sunt dialectici, rethorici, oratores: fabulae sunt omnes artes", aveva commentato il disilluso Codro. E non c'era d'altronde modo di consolarsi neppure alla vista della nuova *suavitas* che scendeva dagli Appennini filtrando da Firenze. Michelangelo era di un'altra natura e nulla concedeva alla fabrilità e all'artigianato.

Delle tre statue commesse al giovane allo scopo di proseguire – o di completare – l'Arca del santo, si può ormai cercare di disegnare un calendario ipotetico dei mesi di lavoro. La vita di Michelangelo, grazie ai ricordi dettati al Condivi, è perfino larga di informazioni: anche se tutto vorremmo meglio conoscere soprattutto riguardo al pensiero di quel giovane fuggito da Firenze dopo la morte di Lorenzo e la crisi del Savonarola. La memoria più impegnativa è quella che lo unisce a Giovan Francesco Aldrovandi, uomo di spicco nella vita di Bologna, legato da relazioni impegnative con il potere di altre città italiane, a cominciare proprio da Firenze. Potrebbe essere stato proprio lui, ad esempio, a cercarlo quando venne a sapere che, fuggito da Firenze prima della metà di ottobre del '94, egli si era rifugiato a Venezia. E ciò probabilmente dopo essersi garantito presso il convento dei domenicani della possibilità di affidare proprio al giovane il proseguimento dell'Arca, rimasta allo stato in cui si trovava il 2 marzo precedente.

Esiste una possibile, stretta consequenzialità tra le date e gli eventi citati nel racconto del Condivi. Le poche righe che costruiscono l'avventura di Bologna sono da concepirsi come pezzi preziosi di un diario ormai molto lontano nel tempo, che però si torna ad affacciare con i particolari ancora lucidi proprio per l'importanza che lo stesso Michelangelo, ormai vecchio, annetteva a quell'anno di lavoro, a quelle esperienze lucidmente vissute. A quelle serate in casa dell'Aldrovandi, a leggere con la sua favella toscana, così alta e forestiera di qua dagli Appennini, i classici della grande tradizione, da Dante a Petrarca. E infine a quelle tre opere nel cui sviluppo da giovane aveva impegnato molte risorse e una inventività preziosa.

Ce n'è abbastanza per ripetere che l'ospitalità bolognese fu offerta dall'Aldrovandi a un giovane che egli sapeva per cognizione personale essersi segnalato nella cerchia di Lorenzo (l'Aldrovandi era stato a Firenze nell'88); e che la durata di un anno o poco più per l'assolvimento d'una committenza – e non di un grande cantiere – fu un segno di amicizia e di reale considerazione da parte dell'Aldrovandi e insieme dell'influenza di questi sul capitolo dei domenicani. La fine del cantiere fu segnata forse, per quel che è dato liberamente immaginare (mancava un *Battista* ancora, che sarà terminato ben più tardi, nel nuovo secolo), dall'acquietarsi delle agitazioni politiche fiorentine, anche se la narrazione del Condivi allude, quasi a giustificazione, a certe minacce persecutorie che Michelangelo avrebbe ricevuto da parte di un ignoto scultore del luogo, penalizzato dall'affidamento a un forestiero "delle sopradette statue, essendo quelle prima state promesse a lui, et minacciando di fargli dispiacere".

Qualcuno ha incolpato nei secoli Alfonso Lombardi, che doveva ancor nascere. Propendiamo per un *topos* letterario più che frequente nella letteratura municipale, quello del risentimento e della vendetta degli artisti locali, pronti a reagire a ogni artistica concorrenza. Il completamento dell'Arca in realtà dovette sostare ancora a lungo per altre ragioni. Il gradino sarà eseguito nel 1532 da Alfonso Lombardi e la statua del *Battista* da Giacomo Cortellini, nel 1539. Furono tralasciate finiture previste in altri tempi, come principalmente la figura del Cristo risorto che avrebbe dovuto collocarsi al centro del versante posteriore del monumento, in corrispondenza del *Cristo in pietà* di Niccolò.

Come abbiamo sottolineato, l'informazione più precisa circa le tre statue di Michelangelo fu immediatamente garantita da un altro giovanissimo, il domenicano Leandro Alberti, che prese l'abito proprio nel '95 e che dunque di persona vide lo scultore e probabilmente anche la messa in opera dei manufatti. Che l'Alberti diffondesse la sua testimonianza a stampa e in un libretto un po'marginale solo nel 1535 relativamente alla notizia dell'attività di Michelangelo. La sequenza dell'esatta memoria verrà ripristinata solo nel 1875 e a opera di un altro frate, Tommaso Bonora, che metterà ordine nelle testimonianze custodite nella tradizione del convento. Ritengo utile rinnovare questa notizia per ricordare come sia potuto accadere che il nucleo originario sia stato diminuito proprio di uno dei suoi elementi più importanti, quello del *San Procolo*; e come solo dopo la meritoria nota del Bonora la ricerca artistica abbia potuto avviare un risarcimento realmente critico e storico.

Quanto all'esatta collocazione delle statue di Michelangelo, fu Charles de Tolnay, già nel 1963, ad asserire di aver constatato su una stampa dei primi anni del Seicento, mai più peraltro ritrovata dall'autore, come l'Arca presentasse sulla parte frontale, all'estremità destra, la statuetta di *San Procolo* (evidentemente restaurata dopo il crollo); e cioè nel luogo stesso oggi occupato dal *San Floriano* (Niccolò). Se ne dovrebbe dedurre che, nella posizione originaria, le due statuette di Michelangelo completavano – in ritmica alternanza – le due statuette di Niccolò, "e furono concepite come figure in movimento in contrasto con quelle, contemplanti, di San Francesco e di San Domenico". Purtroppo, a questa interessante ipotesi di ricostruzione, si oppongono talune ragioni di cui si fece a suo tempo interprete Stefano Bottari (1964, pp. 61-62) e la stessa irreperibilità della stampa ricordata. È una carenza grave, poiché un dato come questo potrebbe aggiungere un significato ulteriore alla commessa data a Michelangelo.

Sul soggiorno di Michelangelo a Bologna grava qualche diffusa difficoltà interpretativa. Tra queste tre sculture, incominciando dall'*Angelo* al quale si concede più agevolmente una priorità di indole stilistica, non sembrano istituite una comune circolazione di episodi stilistici e una matura convenzione espressiva, come invece ci saremmo aspettati di ereditare da un temperamento quale quello dello scultore fiorentino. Il fatto è che questo di Bologna ci appare essere un momento di dichiarata sperimentazione anche per il giovane Michelangelo, condotto dalla sorte a calarsi dentro un ambito culturale, quello bolognese e bentivolesco, dove l'afflusso di circostanze ferraresi – ormai in essere fin dagli anni sessanta – si era venuto gradualmente temperando con le novità di derivazione toscana e umbra. Di una più antica miscela era stato del resto attivo protagonista, più che testimone, proprio Niccolò dell'Arca. Michelangelo sembra essere entrato tra queste mura senza particolari o diverse convinzioni di stile da opporre o da mediare. Il suo compito è quello di dedicarsi all'Arca e al suo completamento, o quasi. Dotato di una straordinaria cultura figurativa, egli sembra in grado di condurre le sue sperimentazioni in modo pressoché indipendente, capace, come dimostra, di orientare la bussola delle sue attitudini volta a volta prescelte secondo una sicurezza di condotta plastica che nel giro di pochi mesi, dall'*Angelo* al *San Petronio* – come crediamo – diviene stupefacente. Le tre statue esibiscono perfettamente integra la sua volontà di progetto, atta ormai ad articolarsi in più direzioni, a cominciare da una residua riflessione sui temi del neoplatonismo (l'*Angelo*) per poi passare al movente prospettico e formale di mediazione pittorica ferrarese (*San Procolo*) e infine concludere in una sorta di vera performance di plasticismo erudito, nel cui cuore già si agita esplicita la crisi manieristica del classicismo (*San Petronio*).

La presenza storica preminente, come è naturale, resta quella di Jacopo della Quercia, cui viene almeno una volta inviato un ossequio, che è quello dell'imposto che la statuetta del *San Petronio* ricava, pur di larghissima massima, dalla figura del patrono sull'alto della lunetta maggiore della basilica patronale in piazza Maggiore. Non si deve però tralasciare neanche il fatto che l'iniziale "forma" della statua appartenesse a Niccolò, non terminata e neppur troppo avanzata dall'iniziale lavorazione: prima di essere interrotta per qualche ragione, alla data dell'inaugurazione dell'Arca nel 1473, oppure alle ore drammatiche del riavvicinamento ai padri di San Domenico, spezzato dalla morte vent'anni dopo. Con buona ragione, gli indizi che consentirono a Cesare Gnudi, nel 1942, di asseverare l'affermazione che fu dell'intelligente Prelormo ("quasi totta" di Michelangelo, annotava nel 1572) stanno più che visibili sul lato posteriore e coperto della statuetta.

Ma ritorniamo alle sculture, e nuovamente all'*Angelo*. La bella statua parla esclusivamente di sé e cioè di Michelangelo, eccezione fatta per le questioni di volume e di ingombro spaziale che devono mettersi in sintonia con l'*Angelo* suo predecessore al lato opposto, mano squisita e ornatissima di Niccolò. E tuttavia un paragone di procedimento stilistico è davvero impossibile. Michelangelo sta meditando su un certo agitarsi quasi stiacciato che fu della *Madonna della Scala*, e soprattutto con lo stesso mutismo di ispirazione e un senso morbido, dolce della forma. Forse la *Battaglia dei centauri*, sempre di Casa Buonarroti, avrebbe potuto dirci di più: ma davvero l'idea d'una lavorazione sopraggiunta più tardi e nuovamente, come l'avanzava Longhi, si afferma proprio per l'animazione plastica improvvisamente forte, scavata, di questa splendida lastra. Poco a che fare ormai con un panneggio come questo ispirato all'eleganza di un "antico" che si modella su di un corpo adolescente, forte e un poco raccorciato di proporzioni, quasi fosse estratto da un bassorilievo tardoclassico. La sua volontà di accordarsi con il linguaggio della toscanità romanica delle figurazioni di Niccolò e del suo gruppo ci sembra un'assennata idea critica. Ciò che più colpisce in questo adolescente è di sicuro l'assetto eretto, fortemente voluto, del capo ricciuto e dello sguardo. Si tratta già ora delle fattezze e degli atti di un *ethos* che chiama a sé una quantità di soluzioni a venire, che salgono alla nostra memoria incominciando da quella stessa del grande *David* già in piazza della Signoria, simbolo della libertà fiorentina.

Delimitato il ruolo di Jacopo e della sua memoria per la costituzione di immagine della statua di *San Petronio*, che si dice essere il secondo lavoro messo in opera proprio per essere già in precedenza sommariamente abbozzato da Niccolò, anche il florilegio critico degli specialisti è un po'deludente quanto a suggerimenti di lettura e di analisi. Così, a mano a mano che ci si inoltra, aumenta il senso dell'isolamento delle tre statue e anche di un silenzio lasciato cadere perfino a livello di qualità. Ciò appare singolare poiché sembra efficace l'evidenza di questa bellezza che sorge in modo nuovo, che si cimenta fuori del consueto ambito fiorentino e laurenziano e che cerca nuove vie di espressione. Il capo del *San Petronio* appartiene ad altra, successiva mano: ed è apparizione deludente posta com'è in vetta a questo panneggio di elaborata finezza. Sappiamo quali siano stati i suoi guai di conservazione.

Riteniamo che il corpo ammantato del santo sia un capolavoro del quale mai s'è parlato a sufficienza. Esso risale da una base che è una corolla di pieghe dal disegno molto complesso, dalle quali per trasparenza si individua il forte ginocchio. Il manto sovrapposto alla tunica assume un andamento di stile più ampio, con un forte senso dello spazio. Si tratta di un possesso della forma plastica versato, questo sì, anche nel ricordo d'una gotica eleganza. E tuttavia è già magistrale il volume di sviluppo, lo spazio stesso che ne lascia immaginare un possibile grande formato. C'è in questa statua infatti una sorta di latente capacità di proiezione verso il fare grande, verso un più impegnativo formato. Dobbiamo sottolineare che comunque una finezza di elaborazione formale di questo genere non sembra avere quasi nulla a che fare con l'ideazione prossima delle statue dell'altare Piccolomini a Siena, originali compresi. Forse solo nella *Madonna di Bruges*, 1497 circa, si riaffaccerà tanta squisita forza intellettuale.

Intanto, il paragone necessario con il patrono sistemato da Jacopo sull'incompiuta lunetta maggiore della basilica di piazza. Si direbbe ripresa da quello soprattutto l'imposto fisico iniziale, e anche un generale senso di eleganza. Ma lassù il panneggio cade al suolo con una tipica desinenza naturalistica tardogotica, costruisce risonanze atteggiate alla mimesi delle forme tipiche d'uno spazio umano e addirittura esistenziale. Michelangelo deve elevare il livello della sua ammirazione a una quota decisamente intellettuale e di astrazione mentale. Il suo spazio plastico viene occupato dalla figura panneggiata di *San Petronio* conseguendo insieme la potenza del simbolo e una temperata quota di complicazione formale. Fu una volta ancora Roberto Longhi a suggerire presenti i riflessi della pittura ferrarese, specificando l'ipotesi di un'attenzione portata al grande Cosmè Tura. C'è perfino da credere che lo storico pensasse al sensazionale rovello morfologico così concreto nel *Sant'Antonio da Padova*, oggi all'Estense, e alla fine del Quattrocento nella chiesa di San Niccolò a Ferrara. Provatevi a confrontare le immagini e ne trarrete una certa emozione, anche se oggi questo corpo di *San Petronio*, forte ed elegante insieme, armonioso e tuttavia in grave tensione, può davvero apparirci come una straordinaria premessa di attitudini alla conversione – del resto sempre più imminente nella mente di Michelangelo – che si chiamerà crisi dell'umanesimo classico e avvento della bella maniera.

Come s'è detto più volte, la statuetta con *San Procolo* è stata l'ultima tra le opere bolognesi di Michelangelo ventenne a essere presa in qualche considerazione, ancorché modesta, da parte d'una non folta e soprattutto non troppo impegnata tradizione critica. Secondo il regime della lettura delle fonti che abbiamo accreditato finalmente possibile solo dopo la risoluzione di padre Bonora nel 1875, spicca l'autorità del Bode, anno 1905, nell'introdurre definitivamente l'opera nel novero degli originali. Di lì a pochissimo, il Frey prese in considerazione (1907) a sua volta il *San Procolo* per proporre di vedervi – ma solo per via di emergenze di stile – una primitiva impostazione di mano di Niccolò dell'Arca, poi interrotta e proseguita proprio dal giovane fiorentino. De Tolnay volle leggervi qualche giusta allusione all'eredità donatelliana, e cioè al grande *San Giorgio* nonché al *Davide* di Casa Martelli. E si tratta certo di connessioni, di legami che pur affiorando di lontano prendono almeno orientativamente corpo: così come altri richiami fatti alla singolarissima vigoria psicologica del volto e dell'atteggiarsi di questa statua, i quali in questo caso rinviano addirittura al *Davide* oggi all'Accademia. Al modo stesso, può immaginarsi nuovamente eccitata la comprensibile vicinanza a qualche momento dell'attività bolognese di Jacopo della Quercia.

I danni della caduta del 1572 che parvero così terribili al Prelormo non sono tanto disastrosi quanto il frate lasciò scritto; ma certo non hanno giovato alla lettura di questa statua, specie nell'impegnativo confronto con la delicatezza manuale e tecnica di tutte le altre dell'Arca, così di mano di Niccolò che dello stesso Michelangelo. Questo *San Procolo* ha nella sua ispirazione, crediamo, qualche punto di contatto e di raffronto con alcune figure disegnate e realizzate da Niccolò nello stesso monumento. Una certa grazia narrativa, una freschezza affascinante qual è quella che avvolge la statua del *San Vitale* possono aver indotto Michelangelo a seguirne la suggestione, ad ammirarne la bellezza narrativa: e insieme a temperarne in attualità il modello non più borgognone né favolistico. Si tratta sempre di giovani, abbigliati con una tunica lieve e con il mantello gettato con studiata trasandatezza sulle spalle, in una posa similmente laica e con una squisita attenzione agli episodi di costume. Anche in questo caso, l'intuizione di Longhi ha di nuovo (1958) convocato dal repertorio degli amori ferraresi le tipologie che egli ritenne più ammirate da un giovane Michelangelo in cerca di necessarie novità tra le più recenti e le più moderne figurazioni di Ercole Roberti.

Bibliografia

L. Alberti, *De divi Dominici Calaguritani obitu et sepoltura*, Bononiae 1535, f. 9.

J. Burckhardt, *Il Cicerone* 1555 (ed. cons. Firenze 1992).

T. Bonora, *L'Arca di San Domenico e Michelangelo*, Bologna 1875.

F. Wickhoff, *Die Antike im Bildungsgange Michelangelos*, in *Mitteilungen des Instituts für Österreichische Geschichtsforschung*, Innsbruck 1882, III, p. 430.

H. Wölfflin, *Die Jugendwerke des Michelangelo*, München 1891.

C.J. Holmes, *Where did Michelangelo learn to paint?*, in "The Burlington Magazine", XI, 1907, pp. 235 sgg.

K. Frey, *Michelagniolo Buonarroti. Sein Leben und sein Werk*, I, Berlin 1907.

H. Thode, *Michelangelo: Kritische Untersuchungen über seine Werke*, Berlin 1913.

R. Longhi, *L'Officina Ferrarese*, Roma 1934.

A. Venturi, *La scultura del Cinquecento*, Milano 1935

G. Fiocco, *Un'altra pittura giovanile di Michelangelo*, in "La Critica d'Arte", II, 1937, p. 173.

F. Kriegbaum, *Michelangelo Buonarroti*, Berlin 1940.

H. von Heinem, *Bemerkungen zur florentine Pietà*, in "Jahrbuch der Preußischen Kunstsammlungen", LXI, 1940.

G. Fiocco, *Sull'inizio pittorico di Michelangelo*, in "Le Arti", I, 1941-42, p. 7.

C. Gnudi, *Niccolò dell'Arca*, Torino, 1942.

A. Bertini, *Michelangelo fino alla Sistina*, Torino 1942.

F. Kriegbaum, *Le statue di Michelangelo nell'altare Piccolomini a Siena*, in *Michelangelo Buonarroti nel IV Centenario del Giudizio Universale*, Firenze 1942.

C. Tolnay, *The Youth of Michelangelo*, Princeton, 1943, I, pp. 137 sgg.

L. Goldscheider, *Le sculture di Michelangelo*, London 1950, ed. it. Firenze 1963, p. 9.

R. Longhi, *Ampliamenti nell'Officina Ferrarese*, 1940, ed. Firenze 1956, p. 136.

R. Longhi, *Due proposte per Michelangelo giovane*, in "Paragone", 101, 1958.

H. von Heinem, *Michelangelo*, Stuttgart 1959.

G. Vasari, *La Vita di Michelangelo nelle redazioni del 1550 e del 1568*, curata e commentata da Paola Barocchi, Milano-Napoli 1962, II, p. 132, nota 110, e p. 136, nota 114.

C. Tolnay, "Michelangelo", voce in *Enciclopedia universale dell'arte*, IX, col. 270, Roma-Venezia 1963.

E. Battisti, a cura di, *Michelangelo scultore*, con testi di R. J. Clements, G.C. Argan, E. Battisti, F. Negri Arnoldi, S. Casartelli-Novelli, s.d. [1964].

S. Bottari, *L'Arca di San Domenico in Bologna*, Bologna 1964, pp. 75-81.

P. d'Ancona - A. Pinna - I. Cardellini, *Michelangelo*, Milano 1964, pp. VII e 4-5.

U. Baldini, *La scultura di Michelangelo,* in *Michelangelo artista-pensatore-scrittore*, Novara 1965, I, pp. 85-87.

J. Pope-Hennessy, *La scultura italiana*, vol. II, Milano 1966.

A. Luchs, *Michelangelo's Bologna Angel: Counterfeitin the Tuscan Duecento*, in "The Burlington Magazine", CXX, 1978, pp. 222-225.

K. Weil-Garris Brandt, *A Marble in Manhattan: the case for Michelangelo*, in "The Burlington Magazine", CXXXVIII, 1996, pp. 644-659.

G. Perini, *Appunti per una storiografia della scultura in Bologna*, in *Il restauro del Nettuno*, con scritti di G. Perini, B. Lasckhe, M. Butzek, H.W. Hubert, G. Morigi, G. Feigenbaum, in corso di stampa.

Si esprime il più vivo ringraziamento al Padre Venturino Alce per le sapienti informazioni fornite.

Luisa Ciammitti

Note biografiche su Giovan Francesco Aldrovandi

Un moto di "compassione", secondo Vasari, indusse Giovan Francesco Aldrovandi a tirar fuori dai guai il giovane Michelangelo incontrato "per caso" nell'Ufficio delle Bollette di Bologna. Ben diversa è la versione fornita da Ascanio Condivi: "vedutolo quivi, ed intendendo il caso, lo fece liberare; massimamente avendo conosciuto ch'egli era scultore"[1]. Non fu probabilmente ignoranza o leggerezza da parte di Michelangelo il mancare di sottoporsi, come avrebbe dovuto, al suggello di cera rossa "sull'ugna del dito grosso", segno del forestiero nella Bologna dei Bentivoglio: è infatti assai plausibile che egli sapesse bene a chi rivolgersi una volta approdato in città, e che lo stesso Aldrovandi conoscesse già quanto promettente fosse, come scultore, quel giovane non ancora ventenne.

Molto si sa, o meglio si può sapere, su Giovan Francesco Aldrovandi[2]. Nel 1488 (quando Michelangelo adolescente cominciava appena a frequentare il giardino di San Marco), Giovan Francesco risiedeva a Firenze con la carica di podestà. Lo era stato in precedenza anche a Lucca (1482) e a Perugia (1485)[3]. Il padre Niccolò fece parte del governo dei Sedici di Bologna e fu tesoriere del comune: una carica, quest'ultima, di enorme potere e prestigio in un periodo in cui le finanze pubbliche erano affidate a una corporazione di privati che decideva come e su che cosa investire[4]. I lavori all'Arca di San Domenico, ad esempio, erano totalmente a carico del Senato che, tassando gli impiegati comunali e la Società delle Arti, aveva sollevato i frati dalle ingenti spese volute per abbellire l'antico sepolcro[5]. Giovan Francesco dunque, assegnandone il completamento a Michelangelo, agiva per conto del comune di Bologna. La famiglia Aldrovandi, forse originaria di Firenze, aveva abitato anticamente a Castel dei Britti, dove continuava a recarsi per occasioni diverse[6]. Di qui, uno scambio di lettere e di poesie tra Sebastiano Aldrovandi, fratello di Giovan Francesco, e Angelo Maria Salimbeni, in fuga dalla peste che imperversava a Bologna, ci informa della data di morte di Francesco del Cossa[7].

Giovan Francesco, nominato senatore nel 1488, fu uomo dei Bentivoglio, come lo era stato il padre[8]. Dai maggiori signori di Bologna fu più volte prescelto tanto per occasioni in cui l'ordito politico, talvolta difficile, poteva ormai finalmente divenire elegante trama mondana – come accompagnare a Rimini Violante Bentivoglio che andava sposa a Pandolfo Malatesta (1489) – quanto per missioni di delicata diplomazia. Con Alessandro Bentivoglio, ad esempio, si era recato a Milano a complimentarsi col nuovo duca, Ludovico Sforza. Giovanni Bentivoglio e il Senato, sotto il peso dell'azione papale sempre più minacciosa, lo avevano mandato a sondare le intenzioni del Valentino nei confronti di Bologna (1502)[9]. A sua volta, Francesco Alidosi, rappresentante del papa in città, lo aveva voluto con sé a Milano per l'incontro con Luigi XII, re di Francia (1505)[10]. Di certo abile politico, si rese conto rapidamente del destino ormai segnato della signoria dei Bentivoglio, ma fu avversato dal Senato e tacciato di pusillanimità. Di lì a poco, Giulio II, a capo del proprio corteo in Strada Maggiore, voltatosi commosso a benedire per l'ultima volta Bologna – ormai sua – chiese di essere riaccompagnato a Roma da Gio-

1. G. Vasari, *La Vita di Michelangelo nelle redazioni del 1550 e del 1568*, a cura di P. Barocchi, Milano-Napoli 1962, I, p. 14: " fu compassionevolmente veduto a caso, da messer Giovanfrancesco Aldrovandi, uno de' sedici del governo, il quale fattosi contare la cosa, lo liberò, e lo trattenne presso di sé più d'uno anno...". Inoltre: II, 132-142. A. Condivi, *Vita di Michelagnolo Buonarroti* (1553), ed. a cura di E. Spina Barelli, Milano 1964, pp. 31-32. Su Vasari e Condivi: J. Wilde, *Michelangelo, Vasari e Condivi*, in *Six Lectures by Joannes Wilde*, Oxford 1978, pp. 1-16.

2. Su di lui si erano interrogati invano G. Agosti - V. Farinella, *Stanza delle teste*, in *Il giardino di San Marco. Maestri e compagni del giovane Michelangelo*, catalogo della mostra (Firenze), a cura di P. Barocchi, Cinisello Balsamo (Milano) 1992, p. 103; e di nuovo G. Agosti, *Su Mantegna, 2. (All'ingresso della "maniera moderna")*, in "Prospettiva", 72, ottobre 1993, p. 82, nota 63. È sufficiente ritessere le fila e fare qualche controllo sulla scia dell'ottima biografia fornita da G. Fantuzzi, *Notizie sugli scrittori bolognesi*, Bologna 1781, I, pp. 161-164. Un primo tentativo in questo senso è stato compiuto da S. Tugnoli Pattaro, *Una pagina di storia bolognese. Giovanni Francesco Aldrovandi antenato di Ulisse e la fine della Signoria Bentivoglio a Bologna*, in "Strenna Storica Bolognese", XXIV, 1974, pp. 309-319. Si veda inoltre: C. Ghirardacci, *Historia di Bologna*, a cura di A. Sorbelli, Bologna 1933, tomo I, p. III: indice alfabetico alle pp. 403-404. Indicazioni sulla vita di Aldrovandi, sulla base del solo Ghirardacci, venivano date da C. de Tolnay, *The Youth of Michelangelo*, Princeton 1943, p. 139.

3. Casio de' Medici, Girolamo, *Libro intitulato Cronica ove si tratta di epitaffi, di amore e di virtute composto per il magnifico Casio Felsineo cavaliero e laureato versi tre millia cinquecento*, in Bologna, Cinzio Achillini (?), dopo il giugno 1529: "Pretor di Luca, Fiorenza, e Perusa/ Et almo di sua Patria Dittatore/ Fu Gian Francesco Poeta, e Oratore/ Figliuol di Apol, nudrito dalla Musa". A questi versi fa riferimento Agosti 1993, p. 82, nota 63.

4. Sul complicato equilibrio politico e finanziario tra i Bentivoglio, "primi inter pares", e il resto del patriziato bolognese: A. De Benedictis, *Quale corte per quale signoria? A proposito di organizzazione e immagine del potere durante la preminenza di Giovanni II Bentivoglio*, in *Bentivolorum Magnificentia. Principe e cultura a Bologna nel Rinascimento*, a cura di B. Basile, Roma 1984, in particolare pp. 17-18, con bibl. precedente. Nella carica di tesoriere del comune compare Niccolò Aldrovandi in J. Zaccaria, *Inscriptionum epistolarium libellus*, s.l.n.d., ma in Roma, Eucarius Silber. Si veda: L. Ciammitti, *Opus Nicolai de Apulia*, in *Tre artisti nella Bologna dei Bentivoglio*, catalogo della mostra, Bologna 1985, pp. 278-283; ead., *Frammenti di testimonianze intorno a Niccolò*, in *Niccolò dell'Arca. Seminario di studi.* Atti del convegno, 26-27 maggio 1986, a cura di G. Agostini - L. Ciammitti, Bologna 1989, p. 109.

5. A. D'Amato, *I domenicani a Bologna*, Bologna, 1988, I, pp. 410-412. Niccolò dell'Arca aveva stipulato il contratto direttamente con il Senato e si rivolse agli Anziani del covan Francesco Aldrovandi e da Giovanni Marsili (1507). Poco prima aveva rieletto entrambi nel nuovo governo[11].

Giureconsulto, Giovan Francesco aveva sposato nel 1484 Francesca, figlia di uno dei più famosi e stimati giureconsulti del tempo: il siculo Andrea Barbazza[12]. Il disegno della tomba di quest'ultimo, in San Petronio, fu richiesto da Bartolomeo Barbazza a un Michelangelo ormai troppo impegnato per eseguirlo[13].

Giovan Francesco, dunque, nella casa di via Galliera confinante con quella di Giovanni Filoteo Achillini, ogni sera amava sentire Michelangelo leggergli, nel suo accento toscano, "qualche cosa di Dante o del Petrarca e talvolta del Boccaccio, finché non si addormentasse" (Condivi)[14]. Lo stesso Aldrovandi inserì due accenni, significativi perché non richiesti dal contesto, a "il mio Dante" e "il mio Petrarca" nel *Magno Torneamento*, un poema in ottave da lui scritto per celebrare il torneo del 14 ottobre 1490, indetto da Giovanni II Bentivoglio[15]. Il giurista Pio Antonio Bartolini ci consegna un'immagine di Giovan Francesco che, alle prese con la soldataglia francese – "qui per agrum Bononiensem pertransitabant" (1495) – si tuffava in un libro, appena la guerra glielo consentiva. A lui Bartolini, filologo umanista, dedica le proprie *Correctiones* al *Corpus iuris civilis*: forse grazie a uomini del suo ingegno, generosità e cultura, dice, sarà possibile redimere anche le leggi dagli errori dei copisti, sottraendole alla barbarie[16]. Tralasciando le lodi di rito del vicino di casa Achillini o di Girolamo Casio, quel che emerge da altre testimonianze più appassionate è un giudizio unanime: lo stupore per l'amorosa ospitalità di uomini di studio e l'enorme quantità di libri che teneva in casa. Bartolini lo chiama "peritissimum et litteratorum amantissimum"; Nicola Burzio dice di lui: "litteratus litteratos amat, hos fovet, hos quoque volucri suffragio defendit" (1494)[17]. La sua biblioteca non doveva essere inferiore a quella famosa di Ludovico Bolognini che, allievo e amico di Tartagni e di Barbazza, ne rogava il passaggio nel 1498 alla *Libraria nova* del convento di San Domenico, di cui aveva anche fatto eseguire gli arredi. Fantuzzi, che ignora l'ospitalità di Aldrovandi nei confronti di Michelangelo, racconta che Giovambattista Plauzio da Fontanellato grazie alla "tantam librorum copiam" di Giovan Francesco fu in grado di interpretare e pubblicare Aulo Persio[18]. Plauzio, che dice di aver trovato in Bologna maestri preziosi come Filippo Beroaldo e Giovanni Battista Pio, parla con gratitudine dell'ospitalità offertagli dall'Aldrovandi e del porto sicuro che la sua biblioteca rappresentò per lui, "ut ad virtutem ad quam aspirabam, mihi facile pateret iter"[19]. Ma se un umanista come Beroaldo si dedicava, fra l'altro, a traduzioni latine di una canzone del Petrarca e di tre novelle del Boccaccio, Giovan Francesco preferiva ascoltare la poesia in volgare nell'accento toscano di Michelangelo, che tanto aveva a noia il latino[20]. A tempo perso, anche lui come Angelo Colocci e Paolo Cortese gareggiava in "fraterna emulazione" con i sonetti e gli strambotti di Serafino Aquilano[21]. Oppure con Vincenzo Calmeta, Panfilo Sassi e altri, partecipava alle consuete raccolte di carmi religiosi. Qui, dichiarando di amare le donne più che il Signore che l'aveva redento, parla del fuoco d'amore che lo brucia. E confronta – per contrasto – il proprio morire a poco a poco di languido dolore al repentino spegnersi di Meleagro[22].

La passione per l'antico, questa volta sotto forma di passione antiquaria, ci mostra Aldrovandi in giro per Bologna a controllare e far restaurare le lapidi commemorative di Graziano in San Petronio e di Azzone nel campanile del convento delle monache di San Gervasio[23]. La *pietas* familiare e di patria gli fece erigere in Santo Stefano, insieme al fratello Sebastiano, il sepolcro in memoria del padre Niccolò, già tesoriere del comune di Bologna (aprile 1500)[24]. Il culto degli antenati, a far restaurare e ornare la tomba di re

mune quando la Società delle Arti gli contestò la facoltà di lavorare a Bologna, non essendo iscritto a nessuna delle arti in città.

6. G. Guidicini, *Cose notabili di Bologna*, Bologna 1868-1873, 5 voll., II, pp. 177-178, propone una discendenza longobarda da un Ildebrando. Esiste ancora parte dell'archivio di famiglia, per cui: Bologna, Archivio di Stato, Fondi privati. Archivio Aldrovandi-Marescotti. Nel Cartone 475 le cariche pubbliche di Giovan Francesco; nel Cartone 477 le lettere a lui dirette. Un ringraziamento speciale, per un aiuto sempre prezioso e competente, va alla dottoressa Tiziana Di Zio dell'Archivio di Stato di Bologna.

7. L. Frati, *La morte di Francesco del Cossa*, in "L'Arte", 1900, III, pp. 301-302, rese noto il contenuto del manoscritto 1614 della Biblioteca universitaria di Bologna, Fondo Ulisse Aldrovandi, Ms. *1614, Philomatia o sia desiderio d'imparare. Lettere e poesie di Angelo Michele Salimbeni e di Sebastiano Aldrovandi, amendue cittadini bolognesi, scritte vicendevolmente da Castel de' Britti, luogo ameno in una collina sopra il fiume Idice, dove stavano rifuggiati per isfuggire i maligni influssi del contaggio ch'era nella città di Bologna l'anno MCCCCLXXVII*. A dispetto dell'anno apposto nel titolo del manoscritto, la lettera in cui si riferisce della morte del Cossa si situa fra due altre missive datate tra il segno dell'acquario (21 gennaio-18 febbraio 1478) e quello dei gemelli (a partire dal 22 maggio). Si veda anche: R. Grandi, *La scultura a Bologna nell'età di Niccolò*, in *Niccolò dell'Arca*... 1989, pp. 33-34. La presenza del Ms. 1614 nella biblioteca di Ulisse Aldrovandi, appartenente a un ramo della famiglia, fa pensare che ivi siano confluiti, almeno in parte, manoscritti e libri di Giovan Francesco e di Sebastiano. Sul fondo Aldrovandi: L. Miani- M.C. Bacchi, *I fondi manoscritti e le raccolte di incunaboli e cinquecentine della Biblioteca universitaria come fonti per la storia della cultura rinascimentale*, in "Schede Umanistiche" I, 3, 1989, pp. 35-39.

8. Ghirardacci 1933, I, 247, 42-43; a p. 404 dell'indice alfabetico gli incarichi di Niccolò.

9. Ghirardacci 1933, I, rispettivamente a p. 254, 17-19 per Violante; a p. 283, 35-39 per Ludovico Sforza; a p. 304, 42-45 per il Valentino.

10. Fantuzzi 1781, I, p. 162. Su Alidosi cfr. *Dizionario biografico degli italiani*, (*DBI*), Roma 1966, II, *ad vocem*.

11. Ghirardacci 1933, I, a p. 312, 23-37 sulla missione dal Valentino e le accuse del Senato; a p. 358, 27-29 sulla nuova elezione al governo; a p. 365, 21-22 in viaggio col papa di ritorno a Roma.

12. Biblioteca Comunale dell'Archiginnasio. D. Carrati, *Genealogie delle famiglie nobili Bolognesi*, secolo XVIII Ms. B. 698/2 per gli *Aldrovandi*; Ms. B. 692/2 per i *Barbazza*. Su Andrea Barbazza: *DBI*, Roma, 1964, 6, pp. 146-148.

13. M.V. Brugnoli, *Le porte minori*, in *La basilica di San Petronio*, Bologna 1984, pp. 69-70. In una lettera del 3 ottobre 1525 Bartolomeo Barbazza chiede a Michelangelo alcuni chiarimenti sul disegno fornitogli perché il Tribolo e il Solosmeo possano eseguire il sepolcro. Pochi giorni dopo (29 ottobre) Barbazza e Tribolo, con due lettere separate (quella del Tribolo senza giorno, ma nel mese di ottobre), lo ringraziano della risposta: *Il Carteggio di Michelangelo*, edizione postuma di Giovanni Poggi, a cura di P. Barocchi-R. Ristori, Firenze 1973, II, rispettivamente alle pp. 168, 175 e 180.

14. Condivi 1553, ed. 1964, p. 32. Vasari *La vita di Michelangelo*..., ed. 1962, I, p. 14: "volentieri udiva le cose di Dante, del Petrarca e del Boccaccio, et altri poeti toscani" – aggiunge. Si veda inoltre: II, p. 141. Sulle case Aldrovandi-Achillini, in via Galliera in angolo con l'attuale via degli Usberti (già Achilli o Achillini): Guidicini 1868-1873, II, pp. 177-178.

Enzo presso l'Arca di San Domenico. Di quella medesima arca, lasciata incompiuta da Niccolò "fantasticus et barbarus", offriva il completamento al giovane ventenne incontrato "per caso", grazie a una multa dell'Ufficio delle Bollette[25].

Morì nel 1512.

15. La notizia di questo poema di Aldrovandi si deve a Giovanni Filoteo Achillini, *Il Viridario nel quale nomina i letterati bolognesi e di altre città*, in Bologna per Girolamo del Plato de Benedictis, 1513, p. CLXXXVI. L'esemplare de *Il Viridario* conservato nella Biblioteca universitaria di Bologna è mutilo proprio di quella pagina e di altre tre (XXIX-XXXII-CXXXI). F. Pezzarossa, "*Ad Honore et Laude del nome Bentivoglio*". *Letteratura della festa nel secondo Quattrocento*, in *Bentivolorum Magnificentia...* 1984, a cura di B. Basile, Roma 1984, pp. 81-88, ha invece trattato del poema, segnalandone l'esistenza nel *Codice miscellaneo 774* della Biblioteca universitaria di Bologna. Si veda: l'accenno a Petrarca nel *libro I, ottava 81*, a Dante nel *libro II, ottava 65*.

16. P.A. Bartolinus, *Correctiones LXX locorum iure civili*, D. Hectoris, Bononiae 1495: la dedica e i riferimenti alla vita di G.F. Aldrovandi hanno consentito di datare la pubblicazione dell'opera intorno al settembre del 1495. Si veda *DBI* 1964, 6, pp. 624-625.

17. N. Burzio, *Bononia illustrata*, Bologna 1494, c. 14. Per le lodi del Casio si veda la nota 3; quanto ad Achillini, 1513, la nota 15.

18. Fantuzzi 1781, I, p. 163.

19. *Castigatissimi Persii poema: cum Ioannis Baptistae Plautii frugifera interpretatione nec non cum Cornuti philosophi eius praeceptoris Ioannes Britannici Brixiani ac Bartolomei Fontii aureis commentariis,* in Venetia, Joannes Rubeus, 1516, c. IIv.

20. Si veda quanto dice Jacopo Galli sull'insofferenza nei confronti del latino da parte di Michelangelo in M. Hirst, *Michelangelo, Carrara, and the Marble for the Cardinal's Pietà*, in "The Burlington Magazine", CXXVII, 1985, p. 159. Su Beroaldo e Giovanni Battista Pio: E. Raimondi, *Codro e l'Umanesimo a Bologna*, Bologna 1987. Su Bolognini si veda *DBI* 1969, 11, pp. 337-352. Per un recente contributo sugli umanisti bolognesi: L. Chines, *La parola degli antichi. Umanesimo emiliano tra scuola e poesia*, Urbino 1998.

21. C. Dionisotti, *Gli umanisti e il volgare fra Quattro e Cinquecento*, Firenze 1968, pp. 55 sgg. Fantuzzi 1781, I, p. 164, parla di un sonetto di Giovan Francesco al n. 119 di un codice cartaceo miscellaneo manoscritto della biblioteca di San Salvatore. Non l'ho finora trovato.

22. "Non ebbe Meleagro al suo fenire/ un languido dolor a poco a poco/ quale io mi sento a l'ultimo perire...: in *Thesauro spirituale vulgare in rima e historiato composto nuovamente da divote persone de Dio e della gloriosa Vergine Maria a consolatione de li chatolici e devoti Christiani*, stampato ne la inclita città di Venezia per Nicolò Zopino e Vincenzio compagni nel MDXXIIII, p. nn.

23. Fantuzzi 1781, I, p. 163.

24. G. Roversi, *Iscrizioni medievali bolognesi*, Bologna 1982, pp. 117-120.

25. La definizione di Niccolò è di G. Borselli, *Cronica gestorum ac factorum memorabilium civitatis Bononiae*, in "Rerum Italicarum Scriptores", n.e. a cura di A. Sorbelli, Città di Castello 1929, tomo XXII, parte II, p. 113.

Christoph Luitpold Frommel

Raffaele Riario, la Cancelleria, il teatro e il *Bacco* di Michelangelo

Con un'esclusività come pochi committenti del Rinascimento, Raffele Riario si dedicò per la maggior parte della sua vita alla progettazione, costruzione e decorazione del suo palazzo romano (fig. n. 1)[1]. Di questa decorazione fece parte anche il *Bacco* di Michelangelo[2]. Raffaele cominciò il palazzo probabilmente nel 1489, immediatamente dopo l'uccisione del capostipite dei Riario, lo zio Girolamo, e dopo aver vinto al gioco l'ingente somma di 20.000 ducati[3]. Nato a Savona nel 1460 ed educato alla corte dello zio a Imola dall'umanista Matteo Faello, venne mandato a Pisa nel 1477 per studiare diritto. Ivi ricevette, a soli diciassette anni, come ricorda una delle sue medaglie, il cappello cardinalizio (fig. n. 2). Nel febbraio del 1478 fuggì dalla peste rifugiandosi nella villa dei Pazzi a Montughi presso Firenze. Un invito a palazzo Medici diede ai Pazzi l'occasione di attentare alla vita di Lorenzo e Giuliano. I suoi istitutori pisani, l'arcivescovo Francesco Salviati, Jacopo Bracciolini, figlio del più famoso scopritore del Vitruvio di St. Gallen, e il protonotaio Antonio Maffei furono giustiziati come confidenti, mentre Raffaele ebbe salva la vita solo grazie alla saggezza politica del Magnifico.

Nonostante queste esperienze amare, la conoscenza della cultura medicea dovette averlo profondamente impressionato. In quell'epoca conobbe Marsilio Ficino che gli dedicò il trattatello *Veritas de institutione principis*; per tutta la sua vita infatti rimase fedele a san Giorgio, suo santo titolare e rappresentante della "Virtus" che appare sul verso della stessa medaglia giovanile (fig. n. 3)[4]. Sicuramente ebbe anche occasione di vedere a Pisa le intarsie del suo futuro architetto, Baccio Pontelli[5], forse di conoscerlo personalmente, e di incontrare a Firenze pittori come Botticelli, Ghirlandaio e Cosimo Rosselli, che tre anni dopo avrebbero decorato la Cappella Sistina.

Ancora più importante per la progettazione del suo futuro palazzo fu quello del duca di Urbino, che egli potrebbe aver visitato nella seconda metà del 1478, durante il suo soggiorno di quattro mesi a Macerata, come legato delle Marche. Nel 1483 il prozio, Sisto IV, lo promosse camerlengo e commendatario di San Lorenzo in Damaso, creando così due premesse fondamentali per la realizzazione della Cancelleria. L'anno prima era morto Federico da Montefeltro, e Baccio Pontelli, l'assistente di Francesco di Giorgio come architetto del duca, si era trasferito a Roma[6], dove era diventato "servitore del cardinale ad vincola"[7], lo zio di Raffaele, progettando forse già verso il 1483-84 Sant'Aurea a Ostia e completando la vicina Rocca[8]. Pontelli aveva un'intima familiarità con ogni dettaglio del palazzo urbinate e già nel 1483 potrebbe aver presentato le prime proposte per il nuovo palazzo presso San Lorenzo in Damaso[9]. Sicuramente non fu facile per Raffaele ottenere il permesso di distruggere la veneranda basilica paleocristiana, spostare la nuova chiesa verso nord e nasconderla dietro la facciata del palazzo, al quale ovviamente dava priorità assoluta. Il ritardo nell'inizio dei lavori però è spiegabile anche col fatto che proprio in quegli anni il pensiero del cardinale, dei suoi architetti e dei committenti venne profondamente influenzato dalle teorie di Vitruvio e di Alberti e dall'umanesimo della cerchia di Pomponio Leto.

1. Per le ricerche ringrazio G. Schelbert e per la traduzione E. Pastore. Sulla vita di Riario e la storia della Cancelleria vedi: A. Schiavo, *Il palazzo della Cancelleria*, Roma 1964; S. Valtieri, *La fabbrica del palazzo del cardinale Raffaele Riario (La Cancelleria)*, in "Quaderni dell'Istituto di Storia dell'Architettura", 27, 1982, pp. 3-25; C.L. Frommel, *Il palazzo della Cancelleria*, in *Il palazzo dal Rinascimento ad oggi*, atti del Convegno internazionale, Reggio Calabria 1988, a cura di S. Valtieri, Roma 1989, pp 29-54; C.L. Frommel, *Raffaele Riario, committente della Cancelleria*, in A. Esch - C.L. Frommel, *Arte, committenza ed economia a Roma e nelle corti del Rinascimento 1420-1530*, Torino 1995, pp. 197-211.
2. Vedi in questo catalogo scheda n. 54.
3. P.D. Pasolini, *Caterina Sforza*, Roma 1893, vol. 1, pp. 199-202.
4. Vedi in questo catalogo la scheda per l'altra medaglia raffigurante l'effigie di Raffaele Riario e sul verso la *Liberalitas*.
5. F. Benzi, *Sisto IV renovator urbis. Architettura a Roma 1471-1484*, Roma 1990, pp. 77, 238, n. 7-9. Sembra che la sua famiglia abitasse a Pisa ancora nel 1478, quando Pontelli stava già a Urbino.
6. Benzi 1990, p. 77.
7. R. Pane, *Il Rinascimento nell'Italia meridionale*, II, Milano 1967, pp. 211 sgg.
8. C.L. Frommel, *Kirche und Tempel: Giuliano della Roveres Kathedrale Sant'Aurea in Ostia*, in *Festschrift für Nikolaus Himmelmann*, a cura di H.-U. Cain - H. Gabelmann - D. Salzmann, Mainz 1989, pp. 491-505.
9. C.L. Frommel, in F. Buranelli - C.L.Frommel, *Il palazzo della Cancelleria* (in corso di preparazione).

1. Roma, palazzo della Cancelleria, cortile.

2, 3. Lysippus, medaglia del diciassettenne Raffaele Riario, recto e verso. Da Hill 1930, n. 791.

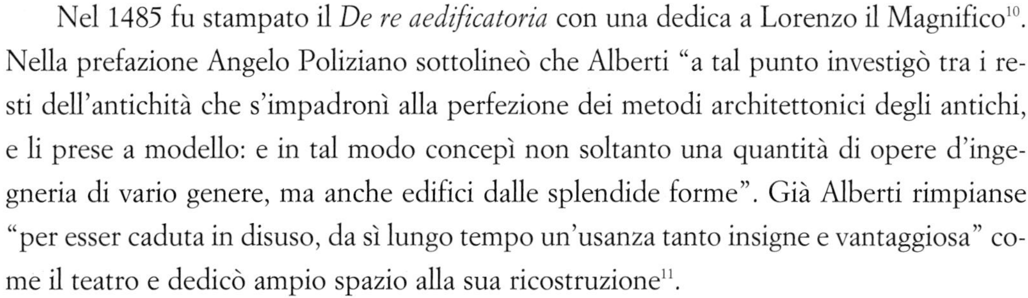

Nel 1485 fu stampato il *De re aedificatoria* con una dedica a Lorenzo il Magnifico[10]. Nella prefazione Angelo Poliziano sottolineò che Alberti "a tal punto investigò tra i resti dell'antichità che s'impadronì alla perfezione dei metodi architettonici degli antichi, e li prese a modello: e in tal modo concepì non soltanto una quantità di opere d'ingegneria di vario genere, ma anche edifici dalle splendide forme". Già Alberti rimpianse "per esser caduta in disuso, da sì lungo tempo un'usanza tanto insigne e vantaggiosa" come il teatro e dedicò ampio spazio alla sua ricostruzione[11].

Il primo Vitruvio venne pubblicato uno o due anni dopo da un discepolo di Pomponio Leto, Sulpizio da Veroli, e probabilmente finanziato dallo stesso Raffaele Riario[12]. Nella dedica, Sulpizio elogiò Raffaele come conoscitore di Vitruvio e perciò ricercato dagli architetti[13]. Secondo lui Raffaele doveva costruire "praetoria, villas, templa, porticus, arces et regias, sed prius theatra". Si sarebbe guadagnato gran fama se avesse costruito un teatro, dove la gioventù, nei giorni di festa, avrebbe potuto recitare poesie e rappresentare favole in onore degli dei, esortando e divertendo il popolo con spettacoli onesti. Se non gli fosse stato possibile rinnovare uno dei due teatri antichi, quello di Marcello un po' distante e occupato dai Savelli, o quello di Pompeo, ne avrebbe dovuto costruire uno nuovo secondo le indicazioni di Vitruvio.

10. L.B. Alberti, *L'architettura (De re aedificatoria)*, trad. G. Orlandi, a cura di P. Portoghesi, Milano 1966, pp. 3 sgg.
11. *Ibid.*, pp. 724-749.
12. B. Pecci, *Contributo per la storia degli umanisti nel Lazio*, in "Archivio della Real Società di Storia Patria", 13, 1890, p. 459; A. Greco, *L'istituzione del teatro comico nel Rinascimento*, Napoli 1976, pp. 73-77.
13. E. Müntz, *Les arts à la cour des papes Innocent VIII, Alexandre VI, Pie III (1484-1503)*, Paris 1898, p. 44; F. Cruciani, *Teatro nel Rinascimento a Roma 1450-1550*, Roma 1983, pp. 219, 222, 224 sgg.

In quegli anni Pomponio Leto e i suoi allievi stavano tentando di risvegliare il teatro antico con rappresentazioni di commedie in latino e Raffaele Riario era il loro massimo fautore[14]. Lo stesso Sulpizio ricorda che Riario per primo aveva fatto erigere un palco in mezzo alla piazza, alto cinque piedi, ed era stato il primo a insegnare alla gioventù a recitare le tragedie[15]. Con questo, Sulpizio allude alla rappresentazione dell'*Hyppolitus* di Seneca nel 1486, "prope Florae Forum ante aedes reverendissimi camerarii", e cioè "nello spiazzo che è davanti il palazzo del cardinale Raffaele di S. Giorgio", come ricordano Paolo Cortese ed Erasmo[16]. "... poi fu recitato [*Hyppolitus*] di nuovo tra i tuoi penati come in mezzo alla cavea del circo", continua Sulpizio, "con tutto il consesso coperto di velari, avendo ammesso il popolo e moltissimi spettatori del tuo grado, l'hai accolta con onore. Tu anche per primo hai mostrato al nostro secolo l'aspetto della scena dipinta allorchè i Pomponiani recitavano la commedia... Non invidiamo Claudio per la varietà della scena dipinta... versatile e duttile, quando ti piacerà, la farai senza difficoltà." Proprio nel ruolo di Fedra, nell'*Hyppolitus*, il sedicenne Tommaso Inghirami, che era stato mandato a Pomponio da Lorenzo de' Medici e che sarebbe diventato poi il massimo promotore del teatro antico, riuscì con delle improvvisazioni a colmare una pausa causata da un danno del "ponte dietro la prospettiva". Tale episodio lo indusse poi a prendere per sempre il nome d'arte di Fedra[17]. Non è da escludere che si trattasse già di una scenografia prospettica alla quale potrebbe aver collaborato anche Pontelli che, come intarsiatore, era un virtuoso della prospettiva centrale. È ovvio che già allora si tentasse di ricostruire il teatro antico in tutte le sue parti, seguendo Vitruvio e Alberti, e cioè con il palco alto cinque piedi, con scenografie prospettiche e periactoi, con auditorium a gradinata e cavea – "come in mezzo alla cavea del circo" – e con velarium e statue negli intercolunni dei portici. Nel 1492 Raffaele festeggiò la liberazione di Granada con una rappresentazione in "temporario in tuis magnificentissimis aedibus excitato theatro", come ricorda Carlo Verardi nella pubblicazione del testo[18]. Il nuovo palazzo allora non era ancora agibile e si trattava probabilmente del palazzo Riario-Altemps, uno dei pochi con cortile circondato da arcate, che Raffaele abitò durante la distruzione del vecchio palazzo e la costruzione della prima ala del nuovo, e cioè dal 1492 circa fino all'autunno del 1496[19].

Secondo Pomponio Leto, la Cancelleria si ergeva proprio sul sito del teatro di Pompeo[20]. Essa doveva quindi combinare le funzioni di palazzo e teatro, e distinguersi per uno splendore non inferiore a quello che aveva reso famoso il teatro di Pompeo. Non solo i pomponiani, ma anche tutto il mondo umanista seguiva con attenzione se il nuovo palazzo sarebbe stato all'altezza di questa sfida, riuscendo a superare l'arcaica tipologia dei palazzi degli anni settanta e ottanta.

Appena un anno prima dell'inizio dei lavori, nel 1488, Giuliano da Sangallo, anch'egli come Pontelli uscito dalla bottega del Francione e diventato architetto di un gran signore umanista, aveva concepito il modello per un palazzo del re di Napoli[21], circondando l'immenso cortile con le gradinate di un auditorio all'antica, come aveva fatto contemporaneamente anche Giuliano da Maiano, in dimensioni molto più ridotte, nella villa di Poggio Reale[22]. Giuliano si ispirò, con qualche probabilità, ai teatri effimeri dei pomponiani di poco anteriori: né a Napoli né a Firenze sono documentati teatri paragonabili e non a caso mancano anche nei progetti di Giuliano per Lorenzo. Non c'è dubbio che Giuliano facesse sosta a Roma per orientarsi sulle ultime tendenze, sebbene i cortili napoletani non sembrino destinati alla rappresentazione di drammi antichi[23]. Nella Cancelleria si rinunciò, ovviamente per rispetto alle altre funzioni del cortile, a un audi-

14. *Ibid.*, pp. 167, 184-188, 190, 244.
15. *Ibid.*, pp. 223 sgg.
16. *Ibid.*, pp. 40, 220 sgg., 225 sgg.
17. *Ibid.*, pp. 39-44, 221, 226.
18. *Ibid.*, pp. 229-239.
19. Cfr. il saggio K. Weil-Garris Brandt in questo catalogo. Il 24 dicembre 1496 Spinolus de Spinolis a nome di Caterina Sforza dà in affitto a un vescovo "quandam domum ipsius domine comitisse sitam in regione pontis de urbe quam nunc inhabitat Revendissimus dominus meus dominus cardinalis Sancti Georgii" (Roma, Archivio Capitolino, sez. I, vol. 895, fol. 99 rs). Quando Michelangelo visitò Riario nel luglio 1496 per giudicare "certe figure" e cioè probabilmente statue antiche, questi ovviamente non abitava ancora nella Cancelleria, la "chasa nuova", che Michelangelo conoscerà soltanto qualche giorno dopo (*Il carteggio di Michelangelo*, a cura di P. Barocchi e R. Ristori, I, Firenze 1965, pp. 1 sgg.). L'8 settembre 1492 Riario conclude una acquisizione "in capella dictarum edium apud sanctum laurentium in damaso" (Roma, Archivio Capitolino, vol. 895, VII, fol. 52 recto sgg.). Sull'elogio del carattere classicheggiante dell'*opus isodomum* da parte di Raffaello Maffei da Volterra, un umanista vicino ai pomponiani, vedi: M. Daly Davies, "*Opus isodomum" at the Palazzo della Cancelleria*, in *Roma centro ideale della cultura dell'antico nei secoli XV e XVI*, a cura di S. Danesi Squarzina, Milano 1989, pp. 442-457.
20. V. Zabughin, *Giulio Pomponio Leto*, Roma 1909, II, p. 180.
21. H. Biermann, *Das Palastmodell Giuliano da Sangallos für Ferdinand I., König von Neapel*, in "Wiener Jahrbuch für Kunstgeschichte", 23, 1970, pp. 154-195; S. Borsi, *Giuliano da Sangallo: i disegni di architettura e dell'antico*, Roma 1985, pp. 395-404.
22. C.L. Frommel, *Poggio Reale: problemi di ricostruzione e di tipologia*, in *Giuliano da Maiano. Atti del Convegno Firenze 1992*, Firenze 1994, pp. 104-111.
23. Borsi 1985, pp. 12 sgg.

torio fisso a gradinate. Le rappresentazioni dovevano quindi svolgersi nella parte posteriore del cortile, mentre gli ospiti eminenti potevano assistervi da un auditorio effimero nella parte anteriore e il popolo dalle logge superiori e dalle finestre del terzo piano.

Questo stretto rapporto del cortile della Cancelleria con il teatro viene confermato dal suo presumibile arredamento con statue. Entrambe le statue colossali, da Albertini viste già nel 1509-10 nella Cancelleria e delle quali almeno una proveniente dal teatro di Pompeo, dovevano essere collocate con molta probabilità nel cortile[24]. In un disegno databile tra il 1524 e il 1538, la cosiddetta *Melpomene* si trova, ovviamente in posizione provvisoria, sotto un'arcata della loggia settentrionale – senz'altro perché doveva trovare il suo posto definitivo nelle immediate vicinanze e su uno zoccolo più elaborato (fig. n. 4)[25]. Solo dopo il 1527 e probabilmente su iniziativa del vicecancelliere Alessandro Farnese, Antonio da Sangallo il Giovane propose poi la collocazione all'esterno[26]. Già agli anni 1514-16 invece risale il progetto sangallesco per la "porta per lo palatio del cardinale di santo giorgio di roma", dove quattro statue femminili, non più alte di circa 1,50 m, sono collocate sopra il portale principale (fig. n. 5)[27]. Probabilmente dovevano essere di nuovo delle muse, o antiche o da scolpire, che avrebbero caratterizzato il palazzo fin dall'esterno[28].

4. Maestro del Codice di Fossombrone, *Melpomene* nel cortile della Cancelleria. Fossombrone, Biblioteca Civica Passionei.

Nello stesso anno 1496, quando l'ala della facciata era compiuta e i lavori andavano concentrandosi sul cortile, Raffaele commissionò al giovane Michelangelo il *Bacco*, dopo che questi gli aveva provato con il *Cupido dormiente* di poter rivaleggiare con la scultura antica[29]. Ed è possibile che Dioniso, come inventore e dio protettore del teatro, fosse destinato proprio al centro del cortile – come il *Davide* di Donatello, che Raffaele aveva potuto ammirare diciotto anni prima, al centro del cortile di palazzo Medici[30]. È anche probabile che il cardinale e il suo scultore avessero chiesto il consiglio di Pomponio Leto sulla vera natura di questo dio. Leto era allora il conoscitore più erudito, influente e venerato del mito antico a Roma, aveva scritto un libro sulle origini dei trionfi ai tempi di Bacco ed era perfino accusato di paganesimo[31]. Egli elogiò il nuovo palazzo di Riario come "marmoream domum" e, come professore addetto allo Studio, fu suo suddito, come lo sarebbe stato poi anche il suo discepolo e successore Tommaso Inghirami[32]. Nessuno avrebbe potuto informare meglio Michelangelo sulle discendenze del teatro dal culto di Dioniso. È possibile inoltre che Michelangelo avesse assistito anche a uno spettacolo dei pomponiani e capito con quanto successo essi fossero riusciti a far rivivere la tradizione antica e a dimostrare che la loro erudizione era indispensabile anche per interpretare la scultura antica. Forse egli voleva addirittura accennare, con la gamba alzata del *Bacco*, al *choros* e cioè alla danza dionisiaca.

Il *Bacco* è una delle poche figure michelangiolesche osservabili da tutti i lati. Perciò è poco probabile che fosse stato ideato per una nicchia. L'area del giardino dietro al palazzo dovette servire per molti anni al lavoro degli scalpellini e di altri operai, e pare che venisse sistemata soltanto dopo il 1510[33]. Al centro del cortile il *Bacco* non avrebbe impedito la collocazione di un palco per gli spettacoli, la cui profondità non poteva spingersi oltre pochi metri. Può anche darsi però che dovesse stare sotto una arcata, come le due *Muse*.

Ma perché nel 1506, quando il cortile era finito in buona parte, la scultura stava ancora nell'"atrium" della casa di Jacopo Gallo, il banchiere del cardinale, morto l'anno prima[34]? Jacopo era stato stretto amico del giovane Michelangelo e l'aveva ospitato in casa sua proprio negli anni 1496-97, quando scolpì il *Bacco* e poi il *Cupido*[35]. Può darsi che avesse lavorato addirittura nell'area dietro al cortile, in mezzo alle statue antiche di Gal-

24. M. Fuchs, *Musengruppe aus dem Pompeius-Theater*, in "Mitteilungen des Deutschen Archäologischen Instituts römische Abteilung", 89, 1982, pp. 69-80. La *Melpomene* fu trovata presso la chiesa di San Salvatore e ovviamente prima del 1510, quando Albertini scrisse di "statuae ingentes" anche "in aedibus Car. sancti Georgii". Nel 1524, e cioè quando il palazzo si trovava probabilmente in uno stato simile a quello subito successivo alla morte di Riario, il suo interno è così descritto: "colossis intrinsecus, statuis, picturis variis geographicisque Maris et Terrae, curvos situs edocentibus decorata" (*Rhomitii Picu Antonini Ponti Consentini*, Roma 1524; Biblioteca Vaticana, Vat. Lat. 9181, fol. 27 r). C'erano quindi almeno due colossi e altre statue e inoltre la rappresentazione pittorica del globo terrestre. Aldrovandi descrive: "Nel cortile del palagio... due statue di donne di grandezza gigantesca vestite a l'antica dicono essere due muse " (U. Aldrovandi e L. Mauro, *Le antichità de la città di Roma*, Roma 1562, pp. 165-167). Egli elenca inoltre "sul palagio dentro una camera molte teste", forse nel cubicolo del vicecancelliere Alessandro Farnese nella torre nordoccidentale; e altre sculture più frammentarie "più su poi nel palagio nella guardaroba" e cioè probabilmente nel terzo piano, mentre non descrive esplicitamente una "Cerere". Essa, con i suoi 2,98 m, è considerevolmente più piccola della "Melpomene", ma ciononostante abbastanza "colossale" per essere identificata con uno dei due "colossi" (G. Lippold, *Die Skulpturen des Vatikanischen Museums*, III, 1, Berlin-Leipzig 1936, pp. 117-119, tavv. 37 sgg.; cfr. A. Nesselrath, *Das Fossombrone Skizzenbuch*, London 1993, pp. 167 sgg., fig. 46). È impossibile decidere se le statue descritte da Aldrovandi nelle stanze del palazzo risalgano a Riario o piuttosto ad Alessandro Farnese, vicecancelliere dal 1534 al 1589.

25. Francisco de Hollanda mostra la *Melpomene* in posizione simmetrica nell'arcata (E. Tormo, *Os desenhos das antigualhas que vio Francisco d'Ollanda, pintor portogués (1539-40)*, Madrid 1940, pp. 137 sgg.).

26. Valtieri 1982, pp. 13 sgg.; Nesselrath 1993.

5. Antonio da Sangallo il Giovane, *Progetto per il portale della Cancelleria a Roma*. Firenze, Gabinetto Disegni e Stampe degli Uffizi, inv. n. U 188 A recto.

lo, dove il *Bacco* si trovava ancora nel 1535. Il disegno di Heemskerck lo presenta davanti a un muro antico, nel quale è incassato un rilievo con il ratto di Proserpina e al quale sono appoggiati due torsi e il rilievo di una sfinge. Quest'area è collegata, attraverso una scala, a un terrazzo più alto di almeno 1,50 m e protetto da un muretto, sul quale sono dislocate altre statue. Forse si tratta della parte posteriore del cortile e cioè dell'"atrium"[36].

Fino alla fine del 1501 la navata della basilica paleocristiana occupava ancora il cortile della Cancelleria[37] e per completarne la costruzione i lavori si protrassero ben oltre il settembre del 1503, quando il cardinale osò tornare dal quadriennale esilio[38]: Alessandro VI e i nipoti avevano messo l'occhio sul suo palazzo e sulle sue prebende. Riario probabilmente aveva lasciato il *Bacco* sempre in casa di Gallo, il fiduciario che doveva essere stato anche uno dei motori della continuazione dei lavori durante la sua lunga assenza[39].

Rimane l'enigma, perché costui non trasferisse il *Bacco* dopo il completamento del cortile. Sicuramente Riario non sarebbe stato ben visto se il centro del suo palazzo, essendo egli cardinal-camerlengo, fosse stato dominato da una divinità così frivola, "quamquam profanum, ut tamen operosum Bacchi signum", come lo chiamò Raffaele Maffei nel 1506[40]. Avrebbe potuto collocarlo con meno scandalo in una stanza o nel remoto giardino segreto, una volta sistemato, come aveva fatto lo zio Giuliano della Rovere, prima nel palazzo presso i Santi Apostoli e poi nel cortile delle Statue in Vaticano[41]. Dunque non c'è dubbio che avesse perso interesse per la statua e la lasciasse a Gallo, fervente ammiratore di Michelangelo, come segno di gratitudine per i suoi servizi durante l'esilio oppure in cambio di una statua antica o semplicemente contro versamente dei 150 ducati pagati a suo tempo a Michelangelo[42]. Se Riario prese il *Cupido dormiente* per antico, è poco probabile che criticasse la maniera ancora quattrocentesca del *Bacco*, e se Michelangelo lo scolpì nella vicina casa Gallo e fu pagato puntualmente, non è neanche probabile che l'opera fosse una sorpresa per il cardinale. Dalle *Vite* di Vasari e Condivi si evince comunque una profonda irritazione dell'artista contro Riario, connessa in qualche maniera alla commissione del *Bacco*. Il cardinale, del resto, trascurò anche la collocazio-

27. C.L Frommel, in C.L. Frommel - N. Adams, *The Architectural Drawings of Antonio da Sangallo the Younger and His Circle*, I, New York 1994, p. 28, fig. 25; III (in stampa).
28. Nei gesti e nei drappeggi ricordano le muse della collezione Giustiniani, che però sono più grandi (S. Reinach, *Répertoire de la statuaire grècque et romaine*, I, Paris 1930, pp. 257, 282.
29. Vedi cat. n. 54.
30. Sulla collocazione del *David*, vedi: H. Janson, *The Sculpture of Donatello*, Princeton 1957, p. 78.
31. Zabughin 1909, I, pp. 225-229. Dioniso, come dio del teatro, appare, ad esempio, nelle commedie di Aristofane conosciute nel Quattrocento. A. Emmerling-Skala, *Bacchus in der Renaissance*, Hildesheim-Zürich-New York 1994, vol. I, p. 266, II, p. 763).
32. Zabughin 1909, I, p. 294; Frommel 1989, p. 504, n. 61; su Tommaso Inghirami vedi Cruciani 1983, pp. 242 sgg.
33. Nei Libri dei Conti della Banca Gallo-Balducci, il giardino appare per la prima volta nel 1514: "per lj arancj del iardino... per le pietre pel giardino di sua s(ignoria)... per adagiare li arancj del giardino... maestro Ariccio da Regio scarpellino 6 ducati per lavoro di trevertinj dellandito che fa nel giardino... giorgio ortolano a buon chonto di robe dorto... per fare chonprare li aranci al giardino" (Firenze, AS, Balducci, vol. Va, fol. 166 recto, 177 recto 197 recto, 216 r). Il progetto U 1010 A di Antonio da Sangallo il Giovane per il giardino – "per il giardino del palazo di santo lorenzo in damaso" (e cioè non più per il palazzo del cardinale di San Giorgio) – potrebbe risalire al periodo dopo la congiura del 1517 (G. Giovannoni, *Antonio da Sangallo il Giovane*, Roma 1959, p. 307; Valtieri 1982, p. 13; Frommel, in Frommel - Adams 1994, III).
34. C.L. Frommel, *Jacopo Gallo als Förderer der Künste: Das Grabmal seines Vaters in S. Lorenzo in Damso und Michelangelos erste römische Jahre*, in *Kotinos, Festschrift für Erika Simon*, Mainz 1992, pp. 451-458.
35. *Ibid.* Secondo Condivi scolpì il *Bacco* e il *Cupido* in casa Gallo.
36. Nel vicino palazzetto Regis esistono simili dislivelli tra cortile e strada (C.L. Frommel, *Der römische Palastbau der Hochrenaissance*, Tübingen 1973, tav. 111). Non è nota la pianta della casa Gallo: se avesse compreso tutto il terreno fino a via del Governo Vecchio, allora la sua profondità sarebbe stata di circa 70 m.
37. Nel settembre del 1501 venne smontato il tetto (Valtieri 1989, p. 4).
38. Valtieri 1982, p. 4.
39. E. Bentivoglio, *Nel cantiere del palazzo del cardinale Raffaele Riario (la Cancelleria): organizzazione, materiali, maestranze, personaggi*, in "Quaderni dell'Istituto di Storia dell'Architettura", 27, 1982, pp. 27-33.
40. Frommel 1992, p. 453.
41. C.L. Frommel, *I tre progetti bramanteschi per il Cortile del Belvedere,* in: *Il Cortile delle Statue. Der Statuenhof des Belvedere im Vatikan, Akten des intern. Kongresses Rom 1992*, a cura di M. Winner, B. Andreae e C. Pietrangeli, pp. 48-51.
42. Frommel 1992, p. 452.

ne definitiva delle sue statue antiche, come testimoniano i disegni del Codice di Fossombrone e di Antonio da Sangallo il Giovane. E sembra che il suo contributo alla fioritura delle arti e del teatro sotto Giulio II e Leone X fosse diminuito rispetto a prima: nel 1503-04 Bramante cominciò per Giulio II il cortile-teatro del Belvedere, nel 1505 Peruzzi la Farnesina per Agostino Chigi con la sua facciata-teatro, e nel 1513 fu eretto per i nipoti di Leone X il teatro capitolino, che era solo leggermente più grande del cortile della Cancelleria e ricordava i cortili napoletani a forma di teatro del 1487-88[43]. Questo sviluppo raggiunse il suo culmine con i progetti di Raffaello e in particolare di Antonio da Sangallo il Giovane del 1518 per villa Madama, dove il cortile continua in un teatro vitruviano tagliato nella collina[44] e, con qualche probabilità, nel teatro della Passione di Velletri, l'unico al quale potrebbe aver contribuito Riario[45].

Ciononostante, Raffaele Riario rimase uno dei committenti più conservatori del Rinascimento romano. Invece di iniziare, come l'impaziente zio, tanti progetti innovativi senza finirne nessuno, egli riuscì a completare il suo palazzo coerentemente nelle forme del 1490, eterna memoria della stirpe riariana, che non era riuscita a creare una propria dinastia: "Hoc opus sic perpetuo". I maggiori architetti dell'epoca – Pontelli, Bramante, Antonio da Sangallo il Giovane e probabilmente anche Giuliano e Antonio il Vecchio da Sangallo – avevano contribuito a questa perfezione quasi senza lasciare traccia individuale[46]. Anche nelle sue committenze di pittura e di scultura il cardinale rimase conservatore. Non si conoscono altri scultori attivi per lui[47] e fino al 1510-11 si accontentò del mediocre Jacopo Ripanda come pittore[48]. Si decise poi per Baldassarre Peruzzi, accanto a Raffaello il miglior conoscitore dell'antico e il più umanista tra i pittori romani, che gli decorò in stile antico le stanze più private [49] e forse anche il salone. Sulle sue pareti erano raffigurati gli stemmi dei personaggi che intendeva onorare particolarmente: oltre a una serie di uomini famosi – tra cui, accanto a contemporanei come Erasmo, Giovio, Pietro Soderini o Prospero Colonna – e personaggi medievali come Scotus, Alberto Magno o Tommaso d'Aquino, un solo rappresentante del mondo antico e cioè "Nerone crudelior": testimone eloquente, per quanto anche Riario fosse ancora legato al pensiero tardomedievale[50]. L'occhio più sicuro e più moderno lo aveva avuto senz'altro lo zio Giuliano che, prima della fuga nel 1494, aveva fatto venire a Roma artisti come Melozzo, Pollaiolo, Pontelli e Giuliano da Sangallo e che, come papa, dopo il ritorno nel 1503, divenne il committente più congeniale di Bramante, Raffaello e Michelangelo. L'importanza di Riario per la cultura romana si concentrò invece nel decennio tra 1486 e 1496 e fu strettamente legata all'umanesimo dei pomponiani.

43. A. Bruschi, *Il teatro capitolino del 1513*, in "Bollettino del Centro Internazionale di Architettura Andrea Palladio", 16, 1974, pp. 189-218; Cruciani 1983, pp. 379-434, che convincentemente pensa anche a un'attribuzione a Peruzzi, autore della scena prospettica e di uno dei rilievi finti dell'esterno. Nell'anno precedente infatti Peruzzi e Ripanda avevano decorato per Riario il salone dell'Episcopio di Ostia, con un sistema paragonabile all'esterno del Teatro Capitolino (C.L. Frommel, *Peruzziana: Ab- und Zuschreibungsprobleme in Baldassarre Peruzzis figuralem Oevre*, in *Studien zur Künstlerzeichnung, Klaus Schwager zum 65. Gebutrtstag*, a cura di S. Kummer - G. Satzinger, Stuttgart 1990, pp. 63 sgg.

44. C.L. Frommel, in C.L. Frommel - S. Ray - M. Tafuri, *Raffaello architetto*, Milano 1984, pp. 324-345; Frommel 1992, pp. 32-35, 52.

45. A. Gabrielli, *Il Teatro della Passione di Velletri*, Velletri 1910; E. Provoledo, *La sala teatrale a Ferrara: da Pellegrino Prisciani a Ludovico Ariosto*, in "Bollettino del Centro Internazionale di Architettura Andrea Palladio", 16, 1974, p. 135; Cruciani 1983, p. 471. Riario e Tommaso Inghirami, la Fedra del 1486, il guardiano della Compagnia del Gonfalone nel 1520 e l'organizzatore della Sacra Rappresentazione della Passione nel Colosseo potrebbero essere stati i promotori del teatro di Velletri. Dal 1511 al 1521 Riario fu vescovo di Ostia e Velletri, dove fece eseguire dei lavori all'Episcopio (Valtieri 1982, p. 33, n. 17), e Inghirami amministrò per lui, nel 1514, la costruzione di Santa Caterina della Ruota (Bentivoglio 1982, p. 34). Gli unici resti del teatro, e cioè i portali a bugnato, ricordano il vocabolario di Antonio da Sangallo il Vecchio (porta esterna della Torre Borgia) e di Antonio da Sangallo il Giovane (porta posteriore di palazzo Baldassini e porte della casa in via dei Gigli d'oro; Giovannoni 1959, pp. 263 sgg.). La *scenae frons* classicheggiante con il palco alto circa 4 piedi, i cinque archi trionfali e le cinque (?) uscite seguono almeno parzialmente Vitruvio e Alberti e sono meglio compatibili con le tendenze vitruviane del progetto sangallesco U 845 A per il teatro dei Cesarini del 1531 che con Peruzzi o altri maestri di quegli anni (Cruciani 1983, pp. 510-521). Sangallo eseguì dei progetti per la Cancelleria quanto meno negli anni 1514-17 (Valtieri 1982, pp. 13 sgg.) e quindi sarebbe possibile una datazione attorno al 1513-14.

46. C.L. Frommel, in *L'architettura del Quattrocento*, a cura di F.P. Fiore, Milano 1998, pp. 411-416.

47. La tomba parietale che, secondo Cornelio de Fine, Riario si fece erigere a San Lorenzo in Damaso e nella quale fu sepolto, è sparita: "in pensili ornatissimo sepulchro in templo Divi Laurentij in Damaso ab eodem [Riario] magno sumptu constructo honorifice collocatur" (Schiavo 1964, p. 52). Nel maggio del 1514 venne pagato un certo "Jacopo bolognese schultore per chonto della statua" (ASF, Balducci 52, fol. 152 r).

48. Bentivoglio 1982, p. 32.

49. C.L. Frommel, *Baldassarre Peruzzi als Maler und Zeichner*, in "Beiheft des Römischen Jahrbuchs für Kunstgeschichte", 11, 1967-68, pp. 93-97. Nell'ottobre del 1514 si cercò di "trovare el maestro baldassarre" (ASF, Balducci 52, fol. 208 r).

50. Vedi la lettera di A. di Gabbioneta del 25 gennaio 1515 (E. Rodocanachi, *Rome au temps de Jules II et de Léon X*, Paris 1912, p. 29; L. Schrader, *Monumentorum Italicae... libri quattuor*, Helmstaedt 1592, fol. 216 r).

Nicoletta Baldini, Donatella Lodico e Anna Maria Piras

Michelangelo a Roma. I rapporti con la famiglia Galli e con Baldassarre del Milanese*

1. Il primo soggiorno di Michelangelo a Roma. Fonti cinquecentesche e testimonianze documentarie*

Da una lettera di Michelangelo, datata 2 luglio 1496[1], e da alcune autorevoli fonti cinquecentesche, siamo informati della prima visita dello scultore a Roma. È in questo soggiorno nell'Urbe che egli eseguirà il *Bacco* per il cardinale Raffaele Riario, ed è lì che si distinguerà quale suo mentore il banchiere Jacopo Galli, nelle cui case il Buonarroti abiterà fin dal suo arrivo in città e che in modo sistematico sarà coinvolto nell'assegnazione al giovane artista delle commissioni durante quel soggiorno: la *Pietà* vaticana, un *Cupido-Apollo*, ma nondimeno le quindici *Statue* della tomba Piccolomini e la *Madonna di Bruges*. La figura di Jacopo Galli, il suo ruolo di banchiere, il rapporto con il cardinale Riario, l'interesse per le antichità che egli conservava nel giardino della sua casa situata nel rione di Parione sono un punto di partenza imprescindibile per la vicenda romana di Michelangelo, mentre sempre intorno alla personalità, all'attività, e agli interessi del Galli si muovono e prendono rilievo quei personaggi, fino a questo momento misteriosi, che prepararono a Firenze, prima, e a Roma gli esordi michelangioleschi nell'Urbe.

Il "Cupido dormiente" come prologo della vicenda nei ricordi delle fonti antiche

È l'elaborazione da parte del giovane scultore a Firenze di un *Cupido dormiente* oggi perduto a introdurne la vicenda romana. L'importanza dell'episodio veniva sottolineata già intorno al 1523-27 da Paolo Giovio nel *Michaelis Angeli vita*[2], e, successivamente, da Giorgio Vasari nell'edizione torrentiniana delle *Vite* (1550)[3]. Ascanio Condivi nella *Vita di Michelagnolo Buonarroti* del 1553[4] – succintamente Giovambattista Gelli prima del 1563[5], e Benedetto Varchi in quello stesso anno[6] – e ancora lo storiografo aretino nelle sue biografie del 1568[7] ampliarono e arricchirono il racconto con nuovi elementi che, tuttavia, per la parziale disomogeneità, rendono la vicenda articolata. Infatti, mentre nella narrazione del Condivi, il quale scrisse sotto l'egida dello stesso Buonarroti, i resoconti precedenti – soprattutto quello vasariano (1550) – sono corretti e ampliati, tuttavia è probabile che lo stesso Michelangelo ritenesse opportuno omettere alcuni aspetti di questo importante episodio della sua vita, aspetti su cui si sofferma invece il Vasari (1568) che, supportato nel complesso dalla narrazione condiviana, non rinunciò comunque ad alcune di quelle informazioni che aveva probabilmente apprese da altre fonti attendibili edotte sull'intera vicenda.

Secondo questi resoconti più ampi Michelangelo, tornato da Bologna a Firenze, si pose a fare un *Cupido dormiente* che, veduto da Lorenzo di Pierfrancesco de' Medici, il Popolano, fu da questi giudicato di grande bellezza, tanto da consigliare lo scultore di contraffarlo, dandogli l'aspetto di manufatto antico, al fine di poterlo inviare a Roma e venderlo come antichità a un prezzo molto elevato. Michelangelo seguì il consiglio del Medici e l'opera, attraverso un intermediario la cui mediazione è taciuta dal Condivi ma che il Vasari identifica con Baldassarre del Milanese, giunse a Roma, dove fu venduta

* Nel presente saggio il primo contributo (1. *Il primo soggiorno di Michelangelo a Roma. Fonti cinquecentesche e testimonianze documentarie*) spetta a Nicoletta Baldini (una parte delle notizie e dei documenti di cui si dà conto in questo contributo sono desunti dal volume *Nuovi documenti sul giovane Michelangelo*, curato da K. Weil-Garris Brandt, in fase di preparazione); il successivo (2. *Le case della famiglia Galli in via dei Leutari*) è di Donatella Lodico; quello conclusivo (3. *I Galli. La fortuna di una famiglia legata agli esordi di Michelangelo a Roma*) pertiene ad Anna Maria Piras.
Per le abbreviazioni adottate riguardo agli archivi consultati si veda l'elenco delle abbreviazioni a p. 16.

1. *Il carteggio di Michelangelo*, a cura di P. Barocchi e R. Ristori, Firenze 1965-1983, 5 voll., I, 1965, pp. 1-2.
2. P. Giovio, *Michaelis Angeli vita*, in *Scritti d'arte del Cinquecento*, a cura di P. Barocchi, Milano-Napoli 1971-77, 3 voll., I, 1971, pp. 10-13.
3. G. Vasari, *La Vita di Michelangelo nelle redazioni del 1550 e del 1568*, a cura di P. Barocchi, Milano-Napoli 1962, 5 voll., I, p. 13.
4. A. Condivi, *Vita di Michelagnolo Buonarroti* (Roma 1553), ed. a cura di G. Nencioni, Firenze 1998, pp. 17-18.
5. G.B. Gelli, *Vite d'artisti*, in "Archivio Storico Italiano", XVII, 1896, p. 36.
6. B. Varchi, *Orazione funerale di Benedetto Varchi fatta e recitata da Lui pubblicamente nell'essequie di Michelagnolo Buonarroti in Firenze, nella Chiesa di San Lorenzo*, Firenze 1564, pp. 23-24.
7. Vasari, *La Vita di Michelangelo*...(1568), ed. 1962, I, pp. 15-16.

come antica al cardinale di San Giorgio, Raffaele Riario, per la somma di duecento ducati d'oro, sebbene lo scultore ne ricevesse a Firenze solo trenta. La scoperta dell'inganno da parte del cardinale, la restituzione dell'opera da questi a colui che aveva tramato la frode, con la conseguente restituzione del denaro, e il successivo trasferimento di Michelangelo a Roma per l'interessamento del medesimo Riario completano l'episodio.

Sebbene, come precedentemente accennato, le diverse fonti riferiscano la vicenda con alcune differenti ma illuminanti sfumature, tuttavia già nelle brevi note gioviane sono presenti elementi comuni che sostanziano l'episodio. Innanzitutto il motivo della contraffazione.

Nella biografia dedicata a Michelangelo nelle *Vite* del 1550, dove la figura di Lorenzo di Pierfrancesco non è ricordata e in cui l'elaborazione sembrerebbe situarsi in un momento prossimo alla frequentazione da parte del Buonarroti del giardino mediceo di San Marco, fu Baldassarre del Milanese che, acquistata l'opera, permise che fosse contraffatta secondo la "maniera antica". Conformemente a quanto già narrato dal Giovio, secondo il Vasari il "fanciullo di marmo" fu poi "portato a Roma e sotterrato in una vigna"; ricondotto alla luce, fu "creduto antico" e venduto a "gran prezzo"[8]. Nel breve racconto vasariano il fautore unico dell'impresa, che approfittò delle capacità dello scultore, ignaro di quanto si svolgeva a Roma, fu dunque questo personaggio che il biografo cita in modo così puntuale da far pensare che potesse essere noto e riconoscibile al suo lettore.

Con il contributo di Ascanio Condivi che scrisse la *Vita* di Michelangelo a tre anni di distanza dalla biografia del Vasari, il motivo della contraffazione acquista nuovi elementi: l'elaborazione del "dio d'amore" viene collocata temporalmente dopo il ritorno del Buonarroti dal soggiorno bolognese, e vengono introdotti la figura e il giudizio di Lorenzo di Pierfrancesco de' Medici, che suggerì al Buonarroti di acconciare il "Cupido che paresse stato sotto terra", proponendo inoltre di favorirne la collocazione a Roma, dove, scambiato per un reperto antico, sarebbe stato venduto a una cifra vantaggiosa per il giovane scultore[9]. Se il Condivi non ricorda nessun altro personaggio coinvolto nella contraffazione, nelle *Vite* del 1568 il Vasari non ricusa assolutamente il ruolo svolto da "Baldassarri del Milanese" e anzi è proprio attraverso questi che la statua viene mostrata a Lorenzo di Pierfrancesco de' Medici, che anche il Vasari introduce nella vicenda. I consigli dati dal Medici al giovane artista sono i medesimi ricordati dal Condivi: "se tu lo mettessi sotto terra, sono certo che passerebbe per antico, mandandolo a Roma acconcio in maniera che paressi vecchio, e ne caveresti molto più che a venderlo qui"[10]. Dunque nel suggerimento della contraffazione il rilievo dato al coinvolgimento di Lorenzo di Pierfrancesco e il valore attribuito al suo giudizio sono un ulteriore elemento comune ai due racconti più estesi, che in questo sottendono, presumibilmente, a intenti celebrativi. Il Popolano non solo era un personaggio legato molto strettamente al Magnifico (si veda in questo catalogo il saggio *Quasi Adonidos hortum*) , ma apparteneva al ramo mediceo da cui era nato Cosimo I, che governava Firenze nel momento in cui le biografie venivano pubblicate[11]. Per entrambi i biografi la citazione di Lorenzo di Pierfrancesco diventava una sorta di tributo nei confronti della stirpe fiorentina: e mentre per Michelangelo, che parla attraverso il Condivi, questo riconoscimento dell'importanza del Medici significava riavvicinarsi, in pieno ducato, alla famiglia del suo primo protettore, per il Vasari, cortigiano di Cosimo, il ricordo del coinvolgimento del Popolano poté essere accolto come occasione per ribadire il ruolo costante e illuminato della stirpe medicea nella vicenda artistica del Buonarroti[12].

8. *Ibid.*, I, p. 13.

9. Condivi 1553, ed. 1998, pp. 17-18.

10. Vasari, *La Vita di Michelangelo...* (1568), 1962, I, p. 15.

11. Il padre di Cosimo I de' Medici, Giovanni dalle Bande Nere, era figlio di Giovanni di Pierfrancesco de' Medici, fratello di Lorenzo il Popolano.

12. Possiamo trovare una qualche consentaneità fra questo episodio del *Cupido dormiente* in cui Lorenzo di Pierfrancesco consiglia allo scultore di contraffare la scultura e quello, precedente di qualche anno, che si era svolto al tempo della militanza di Michelangelo presso il giardino di Lorenzo de' Medici in piazza San Marco, quando lo scultore "inanimito" dalla molta "aspettazione" nei suoi confronti da parte del Magnifico "si messe a contrafare con un pezzo di marmo una testa che c'era d'un Fauno vecchio, antico e grinzo", in Vasari, *La Vita di Michelangelo...* (1568), 1962, I, p. 10; lo stesso episodio anche in Condivi 1553, ed. 1998, p. 11.

Fra gli elementi comuni presenti nelle due narrazioni vi sono l'invio del *Cupido* a Roma, la sua vendita al cardinale Riario e la scoperta da parte di quest'ultimo della truffa. Nel racconto del Condivi una volta che Michelangelo lo ebbe acconciato, il *Cupido* fu "mandato a Roma, il cardinale di San Giorgio lo comprò per antico ducati ducento, benché *colui che prese tai danari* scrivesse a Firenze che fusser contati a Michelangelo ducati trenta, che tanti del Cupidine n'avea auti"[13]. Se il Condivi dunque non nega l'esistenza di un personaggio che vendette il *Cupido dormiente*, tuttavia non lo ricorda apertamente ma lo introduce usando una forma perifrastica in senso dispregiativo. Il disprezzo naturalmente risultava motivato: questo personaggio non solo aveva ingannato Michelangelo e Lorenzo di Pierfrancesco, ma, come vedremo successivamente, nel ricordo di una fonte d'eccezione, lo stesso Michelangelo, "colui" aveva avuto una controversia con entrambi proprio riguardo alla statua. Non possiamo quindi credere che il lasciarlo nell'anonimato sia da attribuirsi, come è stato sostenuto, "alla memoria che non soccorreva Michelangelo su alcuni particolari"[14]: ma al contrario a una scelta ben precisa, motivata dal cruccio, forse mai sopito, nello scultore. Rispetto a quanto celato dal Condivi, il Vasari nelle *Vite* del 1568 si attiene volutamente alle notizie che erano in suo possesso fin dall'edizione del 1550: il coinvolgimento di Baldassarre del Milanese o forse del suo entourage. Certamente, di fronte alla narrazione condiviana il biografo aretino si fa più cauto, comportandosi quasi da narratore equidistante da più fonti, tuttavia non può negare ciò che sa, e che probabilmente aveva appreso forse dal Giovio – che, come detto, già nel terzo decennio dà brevemente conto della vicenda – come pure da coloro che, informati dei fatti, potevano avergli narrato gli avvenimenti, per esempio Ricciardo di Giovambattista del Milanese, fratello di Baldassarre che, già abbreviatore apostolico e poi canonico della cattedrale fiorentina, svolgeva la sua attività fra Firenze e Roma, e che fu in rapporti, documentati, con lo stesso Michelangelo perlomeno fino al 1524[15] (si veda in questo catalogo *Quasi Adonidos hortum*). Il Vasari propone pertanto due versioni della vicenda: seguendo quella esposta già nel 1550, riferisce che Baldassarre portò il *Cupido* a Roma e lo sotterrò in una vigna di sua proprietà, per poi venderlo per duecento ducati al cardinale, senza tuttavia sottolineare che ci fu un inganno; come nuovo portato sostiene, invece, che la frode avvenne attraverso un emissario del medesimo Baldassarre (l'imprecisato intermediario di cui parla già il Giovio[16]) che "scrisse a Pierfrancesco che facesse dare a Michelagnolo scudi trenta, dicendo che di più del Cupido non aveva avuti, ingannando il cardinale, Pierfrancesco e Michelagnolo"[17]. La consapevolezza del Vasari circa gli antichi legami fra i Medici e i del Milanese lo consigliarono forse di escludere la possibilità che quest'ultimo avesse tramato contro un Medici a cui lo legava un'antica consuetudine, preferì quindi spostare l'attenzione su di un personaggio vicino a Baldassarre ma non su Baldassarre stesso.

Alla trama della frode ai danni del Riario seguono, come elementi comuni a entrambe le versioni, lo scoprimento dell'inganno da parte del cardinale e la partenza di Michelangelo alla volta di Roma. Se già il Giovio menziona la vendita al porporato, senza ricordare che quest'ultimo venne a conoscenza della truffa, al contrario il Condivi e il Vasari (1568) danno molto risalto alla vicenda. Il biografo aretino sembra sintetizzare alquanto il portato condiviano, il cardinale "inteso poi da chi aveva visto, che 'l putto era fatto a Fiorenza, tenne modi che seppe il vero *per suo mandato*, e fece sì l'agente del Milanese gli ebbe a rimettere, e riebbe il Cupido"[18]. Tuttavia l'importante per il Vasari è sottolineare che il cardinale si disfece dell'opera poiché non era antica, senza comprenderne il valore: se questo da un lato gli servì per istituire un confronto fra l'arte antica e la

13. Condivi 1553, ed. 1998, pp. 17-18; il corsivo è nostro.
14. M. Hirst - J. Dunkerton, *Making and Meaning: The Young Michelangelo*, London 1994, nell'ed. it. *Michelangelo giovane. Scultore e pittore a Roma. 1496-1501*, Modena 1997, p. 19.
15. Ricciardo morì nel 1542 (S. Salvini, *Catalogo cronologico de' canonici della chiesa metropolitana fiorentina compilato nell'anno 1751*, Firenze 1782, p. 79); egli ebbe di certo la possibilità di conoscere Giorgio Vasari.
16. P. Giovio, in *Scritti d'arte del Cinquecento*, 1971-77, I, 1971, pp. 10-13.
17. Vasari, *La Vita di Michelangelo*... (1568), 1962, 5 voll., I, p. 15.
18. *Ibid.*; il corsivo è nostro.

maniera moderna, biasimando il comportamento del Riario e in generale di coloro che "van dietro più al nome che a' fatti" e "che fanno più conto del parere che dell'essere", dall'altro poté rimarcare come la reputazione che ne venne a Michelangelo in questo suo confronto diretto con l'antico fu tale che "egli fu subito condotto a Roma"[19] senza specificare il ruolo e l'identità dell'emissario del cardinale a Firenze.

Lo stesso giudizio sul fatto che il cardinale Riario poco "s'intendesse o dilettasse a bastanza di statue" lo fornisce il Condivi. Tuttavia nella sua narrazione la scoperta dell'imbroglio da parte del porporato, che restituì l'opera a colui dal quale l'aveva acquistata, prende una maggiore valenza nell'invio di "*un suo gentiluomo*" a Firenze che, "fingendo di cercare d'uno scultore per far certe opere in Roma, dopo alcuni altri, fu inviato a casa di Michelagnolo; e vedendo il giovane, per aver cautamente luce di quel che voleva, lo ricercò che gli mostrasse qualche cosa [...] Dipoi lo domandò se mai aveva fatto opera di scultura; e rispondendo Michelagnolo che sì, e trall'altre un Cupidine di tale statura ed atto, il gentiluomo intese quel che voleva sapere; e narrata la cosa come era andata, gli promesse, se voleva seco andare a Roma, di farli riscuotere il resto, e d'acconciarlo col padrone, che sapeva che ciò molto arebbe grato. Michelagnolo adunque, *parte per isdegno d'essere stato fraudato, parte per vedere Roma, cotanto dal gentiluomo lodatagli* come larghissimo campo di poter ciaschedun mostrar la sua virtù, *seco se ne venne, ed alloggiò in casa di lui, vicino al palazzo del cardinale*"[20]. Sebbene il Condivi taccia l'identità dell'inviato del cardinale, tuttavia questi è riconoscibile nel "gentiluomo romano e di bello ingegno", ovvero Jacopo Galli[21], presso la cui casa – vicina al palazzo della Cancelleria nuova che il Riario faceva edificare in quel torno di tempo – Michelangelo risiederà dal suo arrivo a Roma.

I ricordi delle fonti che prospettano dunque l'intervento di quattro personaggi nell'introduzione e nell'accoglimento di Michelangelo a Roma – i fiorentini Lorenzo di Pierfrancesco de' Medici e Baldassarre del Milanese, e nell'Urbe il cardinale Raffaele Riario e il banchiere Jacopo Galli – vengono sostanziati e definiti in modo più puntuale dalla prima lettera di Michelangelo pervenutaci e da una nuova documentazione.

Lorenzo di Pierfrancesco de' Medici e mercanti-banchieri fiorentini a Roma

Il 2 luglio 1496 Michelangelo, giunto a Roma la settimana precedente, scrive a Lorenzo di Pierfrancesco de' Medici; dalla missiva apprendiamo che il giovane scultore era arrivato nell'Urbe portando con sé alcune lettere di introduzione fornitegli dallo stesso Medici, il quale, al ritorno del Buonarroti a Firenze proveniente da Bologna, fra la fine del 1495 e il gennaio del 1496, aveva assunto il ruolo di protettore dell'artista. Le missive che questi aveva recato con sé erano indirizzate al cardinale di "San Giorgio", Raffaele Riario, ad alcuni mercanti-banchieri fiorentini a Roma, e a Baldassarre del Milanese: Michelangelo, come vedremo, riassume al suo referente fiorentino l'esito degli incontri avuti con questi personaggi.

Tuttavia, una delle domande introdotte dalla stessa lettera di Michelangelo come pure dalla narrazione delle fonti cinquecentesche è: perché il Riario fu non solo colui cui venne venduto il *Cupido dormiente* ma anche colui al quale il giovane scultore fu indirizzato. E nondimeno cosa promosse, al di là delle parole del Condivi, la stessa visita di Michelangelo a Roma. La risposta è probabilmente celata proprio nel ruolo assunto da Lorenzo a Firenze e nelle sue relazioni nell'Urbe.

Se, infatti, la protezione nei confronti del giovane scultore poté indurre il Medici – mosso da considerazioni relative alla situazione politica – a consigliargli di abbandonare

19. *Ibid.*, pp. 15-16.
20. Condivi 1553, ed. 1998, p. 18; il corsivo è nostro.
21. *Ibid.*, p. 19.

Firenze al fine di stabilirsi a Roma dove le opportunità sarebbero state in quel momento maggiori, di certo dovettero essere i buoni rapporti fra Lorenzo e il Riario a indirizzare Michelangelo a quest'ultimo. Quando il Buonarroti arrivò a Roma si recò a "visitare" il cardinale, questi a quel momento non abitava ancora nel palazzo della Cancelleria nuova, in fase di edificazione – è lì, fra l'altro, che lo stesso Buonarroti si recò insieme al Riario il 26 giugno[22] – bensì nell'odierno palazzo Altemps fatto edificare dal defunto Girolamo Riario, fratello del porporato e marito di Caterina Sforza, che all'epoca ne era la proprietaria[23]. Apprendiamo dai documenti che la Sforza era in quel medesimo torno di tempo in ottimi rapporti con i fratelli Lorenzo e Giovanni di Pierfrancesco de' Medici; quest'ultimo, fra l'altro, diverrà suo amante e poi, nel 1498, il suo terzo marito[24]. È dunque attraverso questi legami che si può spiegare come il Popolano potesse indirizzare Michelangelo al potente cardinale, e come già precedentemente egli avesse potuto introdurre presso il medesimo Riario il misterioso personaggio che gli avrebbe venduto il *Cupido dormiente*: Baldassarre del Milanese, la cui fisionomia e il cui ruolo fino a oggi la storiografia artistica aveva ignorato[25]. Questi, in rapporti a Firenze con il Medici e con lo stesso Michelangelo, era esponente di una famiglia di mercanti e banchieri di origine pratese residenti a Firenze e attivi a Roma già dal primissimo Quattrocento; Baldassarre stesso fin dal 1480 è ricordato nell'Urbe impegnato nell'attività per il ramo pratese della sua famiglia[26]. Questo suo impegno è attestato successivamente non solo da una documentazione piuttosto puntuale sia in territorio toscano che nell'Urbe[27] – dove fra l'altro il padre di Baldassarre, Giovambattista, possedeva una casa nella strada che "va dalli Vaccinari al bordello di Ponte Sisto"[28] – ma anche dalla sua presenza a partire dal 1495 nelle fila della compagnia di San Giovanni dei Fiorentini, che riuniva coloro che "facenti parte della notevole colonia" dei fiorentini a Roma era per lo più composta "di mercanti, artisti e di lavoratori"[29]. Quindi per la sua attività di mercante e per la sua costante attestazione a Roma, Lorenzo di Pierfrancesco avrebbe potuto servirsi di Baldassarre per favorire il giovane Michelangelo. Non solo. Infatti si iscrisse contemporaneamente a Baldassarre del Milanese nella stessa confraternita di San Giovanni[30] un personaggio non meno importante per la vicenda romana del Buonarroti: il banchiere fiorentino Baldassarre Balducci. Costui, ricordato ancora nel 1480 a Firenze dove abitava con la famiglia nel quartiere di Santa Croce – il quartiere dove risiedevano i Buonarroti[31] – nel 1488 è menzionato a Roma come "cassiere" di Jacopo Galli. Una serie di circostanze poté quindi favorire la vendita al cardinale di San Giorgio della scultura michelangiolesca: i rapporti del porporato con la famiglia Medici attraverso Caterina Sforza, ma nondimeno i contatti di Baldassarre del Milanese attraverso il Balducci con Jacopo Galli, tanto legato al Riario. Altri documenti lasciano ipotizzare che i rapporti di Baldassarre del Milanese con questi influenti personaggi fossero ancor più diretti. Un altro portato documentario, più tardo rispetto agli avvenimenti ma da considerare con attenzione, l'elenco degli iscritti alla compagnia della Concezione situata nella chiesa ricostruita dal Riario, e compresa nel palazzo della Cancelleria nuova, San Lorenzo in Damaso, annovera fra i confratelli non solo gli esponenti della famiglia Galli e di altre famiglie con essa imparentate, ma anche quel Ricciardo del Milanese, fratello di Baldassarre[32], anch'egli presente a Roma perlomeno dal 1498 e in ottimi rapporti con Baldassarre Balducci che ne promosse l'introduzione in un'altra confraternita: quella, già ricordata, di San Giovanni dei Fiorentini[33]. Allo stesso modo, qualche anno dopo i fatti qui esaminati, Baldassarre del Milanese, come ricordato in una lettera del 12 ottobre 1502, ebbe un ruolo di un qualche rilievo nella liberazione di Caterina Sforza dalle prigioni del Valentino[34]. Se quindi anche

22. Dalla stessa lettera di Michelangelo a Lorenzo di Pierfrancesco si evince non solo che il Riario non abitava nella Cancelleria nuova, ma anche che lo stesso Michelangelo era già sistemato presso i Galli; infatti lo scultore riferisce che "Dipoi domenicha [il giorno 26 di giugno] el chardinale venne alla chasa nuova" che era situata vicino alle case dei Galli.

23. Si veda al proposito E. Rodocanachi, *La première Renaissance. Rome au temps de Jules II et de Léon X*, Paris 1912, p. 389; sul palazzo Riario ora Altemps: *Palazzo Altemps. Indagini per il restauro della fabbrica Riario, Soderini, Altemps*, a cura di F. Scoppola, Roma 1987, pp. 241-307.

24. Sugli ottimi rapporti fra Caterina e i fratelli Popolani si veda P.D. Pasolini, *Caterina Sforza*, Roma 1893, 3 voll., II, pp. 3 sgg.; III, p. 293; sul matrimonio, anche riassuntivamente, G. Pieraccini, *La stirpe dei Medici di Cafaggiolo*, Firenze 1924-25, I, pp. 349-350.

25. I rapporti fra Caterina Sforza e suo cognato Raffaele Riario furono molto complessi: tuttavia nel periodo in questione si può presupporre che fra i due ci fossero tentativi di pacificazione. In una lettera del 21 novembre 1495 inviata al duca di Milano Ludovico il Moro dallo zio di Caterina, Ascanio Sforza, che risiedeva a Roma, questi testimonia che il cardinale Raffaele è ben disposto nei confronti di Caterina. Questa disposizione è testimoniata anche da altre missive dei primi mesi del 1496: si veda Pasolini 1893, 3 voll., III, pp. 233 sgg.

26. ASP, *Patrimonio ecclesiastico 2469*, c. XLVIII. Qualche altra notizia in questo catalogo in N. Baldini, *Quasi Adonidos hortum*.

27. Per le notizie d'archivio circa l'attività di Baldassarre si rimanda al volume in fase di preparazione: *Nuovi documenti sul giovane Michelangelo*, curato da K. Weil-Garris Brandt. Nell'ottobre del 1498 Baldassarre è nella schiera dei "finanzieri fiorentini" testimoni alla causa mossa dai nipoti del banchiere Berto Berti agli eredi principali dello stesso Berti: si veda D. Maffei, *Il giovane Machiavelli banchiere con Berto Berti a Roma*, Firenze 1973, p. 39.

28. ASR, *Presidenza delle strade. Taxae viarum*, vol. 445, c. 13 (senza data, il documento dovrebbe essere precedente al 1514). L'attestazione che i del Milanese avessero una casa a Roma rende ipotizzabile che possedessero quella vigna in cui venne sotterrato il *Cupido dormiente* che il Vasari già ricorda nella biografia di Michelangelo del 1550. Vasari, *La Vita di Michelangelo...* (1568) 1962, I, p. 13.

29. Per alcune notizie sulla confraternita si veda: E. Rufini, *L'archivio di San Giovanni dei Fiorentini in Roma e la Compagnia della Pietà*, in *Archivio di Stato di Roma. Scuola di Paleografia e Archivistica. Lezioni speciali. Anno Accademico 1962-1963*, Roma (dattiloscritto), pp. 107-134.

30. Baldassarre del Milanese risulta iscritto alla compagnia di San Giovanni dei Fiorentini dal 1495 (AASGFR, *337*, Libro del Provveditore dal 1496 al 1510, cc. 8, 15, 29v, 47v, 70, 86, 121v, 128v, 133, 134v); dal 1501, per quanto assente, egli ricopre il ruolo di "apuntatore" (*passim*); a partire dal 1505 egli non è più nel novero dei confratelli (cfr. cc. 275-277 sgg.). La sua presenza e le assenze si ricavano soprattutto dal Libro mastro della compagnia (AASGFR, *382*, 1495-1512), *ad indicem*. Sulla presenza di Baldassarre Balducci nei ranghi della compagnia cfr. nota 31.

31. Apprendiamo alcune notizie su Baldassarre Balducci e sulla sua famiglia dalla portata al Catasto del 1480 dei cittadini fiorentini. Baldassarre di Giovanni di Baldo Balducci, nato a Firenze l'8 gennaio 1456 (ASF, Tratte 80, c. 68), quarto di sette fra fratelli e sorelle, di cui il maggiore Leonardo fungeva da capofamiglia, essendo il padre deceduto, abitava con questi e con la madre Bartolomea in una casa nel quartiere fiorentino di Santa Croce presso la chiesa di San Pier Maggiore "al canto alla Rosa". Nessuno dei

attraverso Baldassarre del Milanese e i suoi contatti romani possiamo comprendere i motivi che permisero la vendita del *Cupido dormiente* di Michelangelo al cardinale Riario, è sempre attraverso le vicende del mercante e banchiere fiorentino che possiamo ipotizzare lo svolgimento della vicenda relativa alla vendita della scultura fino all'arrivo del Buonarroti nell'Urbe, il 25 giugno del 1496, e anche successivamente.

Dalle carte della già ricordata compagnia di San Giovanni dei Fiorentini a Roma, risulta che il del Milanese dovette essere assente dalle funzioni in seno all'istituzione nel torno di tempo che va dal 2 febbraio al 12 marzo del 1496[35]. Se fu lui ad acquistare l'opera a Firenze e a portarla a Roma, fu dunque in questo breve periodo; e solo intorno alla metà del mese di marzo ebbe l'opportunità di venderla al cardinale Riario, che, accortosi della truffa, già il 5 maggio, come testimoniato dai documenti, ritornò in possesso dei 200 ducati che aveva sborsato[36]. Così quando Michelangelo giunse a Roma la scultura non era più in possesso del Riario e probabilmente la lettera con cui Lorenzo di Pierfrancesco introdusse il giovane artista presso il cardinale serviva anche a testimoniare al potente prelato l'estraneità di Michelangelo all'imbroglio. In tal modo Michelangelo poté essere accolto con favore dal Riario che "parmi mi vedessi volentieri" e che, differentemente da quanto affermato dal Vasari e dal Condivi, mise subito il Buonarroti al lavoro, non solo mostrandogli le sue collezioni, ma proponendogli di "fare qual cosa di bello", e assicurandogli anche l'opportunità di risiedere nella casa del suo "gentiluomo", il già ricordato Jacopo Galli. Se le parole di Michelangelo nella lettera a Lorenzo di Pierfrancesco non testimoniano del ruolo svolto dal Galli nel trasferimento del Buonarroti nell'Urbe, tuttavia la documentazione su questo primo tempo di Michelangelo a Roma rende assolutamente certo che il Buonarroti abitò presso la casa del banchiere romano fino al 21 agosto del 1498: il Galli poté accogliere il giovane scultore nella sua casa non solo attraverso l'intercessione del Riario ma anche grazie ai buoni uffici di Baldassarre Balducci che, socio di Jacopo, era in buoni rapporti con Michelangelo. Il Balducci infatti rientra nel novero dei mercanti-banchieri fiorentini che andarono incontro a un desiderio di Michelangelo che si ricava dalla sua lettera a Lorenzo di Pierfrancesco: ritornare in possesso del *Cupido dormiente*; le altre missive di introduzione di cui il Buonarroti era stato fornito dal Medici gli dovevano servire proprio a trovare il modo di riacquistare l'opera che a quel momento, ormai restituita dal Riario a Baldassarre del Milanese, risultava in vendita. Infatti, come si apprende da una lettera del 27 giugno del medesimo 1496 indirizzata dal conte Antonio della Mirandola a Isabella d'Este a Mantova, il *Cupido* è posto "in vendita nella casa del Cardinale Ascanio [Sforza]" e "lo patrone ne vole ducento [ducati]" (si veda in questo catalogo *Cronologia ragionata*).

Così l'incontro di Michelangelo lo stesso 27 giugno con Paolo Rucellai, un altro dei banchieri-mercanti fiorentini a cui lo scultore presentò una lettera di Lorenzo di Pierfrancesco – e fra il Rucellai e il Medici i rapporti erano assai stretti se già l'anno precedente, il 5 marzo del 1495, essi si erano recati insieme a Napoli presso il re di Francia Carlo VIII in un'ambasceria per conto della Repubblica fiorentina – si concluse con l'offerta da parte del Rucellai stesso, come pure di "que' de' Chavalcanti", "di que' denari mi bisognassi", quasi certamente per riacquistare il *Cupido dormiente*. Tuttavia nei giorni successivi, ovvero fra il 27 giugno e il 2 luglio, come ricorda Michelangelo, avviene il suo incontro con Baldassarre del Milanese. A questi era diretta una lettera presumibilmente di rimprovero da parte di Lorenzo di Pierfrancesco. Come Michelangelo racconta, dopo avergli consegnato la missiva "e' domanda'gli el bambino e gli renderia e sua danari", tuttavia Baldassarre risponde aspramente allo scultore, che piuttosto lo ridur-

Balducci risulta svolgere una qualche attività, lo stesso Baldassarre dichiara di non fare niente (ASF, Catasto 1005, c. 417r-v). Da un documento successivo, sempre fiorentino, la Decima Repubblicana del 1498, rileviamo che Baldassarre non abita più con i fratelli ma risiede, almeno nominalmente, in una casa presso la chiesa di San Paolo, sempre a Firenze (ASF, Decima Repubblicana 16, c. 212). Dal matrimonio con una non meglio identificata Caterina nascono quattro figli: Piero, Jacopo, Bernardo e Giovanni. Se di Bernardo non abbiamo l'attestazione che fosse nato a Firenze, gli altri tre risultano nei registri fiorentini: il maggiore, Piero, nacque nel 1493 (11 gennaio: ASF, Tratte 80, c. 104), Jacopo nel 1499 (25 agosto: ASF, Tratte 80, c. 89) e Giovanni nel 1500 (4 marzo: ASF, Tratte 80, c. 35). Sulla presenza di Baldassarre Balducci e di sua moglie nelle fila della compagnia di San Giovanni dei Fiorentini a Roma contemporaneamente a Baldassarre del Milanese: AASGFR, 337, Libro del Provveditore dal 1496 al 1510, cc. 8, 15, 29v, 47v, 70, 86, 121v, 128v, 133, 134v; e inoltre AASGFR, 382, Libro mastro della compagnia, 1495-1512, *ad indicem*.

32. S. Valtieri, *La basilica di San Lorenzo in Damaso nel palazzo della Cancelleria a Roma attraverso il suo archivio ritenuto scomparso*, Roma 1984, p. 68.

33. Ricciardo del Milanese fu novizio presso la compagnia di San Giovanni dei Fiorentini a Roma a partire dal 22 luglio 1498, nel periodo in cui era consigliere della compagnia proprio Baldassarre Balducci, cfr. AASGFR, *337*, Libro del Provveditore dal 1496 al 1510, c. 56; per altre notizie su Ricciardo del Milanese si veda in questo catalogo N. Baldini, *Quasi Adonidos hortum*.

34. Si apprende del coinvolgimento di Baldassarre nella liberazione di Caterina Sforza da una lettera di Francesco di Cicco Simonetta pubblicata in Pasolini 1893, 3 voll., II, p. 303.

35. AASGFR, 337, Libro del Provveditore dal 1496 al 1510, cc. 8-9, 15. Per il resto del tempo la presenza di Baldassarre è costante fino al 1501, cfr. nota 30.

36. Il documento è pubblicato in Hirst - Dunkerton 1994, ed. it. 1997, pp. 19, 27, n. 25: in esso è omesso il nome del personaggio che versò la cifra a favore del cardinale Raffaele Riario.

rebbe in "cento pezzi", "che el banbino lui lavea chonperato e era suo", e infine "emmolto si lamentò di voi, dicendo che avete sparlato di lui". Sebbene sempre dal racconto michelangiolesco si ricavi che altri mercanti e banchieri fiorentini, non nominati apertamente, si erano impegnati per fare addivenire Baldassarre e Michelangelo a una risoluzione della questione, tuttavia a niente era valso il loro intervento: l'ultima speranza per il Buonarroti era di seguire il consiglio di Baldassarre Balducci ovvero risolvere la questione tramite il cardinale Riario.

Attraverso la testimonianza delle fonti cinquecentesche, di Michelangelo stesso e dei nuovi documenti in nostro possesso possiamo dunque congetturare che, compiuta fra il dicembre del 1495 e il gennaio del 1496, la scultura fosse acquistata a Firenze da Baldassarre del Milanese per il prezzo dei trenta ducati riportato dalle fonti[37]; venduta a Roma per duecento ducati forse fra il marzo e l'aprile del 1496, il 5 del mese di maggio scoperto l'inganno, il cardinale di San Giorgio fu risarcito della somma restituendo l'opera che perlomeno dal 27 giugno del 1496 era in vendita nel palazzo Sforza Cesarini. Quando Michelangelo arrivò a Roma cercò di riacquistare il *Cupido* dal proprietario, ovvero Baldassarre, ma probabilmente non offrendogli i duecento ducati che egli chiedeva, come ci ricorda il corrispondente di Isabella d'Este, ma i trenta che gli erano stati pagati a Firenze da Baldassarre o da chi per lui. Il furore di Baldassarre e la sua posizione nelle parole riportate da Michelangelo nella lettera a Lorenzo di Pierfrancesco sono chiari: Baldassarre dice che il *Cupido* è suo, lo ha comprato, e "che aveva lettere" (forse delle attestazioni che dimostravano la proprietà dell'opera) che testimoniavano che lui l'aveva pagato "a chi gnene mandò", probabilmente proprio a quel suo agente che aveva dato i trenta ducati a Michelangelo. In questo modo nessuno, neppure il Riario, poté costringerlo a restituire l'opera a Michelangelo, e infatti la scultura, come ci informa di nuovo la corrispondenza fra Antonio della Mirandola e la marchesa di Mantova Isabella d'Este, il 23 luglio del 1496 era sempre in vendita mentre tutti ormai erano informati del fatto che non fosse antica. Alla fine del 1496 il *Cupido dormiente* verrà donato da Cesare Borgia a Guidobaldo da Montefeltro duca di Urbino (si veda in questo catalogo *Cronologia ragionata*). E Michelangelo non ne rientrerà mai più in possesso.

2. Le case della famiglia Galli in via dei Leutari

Il nobile romano Jacopo Galli, committente e protettore di Michelangelo, fu colui che accolse l'artista al suo arrivo a Roma nell'estate del 1496, ospitandolo, per circa due anni, nella sua grande casa posta nei pressi dell'erigendo palazzo del cardinale Raffaele Riario[38].

Il palazzo di famiglia si trovava, infatti, nel popoloso rione Parione (uno dei tredici della città) sviluppato intorno alle piazze Campo de' Fiori e Navona; un'area che si era andata qualificando dalla fine del Quattrocento come luogo di attività commerciali e centro residenziale, dove vivevano numerosi mercanti, banchieri, librai, ecclesiastici e personaggi legati alla vita della Curia romana[39].

Il più antico documento rintracciato sinora, attestante la presenza della famiglia Galli nel rione Parione, risale all'inizio del settimo decennio del Quattrocento[40]. Nel 1467 Giuliano Galli si vede obbligato a pagare una multa per non avere nettato la strada dove risiede[41]. Trovandosi la sua casa "appresso" la chiesa di San Lorenzo in Damaso, si suppone che l'abitazione del banchiere romano fosse situata proprio nella via del Pellegrino o via Florea, vicino dunque alla parrocchia (allora occupante l'angolo tra la strada appena ricordata e l'odierna piazza della Cancelleria) dove la famiglia era titolare di una cappella[42]. A conferma di ciò, in un atto del 1483, Giuliano Galli ottenne il permesso di

37. Condivi 1553, ed. 1998, p. 18; Vasari, *La Vita di Michelangelo...* (1568), 1962, I, p. 15.
38. G. Vasari, *Le vite de' più eccellenti pittori, scultori ed architetti scritte da Giorgio Vasari pittore aretino*, Firenze 1550 e 1568, ed. a cura di R. Bettarini e P. Barocchi, Firenze 1966-76, 6 voll., VI, p. 15; A. Condivi, *Vita di Michelangelo Buonarroti*, Roma 1553, ed. a cura di A. MAraini, Firenze 1927, pp. 26-28.
39. P. Adinolfi, *Della topografia di Roma nell'età di mezzo,* saggio V, Roma 1865; F. Gregorovius, *Rione Parione*, in *Storia della città di Roma nel Medio Evo*, ed. a cura di E. Pais, Torino 1925-27, 4 voll., IV, t. I, pp. 306-310; A. Proia e P. Romano, *Roma nel Rinascimento: Parione*, Roma 1933; E. Giovanetti, *Parione*, in *Roma nei suoi Rioni*, Roma 1936, pp. 149-174; *Guide rionali di Roma. Rione VI - Parione*, a cura di C. Pericoli Ridolfini, Roma 1973 (1ª ed. 1971), 2 voll.; *Un pontificato ed una città. Sisto IV (1471-1484). Il rione Parione durante il pontificato sistino. Analisi di un'area campione*, atti del Convegno (Roma 1984) a cura di M. Miglio, F. Niutta, D. Quaglioni e C. Ranieri, Città del Vaticano 1986.
40. Si veda il contributo n. 3 di Anna Maria Piras.
41. P. Cherubini, A. Modigliani, D. Sinisi e O. Verdi, *Un libro di multe per la pulizia delle strade sotto Paolo II (21 luglio - 12 ottobre 1467)*, in "Archivio della Società Romana di Storia Patria", 107, 1984, pp. 51-274, in particolare p. 99.
42. G. Bitozzi, *Notizie storiche sulla Basilica Collegiata insigne di S. Lorenzo in Damaso... dedicate ai Reverendissimi Signori Canonici della stessa Basilica*, manoscritto del 1797, pp. 15, 113; Valtieri 1984, pp. 5, 73, 101; C.L. Frommel, *Jacobo Gallo als Förderer der Künste: Das Grabmal seines Vaters in S. Lorenzo in Damaso und Michelangelos erste römische Jahre*, in *Festschrift für Erika Simon*, Mainz am Rhein 1992, pp. 450-460.

poter "de novo rehedificare et construere"[43] la sua abitazione contigua alla casa delle "bizzocche" o "pinzochere" Caterina e Paola de' Calvis, conosciuta essere tra la via dei Cappellari (altezza Arco di Santa Margherita) e la suddetta via del Pellegrino[44].

Difficile rimane stabilire con esattezza il momento del trasferimento della famiglia nel più noto vicino isolato, i cui confini – anteriori all'apertura di corso Vittorio Emanuele alla fine del secolo scorso[45] – procedendo in senso orario, corrispondevano a: piazza San Lorenzo in Damaso poi della Cancelleria, via dei Leutari (coincidente nel suo primo tratto esattamente con il percorso del futuro corso Vittorio Emanuele e nel secondo tratto con l'odierna strada omonima), piazza di Parione poi di Pasquino, via di San Pantaleo e vicolo dell'Aquila[46]. All'interno del suddetto isolato, chiamato ancora alla fine del Seicento "Isola Galli", il palazzo del nobile banchiere si presentava come un esteso blocco edilizio composto da agglomerati di case e provvisto di vari cortili. Uno di questi, oggi profondamente mutato dopo i rifacimenti tardo ottocenteschi, custodiva il *Bacco* di Michelangelo che nel 1506 venne visto in casa Galli dall'umanista Raffaele Maffei[47]; in una stanza del medesimo palazzo, inoltre, si poteva ammirare un *Apollo Cupido*, altra opera giovanile dell'artista[48].

Alcune foto d'epoca mostrano l'aspetto esterno del lungo corpo di fabbrica prospiciente il palazzo della Cancelleria prima dei rivolgimenti urbanistici che hanno interessato direttamente l'isolato[49]. Sull'antica piazza di San Lorenzo in Damaso, in prossimità dell'angolo del palazzo suddetto, si apriva il grande portone architravato di casa Galli (alto quanto il piano terra e il primo mezzanino di una casa che presentava altri due piani superiori). Esso conduceva, verosimilmente per un atrio coperto, in uno spazio aperto[50].

Muovendosi lungo il fianco della Cancelleria verso il vicolo dei Leutari, la casa di famiglia si mostrava in elevato con un piano in meno, a causa dell'accorpamento di due diversi edifici in origine probabilmente separati tra loro, mantenendo tuttavia nei piani lo stesso livello della prima casa citata (dove si trovava il grande ingresso) sino a voltare l'angolo. Una facciata semplice[51] e decorosa attraversata da una linea marcapiano tra i mezzanini e il piano nobile, fornita di finestre regolari uniformi, frutto di un intervento di restauro che potrebbe essere stato realizzato all'epoca del ricco Jacopo Galli.

I beni di quest'ultimo, sottoposti nel suo testamento a fidecommesso (ossia né vendibili né alienabili), comprendevano un orto nel rione Ripa "sopra li bastioni", una "pescara" sotto la chiesa di Santa Sabina sull'Aventino, parte dell'ampio isolato di Parione: un cospicuo gruppo di case con botteghe, tra cui due abitazioni sicuramente di notevole estensione, visto il loro alto valore commerciale. Jacopo desiderava che tutti i suoi figli, maschi (eredi universali dei beni) e femmine, con le rispettive famiglie, vi risiedessero per tutto il tempo della loro vita[52].

Attraverso una lettura parallela dei documenti d'archivio e delle *taxae viarum* del 1523 ("jettito" di via dei Leutari), ossia il contributo economico dovuto ai Maestri delle strade dai proprietari delle case poste lungo le vie sottoposte a interventi pubblici, è possibile verificare la consistenza delle proprietà Galli nel rione Parione. Esse prospettavano il tratto viario interessato dalla recente trasformazione, ossia la "strada che va dalla porta picchola de S.to Lorenzo in Damaso alla piazza de parionis"[53], corrispondente a quella che ancora oggi si chiama via dei Leutari, ma che in passato partiva dall'angolo nord-est di palazzo della Cancelleria, dirigendosi verso la piazza ove si trovava già allora la "statua parlante" di Pasquino.

È perciò chiaro che le case di Jacopo Galli si trovavano dirimpetto all'angolo del pa-

43. ASR, Collegio dei Notai Capitolini, not. Maximus de Tebaldis, vol. 1764, cc. 105rv. Il documento è stato in parte pubblicato da G. Curcio, *I processi di trasformazione edilizia*, in *Un pontificato ed una città*... 1986, pp. 706-732, in particolare p. 715.

44. Le nobili Caterina e Paola, rispettivamente moglie e figlia del chirurgo e proprietario del banco omonimo Antonio de' Calvis, avevano fondato una delle più famose "case sante" di Roma, ossia una comunità di terziarie costituita da vedove e zitelle: A. Landi - B. Forastieri, *La "casa santa" in via dei Cappellari e Antoniazzo Romano*, in "Alma Roma", 3-4, maggio-agosto 1979, pp. 38-43; R. Guarneri, voce "Pinzochere", in *Dizionario degli Istituti di perfezione*, Roma 1980, VI, coll. 1721-1749, in particolare col. 1732.

45. A.M. Racheli, *Corso Vittorio Emanuele II. Urbanistica e architettura a Roma dopo il 1870*, Quaderni 7, Roma 1985, pp. 95, 112, 114, 117, 119, 121. Come è noto, questa zona di Parione è stata interessata, negli anni ottanta dell'Ottocento, da notevoli cambiamenti urbanistici che ne hanno alterato irrimediabilmente il primitivo aspetto. L'avancorpo dell'Isola Galli, posto sull'antica via dei Leutari, venne demolito per fare posto alla moderna strada e, tra il 1884 e il 1885, provvisto di un nuovo prospetto corrispondente a palazzo Russo e a palazzo Villa e Boggio.

46. Si veda il particolare della pianta di Roma del Falda in questo catalogo a p. 350.

47. R. Maffei, *Commentarii urbanii*, Basilea 1506, cap. XXI, p. 495: "Item quamquam profanum, attamen operosum Bacchi signum in atrio domus Jacobi Galli civis", cfr. Frommel 1992, p. 453, nota 21; M. Hirst, *Michelangelo in Rome: an altar-piece and the "Bacchus"*, in "The Burlington Magazine", CXXIII, 943, 1981, pp. 581-593; P. Barocchi, *Il Bacco di Michelangelo*, Firenze 1982.

48. Aldrovandi 1562, ed. 1975, p. 168: "In una camera più su presso la sala" vi era "uno Apollo intiero ignudo con la faretra e saette à lato, et ha un vaso à piedi: è opera medesimamente di Michel'Angelo"; cfr. J. Springer, *Ein Skizzenbuch von Marten van Heemskerck*, in "Jahrbuch der königlich Preußischen Kunstsammlungen", V, 1884, pp. 327-333; C. de Tolnay, *The Youth of Michelangelo*, Princeton 1947, p. 27; id., *Michelangelo*, Firenze 1951, p. 259; U. Baldini, *Michelangelo scultore*, Firenze 1981, p. 36, scheda 12.

49. Foto dell'Archivio Fotografico Comunale di Palazzo Braschi in Racheli 1984, figg. 120, 126.

50. Alla metà del Settecento, G. Vasi (*Delle magnificenze di Roma antica e moderna*, Roma 1747-1750, tav. 74) rappresentò la piazza della Cancelleria, ripresa dallo stesso punto di vista, documentando graficamente il portone di casa Galli così come lo mostrano le foto ottocentesche, cfr. Valtieri 1984, fig. 30.

51. Frommel, ricordando tale restauro, lo attribuisce all'epoca di Giuliano avvalendosi dell'atto, qui già ricordato, del 1483. Frommel 1992, p. 450.

52. ASR, Collegio dei Notai Capitolini, not. Laurentius Paluzzelli, vol. 1228, cc. 225-227v., 230-232v.

53. ASR, Presidenza delle strade, vol. 445, pubblicato in Valtieri 1984, p. 111: "La casa de messer Pavolo Gallo et fratelli per la facciata de incontro al palazzo de Medici mediante la via con tutte le botteche taxate ducati quaranta cinque de camera. / Et più per le altre case che voltano verso la strada nova quale restano senza ruina de ditto messer Pavolo et fratelli taxate ducati cento et cinquanta de camera".

lazzo del cardinale Raffaele Riario e all'ingresso secondario, in seguito chiuso[54], della chiesa da poco riedificata; la proprietà proseguiva poi nella cosiddetta "via nuova" (via dei Leutari) che girava proprio all'altezza dell'abitazione di Mario Boccabella, nobile romano e canonico del capitolo di San Lorenzo in Damaso, presso cui, spesso, avevano luogo le riunioni ufficiali del capitolo suddetto. In corrispondenza di quest'ultima, nel 1523, si dice fosse "la ruina" frutto dell'allargamento della strada stessa.

Il fondo della "Presidenza delle strade" conservato presso l'Archivio di Stato di Roma è un utile strumento per raccogliere ulteriori informazioni sulle proprietà Galli, a distanza di pochi anni. In altre due occasioni, nel 1541 e nel 1548, i lati dell'Isola Galli vengono interessati da "jettiti", per ampliamenti e miglioramenti stradali appena eseguiti.

Nel primo documento, dopo aver citato alcune case appartenenti alla compagnia della Santissima Concezione in San Lorenzo in Damaso[55], situate di fronte all'entrata principale della chiesa e affittate a diverse famiglie, vengono menzionate le proprietà Galli: si contano innanzitutto la casa che è detta essere abitata da Paolo Galli, e poi altre sette abitazioni e numerose botteghe (occupate da due sarti, un barbiere, uno stagnaro e diversi liutai), per un'estensione che arriva quasi alla metà dell'antica via dei Leutari (in quel tratto, come si è detto, corrispondente all'omonima strada odierna). La restante parte dell'Isola, su quel lato, era divisa tra vari proprietari, tra cui i nobili Mignanelli (Fabio Mignanelli e poi i suoi eredi), che possedevano il maggior numero di porzioni immobiliari, cedute in affitto[56].

La tassa del 1548 coinvolse, invece, i proprietari delle case site subito dopo quelle Mignanelli, che facevano cantone tra via dei Leutari e piazza di Parione (oggi come si è detto di Pasquino)[57], tra cui lo stretto edificio abitato da un orefice ("Jo. Antoniius Alexander")[58], e la casa dei Galli chiamata "la casa grande", dopo la quale era presente, nuovamente, una casa Mignanelli; la stessa "casa grande", viene ricordata ancora nel 1554 per il rifacimento della strada "Hersilia" (tra piazza di Pasquino e piazza Navona)[59].

Da questi pochi elementi si possono già trarre interessanti conclusioni. Prima fra tutte la possibilità di delineare ulteriormente, e con una certa esattezza, l'estensione dei beni Galli all'interno dell'omonima isola; poi la chiara presenza, entro questi suoi irregolari confini, di almeno due grandi case o accorpamenti di case, costituenti un'unica ampia residenza, abitata da più nuclei familiari Galli e circondata da dimore più piccole indipendenti, ma tutte provviste di botteghe al piano terra[60].

Sappiamo che la maggior parte della collezione di sculture della famiglia (secondo una diffusa consuetudine nei palazzi romani) era collocata negli spazi aperti che possedeva la casa[61]. Due vedute di Marten van Heemskerck (1535 circa)[62] costituiscono una fonte preziosa per lo studio della raccolta Galli. I numerosi pezzi scultorei antichi, per lo più frammentari, appaiono disposti su due aree adiacenti: l'una leggermente rialzata rispetto al livello pavimentale dell'altra. Pochi gradini risolvono il dislivello tra quella che sembra una terrazza o più probabilmente un loggiato e il giardino inferiore. Qui, perno centrale di tutte le sculture esposte, si trovava anche un'opera moderna: il *Bacco* di Michelangelo (f. 72r)[63].

Osservando due fra le più famose e interessanti piante di Roma, quelle del Falda (1676) e del Nolli (1748), tenendo certamente presente la distanza temporale che divide i due esecutori (che naturalmente determina delle differenze) e la loro tarda realizzazione rispetto all'epoca di Jacopo e Paolo Galli, si può cercare di comprendere meglio come fossero strutturati i suddetti ambienti.

Si nota nella visione dall'alto del Falda la complessa articolazione dell'isolato, com-

54. Bitozzi 1797, pp. 176-177; Valtieri 1984, pp. 26, 107, 109-110.

55. ASR, Presidenza delle Strade, vol. 445, c. 193; Bitozzi 1797, p. 147. Sulla confraternita o compagnia della Santissima Concezione si veda Valtieri 1984, pp. 89-91: i suoi componenti custodivano in una cappella della chiesa di San Lorenzo in Damaso un'antica immagine della Vergine e si preoccupavano di assegnare ogni anno la dote ad alcune ragazze povere della città.

56. Si veda nota 46.

57. Tali case rimasero di proprietà Mignanelli, probabilmente nelle forme strutturali d'origine, fino all'inizio del Settecento quando furono vendute ai Rospigliosi, che le inglobarono in un unico più nobile prospetto (piazza di Pasquino nn. civici 73-74), in R. Randolfi, *Palazzo Rospigliosi in piazza Pasquino con ingresso nel vicolo dei Leutari*, in *Roma borghese. Case e palazzetti d'affitto*, a cura di E. Debenedetti, "Studi sul Settecento Romano", Roma 1994, 2 voll., I, pp. 281-291.

58. La facciata di questa casa (piazza di Pasquino nn. civici 71-72) riporta ancora un'iscrizione dell'epoca dove si ricorda il suo antico proprietario: "IO. ANTONIVS ALEXANDER / AVRIFEX DOMVM IN / CENDIO DIRUTAM IN / MELIO HANC FORMA / RESTITVIT SIBI SUIS Q / POST AN. M.D.XL.".

59. ASR, Presidenza delle strade, vol. 445, cc. 257-259.

60. Si veda ancora ASR, Notai Tribunale dell'A.C., not. Gaspar Raydettus, vol. 6156, c. 150; ASV(= Archivio Segreto Vaticano), Camera Apostolica, Diversa Camera vol. 209, cc. 74v-75.

61. J.J. Boissard, *Romanae Urbis topographia et antiquitates*, Frankfurt 1597-1602, 9 voll., I, pp. 34-35; Springer 1884, pp. 327-333; A. Michaelis, *Römische Skizzenbücher Marten van Heemskercks und anderer Nordischer Künstler des XVI. Jahrhunderts*, in "Jahrbuch des (Kaiserlich) deutschen archäologischen Instituts", VI, 1891, pp. 141, 153-154; P.G. Hübner, *Le statue di Roma. Grundlagen für eine Geschichte der antiken Monumente in der Renaissance*, Leipzig 1912, p. 100; C. Hülsen e H. Egger, *Die Römischen Skizzenbücher von Marten van Heemskerck*, Berlin 1913, 2 voll., I, pp. 16-17, 39-40, 46; U. Aldrovandi, *Delle statue antiche, che per tutta Roma, in diversi luoghi e case si veggono*, Venezia 1556 e 1562, ed. Hildesheim - New York 1975, pp. 167-168; P. Pray Bober e R. Rubinstein, *Renaissance artists and antique sculpture*, London-Oxford 1986, pp. 61, 98 e Appendice II, p. 474; R. Lanciani, *Storia degli scavi di Roma e notizie intorno le collezioni romane di antichità*, Torino 1902, ed. Roma 1989-1992, 4 voll., I, pp. 137, 140.

62. *Römische Skizzenbücher von Marten van Heemskerck*, Kupferstichkabinett, Staatliche Museen, Berlin, I, ff. 27r e 72r; cfr. E. Filippi, *Marten van Heemskerck "Inventio Urbis"*, Milano 1990.

63. Sui rapporti instauratisi tra Michelangelo e Jacopo Galli, si veda il contributo di Anna Maria Piras. Riguardo agli spazi esterni occupati dalla collezione Galli, brevi accenni si trovano in U. Aldrovandi e in J.J. Boissard in visita a Roma quando era ancora in vita Paolo Galli. Il primo vede una loggetta terrena e un giardinetto, ove si trovava il *Bacco*, Aldrovandi 1562, ed. 1975, p. 167; il secondo scrive di un cortile dove si troverebbe la stessa opera di Michelangelo, Boissard 1597, I, pp. 34-35.

posto di nuclei costruttivi più o meno grandi che si alternano a numerosi cortili, e verosimilmente piccoli giardini, che appaiono ridimensionati e ridotti solamente a due nella successiva pianta del Nolli[64]. Qui le proprietà di famiglia (corrispondenti all'incirca alla fascia centrale dell'isolato), nella direzione piazza della Cancelleria - piazza di Pasquino, presentano almeno due grandi spazi aperti di cui uno, con accesso dalla Cancelleria, più grande e irregolare, su cui si affacciavano non solo le case dei Galli; l'altro di forma quadrangolare (al centro di un'altra unità abitativa regolarizzata) aperto su piazza di Pasquino. Mentre di quest'ultimo le due raffigurazioni rispecchiano una situazione rimasta immutata (ma sicuramente successiva all'epoca di Jacopo Galli) dal Cinquecento al secolo scorso, il primo spazio apparirebbe trasformato e sicuramente ridotto nella pianta settecentesca. Non si può escludere che proprio queste due aree scoperte fossero in origine collegate da un atrio o da una loggia, o più semplicemente da pochi gradini.

Il Sacco di Roma del 1527 aveva messo a dura prova l'abitato e i cittadini di Parione; anche le case Galli avevano subito gravi danni, come apprendiamo dalla lettera che Paolo Galli scrisse nel 1528 a Pamphilio Pamphili, suo amico nonché dirimpettaio. Con grande rammarico il figlio di Jacopo affermò essere riuscito a salvare in quel terribile frangente solo la sua abitazione a discapito delle altre[65], perdendo in futuro preziose entrate.

La storia successiva delle proprietà Galli, oltre a chiarirne ulteriormente la consistenza, dimostra che la grande ricchezza lasciata dal banchiere Jacopo Galli ai suoi eredi si andava riducendo sempre più, nonostante i buoni matrimoni contratti dalla famiglia. Nel corso del Cinquecento il susseguirsi di varie azioni legali metterà più volte in discussione il fidecommesso istituito da Jacopo. Diversi atti notarili testimoniano, infatti, che alcune porzioni di detti immobili verranno ipotecate, vendute, cedute in locazione perpetua, riacquistate da Paolo Galli e dai suoi discendenti. Finché, all'inizio del secolo successivo, la famiglia si garantì il possesso del patrimonio immobiliare di Parione, malgrado Jacopo Galli lo avesse destinato alla compagnia della Santissima Concezione di San Lorenzo in Damaso nel caso in cui fosse venuto a mancare, cosa che si verificò, un suo erede diretto di sesso maschile[66].

3. I Galli. La fortuna di una famiglia legata agli esordi di Michelangelo a Roma

Nella Roma della seconda metà del Quattrocento inizia la fortuna della famiglia Galli, dovuta all'abile attività economica di banchiere e di mercante di Giuliano (1436-1488). Questi – come ancora si può leggere sulla sua lastra tombale in San Lorenzo in Damaso – nei suoi cinquantadue anni di vita riuscì a ricoprire tutte le più importanti cariche cittadine[67], divenendo così una delle persone più in vista di Parione, suo rione d'appartenenza. Nei documenti in nostro possesso, a partire dal 1461, Giuliano è sempre ricordato come *nobilis vir* e *civis romano*.

È probabile che l'origine della famiglia non fosse propriamente romana, ma importanti studi hanno ormai chiarito che per ottenere la cittadinanza occorreva aver abitato in città continuativamente almeno tre anni e possedere un terreno o una vigna[68]. Alla luce di queste affermazioni possiamo dire che la famiglia Galli potrebbe essersi trasferita in città, al più tardi, alla metà degli anni cinquanta del Quattrocento.

A venticinque anni Giuliano, già definito *nobilis vir*, ma ancora senza una qualifica riguardante la sua attività, redige il suo primo testamento, nel quale nomina, non specificando la consistenza del patrimonio, erede universale l'unico figlio Jacopo[69]. Da questo documento apprendiamo il nome della moglie, Concordia – che al momento della stesura era in attesa di un bambino – della madre, Mattuzia, e del fratello Nicola[70]. Con-

64. Si deve a tale proposito ricordare che il Nolli, pur nella sua estrema precisione, traccia solo i due cortili più importanti (nn. 642, 643), i quali, nel catasto gregoriano risalente al secolo scorso (conservato presso l'ASR), risultano in realtà affiancati da spazi aperti di piccole dimensioni, peraltro ancora oggi esistenti nella parte di isolato non interessato dalle ricostruzioni ottocentesche. D'altro canto il Falda sembra non registrare con precisione alcune situazioni costruttive, presenti invece nel citato catasto romano con una configurazione planimetrica sicuramente antica.

65. A. Modigliani, *I Porcari. Storie di una famiglia romana tra Medioevo e Rinascimento*, Roma 1994, pp. 133-135. Nella lettera, conservata nell'Archivio Doria Pamphili a Roma, Paolo Galli informa Pamphilo sulla situazione del vicinato. Tra le varie persone scampate al pericolo che salutano l'amico lontano, egli cita "maestro Janni Antonio orefice" (p. 134) che, come si è detto, è suo vicino di casa.

66. Relativamente agli sviluppi tardocinquecenteschi della storia della famiglia Galli, seguirà uno studio di prossima pubblicazione.

67. "IULIANO GALLO ROMANO / OMBINIBUS / CIVITATIS HO / NORIB. FUNCTO QUI HOC / PIETATIS SACELLUM SUA / PEC. ERECTUM ARA PICTU / RIS PAVIMENTOQUE ORNA / VIT ANNOQUE / QUO PERPETUUS ALATUR / SACERDOS ADAUXIT / IACOBUS GALLUS / PATRI B. M. F. / VIXIT / ANN. LII MENS. VIII / OBIT X SET. / MCCCCLXXXVII." L'iscrizione è riportata dall'Amayden, *Manoscritto delle famiglie nobili romane*, Biblioteca Casanatense, ms. 1335, c. 131.

68. A. Esposito, *Osservazioni sulla popolazione rionale*, in *Un pontificato*... 1986, p. 655.

69. ASR, Collegio dei Notai Capitolini, not. M. Scalibastri, vol. 1643, cc. 73-73v, 109-109v. Il documento è segnalato in A. Modigliani, *Testamenti di Gaspare da Verona*, in *Scrittura Biblioteche e Stampa a Roma nel Quattrocento*, atti del II Seminario, Città del Vaticano, 6-8 maggio 1982, a cura di M. Miglio, con la collaborazione di P. Farenga e A. Modigliani, Città del Vaticano 1983, p. 622 n. 43.

70. Cfr. anche BAV, D. Iacovacci, *Repertori di famiglie*, Ott. Lat. 2550, parte III, "*de Gallis*", c. 78.

cordia dovrebbe essere una donna della famiglia Tebaldeschi, sorella di Thibaldesco e di Pietro, cognati di Giuliano Galli.

Tale famiglia dovette risiedere sempre in Parione, anche se, come verrà spiegato nel paragrafo seguente, non proprio nella stessa via dei Leutari, oggi non più esistente a causa dell'apertura di corso Vittorio Emanuele. Giuliano fu un uomo attivamente impegnato nell'economia e nella vita cittadina soprattutto nell'ambito del suo rione, dove lo troviamo seguire da vicino i lavori della parrocchia di San Lorenzo in Damaso per quelle che erano le pratiche a lui più consone: la custodia del denaro e dunque la scrupolosa registrazione delle entrate e delle uscite nei libri contabili[71]. Il 12 agosto 1484 fu eletto anche marescalco e coadiuvò il caporione di Parione[72]. Come molte famiglie notabili dell'epoca anche i Galli entrarono a far parte della compagnia del Salvatore *ad Sancta Sanctorum*[73] e Giuliano coprì diversi incarichi governativi di responsabilità a partire da quello di guardiano nel 1463[74], poi dieci anni dopo di camerario[75], per finire nel 1488 con il ruolo di sindaco[76]. Nelle processioni dell'Immagine del Salvatore in occasione della festa dell'Assunzione del 1464 e del 1484 fu tra i personaggi autorevoli designati a portare tale importante reliquia per il rione Parione[77]. Gli incarichi comunque non furono circoscritti al solo rione, infatti nel 1481 acquisì la gabella studi[78], ossia l'amministrazione della tassa imposta sul vino a favore dei lettori dello Studium Urbis, e nel 1484 fu depositario dei maestri delle strade[79], custodendone il denaro, e *Cancelliere* della città[80].

Giuliano era comunque soprattutto uno dei tanti banchieri dell'epoca[81], facente parte però di quella più ristretta categoria che possedeva un banco, ossia una sede dove esercitare la professione. Va precisato che nei documenti lo stesso è indicato alcune volte come banchiere altre come mercante[82]. Nel 1467 compare nella *Nova Tracta Bancheriorum* tra i consoli per eleggere il sindaco[83]. Due anni dopo fu lui a ottenere l'incarico di *Syndicus Consulum bancerorium* [*sic*][84].

Diversi furono gli investimenti che accrebbero la ricchezza della famiglia Galli, e che si intensificarono negli anni settanta: dall'acquisto nel marzo del 1471 dai fratelli Paolo e Agapito Porcari di un *macellum* posto nel rione Pigna vicino a piazza della Minerva[85] al quale si aggiungerà anche un *casarenum* limitrofo[86]. All'acquisto di case, come quella comprata con Paolo di Bartolomeo Mezzatosta presso l'arco di Sciarra, nel 1474[87], all'affitto di metà della Taverna della Vacca[88], all'acquisto del casale Poterano fuori Porta Sant'Agnese e ponte Nomentano[89] e di una vigna confinante con una già di proprietà a Porta Castello[90].

Importanti furono le relazioni di Giuliano Galli con i personaggi più in vista dell'epoca: a cominciare dai Porcari, con i quali vi era un legame di parentela, seppure indiretto, in quanto sua nipote, Francesca Tebaldeschi (figlia di Thibaldesco) nel 1470 aveva sposato il medico Agapito Porcari, decidendo però di annullare il matrimonio quattro anni dopo[91]. E ancora con l'illustre umanista Gaspare da Verona, di cui fu esecutore testamentario insieme al chierico di camera e segretario apostolico Falcone Sinibaldi[92], con Vannozza Cattanei – madre dei figli di Alessandro VI Borgia – alla quale fece da testimone alle sue nozze con lo scrittore della Sacra Penitenzieria Carlo Canale nel 1486[93].

Dai documenti in nostro possesso, inoltre, si possono identificare, tra vari nomi presenti negli atti stipulati nel banco Galli, due che ricorrono più spesso e che probabilmente furono gli uomini di fiducia di Giuliano, che collaborarono all'esercizio della professione: Francesco di Branca e il fiorentino Baldassarre Balducci, che già nel 1481 aveva la qualifica di "casserio"[94].

71. Nel 1465 fu operaio della fabbrica. L'operaio o fabbriciere aveva il compito di affiancare il parroco nella custodia della chiesa, soprattutto per quanto riguardava la gestione del denaro. La congregazione della Fabbrica di San Lorenzo in Damaso ne prevedeva tre: un canonico nominato dal capitolo e due laici scelti tra le famiglie nobili appartenenti alla parrocchia. Per queste notizie cfr. Valtieri 1984, p. 73. Ancora nel 1474 è ricordato con Paolo di Bartolomeo Mezzatosta in qualità di fabbriciere, cfr. BAV, D. Iacovacci, Ott. Lat. 2550, cc. 80-81. Il 1° febbraio 1486 invece è presente con Pietro di Massimo, altro mercante e banchiere di Parione, nella stima dei lavori di rifacimento di una navata di San Lorenzo in Damaso. Cfr. S. Valtieri, *La fabbrica del palazzo del cardinale Raffaello Riario (La Cancelleria),* in "Quaderni dell'Istituto di Storia dell'Architettura", XXVII, 169-174, 1982, p. 21 n. 8.

72. *Il diario della città di Roma dall'anno 1480 all'anno 1492 di Antonio De Vascho*, a cura di G. Chiesa, in *Rerum Italicarum Scriptores. Raccolta degli storici italiani dal cinquecento al millecinquecento. Ordinata da L.A. Muratori,* tomo XXIII, parte III, Città di Castello 1911, p. 513.

73. Sulla compagnia del Salvatore si veda P. Pavan, *Gli Statuti della Società dei Raccomandati del Salvatore ad Sancta Sanctorum (1331-1496),* in "Archivio della Società Romana di Storia Patria", 101, 1978, pp. 35-96; P. Pavan, *La Confraternita del Salvatore nella Società romana del Tre-Quattrocento,* in *Le confraternite romane: esperienza religiosa, società, committenza artistica*, a cura di L. Fiorani (Ricerche per la storia religiosa di Roma, 5), Roma 1984, pp. 81-90.

74. ASR, *Ospedale del S. Salvatore ad Sancta Sanctorum, Catastum*, b. 372, c. 63 v. Giuliano è nominato guardiano insieme ad Anselmo di Anselmo di Nardo, Pietro di Giovanni de Ciaglia e Matteolo Sassi.

75. ASR, *Ospedale del S. Salvatore ad Sancta Sanctorum, Catastum*, b. 372, c. 264v. La notizia è riportata anche in *Dell'oratorio di S. Lorenzo nel Laterano hoggi detto Sancta Sanctorum, discorso di Benedetto Millino alla santità di nostro Signore Alessandro VII,* Roma 1666, p. 200. L'anno seguente, 1474, Giuliano compare tra i testimoni dei nuovi capitoli della società. Cfr. Pavan 1978, pp. 86-89.

76. L'elezione avvenne il 6 aprile 1488 e oltre a Giuliano Galli venne nominato anche Pierleone de Pierleoni, cfr. Modigliani 1983, p. 622, n. 39.

77. Cfr. *ibid.*, p. 622, e ancora Modigliani 1994, pp. 257 e 265. In entrambi gli studi l'autrice riporta anche la notizia che Giuliano Galli aveva ricevuto lo stesso incarico per la processione del 1488, che non riuscì a svolgere per l'avvenuta morte, e infatti accanto al suo nome depennato venne scritto "*obiit*".

78. ASR, Camera Urbis, reg. 278, c. 1r. I pagamenti per l'acquisto della gabella vanno dal 6 febbraio al 20 luglio 1481. Da c. 32 a c. 43 sono segnalati tutti i compensi per mandato dei rettori ai lettori dello Studium Urbis, per quell'anno.

79. Cfr. D.S. Chambers, *Studium Urbis and Gabella Studii: the University of Rome in the Fifteenth Century*, in *Cultural Aspects of the Italian Renaissance. Essays in honour of P.O. Kristeller,* a cura di C.H. Clough, Manchester-New York 1976, p. 99.

80. Con questa carica è ricordato in qualità di testimone al testamento di Cola Porcari il 24 settembre 1485. Cfr. ASR, Collegio dei Notai Capitolini, not. M. De Thebaldis, vol. 1764, c. 84.

81. Sui banchieri e mercanti di Parione si veda M. Procaccia, *Il commercio di denaro*, in *Un pontificato...* 1986, pp. 684-693.

82. Come ha evidenziato da tempo A. Modigliani, *Le attività lavorative e le forme contrattuali,* in *Un pontificato...* 1986, pp. 663-683, i confini tra le due professioni sono

Il 10 settembre 1488 Giuliano Galli moriva e della sepoltura nella cappella che si era fatto costruire nell'antica chiesa di San Lorenzo in Damaso si occupò il figlio Jacopo. Nella tomba, che ancora oggi si può vedere nella navata sinistra dell'attuale chiesa, appare una targa sorretta da tre putti la quale, come ricordato, rammenta che Giuliano fu onorato di tutte le cariche cittadine[95]; più in basso, sul basamento, in un'altra epigrafe sono incisi tre distici nei quali il defunto ricorda la moglie e un nipote che lo aveva reso felice[96]. In effetti Giuliano Galli era diventato nonno già da due anni, e quel dolce ricordo dovrebbe essere rivolto a Paolo, il primogenito di suo figlio Jacopo, che sappiamo essere nato nel 1486[97].

Morto Giuliano, dunque, alla guida dell'attività di famiglia succedette Jacopo, il quale essendo molto probabilmente figlio unico, o il solo a essere sopravvissuto, ereditò tutti i beni del padre.

Jacopo Galli, celebrato dal Condivi quale "gentil'huomo romano et di bello ingegno"[98], è la figura di questa famiglia che maggiormente emerge soprattutto perché direttamente legata alla figura di Michelangelo, di cui fu committente e protettore nel suo primo soggiorno romano (1496-1501). Nato probabilmente intorno al 1460, ricoprì l'incarico di scrittore apostolico negli anni 1479, 1481 e 1488[99]. Anch'egli, come Giuliano, ebbe incarichi di magistratura cittadina. Nel 1482 fu uno dei quattro *riformatores studii,* che si occuparono dell'amministrazione dello Studium Urbis[100], e nel 1492 fu tra gli *officialis Urbis* che insorsero contro il camerario per l'elezione dei custodi delle porte[101]. A partire dagli anni novanta, dunque dopo la morte del padre, sembra dedicarsi con maggiore continuità agli affari. Infatti sono diversi gli atti di compravendita di case che lo riguardano, inclusi quelli nei quali risulta in veste di "pacatore" di suoi clienti che avevano il deposito nel banco[102].

Nel banco di Jacopo Galli nel 1494 avevano la residenza i fiorentini Baldassarre Balducci e Raffaele di Carlo di Altamonte[103]. Baldassarre Balducci, dopo la morte di Giuliano, aveva fatto carriera nel banco Galli, visto che in un documento dell'aprile 1488[104] era ancora identificato semplicemente come cassiere, e dunque un dipendente, mentre nel testamento di Jacopo, nel 1505, viene indicato come socio, pertanto un attivo e paritario collaboratore. Cassiere era invece diventato il fratello, Giovanni Balducci[105]. Sarà il banco degli eredi Balducci a custodire i conti del giovane Michelangelo che del cardinale Raffaele Riario a Roma.

È ipotizzabile una possibile frequentazione tra Michelangelo e i Balducci a Firenze, visto che entrambi abitavano nello stesso quartiere[106] ed è probabile che anche grazie a questa conoscenza l'artista abbia trovato ospitalità, fin dal suo arrivo a Roma, presso casa Galli[107] nella quale, secondo Condivi e Vasari, soggiornò per un anno, e dove realizzò il *Bacco*, che oggi sappiamo essere stato commissionato dal cardinale Raffaele Riario[108], ma che presto entrò a far parte della famosa collezione di antichità di Jacopo.

In realtà il soggiorno di Michelangelo in casa Galli deve essersi prolungato almeno fino al settembre 1498, in quanto il 7 del mese lo troviamo presente come testimone in un atto di Jacopo riguardante l'investimento in una casa[109] e il 19 risulta un pagamento per del vino indirizzato a Michelangelo sempre in casa Galli[110]. Quel che accadde in quegli anni romani, il rapporto familiare e di estrema fiducia che si creò tra Jacopo e Michelangelo – oltre all'opera dell'*Apollo-Cupido*[111], eseguita dall'artista e che andò ad arricchire la collezione di antichità del banchiere – lo dichiarano a chiare lettere i famosi documenti in cui Jacopo si fece garante per lo scultore fiorentino nei confronti di illustri committenti, quali il cardinale Jean Bilhéres de Lagraulas (ambasciatore del re di Fran-

quasi indefinibili, e spesso succedeva che la gestione di un banco si legasse a una più ampia attività di commercio.

83. ASR, Collegio dei Notai Capitolini, not. De Festis, vol. 709, c. 147 *ad annum.*

84. ASR, Collegio dei Notai Capitolini, not. De Festis, vol. 709, c. 134 *ad annum.*

85. ASR, Collegio dei Notai Capitolini, not. P. De Merlijs, vol. 1109, cc. 22-23.

86. ASR, Collegio dei Notai Capitolini, not. P. De Merlijs, vol. 1109, c. 55.

87. BAV, Ott. Lat. 2550, cc. 80-81. Altra casa in comproprietà era quella acquistata per metà da Domenico Porcari nel rione Sant'Eustachio; cfr. Modigliani 1994, pp. 408-409.

88. G. Curcio, *I processi di trasformazione edilizia,* in *Un pontificato...* 1986, p. 712.

89. Questo casale venne venduto da Agapito Porcari il 13 maggio 1475. Cfr. Modigliani 1994, p. 426.

90. BAV, Ott. Lat. 2550, c. 82.

91. Cfr. Modigliani 1994, pp. 175-176, la quale sottolinea che l'atto di separazione (ASR, Collegio dei Notai Capitolini, not. Paluzelli, vol. 1228, c. 51bis r e v e 68v) tra i coniugi Agapito e Francesca venne redatto in casa di Giuliano Galli, ma non segnala alcun legame di parentela tra i protagonisti. Logicamente i rapporti erano anche di tipo professionale. Nel 1471 Agapito chiese a Giuliano in prestito 40 ducati e 77 bolognini, impegnando in garanzia il casale di Pietralata e dei terreni (Cfr. ASR, Collegio dei Notai Capitolini, not. P. de Merlijs, vol. 1109, cc. 57v-58v*)*. Giuliano è inoltre presente come testimone nella divisione dei beni tra i nobili Cola Porcari e suo nipote Cornelio (Cfr. ASR, Collegio dei Notai Capitolini, not. M. De Thebaldis, vol. 1764, cc. 83v-84). E ancora è testimone alla stesura del testamento di Cola, avvenuta il 24 settembre 1484, quando è definito "Spectabili et honorabili virus Juliano Gallo de Rioni Parionis Cancellario Alme Urbis" (cfr. nota 80 di questo scritto).

92. Cfr. Modigliani 1983, pp. 611-627.

93. *Ibid.*, p. 622.

94. ASR, *Camera Urbis*, reg. 278, c. 1r.

95. A. Schiavo, in *Aggiunte a Palazzo della Cancelleria*, in "L'Urbe", XLIX, n. s., 3-4, maggio-agosto 1986, pp. 80-88, specif. p. 88, attribuisce ad Andrea Bregno e a Cristoforo Solari l'esecuzione dei rilievi del sarcofago di Giuliano. Per un'analisi più puntuale cfr. Frommel 1992, pp. 450-460.

96. "FORTUNA VIXI: NATISQUE ET CONIUGI FELIX: /AUCTAQUE ERAS BLANDO LETA NEPOTE DOMUS / ECCE FEROX NIMIUM LACHESIS MEA FILA RECIDIT / FLEBILE DELITIIS INVIDIOSA MEIS / SPES TAMEN UNA MIHI MELIOR GAUDETE RESURGAM: ET PERAGAM SPRETO VIVERE SARCOPHAGO."

97. ASV, Reg. Lat. 1049, cc. CLI v-CLII.

98. A. Condivi 1553, ed. 1927, p. 28.

99. ASV, Reg. Vat. 658, cc. 6 e 142-143; Reg. Vat., 686, cc. 287-288.

100. Per questa e altre notizie sui *riformatores urbis,* cfr. Chambers 1976, pp. 70 e 94.

101. L'episodio è raccontato in *Diario della città di Roma di Stefano Infessura scribasenato*, a cura di O. Tommasini, Roma 1890, p. 276, ed è in sintesi riportato dall'Amayden, *Manoscritto delle famiglie...*, c. 130.

102. Nel marzo 1492 Jacopo vende a Stefano de Capoccinis, a Battista e Carlo suoi fratelli, una casa "terranea, solarata, tegolata" con pozzo nel rione Arenula (ASR, Collegio dei Notai Capitolini, not. A. de Bechadellis, vol. 155, cc. 355v-356r*)*. In aprile compra una casa da Paolo Henrici "aromatario" sita nel rione Ponte (ASR, Collegio dei Notai Capitolini, not. A. de Bechadellis, vol. 155, cc. 429v-431r), e poi ne affitta una a Evangelista de Capolis "aromatario" di rione Ponte (ASR, Collegio dei Notai Capito-

cia Carlo VIII presso Alessandro VI), per la *Pietà* oggi a San Pietro, e il cardinale Francesco Piccolomini, per la realizzazione di quindici statue da collocare nel suo monumento funerario nel duomo di Siena. E ancora, sempre Jacopo favorì Michelangelo in altri due casi: per la realizzazione di una tavola per la chiesa di Sant'Agostino[112] e per l' esecuzione della *Madonna di Bruges*[113].

Nei primi due contesti Jacopo non esitò a firmare di suo pugno una dichiarazione in cui garantiva che le realizzazioni michelangiolesche sarebbero state le più belle che si potevano vedere a Roma. Il banchiere naturalmente era consapevole del profitto che il suo banco avrebbe tratto da queste mediazioni, sia in termini economici che di prestigio, trovandosi a operare con ragguardevoli esponenti della curia.

Tra le influenti amicizie dell'ambiente ecclesiastico che Jacopo poteva vantare c'era soprattutto quella con Raffaele Riario, che doveva risalire all'epoca in cui il cardinale divenne titolare di San Lorenzo in Damaso (1483), chiesa parrocchiale dei Galli. A unire questi personaggi, oltre a un rapporto di vicinato, c'era innanzi tutto una relazione di tipo economico. Come è emerso da tempo[114], i pagamenti per le spese della costruzione del palazzo della Cancelleria, dal 1496 al 1514, vennero emessi dal banco eredi Lemmo Balducci[115].

Il Riario fu l'ignaro acquirente del *Cupido dormiente* di Michelangelo, vendutogli da Baldassarre del Milanese come reperto archeologico, e motivo su cui si fonda la venuta a Roma dell'artista nel 1496, dopo aver ricevuto la visita di Jacopo Galli a Firenze[116]. Condivi, come del resto Vasari, non riferisce nessuna commissione del Riario a Michelangelo, e anzi sottolinea erroneamente "chel Cardinal di San Giorgio poco s'intendesse o dilettasse di statue, abastanza ce lo dichiara, che in tutto il tempo che [Michelangelo] seco stette, che fu intorno a un anno, a riquisition di lui non fece mai cosa alcuna"[117].

Nondimeno Michelangelo in questo suo primo soggiorno romano fu impegnato nel realizzare un nutrito numero di opere, di cui ci rimane solo una minima parte.

Tornando alla famiglia Galli, Jacopo aveva sposato Sabolina Thebaldi[118], figlia di Simone detto Mezzocavallo[119], che fu illustre personaggio del rione Sant'Eustachio, medico di Callisto III, e fratello di Jacopo, cardinale di Sant'Anastasia. I due ebbero sette figli, quattro maschi e tre femmine: Paolo, Giuliano, Girolamo, Battista, Gloria, Giulia e Faustina. Com'era nella tradizione delle più importanti famiglie, che voleva i secondi figli designati alla carriera ecclesiastica, così fu anche per Giuliano Galli, che risulta essere già nel 1518 canonico di San Lorenzo in Damaso[120]. Nel 1530 fu rettore di San Tommaso in Parione[121] e fino al 1552 anche di Santa Maria in Cacaberis[122]. Inoltre, grazie alla familiarità che legava i Galli al Riario, Giuliano divenne suo *cubiculario*[123], ottenendo anche una stanza personale all'interno del palazzo della Cancelleria[124].

Anche Giovan Battista diventò chierico, e probabilmente entrò a far parte della "famiglia" Riario. Entrambi, infatti, seguiranno a Napoli il cardinale, comparendo come testimoni nel suo testamento stilato nel 1521[125].

Ben sedici anni prima era morto Jacopo Galli, che aveva dettato le sue ultime volontà l' 8 giugno 1505[126], disponendo di essere sepolto in San Lorenzo in Damaso, nella cappella che aveva fatto ricostruire *a fundamentis* e che ancora non era stata portata a compimento, per cui lasciava questo compito ai figli ed eredi[127]. Solo i maschi vennero indicati come eredi universali del patrimonio del padre, con l'interdizione però dalla gestione della banca, il cui esercizio veniva lasciato al solo Balducci e ai suoi discendenti con l'obbligo di continuarla a chiamare "eredi Giuliano Galli". I figli non avrebbero potuto toccare alcun soldo.

Alla morte di Jacopo, Paolo, che era il figlio maggiore tra i maschi, aveva dicianno-

lini, not. A. de Bechadellis, vol. 155, c 438v). Lo troviamo in veste di pagatore in diversi atti, tra cui due riferiti alla compravendita della casa presso Santa Maria della Vallicella di Belardino Nocchi di Lucca (ASR, Collegio dei Notai Capitolini, vol. 1228, cc. 144r-147v e 148r-149v).

103. Cfr. ASR, Collegio dei Notai Capitolini, not. L. Paluzzelli, vol. 1228, c. 147v.

104. Cfr. ASR, Collegio dei Notai Capitolini, not. L. Paluzzelli, vol. 1229, c. 63.

105. Cfr. ASF, Ospedale di Santa Maria Nuova, Lemmo Balducci, 31 in costola Balducci 1505 n. 11 segnato F: "Questo si chiama bastardello segnato F morregie e pagonazzo e d'i de le redi di Giuliano Gallo ai corti di Roma tenuto per me Giovanni Balducci cassiere cominciato adì primo di gennaio 1505 a natívitate".

106. Per questa e altre notizie sui Balducci si veda in questo catalogo il saggio di N. Baldini.

107. H. Mancusi Ungaro ritiene che Michelangelo conobbe Giovanni e Baldassarre Balducci, sebbene fiorentini, tramite Jacopo Galli. Cfr. H. Mancusi Ungaro, *Michelangelo. The Bruges Madonna and the Piccolomini Altar*, New Haven-London 1971, pp. 40-42.

108. M. Hirst, *Michelangelo in Rome: an Altarpiece and the "Bachus"*, in "The Burlington Magazine", CXXIII, 943 1981, pp. 581-593.

109. ASR, Collegio dei Notai Capitolini, not. Felice Villa, vol. 1867, c. 283. Michelangelo doveva abitare ancora in casa Galli in quanto nell'atto non viene indicata la residenza rionale come per l'altro testimone.

110. ASF, Ospedale di Santa Maria Nuova, Lemmo Balducci, Bastardello segnato D (aprile 1496-dicembre 1498), c. 27v. H. Mancusi Ungaro, comunque, aveva già segnalato un pagamento effettuato da Michelangelo il 28 febbraio 1500 "a fabrizio puligato vanozo [...] p. la pigione della chasa p. sei mesi" (cfr. Mancusi Ungaro 1971, p. 148).

111. Cfr. Aldrovandi 1562, ed. 1975, p. 167 e Springer 1884, V, pp. 327-333.

112. S. Corradini, *Rapporti tra Michelangelo e Jacopo Galli per una cappella in Sant'Agostino di Roma*, in "Alma Roma", XXI, 1-2, gennaio-aprile 1980, pp. 39-48; Hirst 1981, pp. 582-584 e 590; A. Nagel *Michelangelo's London "Entombment" and the church of S. Agostino in Rome*, in "The Burlington Magazine", CXXXVI, 1994, pp. 164-167 e ancora M. Hirst - Y. Dunkerton 1994 pp. 57-71

113. Mancusi Ungaro 1971.

114. Cfr. Valtieri 1982, e E. Bentivoglio, *Nel cantiere del palazzo del card. Raffaele Riario. Organizzazione, materiali, maestranze, personaggi*, in "Quaderni dell'Istituto di Storia dell'Architettura", s. XXVII, 169-174, 1982 , pp. 27-34.

115. Si deve inoltre ricordare che Jacopo seguì la fabbrica del palazzo della Cancelleria, negli anni 1499-1503, in assenza del cardinale Riario, fornendo nel 1501 una parte di mattoni e quadrucci necessari alla costruzione, cfr. Bentivoglio 1982, p. 29.

116. Cfr. il contributo di Nicoletta Baldini.

117. Condivi 1553 ed. 1927, p. 27.

118. Sabolina Thebaldi morì nel febbraio del 1500 come risulta dal pagamento di 53 carlini per le esequie effettuato da Jacopo il 13 di quel mese. Cfr. ASF, Ospedale di Santa Maria Nuova, Lemmo Balducci, Bastardello segnato A (gennaio 1499 - 31 dicembre 1500) c. 15v.

119. M.A. Altieri, in *Li Nuptiali*, a cura di E. Narducci, Roma 1873, p. 27, parlando di Simone Mezzocavallo scrive: "pigliandose per generi, [...] sei degnissimi paragoni della nobiltà romana dei quali el primo, se bene me serve la memoria, è stato Francesco Alberino, l'altro si come hora me rammemoro, fu [...] Mariano Leno, el terzo el mio tanto dilecto Mariano Crescenzo, el quarto Pietropavolo de Fabij, el quinto Pavolo Colaianni, e'l sexto misser Jacovo Gallo: tutti magnifici e onorati gentilhuomini, unitive anni, Giuliano doveva avere probabilmente uno o due anni di meno, visto che viene anche lui ricordato con l'appellativo "domino", gli altri fratelli dovevano essere realmente piccoli, in quanto sono nominati la nutrice Andreozza di Rubiano e i tutori Marco Tebaldi, cognato di Jacopo essendo fratello di Sabolina, e lo stesso Baldassarre Balducci. Nell'atto compaiono in qualità di esecutori testamentari anche il cardinale Raffaele Riario e Accursio de Preta.

La morte di Jacopo Galli dovette essere un profondo dispiacere per Michelangelo, che così perdeva il suo mecenate. Tornando a Roma, comunque, l'artista continuò il legame fraterno con quella famiglia nelle persone di Paolo e Giuliano Galli "gentiluomini cortesi e da bene coi quali Michelangelo ha sempre ritenuta intrinseca amicizia", come riporta Condivi[128].

Paolo dunque, come primogenito, ebbe il compito di garantire la discendenza della famiglia. Al momento della stesura del censimento redatto sotto Clemente VII alla fine del 1526[129] risultava risiedere con altre ventidue persone (ventidue bocche) nella dimora di via dei Leutari così come era presente all'epoca della visita di Ulisse Aldrovandi tra il 1549 e il 1550[130]. Paolo Galli, con le figure degli umanisti più importanti dell'epoca – Blosio Palladio, il Coricio, il Colocci, Antonio Lelio – fece parte della confraternita della Concezione di San Lorenzo in Damaso, che aveva come protettore il cardinale Riario[131].

Proseguendo una tradizione di famiglia, anche Paolo ricoprì incarichi nelle magistrature cittadine. Nel 1528 fu caporione di Parione[132] e in seguito fu più volte conservatore: nel 1530, nel 1538, nel 1544, nel 1547 e infine nel 1552[133]. Nel 1535 risulta camerario del Santissimo Salvatore[134]. Secondo le volontà testamentarie del padre, Paolo non entrò a far parte della banca ma comunque dimostrò la sua capacità amministrativa nella gestione dell'ingente patrimonio lasciato da Jacopo.

La discendenza della famiglia Galli proseguì con i quattro figli di Paolo: Jacopo – che sarà anch'egli tra gli iscritti della confraternita della Concezione – Giulio, Sulpizio e Livia. Dei tre maschi, Jacopo e Sulpizio presero i voti, divenendo entrambi canonici di San Lorenzo in Damaso, il primo sicuramente dal 1519[135] e il secondo negli anni 1550-1573[136]. Jacopo fu rettore di Santa Maria in Cacaberis e San Tommaso in Parione[137]. Sulpizio, che diventò segretario del cardinale Alessandro Farnese[138], fu anch'egli in seguito rettore di Santa Maria in Cacaberis e canonico di San Pietro. Di Giulio non abbiamo molte notizie[139], quello che sembra probabile è che non si coniugò mai[140].

se insiemi, non già per asseguirne lucrosa mercimonia, ma per amorevole, speciosa et reverendo parentato".

120. Cfr. Valtieri 1984, p. 97.

121. ASV, Camera Apostolica, Diversorum Camera, tomo 85, cc. 153-154r.

122. ASV, Reg. Vat. 1768, cc. 86v-88v.

123. Atto notarile del 1513 in Archivio di Stato di Viterbo segnalato da Bentivoglio 1982, p. 33 n. 2.

124. Va ricordato che nel palazzo della Cancelleria vivevano trecento membri della corte cardinalizia. Cfr. C.L. Frommel, *Il palazzo della Cancelleria*, in *Il palazzo dal Rinascimento a oggi in Italia, nel regno di Napoli, in Calabria. Storia e Attualità*, Atti del Convegno internazionale, a cura di S. Valtieri, Reggio Calabria 20-22 ottobre 1988, Roma 1989, p. 37.

125. Schiavo, *Il Palazzo della Cancelleria*, Roma 1964, pp. 59-61, trascrive integralmente il testamento del cardinale, stilato a Napoli e datato 3 luglio 1521.

126. ASR, Collegio dei Notai Capitolini, not. L. Paluzzelli de Rubeis, vol. 1228, cc. 225-227v, 230-232v. Il documento è segnalato in Schiavo 1964, p. 91 n. 1.

127. Si trattava della quinta cappella della navata destra, dedicata inizialmente a San Giacomo, al quale in seguito si aggiunse la consacrazione a San Girolamo. Tale cappella oggi non esiste più, perché unita all'adiacente appartenuta alla famiglia Massimo e a una parte di quella di proprietà Pichi a formare la cappella del Crocifisso. Cfr. Schiavo 1964, p. 95-96, Valtieri 1984, p. 37.

128. Condivi 1553, ed. 1927, p. 28.

129. D. Gnoli, *Descriptio Urbis o Censimento della popolazione di Roma avanti il sacco Borbonico*, in "Archivio della R. Società Romana di Storia Patria", XVII, 3-4, 1894, p. 454.

130. Aldrovandi 1562, ed. 1975, p. 167.

131. L'elenco degli iscritti alla Confraternita così come risulta da un documento dell'epoca di Leone X (post 1517), oggi conservato nell'archivio del Vicariato, è stato pubblicato in Valtieri 1984, p. 68.

132. È Paolo stesso a dichiararlo nella lettera scritta a Pamphilio Pamphili nel marzo 1528. Questo documento è stato pubblicato integralmente da Modigliani 1994, p. 133.

133. ASC, Archivio della Camera Capitolina, Credenzone 6°, tomo 49, c. 352; Credenzone 1°, tomo 3, c. 38; Credenzone 1°, tomo 3, c. 55; Credenzone 1°, tomo 18, c. 54; Credenzone 1°, tomo 20, c. 156.

134. *Dell'oratorio di S. Lorenzo nel Laterano...*, 1666, p. 209; BAV, Ott. Lat. 2550, c. 84; e C. Magalotti, *Notizie di varie famiglie italiane e oltramontane*, Codice Chigiano, G. V. 145, vol. VII, c. 108.

135. ASV, Reg. Lat. 1380, c. 51.

136. Cfr. Valtieri 1984, p. 97.

137. ASV, Schedario Garampi, *Chiese di Roma*, Indice 556, c. 180v.

138. Cfr. ASV, Miscellanea ARM VII, n. 2, cc. 16-17v.

139. Un documento conservato nell'archivio del Vicariato (ASVR, Capitolo di San Lorenzo in Damaso, tomo 389, *filza di giustificazioni di sagrestia 1526-1554*, foglio sciolto), datato 6 gennaio 1564 lo qualifica come "fabricatore", con Giordano Buccabella, di San Lorenzo in Damaso.

146. La trattazione del prosieguo della storia della famiglia Galli esula dal contesto cronologico preso in considerazione in questo testo, per cui si rimanda a uno studio di prossima pubblicazione per un adeguato approfondimento degli argomenti.

a cura di Cristina Acidini Luchinat
e Kathleen Weil-Garris Brandt

Un lungo dialogo con Michelangelo: intervista ad Alessandro Parronchi

Il catalogo di una mostra sulla giovinezza di Michelangelo non poteva aprirsi in altro modo che con una testimonianza di Alessandro Parronchi, noto decano degli studi italiani in questo campo, autore di ben cinque volumi sulle *Opere giovanili* (1968-1996). A lui si deve, tra l'altro, il mantenimento di un'attenzione vigile e partecipe alle fonti e alle loro contraddizioni e ambiguità testuali, che ci richiama sempre alla responsabilità di tenere presente le opere perdute, anziché dedicarsi, con passaggi troppo rapidi, alle sole opere conosciute da tutti.

Come è noto, la ricostruzione della produzione artistica di Michelangelo giovane da parte di Alessandro Parronchi poggia su attribuzioni, tra cui il *Crocifisso* ligneo in San Rocco a Massa (come proveniente da Santo Spirito) e il *San Giovannino* nel Museo Nazionale del Bargello, intorno alle quali il dibattito critico è ancora, e vivacemente, in corso. In questa mostra, con la maggioranza della critica, si accoglie l'identificazione del *Crocifisso* già in Casa Buonarroti con quello fatto per Santo Spirito e per il *San Giovannino* ci si attiene all'ipotesi di un'attribuzione diversa, nella chiave del neo-donatellismo cinquecentesco.

Ai curatori della mostra, tuttavia, premeva dar conto della dialettica pluralistica e anche contraddittoria che si registra – né potrebbe essere diversamente – intorno agli esordi tanto misteriori quanto affascinanti di un artista universalmente ammirato qual è Michelangelo.

Poiché è risaputo come Parronchi abbia rivestito e rivesta un ruolo del tutto particolare nella cultura fiorentina, in quanto affianca alla critica d'arte la creatività letteraria e poetica, ci è parso che la via migliore per portare sinteticamente nel catalogo i frutti del suo lungo rapporto con l'arte di Michelangelo, e insieme per captare da lui indicazioni e suggerimenti volti a indirizzare gli studi di ricercatori giovani e meno giovani, fosse di raccogliere quanto più possibile dalla sua viva voce, in forma di una fluida intervista "parlata": proposta, la nostra, che Parronchi ha accolto, con la sua consueta, squisita disponibilità.

Nel colloquio a tre voci, con la complicità di un canovaccio scritto di alcune domande (cui altre si sono via via aggiunte, germogliando da spunti della conversazione), Parronchi ha espresso convinzioni critiche, opinioni e commenti che così crediamo di poter riportare in compendio.

A proposito dell'architettura del passato nella formazione di Michelangelo
Come riferì Francesco Bocchi sul finire del Cinquecento, Michelangelo ammirava la grande architettura gotica fiorentina e prediligeva Santa Trinità e Santa Maria Novella, definendole "fidanzata" e "sposa"; era forse stanco delle "regole formali" che i seguaci del Brunelleschi avevano imposto nell'architettura, codificando in un sistema rigido le invenzioni del maestro. Il suo commento su San Salvatore al Monte – la "bella villanella" – porta in sé un apprezzamento e una limitazione allo stesso tempo.

Il primo incontro con la grandezza di Roma antica impressionò profondamente il giovane Michelangelo, che ne colse la maestà guerresca: il sonetto "Qui si fa elmi di calici e spade", da Parronchi considerato giovanile, ne è testimonianza poetica.

Criteri per un'attribuzione

I modi per raggiungere un pieno convincimento su un'attribuzione variano, a seconda di ciò che l'opera stessa suggerisce. Talvolta occorrono campagne fotografiche apposite, confronti, riflessioni che si protraggono anche per mesi; talvolta invece si tratta di una folgorazione improvvisa. Per il *San Giovannino* del Bargello, ad esempio, anche Giorgio Morandi (di solito cauto, e spesso bisognoso della conferma di Longhi) rimase convinto immediatamente. Criteri oggettivi, del resto, è difficile trovarne: per il *Fanciullo arciere* (indicato come *Apollo*) di New York si sono chiamate in causa cento ragioni per non assegnarlo a Michelangelo; ma in realtà non è emersa nessuna vera, buona ragione per respingere questa attribuzione.

Dalle tecnologie informatiche, nella visione di Parronchi, non c'è da aspettarsi aiuto, dal momento che a suo avviso esse offrono della scultura immagini fuorvianti. Al contrario, ritiene fondamentali le condizioni di luce, che rimangono una sfida, non sempre ben risolta, nelle mostre.

Sul realismo giovanile di Michelangelo

Il realismo di Michelangelo procede dallo studio dell'anatomia, che conduce l'artista entro la struttura e la forma del corpo umano, a contare e conoscere le ossa. L'adesione alla realtà nelle prime opere di Michelangelo è fortissima; solo più tardi, in opere più complesse, l'artista sentirà il fascino della fantasia. Vi è poi una "verità" del personaggio storico, eroe o santo, di cui Michelangelo tiene conto in gradazioni diverse, ora insistendo sugli attributi (il copricapo frigio e l'arma per il *David* bronzeo, il vello e la croce per il *San Giovannino*), ora astraendosi dalle contingenze storiche come nel *David* marmoreo, gigantesco e assoluto.

Sulla formazione di Michelangelo pittore

È ancora utile meditare sul rapporto tra Michelangelo e le due figure del ciclo del Ghirlandaio in Santa Maria Novella, che fu segnalato da Giuseppe Marchini. La *Madonna di Manchester* può rientrare a buon diritto nel *corpus* del giovane Michelangelo, che si presenta discontinuo mentre l'artista agli esordi sperimentava pittura e scultura insieme, unificate dal disegno.

Gli studi su Michelangelo in Italia: situazione e prospettive

Parronchi non si è mostrato ottimista, osservando che i maestri (docenti universitari, critici d'arte) scoraggiano i giovani dal cimentarsi con nuove attribuzioni. Le idee su Michelangelo sono generalmente piuttosto confuse, cosicché molti scelgono la via dell'adesione completa e acritica a quello che si sa già, senza indagare il nuovo. E invece, il giudizio su un artista può essere espresso fondatamente solo quando il *corpus* delle opere è stabilito; tanto che, forse provocatoriamente, secondo Parronchi sarebbe utile organizzare una mostra che riunisse le opere un tempo attribuite a Michelangelo, e in seguito espunte dal suo *corpus* a documentare un atteggiamento velleitario nelle attribuzioni.

A chiusura dell'esposizione sintetica degli argomenti affrontati nell'intervista a Parronchi, accogliamo volentieri il testo seguente, che egli ha voluto generosamente consegnarci come suo personale contributo al catalogo.

Significato di una ricerca

Se scorro l'indice del mio volume su La dolce prospettiva *– 1964 – mi accorgo che le citazioni di Michelangelo scarseggiano, anche se riguardano punti eccentrici rispetto all'attenzione usuale dedicata al grande artista. Eppure alla data d'uscita di quella raccolta di scritti l'interesse su Michelangelo era già cominciato. L'inizio fu casuale. E nacque dal* Crocifisso *ligneo di San Rocco di Massa Carrara, che vidi la prima volta nel settembre del '59: quarant'anni fa. Da lì comincia la mia storia con Michelangelo: svolta nei cinque volumi delle* Opere giovanili *editi da Olschki.*

Siamo alla fine di questa storia? Quando cominciò non mi sarei mai immaginato che sarebbe andata tanto oltre. Dopo ciascuno dei cinque volumi che la compongono non era previsto che ce ne sarebbe stato un altro. Il compito di ricercare le opere di Michelangelo di cui parlano le fonti e che non erano più conosciute mi ha affascinato ma non era un programma fin dall'inizio. È nato piuttosto dalla concatenazione di un'opera con l'altra. Il tempo giovanile di un grande artista ha sempre una grande suggestione perché apre un ventaglio di possibilità alcune delle quali si estinguono o deviano dalla forma in cui s'erano presentate. Ogni opera nuova costituisce una nuova apertura. Un gruppo di opere nuovamente conosciute amplia la comprensione di un artista. Così aver riconosciuto a Michelangelo delle opere che erano state dimenticate – sarà da vedere per quali ragioni, e nel caso di Michelangelo sembra non sia mancata la volontà autocritica dell'artista – offre la base per un giudizio più approfondito. In varia misura queste opere scoprono l'ingranaggio mentale che ha portato al passaggio dall'una all'altra. Così, per esempio, nel periodo iniziale siamo obbligati, in mancanza di una traccia, a immaginare arbitrariamente come sia avvenuto il salto dalle uniche opere fiorentine riconosciute da sempre, la Battaglia dei centauri *e la* Madonna della Scala *– la cui diversità è così difficilmente spiegabile –, alla prima opera romana, il* Bacco*, che dopo i "bollori" della* Battaglia *è apparso "freddo", ma freddo non è.*

Certo, a mio giudizio, non si spiegherà mai come opera di Michelangelo il Crocifisso *ospitato nella Casa Buonarroti, con la cui diffusa annessione al catalogo dell'artista s'è aperto un distacco insanabile tra chi ne sostiene l'autografia michelangiolesca e le mie ricerche. Certo che la creazione di questo convincimento errato costituisce alla comprensione di Michelangelo un ostacolo insormontabile.*

E fra il Bacco *e la prima* Pietà *non c'è un altro salto difficilmente spiegabile, da parte di un Michelangelo che, per quanto giovane e libero da vincoli familiari, immaginiamo poco disposto a star con le mani in mano? Soprattutto quando è spinto da una committenza di cui esistono testimonianze sicure?*

Con questo Apollo *che rimbalza d'oltre oceano, non tenendo conto dell'oscuro soggiorno nei depositi del palazzo Bardini,e per la prima volta tocca terra fiorentina è entrato il sorriso nell'arte di Michelangelo. Da dove è nato? Non ne avrà offerto un precedente quel* Cupido dormente *che portò Michelangelo a Roma per la prima volta, e che nell'irrespirabile ambiente dominato dal Savonarola lo aveva spinto a voltare le spalle alle asprezze e all'ascesi che probabilmente aveva espresso nel* San Giovannino*? E all'incedere impetuoso di quello, non era subentrato con assonanza discorde l'incedere barcollante del dio pagano di delicatezza quasi femminea? Un contrasto, a dir poco violento, fra sensi e spirito si avverte nel giovane Michelangelo, come in ogni giovane, ma Michelangelo riversa tutto nell'opera, dalla quale traspare il suo sentimento interiore. E quando sarà sollecitato da persone che lo hanno capito e lo amano, ecco che questo nuovo cantore della bellezza pagana sa sollervarsi ai vertici della spiritualità cristiana.*

Ma intanto ecco chiarita una prima fase sperimentale della sua arte, dove in un razio-

nale richiamo alla realtà di natura, nel Crocifisso *è chiuso come in un compendio il frutto della sua prima esperienza anatomica, che si precisa e approfondisce subito dopo e si andrà esplicando via via. Il suo esempio ha aperto un nuovo capitolo, che d'ora in poi diventerà obbligatorio per l'esercizio dell'arte, e soprattutto per quella dello scultore.*

Un'attribuzione, per poco che abbia fatto presa, è una bomba. Due attribuzioni, specie se appaiate, possono ancora scuotere l'opinione pubblica. Crescendo di numero, chi le formula rischia di essere preso per un maniaco. Non mi sgomento per questo. La storia dell'arte fiorentina fornisce supremi esempi che la ragione sta dalla parte delle minoranze, non può esser frutto di consensi plebiscitari.
Certo che il discorso sulla consistenza dell'opera mi sembra d'importanza primaria. Ogni variazione portata in questo campo non è priva di conseguenze.

Oggi si computerizzano le sculture. Ma nessun computer ci può chiarire che il dire, Michelangelo, che quella Pietà *la scolpiva "per il proprio sepolcro" era un modo per far capire che il marmo in cui la scolpiva era stato destinato inizialmente per una tomba diversa, nella quale non era stato impiegato. I significati dell'opera d'arte sono spesso molto più semplici di quanto si creda.*

Alessandro Parronchi

I. Casa Buonarroti

A. Invenzione e imitazione: l'apprendistato

Sebbene la *Madonna della Scala* venga descritta nelle fonti per la prima volta dopo la morte di Michelangelo (nella seconda edizione delle *Vite* di Vasari) accettiamo il rilievo come il precocissimo documento dell'attività scultorea di Michelangelo. Funziona nella mostra come oggetto esemplare della formazione artistica del giovane scultore, basata com'è sull'emulazione di un modello, cioè dei rilievi "stiacciati" di Donatello. Con un gruppo di disegni che raffigurano garzoni di bottega o mostrano gli artisti sotto i loro segni zodiacali, visualizziamo il ruolo determinante per il giovane Michelangelo dell'esperienza della vita di bottega del tardo Quattrocento. Abbiamo evitato di riproporre qui per l'ennesima volta i disegni michelangioleschi che copiano figure da Giotto o Masaccio, o di fare il confronto fra i disegni preparatori di Ghirlandaio e quelli del giovane apprendista.

Michelangelo Buonarroti
Caprese 1475 - Roma 1564

1. *Madonna della Scala*

Marmo, cm 57,1 × 40,5
Firenze, Casa Buonarroti, inv. n. 190
Provenienza: *ante* 1568 regalata da Lionardo Buonarroti a Cosimo I de' Medici; nel 1616 donata da Cosimo II de' Medici a Michelangelo Buonarroti il Giovane

Il rilievo viene menzionato per la prima volta nell'edizione giuntina di Vasari: "Il quale Lionardo [Buonarroti] non è molti anni che aveva in casa, per memoria di suo zio, una Nostra Donna di basso rilievo di mano di Michelagnolo, di marmo, alta poco più d'un braccio, nella quale, sendo giovanetto in questo tempo medesimo, volendo contrafare la maniera di Donatello, si portò sì bene che par di man sua, eccettoche vi si vede più grazia e più disegno. Questa donò poi al duca Cosimo Medici, il quale la tiene per cosa singularissima, non essendoci di sua mano altro basso rilievo che questo di scultura" (Vasari 1568, ed. 1966-87, VI, p. 11). Raffaello Borghini si basa sulla descrizione vasariana, sostituendo solamente il nome del possessore del rilievo con quello del granduca allora reggente: "lavorò parimente [alla *Centauromachia*] in quel tempo [quando stava nel giardino di San Marco] una Nostradonna di basso rilievo alta poco più d'un braccio, nella quale contrafece la maniera di Donatello, e l'imitò talmente che pare di sua mano; ma vi si conosce più gratia, e più disegno, e questa è in mano del Serenissimo Francesco Medici Gran Duca nostro, che come di cosa singolarissima ne tien gran conto, non essendoci di mano di Michelagnolo altro basso rilievo che questo di scultura" (Borghini 1584, p. 511). Il fatto che Vasari indichi l'altezza del rilievo come poco più di un braccio, mentre in realtà misura poco meno di un braccio fiorentino, potrebbe far pensare all'esistenza di una cornice semplice. Il riscontro sul rilievo dimostra che la sua larghezza equivale invece a quasi 2/3 di un braccio: le misure corrispondono dunque a un formato non estraneo a rilievi del Quattrocento.
Nella *Descrizione della Galleria Buonarroti fatta nel 1684 o circa da Michelangiolo di Leonardo di Buonarroto Buonarroti*, pervenutaci nella copia settecentesca di Anton Francesco Gori, l'opera viene citata all'interno della "Camera degli Angioli", trasformata nel 1677 in cappella, accanto a una versione bronzea, ancora oggi conservata in Casa Buonarroti e basata su un calco: "un quadro entrovi la Madonna tanto nominata di Michelagnolo a bassorilievo in marmo, che già, con altre robe, donata ai Principi, e poi dal Gran Duca Cosimo II ridonata alla casa l'anno 1617. All'ultima parte, che viene sopra la corte, nello spazio che accompagna la finestra, che riesce sulla corte, è una Madonna di bronzo, getto di quella di sopra di Michelangelo, che fu fatta quando uscì di casa" (ed. in Procacci 1967, appendice III, p. 228). Sulla base di queste informazioni, il rilievo bronzeo va datato fra la morte di Michelangelo (1564) e una data imprecisata da collocarsi qualche anno prima della citazione vasariana (1568). Hellmut Wohl (1991) propone l'attribuzione del rilievo bronzeo a Vincenzo Danti, poi però respinta da Giovan Battista Fidanza (1996, p. 112) per via dell'insufficiente qualità tecnica della fusione. Dal confronto con la versione in bronzo, si conferma l'ottimo stato di conservazione dell'originale in marmo, le cui condizioni, dal momento dell'esecuzione del calco a oggi, non sembrano affatto compromesse.
Benché Vasari sostenesse l'appartenenza del rilievo all'attività giovanile di Michelangelo, quando l'artista frequentava il giardino di San Marco, la critica moderna ne ha posto in dubbio non soltanto la datazione, ma persino l'attribuzione. Per primo Charles Holroyd (1903, p. 104) respinse dall'opera di Michelangelo questo che giudicava un "inferior bas-relief", per via dei piedi a forma di clava, e delle mani della Madonna, troppo grosse; dal canto suo, Ernst Benkard (1933) ne bollava come modeste le qualità artistiche, ascrivendo la *Madonna della Scala* alla cerchia di Baccio Bandinelli. Infine Colin Eisler (1967) confutava una presunta attribuzione di Benkard a un tale "Francesco dell'Opera" – tuttavia mai menzionato nello scritto dello studioso contestato, né altrimenti noto come artista – per proporre da parte sua il nome di Vincenzo Danti (1530-1576) senza però escludere nel contempo la pater-

1. Donatello, *Madonna col Bambino (Madonna Dudley)*. Londra, Victoria and Albert Museum.

2, 3. Donatello, *Il banchetto di Erode*, intero e particolare. Lille, Musée des Beaux-Arts.

nità michelangiolesca. In realtà, lo stile dell'opera risulta del tutto estraneo tanto alla scuola del Bandinelli quanto a Vincenzo Danti e in generale una datazione nella seconda metà del Cinquecento non è affatto sostenibile.
Una cronologia più tarda rispetto al periodo giovanile dell'artista venne avanzata per la prima volta da Albert Erich Brinckmann (1919, p. 18), che optava per il momento del soggiorno veneziano di Michelangelo, nel 1494, e per giunta ribattezzava il rilievo "Madonna an der Brücke" (*Madonna del ponte*), ritenendo che nella scala sul fondo si potesse riconoscere la china di uno dei ponti sui canali della città lagunare. Una datazione che sopravanzasse la fase giovanile dell'artista venne ipotizzata anche da Roberto Longhi (1958, pp. 61-62 [ried. 1976, p. 7]), e non solo per la *Madonna della Scala*: lo studioso considerava esplicitamente anche la *Battaglia dei centauri*, infatti, successiva alle opere per Bologna e alla *Pietà* di San Pietro. Nelle diverse edizioni dell'*Italian High Renaissance & Baroque Sculpture*, a partire dalla prima del 1963 (fino all'ultima del 1996, p. 414), anche John Pope-Hennessy ha suggerito un ulteriore slittamento cronologico, riconducendo la *Madonna della Scala* agli anni della volta della Sistina (1508-1512). Tali rapporti stilistici sono stati ulteriormente approfonditi da Jean Michel Massing (in *Circa 1492*... 1991-92, n. 168, pp. 268-269), che ritiene inoltre di non poter imputare al giovane maestro una tale complessità iconografica, posticipando tuttavia appena di un lustro, dunque al 1495 circa, la datazione comunemente accolta.
Nelle più recenti pubblicazioni viene comunque unanimemente accettata una cronologia intorno al 1490, e la realizzazione dell'opera anticipata – come sostenuto già da Strzygowski (1891, p. 211) – alla messa in opera dalla *Centauromachia* (Poeschke 1992, p. 70; Hirst in *Il giardino di San Marco*... 1992, n. 17, p. 17; seguito da Jolly 1998, n. 86, p. 189; Niehaus 1998, p. 172). A favore di questa tesi vengono sottolineati – in accordo con le dichiarazioni di Vasari e Borghini – i rapporti con Donatello, e particolarmente con la *Madonna Pazzi* (Berlino, Staatliche Museen Preußischer Kulturbesitz, inv. n. 51), la *Madonna delle Nuvole* (Boston, Museum of Fine Arts, inv. n. 17.1470) e soprattutto la *Madonna Pugliese-Dudley* (Londra, Victoria and Albert Museum, inv. n. A.84-1927; sull'attribuzione a Donatello e non a Desiderio da Settignano cfr. Francesco Caglioti in *Il giardino di San Marco*... 1992, n. 14, pp. 72-78).
Per l'interpretazione della *Madonna della Scala* si veda il saggio specifico di Kathleen Weil-Garris Brandt in questo catalogo.
[E.D.S.]

Michelangelo Buonarroti
Caprese 1475 - Roma 1564

2. *Nudo visto di schiena, schizzi vari per un Apostolo, un capitello, un ignudo e una Madonna seduta col Bambino* (recto); *studi delle gambe, del ventre e degli avambracci del David di marmo di Donatello* (verso)

Matita nera, penna con inchiostro marrone in parte sopra punta di piombo (recto); carboncino con lumeggiature a biacca, su carta preparata grigia (verso), mm 272 × 262
Firenze, Gabinetto Disegni e Stampe degli Uffizi, inv. n. 233 F recto e verso

Sul recto di questo foglio, in passato ingiustificatamente molto controverso (Tolnay 1975-1980, I, n. 37 recto, con bibl.), Michelangelo disegnò in carboncino nero presumibilmente dapprima il nudo di schiena maschile, lo stesso che poi negli altri due fogli di Londra e Parigi accompagnò con una seconda figura fino a formare un gruppo che solleva un giovane in posa trionfante (cfr. Tolnay 1975-1980, I, n. 46 recto e n. 47 recto). Soggetto, materiale usato per il disegno e anche la torsione con cui il nudo di schiena pare penetrare la profondità dello spazio, lo affiancherebbero agli schizzi per la battaglia di Cascina (Hirst 1989, p. 18; Cecchi -Marani, in *The Genius*... 1992, pp. 86, 88, n. 1 recto e verso, con bibl.).
L'artista riempì poi la restante superficie sulla parte destra del foglio con due grandi raffigurazioni a penna di un Apostolo e di un capitello che, a mio giudizio, sono entrambi da collegare con l'incarico per i dodici Apostoli del Duomo fiorentino del 24 aprile 1503. Nella visione di profilo della figura si evidenzia l'azione dell'Apostolo che esce dalla nicchia su un dado e allo stesso tempo l'atteggiamento di calma e compostezza con cui si rivolge al visitatore del Duomo. Similmente al caso dei profeti della Cappella Sistina, anche qui la grandezza spirituale si accompagna a un fisico poderoso. Il capitello composito ornato da insoliti motivi a grottesca potrebbe esser stato destinato per incorniciare le nicchie delle statue degli Apostoli, in ogni caso non ha alcun riferimento con i piedistalli per il sepolcro di papa Giulio II (Echinger-Maurach 1991, pp. 69, 305).
Anche la piccola figura nuda maschile in atto di scendere da un dado, disegnata nell'angolo inferiore sinistro, potrebbe appartenere alla serie degli schizzi per gli Apostoli del 1503. Nell'atto di scendere da un piedistallo, nella posa del braccio che incrocia il petto, nello sguardo rivolto verso il basso, sono riconoscibili motivi comuni al Bambino del gruppo della *Madonna di Bruges*. Berti ravvisa nelle forme sinuose dell'ignudo il preannuncio dei bei giovani dello sfondo del *Tondo Doni* (Berti 1965, II, n. 34, nota 22).
Per ultimo l'artista ha inserito negli spazi intermedi sei piccoli ma straordinari schizzi per una Madonna seduta col Bambino, che ho recentemente descritto come *primi pensieri* per la *Madonna di Bruges* (Echinger-Maurach 1996, con bibl. completa); in essi sono però presenti alcuni germi che matureranno nel *Tondo Pitti* (Hirst 1989, pp. 18, 20). I quattro disegni sul margine sinistro del foglio sono invece appena leggibili, poiché schizzati con la punta di piombo e trattati poi solo parzialmente a penna. All'estrema sinistra si vede una Madonna che guarda verso il Bambino seduto alla sua destra; una correzione a penna mostra il Bambino scendere tra le sue gambe. All'estrema destra Michelangelo ha disegnato con punta di piombo una *Madonna del Latte* di profilo, sulla sinistra di questo disegno ha poi sviluppato frontalmente lo stesso motivo dove risulta parzialmente visibile la sola schiena, trattata a penna, del bambino in braccio alla madre. Più accentuata dai tratti di penna, segue, da ultimo, una Madonna ammantata col Bambino in grembo, come quella disegnata da Michelangelo anche nei fogli del Louvre e Vienna (cat. n. 59). A destra e a sinistra della Madonna ci sono cinque punti che finora non sono stati descritti, disposti uno sopra l'altro a distanza regolare e congiunti da linee orizzontali, e che avevano lo scopo di permettere all'artista di confrontare le proporzioni di questo schizzo con le misure di un determinato blocco di marmo. Particolarmente vicini alla *Madonna di Bruges* sono da porsi sicuramente i due schizzi a penna rispettivamente al centro e nell'angolo superiore destro del foglio. Lo stesso loro contorno angoloso fa riferimento al blocco di marmo da scolpire. In entrambe le raffigurazioni la madre e il bambino si muovono autonomamente e per di più con un movimento di distacco piuttosto che d'incontro.

1. Donatello, *David*.
Firenze, Museo Nazionale del Bargello.

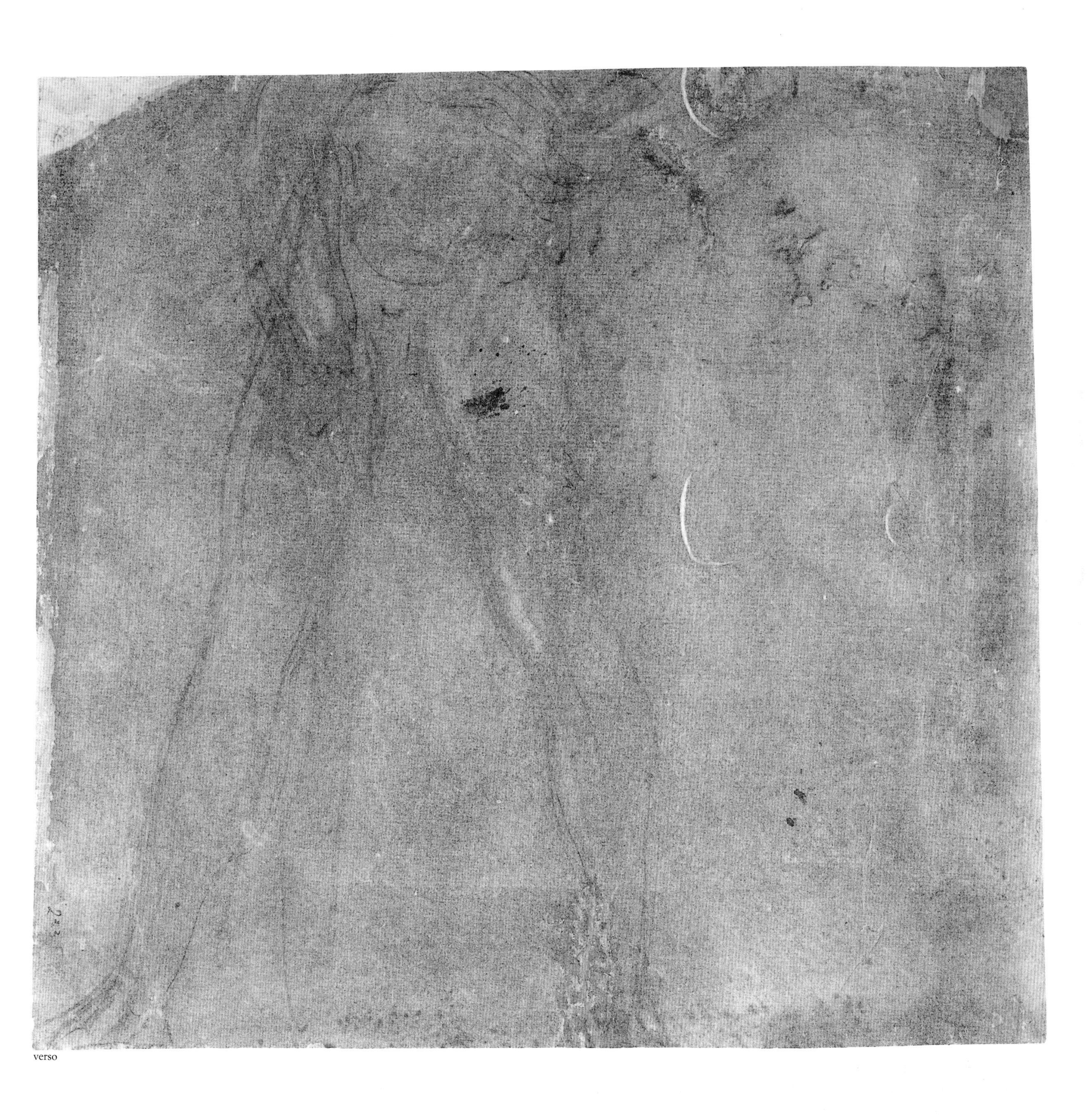

verso

Solo in una correzione l'autore congiunge madre e figlio con un movimento elastico: nello schizzo centrale la Madonna aiuta il Bambino a scendere, in quello di destra lo aiuta invece a salire sul suo grembo. Nell'esecuzione in marmo il vivace movimento di torsione riservato prima alla Madonna, passa al nuovo protagonista, Gesù Bambino.

Il primo pagamento di Mouscron per la *Madonna di Bruges* nel dicembre 1503, stabilisce molto probabilmente il *terminus ante quem* per la datazione di tutti gli studi di questo foglio.

L'odierno verso era forse originariamente un foglio a sé stante assai fragile che fu poi attaccato sul retro del recto. Se così fosse, dovremmo considerare l'importante ipotesi formulata da Cordellier, e cioè che un disegno di sicura attribuzione al maestro (Londra, British Museum, inv. n. 1895-9-15-496 recto) con schizzi di una battaglia e due altri disegni per l'Apostolo sopra ricordato abbiano originariamente formato con il nostro disegno un unico insieme (Cordellier 1991, fig. 15 e p. 52, nota 48; cfr. Hirst 1989, p. 20). Il disegno a carboncino di cui si è conservata solo la metà inferiore interpreta in maniera dinamica il *David* in marmo di Donatello (fig. n. 1). Naturalmente Michelangelo non è interessato al panneggio che l'avvolge, ma solo allo stato di energia e tensione della figura. Già la diversa ponderazione della metà superiore del corpo preannuncia il suo progetto per il *David* di bronzo per il maresciallo di Gié (cat. n. 75), suggerendo così una datazione al 1502 piuttosto che negli anni di apprendistato 1489-1492 (Wilde 1953, p. 6, nota 1).

[C.E.-M.]

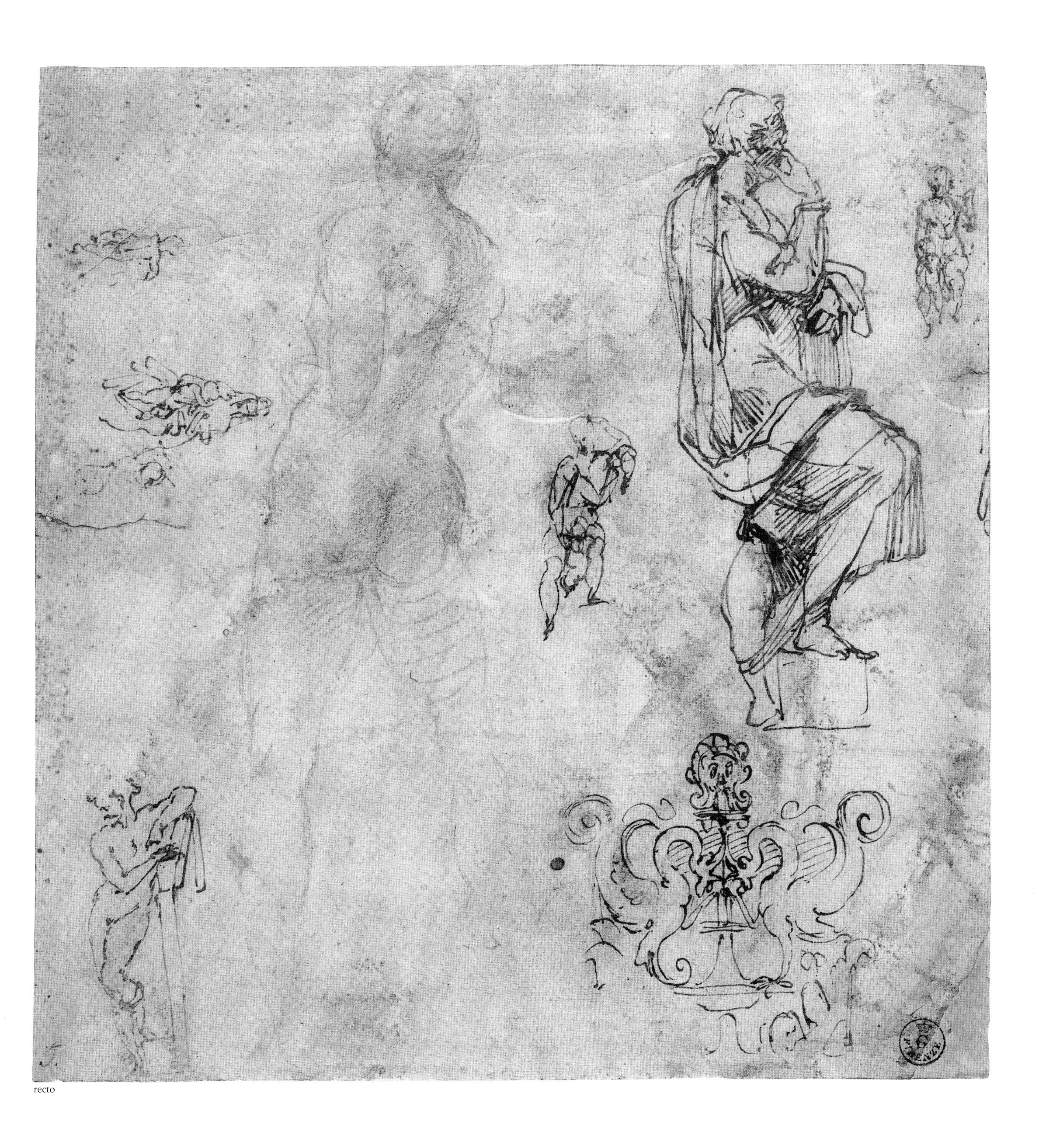

recto

Maso Finiguerra
Firenze 1426 - 1464

3a. *Giovane seduto che legge*
Penna e inchiostro marrone, acquerellature marroni, tracce di matita nera, carta bianca vergata, mm 124 × 99
Firenze, Gabinetto Disegni e Stampe degli Uffizi, inv. n. 113 E

3b. *Figura maschile seminuda seduta con arco e freccia* (recto) - *Aquila* (verso)
Penna e inchiostro marrone, acquerellature marroni, tracce di matita nera, carta bianca vergata (r, v), mm 180 × 129
Firenze, Gabinetto Disegni e Stampe degli Uffizi, inv. n. 56 F

3c. *Giovane seduto che scrive o disegna* (recto) - *Figura maschile nuda vista di spalle* (verso, nascosto dal controfondo)
Penna e inchiostro marrone, acquerellature marroni, tracce di matita nera, carta bianca vergata filigranata (r) - Penna?, matita?, acquerellature? (v). Controfondato.
mm 198 × 109 (misure massime)
Filigrana: "Tre monti entro un cerchio sormontato da una croce" (identico a Briquet 11853: Fano 1378-90).
Firenze, Gabinetto Disegni e Stampe degli Uffizi, inv. n. 47 F

Questi tre disegni di Maso Finiguerra documentano, per i soggetti rappresentati, le varie fasi dell'apprendistato dell'artista che consisteva sia nel lavoro pratico che in quello teorico secondo una precisa evoluzione. Dal posare per il maestro (3b), all'esercizio grafico individuale (3c), alla lettura (3a), tali mansioni erano indicate per gli apprendisti di ogni tipo di bottega. D'altra parte ciascun foglio rappresenta anche una fase distinta dello sviluppo stilistico del disegnatore e riveste un significato diverso nel contesto della sua opera. Si è quindi preferito presentare le rispettive tematiche osservando un criterio essenzialmente cronologico.
Il disegno 113 E (3a), come numerosi altri fogli di Maso Finiguerra nella collezione degli Uffizi, tra cui anche il 56 F (3b), apparteneva alla seicentesca raccolta di Leopoldo de' Medici dove è possibile individuarlo grazie alla descrizione del Bencivenni tra le "Figure sedenti vestite alla civile, a penna e acquerello" del *Quinto Libro Universale* (Melli 1995, pp. 29-30). La tradizione attributiva, che lega questo gruppo di disegni al nome dell'orafo Finiguerra (Degenhart - Schmitt 1968, I-2, pp. 590-622; Angelini 1986, pp. 72-111), risale probabilmente al Vasari il quale affermava di possedere molti studi di figure nude e vestite dell'artista. Tali opere, come il presente foglio, provengono verosimilmente da quei "quattordici" libri di disegni del Finiguerra, documentati dalle dispute legali intercorse tra gli eredi dell'orafo per il loro possesso (Carl 1983), e contribuiscono alla conoscenza dell'uso dei taccuini e dei libri di modelli in una bottega quattrocentesca.
Oltre a soggetti zoologici e compositivi, compare una serie di studi raffiguranti garzoni e apprendisti di bottega, in posa o nello svolgimento delle loro mansioni, che evidentemente prevedevano non solo attività manuali, ma anche occupazioni letterarie come quella rappresentata in questo foglio. Il giovane infatti, che indossa camicia, brache e calze cuoiate arrotolate sotto al ginocchio, secondo la moda del tempo, è seduto al culmine di una panca e punta il dito per accompagnare la lettura di un libro aperto su uno sgabello che sostiene al contempo il suo gomito e la testa. Il disegno sembrerebbe un precoce esempio di studio "dal naturale". Considerando però il contesto grafico finiguerriano, il rapporto di tale figura con la natura è forse più complesso di quanto non sembri a prima vista: nonostante il naturalismo dei particolari e della situazione, si nota infatti una tipologizzazione fisica e fisionomica, ripetuta ad esempio in altri fogli degli Uffizi come il 75 F o il 56 F (3b), tipica dei repertori di modelli. Il disegno parla insomma la "lingua del taccuino", informata però da un'osservazione sempre più attenta della natura (sull'argomento cfr. Forlani 1994).
I disegni di Maso erano soprattutto destinati a fornire modelli per i suoi nielli figurativi. La tecnica grafica, a penna con tratto unico e preciso (su un abbozzo in questo caso a matita, altre volte a stilo o punta metallica), corrisponde infatti al procedimento del niello che era basato sull'incisione della linea di contorno. Si potrebbe quindi supporre che il disegno 113E avesse una certa destinazione nella sua produzione artistica. Si notino a proposito le somiglianze con l'iconografia tradizionale del "ritratto d'autore" – per esempio le raffigurazioni di evangelisti – che dagli antichi esempi della miniatura ottoniana giunge al nostro e forse anche a quel pensieroso "Michelangelo" ritratto da Raffaello, nella *Scuola d'Atene*, nei panni dell'artista. Era questo genere di disegno, oscillante tra tradizione e studio dal naturale, a costituire il nucleo dell'esperienza artistica nelle botteghe fiorentine del secondo Quattrocento, l'ambiente in cui si è svolta la formazione del giovane Michelangelo.

Nel foglio 56F (3b) è invece riconoscibile quel "Giovine nudo sedente con arco e freccia" descritto dal Bencivenni al n. 37 del primo volume dei *Piccoli* di Leopoldo, che conteneva ben 56 disegni di "Tommaso Finiguerri". Come altri fogli provenienti dai libri di bottega del Finiguerra, esso presenta in basso un asterisco a penna apposto probabilmente da un antico collezionista, che dopo lo smembramento intendeva connotarne l'appartenenza. I contorni del disegno, abbozzati a matita nera di cui si individuano vari sottratti semicancellati, sono stati accuratamente definiti con la tipica linea sottile della penna finiguerriana. Per questo studio di figura è stato chiamato a posare un giovane garzone seminudo, seduto su uno sgabello, che tiene arco e freccia nelle mani. La posa del modello in qualità di *arciere* si adegua a una formula iconografica predefinita che, nella sua completezza, garantisce la riconoscibilità del soggetto: in questo caso probabilmente un Cupido o un Apollo. Per la formulazione dell'anatomia il Finiguerra si è ispirato non solo al modello vivente, ma è ricorso anche a tipologie ripetute in altri suoi disegni, in una sorta di ricomposizione con sottili variazioni (cfr. Whitaker 1998, p. 50). Ne risulta una creazione anatomica diligente – se si esclude la coscia sinistra troppo lunga –, ispirata alle figurazioni ghibertiane della seconda porta

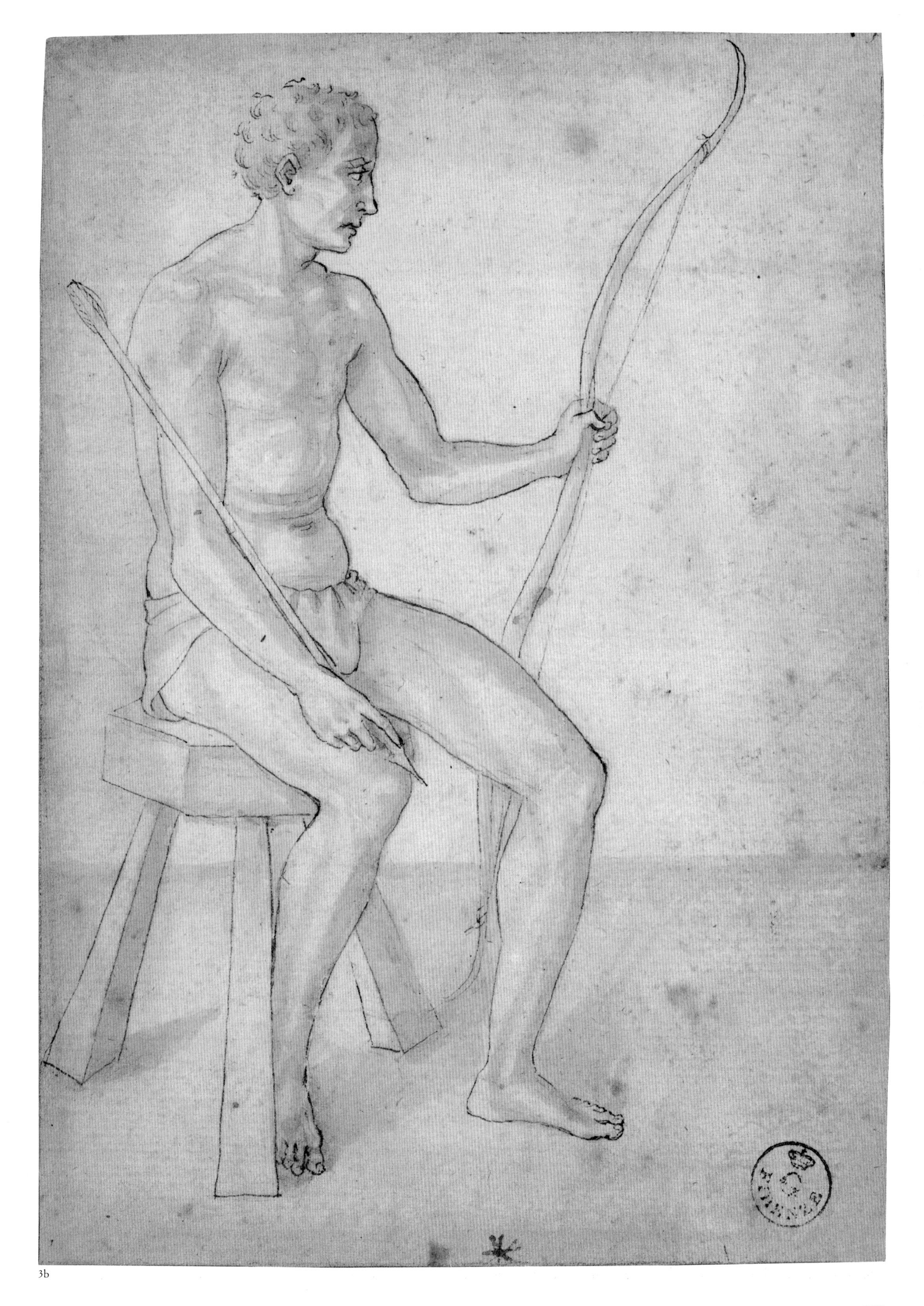

3b

1. Fotografia agli infrarossi in bianco/nero che evidenzia la *Figura maschile nuda di spalle* disegnata sul verso. Firenze, Gabinetto Disegni e Stampe degli Uffizi, inv. n. 47 F.

2. Elaborazione della fotografia IR: in giallo è campita la *Figura maschile nuda*. Firenze, Gabinetto Disegni e Stampe degli Uffizi, inv. n. 47 F (in celeste l'oggetto non identificato in basso a sinistra).

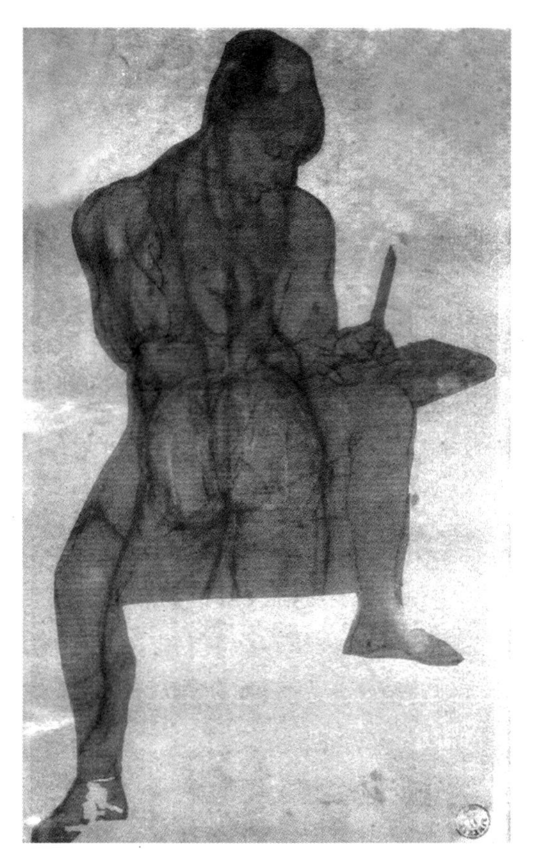

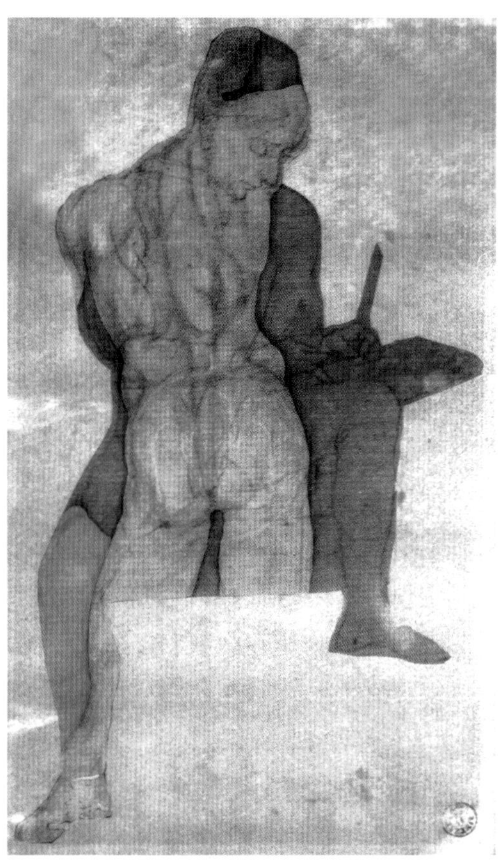

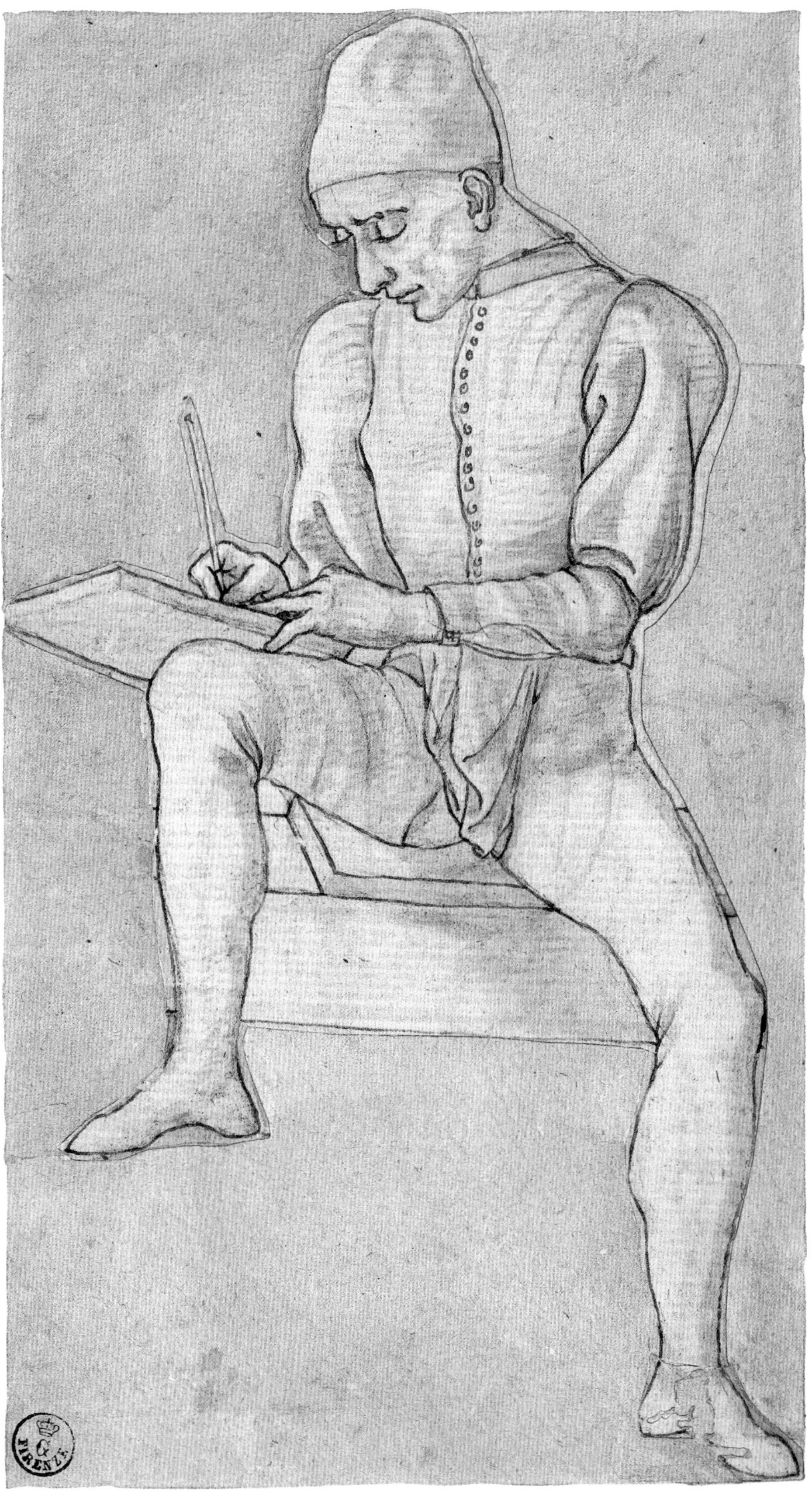

3c

3. Raffaello, *"Eraclio-Michelangelo"*, particolare della *Scuola d'Atene.* Vaticano, Stanza della Segnatura.

3a

del Battistero fiorentino (conclusa nel 1452), e uno scorcio non certo ardito. In questo *arciere* infatti non appaiono ancora i segni dell'influsso stilistico del compagno Antonio Pollaiolo, che risultano evidenti nei disegni intorno al 1460.
L'appartenenza del foglio a un libro di modelli è confermata dalla presenza sul verso del disegno di un'*aquila*. Le somiglianze con analoghi esemplari dei taccuini lombardi e veneti rivelano che l'immagine dell'animale deriva – seppur con un diverso grado di naturalismo da una consolidata tradizione figurativa; inoltre il piedistallo roccioso su cui è posato l'animale è tipico delle figure dei repertori zoologici. Il foglio 56 F mostra quindi, ancor più del 113 E (3a), una combinazione tra studio dal naturale e aderenza all'iconografia tradizionale: infatti la stretta relazione tra posa e iconografia rimane valida per tutto il secolo. Come pagina di un taccuino di bottega, diviene esso stesso uno dei gradini dell'evoluzione dell'iconografia.

Il foglio 47 F (3c), su cui è raffigurato un *Giovane intento a disegnare o a scrivere*, è stato grossolanamente ritagliato lungo i contorni del disegno sul recto e incollato su un controfondo ottocentesco che reca le scritte attributive del Ferri ad Antonio Pollaiolo. La figura così "silhouettata" risulta quasi priva di ambientazione, decurtata com'è della panca su cui siede e del piano d'appoggio dei piedi. Il giovane garzone regge con una mano una tavoletta rigida e rettangolare e con l'altra uno strumento allungato, una penna o forse uno stilo con cui scrive o disegna. Dal modo in cui impugna lo strumento, quasi perpendicolare al piano, sembra trattarsi di uno stilo per incidere la superficie di una tavoletta incerata o "inossata", di quelle che il Cennini raccomandava agli artisti per esercitarsi a disegnare cancellando a piacimento (cfr. Cennini, ed. 1971, capitoli V-VIII, pp. 8-10). Nell'ambito dell'attività grafica finiguerriana il 47 F si situa nella fase finale, quando la collaborazione di Maso con il più giovane Antonio Pollaiolo, "compagno" di bottega dal 1459, produce un effetto sensibile sullo stile del primo con un incremento delle problematiche spaziali e anatomiche. In questo foglio si nota infatti un evidente tentativo di impostare spazialmente la figura con le gambe e la testa proiettate in direzioni diverse rispetto all'asse del busto, tentativo che, sebbene non perfettamente riuscito, risulta certo più ardito ad esempio che nel 56 F (3b). Inoltre le mani e la fisionomia del giovane disegnatore non presentano l'abbreviazione seriale tipica di Maso: la sensibilità delle prime e la caratterizzazione della seconda, aderente a una tipologia cara al Pollaiolo, sono elementi che inducono a distinguere il foglio dagli altri della serie e che lo collocano nel momento di massima vicinanza tra i due artisti (per il tentativo di individuare la mano di allievi in alcuni disegni finiguerreschi, vedi Whitaker 1998, p. 50).
La scontornatura del recto del 47F ha fortemente decurtato anche un disegno che si trovava sul verso dello stesso foglio e che, in quanto nascosto dal controfondo, era percepibile solo in controluce (segnalato da Melli 1995, p. 103). Grazie alla fotografia ai raggi infrarossi in trasparenza (fig. n. 1) si può chiaramente riconoscere la presenza, ancorché parziale, di una *Figura maschile nuda* vista di spalle (campita in giallo nell'elaborazione dell'immagine IR; fig. n. 2). Questo disegno sembra condotto con numerosi tratti di matita nera o di carboncino (visibili agli infrarossi) che descrivono insistentemente le fasce muscolari; inoltre, all'osservazione in controluce si percepisce un tratto più netto, che pare dovuto alla penna, e campiture più scure all'acquerello. Qui l'artista manifesta un eccezionale interesse per lo studio anatomico della figura. Il peso del corpo è sostenuto dalla gamba destra, il braccio destro è alzato e quello sinistro abbassato, la testa sembra un po' reclinata a destra. In prossimità della gamba sinistra, divaricata e leggermente ruotata verso l'esterno, è accennato un oggetto di non facile identificazione, forse un tronco o uno scudo (campito in celeste nell'elaborazione dell'immagine IR). Il carattere frammentario del disegno rende impossibili la riconoscibilità del soggetto e l'identificazione dell'accessorio che influisce sulla classificazione della sua tipologia: nel caso di un tronco, si presupporrebbe un disegno dal modello scultoreo, verosimilmente "dall'antico"; uno scudo farebbe invece pensare a uno studio per un guerriero, simile a quello raffigurato nel foglio finiguerresco F261, inf 10, dell'Ambrosiana (*ibid.*, n. 146). Una grande affinità stilistica e anatomica è rilevabile nel *Saettatore* della Pierpont Morgan Library, I.4.1 (*ibid.*, n. 147) e nelle figure nude dei fogli 5547 (*ibid.*, n. 121) e 5538 (*ibid.*, n. 127) dell'Album Bonnat del Louvre. Nel nostro discorso il disegno sul verso è particolarmente interessante in quanto lo studio di nudo non aderisce allo schema usuale del contrapposto: la figura di spalle alza il braccio dalla parte che sostiene il peso, in una posizione inconsueta per la tradizione figurativa ma che ritorna nel *Fanciullo arciere* attribuito a Michelangelo, così come appare nel disegno di Ango al museo Cooper-Hewitt di new York (cat. n. 39 e n. 61).

Riferimenti bibliografici

Degenhart - Schmitt 1968, I-2, figg. 907, 859, 904; Angelini 1986, cat. 119, 88, 105 (con bibl.); Petrioli Tofani 1991, pp. 49-50, 27-28, 23-24; Melli 1995, cat. 58, 37, 165, p. 38, nota 101 (con bibl.).

[L.M.]

Baccio Baldini
Firenze ? - 1487

4. *Il pianeta Mercurio e i suoi figli*

Incisione, mm 324 × 220
Iscrizione: "MERCURIO E PIANETO MASCHVLINO
POSTO NEL SECONDO CIELO ET SECHO
MA PERCHE LA / SVA SICITA E MOLTO PASSIVA
LVI E FREDO CON qVEGLI SENGNI CH SONO
FREDDI EVMIDO COG/LI VMIDI
ELOqUENTE INGENGNIOSO AMA LE SCIENZIE
MATEMATICA E STIVDIA NELLE DIVI / NAZIONE
A IL CORPO GRACILE CO[R]E SCHIETTO E L[A]bRI
SOTTILI ISTATVRA CHONPIVTA DE / METALLI A
LARGIENTO VIVO ELDI SVO E MERCOLEDI
COLLA PRIMA ORA 8.15 E 22 / LANOTTE SVA E
DELDI DELLA DOMENỊCHA A PER AMICO ILSOLE
PER NIMICO A VENE / RE LASVA VITA OVERO
ESALTATIONE E VIRGO LASV MORTE OVERO
NVMILIAZIONE / E PISCE HA HAbITAZIONE
GEMINI DIDI VIRGO DINOTTE VA E 12 SENGNI IN
38 / DI COMINCIANDO DA VIRGO IN 20 DI E 2
ORE VA VN SENGNO".
Londra, British Museum, Department of Prints and Drawings, inv. n. A.III.6a

L'incisione fa parte dell'affascinante serie dei sette *Pianeti*, rappresentazioni di carattere astrologico-astronomico eseguite da Baccio Baldini intorno al 1465, che illustrano l'influsso di ciascun pianeta sugli uomini (Zucker 1993, pp. 94-97). Il sistema planetario che informa queste carte è basato sulla cosmografia geocentrica tolemaica e i testi che corredano le illustrazioni derivano da antiche fonti arabe e alto-medievali. Ogni tavola della serie presenta in alto la divinità planetaria su un carro trionfale, in basso la descrizione della sua natura e al centro la vita dei suoi "figli", cioè di quegli uomini che nascendo sotto la sua ascendenza ne subiscono l'influsso e ne condividono la natura.

Mercurio, che nel sistema astrologico era posto nel secondo "cielo" per distanza dalla Terra, è rappresentato come un giovane con caduceo e calzari alati su un carro trainato da falconi, sulle cui ruote sono indicati i segni zodiacali dove il pianeta ha la propria "casa" (di notte Vergine, di giorno Gemelli, qui erroneamente raffigurato come Sagittario). Nell'iscrizione sono elencate le qualità specifiche di Mercurio: le caratteristiche della sua natura (è secco e passivo, eloquente, ingegnoso, ama le scienze, la matematica, la divinazione, ha il corpo gracile, il cuore schietto e le labbra sottili), le sue associazioni (con il metallo mercurio, con determinate ore del giorno di mercoledì e della notte di domenica, con il Sole e contro Venere), oltre a nozioni astronomiche sul tempo di rivoluzione attorno alla Terra.

L'attribuzione dei *Pianeti* a Baccio Baldini, enigmatico orafo-incisore celebrato dal Vasari, risale al von Heineken (1778-1790) ed è stata generalmente accolta negli studi più recenti su questa personalità artistica (Oberhuber 1973, pp. 13-21; Zucker 1993, pp. 89-93; Whitaker 1994), con l'autorevole eccezione di Hind (1910, 1938-1948, I, 1938) e Goldsmith Phillips (1955) che hanno preferito riferirli al suo maestro Maso Finiguerra. Per la parte testuale dei *Pianeti*, il Baldini sembra aver seguito, anche se con errori, fonti preesistenti come l'*Introduzione* di Abù Mâšar, lo *Speculum naturale* di Vincent di Beauvais e forse un perduto testo astrologico di quest'ultimo autore. Per quanto riguarda la parte figurata, egli deve aver avuto sotto gli occhi analoghe rappresentazioni già diffuse in area nordeuropea, come ad esempio la serie di xilografie fiamminghe a Berlino (fig. n. 1) (Lippmann 1895, C.VI) a cui viene accordata la precedenza cronologica (Saxl 1911, ed. 1985; Zucker 1993). In ambedue i casi i "figli" di Mercurio, eloquenti e ingegnosi, dediti alle arti, alle scienze, alle lettere e al commercio, sono raffigurati nello svolgimento delle loro attività prettamente cittadine. Nonostante l'evidente attinenza iconografica, l'interpretazione del Baldini è del tutto originale per situazione e rappresentazione dei personaggi. Mentre nella xilografia la città è relegata nello sfondo come richiamo allusivo, i personaggi del Baldini sono collocati all'interno e all'esterno di palazzi e di botteghe, in una ambientazione realistica e prospettica, quasi scenografica, di una città rinascimentale che pare Firenze. L'originalità del Baldini emerge anche nelle figure. Ogni personaggio è abbigliato in modo consono alla mentalità umanistica fiorentina: la divinità all'antica, gli astronomi-astrologi all'orientale, gli artisti da lavoro, l'acquirente di brocca e bacile nella bottega dell'orafo da gentiluomo fiorentino. Gli stessi prodotti artistici hanno un'analoga connotazione laica: troviamo oreficerie e "fette" (cinture) invece del calice, sculture all'antica al posto di un *Cristus patiens*, pitture murali con ghirlande invece della tavola dipinta con una *Crocifissione*. La mancanza tra gli artisti degli architetti, che all'epoca erano spesso "maestri di pietra e di legname" e quindi assimilati agli scultori, forse rappresentati dagli edifici stessi, è un effetto dell'integrazione allora esistente tra le varie arti. L'immagine suggerisce inoltre una urbana coesistenza tra arti liberali e meccaniche, collocate rispettivamente a destra e a sinistra della composizione, con una sottile distinzione che evita gerarchie.

Nell'ambito della scena una grande rilevanza è data alla rappresentazione della bottega dell'orafo, sia per la grande diffusione di quest'arte a Firenze, sia perché l'arte incisoria era eseguita proprio lì: quest'immagine costituisce un'importante testimonianza del suo aspetto e del suo funzionamento nel Quattrocento. Inoltre i personaggi presentano notevoli corrispondenze con analoghi soggetti raffigurati nei disegni finiguerreschi (cat. n. 3). Ancor più che nella sua *Cronaca Universale*, nei *Pianeti* il Baldini mostra di ispirarsi al Finiguerra sia per la tecnica così vicina ai suoi nielli, sia per il riutilizzo di molte figure e dettagli derivati dai suoi disegni (Oberhuber 1973, pp. 1-12; Whitaker 1998). Che Baldini abbia attinto direttamente ai repertori di modelli del Finiguerra è suggerito dalle numerose citazioni individuabili anche nel *Pianeta Mercurio*: per fare qualche esempio, il falcone del carro corrisponde all'aquila del foglio 749 Orn (Melli 1995, fig. 7); la testa del commensale al frammento a Chur (*ibid.*, fig. 156); le figure panneggiate degli astrologi ad altrettante per esempio nell'Album Bonnat (*ibid.*, fig. 132); l'orafo che disegna o incide, all'analogo studio sull'84 F (*ibid.*, fig. 38).

Il grasso bevitore alla tavola con la brocca in mano appartiene invece a una tipologia differente, sia dal punto di vista stilistico sia tematico, quella della rappresentazione grottesca. È particolarmente significativa infatti la sua somiglianza con il vecchio con la brocca nel disegno dei *Tre vecchi nudi che bevono*, Gabinetto Disegni e Stampe degli Uffizi, inv. n. 2328F, variamente attribuito al Pollaiolo o al Verrocchio (Dillon, in *Il disegno fiorentino...* 1992, n. 5.4.). Nei *Pianeti* vi è dunque la prevalenza di fonti finiguerresche, ma anche di altri artisti fiorentini che avranno in seguito una ascendenza maggiore sulla eclettica produzione incisoria di Baldini (Zucker 1993; Whitaker 1998).

Riferimenti bibliografici
Heinecken 1778-1790, II, pp. 57-58, III, pp. 208-216; Lippmann 1895, A-VI; Hind 1910, pp. 57-58, A.III.6; Hind 1938-1948, I, 1938, p. 82, A.II.6a; Oberhuber 1973, pp. 16, 18; Zucker 1993, pp. 114-118, n. 403.006 (con bibl.); Whitaker 1998, p. 58.
[L.M.]

1. *Il pianeta Mercurio e i suoi "figli"*.
Berlino, Kupferstich-Kabinett.

MERCVRIO
MERCVRIO E PIANETO MASCHVLINO POSTO NELSECONDO CIELO ET SECHO MAPERCHE LA
SVA SICITA EMOLTO PASSIVA LVI EFREDO CONQVEGLI SENGNI CH SONO FREDDI EVMIDO COG
LI VMIDI ELOQVENTE INGENGNIOSO AMA LESCIENSIE MATEMATICA ESTIVDIA NELLE DIVI
NASIONE A ILCORPO GRACILE COE SCHIETTO ELBRI SOTTILI ISTATVRA CHONPIVTA DE
METALLI A LARGIENTO VIVO ELDI SVO E MERCOLEDI COLLA PRIMA ORA 8 15 EZZ
LANOTTE SVA E DELDI DELLA DOMENICHA A PERAMICO ILSOLE PER NIMICO AVENE
RE LASVA VITA OVERO ESALTATIONE E VIRGO LASV MORTE OVERO NVMILIASIONE
E PISCE HA HABITASIONE GEMNI DI DI VIRGO DI NOTTE VA E IZ SENGNI IN 28
DI COMINCIANDO DA VIRGO IN ZO DI E Z ORE VA VN SENGNO

4

B. Le battaglie, moto ed emozione

In questa sezione il bassorilievo della *Battaglia dei centauri*, identificato dal tempo di Michelangelo come l'opera giovanile *par excellence*, si inserisce nel discorso della raffigurazione del conflitto guerriero come grande tema della narrazione letteraria e visiva, offrendo la possibilità all'artista di dimostrare la sua virtuosità nella rappresentazione del nudo virile in azione (Pollaiolo), nonché la sua conoscenza della mitologia (Piero di Cosimo) e dell'arte antica (sarcofagi romani). Il disegno per la tomba di Giulio II proveniente da New York indica come questo tema sia persistente nella carriera di Michelangelo, mentre i disegni di Rubens dalla *Battaglia dei centauri*, eseguiti durante il suo viaggio in Italia, dimostrano come questo è emerso come paradigma dell'opera giovanile di Michelangelo.

Michelangelo Buonarroti
Caprese 1475 - Roma 1564

5. *Battaglia dei centauri*

Marmo, cm 80 × 90,5
Firenze, Casa Buonarroti, inv. n. 194

Il rilievo fu menzionato per la prima volta da Giovanni Borromeo in una lettera a Federico Gonzaga del 27 marzo 1527 (Agosti - Farinella 1987, p. 25), descrivendolo come "certo quadro di figure nude che combattono al marmore, quale [Michelangelo] havea principiato ad istantia d'un gran signore ma non è finito... cosa bellissima". Viene generalmente datato 1490-92 ed era già descritto da Condivi come un'opera giovanile: Vasari infatti constatò (1568) che il pezzo di marmo fu consegnato a Michelangelo da Lorenzo il Magnifico (m 1492). Sembra probabile che fosse cominciato a questo periodo. Il soggetto, derivato da Hygino e Ovidio, fu suggerito (secondo Condivi) a Michelangelo da Poliziano, il grande poeta che faceva parte della famiglia di Lorenzo. Il tema era già stato menzionato da Alberti come un soggetto che conveniva al pittore. Un'altra connessione importante con gli anni giovanili di Michelangelo è fornita dai legami fra il rilievo e la *Battaglia* di bronzo di Bertoldo adesso nel Bargello, fatta per Lorenzo il Magnifico.
Non c'è ragione, però, di escludere l'ipotesi che Michelangelo abbia continuato a lavorare ogni tanto sul rilievo dopo il 1494, forse per più di un decennio. Alcune figure sono evidentemente rilavorate e sono scolpite con la stessa bravura trovata nel *Tondo Taddei* (Bargello), databile al 1504-05.
Nel suo dipinto di questo soggetto oggi alla National Gallery di Londra, Piero di Cosimo seguiva la descrizione di Ovidio che racconta come i centauri, diventati ubriachi e libidinosi, rompevano la festa di nozze dei lapiti alla quale erano stati invitati. Non è facile, invece, nel rilievo di Michelangelo, decidere esattamente quello che viene rappresentato, e pochi studiosi hanno fatto il tentativo (ma cfr. Lisner 1980). Il primo compito è di distinguere i centauri dai lapiti, e i maschi lapiti dalle femmine. Nel nostro diagramma a colori (pp. 78-79), si fa il tentativo, ma ci sono alcune zone incerte, indicate dai toni più chiari. Risulta che i lapiti sono congregati alla sinistra, mescolandosi con

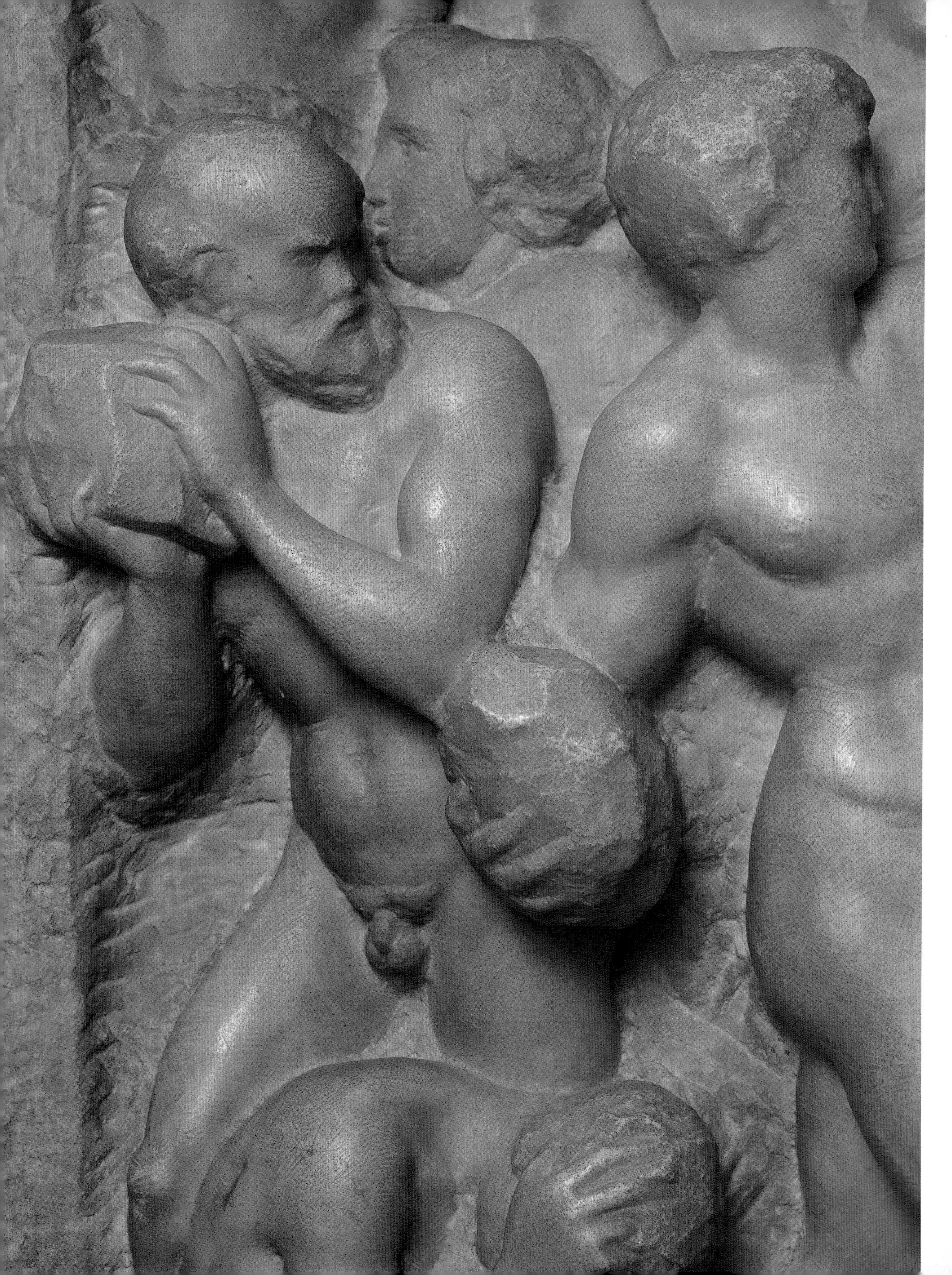

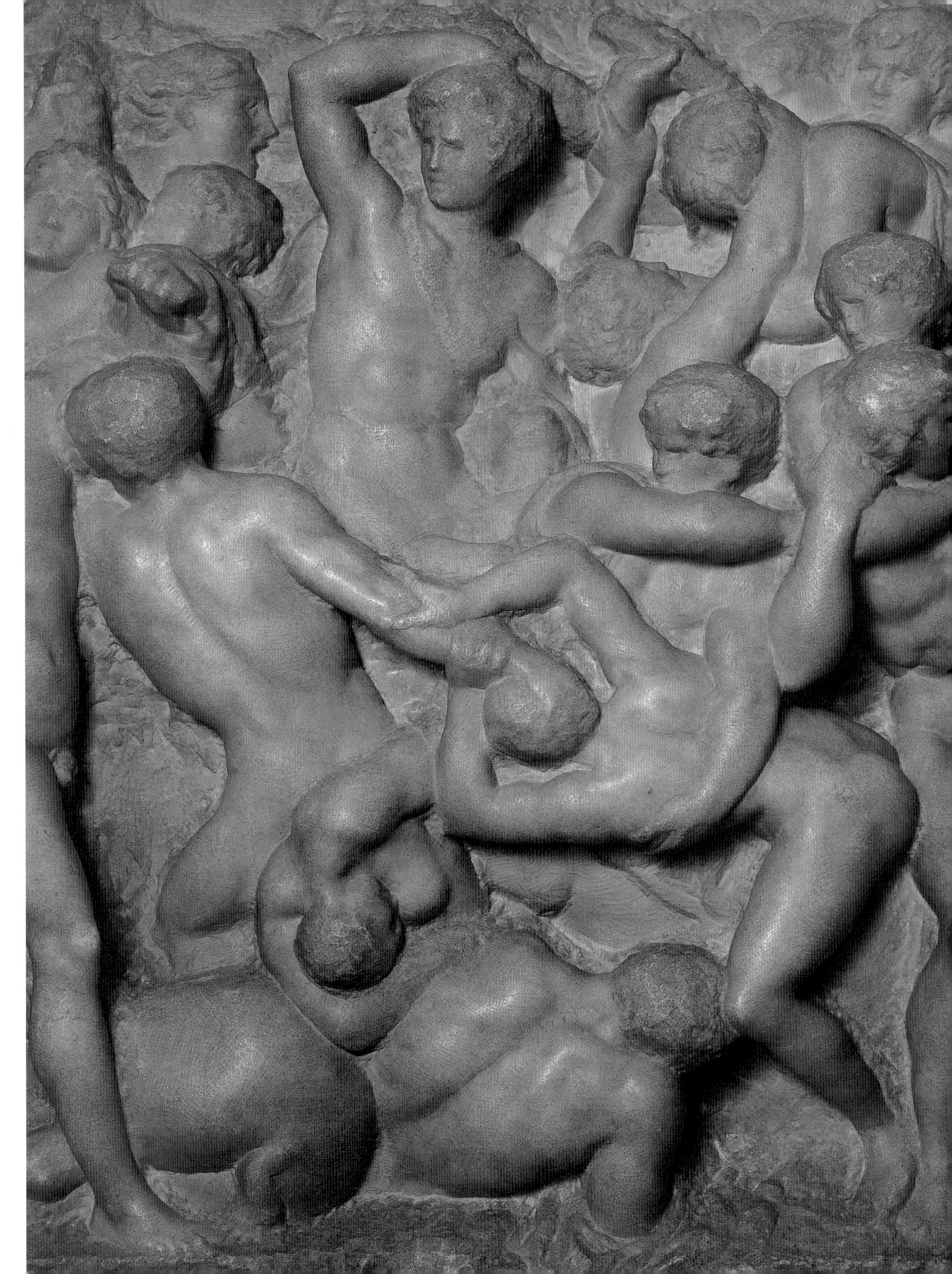

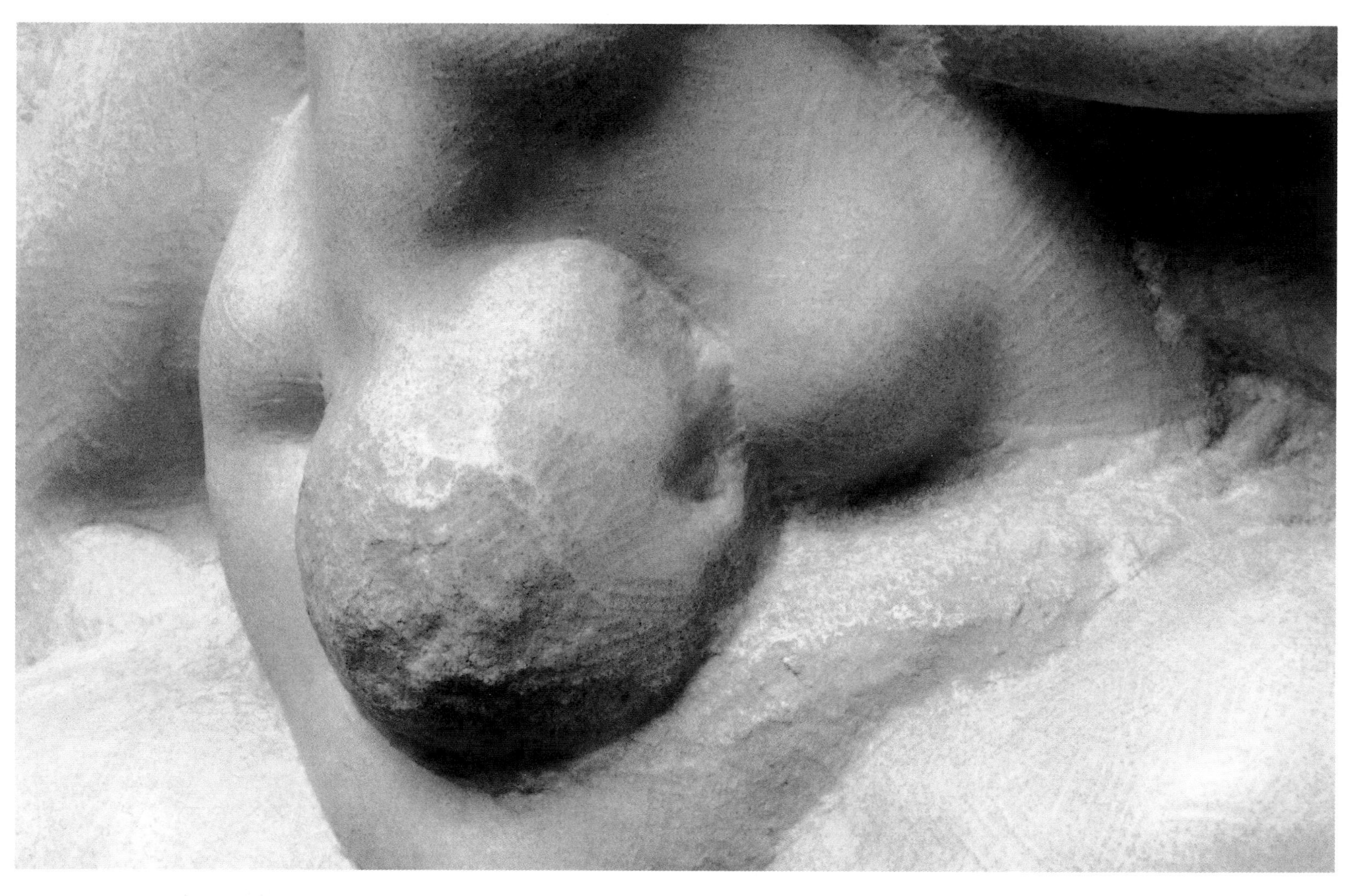

i centauri nel centro e nel primo piano a destra. I centauri da soli occupano il fondo a destra.
Un elemento sorprendente che non trova corrispondenza nei testi antichi è fornito dal fatto che i lapiti usano le rocce come armi mentre i centauri brandiscono i bastoni. C'è un solo arciere lapita in alto a sinistra, che tira verso il capo centauro sul punto di impegnarsi con il lapita che cammina a grandi passi dalla sinistra. Il lapita in basso a sinistra è stato ferito, come quello con la testa abbozzata in alto a sinistra. Nel centro un paio di centauri morti (presumibilmente Cyllarus e la sua innamorata) si sdraiano per terra. Chi vincerà alla fine non è affatto chiaro. Infatti la figura eroica che prende l'occhio dello spettatore al centro della composizione risulta sorprendentemente come un centauro.
Una possibile interpretazione allegorica del soggetto che potrebbe spiegare il modo in cui la storia viene trattata è proposta nel saggio introduttivo di Weil-Garris Brandt sul rilievo. Bisogna prendere in considerazione la figura femminile nel gruppo centrale, sicuramente la sposa lapita. Ella è tenuta stretta da un centauro (si vede appena la coscia), ma è anche trascinata per i capelli da un lapita, a cui chiaramente resiste.
La tecnica usata da Michelangelo presenta delle particolarità. L'artista scavava la pietra fino al piano di fondo, ma lavorava per strati sottili, portando le figure a rilievo più alto a un finito relativamente pulito, mentre i piani più bassi erano lasciati meno definiti. Questo permetteva cambiamenti di idea durante il lavoro e ci sono certe zone che rivelano pentimenti. Ci sono anche errori di calcoli spaziali non facilmente evitabili – forse dovuti all'uso di un disegno invece che di un modello tridimensionale – per esempio nel primo piano a sinistra dove la gamba destra di Cyllarus si unisce all'uomo seduto all'angolo.
Questa scultura giovanile è di un'ambizione eccezionale, e le sfide artistiche che presentava non cessavano mai di preoccupare Michelangelo. Postillando il testo di Condivi, Tiberio Calcagni ci dice che quando Michelangelo rivedeva quest'opera pur "imperfetta" a casa sua a Firenze, "conosceva le fatiche dell'arte a chi se ne inamora esser legierissime" (Elam, in Condivi 1553, ed. 1998).

Riferimenti bibliografici

Tolnay 1943, pp. 133-137; Lisner 1980; Agosti - Farinella 1992, pp. 25-27; Hirst, in *Il giardino di San Marco*... 1992, pp. 52-61.

[K.W.-G.B.]

Peter Paul Rubens (attribuito a)
Siegen 1577 - Anversa 1640

6a. *Battaglia dei centauri (da Michelangelo)*,
Matita nera, acquerello, tocchi di biacca,
su carta marrone, mm 253 × 339
Parigi, Fondation Custodia, inv. n. 5422
Provenienza: P.H. Lankrink, Londra
(L. 2090); Victor Koch, Londra; acquistato da
Frits Lugt nel 1938

6b. *Battaglia dei centauri (da Michelangelo)*,
Matita nera, acquerello, tocchi di biacca,
su carta grigia, mm 240 × 346
Rotterdam, Museum Boymans - van
Beuningen, inv. n. V 7
Provenienza: P.H. Lankrink, Londra
(L. 2090); T. Lawrence, Londra (L. 2445);
acquistato da F. Koenigs, Haarlem, nel 1925
(L. 1023a); acquistato da D.G. van
Beuningen, Rotterdam, nel 1940

I due disegni sono analoghi per tecnica e misure, mentre la carta è diversa per colore e qualità (cfr. per quello di Rotterdam: Meij, in c. di s.; per quello di Parigi: van Hasselt 1972, n. 75, pp. 104-106). Mentre il foglio di Rotterdam è privo di filigrana, essa è presente invece in quello di Parigi, dove l'emblema del corno in uno scudo (*ibid*., p. 104, con disegno della filigrana a p. 175) indica la provenienza della carta da Anversa e una datazione al primo Seicento (cfr. Briquet 7862, Heawood 2640, 2642, 2645). La matita utilizzata sull'esemplare parigino è più asciutta: probabilmente carboncino, il che spiega l'abrasione della superficie. Ciascun disegno riproduce l'intera composizione della *Battaglia dei centauri* di Michelangelo (non sono raffigurati tuttavia i margini del blocco di marmo in alto e in basso), che occupa tutto il foglio; sul verso di quello di Rotterdam, in alto a destra, sono schizzate tre delle figure scolpite. Invece del bordo del rilievo, il disegno di Parigi mostra a destra solo qualche ombra portata, mentre nella versione di Rotterdam la parte sinistra è resa sommariamente, senza suggerire il rapporto di profondità con il rilievo figurato all'interno. Il tratteggio non riporta le tracce dello scalpello sul marmo non finito, e nemmeno vuole evocare i vari gradi di finitezza dell'opera di Michelangelo: esso è distribuito liberamente e serve, come le ombre pesanti e profonde, a riempire il campo del foglio. Alcune aggiunte sembrano dettate da *horror vacui* e provano che l'autore non ripete fedelmente il rilievo: in entrambi i disegni, accanto alla testa dell'arciere in alto a sinistra, e inoltre a destra dell'arco, si notano due altre teste di profilo che mancano del tutto nel modello michelangiolesco, rispetto al quale si notano anche modifiche consistenti. Una delle più evidenti riguarda lo spostamento del combattente che nasconde il volto del compagno accennato in alto a destra, e che viene distanziato nei disegni in modo da consentire la vista del profilo. La tendenza del disegnatore al cauto compimento del "non finito", si nota generalmente nell'aggiunta di volti e acconciature in molte figure.
Le due prove grafiche propongono il rilievo in situazioni di lume diverse e complementari: la maggioranza delle ombre del foglio di Parigi è riconducibile – come abbiamo potuto stabilire grazie a una ricostruzione sperimentale – a una fonte di luce artificiale che per la sua violenza dovrebbe essere stata non una debole candela ma una torcia, situata circa 20 cm sopra l'orlo superiore del rilievo, distante un metro e mezzo da esso e, rispetto al suo centro, posta circa 165 cm a sinistra. Anche per il disegno di Rotterdam è da supporre un'analoga forma di illuminazione, ma proveniente da destra e a circa 140 cm di distanza dal centro. Siccome le singole figure sono raffigurate ortogonalmente rispetto al fondo del rilievo, l'artista deve averlo ripreso da una certa distanza, oppure deve essersi spostato via via davanti a esso durante il processo del copiare.
Il chiaroscuro tuttavia non sempre è riconducibile alla condizione luministica prevalente, ma in qualche caso presuppone una diversa origine: sul foglio di Rotterdam, ad esempio, l'ombra accanto al braccio alzato del centauro centrale dipende da una fonte di luce posta molto più in basso; e così quella che mette in evidenza la spina dorsale sulla schiena del nudo a sinistra è causata da una luce proveniente dal lato. Queste ombre aggiunte possono essere spiegate con un momentaneo spostamento della torcia, ma anche, più semplicemente, con la volontà dell'artista di introdurre cambiamenti. In ogni modo – di fantasia o obbligati che fossero – essi rivelano chiaramente il peso che il disegnatore assegnava alle ombre come mezzo creativo autonomo: un valore che emerge soprattutto nel disegno di Parigi, in cui esse sono disposte concentricamente intorno al fulcro luminoso, e dove la successione di piani chiari e scuri dà luogo a un ritmo drammatico. Nel foglio di Rotterdam; invece, le ombre sono impiegate per mettere in evidenza la plasticità delle singole figure, e lì il disegno accentua inoltre il corso delle linee compositive della *Battaglia* michelangiolesca.
L'attribuzione dei due disegni a Rubens, sostenuta da Jacques Goudstikker (in *Rubenstentoonstelling*... 1933, nn. 97-98), è stata difesa in tempi recenti soprattutto da Michael Jaffé (1977, pp. 20 e 106, nota 19) e da Justus Müller Hofstede (in *Peter Paul Rubens*... 1977, n. 65, pp. 270-271). Già una copia del foglio di Rotterdam a Würzburg, probabilmente seicentesca, presenta l'iscrizione antica "Rubens" (Martin von Wagner Museum, inv. n. 9395; per una copia contemporanea del foglio parigino in una collezione privata inglese, ma senza iscrizione, cfr. Jaffé 1956, p. 318, nota 16). Egbert Haverkamp Begemann (1973, p. 52) e Anne-Marie Logan (1978, p. 424) hanno invece messo in dubbio l'autografia dell'anversese per via del tratteggio parallelo e uniforme, a segni brevi, per le acquerellature scure e per la soluzione non felice di alcuni brani anatomici. Infatti, la combinazione di matita nera e acquerello grigio scuro per una resa più incisiva delle ombre portate si differenzia dalla tecnica abituale di Rubens nei disegni *d'après* degli anni italiani finora accettati come autografi (cfr. van der Meulen 1994-95). La proiezione di ombre assai marcate in disegni da modelli scultorei illuminati artificialmente era, invece, una prassi caratteristica della bottega di Tintoretto, e Rubens potrebbe aver visto qualche foglio tintorettiano proprio durante la sua permanenza a Venezia nel 1600. Poco dopo, nell'ottobre dello stesso anno, l'artista fiammingo giunse per la prima volta a Firenze, ritornan-

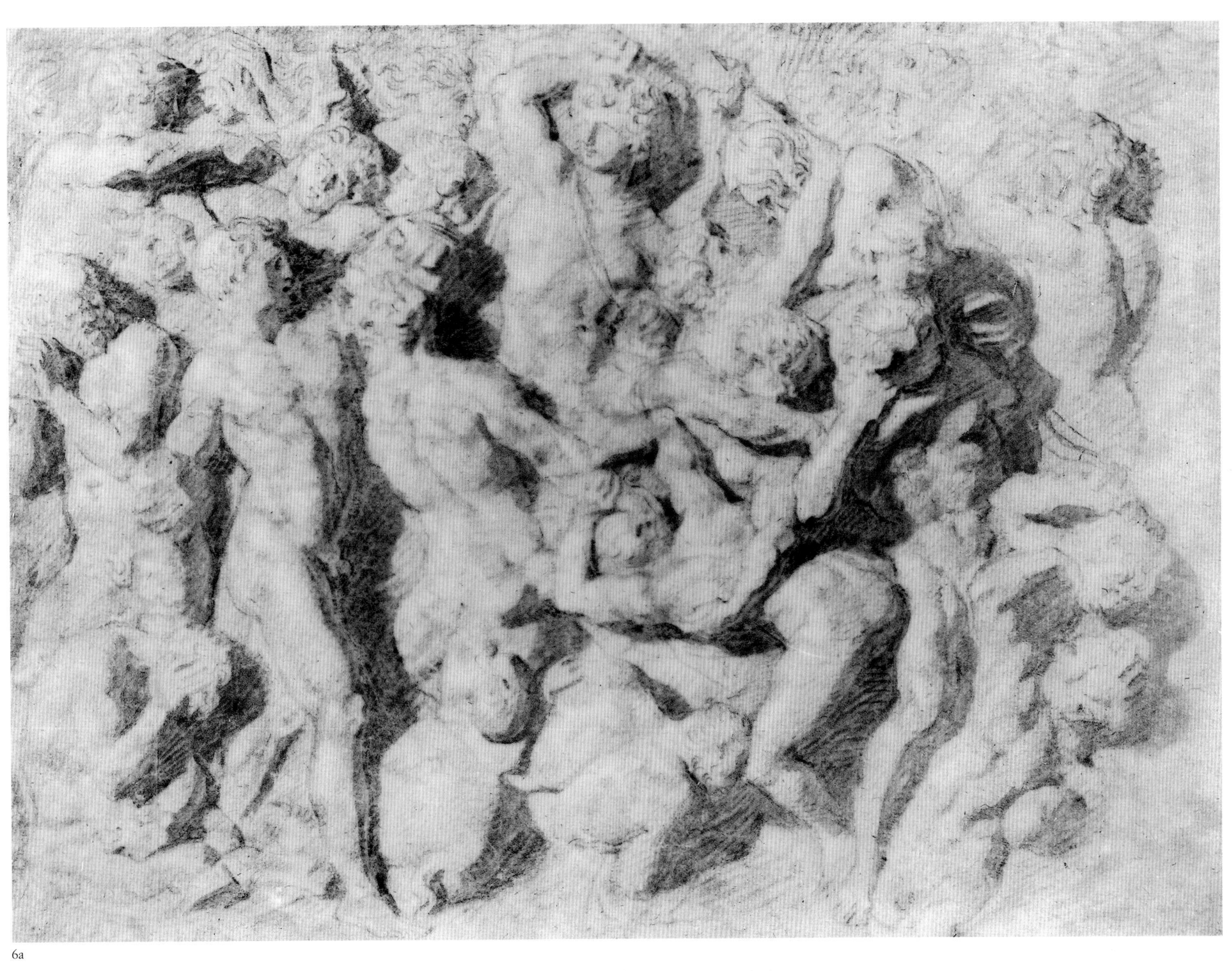

6a

dovi poi nella primavera del 1603 (cfr. Gregori 1983, pp. VII-VIII). Durante le sue due permanenze fiorentine, Rubens disegnò la *Notte* e la *Madonna Medici* nella Sagrestia nuova, luogo prediletto degli artisti per l'esercizio del copiare (Rosenberg, in c. di s.). Il disegno di Parigi mostra alcuni clamorosi fraintendimenti del modello, come la figura vista da tergo nel centro, la testa della quale è ruotata in modo impossibile, fino a mostrare il profilo che ha assunto i tratti di un sileno. Siccome anche l'altro foglio non manca di semplificazioni e confusioni anatomiche, siamo portati a suggerire che in entrambi i casi si tratti di copie da disegni autografi di Rubens.
È comunque quasi sicuramente merito di Rubens l'aver interpretato il rilievo michelangiolesco in modi così diversi. Ai due esemplari in mostra va inoltre riconosciuto, quale valore indiscutibile, d'essere le più antiche copie pervenuteci della *Battaglia dei centauri*. Le poche altre esistenti datano solo dalla metà del Settecento in poi (Rosenberg, in c. di s.), mentre addirittura fino all'Ottocento non risultano esser state tratte incisioni dal pur celebre rilievo (la prima è probabilmente quella in Cicognara 1813-18, II, tav. LIX). Il fatto non è spiegabile per motivi di difficile accesso all'opera, visto che già nel 1591 Francesco Bocchi la descrive estesamente, e che in seguito Michelangelo il Giovane concepì e arredò la casa di via Ghibellina come monumento celebrativo del suo famoso avo, conferendogli un carattere spiccatamente rappresentativo, e soprattutto impiegando i migliori artisti dell'epoca che con ogni agio potevano ammirare la collezione.
[R.R. e E.D.S.]

6b

Antonio Pollaiolo
Firenze 1431-32 - 1498

7. *Battaglia di nudi*

1. Antonio Pollaiolo, *Nudo virile visto di fronte, di lato e di spalle*. Parigi, Louvre, Département des Arts Graphiques, inv. n. 1486.

2. Anonimo artista del nord italia del XV secolo (da Antonio Pollaiolo), *Ercole e i giganti*. Londra, British Museum.

Stampa da bulino su rame, mm 402 × 592
Iscrizione: su una *tabula ansata* appesa a un albero, sulla sinistra
"OPUS/ ANTONII POLLA/IOLI FLORENT/TINI"
Chiari, Fondazione Morcelli Repossi, inv. n. I.00001/439
Fonti: Anonimo Magliabechiano 1537-1542 circa, ed. 1892, p. 81; Vasari 1568, ed. 1966-1987, III, p. 506.

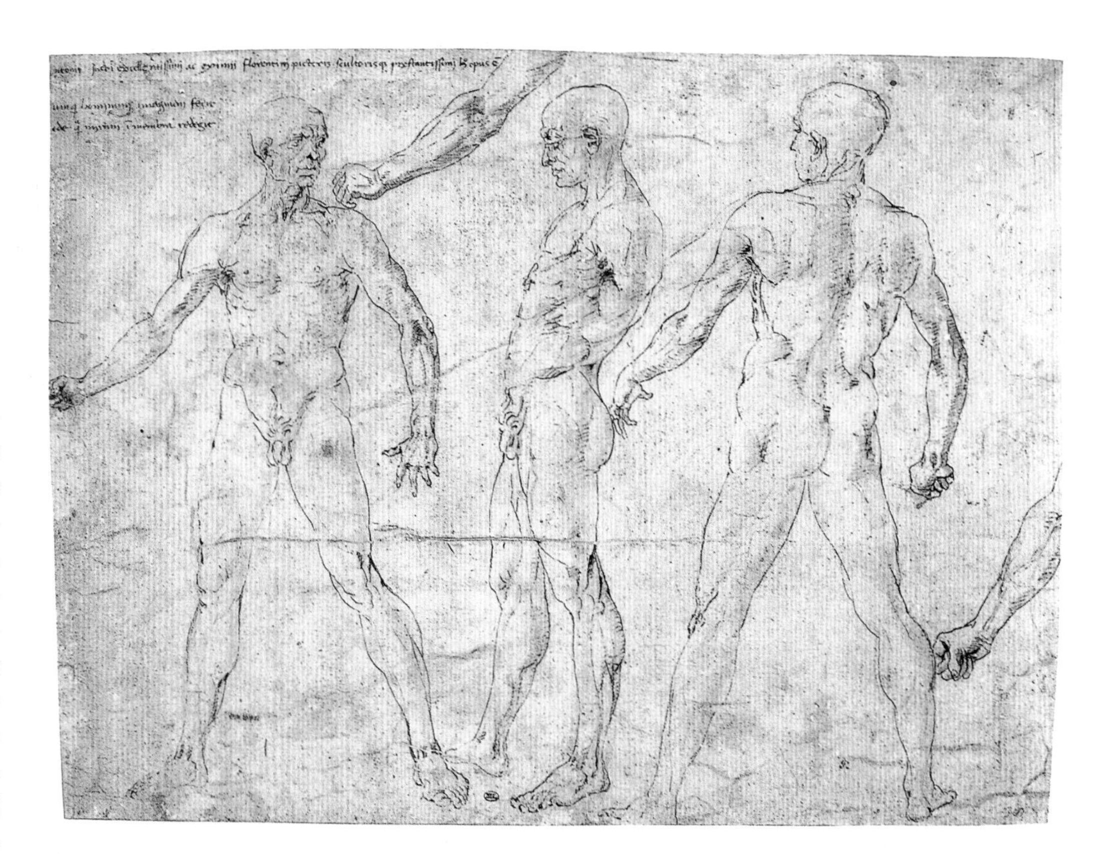

"Unum cartonum cum quibusdam nudis Poleyoli", verosimilmente da identificarsi con la *Battaglia di nudi* di Antonio Pollaiolo, è citato in un documento del 1474, che ricorda la presenza del foglio nella bottega dello Squarcione, artista scomparso nel 1468 (Lazzarini - Moschetti 1908, pp. 110-111 e 295-296). La critica si è limitata per lo più a porre il 1468 come termine *ante quem* per la datazione dell'incisione (cfr. Angelini, in *Il giardino di San Marco...* 1992, pp. 36-38, con bibl.), ma possiamo forse ulteriormente precisare (e retrodatare) i termini cronologici. Infatti – come la Armstrong (1976, p. 269, con bibl.; cfr. anche Christiansen, in *Andrea...* 1992, pp. 98 e 112, nota 34) ha per prima ben sottolineato –, le carte archivistiche sopra citate rivelano che è un allievo dello Squarcione, lo Schiavone, a voler restituire al suo maestro l'incisione precedentemente sottrattagli: dal momento che l'artista dalmata fece ritorno in patria nel 1462, la *Battaglia* doveva circolare nell'officina squarcionesca già prima di quella data, fors'anche sin dalla fine del sesto decennio del secolo. Un ulteriore legame dell'incisione pollaiolesca con l'ambiente dello Squarcione è stato recentemente individuato in un disegno della Woodner Collection di Monaco, pure riferibile a un allievo del maestro padovano, che rivela una precoce conoscenza della *Battaglia di nudi* (Christiansen, in *Andrea...*1992, p. 112, nota 34).
La vasta letteratura che si è occupata dell'argomento ha offerto varie interpretazioni del soggetto (riassunte da Fusco, in Levenson - Oberhuber - Sheehan 1973, pp. 66-68) seppure le fonti enfatizzino soprattutto il "virtuosismo anatomico" di questa incisione (Agosti -

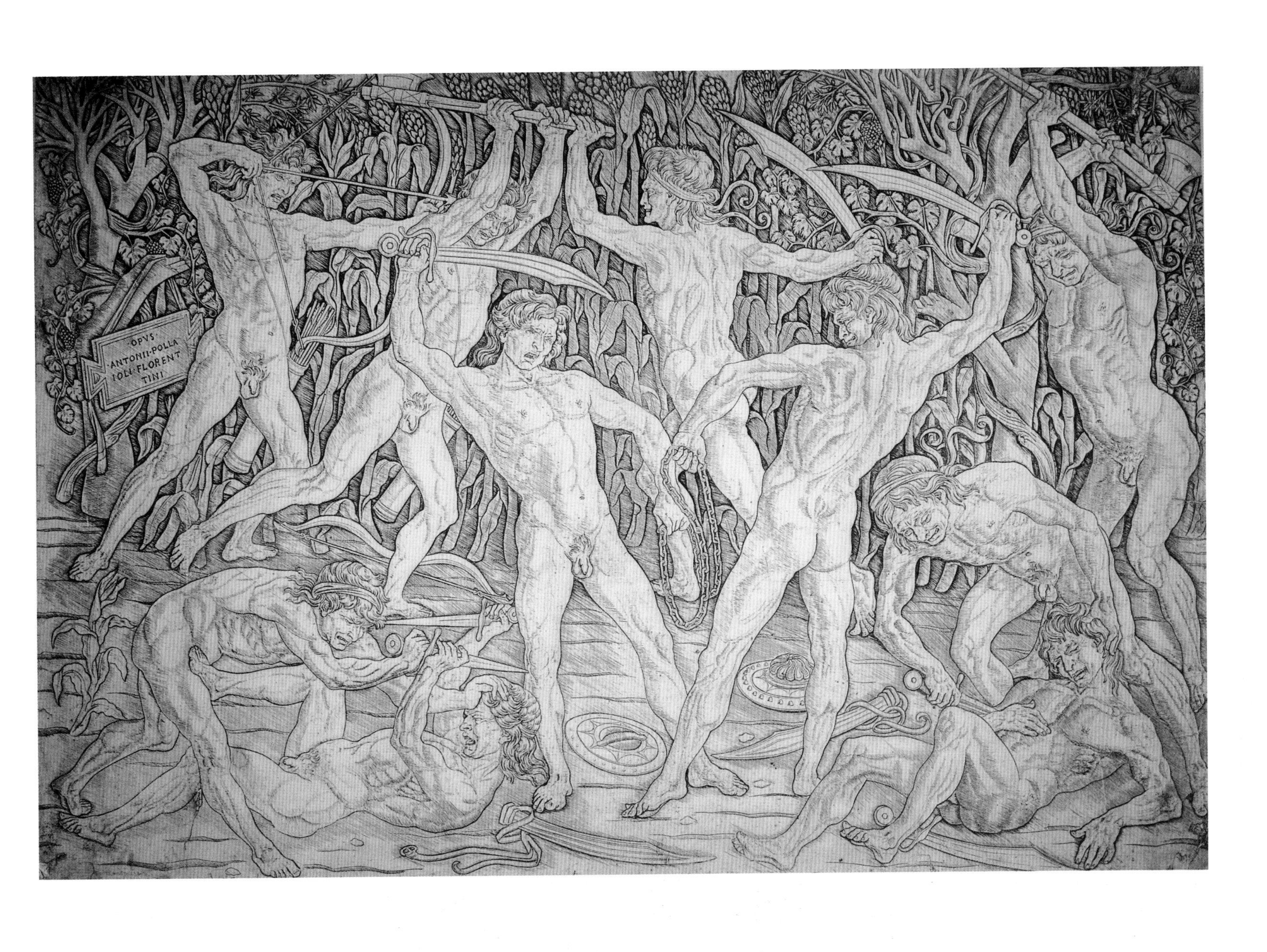
·OPVS·
·ANTONII·POLLA
IOLI·FLORENT
TINI

Farinella, in *Michelangelo*...1987, p. 23). Forse l'artista prese spunto da un soggetto ben preciso che tuttavia dovette fornire solo il pretesto per un'esercitazione virtuosistica che rimase paradigmatica anche per successive trattazioni – da Bertoldo al giovane Michelangelo – di "temi di eroismo all'antica" (Angelini, in *Il giardino di San Marco*... 1992, p. 36).
L'opera esposta è estremamente indicativa del ruolo di avanguardia che il Pollaiolo ricoprì non solo nello studio anatomico e del nudo in movimento, ma soprattutto nella rappresentazione "tridimensionale" delle figure in pittura (e incisione), un tema cui la stessa trattatistica quattrocentesca attribuiva grande importanza ("che sopra tutto dee desiderare il pittore, [...], che le sue cose dipinte paiano avere molto rilievo", Alberti 1435, ed. 1547, p. 34). Tale ruolo di avanguardia di Antonio va certamente ricondotto ai suoi interessi polivalenti di pittore-scultore e alla sua accentuata sensibilità nell'intuire le problematiche e le prerogative delle due arti. La sua ricerca di effetti tridimensionali, ma soprattutto la sua capacità di ragionare "a tre dimensioni" si riflette nella presentazione delle figure sotto diversi punti di vista, come in una sorta di rotazione che permette di vedere e di conoscere, pur se rappresentati in piano, i diversi aspetti di una medesima figura (Fusco 1982, pp. 176-178). Ecco dunque l'uso non solo di rovesciare la stessa forma, ma anche di presentarla nei diversi momenti di un'ipotetica rotazione che permetta di apprezzarla e conoscerla interamente. In questo stesso ambito di studio e di sperimentazione si inserisce il bel disegno di Antonio Pollaiolo con il *Nudo virile visto di fronte, di lato e di spalle* (Parigi, Louvre, Département des Arts Graphiques, inv. n. 1486), colto cioè in tre diverse pose che ne permettono una pressoché completa visione (Tongiorgi Tomasi, in *Il disegno*...1992, pp. 180-181). Laurie Fusco (1982, p. 192) ha giustamente osservato che nella *Battaglia* l'artista fiorentino elaborò un ulteriore espediente per mostrare la figura umana nella sua interezza: ad esempio nel nudo di destra armato di spada che affronta la sua quasi esatta "controfigura", l'artista esagera volutamente la torsione del busto in modo tale da mostrare non solo il dorso dell'uomo, ma anche parte dell'addome, nel tentativo di fornire quella pluralità di punti di vista che era considerata prerogativa della scultura. Con quest'opera dunque il Pollaiolo sembra istituire una dialettica, assai stimolante, fra pittura e scultura, quasi ponendo le basi di quel "Paragone" che da lì a poco troverà piena realizzazione in Leonardo (Fusco, in Levenson - Oberhuber - Sheehan 1973, p. 78; cfr. anche White 1968, p. 108).
L'incisione dà grande risalto a un'altra tematica assai presente nella contemporanea trattatistica, cioè quella del movimento: infatti non si può escludere che essa sia un tentativo di visualizzare le "sette vie di muoversi" di cui parla l'Alberti (1435, ed. 1547, p. 31; cfr. Pons 1994, p. 19), alle quali si aggiungeranno successivamente le diciotto operazioni dell'uomo citate da Leonardo (Dalli Regoli, in *Maestri*... 1992, p. 65). E sempre relativamente alla capacità di Antonio di rendere il senso del movimento, ricordiamo che le gambe del perduto *San Cristoforo* di Antonio Pollaiolo per San Miniato fra le Torri erano "così ben disegnate, proporzionate, e svelte, che e' fama che lo stesso Michelangelo Buonarroti in sua gioventù, per suo studio, molte volte le disegnasse" (Baldinucci 1681-1728, ed. 1845-47, I , 1845, p. 535; Sisi, in *Michelangelo*... 1985, p. 25).
La dialettica fra pittura e scultura che abbiamo sottolineato nel Pollaiolo è pure testimoniata dal fatto che il Pollaiolo trattò il soggetto della *Battaglia di nudi* anche in rilievo: ancora nel Cinquecento è ricordata dalle fonti (Vasari, 1568, ed. 1966-1987, III, p. 507) l'esistenza di un bassorilievo in metallo, opera di Antonio, con "una battaglia di nudi", della quale "un'eco [...] si può ritrovare nella terracotta del Museo Victoria and Albert, che, forse, ottocentesca di esecuzione, sembra trasmettere però il senso della composizione dell'orafo fiorentino" (Agosti - Farinella, in *Michelangelo*... 1987, p. 24; cfr. Pope-Hennessy 1958, ed. 1964, I, pp. 154-156). Anche il rilievo, così come l'incisione, dovette incontrare grande fortuna presso gli artisti se Vasari (1568, ed. 1966-1987, III, p. 507) ne ricorda "una impronta di gesso in Firenze appresso tutti gli artefici" e se "due ignudi di gesso di tutto rilievo [...] chon uno ischudo in mano" sono ricordati da Neri di Bicci in bottega (Agosti - Farinella, in *Il giardino di San Marco*... 1992, p. 24); e ancor maggiore dovette essere il valore didattico dell'incisione della *Battaglia di nudi* se – così come tutta l'opera grafica di Antonio secondo ciò che scrive a questo proposito il Cellini (1559-1562, ed. a cura di D'Ancona, p. 7) – essa era ancora studiata e copiata nel Cinquecento (Agosti - Farinella, in *Il giardino di San Marco*... 1992, p. 24).
La straordinaria fortuna che la grafica pollaiolesca conobbe nell'Italia Settentrionale è confermata anche dall'incisione (fig. n. 2), solitamente conosciuta come *Ercole e i giganti*, qui riprodotta al secondo stato dell'incisione, più rifinita ed elaborata rispetto alla prima versione e con l'aggiunta di due iscrizioni, una che identifica Ercole in una delle figure che lottano e l'altra che ravvisa nella scena guerresca lo scontro di Ercole e i giganti.
Nonostante le affinità con la *Battaglia di nudi* del Pollaiolo e la presenza di figure chiaramente pollaiolesche, lo stile di questa incisione rivela non solo una più scadente qualità ma anche una cultura diversa da quella del maestro fiorentino che la Armstrong (1968, p. 155; ead. 1976, pp. 270-277) – seguita da gran parte della critica (Fusco 1982, p. 178; Christiansen, in *Andrea*...1992, p. 112, n. 34) – riconduce a un maestro padovano di formazione mantegnesca che elaborò in tal modo un primitivo progetto (incisione o disegno) del Pollaiolo. In tal senso è stato ipotizzato che un disegno con *Due guerrieri* del Fogg Museum di Cambridge – che coincide perfettamente con l'angolo superiore destro dell'incisione – attribuito al Pollaiolo, sia un frammento del cartone originale (cfr. Fusco in Levenson - Oberhuber - Sheehan 1973, p. 72, nota 11; di opinione contraria la Armstrong 1976, pp. 277-279, nota 1, alla quale si rimanda per una completa discussione del problema).
La diffusione e la conoscenza della stampa di *Ercole e i giganti* in area veneta è confermata da una serie di citazioni dell'opera riscontrabili in un disegno di Marco Zoppo databile nei

primi anni settanta e in alcuni frontespizi miniati (le *Historiae Romanae* dell'Albertina di Vienna; Eusebio, *De evangelica praeparatione*, Biblioteca Apostolica del Vaticano; Plinio, *Historiae Naturalis* della Biblioteca del Seminario Vescovile di Padova) di un artista stilisticamente legato a Marco Zoppo, detto Maestro dei Putti (Armstrong 1976, pp. 274-287; Armstrong 1981, pp. 23-24). Questi incunabula, datati rispettivamente 1469, 1470 e 1472 forniscono un indiscutibile termine *ante quem* per l'*Ercole e i giganti*, che risulterebbe dunque nota nel Nord già entro la fine del settimo decennio. Insostenibile invece l'ipotesi del Parronchi (1968, pp. 29-36) che, riferendo l'opera a un non meglio precisato "cattivo interprete" del Pollaiolo, interpreta la scena di *Ercole e i giganti* in rapporto alle *Prediche sopra Giobbe* del Savonarola (1495), con una datazione dunque molto avanzata, e vi legge il tema della "Militia Vitae".

È evidente che l'incisione di Londra è incompleta, come dimostra la figura quasi dimezzata sull'estremità destra, la freccia proveniente da quella medesima parte e l'assenza di alcuni dei dodici giganti citati nell'iscrizione. Manca dunque la sezione destra della stampa, come per primo indicò Walker (1933, pp. 229-237), sulla quale ci forniscono informazioni, seppur lacunose, un disegno della Biblioteca Reale di Torino – che riproduce i due giganti mancanti e altre figure assenti nella stampa –, un'incisione cinquecentesca di Alaart Claas e pure i suddetti frontespizi del Maestro dei Putti.

Varie anche in questo caso le proposte di interpretazione del soggetto (cfr. Armstrong 1976, pp. 270-287), sulla base in particolare dell'iscrizione che lo identifica come un episodio della vita di Ercole. Va comunque ricordato che l'iscrizione esplicativa fu aggiunta solo nel secondo stato dell'incisione e che il supposto Ercole non è caratterizzato dal consueto attributo della pelle leonina. Lo stesso Walker (1933, pp. 229-237), pur proponendo di leggere nella stampa la raffigurazione di "Ercole nel giardino delle Esperidi", riteneva improbabile che "da quanto conosciamo dell'arte di Antonio del Pollaiolo [...] proprio un'allegoria moraleggiante come questa intendesse di fare" e pensava piuttosto fosse stato uno scolaro a "rendere la storia della sua composizione così interessante che nessuno avrebbe badato al modo con cui era narrata" (Walker 1933, p. 232).

Le ragioni che con ogni probabilità indussero in origine il "maestro di disegno" fiorentino alla scelta di questa composizione – perché nonostante la problematicità della stampa, è fuor di dubbio che alla base ci sia un pensiero del Pollaiolo – furono evidentemente le stesse che lo guidarono alla scelta della *Battaglia di nudi,* il virtuosismo anatomico, lo studio del nudo in movimento, la molteplicità dei punti di vista. Così, ad esempio, le due figure centrali sdraiate con un'immaginaria rotazione vengono quasi a coincidere e a sovrapporsi ("pivotal presentation": Fusco 1982, p. 178), rivelando ancora una volta quel modo di concepire la pittura a tre dimensioni che, come abbiamo già sopra evidenziato, caratterizza Antonio Pollaiolo pittore-scultore.

[N.P.]

Bertoldo di Giovanni
Firenze (?) - Poggio a Caiano 1491

8. *Scena di battaglia*

Bronzo, cm 45 × 99
Firenze, Museo Nazionale del Bargello,
inv. Bronzi 1879, n. 258

Scene di uomini in armi che combattono erano un motivo decorativo appropriato per le sale dei palazzi (basta pensare ai dipinti di Paolo Uccello che abbellivano palazzo Medici), ma questa con i suoi nudi e l'atmosfera anticheggiante deve essere stata considerata una novità assoluta per i tempi.
Il rilievo, stilisticamente databile intorno al 1479, è l'adattamento di una scena situata sulla parte frontale di un sarcofago romano che si trova a Pisa (cat. n. 10). È una copia assai libera. Il sarcofago è seriamente danneggiato, l'intera parte centrale è mancante, e in questo spazio Bertoldo ha inserito un cavaliere con elmetto alato, clava e pelle di leone – da considerarsi pertanto un *Ercole a cavallo*, una rarità iconografica, come si vede in cat. n. 27 –, al posto del generale romano che nell'originale avrebbe dovuto essere raffigurato qui. Bertoldo dovette per il resto far largo uso della propria immaginazione. Sei dei nudi così splendidamente differenziati e raffigurati nell'atto di brandire clave lungo la parte centrale in basso sono interamente di sua invenzione. Le Vittorie e i prigionieri ai lati nell'originale sono divenuti infinitamente più eleganti, qui rivestiti da drappeggi botticelliani fra i più esigui. Possiamo convenire sul fatto che Bertoldo abbia avuto una conoscenza dal vivo e di prima mano del sarcofago, poiché l'espressionismo dei bassorilievi laterali più tardi influenzò lo stile e i motivi del fregio da lui eseguito per palazzo Scala della Gherardesca (sul quale si veda il recentissimo contributo di Acidini Luchinat 1998, pp. 91-120). Si può tranquillamente immaginare che la sua ispezione del sarcofago sia avvenuta in occasione della visita a Pisa insieme a Lorenzo il Magnifico, il cui coinvolgimento con le sorti dell'università s'intensificò verso la fine degli anni settanta del Quattrocento. Il bronzo fu installato sopra un camino negli appartamenti di Lorenzo a palazzo Medici, "nella saletta rimpetto alla sala grande: Una storia di bronzo sopra il chammino, di più chavagli e gnudi, cioè una battaglia, lungha br. uno e 2/3" che fu stimata 30 fiorini (si veda in *Libro d'inventario...* 1492, ed. 1992). Il rilievo fu ereditato da Alessandro dalle Bande Nere e Cosimo I, e, come Alessandro Conti ha fatto notare, "è quasi un simbolo della continuità del collezionismo mediceo, dal palazzo di via Larga, alla guardaroba di Palazzo Vecchio, alla sala dei bronzi moderni degli Uffizi ed al Museo Nazionale" (in *Palazzo Vecchio...* 1980). Conti inoltre ammoniva a tenere sempre in mente la posizione alta sul muro dell'originaria collocazione; viste dal basso, le figure "appaiono stranamente ribaltate in avanti". Senza dubbio tale infelice effetto è stato all'origine di alcuni giudizi negativi che questo pregevole pezzo ha talvolta suscitato. Un altro aspetto erroneamente interpretato è il soggetto. Forse la concomitante scena di lotta ha portato alcuni studiosi a definirlo sostanzialmente senza soggetto, ma con Ercole al centro questa possibilità risulta remota. Draper (1992, pp. 141-144) offre lo spunto per il soggetto come raffigurazione di *Ercole in lotta con i giganti*, una metafora per la città di Firenze (il cui protettore per tradizione era Ercole) in guerra coi nemici. Il contesto potrebbe adattarsi ai tumultuosi anni di guerra sulla scia della congiura dei Pazzi, quando Ercole I d'Este (omonimo di Ercole) fu a guida della lega di Stati – Milano, la Francia e Firenze – contro il papa e Napoli.
Lo stile tornito di ciascuna figura si accorda con il punto stilistico di sviluppo raggiunto da Bertoldo in quel momento nelle statuette. Di nuovo è Conti a osservare puntualmente come i nudi siano raggruppati in altorilievo come "vere e proprie statuette". Vasari dapprima menzionò il rilievo attribuendolo a Bertoldo, ma stranamente lo commentò come se avesse il carattere di un'imitazione di Donatello, probabilmente perché si tratta di un concitato rilievo realizzato nel materiale donatelliano del bronzo. Bertoldo aspirava piuttosto al contrario per emulare l'antichità romana e anzi per essere pari agli antichi dal momento che stava perfezionando un'opera tanto rovinata. Tale motivazione, combinata con il luogo vistoso che l'opera occupava nel palazzo, accrebbe la possibilità che fosse considerata con rispetto da giovani artisti. L'uso che ne fece Michelangelo nella *Battaglia dei centauri* (cat. n. 5) è ora di fatto riconosciuto anche se i risultati sono assolutamente diversi per la ricca concentrazione plastica che contraddistingue quest'ultima.

Riferimenti bibliografici
Vasari 1568, ed. 1878-1885, II, 1878, p. 423; Conti, in *Palazzo Vecchio...* 1980, n. 639; Lisner 1980, pp. 316-318; *Michelangelo e l'arte classica* 1987, p. 21; Massinelli 1991, pp. 22-24; Kemp, in *Circa 1492...* 1991, n. 164; Draper 1992, n. 11, pp. 133-145; *Libro d'inventario...* [1492], ed. 1992, p. 71.
[J.D.D.]

1. Antonio Pollaiolo (ambito di), *Battaglia di nudi*. Londra, Victoria and Albert Museum.

Piero di Cosimo
Firenze 1461-62 - 1522

9. *Battaglia fra lapiti e centauri*

Olio su tavola, cm 71 × 260
Londra, National Gallery, inv. n. 4890
OPERA NON IN MOSTRA

Conosciuto dalla fine dell'Ottocento, il dipinto risulta una sorta di traduzione figurativa del brano delle *Metamorfosi* di Ovidio (libro XII, vv. 210 sgg.; cfr. Davies 1961, con bibl. precedente). In esso si racconta la battaglia fra lapiti e centauri esplosa in occasione delle nozze di Piritoo, re dei lapiti, con Ippodamia, quando quest'ultima venne rapita dal centauro Eurito, ubriaco. Come scrive Ovidio (XII, v. 221), in Eurito e negli altri centauri che l'accompagnano "l'ebbrezza aggiunta alla libidine ha il sopravvento" spingendo a episodi di inaudita violenza e bramosia, che il dipinto rappresenta con puntuali riferimenti al testo latino.
Sulla destra del dipinto, in primo piano, Ippodamia viene trattenuta per i capelli dal centauro Eurito, mentre Teseo, amico di Piritoo, urlando scaglia una brocca finemente cesellata contro il rapitore ("V'era lì accanto per caso un antico cratere istoriato di figure in rilievo: Teseo, ergendosi enorme sopra questo, lo solleva e lo scaglia in faccia all'avversario", vv. 235-238). Accanto, ancora Teseo è saltato sulla groppa del centauro Bienore, afferrandolo con una mano per i capelli e con l'altra colpendolo sulla faccia con un "nodoso randello" (vv. 344-349). Inoltre, il centauro Amico solleva verso l'alto un candelabro come fosse una scure (vv. 245-250); il centauro Grineo sta scagliando un altare fumante alle spalle dei lapiti (vv. 258-262); di questi ultimi, Essadio, dietro al gruppo, impugna un corno di animale (di cervo nel testo latino, nel dipinto parrebbe piuttosto di un ariete) come arma, con cui accecherà Grineo (vv. 267-270). All'estrema destra, il centauro Petreo cerca di sradicare il tronco di un albero (una quercia carica di ghiande, nel testo latino) per farne un'arma, senza accorgersi che Piritoo di lato sta per lanciargli un giavellotto (vv. 327-331). Dalla rupe al centro, precipita il centauro Dicti, in fuga da Piritoo (l'uomo che scaglia la pietra non può essere il centauro Afareo, come sostiene invece Davies 1961). In una posizione di particolare rilievo, al centro in primo piano, la bella Illomone, con la testa cinta da una ghirlanda di fiori e il corpo avvolto di "pelli eleganti di bestie pregiate" (vv. 409-415), abbraccia l'amato centauro Cillaro, dai capelli e dalla barba dorati, ucciso dal giavellotto: la fanciulla, estratta l'arma dal corpo del giovane centauro, "si precipita a sostenere quel corpo morente, applicando la mano lenisce la ferita, e accosta la bocca alla bocca tentando di fermare l'anima che fugge" (vv. 423-425). Illomone è l'unica figura femminile del dipinto con il corpo di centauro.
Nel dipinto, Piero di Cosimo ha inserito anche Ercole, assente invece nel testo ovidiano perché il centauro Nestore, narratore della *Centauromachia*, ha intenzionalmente taciuto le grandi imprese dell'eroe contro i centauri per il rancore che gli porta (vv. 536-547). Eppure, Ercole viene spesso ricordato dai mitografi e dai commentatori quattrocenteschi come avversario dei centauri. Nel dipinto di Piero, l'eroe è rappresentato almeno due volte: non solo (come sempre è stato riconosciuto) all'estrema sinistra, coperto da una pelle di leone con faretra e arco, in procinto di uccidere un centauro a colpi di clava, ma anche al centro, con la testa coperta dalla pelle di leone, coinvolto nella zuffa sulla tovaglia imbandita, mentre sta combattendo con una clava infuocata contro un centauro. Come ha osservato la Lisner in un importante contributo (1980), il mito delle imprese di Ercole contro i centauri – divulgato fra gli altri da Igino – è pervenuto intrecciato e contaminato con il racconto ovidiano nei testi quattrocenteschi noti nell'*entourage* del Magnifico (Petrarca, Boccaccio, Coluccio Salutati, Filarete, Cristoforo Landino), come riflettono figurativamente alcuni dipinti coevi, fra cui, appunto, quello di Piero di Cosimo e il pannello di Bartolomeo di Giovanni con le *Nozze di Piritoo* ora nella collezione Austen (Horsmonden, Kent).
Nella tradizione umanistica, Ercole, in quanto vincitore dei centauri, viene presentato come il difensore della libertà contro la tirannide e la prepotenza degli esseri semiferini, selvaggi e incivili oppressori, guidati dall'istinto e dal vizio ("di superbo animo e senza alcuna temperanza e inchinevoli ad ogni male", scrive Boccaccio nel *Genealogia Deorum*, libro IX, cap. XXVII; cfr. ancora Lisner 1980). Ercole è portatore di *virtus*, costituita dal felice connubio di *fortitudo* e *ratio*. Dunque, nella tradizione letteraria la

vittoria dell'eroe è moralmente positiva: "Theseo et Hercole, cioè la ragione, et lo 'ntellecto domano nel huomo tale bestialità", scrive Cristoforo Landino nel commentario dantesco (ed. 1481, fol. 244 r.; ed. 1564, fol. 244 v.; citato in Lisner 1980, pp. 310 e 338, nota 49). Eppure nel dipinto di Piero di Cosimo, la battaglia fra lapiti e centauri non presenta alcuna connotazione positiva in senso morale, ma pone l'accento sul *pathos* dei personaggi: alla furia e alla violenza dello scontro e allo sgomento delle fanciulle rapite, infatti, corrisponde l'abbraccio estremo e disperato di Illomone nei confronti di Cillaro morente, raggiungendo un acme sentimentale e poetico che riecheggia la formula iconografica della Pietà cristiana. Piero di Cosimo, dunque, mette in risalto quei "moti dell'animo" che, secondo Leon Battista Alberti, sono manifestati ed espressi dai "moti del corpo", "fra se molto dissimili" e confacenti al sentimento da rappresentare (*De Pictura*, libro II, ed. 1973, p. 72).
L'abbraccio struggente dei due centauri amanti al centro del dipinto di Piero pone l'accento sulla crudeltà gratuita della guerra, distruttrice del vivere civile come dei sentimenti più intensi. In questo senso, il pittore riflette lo spirito del testo ovidiano, ma soprattutto sembra richiamarsi al *De rerum natura* di Lucrezio (libro V) dove l'autore latino condanna sul piano etico la guerra perché provocata dall'egoismo e dalle passioni, che annullano i vantaggi materiali apportati dal progresso. Il dipinto di Piero si collega quindi concettualmente alla *Scena di caccia* (cat. n. 17): entrambi sembrano porre in risalto la brutalità degli istinti, in due stadi diversi di civiltà, primordiale nella *Scena di caccia*, più evoluto nella *Battaglia fra lapiti e centauri*, dove i manufatti rappresentati dimostrano la pratica delle arti, della tessitura, del culto religioso. Raffigurato nel pannello londinese dietro una roccia, il fuoco, imprevedibile e devastante nell'era primitiva, risulta qui controllato e dominato dall'uomo per migliorare il vivere civile ma anche per forgiare armi letali contro quegli esseri semiferini di cui un tempo era alleato (cfr. Capretti, in Forlani Tempesti - Capretti 1996, p. 111, n. 17c).
Come nel dipinto di New York, Piero di Cosimo dimostra un interesse esplicito per la pittura di Paolo Uccello, a cui rimandano in particolare il centauro abbattuto e il cadavere sulla destra, entrambi in scorcio.
Nello stesso tempo, il pittore fa riferimento ad Antonio Pollaiolo per i nudi in movimento, tesi nella battaglia, ripetendo spesso gli stessi personaggi nella medesima composizione in pose complesse e variate (si vedano, per esempio, del Pollaiolo le incisioni in cat. n. 7, oltre alla *Battaglia di nudi* del Victoria and Albert Museum di Londra e al disegno del Louvre, Département des Arts Graphiques, inv. n. 1486, con *Nudo virile visto di fronte, di fianco e di spalle*).
Come ho specificato in altra sede (Capretti, in Forlani Tempesti - Capretti 1996, p. 111, n. 17c), il dipinto presenta stringenti corrispondenze con la *Battaglia dei centauri* di Michelangelo (cat. n. 5). In particolare, il centauro Eurito che nel dipinto trattiene Ippodamia per i capelli ha una posa del busto e delle braccia simile a quella del centauro al centro del rilievo che trattiene sulla groppa la donna vista di spalle; Teseo sulla groppa di Bienor nella tavola si ritrova ancora all'estrema destra della composizione scultorea; infine, torna nel rilievo anche la coppia di Cillaro e Illomone che lo scultore ha rappresentato in un momento successivo, quando la fanciulla vinta dal dolore irreparabile si è uccisa e cade riversa sul centauro amato (Ovidio, *Metamorfosi*, vv. 426-428). Come ritiene anche Kathleen Weil-Garris Brandt, la chiarezza dell'impaginazione dell'opera di Piero di Cosimo e la puntuale traduzione figurativa del testo letterario, rispetto alla complessa e articolata composizione michelangiolesca (che la lunga elaborazione e lo stato di incompiutezza rendono di difficile lettura), sono elementi che portano a riaprire la questione della priorità fra il dipinto e il rilievo, finora ritenuti l'uno il riflesso dell'altro.

Riferimenti bibliografici

Davies 1961, pp. 422-424, con bibl.; Capretti, in Forlani Tempesti - Capretti 1996, p. 111, n. 17c, con bibl.

[E.C.]

Arte romana
inizio del III secolo a.C.

10. *Sarcofago con scene di battaglia*

Marmo, cm 240 × 97
Pisa, Camposanto, inv. n. C 21 est.
OPERA NON IN MOSTRA

Il sarcofago è rimasto per secoli nell'abbazia benedettina di San Zeno (Camposanto, inventario del 1833, citato da Arias e altri). Era già in stato di rovina ai tempi di Bertoldo, sopravvissuto a una sistematica offensiva iconoclasta che cancellò il centro del frontale e asportò tutte le teste. Il soggetto è la vittoria di un generale romano sui barbari, secondo la tipologia di esemplari meglio conservati come quello di Villa Borghese (Bober - Rubinstein 1986, n. 156) e come si può distinguere dalle parti laterali intatte del sarcofago. Queste mostrano barbari portati di fronte al generale, e sono scolpite nello stile nervoso e angoloso del bassorilievo, che era a tutti gli effetti la convenzione stilistica preferita al tempo per i laterali dei sarcofagi romani e che affascinò specialmente le tendenze espressioniste del talento di Bertoldo. Per quanto riguarda lo scomparto frontale, le parti meglio conservate sono le Vittorie che stanno in angolo sopra i prigionieri; esse sono anche fra le parti che Bertoldo meglio comprese nella sua paziente riscostruzione, per quanto le privasse della maggior parte dei loro panneggi.

Riferimenti bibliografici
Arias - Cristiani - Gabba 1977, pp. 151-152.
[J.D.D.]

Michelangelo Buonarroti
Caprese 1475 - Roma 1564

11. *Modello per la tomba di papa Giulio II*

Matita nera, penna con inchiostro marrone, acquerello, mm 509 × 318
New York, The Metropolitan Museum of Art, Department of Prints and Drawings, Rogers Fund, 1962, inv. n. 62931

Michael Hirst ha pubblicato questo importante *Modello per la tomba di papa Giulio II* come opera di Michelangelo (Hirst 1976; cfr. Tolnay 1975-1980, IV, n. 489). Un nuovo disegno, scoperto al Louvre, per un Apostolo del 1503 circa (fig. n. 1; Louvre, Département des Arts Graphiques, inv. n. 12691 recto; Cordellier 1991, pp. 48-55), che amplia significativamente la serie degli schizzi dell'Apostolo innanzi citati, eseguiti per il Duomo di Firenze (cat. n. 2), nonché l'accertato confronto proposto da Cordellier del rilievo della tomba con i disegni michelangioleschi per la battaglia di Cascina, consentono di datare con sicurezza il foglio di New York al più tardi alla primavera del 1505, quando Michelangelo giunse a Roma e il papa lo convinse ad accettare l'incarico della costruzione del suo monumento funebre (cfr. Echinger-Maurach 1998b, p. 307, nota 64, con bibl. completa). In questa prima versione il monumento segue ancora la tradizionale collocazione nel grande vano di una nicchia muraria (Frommel 1994, p. 403, fig. 2), ma supera tutti i modelli quattrocenteschi presentando una struttura a più livelli e una grande ricchezza figurativa. Nel piano inferiore – in un primo tempo progettato più alto e in seguito abbassato – le nicchie, incorniciate da semicolonne su volute e coronate da conchiglie, ospitano quattro allegorie. Sul fronte si scorge la virtù cristiana della carità nella sua doppia accezione: a sinistra un fanciullo si stringe fiducioso a una figura che incarna l'*amor proximi*, a destra si allude all'*amor dei* con un vaso da cui si sprigionano fiamme. Esse incorniciano un rilievo centrale, in cui l'artista allude all'epoca d'oro del papato di Giulio II, quando i frutti dello svettante Rovere nutrivano tutte le genti che vi si accostavano. Sotto questo rilievo due giovinetti si servono da una coppa piena di ghiande. In alto, collocato in una nicchia, s'innalza il sarcofago che contiene il feretro del papa. Ai suoi piedi vegliano due putti che reggono giganteschi ceri tortili. Alla benedizione del defunto fanno riferimento anche i due giovinetti con turibolo e aspersorio a sinistra e a destra, al di sotto della Madonna, che amorevolmente si inchina verso il defunto. Essa regge in braccio il bambino benedicente, che in tenera posa cerca il contatto con un dito della madre, come il Bambino della *Madonna di Bruges*. Le vesti della Madonna sono lievemente gonfiate dal vento al di sopra delle ali dispiegate dei due angeli che, con espressione commossa, seppelliscono il defunto. Nella pacata meditazione come nell'espressione di trattenuto duolo delle figure troneggianti ai lati del sarcofago, l'artista rispecchia la mutevolezza delle situazioni, il cui sentimento assale il pietoso visitatore dinanzi alla dolorosa scena.
[C.E.-M.]

1. Michelangelo, *Studio per Apostolo*. Parigi, Louvre, Département des Arts Graphiques, inv. n. 12691 recto.

C. I satiri e la nascita della licenza e della fantasia

Come prima prova di scultura fatta da Michelangelo nel giardino di Lorenzo il Magnifico, Condivi e Vasari menzionano la maschera di un vecchio satiro ridente, oggi smarrita. In questa sezione, per evocare l'idea del satiro come emblema della licenza, raggruppiamo alcuni disegni di Michelangelo attorno al disegno murale con figura maschile dal volto faunesco che vanta una attribuzione allo stesso Michelangelo molto discussa in passato; insieme a tali opere si presentano alcuni bronzetti di satiri eseguiti nell'ambito del suo maestro Bertoldo, nonché qualche cammeo antico con soggetti legati al tema della sezione, che vengono dalla collezione di Lorenzo il Magnifico; infine non potevano mancare in tale contesto dipinti di Piero di Cosimo, artista "molto stratto [sic] e vario di fantasia" (Vasari 1568). Ciò permette di evidenziare le fonti del precoce apparire dei temi legati al concetto di fantasia artistica improntata alla licenza e alla libertà al di là del decoro.

Michelangelo Buonarroti
Caprese 1475 - Roma 1564

12. *Tritone o satiro*

Carbone su muro (oggi staccato),
cm 94 × 133,5
Settignano (Firenze), Villa Michelangelo

La prima menzione della figura è nell'edizione vasariana del Bottari (1759-1760, III, 1760, p. 349), secondo cui Michelangelo tracciò a carbone un satiro sul muro mentre si scaldava (prima dello stacco eseguito nel 1979 per ragioni conservative, il disegno era proprio sul muro della cucina). Nel 1933, Tolnay riprese e confermò la notizia, convinto che si trattasse di una delle primissime prove di Michelangelo. Nel 1965, Berti indicò la somiglianza esistente fra il *Tritone*, come veniva interpretata la figura, e tre teste esistenti in due fogli di Oxford, di indiscussa autografia michelangiolesca (Parker 291 verso e 292 recto), datati comunemente al 1501 o subito dopo. L'argomento fu ripreso da Prater (1977), e, oggetto anche di una comunicazione orale di Peter Meller, venne riaffermato con decisione dal sottoscritto, che espose il disegno murale alle mostre medicee del 1980, alla mostra "Arte del Rinascimento e restauro" in Giappone (Firenze 1991) e a quella michelangiolesca di Montreal nel 1992. Dubbi sull'attribuzione erano stati avanzati da Elam (1981), che aveva ricevuto risposta con una lettera alla stessa rivista (Bonsanti 1992). Più di recente, Marco Collareta (1992, pp. 173-175, e n. 33, p. 177), osservato giustamente che "Il caso del discussissimo *Tritone* di Villa Michelangelo a Settignano è qualcosa di più di un semplice appunto grafico, è un disegno accurato e completo", lo riproduce (fig. 16) con la didascalia *Michelangelo o imitatore*. Collareta si domanda se, tenuto conto della notizia che si legge nella prima edizione del Vasari (1550), secondo cui "Michelangelo molto da se stesso nella sua fanciullezza attendeva a disegnare per le carte e per muri", il *Tritone* di Settignano sia da annoverare "tra le cause o le conseguenze della notizia" sopraddetta. Collareta dichiara la sua preferenza per la seconda ipotesi. Devo esprimere la mia sorpresa che uno studioso di sicuro valore ometta completamente il non trascurabile argomento dell'esistenza dei tre studi preparatori di Oxford, il cui riferimento al *Tritone* non è mai stato messo in dubbio da nessuno di coloro che si sono professati contrari all'attribuzione. Non si vede, sinceramente, né come negare una relazione di assoluta evidenza, né come immaginare che, se Michelangelo aveva disegnato studi preparatori per questo *Tritone*, altri che non lui avrebbe potuto utilizzarli per tracciare un non piccolo disegno sul muro della cucina della casa settignanese dei Buonarroti. Siamo, come si vede, al di fuori di ogni verosimiglianza. Si deve dunque concludere che il disegno è un importante autografo michelangiolesco, che non appartiene però, come pensava Tolnay (si veda in particolare l'ottima scheda nel I volume del *Corpus dei disegni*), alla sua fanciullezza, ma a un periodo in cui l'artista aveva già venticinque-ventisei anni, ed era appena tornato da Roma richiamato dalla commissione per l'altare Piccolomini di Siena (cui molte altre presto si aggiunsero). È anche interessante notare che, a differenza di quel che si poteva immaginare, non si trattò di tracciare di getto una figura improvvisata, ma al contrario l'artista l'aveva preparata con specifici disegni su carta di piccolo formato. Difficile da dirimere rimane la questione del soggetto, resa improba dalla lacunosità conservativa. Non si riesce a decidere difatti quale oggetto la figura tenga nella mano destra, se un corno in cui soffiare, o una mascella d'asino quale arma, o altro.

Per il resto, se ci si applica a leggere con attenzione quanto si vede attraverso i guasti e le lacune, si comprenderà quanto fosse fondata la valutazione del Bottari espressa nel testo sopra citato, che parla della "sua (sc. di Michelangelo) solita fiera e terribil maniera". Il sapiente modellato dell'addome, la tensione del fianco destro pronta a risolversi nello scatto, il forte contrapposto della figura, con la spalla opposta al movimento proiettata in basso, il manto gonfiato dal vento, imprimono all'immagine un'autorevolezza pari alle opere buonarrotiane più accreditate.

Si tratta in conclusione di un recupero michelangiolesco sostanzialmente recente, che merita di trovare definitiva collocazione in qualsiasi ricostruzione dell'attività dell'artista.

Riferimenti bibliografici

Bottari 1759-1760, III, 1760, p. 349; Tolnay 1933, pp. 95 sgg.; Berti 1965; Tolnay 1975-1980, I, 1975, n. 11; Prater 1977, pp. 297-313; Bonsanti, in *Il Primato...* 1980, p. 143, n. 301; Elam 1981, pp. 593-602; Bonsanti 1982, p. 159; Sisi, in *Michelangelo e i maestri...* 1985, pp. 25-26; Bonsanti, in *Firenze...* 1991, p. 104, n. 27; Bonsanti, in *The Genius...*1992, pp. 345-355, n. 78; Collareta 1992, pp. 163-177.

[G.B.]

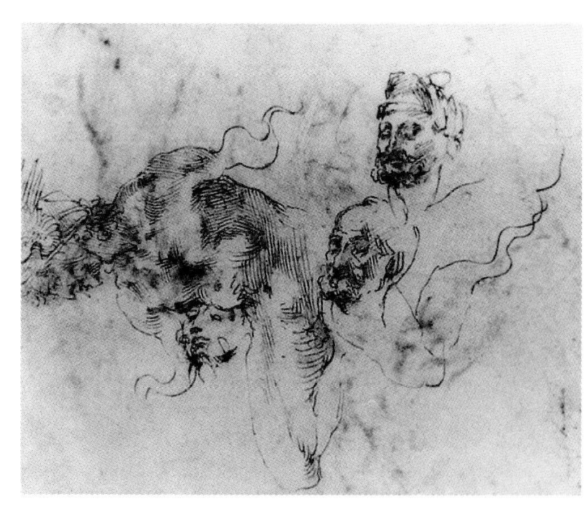

1. Michelangelo, *Figura maschile di schiena e cinque teste*. Oxford, Ashmolean Museum, inv. n. 291 verso.

2. Michelangelo, *Schizzo di nudo maschile trasformato in tritone e tre teste maschili*. Oxford, Ashmolean Museum, inv. n. 292 recto.

Michelangelo Buonarroti
Caprese 1475 - Roma 1564

13. *Busto maschile ritratto di profilo*

Disegno a penna con due ombreggiature di inchiostro, mm 130 × 130
Londra, British Museum, Department of Prints and Drawings, inv. n. 1895-9-15-495

La piatta rappresentazione frontale delle spalle, con il capo girato di profilo in contrasto con esse, suggerisce che il presente disegno non sia semplicemente la parte superstite di uno studio dell'intero corpo, al quale Michelangelo avrebbe poi conferito una maggiore articolazione interna, bensì che sia sempre stato concepito come un solo busto. Sia che sia stato eseguito in vista di una scultura – forse un rilievo piuttosto che una statua – o di un dipinto, costituisce un momento di riflessione. In teoria, potrebbe essere un disegno da presentare come dono, poiché per quanto tale pratica non sia documentata prima del 1520, Michelangelo nei suoi primissimi anni di attività probabilmente eseguì elaborati disegni per gli amici. La varietà e la finezza del modellato del disegno in questione ne fanno un'opera d'arte in sé pienamente compiuta e autonoma. Tuttavia, per converso, è più probabile che sia stato eseguito con qualche altra intenzionalità. La figura potrebbe essere stata concepita per prendere parte a una sequenza narrativa di busti, alla maniera del Mantegna, tuttavia l'espressione intensa non è un criterio certo, dal momento che Michelangelo usava sguardi dotati di una diretta fissità nelle figure isolate, con il proposito di creare un contesto sia fisico che psicologico; a partire almeno dal *San Procolo* in poi, e raggiungendo un momento culminante nel *David* e nel *San Matteo*. La testa in questo disegno assomiglia a quella del *San Matteo*, ma è improbabile che sia stata eseguita in vista della statua: la caratterizzazione è troppo saturnina, i capelli sono troppo appuntiti, la barba troppo ispida, e la taglia non è quella grandiosa di un santo. In ogni caso il disegno fu probabilmente fatto prima che Michelangelo ricevesse la commissione per gli *Apostoli*: Wilde fece notare la rassomiglianza del panneggio con quello del *San Paolo* dell'altare Piccolomini.
Si tratta verosimilmente del disegno che si trovava descritto nel catalogo della vendita di Jonathan Richardson il Vecchio, nel 1746, come *Testa infernale*, e nell'esposizione della Lawrence Gallery nel 1836 era intitolato *Satana*. Per quanto, come Wilde ha avuto modo di argomentare, si tratti più probabilmente della rappresentazione di un satiro, un'identificazione intimamente consona al tipo di cultura antiquaria assorbita da Michelangelo in casa Medici. La prima opera testimoniata di Michelangelo era il busto di un vecchio *Satiro* che, secondo Vasari e Condivi, valse a Michelangelo l'interessamento del Magnifico. L'opera di Bertoldo e Adriano Fiorentino rafforzò questa fascinazione per l'antico: infatti i loro bronzi influenzarono i marmi di Michelangelo. Così come l'*Orfeo* di Bertoldo (Bargello, Firenze) ispirò l'*Arciere* di Manhattan, il *Pan* di Adriano (Vienna, Kunsthistorisches Museum) fu tra le fonti del piccolo satiro che accompagna *Bacco* nel gruppo scolpito per il cardinal Riario. Non è dunque affatto improbabile che Michelangelo abbia concepito in questo periodo un altro busto di satiro per un giardino. Ulteriore prova di un interesse per motivi legati ai satiri, nella cerchia di Michelangelo intorno al 1500, è dato da un disegno al Louvre di un *Satiro appeso a un albero* (inv. n. 701; il verso contiene lo studio di una figura femminile nuda formalmente affine a un disegno a Chantilly, inv. n. 29); tale disegno porta una vecchia attribuzione a Michelangelo, ma andrà più ragionevolmente attribuito al suo amico e assistente Pietro d'Argenta.

Riferimenti bibliografici
Wilde 1953, n. 2; Tolnay 1975-1980, I, 1975, n. 16.
[P.J.]

Maestro vicino a Bertoldo e Michelangelo
fine XV secolo

14. *Busto di satiro*

Bronzo, h cm 10
Firenze, Museo Nazionale del Bargello,
inv. n. 584

Il bronzo entrò a far parte della collezione del Bargello venendo dai magazzini degli Uffizi nel 1890 e fu notato per la prima volta da Lisner, che sospettò fosse una precoce copia cinquecentesca della perduta testa del satiro ghignante di Michelangelo. La forma si accorda per più aspetti con il noto affresco di Ottavio Vannini in Palazzo Vecchio, nel quale il giovane scultore apprendista presenta il suo busto marmoreo di un satiro, giudicato una superlativa imitazione dell'antico, a un Lorenzo de' Medici pieno di ammirazione, così come leggiamo in Condivi, Varchi e Vasari.
La testa bronzea è finemente caratterizzata con rimandi palmari a Bertoldo, mentre le spalle sono state troppo sommariamente trattate rispetto ai modi del maestro. Un busto sostanzialmente identico si trova nella collezione Wernher a Luto Hoo. Le riproduzioni in bronzo sono un fatto piuttosto raro a Firenze a questa, presunta, altezza cronologica, ma sembra esservi un precedente in Adriano Fiorentino: un secondo esemplare, firmato, della sua *Venere* di Filadelfia era conosciuto alla fine del secolo scorso (cfr. Draper 1992, pp. 47-48).
Riferimenti bibliografici
Lisner 1967, p. 84; Parronchi 1981, p. 23; Draper 1992, pp. 58-61.
[J.D.D.]

Già attribuito a Michelangelo Buonarroti
Caprese 1475 - Roma 1564

15. *Testa di fauno*

Marmo, h cm 26
Già Firenze, Museo Nazionale del Bargello, inv. n. 124
OPERA DISPERSA; in mostra, replica in stucco appartenente a Casa Buonarroti

La prima scultura documentata di Michelangelo non solo è sparita, ma è tenuta anche in poca considerazione dalla ricerca recente, nonostante le ampie descrizioni di Vasari e Condivi (Vasari 1550 e 1568, ed. Barocchi, 1962, I, pp. 9 sgg., II, pp. 95-98, con bibl.; Tolnay 1943, ed. 1969, I, p. 195, con bibl.; *Michelangelo e l'arte classica*... 1987, p. 18, con bibl.). Già nella *Vita* del 1550 Vasari racconta come Lorenzo de' Medici avesse attirato giovani talenti nel giardino di San Marco per promuovere la scultura fiorentina (Vasari 1550, ed. Barocchi 1962, I, p. 10). Il giovane Michelangelo avrebbe prima tentato di imitare le figure di Bertoldo in creta, come Torrigiani, per copiare poi, su incorraggiamento del Magnifico, la testa antica di un fauno "con un pezzo di marmo". Condivi sembra meglio informato, probabilmente dallo stesso Michelangelo, senza necessariamente aver conosciuto il pezzo, e parla della "testa di un Fauno in vista già vecchio, con lunga barba e volto ridente" (Condivi 1553, ed. 1998, p. 11). Condivi racconta che Michelangelo aveva aggiunto, "di sua fantasia", "tutto quello che nel antico mancava, cioè (oltre il naso) la bocca aperta a guisa d'uom che rida". Lorenzo avrebbe elogiato il lavoro, ma scherzosamente criticato che uno, talmente vecchio, per forza aveva perso qualche dente e Michelangelo ne aveva poi immediatamente tolto un altro e trapanato perfino il buco. Nella *Vita* del 1568 Vasari aggiunge solo che la bocca era talmente aperta da vedere la lingua (Vasari 1568, ed. 1962, I, p. 10).
Fino ad Hermann Grimm (1860) la *Testa di fauno* fu identificata con il *Fauno* del Bargello e questo per motivi non del tutto da scartare (*Michelangelo e l'arte classica*... 1987, *loc. cit.*). Il pezzo si trova menzionato già da Baldinucci nel 1681 (*loc. cit.*) e nell'inventario mediceo del 1699 e si supponeva che fosse stato un dono di Filippo Buonarroti (Tolnay 1969, *loc. cit.*). È infatti ipotizzabile che il giovane Michelangelo lo avesse portato a casa. Mariette ne pubblicò l'incisione con la targhetta "MA.BONARROTAE PUERI PRIM. OPUS E MARM FLOR IN MUSEO CAESAR" nel 1746 basandosi su un'iscrizione, secondo cui esso sarebbe stato la prima opera di Michelangelo (Condivi 1553, ed. 1746, p. 60). Solo la critica del primo Novecento lo escluse per ragioni stilistiche (*Michelangelo*, ed. Barocchi, II, p. 96). Secondo Frey questa testa venne realizzata nella seconda metà del Cinquecento sulla base del racconto vasariano (Frey 1907, p. 91), e Thode lo datò perfino nel Seicento (Thode 1908-1913, I, 1908, p. 6). Ovviamente la sua scomparsa durante la seconda guerra mondiale ha impedito alla ricerca di occuparsene ulteriormente.
La *Testa* del Bargello corrisponde quasi in ogni dettaglio alle rispettive descrizioni di Condivi e Vasari, e se i denti non sono così numerosi può trattarsi di uno dei loro tanti piccoli errori. Evidentemente l'artista disponeva soltanto di un pezzo di marmo relativamente piatto e fu costretto a comprimere la testa in un rilievo. Nacque così l'impressione di una maschera, sebbene non presenti né i buchi degli occhi né quello della bocca. È anche vero che la fisionomia, alquanto particolare, non può seguire testualmente il prototipo, ma tradisce largamente la "fantasia" dell'artista. Benché tanti tratti ricordino i panischi antichi, finora non è stato individuato il prototipo esatto (Tolnay 1943, ed. 1969). Sicuramente era diverso da quello rappresentato da Ottavio Vannini con un busto, una barba simile, ma con bocca meno aperta (*loc. cit.*, fig. 252).
La datazione nella seconda metà del Cinquecento o addirittura nel Seicento sembra già esclusa dal taglio quattrocentesco degli occhi. In contrasto alla maniera antica, essi non giacciono in orbite profonde e protette dagli archi delle sopracciglia, ma sono inseriti diagonalmente, come mandorle in una pasta. Né convince, sotto l'aspetto anatomico, il loro rapporto con la larga e ossuta radice del naso, dalla quale si dipartono le sopracciglia in modo poco organico e, a sinistra, perfino con un rigonfiamento da verruca. Le rughe del volto accompagnano quelle degli occhi in modo quasi ornamentale. Le pupille sono accennate con diversi fori di trapano per farle apparire strabiche e ugualmente ingenui sono i singoli fori all'inizio degli occhi. La punta e le narici del largo naso schiacciato formano un triangolo nel quale affonda l'ovato dell'osso nasale. Le due labbra sono quasi geometricamente regolari: il labbro superiore è nascosto sotto la barba e accompagna la curva del naso, mentre il semicerchio di quello inferiore sporge metallicamente dal mento. Esso lascia intravedere gli unici due denti simmetrici e, per quel che si può capire dalla fotografia, anche la lingua. Le lunghe orecchie a punta, i cui padiglioni sono stupendamente modellati, continuano senza interruzione nei capelli, come se facessero parte di un berretto. Del resto, si sente la difficoltà ad articolare la transizione dalla faccia piatta al volume del cranio tra guance e orecchie.
Tutti questi "difetti" sono più compatibili con un quattordicenne del 1489 che con un consumato artista del Cinquecento o Seicento. Già a questa età, il discepolo del Ghirlandaio dovette aver tentato di affidare al marmo un'espressione del tutto particolare. E l'influenza del Ghirlandaio si nota soprattutto negli occhi e nel naso (cfr. il San Pietro nell'*Ultima Cena* di Passignano). Quando si trattava di un fauno, e cioè del dio della fertilità, della foresta, delle greggi e dei campi, ci voleva una selvaticità arcaica e pagana, una senilità voluttuosa e un riso panico e spudorato. Questa espressività non si spiega soltanto con i prototipi, ovviamente non copiati in modo preciso (la testa di un fauno nello zoccolo dell'Arco di Trionfo di Castelnuovo a Napoli, risalente a un'epoca antecedente il 1472, segue ovviamente un altro prototipo, ma in maniera più classicheggiante: Poeschke 1990-92, I, 1990, fig. 222), ma anche con la capacità di trasmettere l'intuizione di un fenomeno in forme proprie. Anche se queste in buona parte sembrano scorrette e immature, la loro forza e unità lineare, talvolta geometrica e ornamentale, è tutt'altro che eclettica.
Del resto i dettagli morelliani della *Testa* del Bargello non sono incompatibili con quelli

delle opere sicure del giovane Michelangelo, tutte quante databili dopo il 1490, quando aveva almeno 16 anni, e cioè in ogni caso più mature ed eseguite con maggior maestria rispetto al suo primo tentativo. Guardando gli occhi dei *Santi Petronio e Procolo*, i nasi delle *Madonne* di Bruges e Pitti o le sopracciglia del *Bacco* si riconoscono le origini comuni. Più vicina alla *Testa* del Bargello, anche in quanto a soggetto, è la testa della pantera del *Bacco*, dove le pupille spente e i ciuffi di capelli sono accennati con analoghi fori di trapano e dove il naso e gli occhi seguono lineamenti simili, anche se in modo infinitamente più elegante. [C.L.F.]

* Per le ricerche ringrazio G. Schelbert e per la traduzione E. Pastore.

Adriano di Giovanni de' Maestri detto Adriano Fiorentino
Firenze 1440-50 circa - 1499

16. *Pan*

Bronzo, h cm 41,4
Iscrizione sotto il basamento: "ADRIANVS FLOR. FACIEB" [l'iscrizione, incisa sul modello in cera, è interrotta da fori di viti che un tempo ancoravano il pezzo a una base aggiunta]
Vienna, Kunsthistorisches Museum, inv. n. Pl. 5851

Il bronzo si trova menzionato per la prima volta nell'inventario dell'imperatore Mattia del 1619. La firma fu scoperta solo nel 1973. Questo *Pan*, una statuetta di dimensioni eccedenti, un tempo teneva nella mano sinistra un oggetto – forse una zampogna? –. Nell'incisione di Mantegna, *Il Baccanale col catino di vino*, che ha fornito lo spunto per la posa obliqua, il satiro tiene in mano una coppa di vino (Draper 1992, pp. 49-172, fig. 23). Come nella collaborazione di Adriano con Bertoldo nel *Bellerofonte e Pegaso* (cat. n. 28), la figura occupa lo spazio principalmente lungo un singolo piano. Questo è, a dire il vero, una novità per quanto riguarda Bertoldo; egli in precedenza aveva lavorato su sinuosi movimenti a serpentina. Qui la posizione obliqua, tutta giocata sulle lunghe gambe flesse, viene bruscamente interrotta dall'albero e la maniera in cui Pan è saldato a terra produce una forte impressione di spazio bloccato. Con quell'espressione beffarda, ha tutta l'aria di chi sta per gettarsi in un litigio, e ciò richiede una spiegazione. Forse si trovava in coppia con un'altra figura, forse un Apollo. Lorenzo de' Medici mise mano a un'ode, rimasta frammentaria, su Apollo citaredo, e la chiamò *Apollo e Pan*. Il tema è quello della bellezza d'aspetto e della meraviglia della musica del dio più che quello della famosa competizione fra la divinità suonatrice di lira e la creatura semiumana che suona il flauto. La coppia che ci viene in mente potrebbe essere stata raffigurata nel momento che precede la gara, così che si potrebbe interpretare il Pan in questione come colto nel momento in cui ascolta con derisione Apollo e si accinge a sfidarlo. L'ipotetico Apollo, ammesso che sia esistito, avrebbe potuto assomigliare del tutto alla statuetta del Bargello, di dimensioni equivalenti (cat. n. 26). Pertanto non va scartata l'ipotesi che Bertoldo abbia modellato il suo fallimentare *Apollo* avendo in mente questa statuetta, o una assai simile.
La figura di Pan nel contesto culturale fiorentino è comunque assai presente, Adriano la eseguì probabilmente prima di lasciare Firenze per Napoli, intorno al 1486, dove lavorò al servizio di Virgilio Orsini come fonditore di cannoni. Aveva imparato i fondamenti dell'arte della fusione in bronzo senza dubbio fra le mura di casa Medici, come amico-assistente di Bertoldo (si veda Draper 1992, pp. 44-46, dove si presuppone che fosse Adriano il palafreniere che consegna i dispacci per Lorenzo fra 1483 e 1484), ma questo *Pan* non depone a favore di una sua superiore abilità tecnica. Si tratta di una scultura massiccia, quasi tutta piena. Il lavoro di cesello è condotto pesantemente in confronto a Bertoldo e, tuttavia, espressivo, con la resa dei fianchi coperti di pelo particolarmente felice. Infelice invece la patina che lo riveste, una vernice rossiccia stesa posteriormente e con un effetto falsificante. Il dettaglio della testa girata potrebbe accomunare il presente *Pan* al busto di un *Satiro* (cat. n. 14) come ha osservato Leithe-Jasper. Meno soddisfacente l'ipotesi di un legame fra il *Pan* e il satiro che porta uno scudo raffigurato su una colonna nella stampa con *Ecce Homo* della serie della *Grande Passione* di Dürer.

Riferimenti bibliografici
Leithe-Jasper 1986; Caglioti, in *Il giardino di San Marco*... 1992, n. 5; Draper 1992, pp. 49, 172-173; Leithe-Jasper, in "*Von allen Seiten schön*"... 1995, n. 10.
[J.D.D.]

Piero di Cosimo
Firenze 1461-62 - 1522

17. *Scena di caccia*

Tempera e olio su tavola, cm 70,5 × 98
New York, The Metropolitan Museum of Art, inv. n. 75.7.2

Noto solo dalla fine dell'Ottocento (fino al 1869 presso Thomas H. Hotchkiss a Roma; cfr. Zeri - Gardner 1971, pp. 176-177), il dipinto rappresenta una drammatica scena di caccia che si svolge intorno a un bosco incendiato. Il fuoco mette in fuga dai propri rifugi gli animali, che uomini, donne, satiri e centauri aggrediscono con le proprie forze o armati di clave. La caccia è feroce e brutale, in un corpo a corpo fra uomo e animale. Mentre esseri umani e esseri semiferini (centauri e satiri) sono alleati fra loro, gli animali si aggrediscono gli uni con gli altri, azzannandosi. Ma nessuno sta cacciando con arco e frecce gli uccelli che a stormi fuggono verso l'orizzonte. Spettatrici inermi sono due scimmiette – una sulla sinistra e l'altra arrampicata sull'albero in primo piano – che assistono atterrite alla zuffa violenta.
I cacciatori – esseri umani ed esseri semiferini – sono muniti di una sorta di rudimentali zaini sulle spalle, legati alla vita e al collo, realizzati con la pelle delle fiere, dove riporre la selvaggina. Suscita particolare interesse la figura di tre quarti (forse una donna di cui pare intravedersi il seno), in primo piano a sinistra: essa indossa dei parastinchi di pelliccia e ha sulle spalle una pelle di leone, stretta in vita. Il medesimo tipo di sacca sembra essere quello che svolazza allacciato al collo dell'uomo che lotta sulla groppa del cavallo. Anche il satiro a destra porta uno zaino ricolmo di selvaggina, realizzato con una pelliccia di fiera maculata.
I personaggi sono distribuiti nella composizione a gruppi, che soprattutto sulla destra assumono il valore di elementi prospettici in scorcio, come l'uomo che lotta sulla groppa del cavallo. Tali scorci richiamano facilmente i dipinti di Paolo Uccello: in particolare il cadavere disteso a terra in primo piano sembra celare un ricordo della figura analoga nella scena del *Diluvio* dipinta da Paolo Uccello nel chiostro verde in Santa Maria Novella. Ai disegni di animali di Paolo Uccello tanto celebrati da Vasari (1568, ed. 1966-1987, III, 1971, p. 65) o ai taccuini derivati da tali fogli e diffusi nelle botteghe quattrocentesche (Tongiorgi Tomasi, in *Il disegno*... 1992, pp. 183-184, nn. 9.4, 9.5), si è ispirato Piero di Cosimo rappresentando gli animali, docili o aggressivi, selvatici o domestici, reali o fantastici, rielaborando originalmente il modello con una curiosità fantasiosa inedita per l'epoca. Piero stesso aveva realizzato un "libro d'animali", "bellissimi e bizzarri" tratteggiati a penna, secondo il Vasari pervenuto poi nella collezione medicea (Vasari 1568, ed. 1966-1987, IV, 1976, p. 66). Come ricordano le fonti, nelle camere delle dimore fiorentine quattrocentesche si osservavano di frequente tele alle pareti e pannelli per spalliere e cassoni rappresentanti animali e "storie d'animali"; fra queste le opere di Paolo Uccello e Pesellino ricordate da Vasari in casa Medici (Vasari 1568, ed. 1966-1987, III, 1971, pp. 65 e 372; cfr. sull'argomento, Barriault 1985). Le figure nella *Scena di caccia* di Piero presentano contorni incisivi e netti, continui e senza cedimenti, che riecheggiano la politezza e la sintesi degli studi di figura di Maso Finiguerra (cfr. Melli 1995). Infine, l'attenzione al dinamismo del corpo umano, contratto e teso nel-

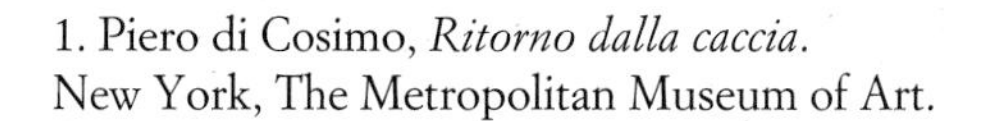
1. Piero di Cosimo, *Ritorno dalla caccia*. New York, The Metropolitan Museum of Art.

l'azione, pronto allo scatto, deriva dalla lezione fondamentale di Antonio Pollaiolo: l'uomo che stritola una fiera al centro del dipinto è persino una puntuale citazione dell'*Ercole e Anteo* del Pollaiolo.
La *Scena di caccia* è facilmente associabile al pannello rappresentante il *Ritorno dalla caccia*, anch'esso al Metropolitan. Qui, seminudi e vestiti sommariamente di pelli e pellicce, i cacciatori (ancora uomini, donne, satiri e centauri) sono approdati a riva su rozze imbarcazioni di legno e giunco, scaricando a terra la selvaggina. Come una sorta di continuazione della storia precedente, i personaggi hanno lasciato il bosco incendiato, dove si è svolta la lotta cruenta, e probabilmente stanchi cercano un meritato riposo in un'atmosfera di ritrovata serenità dopo la ferocia della lotta.
Entrambe le opere del Metropolitan dovevano far parte di una serie di dipinti destinata a decorare gli arredi di una camera patrizia fiorentina, il cui tema era forse la *Storia primitiva dell'uomo* (Panofsky 1939, ed. 1975, pp. 65-74). Nel tentativo di ricostruire almeno in parte la serie originaria, i due pannelli sono stati associati con altri "quadri da camera" attribuiti a Piero, tra i quali l'*Incendio* di Oxford (Ashmolean Museum) e la *Battaglia fra lapiti e centauri* di Londra (cat. n. 9) (per le ipotesi ricostruttive del ciclo pittorico, cfr. Zeri - Gardner 1971, pp. 176-177; Fermor 1993, p. 212, nota 57; Capretti, in Forlani Tempesti - Capretti 1996, pp. 109 e 150-157 con bibl. precedente).
I due dipinti del Metropolitan trovano rispondenza soprattutto con il V libro del *De rerum natura* di Lucrezio (vv. 925 sgg.), dove l'autore latino ripercorre la storia del genere umano. Il manoscritto di Lucrezio era stato scoperto nel 1418 da Poggio Bracciolini, mandato a Firenze e copiato da Niccolò Niccoli, nelle cui mani rimase fino al 1434. Fu stampato per la prima volta a Brescia intorno al 1473, a cura di Ferrando da Brescia; l'*editio secunda* è veronese del 1486 (cfr. Fermor 1993, p. 213, nota 77, con bibl. precedente).
Piero di Cosimo mostra un atteggiamento affine a quello dell'autore latino nei confronti dell'era primitiva, illustrando la vita primordiale dell'uomo, fatta di brutalità e ferocia, di necessità essenziali, di sentimenti istintivi (come l'amore sensuale delle prime coppie), senza però alcun intento moralizzante: il pittore coglie il senso poetico di quella umanità non ancora controllata dalla *ratio*, ma senza farne un'età mitica e felice da rimpiangere (contrariamente alla tradizione esiodea). Ma diversamente da Lucrezio secondo il quale "in alcun tempo possono esistere esseri di duplice natura e di corpo doppio, messi insieme con membra eterogenee" (*De rerum natura*, libro V, vv. 878-881 sgg.), Piero di Cosimo inserisce accanto agli uomini, esseri "compositi" quali i satiri e i centauri, semiferini in un'era primordiale dove necessità e istinto imperano. In linea con la chiave di lettura proposta dalla Weil-Garris Brandt (si veda il saggio relativo) per la *Battaglia dei centauri* di Michelangelo, chi scrive ritiene che anche Piero di Cosimo – inserendo gli "esseri compositi" fra i protagonisti dei dipinti a carattere narrativo – risulta far propria quella *potestas audendi* tratta dall'*Ars poetica* di Orazio, identificata dai letterati quattrocenteschi con la *licentia* dell'artista: questi, come il poeta, si assume quella libertà di deviare dall'imitazione della natura, governata però dalla disciplina e dal decoro e dunque legittimata dal confronto con l'antico (cfr. Pfisterer 1996). Nella seconda metà del Quattrocento, figure di satiri e centauri, estraniate dal contesto bacchico, ricorrono sovente in scene figurate formulate in ambito umanistico, come nelle incisioni di Mantegna, nelle incisioni e nelle miniature venete (cfr. Jacopo de' Barbari), e a Firenze nei libri miniati di ambito mediceo e nei dipinti di Botticelli (Kaufmann 1984).
Il fuoco ha un ruolo importante in entrambe le composizioni del Metropolitan, e ancora di più nel pannello di Oxford che forse faceva parte del medesimo ciclo; torna inoltre nella *Battaglia fra lapiti e centauri* (cat. n. 9). Si legge in Lucrezio (*De rerum natura*, V, vv. 901-905), ma anche in altri storiografi antichi (Vitruvio, *De architettura*, II, 1; Plinio, *Naturalis Historia*, II-III, 107, 1; Diodoro Siculo, *Bibliotheca*, I, 13; Boccaccio, *Genealogia Deorum*, XII), che gli uomini scoprirono il fuoco per caso, in occasione di un fenomeno di autocombustione o di un incendio provocato da un fulmine, e di tale fenomeno seppero approfittare aspettando gli animali in fuga per colpirli con bastoni e sassi. Le fonti ricordano altri dipinti quattrocenteschi "da camera" raffiguranti tale tema, il cui interesse fu sollecitato dalla riscoperta dei testi letterari di Lucrezio e di Vitruvio: nella villa Strozzi a Santuccio si trovavano alcuni dipinti fra cui uno rappresentante l'incendio di una casa e diverse "fantasie" (Fermor 1993, p. 212, nota 66, con bibl.); "il duca d'Urbino gli [a Francesco Francia] fece dipingnere un par di barde da cavallo, nelle quali fece una selva grandissima d'alberi, che vi era appiccato il fuoco, e fuor di quella usciva quantità grande di tutti gli animali aerei e terrestri, et alcune figure: cosa terribile, spaventosa e veramente bella" (Vasari 1568, ed. 1966-1987, III, 1971, p. 589); inoltre, lo stesso "[Piero di Cosimo] fece parimente in casa di Francesco del Pugliese intorno a una camera diverse storie di figure piccole; né si può esprimere la diversità de le cose fantastiche che egli in tutte quelle si dilettò dipignere, e di casamenti e d'animali e di abiti e strumenti diversi, et altre fantasie, che gli sovvennono per essere storie di favole" (Vasari 1568, ed. 1966-1987, IV, 1976, pp. 66-67).

Riferimenti bibliografici

Zeri - Gardner 1971, pp. 176-177; Capretti, in Forlani Tempesti - Capretti 1996, pp. 150-157.
[E.C.]

Piero di Cosimo
Firenze 1461-62 - 1522

18. *San Giovannino*

Tempera su tavola, cm 28,5 × 23,5
New York, The Metropolitan Museum of Art, inv. n. 22.60.52

La tavoletta, già nella collezione Bentivoglio a Firenze, fu acquistata nel 1833 da John Sanford che la portò a Londra. Dopo vari passaggi di proprietà è pervenuta al Metropolitan Museum nel 1921, donata da Michael Dreicer di New York. Il dipinto, attribuito nell'Ottocento ad Antonio Pollaiolo, è stato poi sempre unanimemente riferito a Piero di Cosimo (cfr. Zeri - Gardner 1971, p. 175, con bibl. precedente; Capretti, in Forlani Tempesti - Capretti 1996, pp. 94-95, n. 4).
L'attribuzione ottocentesca è facilmente motivata dal profilo netto del San Giovannino ritagliato su un fondo monocolore, secondo una tipologia che rimanda ai ritratti di impostazione analoga di Piero e Antonio Pollaiolo (Berlino, Staatliche Museen; Boston, Isabella Stewart Gardner Museum; Milano, Poldi Pezzoli; New York, The Metropolitan Museum of Art; Firenze, Galleria degli Uffizi).
Accostabile al *San Sebastiano* della pala di Montevettolini, il *San Giovannino* è un'opera giovanile dell'artista, prossimo al viaggio romano del 1482, in un momento in cui Piero si rivela in stretta consentaneità con le opere coeve di Filippino Lippi (per esempio, si confronti il *San Giovannino* con l'angelo della *Annunciazione* dei Lippi a San Gimignano, Palazzo Pubblico, 1483). Come in Lippi, così in Piero la linea scattante di ascendenza pollaiolesca, che taglia i contorni e vitalizza la forma, ora si increspa in spigolature nervose ora rallenta con un dolce andamento curvilineo tra la fronte e il naso.
Nonostante la superficie abrasa del dipinto, si apprezzano le pennellate rapide e scattanti, i colpi di luce che da sinistra illuminano, con brevi tocchi, la croce di canne, la pelliccia, il profilo del fanciullo, le ciocche scomposte dei capelli, la cura minuta di certi dettagli (si osservino ancora le canne che si sfogliano). Il personaggio è inserito nel vuoto di uno spazio tridimensionale, attraversato trasversalmente da un fascio luminoso – traduzione simbolica della luce divina – e costruito dalla croce e dall'aureola scorciate prospetticamente. Il *San Giovannino* di Piero di Cosimo è un fanciullo di un'età ormai prossima all'adolescenza, con un volto leggiadro, la cui bellezza è ancora priva della forza della mascolinità. Lo sguardo del giovane, che si perde al di là della croce, è venato di malinconia: l'espressione, tutt'altro che convenzionale, manifesta una tristezza consapevole. E l'impronta di una coscienza profetica è accentuata dalla pelliccia scomposta sul petto nudo e dalle chiome a ciocche scomposte che incorniciano il volto e scendono lungo il collo, segni dell'esperienza ascetica e selvaggia nel deserto.
Mantenendo sempre vivo e aperto un dialogo con la scultura del tempo, nel dipinto ora a New York Piero sembra tenere presente in particolare Desiderio da Settignano e i suoi ritratti di bambini così naturali nei gesti, negli atteggiamenti, tanto da rappresentare l'idea stessa della fanciullezza. In particolare, ci riferiamo a rilievi di Desiderio quali il *Tondo Arconati-Visconti* del Louvre (Vines, in *Donatello e i suoi...* 1986, pp. 237-238, n. 95, con bibl.) e il *San Giovannino* in pietra serena del Bargello (Gentilini, in *Omaggio a Donatello...* 1985, pp. 318-327, con bibl.), la cui formula compositiva torna affine nel dipinto di Piero. Ma se lo scultore si sofferma sulla emotività infantile del personaggio, Piero ne fa un'immagine ideale di bellezza più matura, che assume caratteri vagamente sensuali, partecipe di quell'interesse diffuso a Firenze nel secondo Quattrocento per figure eteree di adolescenti (si vedano in questo catalogo, le considerazioni su tale tema di K. Weil-Garris Brandt; sul tema del *San Giovannino*, cfr. Lavin 1955 e 1961).

Riferimenti bibliografici
Zeri - Gardner 1971, p. 175, con bibl. precedente; Capretti, in Forlani Tempesti - Capretti 1996, pp. 94-95, n. 4.
[E.C.]

1. Desiderio da Settignano, *San Giovannino*. Firenze, Museo Nazionale del Bargello.

II. Palazzo Vecchio

A. Sotto gli occhi del giovane Michelangelo

1. L'ambiente mediceo

L'effigie di Lorenzo il Magnifico, mitizzato come scopritore e ideale mecenate di Michelangelo, appare qui in una medaglia di Niccolò Fiorentino. Non dobbiamo però lasciare in ombra il ruolo svolto nella carriera del giovane artista dagli altri Medici: in particolare, Piero, l'infelice figlio del Magnifico, che trattenne Michelangelo nel giardino dopo la morte del padre, e Lorenzo di Pierfrancesco, detto il Popolano, già mecenate di Botticelli, che commissionò al Buonarroti la statua perduta di un San Giovannino e promosse la spedizione del *Cupido dormiente* a Roma.

Niccolò di Forzore Spinelli detto Niccolò Fiorentino
Firenze 1430 - 1514

19. *Lorenzo de' Medici, detto il Magnifico*

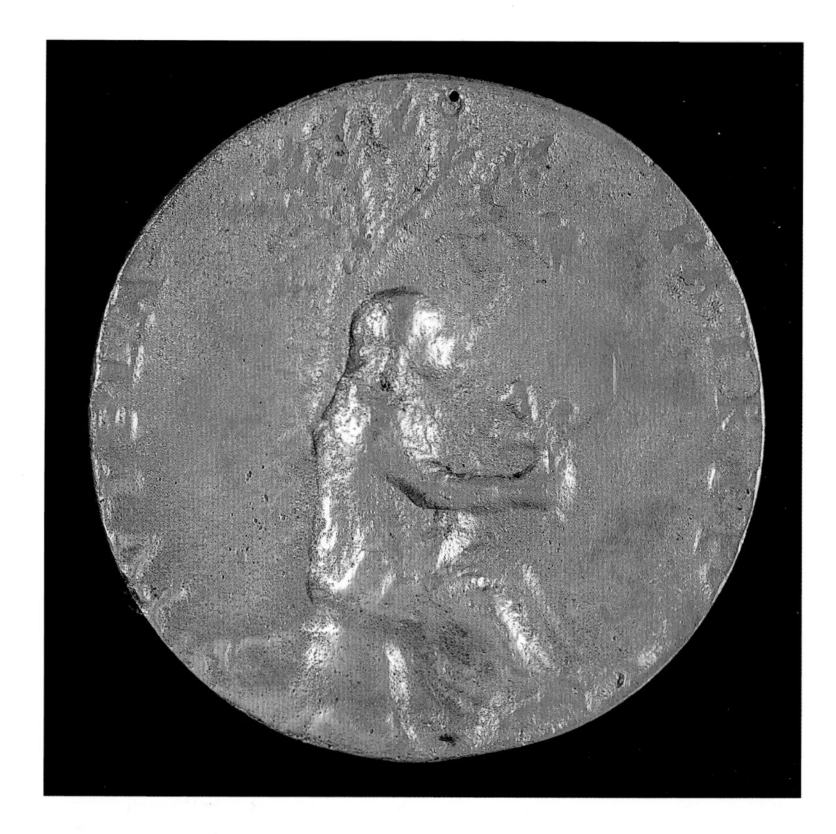

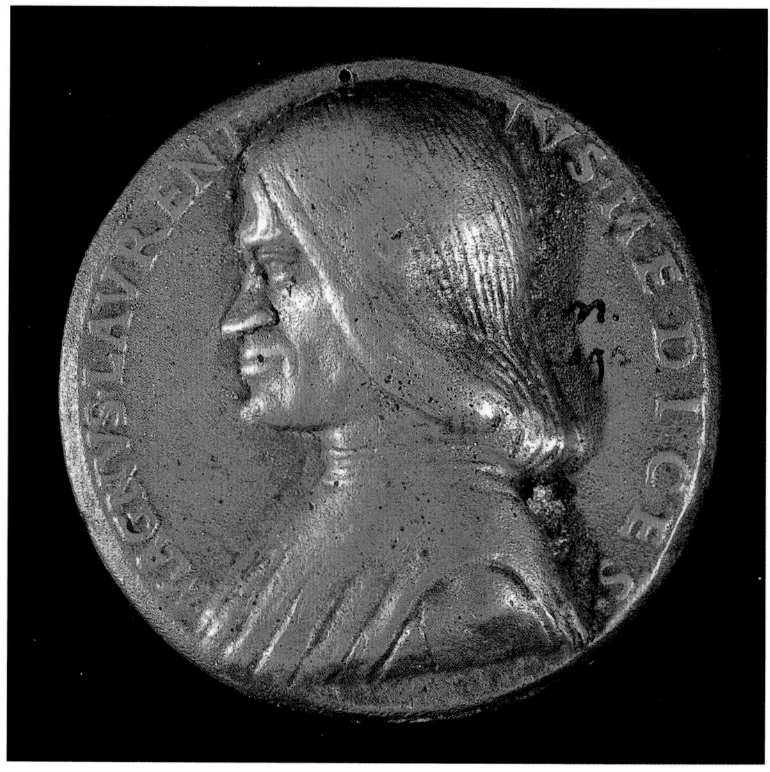

Medaglia di bronzo, diametro mm 86,2
Iscrizione sul recto: "MAGNVS LAURENTIVS MEDICES"
Iscrizione sul verso: "TVTELA PATRI[A]E; FLORENTI[A]E"; firmato in basso a sinistra: "OP·ÑI·F·"
Brescia, Musei Civici, inv. Arm. I, n. 85/4

Il Magnifico si mostra qui senza pompa e con lineamenti affaticati, in un momento avanzato della sua vita, verso il 1490, periodo in cui Michelangelo entrò a far parte della sua orbita di protetti. È un fatto piuttosto curioso che la città di Verrocchio e di Botticelli non vanti una tradizione di manifattura di medaglie particolarmente elgante. Il prolifico Niccolò Fiorentino, ad esempio, che dominò la scena medaglistica di fine Quattrocento, eseguiva i versi in uno stile relativamente goffo, per quanto i ritratti potevano avere l'incisività e la forza della scultura, come in questo caso. È stato osservato più di una volta che il verso con l'immagine di Firenze dovette essere ridimensionato per adeguarsi al recto, col risultato di creare una lacuna che è sorprendente nella sua rozzezza, soprattutto considerato il vantato gusto del soggetto.

Riferimenti bibliografici
Hill 1930, I, p. 247, n. 926, II, tav. 150; Pollard 1984-85, I, pp. 412-413, n. 227.
[J.D.D.]

Gherardo di Giovanni
Firenze 1445 - 1497

20. *Piero di Lorenzo de' Medici*

Tempera su pergamena, mm 330 × 225
Napoli, Biblioteca Nazionale Vittorio Emanuele III, S.Q. XXIII K 22

Il bellissimo ritratto di Piero di Lorenzo de' Medici, effigiato sedicenne, apre *l'editio princeps* dell'opera di Omero (Bartolomeo dei Libri, 1488-89) dedicata al primogenito di Lorenzo da Bernardo de' Nerli (si veda l'esauriente scheda di De Marchi, in *Il giardino di San Marco...* 1992, pp. 109-110, con ricca bibl.). Questi aveva in parte finanziato l'impresa e – come lascia trasparire la dedica – conosceva la dimestichezza di Piero con la lingua greca. Ancora bambino, infatti, Piero informa il padre dei suoi progressi nello studio del latino e del greco, sotto la guida del maestro Poliziano (lettera del 21 settembre 1478: Del Lungo 1887, p. 7; *Mostra...*1954, p. 24, n. 210). Una lettera del 6 maggio 1479 documenta tuttavia un temporaneo, ma alquanto precipitoso, allontanamento del precettore – che non ha neppure il tempo di portar via i suoi libri – (Del Lungo 1887, p. 70; *Mostra...*1954, p. 28, n. 218) per volontà di Clarice con la quale, come si evince dall'epistolario di quegli anni, il letterato aveva un rapporto molto conflittuale (sul contrasto tra Clarice e il Poliziano, cfr. Picotti 1915, ed. cons. 1955, pp. 39-48). La consorte di Lorenzo affidò per un breve periodo l'educazione dei figli a Martino della Commedia che si rivelò tuttavia insofferente all'insegnamento del greco, cui Piero tornò invece con il Poliziano una volta risolta la breve crisi di questi anni. Infatti in un'epistola del 3 aprile 1481 Poliziano, di nuovo in veste di maestro seppur non più residente con la famiglia medicea, rimprovera Piero per una prolungata permanenza in campagna che può nuocere ai suoi studi (in *Mostra...*1954, pp. 32-33, n. 229, cfr. anche pp. 33-34, n. 230; sul rapporto Piero-Poliziano cfr. Picotti 1915, ed. 1955, pp. 23-30 e Meltzoff 1987, pp. 63-67 e 261-265). Nel 1485 Piero risulta studiare proprio Omero (Del Lungo 1887, p. 30, n. 3).

Gherardo di Giovanni, lo straordinario artista che decorò il codice miniato e che realizzò l'altissimo ritratto di questa pagina, era in stretto rapporto con la cerchia culturale del Magnifico, e dunque sicuramente anche con il committente Nerli (per la bibl. cfr. De Marchi, in *Il giardino di San Marco...* 1992, pp. 109-111; sull'artista e la sua bottega familiare cfr. Pons, in *Maestri...* 1992, pp. 106-107). Pittore e miniatore, era artista assai caro a Lorenzo (Vasari 1568, ed. 1966-1987, III, p. 471); e se ne comprende facilmente il motivo dal momento che le fonti e i documenti ce lo descrivono "cervello sofistico" (Vasari 1568, ed. 1966-1987, III, p. 471), amante della musica alla quale lui stesso era dedito (organista in Sant'Egidio dal 1470 al 1494; Milanesi, in Vasari 1568, ed. 1878-1885, III, 1878, p. 248), ma soprattutto dotto di latino. Ciò è chiaramente testimoniato da alcune lettere che Gherardo scrisse, in lingua latina, a Bartolommeo Dei, notaio e cancelliere delle Riformagioni, suo tenerissimo amico al quale si rivolge appellandosi come "Gerardus Apelleius" (Pini-Milanesi 1876, I, tav. 70; riportato anche da Fahy, in *Medici's Aesop* 1989, p. 10). Il Milanesi (in Vasari, 1568, ed. 1878-1885, III, 1878, p. 247) ipotizzava anzi che tale amicizia fosse iniziata proprio "sotto la disciplina di Messer Angelo Poliziano", del quale fu discepolo Bartolommeo Dei e fors'anche, nonostante le umili origini, il giovane Gherardo. Everett Fahy (in *Medici's Aesop* 1989, pp. 7-15) ha correttamente attribuito al medesimo artista, in quegli stessi anni, la decorazione miniata di un altro prestigioso testo greco, l'*Esopo* (già Spencer Collection; ora New York Public Library) per il quale lo studioso ipotizza addirittura una committenza medicea, e in particolare da parte di quel Piero di Lorenzo presso il quale gli inventari documentano un volume di *Esopo*.

Purtroppo poco sappiamo della personalità e dei gusti culturali di Piero, la cui immagine è stata violentemente offuscata dai biografi di Michelangelo (in particolare dal Condivi): il Buonarroti infatti "piu' avanti negli anni, non desiderava affatto di essere messo in relazione con lo sfortunato figlio di Lorenzo" (Elam, in *Il giardino di San Marco...* 1992, p. 169). Così il pupillo di Poliziano, sul quale il precettore aveva in gioventù riposto tante speranze (si ve-

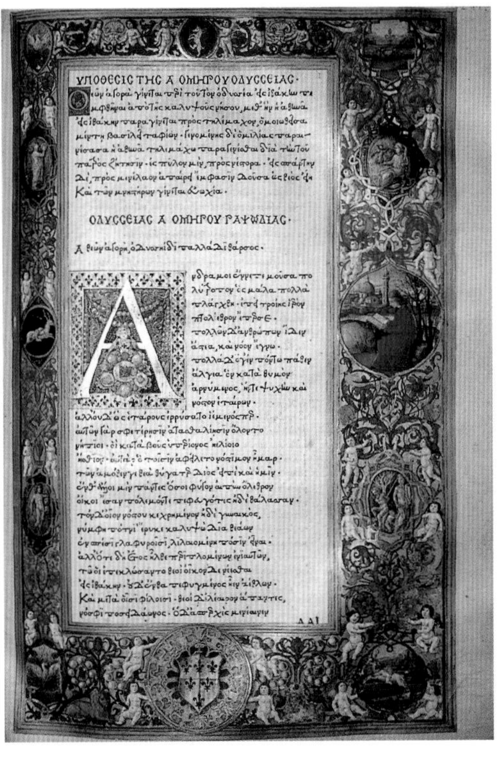

da a questo proposito Viti 1996, pp. 56-57), è definito da Condivi "insolente e superchievole", quasi a voler sottolineare che il suo cattivo carattere e la sua inettitudine furono le reali cause delle sue vicissitudini, della fuga e dell'esilio. Meno severo il Vasari che, legato com'era al regime granducale di Cosimo I, non se la sentì di denigrare eccessivamente un membro, seppur sfortunato, della famiglia medicea (Hirst, in Hirst - Dunkerton 1994, p. 72, n. 12). Il Condivi (1553, ed. 1998, p. 14) si sofferma brevemente sul rapporto Piero-Michelangelo prima della fuga del figlio di Lorenzo l'8 novembre 1494 ("volle che in casa restasse, come al tempo del padre, dandogli la medesima stanza, e tenendolo di continuo alla sua mensa come prima") e ammette che Michelangelo fu "da lui molto accarezzato", ma non fa menzione di alcun contatto fra i due dopo quella fatidica data. Al periodo in cui Piero ancora reggeva Firenze risalirebbe il perduto *Ercole* di Michelangelo poi passato in proprietà degli Strozzi (ma solo dal 1506), statua per la quale Hirst (1985, p. 155; id., in Hirst - Dunkerton 1994, p. 17) ipotizza proprio un'originaria committenza dell'allora signore di Firenze. Il Condivi (1553, ed. 1998, pp. 15-16) si dilunga poi su una serie di apparizioni del defunto Lorenzo il Magnifico a un musicista di corte, il Cardiere, con le quali intendeva ammonire il figlio che presto sarebbe stato cacciato. La conoscenza di tali fatti avrebbe quindi spinto Michelangelo – secondo il biografo – a lasciare Firenze nell'ottobre del 1494, sentendosi insicuro. L'insistenza del Condivi su questa premonizione (omessa dal Vasari) sembra voler giustificare la fuga dell'artista a Venezia, episodio che sappiamo aver molto offeso Piero ("Sapi che Michelangelo ischultore dal giardino se n'e' ito a Vinegia sanza dire nulla a Piero [...]; mi pare che Piero l'abia auto molto male", Poggi 1906, pp. 33-37; ripubbl. da Elam, in *Il giardino di San Marco...* 1992, p. 167; ead. 1992, p. 58). D'altra parte il fatto che Piero abbia reagito così violentemente alla partenza del Buonarroti sembra sottintendere l'esistenza di un rapporto piuttosto stretto fra i due. Inoltre alcuni documenti, recentemente pubblicati e discussi dallo Hirst (1985, pp. 154-155; id., in Hirst - Dunkerton 1994) e dalla Elam (in *Il giardino di San Marco...* 1992, pp. 159-171; ead. 1992, pp. 41-84), rivelano che il rapporto di Michelangelo con il figlio di Lorenzo durò ancora per alcuni anni dopo la cacciata di quest'ultimo da Firenze (Agosti - Farinella, in *Il giardino di San Marco...* 1992, p. 103). In una lettera al padre del 19 agosto 1497 il Buonarroti rivela infatti di aver iniziato "a.ffare una figura da Piero de' Medici e comperai il marmo: poi noll'o' mai cominciata, perche' non mi a'.ffatto quello mi promesse; per la qual cosa io mi sto da me e.ffo una figura per mio piacere" (*Carteggio*, 1965-1983, I, 1965, p. 4): il tono rivela una certa delusione nei confronti del suo committente.

Hirst (1985, p. 155; id., in Hirst - Dunkerton 1994, p. 35) ha giustamente collegato questo evento con un documento del 26 marzo 1498 dal quale risulta che l'artista rende 30 ducati al primogenito di Lorenzo, forse con la volontà di rifonderlo per quel progetto cui alludeva la lettera di otto mesi prima e probabilmente mai portato a termine. Con questa restituzione di denari sembra concludersi il rapporto fra Michelangelo e quel mecenate mediceo verso il quale l'artista manifesterà successivamente tanta antipatia attraverso le pagine dei suoi biografi, fors'anche condizionato dalle sue convinzioni politiche e "influenzato da repubblicani come Jacopo Nardi" (Hirst, in Hirst - Dunkerton 1994, p. 75, nota 30).

[N.P.]

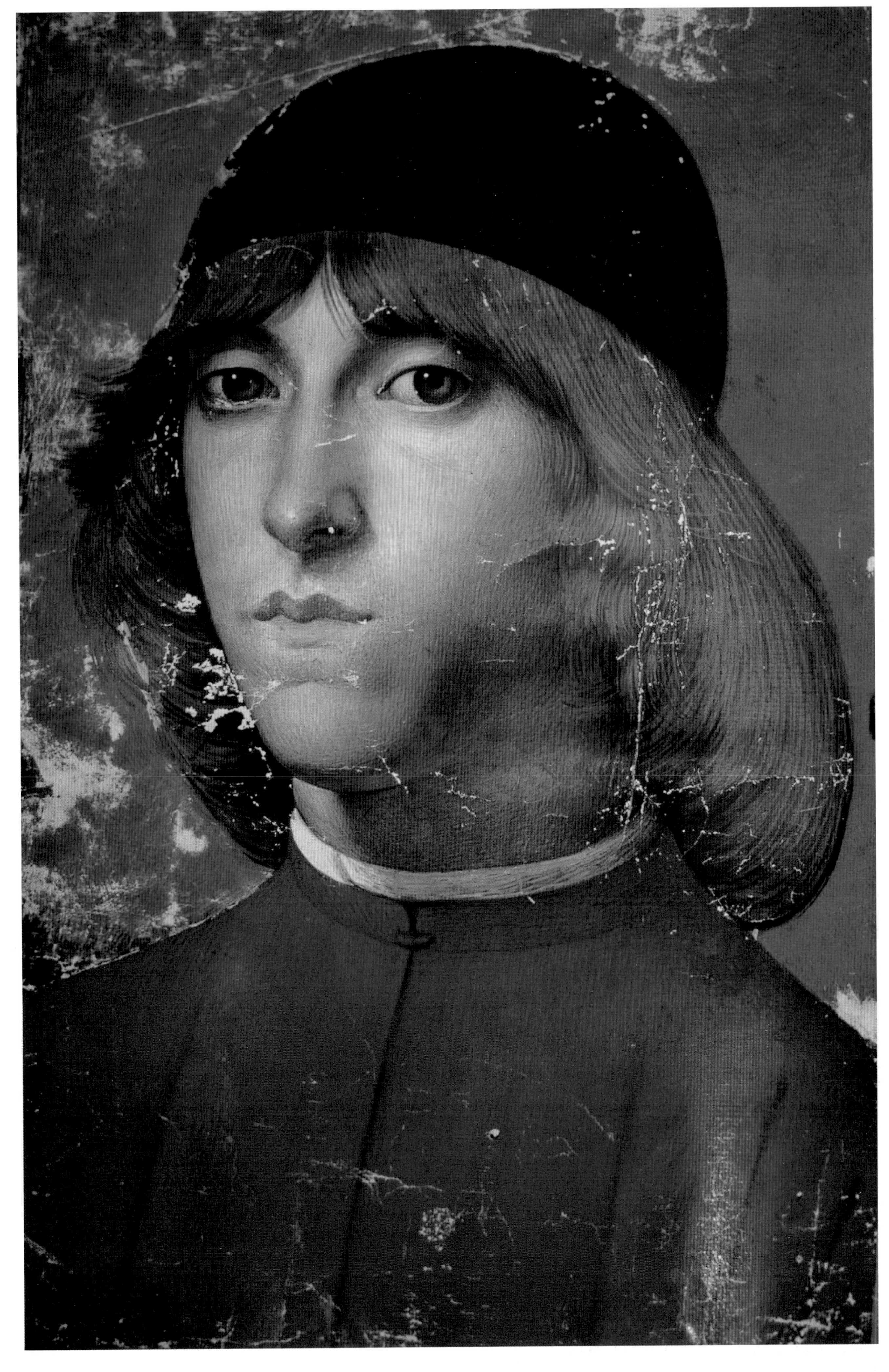

Niccolò di Forzore Spinelli detto Niccolò Fiorentino (maniera di)
Firenze 1430 - 1514

21. *Ritratto di Lorenzo di Pierfrancesco de' Medici, detto il Popolano*

Medaglia in bronzo, diametro mm 38,6;
sp. 2-6,5 mm; g 38
Iscrizione (sul recto): "LAVRENTIVS ∇ ∇ DEMEDICIS ∇ III ∇"
Firenze, Museo Nazionale del Bargello,
inv. Medaglie n. 6042

La medaglia raffigura Lorenzo di Pierfrancesco de' Medici detto il Popolano (1463-1503), biscugino di Lorenzo il Magnifico, appartenente al ramo cadetto della famiglia, il ramo di Trebbio (Pieraccini 1924-25, I, pp. 353-357). Come ricorda Niccolò Valori, il Magnifico ebbe molte premure nei confronti del giovane: "dopo la morte del padre quella cura n'ebbe come di figliuolo: proponendo al governo di lui huomini di costumi et per lettere eccellentissimi" (Valori, inizi XVI secolo, ed. 1992, p. 70). Testimoniano di questa educazione avuta nell'*entourage* mediceo già dalla fine degli anni settanta del Quattrocento, non solo i legami con Agnolo Poliziano, Marsilio Ficino, Teodoro Marullo e altri umanisti (si veda in proposito l'*Introduzione al giardino di San Marco*), ma anche una sua produzione letteraria circoscritta all'ambito delle Sacre rappresentazioni con il componimento l'*Incoronazione della Croce* (D'Ancona 1891, I, pp. 267-268, 380-381). In questo ambiente *Laurentius minor* – come lo ricorda il Ficino in alcune lettere a lui indirizzate (Gombrich 1945, ed. 1972, p. 41) –, instaurò quello stretto legame con il Buonarroti, il quale, intorno agli anni novanta del Quattrocento, frequentava la casa e le collezioni del Magnifico, con quella familiarità per cui sovente "sedette sopra i figliuoli di Lorenzo e altre persone pregiate, che di tal casa di continuo fioriva e abondava" (Condivi 1553, ed. 1998, p. 12).
L'atteggiamento di opposizione assunto da Lorenzo di Pierfrancesco e da suo fratello Giovanni dopo la morte del Magnifico nei confronti del figlio di questi, Piero, decretò per essi il confino il 14 maggio 1494. Tuttavia nel novembre dello stesso anno, quando Piero fu cacciato da Firenze insieme alla famiglia, essi rientrarono in città assumendo il cognome di "popolani" e acquistando proprio per la loro opposizione al figlio del Magnifico un ruolo di primo piano – soprattutto Lorenzo – nella vita politica della Repubblica fiorentina. Quando pure Michelangelo, che aveva abbandonato la città poco tempo prima della cacciata di Piero, trovando ospitalità a Bologna presso Giovanfrancesco Aldrovandi, fece ritorno a Firenze tra la fine del 1495 e il gennaio 1496, egli e Lorenzo di Pierfrancesco poterono riallacciare i loro antichi rapporti. Il Condivi (1553, ed. 1998, p. 17) e il Vasari nell'edizione de *Le Vite* del 1568 (Vasari, 1568, ed. Barocchi 1962, I, p. 15) ricordano non solo che il Popolano commissionò a Michelangelo in quel torno di tempo un *San Giovannino*, oggi perduto, ma soprattutto che gli suggerì di dare l'apparenza di manufatto antico a un *Cupido dormiente* (anch'esso perduto) che lo scultore aveva presumibilmente eseguito nello stesso momento, e che il Popolano aveva giudicato "bellissimo". La vendita di quest'opera e le vicende a essa legate condussero Michelangelo a Roma: una lettera da lui indirizzata a Lorenzo il Popolano nel luglio del 1496 evidenzia i loro solidi rapporti; il Medici, infatti, intercedeva per Michelangelo attraverso lettere di introduzione non solo presso i banchieri fiorentini operanti a Roma, ma soprattutto presso il potente cardinale Raffaello Riario che agevolò l'affermazione dello scultore a Roma (per i motivi politici e la parentela indiretta del Medici con il cardinale si veda in questo catalogo il saggio *Michelangelo a Roma*).
Sul recto della medaglia Lorenzo di Pierfrancesco de' Medici è rappresentato col profilo rivolto verso destra, con il capo nudo e i capelli lunghi, sul verso invece è raffigurato un serpente che forma un cerchio congiungendo la testa alla coda (Pollard 1984-85, I, 1984, pp. 468-469, con bibl. precedente). Il ritratto mostra il *Laurentius minor* (il terzo Lorenzo della stirpe dei Medici di Cafaggiolo) in età giovanile, mentre l'esecuzione del manufatto, riferito alla maniera di Niccolò Fiorentino (Pollard 1984-85, I, 1984, pp. 468-469), si inserirebbe in un momento più tardo – forse dopo il 1495 quando il Popolano risiedette per qualche tempo nelle Fiandre (Pieraccini 1924-25, I, pp. 353-355) –, per cui il medaglista avrebbe potuto ispirarsi a un dipinto più antico non identificato (Pollard 1984-85, I, 1984, pp. 468-469; e anche Langedijk 1981-87, I, 1981, p. 36). Secondo la Ciardi Duprè (1967, p. 28) il modellato eseguito con estrema cura e i tratti ben delineati dell'effigiato, l'"intensa vitalità che si sprigiona dalla ricca ombreggiatura" fanno sostenere l'autografia di Niccolò Fiorentino, che nel suo modo originale di concepire le medaglie "trattate nella stessa maniera di una scultura a tutto tondo", rivela la sua antica consonanza con l'ambiente artistico e letterario di Lorenzo il Magnifico, ambiente di cui "fu sicuramente partecipe". La stessa raffigurazione del serpente sul recto – lavorato come tutti i recti delle medaglie di Niccolò in modo più sommario (Ciardi Duprè Dal Poggetto 1967, p. 27) – riproporrebbe un tema affrontato in ambiente laurenziano da Giovanni Pico della Mirandola: il serpente come immagine dell'eternità e della perfezione (Wind 1958, ed. 1968, pp. 265-269; e successivamente Cox - Rearick 1984, pp. 77-78). Se, come è stato affermato, la scelta di questo emblema costituisce la riprova dell'intelligenza e del gusto di Lorenzo di Pierfrancesco (Wind 1958, ed. 1968, p. 267), la sua sensibilità e l'interesse per il mondo filosofico e letterario sono comprovati fin dagli anni ottanta del Quattrocento anche dagli orientamenti in campo artistico attraverso le commissioni affidate al Botticelli della *Primavera* e della *Nascita di Venere* (Firenze, Galleria degli Uffizi) eseguite per la villa di Castello acquistata dal Medici per l'interessamento di Lorenzo il Magnifico intorno al 1476-78 (Shearman 1975, pp. 12-27; Lightbown 1978, I, pp. 69-99, II, pp. 51-53, 57-60, 64-65; Cox - Rearick 1984, pp. 76-83). L'ipotesi suggestiva, non confermata per il momento dai documenti, che il Popolano potesse servirsi di altri artisti quali Filippino Lippi (*Il giardino di San Marco...* 1992, p. 132) e Piero di Cosimo (Forlani Tempesti - Capretti 1996, pp. 100-101) potrebbe trovare qualche sostegno in uno studio più approfondito anche dei suoi legami con l'ambiente savonaroliano (Calì 1989, pp. 88-99).

Riferimenti bibliografici
Pollard 1984-85, I, 1984, pp. 468-469.
[N.B.]

LAVRENTIVS DE MEDICIS

Alessandro Filipepi detto Sandro Botticelli

Firenze 1445 - 1510

22. *Minerva (?) e un centauro*

Tela, cm 207 × 148
Firenze, Galleria degli Uffizi,
inv. Depositi n. 29

La tela fu con ogni probabilità dipinta per Lorenzo di Pierfrancesco de' Medici, poiché figura in una serie di inventari, stilati fra il 1498 e il 1516, dei beni presenti nell'ala del palazzo di via Larga di proprietà del ramo cadetto della famiglia (Shearman 1975, pp. 12-27; Smith 1975, pp. 31-40), dove risulta almeno sino al 1598. Nel 1638 era nella villa di Castello, da cui passò intorno al 1815 a palazzo Pitti e dal 1922 agli Uffizi. Negletta per alcuni decenni, fu rivalutata da Ridolfi (1895, pp. 1-5), che la identificò erroneamente con la "Pallade su una impresa di bronconi" ricordata dal Vasari e citata negli inventari di palazzo Medici fino al 1598: questa costituiva lo stendardo eseguito da Botticelli per la giostra di Giuliano del 1475, opera perduta ma ben nota dalle descrizioni coeve che indicano un'iconografia assai lontana dalla nostra (Lightbown 1978, I, pp. 82-85, II, pp. 57-60, con bibl. precedente). La committenza medicea, non necessariamente connessa con Lorenzo il Magnifico come inizialmente supposto, è garantita dalla reiterazione, financo ossessiva, dell'emblema familiare dell'anello diamantato che appare sull'intero tessuto della leggera veste della donna, ora isolato, ora in intrecci multipli, ora in guisa di catenella.
Il soggetto, prevalentemente riconosciuto come *Pallade che doma un centauro*, discende dalla citazione dell'inventario del 1516: "una figura con una Minerva e uno centauro". Attributo rivelatore della dea è ritenuto il ramo di olivo, anche se mancano del tutto la Medusa sullo scudo, l'elmo, l'egida; e persino la lancia, giacché qui si tratta di un'alabarda (peraltro da parata), arma da difesa e non da attacco, affidata alle sentinelle (Acidini Luchinat 1991, p. 185). L'immagine appare assai diversa dalla munitissima Minerva dello studiolo di Urbino intarsiata su cartone del Filipepi, così come dalla Minerva spogliatasi delle armi nel noto arazzo per Guy de Baudreuil, e dai disegni a esso correlati (Caneva, in *Il disegno...* 1992, pp. 272-274). Altre Minerve dell'ultimo Quattrocento fiorentino sono di solito ortodossamente accessoriate di tutti gli attributi (cfr. specialmente Fra Bartolomeo, *Minerva*, Louvre; Granacci, *Minerva e Marsia*, coll. priv.). Pertanto c'è chi ha preferito ravvisare nel virgulto il mirto, attributo di Venere e simbolo della poesia amorosa (Smith 1975): una Venere armata dunque, che rievocherebbe l'antica immagine della Venere Citerea descritta da Pausania nella sua *Periegesi*, raro testo di cui una copia era posseduta proprio da Lorenzo di Pierfrancesco (Settis 1971, p. 135). Ma è stato pure sottolineato che il mirto è anche simbolo dell'umiltà e verginità di Maria (Acidini Luchinat 1991).
La questione, come si vede, non è affatto piana, e altri studi recenti sottolineano la difficoltà dell'identificazione (Lightbown 1978; Agosti - Farinella, in *Il giardino di San Marco...* 1992, pp. 125, 129). I dubbi sono generati anzitutto dai più antichi inventari, discordi o reticenti nell'esposizione del soggetto. Il primo, del 1498, descrive il quadro come "Camilla con uno satiro". Camilla, la "decus Italiae virgo" di Virgilio, giovane guerriera volsca consacrata a Diana che combatté contro Enea al fianco di Turno, armata fra l'altro di un "pastoralem praefixa cuspide myrtum" (*Eneide*, VII, 803-817; IX, 498-867), fu celebrata da San Girolamo come *exemplum* di castità e di verginità (*Adversus Iovinianum*, 306, B-D), e il suo mito venne perpetuato nel medioevo da Dante (*Inferno*, I, 107; IV, 124) e da Boccaccio (*De claris mulieribus*). Dell'eroina non conosciamo raffigurazioni antiche, ma giova notare che Piero de' Medici possedeva un "anello d'oro con la testa di Camilla" (Agosti - Farinella 1992). Seguendo questa via Lightbown vede adombrata nella vergine guerriera la figura di Semiramide Appiani, giovane moglie di Lorenzo di Pierfrancesco, inquadrando il dipinto in un contesto coniugale. Si tratterebbe pertanto della tradizionale allegoria della Castità (o continenza coniugale) che vince la Lussuria, qui impersonata dalla natura semiferina del centauro e dalla sua sensuale aggressività. Il grande arco e la faretra colma di frecce, tipici attributi centaurini, sono anche i simboli dell'amore terreno. Come tutti i motivi derivati da testi del mondo antico, vuoi letterari, vuoi figurativi, anche quello dei centauri trovò ampia fortuna nel Quattrocento, la cui arte ne rilevò la natura violenta e brutale, ma anche l'istintiva vitalità espressa soprattutto nelle azioni collettive, come le zuffe (Bertoldo, *Ebrietas*, Firenze, palazzo Scala) o le lotte con altri popoli (Piero di Cosimo, *Battaglia fra centauri e lapiti*, Londra, National Gallery). Menzionati anche fra gli esseri prodigiosi che presidiano l'ingresso dell'Orco (Virgilio, *Eneide*, VI, 286; Dante, *Inferno*, XII, 47-48), essi sembrano comparire inizialmente in contesti ornamentali, quali fregi scultorei o decorazioni miniate. Fra i primi si ricorda il coronamento dei pulpiti donatelliani di San Lorenzo e la tomba di Francesco Sassetti in Santa Trinita (ma il Sassetti li aveva eletti a proprio emblema; Borsook - Offerhaus 1981, pp. 23-25; Garzelli 1985, I, pp. 92-93); fra i secondi le illustrazioni della *Naturalis Historia* di Plinio e, in un contesto più didascalico che decorativo, i codici astrologici, in cui *Sagittario* e *Centauro* illustrano le rispettive costellazioni.
Nelle collezioni medicee era conservato lo splendido cammeo in sardonica con un centauro recante un cratere, una torcia e una pelle di leone, e l'iscrizione "LAU.R.MED" (Napoli, Museo Nazionale), replicato in uno dei tondi del cortile di palazzo Medici (Giuliano 1980, pp. 62-63; Dacos 1980, p. 113). Sappiamo anche che Bertoldo aveva realizzato per i Medici un piccolo centauro in bronzo che si trovava nel 1492 nella camera di Piero di Lorenzo (Draper 1992, pp. 16, 265, 278). Lo stesso Botticelli inserisce centauri nei rilievi minori dello sfondo architettonico della *Calunnia* e fra essi spicca anche un centauro trascinato per i capelli da una figura femminile armata. Tuttavia nel nostro dipinto compare per la prima volta un centauro di dimensioni monumentali (un piccolo *Chirone ferito* sarà dipinto da Filippino intorno al 1496; Nelson 1994, p. 168), deuteragonista di una scena che vede al centro l'incombente figura femminile, alla quale egli palesemente si sottomette con espressione patetica, tanto da far pensare allo studio da una testa di età elle-

nistica. Quanto ai possibili referenti iconografici, sono stati segnalati in un sarcofago romano (Tietze-Conrat 1925, pp. 124-129), e nella posa della figura di Ippolito in nesso con il suo cavallo in un sarcofago degli Uffizi (Draper 1992, pp. 193-195).
Venute meno sia l'interpretazione politica, che vedeva nel dipinto l'esaltazione dell'abilità diplomatica di Lorenzo in seguito all'alleanza con Napoli o al patto con Innocenzo VIII (Ridolfi 1895; Horne 1908, ed. it. 1986, pp. 249-253), sia quella encomiastica, che genericamente alludeva alla celebrazione della casa Medici protettrice delle arti (Bode 1921, pp. 117-118), la lettura tutt'oggi più seguita è quella filosofica e morale del Wittkover (1938-39, p. 200) e del Gombrich (1945, ed. it. 1978, pp. 102-105). Il dipinto si fonderebbe su suggerimenti ficiniani, e costituirebbe un'immagine-monito per Lorenzo di Pierfrancesco al fine di dominare con la ragione e con la castità gli impulsi primordiali dell'uomo-bestia, gli istinti più bassi e brutali della stessa natura umana, rinviando così al neoplatonico conflitto fra *ratio* e *sensus*. Il conflitto accade all'interno della doppia natura centaurina, ovvero all'interno dell'uomo (secondo la corrente mitografia di Fulgentius, *De deorum imaginibus libellus*, V sec., "centauri enim, qui dicuntur esse semihomines et semiequi, denotant homines carnali concupiscentia facti ut bestie") e solo grazie a Minerva, incarnazione della sapienza divina, tale dissidio può essere risanato.
Nella molteplicità delle ipotesi interpretative si segnala anche il contrasto fra Umiltà e Superbia, che la Acidini ha avanzato sulla base della *Psycomachia* di Prudenzio, e la lettura morale-religiosa fondata sul recupero di allegorie tardoantiche e medievali proposta dal Noszlopy (1994-95, pp. 113-133), il quale ritiene che per la figura di "Pallade" Botticelli si sia ispirato all'iconografia della dea egizia Iside così come descritta nelle *Metamorfosi* di Apuleio. Più interessante il parallelo proposto dallo stesso autore con un centauro semigenuflesso nella *Allegoria dell'Obbedienza* dipinta dal Maestro delle Vele nella Basilica Inferiore di Assisi.
[L.V.]

2. Maestri antichi e moderni

Michelangelo attinge all'illustre tradizione figurativa della scultura toscana (da Donatello, Luca della Robbia attraverso Verrocchio fino a Bertoldo e Benedetto da Maiano) con cui il giovane artista si confronta per forme e tipologie. Questa sezione illustra un tema specifico legato a tale tradizione: le figure dei putti, fanciulli e angeli che nel Rinascimento venivano definiti genericamente "spiritelli". Le sculture di questi esseri eterei sfidavano con le lore pose volutamente barcollanti i limiti della scultura di per sé stabile e pesante. Nel corso del Quattrocento, gli spiritelli-bambini acquistano successivamente forme e atteggiamenti efebici; una trasformazione che si evidenzia nel *Fanciullo arciere* newyorkese esposto nella sezione successiva.
La mostra qui si sofferma soprattutto su due artisti, che emergono sempre di più come veri e propri maestri del giovane Michelangelo: Bertoldo di Giovanni e Benedetto da Maiano. Riuniamo i bronzi più significativi di Bertoldo, che col suo insegnamento offrì al Buonarroti l'esperienza dell'arte antica e l'atteggiamento particolare verso di essa che lo stesso Bertoldo aveva a sua volta imparato dall'indimenticabile Donatello. Non sappiamo comunque come il giovanissimo Michelangelo avrebbe acquisito la sua padronanza dell'arte di lavorare il marmo "per forza di levare". Potrebbero aiutare la comprensione del problema i *Putti reggifestoni* dell'altare di Benedetto da Maiano dalla chiesa di Sant'Anna dei Lombardi a Napoli: è stato suggerito che uno dei due potrebbe essere seriamente considerato una delle primissime prove michelangiolesche.

Donato di Niccolò di Betto Bardi detto Donatello
Firenze 1386 - 1466

23. *Angelo danzante con tamburello*

Bronzo con tracce di doratura, h cm 36
Berlino, Staatliche Museen Preussischer Kulturbesitz, inv. n. 2653

Sia prima che dopo il primo grande nudo fiorentino, ossia il *David* bronzeo di Donatello, gli scultori normalmente riservavano la raffigurazione della nudità corporea alle forme dei bambini. Gli originalissimi angeli scolpiti da Donatello per il Battistero di Siena introdussero l'uso di angeli nudi nel decoro delle chiese. Essi sarebbero diventati una sigla ricorrente. Dopo tutto la gente credeva nella funzione degli "spiritelli", ed era, come a tutt'oggi è, un piacere vederli appollaiati qua e là a ravvivare i luoghi sacri.
Questo è uno dei sei angeli dorati concepiti come ornamento sulla sommità degli angoli del ciborio a esagono del fonte battesimale di Jacopo della Quercia nel Battistero di Siena. Tre di questi sono opera di Donatello: uno è danzante, uno suona la tromba, e quello qui preso in considerazione danza e ondeggia al ritmo del proprio tamburello. Già nel Settecento non si trovava più sul fonte battesimale; nel 1902 fu riconosciuto sul mercato d'arte londinese da Wilhelm von Bode, lo straordinario direttore dei Musei di Berlino, il quale lo acquistò per una modica cifra e in seguito lo presentò al Kaiser Friedrich Museum. Gli altri tre angeli, due dei quali si trovano ancora nel ciborio, furono eseguiti da Giovanni Turini in uno stile assai meno accattivante.
In data 16 aprile 1429 Donatello fu pagato 4 lire e 16 soldi per comprare 69 kg di cera "per fare le forme di cierti fanciullini innudi per lo Battesimo" e il 27 aprile ricevette 38 lire per acquistare il bronzo necessario. Queste massicce fusioni bronzee furono realizzate direttamente dai modelli in cera, distrutti per conseguenza nel procedimento. Forse furono preservati, e custoditi da Donatello, calchi in gesso, ricavati o dai modelli in cera prima della fusione, o dai bronzi che ne risultarono. Come si potrebbe altrimenti spiegare l'abilità degli scultori nel distinguere i contorni di tali figure collocate così in alto nell'oscurità del Battistero? Come si vedrà, il creatore del *Mercurio bambino* (cat. n. 24) ha potuto individuare piuttosto bene la forma dell'*Angelo danzante* che tuttora impreziosisce il ciborio. E Michelangelo in qualche modo deve aver conosciuto l'angelo preso qui in considerazione, apprezzandone il movimento pulsante in opposte direzioni delle gambe e delle braccia sollevate, anche se poi scelse di non imitare tale enfatico contrapposto nel *Fanciullo arciere* (cat. n. 39).
A buon diritto questo bronzo aprì la memorabile mostra berlinese del 1995 dedicata alla figura serpentinata, il cui pieno sviluppo ebbe modo di manifestarsi nella scultura manierista del Cinquecento. Tutti gli studiosi che l'hanno preso in considerazione hanno ragionato sull'importanza critica degli angeli donatelliani come precoci portatori del principio compositivo in cui una figura si offre a molteplici punti di vista, obbligando l'osservatore a girare intorno alle sue sinuose linee. Difficilmente si potrebbe avere una tale percezione del putto nella sua originaria collocazione. Visto da vicino rivela una personalità che s'impone nella misura in cui la sua importanza nella storia dell'arte è straordinaria. Dal sorriso tutto concentrato su se stesso, ai piedini tozzi inarcati saldamente sul precario piedistallo a forma di conchiglia (un'allusione all'immortalità dell'anima guadagnata tramite l'acqua del battesimo), è in ogni senso un'opera sorprendentemente precorritrice.

Riferimenti bibliografici
Bacci 1929, p. 242; Janson 1957, I, tav. 107a-c, II, pp. 65-75; Herzner, in *Donatello*... 1986, n. 27; Krahn, in "*Von allen Seiten schön*"... 1995, n. 1.

[J.D.D.]

Artista fiorentino
attivo intorno al 1432

24. *Mercurio bambino*

Bronzo dorato, h cm 61,5
New York, The Metropolitan Museum of Art, inv. n. 1983.356
acquisto per scambio con donazione di Mrs Samuel Reed, Rogers Fund e Louis V. Bell Fund, 1983

Nel 1432, il tagliapietra Betto d'Antonio fornì una fontana a doppio livello per il giardino della "Casa Vecchia" di Cosimo e Lorenzo di Giovanni di Bicci de' Medici. Il 26 marzo di quell'anno un pittore, Antonio, fu pagato per dorare uno "spiritello", un putto alato, che doveva andare sulla sommità della fontana. Doris Carl, che ha pubblicato questo documento, è convinta che tale "spiritello" debba essere stato identico a "la figura di bronzo dorato" registrata anche come "l'idolo di bronzo in su la palla", che fu inventariato nel giardino della "Casa Vecchia" nel 1503 e nel 1516. Per una quantità di ragioni, quest'"idolo" deve essere identificato con la presente opera che nel 1875 riapparve nel castello di Muncaster nel Nord-est dell'Inghilterra (Cumbria). Ho in precedenza ipotizzato che la figura comprata dal Metropolitan Museum e poi attribuita a un "maestro vicino a Donatello, intorno al 1440" provenisse da palazzo Medici. In seguito Sheryl Reiss ha attirato la mia attenzione sulla prima documentazione presentata da Shearman e Carl, che ebbe modo di studiare nel corso delle sue ricerche sul cardinale Giulio de' Medici, che divenne poi papa Clemente VII. Al tempo del suo cardinalato e arcivescovato a Firenze, Giulio dedicò notevoli energie al rinnovamento dei possedimenti medicei, incluso il vecchio palazzo dei suoi antenati.

Il putto di New York era destinato a una fontana. Una tubatura di rame, ancora al suo interno quando fu comprato, portava l'acqua alla sua paffuta bocca. Danni al volto e alla mano sollevata furono sapientemente riparati con un metallo a più alto contenuto di ottone, a un dato momento dopo la sua creazione. Sempre supponendo che sia lo "spiritello" menzionato nel 1432, ne consegue per via logica che questi danni erano fra le ragioni che spinsero il cardinale a provvedere una sostituzione. A ogni modo apprendiamo da Vasari (1568, ed. 1878-1885, VI, 1881, p. 602) che il contributo del cardinale a palazzo Medici incluse la figura di Mercurio eseguita da Francesco Rustici per una fontana. Nel 1515, per la visita a Firenze del cugino Leone X, il cardinale Giulio fece eseguire a Rustici diverse statue, "le quali, perché piacquero a Giulio cardinale de' Medici, furono che gli fece fare sopra il finimento della fontana che è nel cortile grande del palazzo de' Medici, il *Mercurio* di bronzo alto circa un braccio, che è nudo sopra una palla in atto di volare: al quale mise fra le mani un istrumento che è fatto, dall'acqua che egli versa in alto, girare. Imperoché, essendo bucata una gamba, passa la canna per quella e per il torso; onde, giunta l'acqua alla bocca della figura, percuote in quello strumento bilicato con quattro piastre sottili saldate a uso di farfalla, e lo fa girare. Questa figura, dico, per cosa piccola fu molto lodata". Se la nostra lettura degli eventi è corretta, quell'opera deve essere stata eseguita dopo la visita papale, poiché la confusione iconografica riguardo all'identità del presente sembra ancora circondare il termine "idolo" usato per descrivere l'immagine della fontana nel sopracitato inventario del 1516. Vasari prosegue raccontando che Giulio ordinò anche a Rustici una copia in terracotta da sostituire al *David* di Donatello.

Da tempo si è giunti alla conclusione che il *Mercurio* di Rustici è il bronzo che ora si trova al Fitzwilliam Museum di Cambridge. Esso rappresenta un giovane dio adulto invece che un fanciullo, mentre per il resto ripropone lo schema del putto di New York con notevole approssimazione, imitando la disposizione della mano sul fianco e il dettagliato disegno sinuoso delle curve (cfr. Pope-Hennessy 1963, ed. 1985, tav. 40). La descrizione vasariana aiuta anche a spiegare il gesto del fanciullo. I solchi sul palmo della mano dovevano garantire una presa sicura all'attributo perduto, che a questo punto possiamo immaginare fosse un "instrumento" come quello descritto da Vasari, una girandola che molto plausibilmente aveva la forma di "quattro piastre sottili saldate a uso di farfalla" e che il fiotto d'acqua proveniente dalla bocca faceva ruotare o avvitarsi. La forma inarcata del piede del fanciullo di New York e le ali sventagliate suggeriscono che avrebbe potuto facilmente sorgere da una piccola sfera (senza dubbio un riferimento alle "palle" medicee) come troviamo nel sopracitato inventario del 1516. È significativo che esista una riproduzione più piccola – mediocre, non dorata, senza ali e coda – ma nell'atteggiamento generale inconfondibilmente identica al Museo del Bargello (inedita; inv. n. 425, trasferita dalle vecchie collezioni medicee agli Uffizi).

Il bronzo in questione per la seconda volta giunge a Firenze, dopo aver fatto la sua prima apparizione nel 1986 all'interno della mostra "Donatello e i suoi". In quell'occasione fu osservato che la posa deriva strettamente dal donatelliano *Angelo danzante* del fonte battesimale del Battistero di Siena (cfr. Janson 1957, I, tav. 105), nel quale il grande maestro compì progressi enormi sulla via della sperimentazione di una linea compositiva sinuosa, propriamente serpeggiante che in seguito sarebbe stata battezzata come "figura serpentinata". Tuttavia il maestro di cui ci occupiamo in questo caso – ci sarebbe la tentazione di nominarlo il "Maestro Medici del 1432" – non sviluppa compiutamente il "contrapposto" – la gamba d'appoggio e quella libera hanno i fianchi circa alla stessa altezza. Ciò che risulta interessante dal punto di vista delle generazioni di artisti successive, compreso Michelangelo, è che il bronzo introduceva i principi compositivi donatelliani in un luogo assai noto: il giardino al quale tutti gli ospiti di casa Medici avevano accesso.

In questa figura si deve già trovare la densa stratificazione iconografica, erudita senza essere puntigliosa, che caratterizza l'ispirazione mitologica degli scultori fiorentini alla fine del secolo e oltre. L'autore voleva chiaramente raffigurare Mercurio, e quale miglior divinità se non il dio del commercio avrebbe potuto toccare il suolo del giardino mediceo! I suoi piedi alati – talari – da soli assicurano l'identificazione. Ma perché raffigurarlo come un fanciullo? E perché con ali sulle spalle, con le piume più corte splendidamente arricciate come se fossero peluria sotto l'ascella? E soprattutto, perché la morbida coda sulla schiena? Questi attributi sfidano l'abilità di lettura dello spettatore e sono senza dubbio i medesimi fattori che portarono l'estensore dell'inventario del 1516 a scegliere la parola "idolo", e che spinsero il cardinale Giulio a desiderare per mano di Rustici un Mercurio raffigurato come giovane uomo che fosse più facilmente comprensibile. Un altro elemento di ambiguità è rappresentato dall'età del fanciullo. Le braccia piuttosto inefficaci sono in naturale contrasto con la straordinaria energia delle gambe. Si direbbe che lo scultore presenti l'idea di un fanciullo, piuttosto che la realtà concreta, poiché questo ragazzetto è tutto fuorché ripreso dal vivo. Ci manca una conoscenza adeguata di Betto d'Antonio per attribuirgli la composizione della figura, oltre alla fontana che è presumibilmente andata perduta. Ma se al presente non possiamo dire chi fu l'autore del modello, possiamo viceversa postulare con certezza un orefice come esecutore di questo brillante cesello, che si fa particolarmente vibrante nella zona dei capelli e delle piume.

Riferimenti bibliografici

Shearman 1975, p. 27, note 76 e 80; Draper 1984, pp. 26-27; Draper, in *Donatello e i suoi...* 1986, n. 28; Carl 1990, p. 42.

[J.D.D.]

Andrea del Verrocchio
Firenze 1435 - Venezia 1488

25. *Putto con delfino*

Bronzo, h cm 67
Firenze, Palazzo Vecchio

Le più antiche notizie sulla scultura ci giungono dall'inventario redatto da Tommaso del Verrocchio, in cui sono elencati i lavori eseguiti dal fratello per la famiglia Medici. Fra le opere destinate a decorare la villa di Careggi, insieme alla celeberrima *Resurrezione* in terracotta e a una purtroppo perduta "fighura di marmor che gietta acqua", compare "el bambino di bronzo chon 3 teste di bronzo e 4 bocche di lione di marmo" (Butterfield 1997, pp. 126-135, 222-223, con bibl. precedente e ampie notizie sullo stato di conservazione). Nell'edizione giuntina delle *Vite* il Vasari ricorda come Verrocchio "fece anco a Lorenzo de' Medici, per la fonte della villa a Careggi, un putto che strozza un pesce; il quale ha fatto porre, come oggi si vede, il signor duca Cosimo alla fonte che è nel cortile del suo palazzo; il quale putto è veramente meraviglioso". La scultura fu quindi posta su una nuova fontana al centro del cortile di Palazzo Vecchio, eseguita dall'Ammannati, da Francesco del Tadda e da Andrea di Polo negli anni 1556-57, anni che segnano presumibilmente il trasferimento da Careggi. L'originale è attualmente collocato all'interno del palazzo, nel terrazzo di Giunone.

Scartata l'ipotesi del Passavant (1989, pp. 105-112) che il *Putto* fosse montato su un complicato dispositivo che lo facesse ruotare su se stesso mediante la forza generata dai getti d'acqua, resta il fatto che la piccola scultura fu sicuramente concepita quale acroterio di una fontana e studiata dal Verrocchio al fine di ricreare coscientemente una statua dei giardini dell'antichità classica, noti attraverso fonti letterarie e figurative (Butterfield 1997, pp. 2, 128). Il Butterfield respinge le due principali ipotesi di identificazione della vasca che in origine sottostava al *Putto*: un bacino di porfido in Palazzo Vecchio proposto dal Passavant (1969, pp. 17-18, 174-176), e la fontana marmorea di provenienza medicea oggi in palazzo Pitti suggerita dal Seymour (1971, pp. 24, 55-56), che però proviene dalla villa di Castello e forse in origine da palazzo Medici, come ha recentemente ipotizzato il Gentilini (1994, pp. 185-186) riferendola ad Antonio Rossellino. L'unica certezza è che l'originaria fontana avesse la foggia di un largo bacino su un basso piedistallo, secondo la tipologia più diffusa nel Quattrocento, mentre è solo probabile che la sua esecuzione fosse stata curata da Michelozzo diversi anni prima (Butterfield 1997, p. 127). Al centro della vasca era una sorta di albero su cui poggiava una sfera, la cui metà superiore è ancora legata al *Putto* verrocchiesco.

Nonostante la maggior parte della critica abbia considerato il *Putto con delfino* un'opera giovanile, databile agli anni sessanta o settanta del Quattrocento, molti elementi concorrono nell'avanzare la datazione all'inizio del nono decennio (opinioni riassunte in Butterfield 1997, p. 222). L'applicazione del Verrocchio sul tema dell'anatomia infantile è testimoniata dai bambini colti in pose vivaci e articolate che compaiono nei bei disegni autografi del Louvre (Département des Arts Graphiques, inv. n. 2 R.F. recto e verso). Nella soave rassegna spiccano il putto in equilibrio instabile affine al nostro e a quello in terracotta della National Gallery di Washington (più tardo, ma di indubbia derivazione verrocchiesca), e altri bimbi in posture attorte che anticipano esiti formali del secolo seguente (Natali, in *Il disegno...* 1992, p. 132). Per la verità il primo parrebbe più direttamente ispirarsi a una tipologia di età ellenistica che doveva essere ben nota a Firenze, se anche Donatello la utilizzò nel basamento della *Giuditta* (Butterfield 1997, p. 130). Come ben rilevato dal Butterfield, il Verrocchio ha combinato diverse tipologie classiche di putti ed eroti, non necessariamente mediandole attraverso derivazioni rinascimentali, per inventare un nuovo tipo di putto col delfino in corsa, o meglio in volo, invece che statico (Butterfield 1997, p. 131). La figura di putto o di fanciullo alato, posato con un solo piede su un alto sostegno, rimanda ai numerosi esempi di *Amore saettante* che dominano i carri del *Trionfo di Amore* nelle miniature e nei dipinti ispirati al testo petrarchesco (su cui cfr. Pons in questo catalogo nelle schede della sezione dedicata al *Fanciullo arciere*). Nel *Putto* verrocchiesco tutto pare teso alla creazione di una figura leggera, si direbbe con l'intento di sottrarre pesantezza alla stessa materia bronzea. La scultura invade lo spazio in tutte le direzioni ed è studiata per essere goduta da qualunque angolazione, a trecentosessanta gradi. Ogni veduta ci pone di fronte a una sorta di intreccio, sempre diverso, di membra umane e di ali, di svolazzi di panneggio e di parti animali che si protendono nello spazio circostante e lo conquistano. Tutto ciò doveva risultare oltremodo accentuato nella collocazione originaria (Adorno 1991, p. 153), in cui la lucentezza del bronzo bagnato, i giochi chiaroscurali della luce del sole o l'acqua polverizzata dal vento potevano realmente sortire l'effetto di un fanciullo librato in volo.

Butterfield osserva che la dialettica di parti umane e animali intersecantisi in opposte direzioni ritornerà di lì a poco nel *Monumento Colleoni*, inducendoci a datare il *Putto* nella fase ultima dell'artista. Vorrei aggiungere che questa medesima linea di ricerca del Verrocchio si manifesta sul piano grafico in alcune delle figure grottesche degli Uffizi di recente attribuitegli (Dillon 1994, pp. 217-230; Gabinetto Disegni e Stampe degli Uffizi inv. nn. 2323 F e 2327 F), in cui i vecchi danzanti poggiano su un solo piede e si slanciano nello spazio non solo con tutte le membra, ma anche con i loro panni fluttuanti, con un effetto spiccato di tridimensionalità e di rotazione nell'atmosfera, magistralmente ottenute con il semplice e netto mezzo grafico della punta metallica.

Il *Putto con delfino* è stato definito la prima scultura rinascimentale che adotti la linea serpentinata. Ciò che poté colpire Michelangelo fu senza dubbio la facilità nella resa del movimento e nella conquista dello spazio, oltre alla gradevolezza offerta da ciascun punto di veduta, proprio come accadrà nel *Bacco*, e forse come doveva accadere un tempo nel *Fanciullo arciere* di New York.

[L.V.]

Bertoldo di Giovanni
Firenze (?) - Poggio a Caiano 1491

26. *Apollo*

Bronzo, h cm 43,7
Firenze, Museo Nazionale del Bargello, inv. 1879 n. 349

La statuetta più grande e più intensamente poetica di Bertoldo è un'opera non finita. L'artista dovette sospendere il lavoro a causa delle lunghe crepe che si erano create sul fianco sinistro e sull'anca di destra. Nonostante questi difetti, che devono essere apparsi fin dall'inizio, Bertoldo non rinunciò a un inesorabile lavorio sul metallo. La lira da braccio, la pelle di capra e la corona sul capo non sono state toccate dal cesello, e ci sono ancora segni vistosi dell'argilla del rivestimento depositati in queste zone; viceversa il resto del corpo è tutto variamente percorso da incisioni che creano zone dove scintillano i passaggi di cesello e i colpi di martello. È sorprendente che un pezzo tanto danneggiato e non finito non sia stato rifuso, considerato l'alto costo del bronzo. Chiunque l'abbia preservato stimò il modello al di sopra del materiale, facendone un precoce esempio di apprezzamento del "non finito". È forse pertinente ricordare al riguardo che la stanza di Bertoldo a palazzo Medici ospitava ancora dopo la sua morte "uno gnudo di bronzo chi ha rotto un braccio" (*Libro d'inventario...* [1492], ed. 1992, p. 22). La presente statuetta non proviene dalle collezioni di Lorenzo, bensì fu data in dono da Salvatore Galli, un funzionario granducale, al granduca Cosimo I de' Medici nel 1556. Questo dono fu registrato con l'indicazione di Orfeo come soggetto, mentre gli inventari successivi che ne individuano gli spostamenti dalla Sala di Madama degli Uffizi alla Tribuna sempre agli Uffizi decisero di volta in volta per Orfeo, Apollo o Anfione. Quando Bode lo prese in esame, pubblicandolo come lavoro di Bertoldo nel suo primo studio sull'artista (1895), fu identificato con Arione. Draper, sulla traccia di suggerimenti formulati da Parronchi, presenta una dettagliata ricostruzione per identificare il soggetto come Apollo, sottolineando il ruolo del dio come guaritore divino, centrale nella mitologia medicea che gioca con la parola *medicus* in relazione al nome della famiglia. La corona di foglie è lavorata in maniera troppo sommaria per produrre l'assoluta certezza che sia alloro, ma alloro voleva essere, per completare l'altra metà del nome Laurus Medicus. Intesa in tal senso, questa era un'opera chiave, o parte di essa, senza dubbio progettata per abbellire una delle dimore del Magnifico (per la stretta analogia formale con l'iconografia dell'Apollo, in part. con la fig. n. 1 in questa scheda, cfr. Draper 1992, p. 170 e Filippini 1992, pp. 31-37). La stessa egloga di Lorenzo *Apollo e Pan* sul divino musico, descrive la bellezza del dio insieme alla sua musica e al suo canto. Lo spettatore del bronzo di Bertoldo si sente quasi un ascoltatore o l'interlocutore di un dialogo musicale.

L'atteggiamento concentrato su se stesso e l'inclinazione laterale fanno sembrare il giovane isolato, eppure un compagno che ascolta doveva essere previsto. Ci sono poche probabilità che fosse il *Pan* di Adriano Fiorentino che ha le stesse dimensioni (cat. n. 16), anche se il soggetto sarebbe stato appropriato: un satiro che motteggia il dio che sta per sfidare. L'ipotesi in ogni caso aiuta a definire la tipologia della statuetta, poiché questo è il dio che si tiene in disparte, sceso come pastore musicista nella Valle di Tempe dove, in un totale abbandono dei sensi alla sua arte, viene udito dai rustici abitanti del luogo. L'estensione del suo pubblico va a racchiudere in maniera perfetta la cerchia toscana di amanti della campagna, della musica e della poesia adunata intorno al Magnifico. Con o senza una statua compagna l'*Apollo* funge da personale trasfigurazione di Lorenzo. Il contrapposto non viene messo in atto nella figura, ma il movimento a serpentina è, a questa data, inequiparabilmente espresso. Il suonatore si muove seguendo la propria musica, con mani e gambe che si dirigono in opposte direzioni ma sempre con estrema armonia. Le braccia naturalmente racchiudono il torso in una prospettiva frontale, ma tutto il resto, dal capo riverso da una parte sino giù ai piedi, è composto in modo tale da invitare l'occhio dello spettatore tutt'intorno alla figura. Gli *Angeli* di Donatello nel Battistero di Siena (cat. n. 23) servirono come guida in merito all'uso della linea serpentinata, ma di maggior importanza è che Bertoldo s'ispirò ad antichi rilievi. Draper cita il frammento di un sarcofago con scene bacchiche in Pisa, per la maniera in cui il piano delle natiche e quello delle cosce si sovrappongono l'uno all'altro (Arias - Cristiani - Gabba 1997). Chastel cita bronzi etruschi come possibili fonti (Chastel 1959, tav. 14). Bertoldo avrebbe guardato con una curiosità addirittura maggiore a bronzi ellenistici, per la loro morbida risoluzione di movimenti contrari, ma le collezioni medicee non gli consentivano di vedere niente del genere, e tutto sommato è meglio immaginare che si tratti di un'invenzione memore di lontani ricordi di pura volontà di concentrazione, poiché non c'è bisogno di dire che non poteva esserci modello che potesse tenere a lungo quest'aggraziata posizione in bilico.

Riferimenti bibliografici

Bode 1895, pp. 151-152; Chastel 1959, pp. 272-274: Collareta, in *Palazzo Vecchio...* 1980, n. 640; McCrory, in *Le arti...* 1980, p. 309; Massinelli 1991, pp. 40-43; Draper 1992, n. 17, pp. 167-176; Weil-Garris Brandt 1996, pp. 651-652, 658-659.

[J.D.D.]

1. Maestro di Marradi (intorno al 1450), *Il tesoro del tempio di Gerusalemme portato da Nabucodonosor alla casa di Dio*. Atlanta (Georgia), High Museum of Art, Kress Collection.

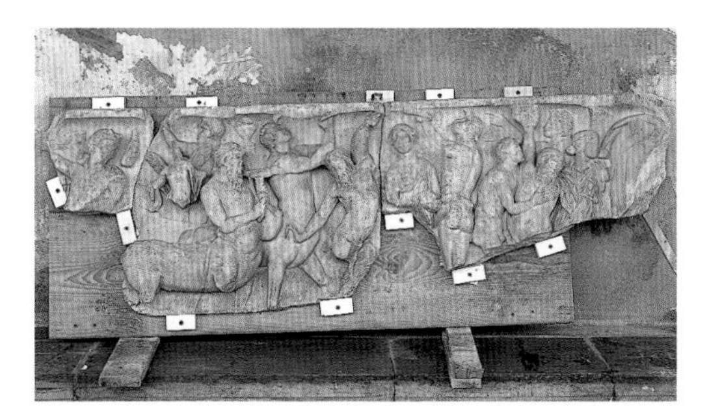

2. Arte romana, frammento di sarcofago con *Scene bacchiche*. Pisa, Camposanto.

Bertoldo di Giovanni
Firenze (?) - Poggio a Caiano 1491

27. *Ercole a cavallo*

Bronzo, h cm 27,5
Modena, Galleria Estense, inv. n. 2265

La prima notizia, da un inventario estense del 1684, situa il pezzo a Sassuolo ("Una figura a cavallo con clava in mano, e suo piedistallo"; si veda riferimento *Documenti inediti*... 1878-1880). La proposta di Bode di raggruppare quest'opera con due statuette dorate di nudi armati di scudo (New York, Frick Collection e Vaduz, Fürstliche Sammlung Liechtenstein) ha trovato un generale credito. Considerati insieme costituiscono le primissime statuette di Bertoldo. Assai verosimilmente formavano un monumento in miniatura in celebrazione del duca Ercole I d'Este, signore di Ferrara e importante alleato dei fiorentini. La coppia di statuette, un satiro e un "uomo della foresta" appena un po' più atletico, hanno tralci di vite intorno alla vita che fanno da pendant ai tralci e festoni che decorano la clava del cavaliere e il collo del suo corsiero. Il cavaliere è avvolto da una pelle di leone, il cui muso e gli artigli, visibili sul fianco opposto, definiscono il soggetto come Ercole, l'illustre prototipo del duca.
Allo stesso effetto concorrono le dimensioni del cavaliere, gigantesco in relazione al cavallo, che è calibrato (in un certo senso alla maniera dei famosi *Cavalli di San Marco* a Venezia).
Le immagini di Ercole a cavallo sono per la verità piuttosto rare, ma se ne trovano negli inventari degli arazzi estensi. Gli ornamenti frondosi stanno forse a evocare il "Maio", una festa popolare ferrarese alla quale Ercole prese parte. "Lo ecellentissimo duca nostro, dopo Messa, andò a cavalo armato e ornato come l'hera el dì de San Zorzo a tuore li mai e verdure con tuta la Corte" (da Zambotti 1476-1504, ed. 1937, p. 7).
Il sapore rustico insieme agli aggraziati guizzi e torsioni, nonché l'impressione di velocità e slancio sarebbero piaciuti molto a Michelangelo, ma probabilmente non ebbe modo di vedere questo pezzo, se, come sospetto, apparteneva già a Ercole I d'Este, forse realizzato come dono dei Medici al duca in occasione delle sue nozze avvenute nel 1473.

Riferimenti bibliografici
Documenti inediti... 1878-1880, III, 1880, p. 27; Bode 1908-1912, ed. 1980, p. 15, tav. 12; Lisner 1980, p. 316; Draper 1992, n. 14, pp. 146-159; Krahn, in *"Von allen Seiten schön"*... 1995, n. 6.
[J.D.D.]

Bertoldo di Giovanni
Firenze (?) - Poggio a Caiano 1491

28. *Bellerofonte e Pegaso*

Bronzo, h cm 32,5
Iscrizione in basso: "EXPRESSIT ME BERThOLDVS CONFLAVIT HADRIANVS"
Vienna, Kunsthistorisches Museum, inv. n. Pl. 5596

Questo è uno dei bronzi più amati del primo Rinascimento. La primissima menzione risale alla *Notizia d'opere del disegno* di Marcantonio Michiel, compilata fra 1521 e 1543. Michiel aveva avuto modo di vedere il bronzo in casa di Alessandro Capella a Padova e con chiarezza annotò la doppia firma: "In Padoa in casa di Misser Alezandro Capella in borgho zucho... Lo Bellerophonte di bronzo che ritiene el Pegaso, de grandeza dun piede, tutto ritondo, fu di man de Bertoldo, ma gettado da Hadriano suo discipulo et è opera nettissima et buona". Alessandro Capella probabilmente ereditò l'opera dal padre, Febo Capella, un diplomatico veneziano studioso e umanista che fu ambasciatore a Firenze dal 1460 sino a poco prima della propria morte che avvenne a Venezia nel 1482. Alessandro Capella era Cancelliere grande della Serenissima e al tempo stesso studioso. Nella sua casa padovana il bronzo faceva parte di una collezione che comprendeva pitture attribuite a Cimabue e Montagna e una figura di marmo antica di *Cupido legato e dormiente*. Alla fine del Settecento il bronzo passò nelle mani dell'onnivoro collezionista viennese Joseph Angelo de France, Tesoriere imperiale e direttore generale delle gallerie d'arte di Maria Teresa. La sua erede, la baronessa Hess, vendette la collezione di piccole anticaglie al Gabinetto di Antichità nel 1808. Il *Bellerofonte e Pegaso* entrò infine a far parte del Kunsthistorisches Museum nel 1891.
Il soggetto è piuttosto raro. Bellerofonte (il cui nome significa "uccisore di mostri") era un grazioso giovane inviato dai suoi nemici a uccidere la terribile Chimera nella speranza che, all'opposto, fosse quest'ultima a ucciderlo. Ma accorse in suo aiuto Minerva, che gli procurò una briglia dorata con la quale domare Pegaso, il cavallo alato, per correre contro la Chimera e vincerla. La più completa esposizione del mito si trova nella trentesima *Ode olimpica* di Pindaro, che racconta l'episodio, ossia come "il forte Bellerofonte, dopo tutti i suoi smaniosi tentativi, si impossessò del cavallo alato, semplicemente facendo passare da una parte all'altra della sua mascella il gentile sortilegio". Il "gentile sortilegio" è la briglia dorata, che qui si mostra appesa alla spalla del giovane mentre afferra e torce la mascella di Pegaso. Il bastone che brandisce nell'altra mano è un altro tipico espediente espressionistico di Bertoldo per enfatizzare l'antichità del soggetto. Il movimento d'impennata del cavallo e il rimbalzo all'indietro del fanciullo danno l'impressione che essi siano già per metà sollevati in aria. Forse Bertoldo era a conoscenza di una convenzione letteraria diffusa fra gli scrittori di viaggio medievali, dove si narrava che gruppi monumentali di Bellerofonte e Pegaso apparivano miracolosamente sospesi in aria a Roma e a Smirne (Magister Gregorius 1226-1236 circa, ed. 1987, pp. 5-57). È interessante chiedersi se Bertoldo stesse intenzionalmente mettendosi alla prova con quest'idea. Se così fosse, sarebbe il tipo di tocco da maestro che l'erudita cerchia del Magnifico avrebbe compreso e applaudito. La fonte di ispirazione potrebbe essere tranquillamente più letteraria e poetica che formale, e questo si accorderebbe con un destinatario come Febo Capella, amico sia del Magnifico che di Marsilio Ficino e Francesco Filelfo (su Febo Capella cfr. Ceriana, in *Il giardino di San Marco...* 1992). Tuttavia numerose fonti visive, variamente attinenti, sono state rintracciate. Da sempre si è percepito il travolgente ritmo dei *Dioscuri* del Quirinale. L'aggraziato intreccio fra Bellerofonte e Pegaso ottiene pienamente il suo effetto solo dal punto di vista frontale, come se si trattasse di un rilievo, e suggerisce pertanto che Bertoldo abbia studiato piccoli rilievi (per una gemma incisa da Enea Vico cfr. Draper 1992, fig. 103). Antichi bronzi come quello in catalogo n. 29 talvolta mostrano motivi di cavalli, ma non si è ancora trovato quello che potrebbe essere stato il modello per Bertoldo. Bertoldo ha compiuto un grande balzo in avanti dal punto di vista stilistico fra il cavaliere di Modena (cat. fig. n. 27) con il suo andamento piuttosto spez-

zato, e il gruppo di *Bellerofonte e Pegaso* dotato di straordinaria fluidità. Il leggiadro Pegaso è imparentato da vicino con i cavalli che si trovano sul rovescio di una medaglia del sultano Maometto II, databile intorno al 1480 (Draper 1992, n. 4, pp. 95-101).

Il bronzo non è così puntigliosamente sfaccettato nella sua cesellatura come le prime statue di piccolo formato di Bertoldo. La cesellatura relativamente rilassata del *Bellerofonte e Pegaso* è probabilmente dovuta più alla presa di posizione stilistica di Bertoldo in quel momento, tesa a valorizzare una maggiore scioltezza, che al suo sodalizio con Adriano Fiorentino come fonditore. L'attività di fonditore di Adriano viene spesso portata a prova della supposta scarsa capacità tecnica come fonditore di Bertoldo, insieme alla fusione di Guacialoti di alcuni esemplari della medaglia della congiura dei Pazzi (Draper 1992, cat. n. 3, pp. 86-95) e al fallimento della fusione dell'*Apollo* (cat. n. 26).

Il *Bellerofonte* è una fusione vigorosa e pesante con molti fori, fratture e rattoppi, un prodotto non particolarmente sofisticato, essendo largamente massiccio. L'intervento di cesello di Bertoldo è forse limitato alla bella testa dell'eroe. Quest'atteggiamento senza particolari aspettative nei confronti della fusione e della levigatura del bronzo ben si accorda con quello di un fonditore di cannoni, quale Adriano sarebbe presto diventato, dopo aver lasciato Firenze nel 1486 alla volta di Napoli. L'opera in questione deve essere datata intorno al 1481-82, prima che Febo Capella lasciasse Firenze e prima che lo stile di Bertoldo subisse un'involuzione. La doppia firma, alla stregua del tipo di composizione, annuncia un nuovo classicismo, i verbi *exprimere* e *conflare* sono particolarmente adatti a evocare il ruolo specifico di ciascuno, come nelle firme sui vasi greci, dove un importante cratere poteva essere firmato sia dal vasaio sia dal pittore. Collareta considera tale formula come una distinzione albertiana per elevare il ruolo di colui che disegna rispetto al lavoratore manuale. Tuttavia, a vederla scritta così su un'unica riga, incisa nella cera e poi non ritoccata, vien da pensare che la firma sia la prova evidente della collaborazione fra maestro e allievo, nella quale entrambe le parti ebbero l'onore e condivisero la responsabilità, apponendo la loro firma addirittura prima che fosse fatta la fusione, nella confidente anticipazione di un risultato di successo.

Riferimenti bibliografici

Michiel 1521-1543, ed. 1800, p. 118; Frimmel 1887, pp. 90-96; Collareta 1982, p. 174; Leithe-Jasper 1986, n. 2, pp. 15-16 e 51-57; Ceriana, in *Il giardino di San Marco...* 1992, n. 1; Draper 1992, n. 18, pp. 176-185; Leithe-Jasper, in *Von allen Seiten schön...* 1995, n. 7.

[J.D.D.]

Arte etrusca
seconda metà del IV secolo a.C.

29. *Atleta che doma un cavallo*

Bronzo, h cm 16,5
Firenze, Museo Archeologico, inv. n. 25

Il bronzo, proveniente dalle raccolte di Cristina di Lorena, era sconosciuto prima di entrare a far parte delle collezioni dello Stato. Il motivo del domatore di cavalli si sviluppò, presso gli etruschi, per la decorazione di candelabri bronzei eseguiti per sepolture. Bertoldo nel *Bellerofonte e Pegaso* non citò questa tipologia che evidentemente non conosceva. Altrimenti sarebbe stato incapace di resistere alla tentazione di riprodurne i motivi, quali il gesto verso l'alto del giovane o la bella coda intrecciata del cavallo. Di sicuro avrebbe apprezzato il gioco movimentato delle forme con il piano principale del fianco del cavallo.

Riferimenti bibliografici
Cristofani 1985, pp. 166-167, 272, n. 59.
[J.D.D.]

Bertoldo di Giovanni
Firenze (?) - Poggio a Caiano 1491

30. *San Giovanni Battista*

Bronzo, h cm 31
Parigi, Musée du Louvre, inv. n. OA2558

L'opera, uno dei più smaglianti bronzi del primo Rinascimento, è stata attribuita allo stesso Donatello (da Migeon, senza dubbio in virtù della sua dipendenza dal punto di vista compositivo dal *Battista* del maestro nel Duomo di Siena, per il quale si veda Janson 1957, II, tavv. 341-348); alla scuola di Donatello (Bode); ad Andrea Ferrucci o Francesco da Sangallo (Kriegbaum, ripreso da Weihrauch, il quale tuttavia fece notare che ciò avrebbe implicato una datazione troppo tarda); e a Vecchietta (Pope-Hennessy e Jestaz).
Draper argomenta estesamente l'attribuzione a Bertoldo, basandosi sulla forza dell'infervorata caratterizzazione psicologica e dell'adesione ad alcune sue idiosincrasie compositive e tecniche, a partire dal visionario sguardo da miope, all'uso di solchi per definire l'anatomia, fino al basamento della figura, irregolarmente quadrato. Le opere con cui questo ha più punti di contatto sono il rilievo della *Crocifissione* al Bargello e la statuetta di un *Nudo supplicante* inclinato in avanti, un tempo a Berlino ma poi distrutta alla fine della seconda guerra mondiale (Draper 1992, n. 16, pp. 164-167). Il Battista è tutto ossa, come si addice alla rustica natura ascetica del santo venerato dai fiorentini. Gli scultori nel corso del secolo rivaleggiarono fra di loro per creare immagini del santo che fossero al contempo austere ed eleganti. Bertoldo non si sottrae alla regola, concentrando in quest'opera la sua estrema capacità espressiva, dando forma a un modello che è un miracolo di calcolato "contrapposto". La massiccia fusione metallica è cesellata con estrema energia e definizione, di nuovo in maniera assai vicina alla *Crocifissione*. Del bronzo non si hanno notizie prima del 1882, prima cioè della sua acquisizione da parte del Louvre, dove è attualmente esposto come opera di Bertoldo. La presente mostra offre l'occasione per una verifica dell'attribuzione nel contesto di numerose opere comunemente accettate come di Bertoldo.

Riferimenti bibliografici
Migeon 1904, n. 27; Bode 1922, ed. 1980, tav. XVIII, 1; Weihrauch 1967, p. 498, nota 96; Pope-Hennessy 1958, ed. 1996, p. 287; Jestaz 1969, p. 80; Draper 1992, n. 15, pp. 159-164.
[J.D.D.]

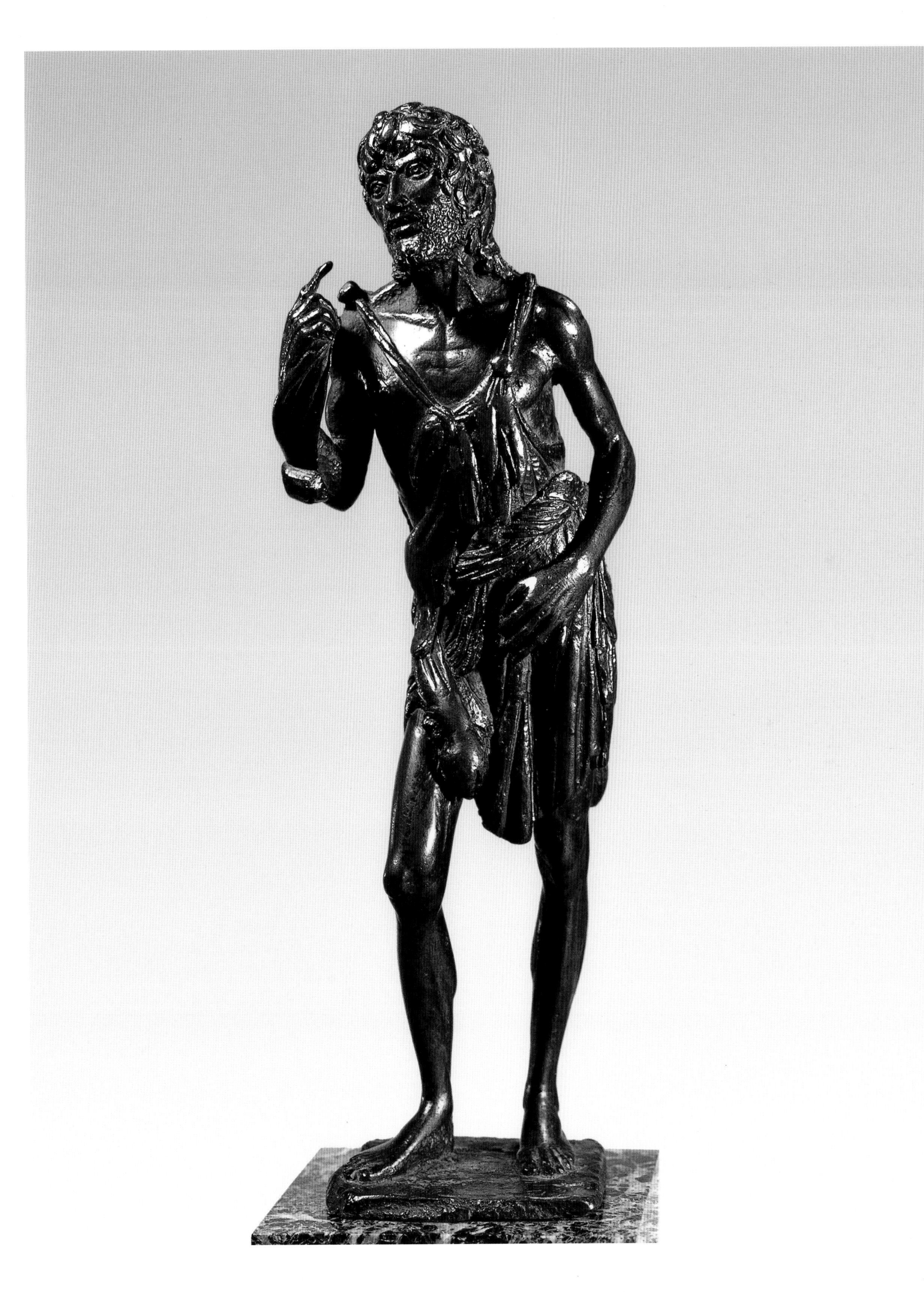

Bertoldo di Giovanni

Firenze? - Poggio a Caiano 1491

31. *San Girolamo*

Legno dipinto, h cm 139
Faenza, Pinacoteca Comunale
OPERA NON IN MOSTRA

Questo *San Girolamo* che si batte il petto con una pietra è senza dubbio quello menzionato da Vasari come opera di Donatello a Faenza. Per la storia attribuzionistica legata a Donatello, e saldamente sostenuta da diversi studiosi, da Kauffmann a Poeschke, a Pope-Hennessy, si veda la rassegna fatta da Draper nella monografia del 1992 (pp. 188-189). Una maggioranza sarebbe invece in disaccordo (vedi per esempio Janson 1957).
Ovviamente l'opera ha dei tratti in comune con la *Maddalena* in Santo Spirito di Donatello, senza però averne la forza viscerale, ed esercita un fascino basato più su un lirismo ridondante che attraverso la pura plasticità alla quale ci ha abituato il maestro. Si fa fatica a immaginarlo abbassarsi a un lavoro su scala tanto ridotta, qualcosa come due terzi rispetto al vero. Il più convinto sostenitore dell'attribuzione a Donatello è stato Boucher, il quale ha creato qualche confusione intorno alle date. All'estensore di questa scheda, tale attribuzione apparve totalmente infondata sia quando l'opera fu portata in mostra nel 1972 e poi nel 1986; e non vi sono parole che meglio esprimano tale opinione del giudizio espresso da Zervas e Hirst che hanno considerato l'attribuzione a Donatello "assolutamente impossibile". Il piccolo formato, la postura ben ponderata ma un po' instabile sul cumulo di terra, con un piede che sembra salire e l'altro scendere, farebbero pensare più a un esecutore di statuette che a un artista capace di formulare grandi progetti sculturali. Sono elementi comuni a tutta l'opera di Bertoldo la testa girata, il pathos anelante, e parimenti gli occhi a mandorla, il naso smussato e corto, la bocca simmetrica. Il movimento incrociato del petto e delle anche in direzioni opposte è il medesimo dell'*Apollo* (cat. n. 26), che ha lo stesso tipo di natiche cadenti per quanto sia più giovane. I richiami ai tipi e alle pose delle figure laterali del rilievo con *Scena di battaglia* (cat. n. 8) sono ben più che una suggestiva eco. Il giro vita strozzato, i bicipiti rotondi, i capezzoli appuntiti, la massa di pelo pubico che cresce fin sull'ombelico sono sigle stilistiche incontrate altrove nella sua opera. Le gambe sono percorse da vene che esibiscono un'anatomia arbitraria, come le vene dei cavalli delle statuette di Modena e di Vienna (cat. nn. 27, 28). Vi è la stessa tendenza miniaturistica e decorativa nel raffigurare i capelli con bende che terminano in ciuffi riavvolti all'indietro. Nessun'altra scultura in legno di Bertoldo ci è giunta (gli erano stati commissionati angeli di legno per l'organo del Duomo fra 1484 e 1485 ma non li realizzò mai), ma vi sono consonanze sufficientemente strette con i suoi bronzi.
A dire il vero altri studiosi si sono accorti del rapporto con l'arte di Bertoldo senza arrivare a quella che per chi scrive è la conclusione più ovvia, ossia che il *San Girolamo* sia di sua paternità. Schottmüller, che situava l'opera nell'ambiente di Donatello, citava il distrutto *Supplice* che allora si trovava nel Kaiser Friedrich Museum (Draper 1992, n. 16, pp. 164-167), mentre Kauffmann considerava quest'ultimo come una riflessione sul *San Girolamo*, aggiungendo tuttavia per confronto il *San Giovanni Battista* del Louvre, statuetta che qui viene considerata pure opera di Bertoldo (cat. n. 30).
Questo è forse l'unico caso di un san Girolamo completamente nudo (quantunque la rimozione di perizoma in corso del restauro del 1940 suggerisce che una qualche forma di drappeggio può essere stata una possibile opzione). Kauffmann ipotizza un precedente di tale nudità nell'iconografia di sant'Onofrio, spesso mostrato solo con un grembiule di foglie. Di fatto la nudità è ribadita negli scritti di san Girolamo. Per citare solo un esempio fra i tanti: "Nudo seguirò la nuda croce" (*Select Letters of St. Jerome* 1975, p. 201, lettera 52). Il suo sguardo rapito e obliquo, che sembra quasi renderlo dimentico del suo stato di nudità, era senza dubbio rivolto verso un Crocifisso, ora perduto, che teneva lungo il fianco sinistro. Qualche antica opera, la cui esistenza deve ancora essere determinata (al di là del busto di un satiro imitato da Michelangelo, per il quale si veda in cat. nn. 14, 15), potrebbe avere suscitato l'interesse di artisti oltre a Bertoldo. Il capo girato, l'espressione assorta, la barba incanutita, il braccio accolto sul petto e il movimento opposto del capo e del torso sono estremamente vicini a quello del centauro del dipinto con *Minerva e il centauro* di Botticelli (si veda Draper 1992, pp. 193-194).
A sua volta, la pungente posa del *San Girolamo* era ben nota e la troviamo ripresa a Firenze (ad esempio, il Battista nell'altare di scuola del Botticelli nel Conservatorio delle Quiete, il sant'Onofrio nella *Vergine e Bambino in Gloria* di Andrea del Sarto a Pitti (cfr. Draper 1992, figg. 106 e 107), così come al Nord (in una terracotta dipinta a Castelbolognese con san Girolamo di Alfonso Lombardi, il quale aveva lavorato a Faenza intorno al 1520; cfr. Boucher 1986 e 1989, per altri esempi, non del tutto convincenti). Né le sue grazie, quali le lunghe gambe, il capo girato e la postura incrociata, sono state cancellate nell'opera del giovane Michelangelo. Ragionevolmente la fama di cui godette fra gli artisti di generazioni successive lascia supporre che fosse considerato come opera di Donatello, senza che peraltro ciò lo renda tale, o tantomeno la sua collocazione a Faenza, che per quanto ne sappiamo Donatello non visitò, a dispetto degli sforzi di Boucher di sostenere tale ipotesi.
Infine la policromia deve essere apprezzata, la pelle color mattone, segno delle bruciature da sole dell'anacoreta, con gli zigomi più rossi, le labbra e i ginocchi di un giallo-grigio per i riccioli arruffati e la barba, verde e verde-grigio per il fogliame e la terra sulla base. È molto probabile che lo scultore si sia rivolto a un pittore di professione per quest'opera. (Per un dettagliato resoconto delle vicende connesse alla conservazione si veda Draper 1992, pp. 186-188, 195.)

Riferimenti bibliografici

Vasari 1568, ed; Milanesi, 1874-1885, II, p. 413 e nota 4; Schottmüller 1904, p. 52; Kauffmann 1935, pp. 153-156 e 240 note; Janson 1957, II, pp. 248-249; *Firenze Restaurata* 1972, p. 43; Archi-Piccinini 1973, pp. 72-73; Bertoni 1978, pp. 76-78; Poeschke 1980, pp. 81, 88; Pope-Hennessy 1985, pp. 188-193; Boucher, in *Donatello e i suoi* 1986, n. 56; Zervas-Hirst 1987, p. 208; Boucher 1989, pp. 186-193; Wohl 1989; Draper 1992, cat. n. 19, pp. 186-197.

[J.D.D.]

Bottega di Andrea della Robbia
Firenze 1435 - 1525

Su modelli di Bertoldo di Giovanni
Firenze (?) - Poggio a Caiano 1491

32. Parte di un fregio: *Le stagioni e i lavori dei campi*

Terracotta invetriata, h cm 58 ciascuno
Poggio a Caiano, Villa Medici

Questi tre pezzi, discretamente modellati e cotti, fanno parte del fregio in terracotta invetriata, eseguito nella tipica maniera dei Della Robbia tendente a sottolineare il colore blu, bianco e giallo, che correva lungo tutta la loggia d'entrata della villa di Poggio a Caiano, costruita da Giuliano da Maiano. Il fregio è coronato dal massiccio frontone di Giuliano con in mostra il blasone mediceo, sostenuto da quattro nobili colonne, il tutto in pietra serena.
Lorenzo de' Medici entrò in possesso del terreno nel 1474, i lavori iniziarono al più tardi nel 1485, e continuarono fino alla sua morte nel 1492. Un terzo del palazzo era già costruito entro il 1495, stando ai pagamenti di tasse relativi a quell'anno nei registri di uno degli eredi, e la parte costruita includeva le logge, i portici, e le scale esterne. Nel 1976 il fregio che aveva patito i danni del tempo venne portato all'interno, in una stanza al piano superiore dove è ora abitualmente esposto.
Il fregio consiste di cinque parti, divise da termini, uno dei quali è mancante. Il complesso è stato variamente interpretato, ma la maggioranza degli studiosi è d'accordo con Cox-Rearick nel vedere le cinque parti come rappresentazione umanistica del Tempo e delle sue azioni in rapporto con le aspirazioni medicee, come estensione del motto di Lorenzo: "Le temps revient". Il fregio è il prodotto di una cultura molto erudita, che magistralmente domina le fonti classiche: Ovidio, Virgilio, Cicerone, Varrone, Columella, e specialmente il panegirico di Claudiano *De consulatu Stilichonis*, con qualche sporadica incursione in Boccaccio. La mente che ha progettato il fregio non è quella di un semplice scultore; vi sono tutti i segni per pensare che chi lo eseguì abbia lavorato sotto il dettato di Angelo Poliziano, il letterato che sapeva combinare al meglio la letteratura classica a onore e gloria del Magnifico. La lettura di Acidini è orientata in senso moralistico, scorgendovi la raffigurazione delle forze del bene e del male sulle anime. La lettura qui proposta distilla quanto scritto da Draper nel 1992, che in larga parte si basa sul saggio di Cox-Rearick pur con qualche significativa eccezione.
La prima parte del fregio riguarda la nascita del Tempo personificato da Saturno, dal quale i latini si vantavano di discendere. Al centro di questo pezzo si trova una matrona avvolta da pesanti drappeggi, la nostra *Natura*, raffigurata mentre libera degli "spiritelli", come leggiamo in Claudiano: "Natura ... di età infinita, e pur sempre bella, intorno alla quale fluttuano e svolazzano spiritelli da ogni parte" (cunctisque volantes dependent membris animae) (*De consulatu Stilichonis*, 2, 433-434). Il modellatore raggiunge qui una pregevole varietà di forme pur in un approccio simmetrico all'immagine.
La seconda parte riguarda l'età di Giove e l'introduzione dello stato di governo. La terza parte riguarda la nascita dell'Anno o il ritorno della Primavera ambientato nel tempio di Marte Gradivo, qui divinità pacifica. La parte quarta, di gran lunga la più facile da comprendere, raffigura dei robusti contadini, ciascuno identificato con una specifica attività della terra. Abbiamo selezionato i segmenti con *Mag-*

1. Bottega di Andrea della Robbia (da modelli di Bertoldo di Giovanni), *La Natura genitrice*, parte di un fregio. Poggio a Caiano, Villa Medici.

gio (allinea le viti) e *Giugno* (falcia l'erba), e con *Luglio* (si piega a raccogliere il grano), *Agosto* (irriga) e *Settembre* (raccoglie l'uva). I mesi estivi vanno al lavoro svestiti e ciò offre la felice opportunità di modellare diversi nudi; il quinto segmento mostra Apollo sul carro del sole che apre il giorno; senza fatica si potrà indovinare nel suo nobile profilo l'azzimata effige laurenziana.

Le opinioni quanto alla paternità del fregio sono divise. Middeldorf proponeva Andrea Sansovino, mentre Pope-Hennessy per primo vi scorse Bertoldo. La mia opinione è che il disegno di Bertoldo lo governi interamente. Il suo ruolo fu sicuramente confinato alla produzione di piccole tavole, probabilmente su cera – si indovina la cera del modello nei piccoli grumi nelle terminazioni delle acconciature delle allegorie femminili che trascinano il carro di Apollo, nell'ultimo pezzo. I modelli furono poi ingranditi e il tocco di Bertoldo in parte si perse, in parte fu diluito con l'ampliarsi delle forme, e la traduzione in terracotta. Non vi è nulla di stilisticamente paragonabile alla espressività dei Della Robbia, ma la gamma cromatica è la loro e solo loro potevano prodursi in questa tecnica, che cattura sprazzi dello smeriglio vitreo che all'epoca era tanto ammirato nella glittica antica, specialmente da Bertoldo. Egli probabilmente non fu molto presente alla direzione dell'opera per quanto soggiornasse spesso a Poggio a Caiano. La sua opera più inequivocabilmente vicina, per la concentrazione miniaturistica e le cadenze aggraziate, è il rilievo della *Crocifissione* del Bargello databile stilisticamente nei tardi anni settanta del Quattrocento. La realizzazione dei Della Robbia dovrebbe cadere poco dopo.

Riferimenti bibliografici

Middeldorf 1934, pp. 112-114; Welliver 1957, pp. 81-82; Pope-Hennessy 1958, ed. 1971, p. 303; Chastel 1959, pp. 218-225; de Tervarent 1960, pp. 307-316; Foster 1978, I, pp. 153-155; Paolucci, in *Il primato del disegno*, nn. 485-487; Bardazzi - Castellani 1981, I, pp. 243-248; Cox-Rearick 1984, pp. 65-86; Landi 1986; Acidini Luchinat 1991b, pp. 16-25; Draper 1992, n. 20, pp. 197-220.

[J.D.D.]

Bottega di Benedetto da Maiano (bottega di)
Maiano (Fiesole) 1442 - Firenze 1497

33a. *Putto reggighirlanda*
33b. *Putto reggighirlanda attribuito a Michelangelo*
Marmo di Carrara
Napoli, Sant'Anna dei Lombardi

I due putti costituiscono il coronamento dell'altare dell'Annunciazione, eseguito da Benedetto da Maiano per la cappella di Marino Curiale, duca di Terranuova e maggiordomo della regina Giovanna d'Aragona a Sant'Anna dei Lombardi a Napoli. L'altare era parte del corredo plastico della cappella insieme a due tombe, un seggio in marmo, una sedia. Non ci sono pervenuti documenti relativi alla commissione o d'altro tipo, che colleghino all'altare il nome di Benedetto da Maiano; con buon margine di probabilità, tuttavia, possiamo riferire all'altare dell'Annunciazione un documento di saldo del 23 aprile 1491, in cui si versano a Benedetto 91 fiorini "per parte della tavola, fà al Conte di Terranuova" (Borsook 1970, p. 802, doc. 48). Nonostante la carenza di documentazione, l'attribuzione dell'altare a Benedetto da Maiano è sempre stata attestata da motivi stilistici. Controversa è invece la datazione. Di importanza decisiva al riguardo è l'interpretazione di due lettere che sono in connessione con la cappella del duca. Il 16 settembre 1489 la regina di Napoli, Giovanna d'Aragona, chiede a Lorenzo de' Medici di garantirle il trasporto acqueo, franco dogana, delle sculture destinate alla cappella del duca a Montoliveto (Milanesi 1901, p. 155, n. 175). Un anno più tardi, il 21 settembre 1490, lo stesso duca scrive al Magnifico rivolgendogli la stessa preghiera (Borsook 1970, p. 743, nota 64). Mentre alcuni studiosi sulla scorta della lettera della regina del 1489 ritengono che a quell'epoca l'altare fosse già terminato (Lisner 1958, p. 152), Eve Borsook, riferendosi alla lettera del duca (1970, p. 743, nota 64) e al pagamento del 1491 (*ibid.*, p. 802, doc. 48), sostiene convincentemente una datazione più tarda. A suo avviso, l'evidente ritardo nell'invio via mare dell'altare – attestato dalla lettera del duca – è spiegato dal fatto che nel 1489 l'altare era in lavorazione e non ancora concluso. Questa tesi è supportata dal testo dei documenti: delle sculture destinate alla cappella del duca si parla sempre al presente, come fossero in lavorazione, e non all'imperfetto, come già terminate. Così è scritto nella lettera della regina riguardo alle sculture per la cappella del duca: "dui tabole de marmoro per lo bisogno di una sua cappella che fo' fare in questa cità [di Firenze]..." e nella lettera del duca un anno dopo: "due tavule di cone di marmi cum due sepulture che fo fare in quessa cità di Florenza per la ecclesia di Santa Maria a Monte Oliveto de Napole..."; anche il pagamento del 1491 cita l'altare al presente "per parte della tavola fà al Conte di Terranuova" (Borsook 1970, p. 743, nota 64). L'uso del presente, come pure l'annotazione che nel pagamento dell'aprile 1491 si tratti di un saldo parziale, "per parte", permette dunque di supporre che l'altare non fosse ancora terminato nella primavera del 1491. Il soggiorno a Napoli di Benedetto – documentato nell'agosto del 1492 (R. Filangieri 1938, p. 273) – è probabilmente da collegarsi, tra altro, con i lavori di allogamento delle sculture per la cappella del duca, che Benedetto avrebbe potuto soprintendere personalmente, come nel caso documentato dell'altare del Presepe di Antonio Rossellino nella cappella Piccolomini della stessa chiesa (Borsook 1970, n. 3, p. 15, doc. 17). Già nel 1473, un compito analogo, vale a dire per sorvegliare personalmente il montaggio del suo celebre e costoso lettuccio per il re di Napoli, aveva indotto Benedetto a soggiornare a Napoli (*ibid.*, p. 14, doc. 9-11). Se questa supposizione è esatta, l'agosto del 1492 rappresenterebbe il sicuro *terminus ante quem* per il compimento dell'altare, permettendoci di collocare l'edificazione dell'altare tra il 1489 e l'agosto del 1492.

Il motivo dei putti scultorei reggighirlande come elemento sormontante di un complesso architettonico fu utilizzato per la prima volta da Giuliano da Maiano nella "Sacrestia delle Messe" del Duomo fiorentino (cfr. per i documenti e per la datazione Haines 1983). Questo motivo è stato ripreso anche per l'altare del Presepe della cappella Piccolomini in

1. Benedetto da Maiano e bottega, altare con *Annunciazione*. Napoli, Sant'Anna dei Lombardi, cappella Curiale.

33a

33b

Sant'Anna dei Lombardi, eretto tra il 1471 e il 1474 da Antonio Rossellino e dalla sua bottega (Carl 1996, pp. 318-320).
La cappella eretta negli anni settanta del Quattrocento in Sant'Anna dei Lombardi da Antonio Piccolomini come tomba della sua sposa Maria d'Aragona e la cappella del duca di Terranuova nella medesima chiesa erano evidentemente progettate come pendant. La cappella Piccolomini servì come modello per la cappella del duca. Le due cappelle presentano un analogo corredo scultoreo; nella loro articolazione, le immagini scultoree degli altari seguono la struttura dell'arco trionfale romano. Uno sguardo all'altare di Antonio Rossellino rivela che la serie dei putti reggighirlanda al di sopra dell'altare dell'Annunciazione di Benedetto dev'essere incompleta; in quest'ultimo, sopra la cornice dell'altare vi sono solo due putti, mentre quattro sono quelli dell'altare del Presepe. Anche l'altare dell'Annunciazione originariamente avrebbe dovuto presentare quattro putti. I putti, oggi disposti a destra e sinistra dell'oculo, in origine formavano gli estremi della serie, come risulta anche dal loro movimento volto all'indietro, ed erano disposti sui pilastri laterali, oggi occupati da obelischi installati in seguito. La ghirlanda presenta parecchie spaccature ed è stata congiunta alla meno peggio al centro per permettere una disposizione simmetrica dei due putti. Mancano le parti terminali delle ghirlande che scendono assottigliandosi dall'altare. Le parti della ghirlanda immediatamente in contatto con i corpi dei putti sono scolpite insieme a questi da un unico blocco: sia la parte della ghirlanda esterna che pende dai corpi dei putti, sia quella che scende sul dorso, collegata ai putti da evidenti ponticelli, una tecnica utilizzata anche da Antonio Rossellino per i suoi putti al di sopra dell'altare del Presepe.
Le disparità stilistiche tra i due putti conservati saltano immediatamente agli occhi. Mentre la rigidità impacciata del putto di sinistra e la sua aspra e fredda esecuzione rivelano la mano di un lavorante poco ispirato della bottega di Benedetto (33a), il putto di destra appare animato e dinamico ed è stato attribuito al giovane Michelangelo da Margrit Lisner (33b) (Lisner 1958, pp. 141-156). Alla sua argomentazione, nel complesso convincente, nuoce tuttavia il fatto che lo studioso abbia suffragato la tesi dell'impossibilità che il putto di destra sia di Benedetto, impiegando essenzialmente il confronto tra un'opera di bottega debole, il putto di sinistra, e il Gesù Bambino della *Madonna* della Misericordia, lasciato incompiuto da Benedetto e rielaborato da Battista Lorenzi (Gentilini, in Bietti Favi - Gentilini - Nicolai 1981, pp. 177-182). Manca un raffronto con i putti e le figure infantili d'eccellente qualità di mano di Benedetto, e solo questo permette una valutazione del putto napoletano in discussione. Considereremo qui pertanto brevemente le figure infantili di Benedetto che gli sono tematicamente affini; ciò ci permetterà anche una visione generale della tipologia utilizzata da Benedetto, per giungere poi, sia detto anticipatamente, a un risultato analogo a quello di Margrit Lisner. Inizialmente confronteremo uno dei primi lavori di Benedetto, un putto della serie della sacrestia del Duomo portata a termine nel 1468. Come il putto sinistro di Napoli (33a), questo costituisce uno dei punti conclusivi del girotondo di putti (sulla parete orientale, Haines, tavola a colori n. III). I motivi dinamici sono assai simili: l'impostazione del passo, il capo rivolto all'indietro e il braccio che si posa sul petto per reggere la ghirlanda sulla spalla destra. Già questo primo lavoro è assai superiore al più tardo lavoro di bottega a Napoli, asciutto e freddo, per resa dinamica più marcata, e nel modo inoltre in cui il piccolo corpo col ventre prominente, si equilibra rispetto al peso della ghirlanda che gli scende sul dorso, nel movimento impresso dall'aria alla lunga chioma e alla veste mosse all'indietro e nel lieve sorriso che anima il volto. Affine dal punto di vista del motivo ai putti in questione, è anche il Bambino Gesù ritto del rilievo della *Madonna* della collezione Kress di Washington, eseguito prima del 1473: nella posa complicata del bambino, nella torsione del torso e nel tentativo di una differenziazione contrappostistica tra gamba portante e gamba flessa, che già nel putto della sacrestia

2. Benedetto da Maiano, altare con *Putto reggiscudo*. Firenze, collezione Marchi.

del Duomo evidenzia la ricerca di un rilievo spaziale del corpo. Questa ricerca caratterizza anche i putti seduti della Porta dei Gigli a Palazzo Vecchio di Firenze, le cui membra si sviluppano in direzioni opposte, restando comunque al pari tempo stabilmente ancorato all'asse il baricentro della figura. Oltre a questa configurazione plastica, mirante all'arricchimento dinamico e alla spazialità, dei putti di Benedetto, la morbida forma del soffice corpo infantile, con il pancino rotondo e le pieghe sulle cosce è caratteristica delle figure infantili di Benedetto e vincolata al rilievo di *Madonna* di Verrocchio procedente da Santa Maria Nuova.

Se dopo questa breve panoramica sulle figure infantili di Benedetto di affine motivo osserviamo il putto di destra dell'altare dell'Annunciazione di Napoli (33b), sarà ancor più evidente che non è stato concepito da Benedetto. Nonostante ogni sforzo teso al raggiungimento di una persuasiva spazialità, il motivo di rotazione e di immersione spaziale del putto di destra travalica la sensibilità plastica di Benedetto. Nessuna delle sue figure, comprese le sue sculture più tarde (come il *Sebastiano* incompiuto nella Misericordia di Firenze), presenta un movimento analogo che circonda il corpo con un moto rotatorio e che si evidenzia nel contrastare l'incedere in avanti e il guardare indietro, nel movimento contrapposto delle gambe e delle spalle e nel braccio destro teso in avanti e riposto dietro il capo e nel braccio sinistro piegato, che s'intreccia con la ghirlanda (cfr. per la ricostruzione del braccio sinistro rotto, Lisner 1958, p. 144). Le figure di Benedetto oscillano su un piano frontale con movimenti che si riversano lateralmente, senza raggiungere il parallelismo differenziato e complesso di parti del corpo rivolte in avanti e retrocedenti, caratteristico invece della costruzione spaziale del putto di destra. In nessuna delle figure infantili di Benedetto ravvisiamo inoltre la medesima animazione mimica del suo volto. Quantunque anche i putti di Benedetto paiano ridere con la bocca aperta che lascia intravvedere i dentini, questo resta un gesto retorico che non si riflette negli occhi, né forma fossette nelle guance, come invece accade nel putto di destra. Un'ulteriore differenza essenziale con le figure infantili di Benedetto è costituita dalla tipizzazione differente che ci si presenta nel putto di destra. La sua statura robusta, la muscolosità del torace e le spalle larghe ricordano la rappresentazione del giovane Ercole. Questo tipo di putto "erculeo", la cui concezione monumentale si manifesta anche nella misura notevolmente più grande rispetto al suo pendant, non è ravvisabile in nessuna delle opere di Benedetto, che ha sempre usato il tipo di putto morbidamente infantile. Prova ne sia, per concludere, il putto, eseguito quasi contemporaneamente alle sculture napoletane, oggi nella collezione Marchi a Firenze e destinato a una tomba, finora non esaurientemente identificata, della famiglia napoletana Del Balzo (Carl 1997, pp. 93-118). Il motivo del volto sorretto dalla mano suscita il raffronto con il putto di destra di Napoli ma anche con il Bambino Gesù del *Tondo Pitti*. La dolce inclinazione e l'espressione soave del putto della collezione Marchi rappresenta in modo tipico lo stile di Benedetto da Maiano, mentre la svolta energica e contrastata della testa del putto di Napoli e l'intensità emotiva ed espressiva con la quale il motivo analogo è concepito fa ricordare piuttosto opere di Michelangelo eseguite più tardi come i bambini del *Tondo Pitti* o della *Madonna di Bruges* nonché quelle di Benedetto da Maiano – affinità e somiglianze già sottolineate giustamente dalla Lisner. Riassumendo si può dire per quanto riguarda questo putto che fu eseguito sì nella bottega di Benedetto da Maiano – insieme con l'altare stesso, ma che lo stile plastico, la tipologia erculea del putto stesso così come l'intensità espressiva rendono evidente che a concepirlo non fu Benedetto da Maiano stesso, bensì un suo giovane e intraprendente collaboratore.
[D.C.]

3. Benedetto da Maiano, altare con *Putto reggighirlande*. Firenze, Santa Maria del Fiore, Sacrestia delle Messe.

Benedetto da Maiano
Maiano 1442 - Firenze 1497

34. *Madonna con Bambino*

Marmo di Carrara, diametro cm 81,5; cornice originale di legno intagliato e dorato, larghezza cm 27,5
Scarperia, Prepositura di Santi Jacopo e Filippo

Il tondo presenta alcune fratture che si delineano lungo il corpo del Bambino e finiscono ai lati della testa del cherubino che sta a destra della testa della Madonna. La frattura ha portato via una parte del nimbo del Bambino. Sia il nimbo della Madonna che alcune ali di cherubini che ornano la fascia concava interiore del tondo dimostrano tracce di dorature. La cornice lignea del tondo finemente scolpita è originale e fu eseguita nella bottega dei da Maiano. La cornice è decorata con motivi floreali che partono in basso da uno scudo araldico con lo stemma del committente (oggi non più riconoscibile) e nei quali troviamo inseriti motivi grotteschi come maschere, conchiglie, un bucranio e il torso di una figura umana. I motivi antropomorfici ricordano l'archivolta che circonda la tomba Strozzi a Santa Maria Novella, dimostrano però in confronto con essa uno stile decorativo più sviluppato. L'opera non è documentata, né menzionata dalle fonti. Vasari e anche le vecchie guide di Scarperia e del Mugello ne tacciono l'esistenza. La prima indicazione dell'opera si trova nelle schede del Carocci, il quale vide il tondo là dove si trova attualmente: sopra l'altare della cappella laterale a destra dell'altare maggiore della Prepositura di Scarperia. Carocci sottolineò l'alta qualità artistica del tondo, ma non propose un'attribuzione. Fu Poggi nel 1908 ad attribuire l'opera per la prima volta a Benedetto da Maiano – attribuzione accettata in seguito unanimemente dalla critica. Al contrario di Carocci, Poggi descrive il tondo al secondo altare a sinistra della chiesa entrando dalla porta. Lui ci riferisce anche l'iscrizione, che dimostra che l'altare dove si trovava la *Madonna* fu restaurato a cura di fra' Giuseppe Maria Landi, priore del convento di allora, nel 1727 (cfr. ASF, Corporazioni religiose soppresse dal governo francese, 252, vol. 25, c. 24 sinistra): "D.O.M. / BEATAE VIRGINI QUAE GLORIA LIBANI EST ET DECOR CARMELI/ QUAM ELIAS CUM OB HUMILITATIS SPECIMEN/ TUM OB GRATIARUM OMNIUM LARGITATEM/ IN PARVA NUBE EST MONTIS VERTICE A LONGE PROSPEXIT/ CUI NON EXILE SCARPERIENSIS POPULUS/ FREQUENTI SODALITATE PRAESTAT OBSEQUIUM/ DEIPARAE INTEGERRIMAE/ TEMPLI HUIUS HUIUSQUE OPPIDI PATRONAE/ ARAM HANC IN OBSEQUENTIS ANIMI MONUMENTUM/ BACC. F. IOSEPH MARIA LANDI AUGUSTINENSIS/ ERIGI PROPRIO AERE CURAVIT A.D. M D CC XXVII".
Dall'iscrizione risulta che il tondo di Benedetto da Maiano si trovava nella chiesa di Scarperia almeno a partire dell'anno 1727. In seguito subì diversi spostamenti entro la chiesa: nel 1889 si trovava nella cappella laterale a destra del coro, mentre nel 1908 è menzionato al secondo altare nella navata; mutò ancora sito, probabilmente nel corso dei restauri della chiesa eseguiti durante gli anni 1929-30 collocandolo nel luogo attuale. Siccome il tondo è documentato per la Prepositura di Scarperia solo all'inizio del Settecento non possiamo essere certi che anche in origine fosse stato destinato per la stessa chiesa. C'è un fatto che fa pensare però che l'odierna ubicazione potrebbe essere quella originale. L'attuale chiesa prepositurale di Santi Jacopo e Filippo era – fino alla soppressione avvenuta nel 1807 – la chiesa del convento agostiniano di Scarperia dedicato a San Barnaba. Ora sappiamo dai documenti che riguardano la cappella di San Bartolo nella chiesa di Sant'Agostino a San Gimignano che il priore del convento, per il quale Benedetto da Maiano eseguì l'altare di San Bartolo, fu fra' Domenico di Scarperia. Il frate è documentato nei documenti del convento di San Barnaba di Scarperia negli anni settanta e ottanta (ASF, Corporazioni religiose soppresse dal governo francese, 252, vol. 1, cc. 50, 51, 53, 108.) Fu lo stesso frate a recarsi a Firenze in casa dei da Maiano in via Sangallo il 20 dicembre 1488 per concludere il contratto per la costruzione della cappella di San Bartolo, disegnata da Giuliano da Maiano e destinata ad accogliere l'altare di Benedetto (cfr. Castaldi 1921, pp. 13 e 16). Non era presente invece alla stipulazione del contratto con Benedetto

1. Benedetto da Maiano, *Madonna col bambino*. Firenze, Santa Maria Novella, cappella Strozzi.

2. Michelangelo, *Madonna col bambino (Madonna di Bruges)*. Bruges, Notre-Dame

per l'altare del santo stesso (cfr. Castaldi 1909) – fatto, che non stupisce perché l'altare non era una commissione del convento bensì del comune. Considerando gli stretti rapporti che legarono per ben sei anni – dall'inizio dei lavori della cappella nel 1488 fino al compimento dell'altare di San Bartolo nel luglio 1494 – il priore del convento agostiniano e lo scultore fiorentino – che, oltre a eseguire l'altare del santo doveva anche sorvegliare la costruzione della cappella dopo la morte del fratello Giuliano – è logico pensare che sia stato fra Domenico a commissionare il tondo della *Madonna con Bambino* dopo il compimento dei lavori nel convento sangimignanese per ornare il convento agostiniano della sua città paterna.

Per la data dell'esecuzione del tondo esistono diverse proposte. Mentre Poggi pensava che il tondo fosse stato eseguito dopo quello della tomba Strozzi in Santa Maria Novella (fig. n. 1) e prima di quello dell'altare di San Bartolo in San Gimignano (datando quest'ultimo erroneamente tra il 1494 e 1495, mentre l'esecuzione è documentata tra il settembre 1492 e il luglio del 1494), Cendalì (1926, p. 182) e la Lisner (1958, p. 142) proposero una datazione "poco dopo" il tondo della tomba Strozzi e cioè all'inizio degli anni novanta. Per una datazione ancora più precoce "intorno al 1490" si espressero Dussler (1924, p. 83) e Lein (1988, p. 136), secondo il quale il tondo di Scarperia precedette quello della tomba Strozzi. L'ipotesi avanzata qui sopra che il tondo possa essere stato commissionato da fra Domenico da Scarperia nonché il carattere stilistico fanno propendere, però, per un'esecuzione più tarda, successiva all'altare di San Bartolo, e cioè tra il 1495 e il 1496. Questa nuova datazione si giustifica con le notevoli differenze concettuali e stilistiche che distinguono la *Madonna* di Scarperia dalle altre Madonne chiamate in confronto. Benché il tondo di Scarperia riprenda in modo abbastanza stretto i motivi iconografici sviluppati nel *Tondo Strozzi* – cioè, l'aggruppamento della Madonna inclinata dolcemente verso il Bambino mentre il figlio in un movimento converso, con la piccola testa rivolta indietro, indirizza lo sguardo ridendo verso di lei con la piccola mano alzata in segno di benedizione – l'espressione emotiva del tondo di Scarperia è ben diversa. Le teste della Madonna e del Bambino affettuosamente congiunte e legate da un'espressione di umana, confidenziale intimità nel *Tondo Strozzi*, a Scarperia appaiono invece separate l'una dall'altra conferendo in questo modo al gruppo un'espressione di disgiuntamento e distacco, di severità e austerità sconosciuti fino ad allora nell'opera di Benedetto. Significativi per questo cambiamento dei valori espressivi sono i nuovi tipi adoperati sia per la testa della Madonna sia per quella del Bambino. Invece del consueto tipo del Bambino rodondetto e sodo, col viso paffutto e i corti riccioli ben acconciati attorno al cranio alto e tondo, il Bambino di Scarperia è di fattezze più sottili. Evidentemente il tondo era destinato a una collocazione in alto, perché il viso del Bambino appare scorciato e distorto per tener conto della visione dal basso, e anche le ciocche inusitatamente lunghe dei capelli, che si dileguano sul disco orizzontale del nimbo, rafforzano l'impressione dello scorciamento. L'interesse di Benedetto per gli effetti prospettici e il suo virtuoso trattamento dello scorciamento per le figure, che erano destinate a una collocazione in alto, è messo in evidenza anche dai musicanti del Bargello destinati all'arco di trionfo del re Alfonso II d'Aragona a Napoli.

Anche la *Madonna* di Scarperia è fondamentalmente diversa dal solito tipo di Madonna aggraziato e dolce, col viso ovale finemente delineato. La *Madonna* di Scarperia dimostra invece un modellato più ampio e largo, di un'impronta monumentale nei tratti. Il naso è diritto e affilato, l'espressione grave e alquanto tesa, il profilo squisitamente classicheggiante che prelude il Cinquecento e invita al confronto con le immagini giovanili delle Madonne di Michelangelo: la *Pietà* e la *Madonna di Bruges* (fig. n. 2). Tanto vale per la *Madonna* oggi conservata nella Misericordia di Firenze, opera giustamente considerata dalla critica la più matura delle Madonne di Benedetto da Maiano, nonostante che una valutazione dell'opera, rimasta incompleta a causa della morte dell'artista, risulti difficile per via degli interventi subiti nel Cinquecento (cfr. Gentilini, in Bietti Favi - Gentilini - Nicolai 1981, pp. 177-182). Paragonando la *Pietà* o la *Madonna di Bruges* con la *Madonna* di Scarperia e quella della Misericordia risulta ovvio dalle somiglianze stilistiche ed espressive che Michelangelo non solo conosceva bene l'opera tarda di Benedetto, ma che fu anche influenzato dalle opere dello scultore, che probabilmente era stato suo maestro nell'arte di scalpello (cfr. Lisner 1958). È quindi molto probabile che Michelangelo avesse visto il tondo di Scarperia nella bottega di Benedetto. Michelangelo ritornò a Firenze da Bologna alla fine dell'anno 1495 e ripartì per il suo primo soggiorno romano nell'estate dell'anno seguente (Christ 1981, p. 581). Siccome Michelangelo non tornò a Firenze prima della morte di Benedetto avvenuta il 24 maggio 1497 e il tondo non appare tra le opere dell'inventario della bottega compilato dopo la morte di Benedetto – il che significa che il tondo era stato consegnato prima – possiamo concludere che Michelangelo vide il tondo nel breve soggiorno fiorentino tra l'autunno del 1495 e l'estate del 1496. Se fosse giusta questa ipotesi possiamo inoltre supporre che il tondo doveva essere compiuto al più tardi nel giugno del 1496. La forte impressione e l'innegabile influsso che la *Madonna* di Scarperia esercitarono sulla concezione dell'immagine della Madonna del giovane Michelangelo, che presuppone una conoscenza personale e intima con l'opera, ci permettono quindi di stabilire come *terminus ante quem* per il tondo di Scarperia la data della partenza di Michelangelo per Roma, la quale è documentata per la fine del giugno dell'anno 1496 (cfr. Hirst 1981, p. 581).

Riferimenti bibliografici

Carocci, schede manoscritte del 1889, Firenze, S.B.A.S., Ufficio Catalogo-Archivio; Poggi 1908, pp. 1-7; Venturi 1908, p. 690; Dussler 1924, pp. 44 e 83; Cendalì 1926, pp. 125 e 178-182; Lisner 1958, p. 142; Brunetti 1966, pp. 434-437; Lein 1988, p. 136.

[D.C.]

Benedetto da Maiano e bottega
Maiano (Fiesole) 1442 - Firenze 1497

35. *Musicisti*

Marmo di Carrara, h tra 1,40 m e 1,65 m
Firenze, Museo Nazionale del Bargello
OPERA VISIBILE NELLA PROPRIA SEDE

Insieme al gruppo dell'*Incoronazione*, oggi esposto al loro fianco al Museo Nazionale, i sei musicisti costituiscono un unico ciclo scultoreo, eseguito negli anni novanta del Quattrocento per Napoli da Benedetto da Maiano. Le figure erano destinate a un arco di trionfo concepito dal re Alfonso II per la Porta Reale a Napoli in seguito alla sua ascesa al trono nel 1494. (In questa sede non è possibile addentrarsi nella controversa discussione su quale sia il re napoletano rappresentato nel gruppo dell'incoronazione e a quale porta della città fosse destinato il ciclo figurativo progettato da Benedetto da Maiano.) L'autrice concorda appieno con la tesi di George Hersey che nel gruppo ravvisa l'incoronazione di Alfonso II e non del re Ferrante, stabilendo pertanto come destinazione dell'intero ciclo la Porta Reale e non la Porta Capuana (cfr. Hersey 1964, pp. 77-95; e Hersey 1969). In seguito agli eventi politici – la conquista di Napoli per mano di Carlo VIII nel 1495 – questo ciclo, che Vasari riferisce avrebbe dovuto comprendere più di 80 figure, resta incompiuto. L'inventario della bottega, redatto alla morte di Benedetto da Maiano nel 1497 , riporta tredici delle figure già abbozzate o terminate per l'arco di trionfo (cfr. Baroni 1875, doc. XXIV). Mentre la maggior parte delle figure destinate a Napoli sono considerate disperse, il gruppo dell'incoronazione, descritto nell'inventario come "un Re con vescovo di braccia 2 1/3", fu rinvenuto a Firenze nel 1870 e attribuito per la prima volta a Benedetto da Maiano da Ignazio Supino nel 1904 (Supino 1904) in riferimento all'inventario pubblicato da Baroni. I musicisti sono invece ricomparsi soltanto un secolo dopo nel mercato d'arte inglese e acquistati nel 1972 dal Museo Nazionale di Firenze (cfr. Paolucci 1975, nr. 303, pp. 3-11). Le figure dei flautisti e dei suonatori di tromba sono scolpite a gruppi di tre, ciascuno dei quali costituito da due figure unite e una isolata. Ciò corrisponde alla descrizione dell'inventario della bottega (cfr. Baroni 1875, p. LXVIII). Non sussiste pertanto dubbio alcuno riguardo all'attribuzione dell'opera a Benedetto da Maiano. I *Musicisti* furono sottoposti a restauro nel 1974-75 e nuovamente nel 1998.

Per tema i musicisti derivano dal gruppo di musicisti dell'arco di trionfo di Alfonso I a Castelnuovo in Napoli, che nel complesso dovette rappresentare il modello che il nipote di questi, Alfonso II, intese emulare con il proprio ambizioso progetto di arco di trionfo. In quest'ultimo, i musicisti erano evidentemente destinati a una collocazione elevata. Gli scorci e le distorsioni, condizionati dalla visuale dal basso, delle proporzioni delle membra e dei volti, sono colte magistralmente da Benedetto. Mentre le vesti di tutte le figure sono eseguite fino al singolo dettaglio, i volti sono incompiuti, a eccezione del volto del singolo suonatore di tromba del gruppo di destra. Queste differenze nel grado di compiutezza delle singole parti delle sculture sono prassi consueta delle botteghe dell'epoca. Il maestro si riservava l'esecuzione dei volti, mentre gli assistenti realizzavano le parti di minor importanza, come le vesti. Nel gruppo dei suonatori di tromba possiamo osservare con particolare chiarezza i singoli stadi e il procedimento tecnico di Benedetto. Mentre il volto e la capigliatura della testa della figura centrale sono ancora allo stadio di abbozzo, il volto del suonatore di tromba in primo piano rivela tracce di rifinitura sulle guance e sulla fronte. Il suonatore di tromba isolato, con le superfici della testa completamente rifinite, presenta invece un compiuto stadio di rifinitura. È interessante la frequenza con cui Benedetto impiega il trapano per conferire maggiore plasticità alla superficie delle figure mediante il rilievo dei riflessi di luce e ombra. Ciò vale non solo per le vesti, ma anche per i volti, in cui le pupille avrebbero dovuto essere trapanate e i capelli volumizzati mediante l'applicazione del trapano, come realizzato nel caso del suonatore di tromba isolato. Interessante è inoltre l'"economia" applicata nell'esecuzione delle figure: sono compiute solo le parti delle figure visibili dal basso, il resto è lasciato allo stadio d'abbozzo. Si osservi, ad esempio, la parte destra del volto del suonatore di tromba isolato o la sua gamba sinistra. La testa del vescovo rivela con particolare chiarezza l'accuratezza con cui Benedetto procede durante i diversi stadi dell'esecuzione: dall'abbozzo fino alla rifinitura e lucidatura. Vi si ravvisano con evidenza le tracce della gradina (in inglese *claw chisel*), di quello strumento, dunque, utilizzato prima della definitiva rifinitura della superficie e che ne permetteva una modellatura di finissima gradazione. La sua applicazione è documentabile solo in superfici non ancor lucidate, vale a dire in sculture incompiute.

Anche Michelangelo si è servito ampiamente di questo strumento. Il suo *Tondo Pitti* al Museo Nazionale di Firenze rivela con chiarezza l'applicazione nelle singole parti delle figure di diversi tipi di gradina, da quella a punte più rade a quella a punte più fitte. Si confrontino ad esempio le striature sul braccio della Madonna prodotte da una gradina a punte più rade , con le sottili striature sul volto della madre e del bambino, appena ravvisabili a distanza, realizzate con una gradina a punte fitte e che rivelano lo stadio immediatamente precedente alla lucidatura. Anche nel *Tondo Taddei* di Londra ravvisiamo tracce dell'uso di gradine di diverso grado di raffinamento. Michelangelo è pertanto considerato in genere il primo scultore che ha utilizzato diffusamente questo strumento. Rudolf Wittkower (1977, pp. 30, 113 sgg.) ha paragonato questa tecnica, che mira al conseguimento della forma artistica mediante un'incessante ridefinizione e un lento processo di estrapolazione, con la tecnica grafica del *cross-hatching*, ponendo così la questione relativa alle radici toscane della tecnica scultorea di Michelangelo (*ibid.*, p.116). Se osserviamo le opere incompiute di Benedetto, come il gruppo dell'incoronazione, i musicisti e il *San Sebastiano* della Misericordia di Firenze, risulta evidente che per la modellatura delle sue figure Benedetto ha utilizzato diversi tipi di gradine in modo analogo al procedimento michelangiolesco. Michelangelo è dunque ricorso a una prassi scultorea probabilmente assai più diffusa di quanto fino a oggi ci sia dato sapere,

giacché è difficile documentarne l'uso nel Quattrocento; disponiamo infatti di poche figure incompiute risalenti a quest'epoca e soltanto queste ultime permettono di verificare quali siano stati gli strumenti utilizzati prima della lucidatura. La molteplice applicazione della gradina è comunque chiaramente documentabile nelle tarde opere di Benedetto da Maiano. Riferirsi così a queste ultime quali radici della tecnica scultorea di Michelangelo, non è forse un "hopeless attempt to contrue specifically Tuscan roots for Michelangelo's sculptural technique", come sostenuto da Wittkower (*ibidem*, p.116). L'interesse per la genesi produttiva degli anni 'novanta del Quattrocento di Benedetto, riflesso nella palese influenza esercitata dalla *Madonna* di Scarperia sulle prime Madonne di Michelangelo, includeva con ogni probabilità un ulteriore aspetto importante nel processo evolutivo artistico del giovane Michelangelo: l'apprendimento delle tecniche scultoree magistralmente dominate da Benedetto da Maiano.
[D.C.]

B. Gli esordi artistici di Michelangelo

Qui confrontiamo altri due gruppi di opere cruciali per una maggiore comprensione del giovane Michelangelo. Il primo consiste in opere michelangiolesche sicuramente documentate ma che hanno suscitato varie e non sempre valide perplessità, mentre il secondo comprende opere attribuite a Michelangelo, ma spesso non accettate dagli studiosi, come la *Madonna di Manchester* e il *Crocifisso* ligneo di Santo Spirito. A questi va aggiunto il *Fanciullo arciere* di New York.
Queste ultime opere, per le quali, si è dubitato della paternità michelangiolesca, e dimostrano strette affinità fra di loro. Viene presa in considerazione nel catalogo l'ipotesi che esse possano essere la creazione di un altro artista, ma di fatto risultano sono tutte fortemente connesse con aspetti specifici dell'attività giovanile di Michelangelo e con la scultura di Bertoldo, e nascono evidentemente dalla stessa specifica matrice culturale e artistica.

1. Concordanza di temi e tipi

In questa sezione si pongono a confronto diretto sculture sicuramente realizzate dal giovane Michelangelo – il *San Procolo* e l'*Angelo reggicandelabro* dall'Arca di San Domenico a Bologna, nonché il *San Paolo* dall'altare Piccolomini del Duomo di Siena – con il *Crocifisso* in Casa Buonarroti, identificato con quello che Michelangelo scolpì per il priore di Santo Spirito, e, infine con il *Fanciullo arciere* recentemente ricomparso a New York.

Michelangelo Buonarroti
Caprese 1475 - Roma 1564

36. *Crocifisso*

Legno policromato, cm 139 × 135
(misure massime)
Firenze, chiesa di Santo Spirito
(in deposito in Casa Buonarroti)

Era da poco morto Lorenzo il Magnifico (1492), quando il giovane Michelangelo – non ancora ventenne – si accinse a scolpire un "Crocifisso di legno, che si pose [...] sopra il mezzo tondo dello altare maggiore, a compiacenza del priore il quale gli diede comodità di stanze"; tale priore era maestro Nicholaio di Giovanni di Lapo Bicchiellini che aveva permesso al giovane artista di rifugiarsi negli ambienti del convento – a molti inaccessibili – per poter liberamente scorticare "corpi morti, per studiare le cose di notomia" (Vasari, 1568, ed. 1878-1885, VII, 1881, p. 146). La scultura lignea menzionata dal Vasari (anche 1550, ed. 1986, p. 884) e dal Condivi (1553, ed. 1998, p. 15) come grande "poco meno che 'l naturale", era stata, in precedenza, ricordata dall'Albertini (1510) sull'altar maggiore e al centro del coro della chiesa agostiniana.
Anche se Vasari e Condivi asseriscono che Michelangelo non trovasse in Piero de' Medici la stessa comprensione e comunanza di interessi che aveva avuto con il Magnifico, in realtà la vicenda del *Crocifisso* di Santo Spirito suggerisce una interpretazione dei fatti diversa. Infatti, nel marzo del 1493 Piero risulta eletto fra gli operai di Santo Spirito (Botto 1931-32, pp. 35-36) e dunque è facile ipotizzare che il Medici, mentre seguiva la realizzazione del vestibolo e della sagrestia adiacenti alla chiesa, si interessasse personalmente anche di introdurre il giovane Buonarroti presso gli agostiniani (Capretti, in *La chiesa e il convento*... 1996, p. 315).
Purtroppo, ai primi del Seicento, con lo smantellamento dell'altar maggiore sostituito da quello monumentale disegnato da Giovan Battista Caccini (ancora *in loco*), anche l'opera michelangiolesca venne rimossa e situata negli ambienti del convento. Ricordato ancora nel Settecento (si veda Bottari 1759-1760, secondo il quale in esso non si vede "quella maniera grande, e fiera, che si ravvisa nell'altre opere fatte dopo" da Michelangelo), il *Crocifisso* di Santo Spirito è stato condannato all'oblio nel secolo scorso. In tempi recenti, dopo vani tentativi di identificazione da parte della critica, nel 1962 Margrit Lisner ha riconosciuto l'opera ricordata dalle fonti nel *Cristo* rintracciato negli ambienti del convento, ormai accompagnato da una croce ottocentesca (Lisner 1963, 1964, 1966). In tale occasione la scultura ha ricevuto un primo restauro (si veda in questa scheda il contributo di Umberto Baldini; inoltre, cfr. Procacci - Baldini 1966) ed è stata temporaneamente posta in deposito presso Casa Buonarroti. Secondo la Lisner, l'opera lignea rinnova la tradizione dei crocifissi tre-quattrocenteschi proponendo elementi formali innovativi che saranno una nota dominante nel secolo successivo: "l'angolo acuto formato dalla gamba [...], la torsione del corpo, lo svolgersi del movimento verso il volto".
La tipologia del Cristo, dal corpo "candido", "di nobile complessione, et tenera, et delicata, et molto sensibile", tale che "ogni minima pontura era a lui molto dolorosa", veniva indicata da Girolamo Savonarola come la più consona per tale immagine devozionale (cfr. *Trattato dell'amore di Jesu Christo* del 1492, citato in Fischer 1990, p. 104, nota 89). Come nota Chris Fischer (1990, p. 82) la figura delicata e fragile del Cristo, descritta da Savonarola, risulta quella adottata da Baccio della Porta nei suoi primi disegni, in stretta consonanza con la *Crocifissione Pazzi* del Perugino in Santa Maria Maddalena de' Pazzi (1493-96). Secondo lo studioso, possono aver costituito un'esemplificazione figurativa delle parole del Savonarola i crocifissi lignei di Benedetto da Maiano, fra cui quello attribuitogli databile ai primi anni novanta, conservato nel museo di San Marco e ritenuto tradizionalmente essere appartenuto al frate ferrarese. Lo stesso *Crocifisso*, attribuito dalla Lisner a Michelangelo, è stato più volte associato con l'opera analoga di Benedetto nella chiesa di Sant'Onofrio. Ma il *Crocifisso* di Santo Spirito finisce per distaccarsi da tali riferimenti risultando un esempio particolarmente esplicito di quel "decoro morfologico" (cioè l'aggiustamento intenzionale della morfologia al soggetto) illustrato dalla Weil-Garris Brandt nel saggio nel presente catalogo (cfr. anche Weil-Garris Brandt 1996). In questo senso l'opera fornì una sorta di parametro figurativo a cui potrebbero essersi rifatte opere analoghe di poco successive come il *Cristo Crocifisso con la Madonna e San Francesco* (già Berlino, Kaiser Friedrich Museum) eseguito nel 1496 da Filippino Lippi per il piagnone Francesco Valori.
Il riconoscimento proposto dalla Lisner è perlopiù condiviso dalla critica odierna. In passato, però, alcuni studiosi hanno visto nel tipo umano allungato ed esile, dall'apparenza fragile e sensibile, una sorta di tradimento dell'"ideale eroico" di Michelangelo (fra questi Ragghianti 1974; Middeldorf 1978; Parronchi 1968, 1975, 1981, 1996; Beck 1998). Non sono mancate le controproposte da parte di quanti hanno negato l'autografia michelangiolesca del *Crocifisso* di Santo Spirito: intorno alla scultura agostiniana, Middeldorf ha ricostruito il *corpus* di opere di Taddeo Curradi; Ragghianti l'attribuisce alla mano dell'intagliatore della cornice del *Tondo Doni*; Parronchi la riferisce all'ambito di Baccio da Montelupo, identificando l'opera ricordata dalle biografie michelangiolesche con il *Crocifisso* nella chiesa di San Rocco a Massa.
Oggi, che è in procinto di lasciare Casa Buonarroti per tornare nella sua collocazione originaria in Santo Spirito, la scultura è stata sottoposta a un nuovo intervento conservativo. Il restauro in corso per mano di Barbara Schleicher – alla quale dobbiamo la cortesia di notizie di prima mano – si preannuncia foriero di interessanti conoscenze, specialmente per il rapporto tra la policromia e il modellato e per novità riguardanti il cartiglio. Ulteriori valutazioni saranno possibili a restauro ultimato.
[K.W.-G.B. e E.C.]

IESVS NAZORAEVS REX IVDAEORVM

Fu nel novembre del 1962 che Margrit Lisner venne a trovarmi, al Gabinetto dei Restauri della Soprintendenza alle Gallerie fiorentine di cui ero allora direttore, per chiedermi se era possibile compiere un'indagine su un Crocifisso *ligneo da lei rinvenuto nel convento di Santo Spirito e che in riferimento ai suoi studi avviati e quasi portati a termine in un vero e proprio censimento condotto su base stilistica storica e tipologica su tutti i crocifissi lignei tuttora esistenti in Toscana dal XIX al XVI secolo, pensava potesse riflettere per un'evidente diversità morfologica la novità formale che doveva essere espressa dal perduto* Crocifisso *di Michelangiolo, da lui scolpito per il convento di Santo Spirito e andato smarrito forse al tempo della dominazione francese e in concomitanza con la soppressione del convento.*
L'opera appariva totalmente ridipinta in modo assai rozzo con un colore a olio bianco ma tendente all'avorio – con l'idea forse di una nobilitazione a marmo? – dato a più riprese e portato poi a color giallo da una vernice assai spessa che col tempo aveva finito col dare all'insieme una greve intonazione marrone. Sul volto gli occhi, la barba, i baffi, il sangue erano assai maldestramente segnati, senza il più piccolo magistero d'arte. Anche i capelli risultavano abbondantemente ripassati da un color marrone scuro.
Anche il perizoma del Cristo risultò chiaramente una tavola aggiunta dopo la ridipintura.
La croce sulla quale si trovava il Crocifisso non era più quella originale ma era una croce già utilizzata per un altro Crocifisso: su di essa erano stati trasferiti sia il corpo sia il cartiglio, che risultò di fattura quattrocentesca per tecnica e materia. Sulla nuova croce questo risultava però riappeso capovolto, la sua giusta lettura apparendo solo con la scritta in alto dell'ebraico e, di sotto, la scritta greca e poi quella latina ambedue collocate con le lettere da destra a sinistra e a rovescio per analogia con l'andamento dell'ebraico.
Una volta portata in laboratorio dopo le documentazioni fotografiche di rito l'opera fu affidata al restauratore Pellegrino Banella.
Dall'analisi della materia si poté con certezza stabilire l'epoca della ridipintura tra la fine del Settecento e la prima metà dell'Ottocento.
Il primo saggio di rimozione a solvente della ridipintura sul corpo di Cristo, eseguito sul costato, in prossimità della ferita donde sgorga il sangue, mise in evidenza l'esistenza di un colore sottostante di ben diversa natura pittorica e anche la superficie così ritrovata mostrò nel rapporto con la spessa e pesante ridipintura una ben diversa e sensibilissima modellazione. Alla lettura microscopica apparvero ancora più chiaramente tutte le caratteristiche, per smalto, per intensità e per impasto e granulazione del colore di un'opera del tardo Quattrocento e non oltre. Ciò divenne sempre più evidente via via che l'opera veniva liberata dalla ridipintura: mutamenti essenziali di grafia disegnativa si venivano a riscoprire soprattutto nel volto e nell'andamento delle colorature del sangue sul corpo; assolutamente nuovi apparivano il segno dipinto dei capelli sulla spalla a continuare ed estenuare sul piano il motivo dei capelli condotti a rilievo, il segno della peluria sotto le ascelle, sul torace e sul pube.
In complesso lo stato di conservazione dell'originale si palesava più che buono. I danni maggiori si potevano vedere nella massa dei capelli. Questi erano stati ottenuti con l'ausilio della stoppa: una materia che meglio si prestava, e con estrema docilità, al desiderio di ottenere fluenze e modulazioni di superficie a similitudine di una vera e propria dinamica capigliatura. Su questa stoppa così modellata l'artista aveva poi modulato e modellato piani e masse con strati di vario spessore di mestica per raggiungere esaltanti valori di compostezza e di unità. Purtroppo in molte parti questa mestica è caduta specie nelle ciocche che scendono sulle spalle dove non è rimasta che la stoppa priva ovviamente di carica plastica.
Manca anche l'originale corona di spine; se ne vedono tracce nel solco rimasto (come se fosse stato riempito con una corda) nella matassa dei capelli al di sopra dell'altezza dell'occhio e nella fronte dove restano i fori provocati dalle spine e dai quali sgorga fluente il sangue.
Creato senza perizoma il Crocifisso lo dovette avere, anch'esso di riporto sulla parte lignea; e fu molto basso come è nel Cristo del Pontormo *nel tabernacolo di Boldrone, che deriva direttamente da questo; e ciò è dimostrato dalla leggera variazione cromatica che si notava nel corpo al di sotto dei fianchi. Variazione non certo dovuta alla diversa esposizione alla luce, ma a una vera e propria asportazione del colore quasi a strappo causata dalla rimozione del perizoma già certamente unito al corpo a colla.*
Altre osservazioni furono fatte e di tutte fu dato conto nel volumetto pubblicato nel '64 in italiano dalla Lisner in contemporanea con il "Münhen Jahrbuch der Bildenden Kunst", per i tipi di Prestel Verlag di Monaco.
E qui forse varrà la pena di ricordare il "rumore" che fece nei nostri laboratori la presenza di questo Crocifisso *anche per i risvolti che ebbe allora una prolungata tenzone attributiva sulle colonne del quotidiano fiorentino "La Nazione", ingaggiata tra chi scrive e l'amico Alessandro Parronchi. Ma anche per la lunga teoria di consensi registrata da numerosissimi storici dell'arte italiani e stranieri che si mossero da più parti per vedere il preziosissimo recupero. Primo fra tutti Charles de Tolnay che già dirigeva la Casa Buonarroti.*
Poche dunque le voci discordi – registrate nelle schede di catalogo – e furono di chi non volle riconoscere e accettare la verità storica che si desume chiaramente anche dalle fonti che dichiaravano come la "maniera grande e fiera" di Michelangelo era ancora da venire, certo sollecitata e stimolata da quello studio dei corpi che appunto sarà atto successivo a questa data.

Umberto Baldini

Michelangelo Buonarroti
Caprese 1475 - Roma 1564

37. *Statue dell'Arca di San Domenico*

a. *San Procolo*
Marmo, cm 58,5 (con la base);
base: cm 9,5 × 10,5

b. *Angelo reggicandelabro*
Marmo, cm 51,5 (con la base);
base: cm 30,5 × 16,5

c. *San Petronio*
OPERA NON IN MOSTRA
Bologna, chiesa di San Domenico

Insieme con una terza statua (raffigurante *San Petronio*, il vescovo patrono di Bologna), il *San Procolo* (giovane guerriero martirizzato dinanzi alle porte della città nell'anno Domini 303) e l'*Angelo inginocchiato* rappresentano il contributo arrecato da Michelangelo ad uno dei più straordinari monumenti d'arte di ogni tempo, il sepolcro contenente i resti del fondatore del glorioso ordine domenicano, lo spagnolo Domenico, nato nel 1170 e morto a Bologna appunto nel 1221. L'Arca aveva ricevuto il suo primo assetto fra il 1265 e il 1267, ad opera di Nicola Pisano, recente autore del pulpito del Battistero di Pisa, assistito da alcuni collaboratori, fra cui è citato Fra Guglielmo da Pisa (ma erano presenti molto probabilmente anche Lapo e il grande Arnolfo di Cambio). Nella prima redazione, il monumento constava di un sarcofago sorretto da quattro (Piò 1620; o sei, come argomentava Gnudi 1948, pp. 85, 99-105) terne di angeli, in funzione di cariatidi, e si trovava nella chiesa inferiore di San Domenico. Nel 1411 venne trasferito nella chiesa superiore, in una cappella del fianco meridionale, poi rimaneggiata nel 1596. Nel 1605, infine, si ebbe la collocazione corrispondente all'attuale, nella grande cappella intitolata al santo, decorata nell'abside con una *Gloria* di Guido Reni. Nel 1469 ebbe inizio il programma quattrocentesco di trasformazione del sepolcro, affidato a un grande scultore giunto recentemente a Bologna dall'Italia meridionale, Niccolò, dal 1481 in poi detto comunemente "dell'Arca"[1]. Nei venticinque anni antecedenti la morte, intervenuta il 2 marzo 1494, Niccolò realizzò tutta la parte superiore coronata dalla figura dell'Eterno, con la sua ricca decorazione plastica (tranne i due santi poi dovuti a Michelangelo e un'ultima statua eseguita nel 1539 da Girolamo Coltellini), e l'angelo reggicandelabro di sinistra sulla mensa dell'altare. I tre rilievi della predella vennero affidati fra il 1532 e il 1536 ad Alfonso Lombardi.
Michelangelo si fermò a Bologna immediatamente dopo la morte di Niccolò, nel 1494, successivamente al breve soggiorno veneziano, e vi rimase, secondo il biografo michelangiolesco Ascanio Condivi che ci dà un resoconto dettagliato di quegli avvenimenti (1553), poco più di un anno. Leggiamo in Condivi: "Era in quelle terre, al tempo di messer Giovanni Bentivogli, una legge che qualunque forestiere entrasse in Bologna, fosse sull'ugna del dito grosso suggellato con cera rossa. Entrato adunque Michelagnolo inavvertentemente senza il suggello, fu condotto insieme co' compagni all'ufficio delle Bullette, e condannato in lire cinquanta di bolognini; i quali non avendo egli modo di pagare, e standosi nell'ufficio, un messer Gian Francesco Aldrovandi, gentiluomo bolognese, che allora era de' Sedici, vedutolo quivi, ed intendendo il caso, lo fece liberare; massimamente avendo conosciuto ch'egli era scultore. Ed invitandolo a casa sua, Michelagnolo lo ringraziò, pigliando scusa d'aver seco due compagni, che non gli voleva lasciare, né colla loro compagnia lui aggravare. A cui il gentiluomo: *I' verrò anch'io, rispose, teco a spasso pel mondo, se mi vuoi far le spese*. Per queste e altre parole persuaso Michelagnolo, fatta scusa co' compagni, gli licenziò, dando loro que' pochi denari che si ritrovava, ed andò ad alloggiare col gentiluomo... Corsero dalla morte del magnifico Lorenzo [sc. 1492] all'esilio de' figliuoli [recatisi anch'essi a Bologna] circa tre anni, sicché Michelagnolo poteva essere d'anni venti in ventuno... se ne stette col già detto gentiluomo in Bologna, il quale molto l'onorava, dilettato del suo ingegno, ed ogni sera da lui si faceva leggere qualche cosa di Dante e del Petrarca e talvolta del Boccaccio, finché si addormentasse. Un giorno, menandolo per Bologna, lo condusse a veder l'Arca di San Domenico, nella chiesa dedicata al detto santo; dove mancando due figure di marmo, cioè un San Petronio e un angelo in ginocchioni, con un candeliere in mano; domandando Michelagnolo se gli dava il cuore di farle, e rispondendo di sì, fece che fossero date a fare a lui: delle quali gli fece pagare ducati trenta: del San Petronio diciotto, e de l'agnolo dodici. Erano le figure di altezza di tre palmi, e si posson vedere ancora in quel medesimo luogo. Ma poi, avendo Michelagnolo sospetto d'uno scultore bolognese, il qual si lamentava ch'egli gli aveva tolte le sopradette statue, essendo quelle prima state promesse a lui, e minacciando di fargli dispiacere, se ne tornò a Firenze... stette con messer Gianfrancesco Aldrovandi poco più di un anno".
Vasari (nella sola seconda edizione, 1568) riporta del soggiorno bolognese di Michelangelo un racconto assolutamente coincidente, per quanto espresso in forma più succinta, evidentemente ripreso da Condivi; soltanto motiva il ritorno a Firenze, probabilmente a maggior ragione, "perché conosceva Michelagnolo che perdeva tempo". Come si vede, né Condivi né Vasari menzionano il *San Procolo*, la cui prima attribuzione a Michelangelo è dovuta a Leandro Alberti (1535).
Michelangelo era dunque stato accolto con la massima benevolenza da Gian Francesco Aldrovandi, appartenente a una delle *grandes familles* bolognesi, già stato podestà a Lucca e nella stessa Firenze, tanto che si potrebbe immaginare che Aldrovandi avesse già conoscenza dell'esistenza del giovane artista così promettente, per tramite della corte medicea; avendo anche presente che, come ricorda lo stesso Condivi, "In questo la Casa de' Medici con tutti i suoi seguaci di Firenze cacciata se ne venne a Bologna e fu alloggiata in casa de' Rossi". Il racconto di Condivi è interessante nel testimoniare che anche a Bologna Michelangelo aveva goduto di un'evidente promozione sociale, essendo stato accolto come "protégé" nella casa di un cittadino eminente, che lo aveva eletto a compagno e amico nel leggergli le pagine dei grandi Toscani "finché si addormentasse". Tale situazione, unita con

l'autorevolezza dell'Aldrovandi nella città, poteva anche comportare una commissione certamente insolita nelle procedure. Non sappiamo se davvero Michelangelo avesse destato il malumore di qualche scultore bolognese, ma non ci sarebbe da stupirsene; come scrive bene Wallace (1992, p. 157), un artista locale "avrebbe dovuto gestire una bottega, pagare l'affitto, acquistare i materiali e concorrere per gli incarichi. Michelangelo, che non era disposto ad entrare nella professione per la via tradizionale, ricevette la commissione, i marmi e un posto per lavorare, mentre per tutto il tempo viveva nella casa di uno dei cittadini più eminenti di Bologna".

Lo scultore non ancora ventenne si trovò dunque ad intervenire in un complesso già determinato, il cui aspetto complessivo aveva ricevuto un assetto finale da parte di un artista di cultura assai complessa come Niccolò dell'Arca, che combinava elementi adriatici con una conoscenza di base anche dell'arte fiorentina. Nel convento bolognese aveva vissuto fra il 1475 e il 1482 proprio Girolamo Savonarola, in seguito, dal 1490, abitatore di San Marco a Firenze, il convento adiacente ai giardini medicei dove soggiornava Michelangelo adolescente. Due delle statuette michelangiolesche non sarebbero state ben visibili, a causa della loro collocazione elevata, mentre l'*Angelo* allora come oggi è ben valutabile, prossimo com'è all'osservatore. Relativamente all'*Angelo*, è impossibile sapere con certezza se Michelangelo ricevette un blocco già in parte sbozzato, come si è ritenuto[2]; il che non sembra in sé necessario, né appare dimostrabile. Quel che conta, è che rispetto all'*Angelo* simmetrico di Niccolò, il giovane Buonarroti cerca e trova, per quanto consentito dalle dimensioni del blocco e dallo spazio disponibile nel monumento, un'impostazione leggermente obliqua, che conferisce alla figura un movimento più complesso. L'*Angelo* di Niccolò è soprattutto un'esercitazione nella resa di una bellissima testa riccioluta e di un panneggio ampio, che si sviluppa a larghe falde con una sensibilità che rammenta ancora i risultati più alti del gotico, come quelli borgognoni dello Sluter. L'espressione è introversa e sognante; le larghe ciocche dei capelli sembrano richiamare il materiale in cui Niccolò era maestro, la terracotta. L'*Angelo* michelangiolesco mostra invece una particolare, strettissima integrazione fra le pieghe della veste e il corpo ch'essa ricopre, accompagnando la rotazione in avanti del busto, così come la proiezione della coscia sinistra, mentre la parte inferiore della stessa gamba gira all'indietro. Il candelabro è massiccio e pesante, riprendendo le forme architettoniche fiorentine tipiche delle basi di statue o di acquasantiere. La testa dell'angelo si solleva imperiosamente, come s'egli guardasse lontano, mentre la bocca semiaperta sembra preludere ad un grido di avvertimento. La semplificazione dei piani del viso, il trattamento dei capelli come una massa un poco indifferenziata, dimostra a mio parere una chiara intenzione di correlarsi piuttosto con il precedente del Niccolò più remoto che non di quello più recente; in effetti, sembra di scorgere da questo punto di vista una cosciente rivisitazione delle straordinarie forme romaniche pisane, dovuta a una particolare curiosità d'artista (si veda in proposito anche Luchs 1978).

Il *San Procolo* riproduce dunque un giovane guerriero, riprendendo e modificando secondo princìpi propri il *San Vitale* di Niccolò dell'Arca (Lisner 1967), e propone per la prima volta, e con una deficienza di equilibrio che in seguito sarà almeno parzialmente corretta, il tipo dell'eroe accigliato, dal carattere forte (il *David*, il *Mosè*, il *Bruto*), che mostra di essere in preda a uno stato d'ira e aggressività, come qui, o almeno di intensa concentrazione espressiva, in una disposizione d'animo pronta allo scontro. Addirittura, un'osservazione ravvicinata dell'espressione del santo, dalla fronte fortissimamente aggrottata, lo rivela quasi disposto all'attacco, come avrebbe confermato ancor meglio la lancia ch'egli doveva all'origine tenere nella mano destra. Il confronto con il *Bartolomeo Colleoni* del Verrocchio nel monumento equestre veneziano, già avanzato, è certamente corretto[3], tenendo conto però che in Verrocchio il condottiero è visto in una proiezione universale, mentre la statuetta michelangiolesca è raffigurata secondo parametri di assoluta contingenza. Così, il giovane santo volge la testa quasi all'improvviso, come ubbidendo ad un richiamo inaspettato, mentre la mano sinistra stringe con forza l'estremità del mantello che gli ricade dietro la schiena. I tratti del viso (la fronte ampia e spianata, gli zigomi larghi, come nella *Madonna di Manchester* della National Gallery di Londra, presente a questa mostra) sono semplici, fortemente segnati a sottolineare la fronte corrugata sugli occhi dall'espressione quasi feroce. In ossequio a questo movimento imprevisto, il corpo si articola, dalla punta dei piedi alla cima dei capelli, in una serie di inclinazioni tridimensionali sottilissime, diverse e contrastanti, tali che le riproduzioni fotografiche non sono in grado di renderle, e può consentire di coglierle soltanto la visione diretta. È una gamma di rotazioni continue, che contrappongono la metà inferiore delle gambe con quella superiore fino all'inguine, poi il bacino fino alla vita, poi il torace e il petto fino alle spalle e al collo, la testa infine. Allo stesso tempo, il busto si piega all'indietro, la testa si proietta in avanti, la gamba sinistra poggia in avanti, poiché il santo è stato colto in cammino, e costretto a fermarsi dal richiamo imprevisto di cui dicevo. Questa articolazione del movimento, che apparenta la statuetta a un'opera come il *Crocifisso* ligneo di Santo Spirito (ma si veda anche e ad esempio, in pittura, il San Giovannino della *Madonna di Manchester* già citata), è un'idea stilistica dotata di forte percentuale d'innovazione, destinata a sviluppi futuri che saranno centrali nell'arte del Cinquecento. Così fin dalle prove più giovanili, Michelangelo mostra, pur nelle parziali ingenuità e incompiutezze, una straordinaria capacità di ripensare in maniera originale temi e iconografie diffuse, allo stesso modo in cui nella tavola londinese detta *Madonna di Manchester* viene messo in forse per la prima volta il concetto quattrocentesco dello spazio prospettico[4]. Il *San Procolo* finisce allora per diventare quasi una prova generale ridotta del *David*, che condivide con la piccola statua bolognese non pochi elementi stilistici e psicologici.

Nel *San Petronio*, dal manto e dalla veste molto più lavorati e dal movimento meno libero, risultano più forti i rimandi alla tradizione quattrocentesca di Jacopo della Quercia e dello stesso Donatello; secondo Bottari (1964, pp. 75 sgg.), Niccolò dell'Arca aveva già attaccato il blocco nella parte non visibile. Tutta da verificare a seguito di un attento esame ravvicinato l'affermazione di Pope-Hennessy (1963, ed. 1966, p. 306) secondo cui la testa non sarebbe originale, ma sostituita. Risulta infine poco produttivo, a mio parere, tentar di stabilire una cronologia interna per le tre statue, come qualche autore ha ritenuto[5], in base a un supposto riconoscibile sviluppo stilistico[6].

Riferimenti bibliografici

Alberti 1535, fol. 9; Condivi 1553; Vasari 1568; Piò 1620, col. 119; Gnudi 1948; Pope-Hennessy 1963, ed. 1966; Bottari 1964; Lisner 1967, pp. 78 sgg.; Tolnay 1943, ed. 1947, ristampa 1969; Luchs, 1978, pp. 225-228; *Tre artisti...* 1985; Wallace 1992, pp. 151-167; Bonsanti 1992, pp. 279-305; Hirst 1994.

[G.B.]

[1] Sul monumento, v. specificamente Bottari 1964. Su Niccolò dell'Arca si veda ultimamente la trattazione in *Tre artisti...* 1985, ove la parte che lo riguarda è alle pp. 225-362, a cura di Grazia Agostini e Luisa Ciammitti, con bibl. precedente.

[2] Così ad esempio Michael Hirst, in Hirst - Dunkerton 1994, p. 19.

[3] Così Lisner 1967, pp. 79-80. L'intero articolo della Lisner è una trattazione molto acuta del tema. L'Autrice ritiene che per la testa del *San Petronio* Michelangelo si sia ispirato a una scultura antica.

[4] In Hirst- Dunkerton 1994 (pp. 37, 75) Hirst pubblica un documento romano del 1497, testimoniante l'acquisto da parte di Michelangelo di una tavola quale supporto per un dipinto, che potrebbe riferirsi alla *Madonna di Manchester*, anche se manca qualsiasi prova conclusiva in proposito. Nelle mie pagine su Michelangelo pittore prima della Volta Sistina (Bonsanti 1992, pp. 279- 305), difendendo vigorosamente la responsabilità e l'autografia michelangiolesche per la *Madonna di Manchester* (il che all'epoca non era accettato così pacificamente nemmeno negli stessi cataloghi della National Gallery di Londra), pensavo per la tavola londinese a due possibili cronologie: la prima fra la seconda metà del 1492 e il 1494, prima della partenza per Venezia; la seconda fra la fine del 1495 e il giugno 1496. Ritengo che quel testo avrebbe potuto essere menzionato nella bibliografia del catalogo londinese, per sola completezza d'informazione.

[5] Tolnay 1969, I, p. 141. Da sottolineare ancora una volta l'utilità e la completezza della grande monografia michelangiolesca in cinque volumi del Tolnay, la cui pubblicazione iniziò nel 1943, che venne riedita "revised" nel 1947, e fu infine ristampata dal 1969.

[6] Si tenga presente anche lo stato di conservazione delle statuette. Il *San Petronio* necessita di un controllo ravvicinato, per capire meglio le dinamiche dei danni presenti sul viso. Il *San Procolo* venne danneggiato dalla caduta di una scala, come sappiamo da un manoscritto del 1572 pubblicato dal Bonora nel 1875 (v. Tolnay 1969, p. 137), e restaurato dallo scultore reggiano, e acceso michelangiolesco, Prospero Sogari. Reca però tracce, come ha osservato Lisner cit. a nota, anche di un intervento successivo. Si auspica che l'esposizione nella mostra fiorentina sia occasione per un controllo accurato.

Arca di San Domenico, Bologna, chiesa di San Domenico.

Vincenzo Vannini

38. *L'Angelo del Buonarotti* [sic] *che adorna il celebre monumento dell'Arca di San Domenico in Bologna*

Bologna, Tipografia Governativa Sassi e Fonderia Amoretti, 1840

mm. 43 × 32
Firenze, Casa Buonarroti ("donato da un amatore dell'arte in onore della mostra").

Dedicato "alla Sacra Maestà di Carlo Alberto, Re di Sardegna, di Cipro e di Gerusalemme, Duca di Savoja e di Genova, Principe di Piemonte ec. ec.", il fascicolo è stato pubblicato in un momento in cui l'emergere del mito di Michelangelo si legava al recupero di un'identità culturale nazionale. In questo senso la descrizione che il Vannini dà di sé rispecchia il momento storico e culturale: "Dottor Vincenzo Vannini, Ingegner Architetto, Socio Corrispondente della Reale Società Borbonica per le Belle Arti di Napoli, Virtuoso di Merito Corrispondente dell'Insigne Congregazione de' Virtuosi del Panteon [sic] in Roma, Accademico Onorario di Prima Classe dell'Imperiale e Reale Accademia di Belle Arti di Firenze, Socio Onorario dell'Accademia Ducale di Belle Arti di Parma, Socio Onorario della Pontificia Accademia di Belle Arti di Bologna".
Concepito pochi anni prima del restauro dell'Arca monumentale (1843-44, in Bottari 1964), il testo che accompagna l'illustrazione dell'angelo vuole essere una riscoperta in chiave bolognese di Michelangelo, rappresentato qui da un'opera giovanile "per la prima volta" pubblicata.
Lo scritto del Vannini lascia trasparire ancora vitale il mito del grande artista, poco sostenuto però dal contenuto storico derivabile dal racconto vasariano: si tratta dunque di un documento che testimonia quanto era andato perduto delle notizie tratte dalle biografie cinquecentesche, a scapito della correttezza delle informazioni.
Lo dimostra in maniera eclatante anche il disegno dell'angelo eseguito da Ludovico Aureli (1816-1865): esso illustra come opera del Buonarroti l'angelo a pendant eseguito da Niccolò dell'Arca (cfr. anche in Steinmann-Wittkover 1927, ed. 1967, p. 370, n. 1958). Ma l'Aureli ha disegnato la scultura dell'artista bolognese traducendola nei modi più "tipicamente" michelangioleschi, attribuendole quei caratteri che la letteratura ottocentesca attribuiva al Buonarroti: forza, solidità, espressività.
Bolognese di nascita, l'Aureli era pittore soprattutto di quadri "di storia", dal 1859 docente presso l'Accademia di Belle Arti; collaborò a varie pubblicazioni accompagnate da illustrazioni con apparato illustrativo litografico (cfr. la voce di S. Staps in *Allgemeines Künstler-Lexikon*, Saur, München-Leipzig, V, 1992, p. 667, con bibl.).
[K.W.-G.B. e E.C.]

L. Aureli dis.
Bol.a Lit.a Angiolini e C.
L'ANGELO DEL BONAROTTI
adornante l'Arca di S. Domenico in Bologna
Alla Sacra Maestà di Carlo Alberto
Re di Sardegna, di Cipro, e di Gerusalemme;
Duca di Savoja, e di Genova, Principe di Piemonte ec. ec. ec.
Vincenzo Vannini Ing.re Arch.to Bolognese.

Michelangelo Buonarroti
Caprese 1475 - Roma 1564
39. *Fanciullo arciere*

Marmo, h cm 100 senza la base
New York, Services Culturels de l'Ambassade de France

La storia moderna di questo, ormai noto, frammento che è al tempo stesso non finito e danneggiato inizia con la sua apparizione in un catalogo di vendita di svariate opere, la maggior parte delle quali di elevata qualità, messe insieme dall'antiquario fiorentino Stefano Bardini e vendute all'asta presso Christie's a Londra nei giorni 26-30 maggio del 1902 (n. 584). Nella versione inglese del catalogo di vendita l'opera era descritta come un "Ercole bambino" della "scuola di Michelangelo" proveniente dal "Museo Borghese di Roma". Era già collocata sul piedistallo triangolare romano fantasiosamente adattato sul quale si trova tuttora. Un mondano volume in folio redatto in francese in occasione dell'asta si spingeva oltre: questa "Statue d'Enfant" (statua di bambino), un "pièce extraordinaire" (pezzo straordinario), era "le travail de Michel-Ange Buonarroti", ossia di Michelangelo in persona. In questo catalogo si diceva che il principe Borghese l'aveva venduto al Bardini.
Ma i nomi altisonanti di Michelangelo e Borghese non ottennero risultati; l'opera fu ricomprata dal venditore, e sostanzialmente scomparve dalla circolazione. Spetta ad Alessandro Parronchi (Parronchi 1968) il merito di aver ridestato interesse per l'opera, e a un alto livello. Conoscendola solo attraverso la fotografia di Christie's, nel 1968 Parronchi riprese in maniera nuova l'idea dell'attribuzione a Michelangelo, identificando il marmo con l'*Apollo* che Ulisse Aldrovandi descriveva nella casa di Jacopo Galli a Roma a metà Cinquecento: "In una camera piu su presso la sala si truova... uno apollo intiero ignudo con la faretra e saette a lato, & ha un vaso à piedi: è opera medesimamente [ossia come il *Bacco* ora al Bargello, che lo stesso Galli possedeva] di Michel'angelo" (Aldrovandi 1556, ed. 1975). A parte l'esaltata espressione del volto e i movimenti vibranti, l'unico evidente attributo rimasto al frammento è la faretra, che ha la forma di zampa ferina. Parronchi partì dal presupposto che l'opera identificata da Aldrovandi come un Apollo fosse diversa dal *Cupidine* menzionato da Ascanio Condivi nella casa degli eredi di Galli. "Volse anco [ossia come il *Bacco* del Bargello] detto messere Iacopo ch'egli facesse un Cupidine, e l'una e l'altra di queste opere oggidì si veggano in casa di messer Giuliano e messer Paulo Galli, gentiluomini cortesi e da bene, coi quali Michelagnolo ha sempre ritenuta intrinseca amicizia" (Condivi 1553). Vasari, nell'adattare Condivi, aggiunse che il "Cupido di marmo" era "quanto il vivo" (Vasari 1568).
Benedetto Varchi nella sua *Orazione funebre* per Michelangelo, letta il 14 luglio 1564, pure menzionò il "Dio d'Amore" che gli eredi di Galli possedevano insieme al *Bacco* (Varchi 1564). Presupponendo che le fonti cinquecentesche avessero ragione nel dire che Michelangelo realizzò il *Cupido* per Galli, Parronchi, che identificava il marmo già in collezione Bardini come un *Apollo,* decise che ragionevolmente doveva essere stato eseguito durante il primo periodo romano di Michelangelo (1496-1501). Notava inoltre, come capita di notare a tutti coloro che l'hanno visto, la stretta connessione con l'*Apollo* bronzeo di Bertoldo di Giovanni (cat. n. 26). Parronchi ritornò concisamente sull'argomento nel 1981, avanzando l'ipotesi piuttosto immaginosa che il marmo già in collezione Bardini avesse formato una fontana insieme ad altri due putti marmorei, che egli proponeva come ulteriore lavoro del giovane Michelangelo. Sulla faccenda non vi furono novità fino a quando James Draper rintracciò la collocazione del perduto fanciullo di marmo nel palazzo dei Servizi culturali dell'Ambasciata francese sulla Fifth Avenue a New York, dapprima nella tesi su Bertoldo di Giovanni discussa alla New York University, e poi nella monografia pubblicata in seguito (Draper 1992). Con suo tardivo rammarico, Draper non si accorse, vedendo il fanciullo nella tenue luce del vestibolo (dove l'unica luce naturale non lo investe direttamente ma arriva da lontano e lateralmente), dei vibranti passaggi di non finito, e pensò invece di aver visto un'opera inspiegabilmente contraria ai

principi di anatomia, forse di tardo Cinquecento. Gli eventi successivi gli fecero cambiare completamente opinione a favore dell'attribuzione al giovane Michelangelo.
Il marmo era giunto a New York attraverso l'architetto Stanford White, che selezionava collezioni di antichità europee per le decorazioni acquistate per la sua ricca clientela. Comprò il fanciullo a Roma da Bardini dopo che questi non era riuscito a venderlo a Londra; nel 1905 il marmo era già installato con la sua base triangolare a coronamento di una fontana con testuggini (per un costo complessivo di 2500 dollari) aggiunta al vestibolo di Mr. e Mrs. Payne Whitney. I Servizi culturali francesi hanno occupato la dimora Whitney a partire dal 1952. La famiglia donò molti dei suoi beni al Metropolitan Museum, ma lasciò la fontana intatta come parte integrante del vestibolo di casa Payne Whitney. La casa si trova fra l'Institute of Fine Arts della New York University e il Metropolitan Museum of Art. La fontana risulta visibile attraverso le porte di vetro e ferro della residenza e non è affatto sorprendente che persone familiarizzate con il marmo, grazie al catalogo Bardini e all'articolo di Parronchi, imbattendosi da quelle parti lo riconoscano. Dopo che l'analisi di Draper in merito alla paternità michelangiolesca aveva dato esito negativo, la questione rimase ufficialmente irrisolta fino a quando Kathleen Weil-Garris Brandt vide il fanciullo in una serata organizzata dall'ambasciata in cui la fontana era particolarmente ben illuminata. Affascinata, si convinse che doveva essere opera michelangiolesca degli anni giovanili a Firenze, e comunicò la propria scoperta in interviste e conferenze a partire dal gennaio 1996, culminanti nell'articolo apparso nell'ottobre dello stesso anno sul "Burlington Magazine", dove venivano messi a fuoco la "straordinaria ambizione e i primi saggi di virtuosismo tecnico" quali segni distintivi dell'artista nella sua primissima giovinezza. Weil-Garris Brandt lasciò aperta la questione dell'identità del fanciullo (Apollo o Cupido?).
La diffusione data dai media all'argomento suscitò un profluvio di reazioni, molte delle quali negative. Una conferenza di Weil-Garris Brandt al Louvre fu all'origine di un assai pubblicizzato diniego, da parte del curatore del dipartimento di sculture Jean-René Gaborit, riguardo alla paternità di Michelangelo. Altri si misero in competizione con l'interesse della riscoperta, alcuni arrivando a sostenere che l'avevano compiuta per primi. Un mercante di sculture sostenne di aver cercato di fungere da intermediario per il J.P. Getty Museum nel tentativo di acquisirlo. Colin Eisler, collega di Weil-Garris Brandt all'Institute of Fine Arts, affermò, senza dubbio in buona fede, che lo aveva riconosciuto come lavoro di Michelangelo intorno al 1980 senza tuttavia approfondire la questione, evidentemente perché Parronchi aveva già sollevato il problema. Il tentativo di Eisler di catalogare l'opera come una contraffazione dell'antico da parte di Michelangelo è infruttuoso.
L'attribuzione ventilata da Micheal Hirst a Bertoldo anziché a Michelangelo è parimenti da scartare.
In seguito Weil-Garris Brandt e Draper pubblicarono insieme nuove rivelazioni nel giugno 1997 sul "Burlington Magazine". Draper trovò un disegno dell'artista francese Ango, attivo nel Settecento (in cat. n. 61), che mostra gli arti del *Fanciullo* quasi intatti. Il giovane ritratto da Ango estrae una freccia dalla faretra e sta accanto a un vaso. La possibilità che si trattasse del *Cupido* di Jacopo Galli o dell'*Apollo* descritto da Aldrovandi trovò immediatamente conferma. Weil-Garris Brandt, investigando l'ambiente romano, rintracciò il marmo a villa Borghese nel 1650, quando Jacopo Manilli descriveva nel giardino privato un "Cupido senz'ali, coll'arco a piedi, appoggiato ad un vaso, e con le saette involte in una pelle di fiera". Ciò che rimane del vaso menzionato sia da Aldrovandi che da Manilli è un frammento verticale sul retro della gamba sinistra del fanciullo. Weil-Garris Brandt localizzò la "piccola facciata" (tuttora nei giardini di villa Borghese), che ospitava il fanciullo nella sua nicchia sulla destra – sostituita nel 1700 da una figura di Paride – e la collocazione in una nicchia spiega come la parte frontale del *Fanciullo* sia

1. Il *Fanciullo arciere* prima del restauro.

2. La scultura prima del restauro e vista dalla propria destra.

3a, 3b. Dettagli del volto del *Fanciullo arciere* prima del restauro con i segni della ricopertura di cera.

considerevolmente più danneggiata del retro. Dove si trovasse quando Ango lo ritrasse risulta meno chiaro, ma doveva essere a una certa altezza, poiché la testa e le cosce sono visibilmente scorciate nel suo disegno. Di recente, il polemico James Beck, rivendicando paradossalmente di appellarsi al "buon senso", ha tentato di trasformare il marmo in una contraffazione ottocentesca, sopprimendo essenziali evidenze, come la sporgenza spezzata di pietra dietro la gamba sinistra del *Fanciullo*, dove c'era il vaso, e offrendo una "ricostruzione" della figura nuda nel disegno di Ango che lo mostra ridicolmente allungato, il tutto nel vano sforzo di dimostrare che Ango stava copiando tutt'altra statua.

Una dettagliata disamina a favore dell'attribuzione del *Fanciullo* a Michelangelo si trova nell'intervento di Weil-Garris Brandt del 1996 e in quello di Draper del 1997, nonché nel saggio di Weil-Garris Brandt presentato in catalogo. A dire il vero, come molti concorderebbero, il *Fanciullo* risente fortemente del particolare primitivismo favoloso e poetico di Bertoldo. La faretra a mo' di zampa ferina è un tocco di "rusticanità" che Bertoldo, con tutto il suo armamentario di clave e pelli scuoiate, avrebbe potuto tranquillamente suggerire. L'inclinazione della testa, la precarietà della postura (rafforzata nella collocazione del *Fanciullo* alla sua origine dal vaso che stava accanto alla gamba) e l'incrociarsi delle braccia non sono concepibili di fatto senza l'esempio dell'*Apollo* bronzeo di Bertoldo (cat. 26). Quest'ultimo non avrebbe mai potuto raggiungere la grandezza e il grado di idealismo toccati nella testa del fanciullo. Si ha comunque l'impressione che dopo tutto Bertoldo sia stato il filtro attraverso il quale Michelangelo cercò di pervenire a una rassomiglianza con l'antichità classica, e che Eisler abbia ragione nel pensare che il giovane principiante "vide l'antichità attraverso l'originale e spesso ispirato sguardo di Bertoldo" (Eisler 1996, p. 12). Non va scartata l'ipotesi che i due abbiano avuto una comune fonte antica, ma sul *Fanciullo* sembra agire un influsso principalmente bertoldesco piuttosto che classico. Il fatto che Michelangelo si sia ispirato a Bertoldo aggiunge una ragione di più per considerare il soggetto scelto per il *Fanciullo*. In tal caso, sarebbe stato Apollo Pizio, il giustiziere Pizio piuttosto che il musico d'Arcadia. In entrambi i casi, i legami con la retorica mitologica di Lorenzo de' Medici sarebbero impliciti. Draper data l'*Apollo* di Bertoldo vicino al 1480. Dopo quella data, il suo stile si svolse in una più risentita e cruda espressività. Vi è un vuoto di circa dieci anni prima che Michelangelo raccolga la lezione data dal bronzo di Bertoldo. Per una discussione più dettagliata della probabile data del marmo e del suo significato, si rinvia al saggio di Brandt in questo stesso catalogo.

Riferimenti bibliografici
Condivi 1553, ed. 1998, p. 19; Aldrovandi 1556, ed. 1562, rist. 1975, p. 168; Manilli 1650, p. 146; Varchi 1564, p. 24; Vasari 1568, ed. Milanesi 1878-1885, VII, p. 150 (si veda ed. Barocchi 1962, II, pp. 159-161); *Pictures and other works of Art...* 1902, n. 584; *Catalogue...* 1902, p. 89, n. 547, tav. 35; Parronchi 1968, pp. 131-148; Parronchi 1981, pp. 47-63; Draper 1992, pp. 171-172; Weil-Garris Brandt 1996, pp. 644-659; Hirst 1996, p. 3; Eisler 1996, pp. 7-13; Draper 1997, pp. 398-399; Weil-Garris Brandt 1997, pp. 400-404; Beck 1998, pp. 9-42.
[K.W. G.B. e J.D.D.]

Rapporto sull'analisi e sul restauro del "Fanciullo arciere" attribuito a Michelangelo.

Nel dicembre del 1996 il *Fanciullo arciere* (fig. n. 1) attribuito a Michelangelo, ospitato nel palazzo dei Servizi Culturali dell'Ambasciata francese a New York sulla Fifth Avenue, fu portato al Metropolitan Museum per un esame e un trattamento di restauro che mi furono affidati. Quanto segue è il riassunto delle scoperte a livello tecnico, delle condizioni della statua e del trattamento di conservazione adottato.

La scultura è in marmo di Carrara. L'identificazione del marmo è stata effettuata attraverso un esame oculare e confermata dallo studio di una microsezione condotto dal professore Lorenzo Lazzarini del dipartimento di Storia dell'Architettura di Venezia (IUAV), e da un'analisi dell'isotopo stabile eseguita dal professore Bruno Turi del dipartimento di Scienze della Terra dell'Università La Sapienza di Roma, su un campione estratto dalla parte inferiore fratturatasi della gamba destra della figura. L'esame scientifico ha potuto più precisamente restringere la localizzazione della fonte del marmo a una delle tre antiche aree di estrazione dei marmi carraresi – Torano, Miseglia e Colonnata – che sono, dal punto di vista degli isotopi, distinguibili dalle cave rinascimentali di Serravezza (Dean 1988, p. 320), aperte solo nel 1515. Poiché il marmo deriva da una delle antiche cave di Carrara, la possibilità che la scultura sia stata ricavata da uno *spolium* antico non deve essere scartata.

Il frammentario e non finito *Fanciullo arciere*, senza braccia e senza la parte di gambe al disotto delle ginocchia, è distinto in quattro parti: 1) la testa, il torso, la parte superiore di entrambe le gambe; 2) la faretra; 3) la parte più bassa della gamba sinistra giusto sopra il ginocchio fino alle natiche e alla schiena; 4) la parte più bassa della gamba destra da metà coscia frontalmente fino all'intera coscia nella parte posteriore. Altre significative mutilazioni della scultura comprendono una sezione del laccio della faretra sul retro, l'organo genitale del fanciullo e la base sotto la gamba sinistra, che si presenta come un vaso in parte panneggiato nel disegno di Ango della scultura (cat. n. 61) (Draper 1997, p. 399), mentre ora rimane solo un moncone fratturato. Dunque le diverse parti della scultura mostrano gradi diversi di finitezza (Weil-Garris Brandt 1996, pp. 652-653). Segnatamente le aree meno finite sono: l'orecchio sinistro, i riccioli che lo ricoprono e si stendono da una parte sulla fronte, e la faretra, che mostra segni di un trattamento tecnicamente impegnativo, ma non portato a compimento. Le vecchie fotografie rivelano che alla statua venne data la base attuale prima del 1902 e che vi fu reinstallata prima del 1905 (Weil-Garris Brandt 1996, p. 648).

La radiografia a raggi X della figura ha rivelato che la parte inferiore delle gambe e la fare-

4a, 4b. Dettagli del volto del *Fanciullo arciere* dopo la riduzione dello strato di copertura di cera.

tra sono attaccate al corpo centrale, nella stessa maniera in cui la scultura è legata alla sua base triangolare, ossia attraverso lunghe graffe di metallo o ganci che ai raggi X appaiono di un profilo così regolare da sembrare essere stati fabbricati a macchina. L'area fra la parte di sotto delle gambe e la base della scultura è riempita di gesso, verosimilmente per dare maggiore supporto alla figura e per costruire unità fra la scultura e la base. Quando questo gesso fu rimosso durante il restauro, una sezione dei ganci che univa la parte bassa delle gambe alla base risultò visibile, fornendo conferma non solo del fatto che questi ultimi sono fatti a macchina, ma anche l'opportunità di estrarre un campione del metallo per analizzarlo. L'analisi SEM/EDS del gancio effettuata da Mark Wypyski, ricercatore scientifico associato dello Sherman Fairchild Center for Objects Conservation del Metropolitan Museum, ha dimostrato che è stato fabbricato in acciaio zincato. Il gesso riempie in parte le giunture fra i vari frammenti, dove sono state trovate anche tracce di un collante color ambra; il gesso completa inoltre un'ampia lacuna nella gamba sinistra sopra il ginocchio, così come copre un foro al di sopra della spalla destra. Questo foro, insieme a un altro trovato sulla sommità della testa, per quanto possano sembrare ambigui, potrebbero aver svolto la funzione di ancorare saldamente la scultura a una specifica cornice architettonica.

Per determinare se la faretra e la parte inferiore degli arti siano appartenute originalmente al resto del corpo, e dunque ciascun pezzo sia legato all'altro, piccoli campioni di materiale sono stati prelevati dal marmo in corrispondenza delle aree di ciascuna frattura. I campioni sono stati sottoposti all'analisi dell'isotopo stabile, eseguita anche in quest'occasione dal professor Turi, ed è risultato che tutti i frammenti facevano originariamente parte dello stesso pezzo di marmo. Bisogna sottolineare che come la faretra non è "scolpita a partire da un pezzo diverso di marmo" così la testa non ha alcuna sezione "aggiunta", come erroneamente è stato affermato (Beck 1998, p. 36). Tuttavia la testa ha una venatura grigia che racchiude quasi completamente, ma non interamente, la parte posteriore. La venatura, essendo più durevole del marmo che la circonda, ora emerge in leggero rilievo dalla massa erosa dei capelli. Un naturale parallelo a questa venatura si trova tracciando una diagonale vicino al centro della faretra, e il rapporto fra le due venature, comunemente rinvenibile nel marmo, e facilmente osservabile dal visitatore, può essere percepito a occhio nudo semplicemente guardando l'opera dal lato destro (fig. n. 2).

La superficie del marmo è erosa. Sappiamo ora, grazie alle ricerche di Kathleen Weil-Garris Brandt, che la scultura era posta in una nicchia nel giardino di villa Borghese (Weil-Garris Brandt 1997, p. 400). In conseguenza la scultura è maggiormente rovinata nella parte frontale che in quella posteriore, dove il marmo si è preservato meglio grazie al naturale riparo offerto dalla nicchia a questa porzione della figura. Le parti superiori della scultura, specialmente la testa e il petto, sono le più erose. Dunque sembrerebbe che queste aree, e in particolare il petto, abbiano subito l'attacco dell'esposizione all'aperto.

Dalla parte terminale del braccio destro, che è monco, del *Fanciullo arciere* sporge una graffa metallica che, a giudicare dai risultati dei raggi X sulla scultura, sembrerebbe fatta a mano. L'esame SEM/EDS della graffa, di nuovo eseguito da Mark Wypyski, ha rivelato che è fatta di una bassa lega di zinco con tracce di piombo, antimonio e stagno, e ha confermato ulteriormente l'impressione visiva che la graffa sia ricoperta di piombo. Il marmo che circonda la cavità della graffa fino all'area adiacente al torso è stato percorso con piccoli solchi, presumibilmente per creare una superficie di attacco per il collante trovato su questa area, l'esame del quale è in corso. Secondo la testimonianza del disegno di Ango, il *Fanciullo arciere* presentava il braccio destro teso sul petto. Questo braccio, insieme al busto, deve aver subito i danni maggiori dell'esposizione all'aperto, ma allo stesso tempo avrebbe protetto, in una certa misura, la parte bassa del torso che si presenta in uno stato di conservazione migliore. Quindi questo braccio, immaginato come "commoventemente sottile" (Weil-Garris Brandt 1996, p. 648), potrebbe essere stato reso più debole dagli agenti atmosferici e pertanto più soggetto a erosione, il che varrebbe forse a spiegare l'occorrenza di questa isolata riparazione.

A parte l'evidente erosione del marmo, vi è sporcizia situata in particolare nei riccioli dei capelli e, in misura minore e in maniera disomogenea, su buona parte della superficie scolpita. La faretra offre inoltre un tono cromatico diverso, essendo molto più scura del resto. Mentre la faretra armata può aver semplicemente attirato più sporcizia che le altre parti più lisce della scultura, si può anche pensare che la faretra sia diventata a un certo punto una parte separata della figura e, data la sua mancanza di grazia in rapporto allo stato frammentario della statua, sia stata per questo conservata a parte. In conseguenza può avere avuto un'esposizione ad agenti diversi, col risultato di un aspetto differenziato rispetto alla figura.

A ciò si aggiunga che la scultura ha accolto una parziale ricopertura di cera. La cera è limitata alla zona più alta e frontale della statua, segnatamente al viso e al petto (figg. nn. 3a e 3b). Poiché queste parti della scultura sono esattamente quelle più corrose, la cera potrebbe essere stata applicata localmente, in un tentativo di dare una patina lucida al marmo e creare uno strato protettivo. La cera, che in alcune parti è spessa, crea delle screziature particolarmente sulla porzione destra del viso. Forse in maniera ancora più fastidiosa la cera conferisce un aspetto lucido a quelle zone che, in una statua nelle condizioni del *Fanciullo arciere*, e a maggior ragione quando rinvenuta nelle parti più deteriorate, finiscono con l'imporre una discrasia visiva difficilmente riconciliabile: l'effetto "lucido" su una superficie corrosa.

Il principale obiettivo del trattamento di conservazione è stato di reintegrare in una singola unità le parti disomogenee della scultura. La sporcizia nei capelli, la cera scolorita sul viso e sul petto, insieme alla faretra annerita, viste in relazione alla parte inferiore del marmo che è più chiara, creano sostanzialmente l'effetto di una scultura in bianco e nero. Per di più le fratture, in particolare quelle frontali delle gambe, formano linee orizzontali che spezzano la forte verticalità della scultura. In conseguenza di ciò, il restauro ha proceduto con una pulizia selettiva delle aree più annerite del marmo per riequilibrarle, nella misura in cui era possibile, al resto della figura, e per colmare le giunture fra le quattro distinte parti.

La cera scolorita è stata parzialmente rimossa con benzina. Dal momento che la statua era già corrosa quando la cera fu applicata, questa era penetrata nei pori più aperti del marmo. Pertanto si è pensato di ottenere solo una riduzione dello strato di cera e non una sua totale rimozione, affinché lo stato di deterioramento della statua non fosse ulteriormente aggravato (figg. nn. 4a e 4b). La sporcizia nelle altre parti della scultura è stata rimossa in maniera selettiva con saliva.

Poiché è stato stabilito tramite esame degli isotopi che i singoli frammenti appartenevano a un unico blocco di marmo, una migliore integrazione delle parti di giuntura con il marmo è sembrata legittima, sia sotto il profilo dell'etica professionale che dell'aspetto visivo. I vecchi riempimenti e le tracce del collante sono stati rimossi meccanicamente con lo scalpello e nuovi riempimenti sono stati realizzati con gesso desalinizzato e armonizzato al colore usando pigmenti Schmincke in una mescolanza di Mowolith-20 (figg. nn. 5 e 6).

Riferimenti bibliografici

Dean 1988, pp. 315-323; Weil-Garris Brandt 1996, pp. 644-659; Weil-Garris Brandt 1997 pp. 400-404; Draper 1997, pp. 398-400; Beck 1998, pp. 9-42.

[J.S.]

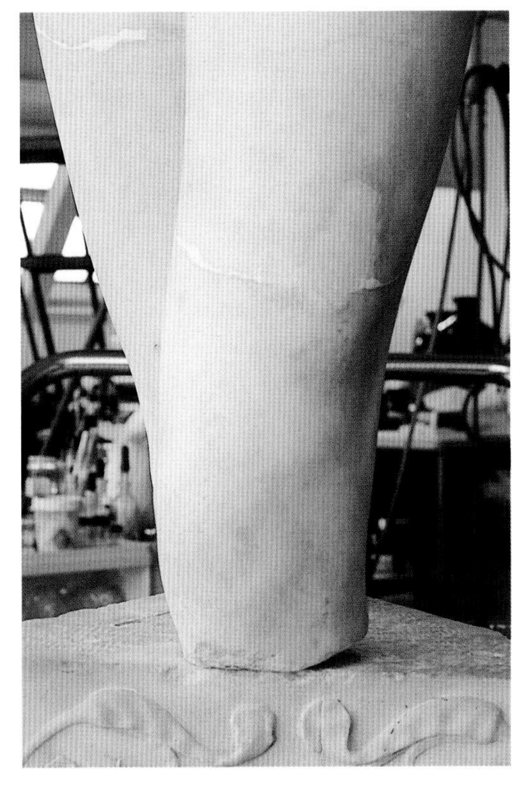

5. Dettaglio delle gambe della scultura con riempimenti già in loco prima delle integrazioni pittoriche.

Michelangelo Buonarroti
Caprese 1475 - Roma 1564

40. *San Paolo, dall'altare Piccolomini*

Marmo, cm 127; base: cm 34 × 24
Siena, Duomo, altare Piccolomini

La decorazione plastica dell'altare Piccolomini ha presentato un insieme di problemi di non facile comprensione, ma che sembra oggi potersi sostanzialmente considerare risolto. Una prima considerazione è che innegabilmente le quattro statue (i *Santi Pietro e Paolo*, il *Vescovo Pio*, il *Pontefice Gregorio*) eseguite da Michelangelo per l'altare iniziato dal milanese Andrea Bregno nel 1481 accanto alla porta d'ingresso alla famosa Libreria, costituirono per il Buonarroti una commissione "minore", di cui egli si stancò presto, che non portò mai a compimento, e che rimase a pesargli sulla coscienza come un debito non saldato per tutto il resto della vita, tanto che ancora a ottantasei anni dimostrava di sentirne il rimorso. La definitiva regolarizzazione della parte economica ebbe luogo soltanto poco dopo la morte del Buonarroti, grazie al nipote Leonardo, che si giovò comunque della comprensione e disposizione favorevole degli eredi Piccolomini. Questa caratteristica di opera minore è confermata dalla mancata menzione nel Condivi (1553), biografo che scrisse secondo le dirette informazioni ricevute dallo stesso Michelangelo; il che comporta anche l'assenza nel Vasari, che di regola si appoggia a Condivi per la seconda edizione delle *Vite* (1568). In effetti, la prima citazione di un lavoro di Michelangelo per l'altare sta in uno scritto del monsignor Fabio Chigi, poi papa Alessandro VII, che nel 1625-26 scrive di <u>una</u> (sic!) statua di Michelangelo per l'altare (pubblicato da Peleo Bacci nel 1939 e citato da Carli, 1964). Le prime notizie documentate risalgono a D.M. Manni (1774). Ma una riprova dello sfavore con cui si guardava alle figure senesi michelangiolesche è data dalla valutazione del Della Valle (1791-94) nel suo commento al Vasari, quando parla delle "statue meschine" dell'artista. La rivalutazione, o meglio: le premesse per una valutazione moderna e oggettiva del complesso, hanno inizio con Kriegbaum (1941) e Valentiner (1942), per approdare alla trattazione di Enzo Carli (1964) e alla monografia del Mancusi-Ungaro (1971), non priva di difetti ma certamente utile per il riassunto che vi si contiene delle circostanze storiche e delle informazioni documentarie. In precedenza, Tolnay (1943, poi 1947 e 1969), fraintendendo un documento del 1510, aveva attribuito integralmente le statue a Baccio da Montelupo che si sarebbe giovato di disegni michelangioleschi. Questa posizione del resto è anche quella di Margrit Lisner (1967), secondo la quale Baccio va considerato il principale esecutore delle quattro statue, essendosi limitato Michelangelo sostanzialmente a fornirgli i disegni e i progetti, realizzati però dal collega. Oggi prevale la tendenza a considerare tutte e quattro le statue non soltanto progettate, ma anche eseguite da Michelangelo, all'interno non di una generica intenzione rivalutatrice, ma piuttosto di una più aderente e integrale comprensione dell'attività buonarrotiana nel primo quinquennio del secolo (si vedano in proposito soprattutto i contributi di M. Hirst, 1981, 1994, 1997).

Si è detto della commissione dell'altare da parte di Francesco Todeschini-Piccolomini, nipote di Pio II, cardinale dal 1460 e poi papa egli stesso con il nome di Pio III, sia pure per soli dieci giorni (nominato il 22 settembre 1503 e incoronato l'8 ottobre, morì il 18 dello stesso mese). Lo scultore Andrea Bregno ricevette l'incarico nel 1481, e nel 1485 l'architettura era completa. Per la decorazione plastica, la commissione venne affidata in un primo momento nel 1501 a Pietro Torrigiano, che fornì il *San Francesco* che tuttora si trova nell'altare (forse adattato da Michelangelo, secondo un documentato desiderio del Piccolomini, nella testa e nel panneggio). Nella primavera del 1501, con l'intermediazione di Jacopo Galli (amico e committente di Michelangelo in Roma[1]), la commissione venne affidata al Buonarroti, come apprendiamo da una prima lettera di Michelangelo del 22 maggio. Il contratto venne firmato dal cardinale il 5 giugno, da Michelangelo il 19, e dal Galli, in qualità di garante, il 25 dello stesso mese. Michelangelo avrebbe dovuto fornire in tre anni quindici statue, per un compenso totale di 500 ducati. Ne riceveva 100 in acconto delle tre ultime. Avrebbe dovuto eseguirle in marmo di Carrara di prima qualità, e dovevano risultare "di più bontà, meglio condutte e finite e a perfezione che figure moderne siano oggi in Roma". Galli doveva garantire che sarebbero state "di sua mano" (sc. di Michelangelo). Non mi soffermo in questa sede sulle altre clausole, che si troveranno facilmente nella letteratura citata in bibliografia. Ma già il 16 agosto 1501, Michelangelo riceveva a Firenze l'affidamento per il grande *David*, che doveva esser pronto in due anni; e si sarebbero accavallati, in un crescendo straordinario di commissioni, il *David* di bronzo per il maresciallo di Rohan-Gié, il cartone della *Battaglia di Cascina*, il *Tondo Doni*, il *Tondo Pitti* del Bargello. Già il 24 aprile 1503 Michelangelo si impegnava per i dodici *Apostoli* per il Duomo di Firenze, di cui avrebbe eseguito il solo *San Matteo*. Del resto, già per la commissione Piccolomini aveva lasciato interrotto a Roma un dipinto, il *Cristo deposto* per Sant'Agostino, che si trova oggi nella National Gallery di Londra[2]; evidentemente aveva avuto la meglio un affidamento per un lavoro da eseguire a Firenze, e in scultura, arte da lui preferita.

Nel settembre del 1504, i fratelli del defunto Pio III, Andrea e Giacomo, domandavano a Michelangelo un rinnovo del contratto (che venne stipulato l'11 ottobre) e la consegna delle statue. A quel momento, Michelangelo aveva fornito le prime quattro statue, destinate a rimanere anche le ultime. Secondo contratto, avrebbe dovuto eseguire le altre undici in due anni. Il 28 giugno 1510, da una lettera a Michelangelo in Roma del padre Buonarroto da Firenze, sappiamo della consegna di quattro blocchi di marmo a Baccio da Montelupo, da parte dell'approvvigionatore o "conduttore" di marmi Matteo Cuccarello; è questo documento che ha fatto pensare a Tolnay che le quattro statue senesi fossero dovute a Baccio, ma emerge chiaramente che si trattava di quattro blocchi da cui dovevano essere ancora realizzate le statue relative, e non le quattro finite sei anni prima. In una lettera di Michelangelo al padre del 1508, troviamo espressa l'intenzione di restituire agli eredi l'anticipo (eviden-

temente le quattro statue finite erano state pagate a parte) e rinunciare alla commissione. Il 5 dicembre 1537, Antonmaria Piccolomini trasferì il credito residuo a Paolo d'Olivieri Panciatichi. Altro scambio di lettere in proposito, nel 1561, finché due mesi dopo la morte di Michelangelo, il 21 aprile 1564, il nipote Leonardo cedette delle azioni, come diremmo oggi, (ovvero "luoghi") del Monte della Fede, agli eredi di Pio III, a estinzione del debito residuo di 100 ducati.

Resta da avvertire che fu merito di Enzo Carli, poco prima della sua monografia del 1964, di collocare correttamente i due *Apostoli* in basso nell'altare, i due santi ecclesiastici *Pio* e *Gregorio* nel registro medio, e il *San Francesco* del Torrigiano in alto a sinistra, nel posto che fino ad allora occupava incongruamente il *San Paolo*. Molte delle foto che si vedono tuttora riprodotte rispecchiano in realtà la vecchia sistemazione. E giova avvertire che Michael Hirst (1994, p. 81, n. 58) ritiene che le due edicole in basso ai lati, con i loro capitelli con delfini e i pilastri scanalati, costituiscano le prime prove di Michelangelo architetto.

Per quanto riguarda le statue, non vi è dubbio, tenuto conto delle circostanze della commissione, che sia stata rispettata la clausola esplicita, di cui si era fatto garante Jacopo Galli, che dovessero esser tutte di mano di Michelangelo: certo, altre volte, nella storia d'arte, una condizione del genere è stata trascurata, ma qui non era da prendere alla leggera, per l'autorevolezza della commissione papale e la facilità di verifica e controllo, a parte la ben nota riluttanza di Michelangelo a servirsi di collaboratori. Tale constatazione, tenuto conto della valutazione non esaltante espressa nel tempo dalla critica, costringe pertanto a prendere in esame la possibilità che dalle mani di Michelangelo uscissero anche prodotti destinati a non rimanere particolarmente memorabili. Non si tratta tanto della nota consapevolezza che di quando in quando anche Omero sonnecchia, quanto di capire che per specifiche ragioni, lo stesso Michelangelo potesse lavorare con un grado di approssimazione (sia nell'impostazione generale della statua intera, sia nella esecuzione materiale) tale da consentirgli di finire in poche settimane anche opere che altrimenti gli avrebbero richiesto qualche mese. Ciò è vero soprattutto per i santi *Pio* e *Gregorio*, distinti da un trattamento estremamente semplificato, sia nei panneggi che nei tratti del volto; nei quali si coglieranno però facilmente correlazioni con opere "maggiori" di quel giro d'anni (si ricordi il riferimento del Kriegbaum alla Madonna del *Tondo Pitti*, ripreso recentemente dallo Hirst, 1997, p. 6) e premonizioni della severa concentrazione addirittura dei duchi medicei nella Sagrestia Nuova di San Lorenzo.

Ciò premesso, è indubbio che Michelangelo è più agevole da riconoscere e apprezzare nei due santi del primo ordine. In realtà, anch'essi sono realizzati in "Zeitnot", urgenza di tempo, e lo si coglie soprattutto nel *San Pietro* se lo si osserva di lato, stando dalla parte dell'ingresso. In questo caso, si ha la curiosa sensazione che la faccia del santo non sia integrata con il resto della testa, lasciata abbondantemente allo stato di abbozzo, ma come applicata separatamente e per ultimo, essendosi proposta una veduta esclusivamente frontale. Non è dubbio che il *San Paolo* risulti per noi la statua la cui qualità è più indiscutibile, sia per la sottilissima articolazione dei movimenti, con la caduta della spalla destra fortemente accentuata (che esaspera ulteriormente l'opzione stilistica analoga del *San Procolo* di Bologna), sia per la eccezionale sapienza tecnica nella restituzione di un sistema di pieghe straordinariamente ampio e morbido, nell'ordine della *Pietà* di San Pietro e della *Madonna di Bruges*. In realtà, nel *San Paolo*, la rivisitazione del grande Quattrocento di Jacopo della Quercia e, soprattutto, di Donatello, con la rimeditazione del rapporto figura-panneggio quale studiato da lui, a partire dal *San Marco* di Orsanmichele, e rielaborato negli anni settanta dal Verrocchio, approda a una sintesi geniale, che costituisce il punto più avanzato della scultura premanierista. Kriegbaum e Carli hanno letto nella fisionomia accigliata del santo (ben più tranquilla e distesa è quella del *San Pietro*) il primo fra i vari autoritratti michelangioleschi ravvisabili nelle sue opere lungo gli anni. Si tratterebbe allora di un ulteriore segno che nel *San Paolo* Michelangelo aveva concentrato il massimo del suo impegno nella decorazione Piccolomini, che per il resto aveva avuto la sfortuna di doversi misurare con competitori di troppo più allettanti; a cominciare dal grande blocco marmoreo che da quarant'anni attendeva all'Opera del Duomo fiorentina chi avesse l'ardire di confrontarsi con lui, dopo i fallimenti di altri in precedenza; quello da cui Michelangelo avrebbe tratto il *David*.

Riferimenti bibliografici

Manni 1774; Della Valle 1791-94; Chigi, pubbl. in Bacci 1939, p. 19 dell'estratto; Kriegbaum 1940, ed. 1942; Valentiner 1942, ed. 1950; Carli 1964; Lisner 1967; Tolnay 1943, ed. 1947, ristampa 1969; Mancusi-Ungaro 1971; Hirst 1981, pp. 581-593; Frommel 1992, pp. 450-460; Hirst 1994; Hirst 1997.

[G.B.]

[1] Su Jacopo Galli cfr. ultimamente Frommel 1992.

[2] L'identificazione, poi supportata e approfondita da Hirst 1981 fino a condurla a conferma oltre ogni ammissibile dubbio, è però già in Mancusi-Ungaro 1971, p. 7, n. 38. Mancusi-Ungaro aveva reperito documenti importanti in proposito mentre cercava conferma a una tesi già espressa da Valentiner 1942 e ch'egli si proponeva di riprendere, quella che la *Madonna di Bruges* fosse destinata in origine all'altare Piccolomini. Si tratta di una tesi che non gode di alcun fondamento.

2. Sogni di un *Cupido dormiente* smarrito

Un *Cupido dormiente* in marmo di Michelangelo, oggi smarrito, costituiva uno dei primissimi tentativi di Michelangelo nel genere d'imitazione creativa dall'antico. L'opera riuscì tanto bene da passare a Roma per un'opera antica. Le raffigurazioni di Cupidi dormienti d'arte romana oggi agli Uffizi servono qui come esempi dei tipi conosciuti dal giovane Michelangelo.

Kathleen Weil-Garris Brandt

Sogni di un *Cupido dormiente* smarrito

Nato a Firenze negli anni novanta del Quattrocento come "contraffazione" dell'antico, portato a Roma e venduto lì almeno due o tre volte, pedina negli avvenimenti politici tempestosi a fine secolo e finalmente (sembra) smarrito in circostanze drammatiche in Inghilterra alla fine del Seicento, il *Cupido dormiente* di Michelangelo è rimasto un enigma anche per la critica moderna. Un nuovo sguardo alle informazioni frammentarie pervenuteci permette comunque, almeno di ripensare certe ipotesi ed escluderne altre che continuano a fare parte tenacemente del mito degli esordi di Michelangelo.

Lettere di Michelangelo e dei contemporanei ci danno certi elementi per ricostruire questa complicata transazione (cfr. *Cronologia ragionata*). Innanzitutto, i racconti delle fonti letterarie, fra le quali è la *Vita di Michelangelo* scritta da Paolo Giovio nel 1525-30 (in Barocchi 1962, II, p. 149, nota 128), non sono tanto univoci come si credeva. Colpisce che in una biografia così sintetica, scritta quando Michelangelo era già celeberrimo, Giovio si sia soffermato su un episodio dei primi esordi dell'artista. Il letterato racconta che Michelangelo aveva fatto un Cupido (non specifica dormiente) di marmo, che era rimasto sepolto per qualche tempo e poi recuperato, tenuto per antico e venduto da un altro al cardinale Riario per "insigni praetio".

Il *topos* "positivo" gioviano della contraffazione dell'antico come prova di genio risuona ancora, anche se in modo più neutro, nella prima edizione della *Vita* vasariana di Michelangelo del 1550. Pur essendo meno informato sull'artista a quest'epoca, il Vasari dà un racconto già dettagliato delle vicende del *Cupido* (Barocchi 1962, I, p. 13). L'episodio viene presentato molto presto nella narrazione in forma abbreviata, subito dopo la storia del pugno dato a Michelangelo da Pietro Torrigiano, il giovane scultore invidioso che ha rotto il naso al Buonarroti. Vasari dice soltanto che "lavorò costui [Michelangelo] un fanciullo di marmo in una stanza" (presumibilmente la stanza situata nel giardino di cui Michelangelo aveva la chiave). Non specifica che si tratta di un Cupido, né parla di una figura sdraiata. Aggiunge però: "che lo comperò" poi Baldassare del Milanese dove contrafacendo la maniera antica fu portato a Roma e sotterrato in una vigna, onde cavatosi e tenuto per antico, fu venduto a gran prezzo" (Barocchi 1962, I, p. 13). Non si parla di un committente, e sembra che Baldassare avesse acquisito la statua in un secondo momento per portarla a Roma.

Tutte le versioni successive dell'episodio, incluse quelle del Vasari stesso, parlano specificamente d'un Cupido dormiente. La biografia di Condivi, nata proprio per correggere i tanti errori che secondo Michelangelo c'erano nella prima *Vita* vasariana (Hirst 1997, e Hirst, in Condivi 1553, ed. 1998), mette l'episodio più tardi nella cronologia michelangiolesca, fortemente amplificandolo. È soltanto dopo il ritorno di Michelangelo da Bologna a Firenze (cioè alla fine del 1495 o all'inizio del 1496), e solo dopo aver realizzato il *San Giovannino* di marmo per Lorenzo di Pierfrancesco de' Medici, il Popolano, che Michelangelo "si pose a far di marmo un Dio d'amore, d'età di sei anni in sette, a iacere in guisa d'uom che dorma" (Condivi 1553, ed. 1998, p. 17; si noti l'età avanzata data al-

1. *Cupido dormiente*, probabilmente del XVI secolo. Corsham Court (Wiltshire), Lord Methuen Collection.

2. Copie da esemplari di "Cupido dormiente", dell'album *Busti e statue nel giardino di Whitehall* XVII sec. Windsor Castle, The Royal Library.

la figura, stranamente in disaccordo con tutti i tipi proposti per la statua di Michelangelo). Un po' più avanti Condivi identifica la statua come Cupido e anche come "putto". Il Popolano non ne era il committente ma fu lui che, vedendo il Cupido, suggerì di sporcare il marmo e e di spedirlo a Roma, proprio perché trovava la scultura così bella da poter valer quanto una cosa antica. Anche il proseguimento del racconto di Condivi interpreta sia l'idea della truffa sia la bravura con la quale Michelangelo acconcia la scultura per farla sembrare "molti anni per avanti fatto", come prove dell'ingegno del giovane artista. Così la scultura fu mandata a Roma e venduta al cardinal Riario per 200 ducati, mentre Michelangelo ricevette solo 30 ducati da "colui che prese tai danari". Attingendo forse le sue informazioni direttamente da Michelangelo, Condivi racconta che il cardinale Riario, ora disingannato, mandò a Firenze "un suo gentiluomo" (cioè Jacopo Galli, cfr. Hirst 1994, p. 21) che avrebbe poi invitato Michelangelo a Roma. La lunghezza e la ricchezza di dettagli della storia raccontata da Condivi rivelano quanto fosse importante per il vecchio Michelangelo evitare il sospetto di aver ingannato i committenti. Infatti, più tardi l'artista sembra pentirsi delle sue indiscrezioni al Condivi: accanto a questo passo nella biografia Calcagni ricorda: "E di più disse [Michelangelo] haver pregato 'l Cardinale a non farne parola, e che faceva errore a parlarne" (Condivi 1553, ed. 1998, p. XXI, postilla n. 7).

Nella seconda edizione delle *Vite* nel 1568, Vasari segue Condivi in tutti gli elementi e indica Baldassare del Milanese come l'intermediario che aveva venduto al cardinale la scultura (per questo interessante personaggio, cfr. la *Cronologia, passim*). "Altri dicono", secondo Vasari, che fu Baldassare che sotterrò la scultura "in una sua vigna" a Roma. Nella seconda edizione, la scultura viene esplicitamente descritto come "un Cupido che dormiva, quanto il naturale".

Tornando alla fortuna del *Cupido* rintracciabile dai documenti e al problema dell'identificazione del tipo fra i possibili Cupidi dormienti antichi e anticheggianti, la prima testimonianza oculare diretta viene da una famosa lettera scritta a Isabella d'Este da Antonio Pico della Mirandola Roma il 23 luglio 1496 (cfr. *Cronologia*). "... uno putto, cioè uno Cupido, che si ghiace et dorme posato in su una mano; e' integro et e' lungo circa IIII spanne...". Con E.S. Schmidt abbiamo stabilito che, interpretata come una misura esatta, questa corrisponderebbe a 92 cm (non a 80 cm come in Tolnay 1943, p. 201 e altri). Si è pensato che si poteva capire di più dell'aspetto del *Cupido* dall'inventario del 1542 della collezione Gonzaga a Mantova, dove la scultura era arrivata dopo molte avventure nel 1502. Specifica l'inventario che un altro *Cupido dormiente* attribuito a Prassitele e comprato a Roma nel 1505 dormiva "sopra una pelle di leone", mentre il nostro viene descritto così: "un altro Cuppido di marmo da Carrara, fatto de mano de Michel'agnol fiorentino" (citato in Hirst 1994, pp. 24-28). È da notare che è descritta solo la materia del *Cupido* michelangiolesco.

Nella sua ottima discussione, Hirst evidenzia le contraddizioni nella critica a questo proposito. Il problema è centrato sulle relazioni fra quattro Cupidi dormienti descritti nell'inventario gonzaghesco del 1627 e un disegno con tre Cupidi dormienti e uno seduto, disegnati su un foglio di Windsor (fig. n. 2) che rappresenta sculture della collezione Gonzaga offerte per l'acquisizione inglese. L'ipotesi diffusamente accettata che vede la statua michelangiolesca nel putto n. 28 del disegno di Windsor con "due papaveri in mano" è da escludere, come giustamente osserva Hirst, sia per le sue piccole dimensioni che per la stima troppo bassa. Invece c'è un altro Cupido che non compare nel disegno di Windsor ma è descritto nell'inventario del 1627: "dorme sopra una pelle di Leone con un funerale in mano e stimato scudi venticinque" – la stima più alta delle quattro statue. Questa descrizione coincide con un *Cupido* marmoreo a Corsham Court (Methuen Collection; fig. n. 1) per l'attributo del "funerale", ed è da notare che le dimensioni di questa scultura (90 cm) sono prossime alle "4 spanne" menzionate nella lettera del 1496. Andrebbe discusso se il *Cupido Methuen* veramente dorme "posato in su una mano". L'inventario Gonzaga del 1542 identificava il marmo del *Cupido* michelangiolesco come di Carrara ma quello della collezione Methuen è di marmo greco (non è detto però che quelli che compilavano l'inventario sapessero distinguere).

3. Fernando Yáñez, *Madonna col Bambino e Sant'Anna*. Valencia, Parrocchia di San Nicolás.

Dopo aver parlato del *San Giovannino*, Vasari scrive "e poi dreto a un altro marmo si messe a fare un Cupido che dormiva grande quanto il naturale" (in Barocchi 1962, I, p. 15). Questo passo di significato ambiguo potrebbe indicare che Michelangelo avesse lavorato il *Cupido* in un blocco di marmo già scolpito, forse su un blocco antico. Sembra dalla base irregolare del *Cupido Methuen*, nonché dal carattere del marmo, che fosse lavorato da un frammento antico. Sarebbe quindi importante fare un'analisi dettagliata di questa statua, che rivela connessioni con la tecnica scultorea in opere di Michelangelo (cfr. l'intaglio del marmo, e il trattamento col trapano della testa della pelle di leone, qui e nella pelle di tigre del *Bacco*), anche se sarebbe difficile riconoscerla come autografa sua.

Il tipo del *Cupido Methuen* è vicinissimo al *Cupido dormiente* antico nero oggi agli Uffizi (cat. n. 42) che è stato recentemente riproposto come la statua che Giuliano da Sangallo portò come dono del re di Napoli a Lorenzo il Magnifico nel 1488 e che quindi sarebbe stato il modello per il giovane Michelangelo (Hirst 1994, p. 26 con bibl.; per l'argomento contrario vedi Beschi 1983, pp. 161-176). Il tipo riappare in dipinti di Giulio Romano e Tintoretto (Hirst 1994, p. 26 con bibl.) ed è stato messo in rapporto col disegno attribuito a Passarotti da Parronchi 1975 (cat. n. 41). L'ipotesi che questa fosse infatti la tipologia del *Cupido dormiente* di Michelangelo viene grandemente rinforzata dalla figura del Cristo bambino nel dipinto di Valencia (fig. n. 3) che sembra, finora, la citazione più precoce del modello michelangiolesco. Se per caso il *Cupido dormiente* fosse sopravvissuto (è stato generalmente supposto che fosse distrutto nell'incendio a Whitehall nel 1698) sarebbe forse da cercare negli inventari non descritto come opera di Michelangelo ma come anonima opera antica, com'era certamente la fortuna di altre opere moderne nelle grandi collezioni del Seicento.

Bartolomeo Passarotti
Bologna 1529 - 1592

41. *Cupido dormiente*

Lapis e penna, mm 306 × 382
In basso a sinistra: Pa. F. (penna)
Firenze, Gabinetto Disegni e Stampe degli Uffizi, inv. n. 4068 S

Il putto corrisponde non solo nella posa ma in molti ben riconoscibili dettagli al *Cupido dormiente* in marmo nella collezione di Lord Methuen a Corsham Court e alla sua replica in bronzo, di identiche dimensioni (larghezza 90 cm), all'inizio del secolo nella collezione di Camillo Castiglioni a Vienna (cfr. Planiscig 1923, n. 20, p. 24; più tardi nella collezione Alfred Spero, Londra, cfr. Norton 1957, p. 255, nota 19). Nella storiografia più recente questo tipo viene discusso come uno dei candidati per l'identificazione con il *Cupido dormiente* di Michelangelo che, dal momento dell'acquisto da parte di Isabella d'Este nel 1502, e fino al 1627, si trovava a Mantova (cfr. Hirst 1994, pp. 24-28). Particolarmente calzanti sono le corrispondenze tra disegno e scultura nella resa "a sbuffo" sulla fronte e sulla tempia delle due ciocche ricciute e della bocca socchiusa, e della curva energica della *linea alba*. A differenza del modello scultoreo, sono omessi nel disegno gli attributi, cioè le ali, l'arco e la torcia. Per motivare sia l'attitudine della mano sinistra sia la posizione inclinata del corpo, il disegnatore ha modificato la superficie dell'appoggio, introducendo sotto la testa e la mano forme convesse come cuscini. Supponendo che il disegno si basi davvero sul tipo di Corsham Court (ipotesi in favore della quale parla anche la precisione nella resa del corpo umano), e non su una variante scultorea già priva degli attributi (casomai, ciò troverebbe giustificazione nel fatto che le copie bidimensionali note in genere ne sono prive), è da concludere che l'interesse del disegnatore non si appuntasse sulla documentazione dell'opera scultorea, né tantomeno sulla sua iconografia, ma soprattutto sull'anatomia del modello.
Il foglio presenta i segni di una piega che correva 15 millimetri sopra il margine inferiore, una minuscola lacuna (mm 4 × 1) in corrispondenza del ginocchio sinistro del putto e una più estesa abrasione sulla destra del petto.
L'attribuzione tradizionale, già espressa nell'antica iscrizione a penna in basso a sinistra ("Pa[ssarotti] F[ecit]"; Santarelli 1870, p. 288, n. 5), è da accettare senza riserve perché lo stile grafico corrisponde ad altri studi di nudo certi dell'artista bolognese, quali ad esempio il torso di Cristo nell'*Ecce Homo* nel Gabinetto Disegni e Stampe degli Uffizi (inv. n. 6148 F) o quello del *Crocifisso* nella stessa raccolta (inv. n. 12220 F), e particolarmente, in quest'ultimo foglio, per la resa delle pieghe dell'addome. È dunque da rifiutare l'attribuzione al Bandinelli annotata su una copia del disegno al Département des Arts Graphiques del Louvre (inv. n. 8474; cfr. Höper 1987, II, p. 229, n. F 123).
È stato supposto che la posa delle gambe sia stata riproposta da Passarotti nel putto in basso a sinistra nella *Resurrezione di Cristo* (Bologna, Pinacoteca Nazionale; cfr. Höper 1987, cat. n. Z 63, vol. II, p. 126; per il dipinto cfr. anche Ghirardi 1990, n. 26, pp. 181-182), sebbene quest'ultimo mostri con il disegno solo una vaga e probabilmente casuale somiglianza. Né si può concordare con Parronchi (1975, p. 218, nota 68, fig. 47b) quando afferma che il disegno sia tratto dal Bambin Gesù della *Madonna col Bambino e san Bruno* di Girolamo Mazzola Bedoli (Monaco, Alte Pinakothek; cfr. Di Giampaolo 1997, n. 7, pp. 117-118): la somiglianza delle pose nella versione grafica e in quella pittorica casomai si spiegherebbe con il fatto che anche la figura del dipinto si ispira, seppur molto più liberamente, alla scultura del *Cupido dormiente*.
Nel disegno la resa dei dettagli corrisponde al modello plastico con maggior fedeltà rispetto alle citazioni ricorrenti nella pittura cinquecentesca. Fernando Jañez per primo interpreta il putto come il Bambino Gesù nella tavola centrale del *Polittico* di San Nicolas, ma rovesciato e ripreso dalla parte del braccio giacente (Valencia, parrocchia di San Nicolas, post 1515; cfr. Doménech, in *Ferrando...* 1998, nn. 9-11, pp. 100-107); da un punto di vista simile, ma senza rovesciamento, la figura è proposta nel ruolo di Giove neonato su una tavola della bottega di Giulio Romano (Londra, National Gallery, probabilmente anni trenta del Cinquecento; cfr. Baker-Henry 1995, p. 270), la cui attività a Mantova coincide appunto con il luogo di conservazione della scultura. Unico a mantenere l'iconografia del modello, con la torcia sostituita tuttavia da una freccia, Jacopo Tintoretto lo dipinge come Cupido nel dipinto con *Venere, Vulcano e Marte* nella Alte Pinakothek di Monaco (1551-52 circa; cfr. Brown 1996), privilegiando ancora il fianco sinistro ma riprendendolo dalla parte dei piedi. Una tendenza a un punto di vista scorciato che si sposa con soluzioni analoghe, scelte da Tintoretto che coglie dal lato delle gambe i modellini tratti dall'*Aurora* e dal *Crepuscolo* di Michelangelo negli affreschi pressappoco contemporanei di Ca' Gussoni (cfr. Schmidt 1996, pp. 93-95); e sempre dalle gambe, con un'angolazione ancor più marcata, è mostrato il putto della *Sacra Famiglia* su tavola della Galleria Borghese, attribuita in passato ad Annibale Carracci (cfr. Della Pergola 1955-59, I, 1955, p. 22, cat. n. 18; dipendenza dalla scultura notata da Hirst 1994, p. 74, nota 50). Secondo Wilde (1932-34, p. 53, nota 1), infine, il *Cupido dormiente* era raffigurato anche nella *Madonna col Bambino* attribuita al Correggio già in collezione Bridgewater a Londra, e attualmente non reperibile (cfr. *Catalogue...* 1851, n. 42, p. 11). Anche se non è documentata una permanenza di Passarotti a Mantova, è comunque possibile che la sua inclinazione ai viaggi l'abbia condotto nella città virgiliana, dove si trovò a copiare il putto di marmo. D'altronde, l'interesse del bolognese per Michelangelo non solo si manifesta nei disegni tratti dall'*Aurora* e dal *Crepuscolo* che gli sono attribuiti (cfr. Rosenberg, in c. di s.), ma soprattutto nello stile dei suoi disegni a penna, dove sviluppa al meglio il tratteggio incrociato (cfr. Höper 1987, I, pp. 87-88).
[E.D.S.]

Arte età tardo romana
III sec. d.C.

42. *Erote dormiente con gli attributi di Eracle*
(da prototipo medio-ellenistico)

Marmo nero, lunghezza cm 128
Firenze, Galleria degli Uffizi, inv. n. 279

Eros dorme disteso sulla pelle di leone di cui sono ben in vista la testa e le zampe sopra il piano roccioso. Il dio giace supino in una posa di estremo abbandono; ha lunghe ali, il braccio sinistro disteso sopra l'ala, in mano un piccolo corno potorio; la mano destra è portata sopra la testa e regge un mazzo di capsule di papavero. Il corpo del bambino è trattato a grandi masse; nel volto dominano le guance paffute; i capelli aderenti alla testa ricadono sulle spalle in riccioli forati dal trapano. La figura esprime un chiaro simbolo funerario. Sono di restauro la parte superiore dell'ala destra, i piedi, il pollice e l'indice della mano sinistra, l'orlo del corno potorio, le falangi della mano destra e molte delle capsule di papavero.
Provenienza: Vasari 1568, ed. 1966-1987, VI: "Anticaglie che sono nella Sala del Palazzo dei Pitti il 1568"... "Un putto in pietra nera, che dorme, finto per il sonno, et ha l'ali et un cornetto in mano, et dall'altra è il papavero, et una pelle di lione sotto"; Archivio di Stato di Firenze, Guardaroba medicea 87, *Inventario degli oggetti pertinenti alla Guardaroba di P. Pitti, P. Vecchio ecc.*, 1574 c 18 r: Nella stanza accanto alla Cappella "Cupido di paragone anzi uno Ercole lungo braccia 1 1/2 in circa, questo *imperò* demostrò dove è scolpito uno lione et detto hercole ha l'ali".
Nel 1589 la scultura è nella Tribuna degli Uffizi (Gaeta Bertelà 1997, p. 3) [n. 10]: "Una statua di un Cupido di marmo nero, o paragone, a diacere che dorme con sua alia simile, sopra una pelle di lione che questo si dice non vi havere a stare [...] Questo Cupido si levò dalla tribuna e si messe nella stanza de' ritratti".
Nel 1643 si fa "un buffetto in ottangolo [...] serve per un putto che dorme di marmo nero, in Galleria" e il putto è spostato nel Corridoio meridionale della Galleria degli Uffizi (Archivio di Stato di Firenze, Guardaroba medicea, 492). Nell'inventario del 1676 (Biblioteca Uffizi, ms. 74, in Massinelli 1991, p. 130) è riconoscibile tra i marmi moderni il "Putto dormiente sonno in paragone". Dal 1704 è inventariato in Galleria col n. 114 (si veda Massinelli 1991, p. 116, per la sequenza inventariale). È riprodotto nell'Album De Greyss, coevo all'inventario del 1753 (Gabinetto Disegni e Stampe degli Uffizi, inv. n. 4510 F), sopra la base costruita nel 1643 da Andrea Balatri, in un bellissimo disegno di Tommaso Arrighetti; nella stessa posizione nel Corridoio meridionale lo prospetta lo schizzo grossolano di Giuseppe Bianchi, custode di Galleria, nel suo *Catalogo Dimostrativo* del 1768 (in Bocci Pacini 1994, p. 430), tra il *Bruto* di Michelangelo e la *Costanza Bonarelli* del Bernini. Il Bianchi precisa: "Morfeo moderno, ma il Sig.re Addison lo giudica antico, è rimarchevole la grandezza della pietra di paragone su cui è lavorato".
Nella storia degli inventari si notano incertezze sul putto, della cui antichità si dubita, tanto che nell'inventario del 1676 è considerato moderno e anche G. Bianchi sottolinea nel *Catalogo Dimostrativo* come sia oggetto di discussione.
Ovviamente l'erote tozzo, costruito a grandi masse, non era conforme al gusto dell'epoca.
Riferimenti bibliografici
Vasari 1568, ed. Bettarini - Barocchi, 1966-1987, VI; Cristofani, in *Palazzo Vecchio* 1980, p. 400; Saladino 1983, n. 24.
[P.B.]

43. *Erote dormiente* (da prototipo medio-ellenistico)

Marmo bianco a grana media, greco,
lunghezza cm 69
Firenze, Galleria degli Uffizi,
inv. 1914 n. 392

Provenienza: Archivio di Stato di Firenze, Guardaroba medicea, 28, *Inventario di P. Vecchio* 1553, c 19 v "Un Cupido di marmo a diacere antico"; *ibid.*, 73, *Inventario della Guardaroba di SA*, 1570, c 28 v "65. Un putto antico di marmo di un amore che dorme in basso rilievo"; *ibid.*, 87, *Inventario delle robe, già del G.D. Cosimo et hoggi del S.G.D. Francesco dei Medici prese in consegna nel giugno del 1574 a P. Pitti e P. Vecchio*, c 29r "Putto n. 1 di marmo d'un amore che dorme di basso rilievo"; si segnala alla carta 29v dello stesso "Figurina n una d'un Cupido di terra per modello c'ha manco uno braccio". Il putto passa poi in Tribuna (Gaeta Bertelà 1997, p. 3) nel 1589: "[9] Una statuetta di marmo di un Cupido a giacere che dorme con sua alia di marmo nel suo sgabelletto di noce".
La statua resterà nella Tribuna fino al 1784 quando sarà spostata "nella stanza di Amore" (inv. n. 1391): vedi Massinelli 1991, pp. 124-125 per i vari passaggi inventariali e per la fig. 102 con il disegno dell'Erote di G. Neri nell'Album De Greyss (Gabinetto Disegni e Stampe degli Uffizi, 4587 F); l'autrice considera (p. 124) che questo putto sia passato per un certo tempo al Casino mediceo ove Francesco I aveva radunato alcune antichità di Cosimo I, come il "mobile erudito" con bronzetti (p. 80), e cita Archivio di Stato di Firenze, Guardaroba medicea, 65, 1560-1572, c. 171: "Un cupido di marmo a diacere che mostra dormire, b 1 in circa, al Principe donato da SE"; questo marmo sarebbe ancora nel Casino di San Marco nel 1587 (*ibid.*, 136, c 168 v), mentre non sarebbe più attestato in questa sede nel 1621 (*ibid.*, 399) in quanto nel frattempo sarebbe stato spostato nella Tribuna degli Uffizi.
Eros dorme disteso su un piano di roccia coperto da un manto; la testa poggia sul braccio sinistro, il destro attraversa il corpo e chiude nella mano gli steli di due capsule di papavero accanto alle quali è distesa una farfalla: questi due elementi connotano il significato funerario del putto. Il volto delicato è incorniciato dai capelli sottili che terminano a metà fronte e presso la mano sinistra con boccoli forati dal trapano. Il corpo è paffuto, rilassato in un tenero abbandono. Di restauro la parte inferiore delle gambe con il panno e il piano di base, la mano destra con le capsule di papavero, le dita della mano sinistra, la punta del naso, il sesso.

Riferimenti bibliografici

Mansuelli 1958-1961, I, p. 140, n. 108, fig. 110, con bibl. precedente; *Itinerario Laurenziano* 1992, p. 48, n. 19.

[P.B.]

3. I primi passi del pittore e le loro “impronte”

Michelangelo ha studiato la pittura nella bottega di Domenico Ghirlandaio, e Vasari ci dice che lì ha copiato una stampa della *Tentazione di Sant'Antonio* di Martin Schongauer. Esponiamo qui un quadro di ambiente ghirlandaiesco con questo soggetto, insieme alla *Madonna di Manchester*, prestata per la prima volta dalla National Gallery di Londra, opera contestata ma considerata da noi autografa di Michelangelo.
Il confronto con la *Madonna col Bambino* di Francesco Granacci da Toulon, permette di soffermarci sugli esordi pittorici dell'artista e il suo rapporto con altri discepoli di Ghirlandaio, fra i quali Granacci era per Michelangelo come un mentore.

Martin Schongauer
Colmar 1452 circa - Breisach 1491

44. *Le tentazioni di sant'Antonio*

Incisione, mm 312 × 230
monogramma "M+S" in basso nel centro
New York, The Metropolitan Museum,
inv. n. 41.1.28

L'incisione raffigurante le *Tentazioni di Sant'Antonio* (nella versione risalente alla *Vita Sancti Antonii* di Sant'Atanasio, cap. 65, in cui il santo viene assalito dai demoni mentre è sollevato nella levitazione), seconda per dimensioni nella produzione di Schongauer, è anche una delle sue più precoci, da datare intorno al 1470 o poco dopo (cfr. da ultimo *Le beau Martin...* 1991, cat. n. G 10, pp. 268-269; *Martin Schongauer...* 1991, cat. n. 54, pp. 138-141; Hutchison 1996, pp. 172-179). Una cronologia da motivarsi per via dello stile grafico, connotato ad esempio da uno scarso impiego del tratteggio incrociato e dall'uso di segni brevi per raffigurare il cielo, ma anche per l'aspetto del monogramma, dove la "M" è risolta con aste laterali rigorosamente verticali (tale forma caratterizza infatti altre nove incisioni, tutte giovanili) e non oblique come avverrà in seguito. Forse l'opera nacque nel contesto dell'attività di Schongauer per il convento degli Antoniti a Isenheim, lo stesso per il quale Matthias Grünewald all'inizio del secolo successivo compirà il celebre altare ora a Colmar, rappresentando in un laterale proprio l'episodio del tormento del santo, con evidente ispirazione all'incisione schongaueriana nella resa dei demoni ibridi. Ma si tratta solo di un esempio dell'altissima popolarità di essa, provata altresì dall'enorme quantità di copie e varianti che ne vennero tratte sia nella grafica che in pittura, ma anche nelle vetrate transalpine del Quattro e Cinquecento (cfr. Massing 1984).

Il caso indubbiamente più famoso della fortuna del *Sant'Antonio* di Schongauer in Italia è quello – riferito dal Vasari e dal Condivi – della copia trattane dal giovane Michelangelo, ricordata anche da Benedetto Varchi nella sua orazione funebre per l'artista. Lo storiografo aretino, che nel 1550 attribuisce l'incisione a Dürer, correggendo poi il nome con "Martino tedesco" nell'edizione del 1568, parla di una copia disegnata a penna (Vasari 1568, ed. 1966-1987, VI, p. 8), ma quanto aggiunge sul fatto che "quella medesima con i colori dipinse" non spiega con chiarezza se Michelangelo abbia svolto questa operazione sul disegno oppure – come egli afferma invece con certezza nella vita di Marcantonio Raimondi (*ivi*, V, pp. 3-4) – sull'incisione stessa. A complicare le cose si aggiunge l'affermazione del Condivi che il Buonarroti abbia dipinto la sua copia su una "tavola di legno", che sarebbe stato lo stesso Granacci a provvederlo dell'incisione (il cui autore battezza "Martino d'Ollandia"), aggiungendo poi – *topos* dei più banali – che il comune maestro Domenico Ghirlandaio sarebbe stato invidioso del risultato (cfr. Condivi 1553, ed. 1998, pp. 8-9): con l'implicito riferimento del fatto agli anni 1487-88, epoca dell'apprendistato di Michelangelo presso il pittore. Una tavola corrispondente a quella descritta, con un paesaggio decisamente ghirlandaiesco, messa all'incanto presso Sotheby's (Londra, 7 dicembre 1960, lotto 17), ha acceso il dibattito sulla probabilità che si tratti davvero dell'opera ricordata dal Condivi o, più semplicemente, se in essa si incarni la prova dell'esercizio del copiare l'incisione all'interno della bottega del Bigordi (per la ricostruzione puntuale del percorso critico relativo, cfr. Möseneder 1993, pp. 260-261). Significativamente, oltre al Buonarroti, l'unico caso simile ricordato da Vasari è quello di Gherardo di Giovanni del Fora (1444-45 - 1497), com'è noto appartenente alla cerchia di Domenico Ghirlandaio: proprio al tempo in cui compiva i cartoni per la decorazione musiva della cappella di San Zanobi nel Duomo fiorentino (cioè nel 1491-92; cfr. Haines 1994, pp. 44-45), egli si trovò anche a copiare a bulino alcune incisioni di Dürer e Schongauer (cfr. Vasari 1568, ed. 1966-1987, III, p. 473), tra le quali, di quest'ultimo, lo storiografo menziona esplicitamente "un Cristo in croce con San Giovanni e la Madonna a' piedi" (*ivi*, V, p. 3). Ma cosa spinse Michelangelo a riprodurre il *Sant'Antonio* di Schongauer, e quale influsso esso esercitò nell'opera dell'artista fiorentino? È vero che da una parte il suo tipico stile grafico, con tratteggi incrociati a penna, potrebbe procedere dal modello oltremontano, spiegando forse la frase del Vasari "lo ritrasse di penna, di maniera che non era conosciuta" (Vasari 1568, ed. 1966-1987, VI, p. 8). D'altra parte, come s'è detto sopra, nell'incisione non si riscontra abbondanza di tratteggio incrociato, e quindi l'ipotesi di una maturazione del disegno di Michelangelo da Schongauer si fa credibile solo praticando una deviazione di percorso: supponendo cioè che egli abbia studiato anche altre tarde incisioni del maestro di Colmar, come la *Madonna della mela* (cfr. Dunkelman 1980, p. 123). È stata anche avanzata la proposta che il movente dell'interesse del Buonarroti per il *Sant'Antonio* fosse la composizione, movimentata e centrifuga, senza ancoraggio a un palcoscenico spaziale (cfr. Möseneder 1993). Se però si presta fede all'aneddoto vasariano (ripetuto da Condivi) che egli "per contrafare alcune strane forme di Diavoli, andava a comperare pesci che avevano scaglie bizzarre di colori" (Vasari 1568, ed. 1966-1987, VI, p. 8), è lecito inferire che fosse soprattutto l'aspetto mostruoso insito nel campionario naturale, e l'attraente deformità derivante da accostamenti inusitati, a suscitare la sua curiosità. Un atteggiamento, questo, analogo alle attitudini speculative e metodologiche di Leonardo (e si ricordi quella *Medusa* che Vasari descrive come un "animalaccio molto orribile e spaventoso", ottenuto studiando e giustapponendo insetti e rettili d'ogni specie; cfr. *ivi*, IV, p. 21) o al bislacco piacere di Piero di Cosimo nel contemplare "animali o erbe o qualche cosa che la natura fa per istranezza et accaso dimolte volte" (cfr. *ivi*, IV, p. 62): lo stesso stimolo verso il raro, il curioso e l'abnorme che presiede anche alla fortuna e diffusione nel Nord di questa creazione di Schongauer.

Nella storiografia cinquecentesca si scorge un sottofondo teorico e didattico nell'insistita descrizione dell'episodio, cui si tributa evidentemente un valore diverso da quello meramente biografico, e senz'altro più profondo. Si entra infatti nei domini programmatici della duplice imitazione di arte e natura, dove la correzione del modello artistico con l'aiuto del modello

naturale coinvolge molto probabilmente la forma e, sicuramente, il colore del resto assente nell'incisione, e così ben spiegato dal Condivi nel suo valore di appiglio al reale ("nessuna parte coloriva ch'egli prima col naturale non avesse conferita"; Condivi 1553, ed. 1998, p. 10). Ma nonostante queste impalcature teoriche, non è il caso di mettere in dubbio il fatto in sé – ossia che Michelangelo abbia copiato l'incisione – visto che in tutta Italia la consuetudine di guardare a Schongauer per trarne modelli fu diffusissima; e si ricordano specialmente le molte tracce lasciate nella penisola dalla serie della *Passione*, ripresa dal friulano Gianfrancesco da Tolmezzo nel ciclo d'affreschi della chiesa di San Francesco a Provesano (1496), e in talune figure perfino da Raffaello nel suo *Spasimo di Sicilia* del Prado (per un catalogo delle citazioni schongaueriane nell'arte italiana, in qualche caso però troppo generoso, cfr. Manca 1994).

Riferimenti bibliografici
Haines 1994, pp. 38-55.
[E.D.S.]

Bottega di Domenico Ghirlandaio
fine secolo XV

45. *Le tentazioni di sant'Antonio tormentato dai demoni* (da Martin Schongauer)

Tempera e olio su tavola, cm 47 × 35
Gran Bretagna, collezione privata

Provenienza: Pisa, Galleria Scorzi (prima del 1837); Parigi, Baron Henri-Joseph-François de Triqueti (dal 1837; da cui visto da Sir Charles Eastlake nel 1859); Parigi, Mrs. Lee-Childe, figlia del Baron de Triqueti (dal 1874, anno della morte del Baron); Parigi, Féral, Petit & Mannheim, 4 maggio 1886, lotto 5, invenduto (vendita Lee-Childe); Parigi (?), Mr. Lee-Childe; Gran Bretagna, Sir Paul Harvey (a cui fu donato prima del 1905); Gran Bretagna, in discendenza alla famiglia del proprietario attuale; Londra, Sotheby's, 7 dicembre 1960, lotto 17 ("*The Property of a Lady*"), invenduto.

È un aneddoto sovente riferito nella letteratura sull'artista che il giovane Michelangelo, alunno nella bottega di Domenico Ghirlandaio, produsse una copia, dipinta e colorata, da una stampa raffigurante *La tentazione di Sant'Antonio*. Ascanio Condivi, considerato in generale come la fonte più sicura per la biografia di Michelangelo, scrisse: "Et essendogli messa inanzi dal Granacci una carta stampata, dove era ritratta la storia di Santo Antonio, quand'è battuto da diavoli, della qual era autore un Martino d'Ollandia [Martin Schongauer], huomo per quel tempo valente, la fece in una tavola di legno et, accomodato dal medesimo di colori e di pennegli, talmente la compose et distinse, che non solamente porse maraviglia à chiunche la vedde, ma ancho ividia, come alcuni vogliono, à Domenico [Ghirlandaio]... In far questo quadretto, per ciò che oltre all'effigie del santo c'erano molte strane forme e mostrosità di demoni, usó Michelagnolo una cotal diligenza, che nessuna parte coloriva, ch'egli prima col naturale non havesse conferita, si che andatosene in pescheria, considerava, di che forma e colore fusser l'ali de pesci, di che colore gli occhi et ognaltra parte, rappresentandole nel suo quadro" (Condivi 1553). Il racconto di Condivi comprende degli aneddoti inverosimili, come la visita dell'artista alla pescheria con intenzione di studiare i pesci da vicino: infatti le scaglie dei pesci sembrano molto ben osservate in questo quadro ma non sono significativamente più dettagliate di quelle nella stampa di Schongauer. Il biografo Giorgio Vasari sbagliò nel notare che la stampa fu di Albrecht Dürer ma scrisse: "Imperoché, essendo venuta in Firenze una istoria del detto Alberto, quando i diavoli battono Santo Antonio, stampata in rame, Michele Agnolo la ritrasse di penna, di maniera che non era conosciuta, e quella medesima coi colori dipinse; dove, per contraffare alcune strane forme di diavoli, andava a comperar pesci che avevano scoglie bizzarre di colori, e quivi dimostrò in questa cosa tanto valore, che e' ne acquistò e credito e nome" (Vasari 1550, ed. 1986, p. 882, nota 9). Mentre sembra eccessivamente ottimistico pensare che quest'opera potesse avere conferito tale fama a Michelangelo, un esercizio di questo genere avrebbe certamente attirato l'attenzione del maestro, Ghirlandaio, e di quelli che frequentavano la sua bottega. Finalmente Benedetto Varchi scrisse in occasione delle esequie di Michelangelo: "La prima cosa, che egli ancora fanciullo, disegnò, e colorì, fu un quadretto di legno, nel quale egli ritrasse di penna da una carta stampata in rame, di mano chi dice d'Alberto Duro, e chi di Martino d'Ollandia; la storia di Santo Antonio, quando egli fu dagl'Avversarij nostri battuto" (Varchi 1564).

A testimonianza della storia raccontata da Condivi e Vasari, esistono sia questo che un altro dipinto, in olio, già nella collezione Bianconi a Bologna (a partire dal 1840). Nonostante l'esistenza della versione Bianconi, sembra più probabile avanzare l'ipotesi che qui si tratti invece dell'originale di Michelangelo. Il dipinto era noto alla fine dell'Ottocento quando si trovava nella collezione dell'eminente scultore, Baron Henri-Joseph-François de Triqueti (1804-1874), dove fu visto nel 1859 da Sir Charles Eastlake che apparentemente accettò l'attribuzione a Michelangelo: scrisse nel suo libretto di appunti "The M.Angelo copy from M. Schoen" (Eastlake 1859). Un ammiratore di scultori del Quattrocento come Benedetto da Maiano, che considerò superiore a Lorenzo Ghiberti, de Triqueti disegnò vari dipinti e sculture che vide a Milano, Venezia, Padova e a Firenze. Nella sua collezione si trovava anche una *Madonna col Bambino e angeli* di fra Beato Angelico (visto da Eastlake nel 1859), e *Sacre Famiglie* di Sandro Botticelli e Bernardino Luini (menzionati in "La Chronique des Arts", n. 21, 22 maggio 1886, p. 162). Due anni dopo la visita di Eastlake il *Sant'Antonio* fu pubblicato per la prima volta (come Michelangelo) da Charles Clément e, benché il quadro non fosse unanimemente accettato come opera autografa del giovane artista in seguito alla mostra parigina del 1874 (dove fu esposto come Michelangelo), il dipinto suscitò molto interesse e numerosi dibattiti.

L'uso del colore e la tecnica che abbina tempera e olio in questa tavoletta sono tipici della pratica nella bottega del Ghirlandaio alla fine del Quattrocento e, in particolare, della tecnica adottata da Benedetto Ghirlandaio, tornato a Firenze nel 1494, pochi mesi prima della morte di suo fratello, Domenico. Il paesaggio in secondo piano, il viso e le mani di Sant'Antonio, sono in tempera mentre le rocce e i demoni sono in olio: si noti che anche *La sepoltura di Cristo* (National Gallery, Londra) e il *Tondo Doni* (Galleria degli Uffizi, Firenze) sono dipinti in ambedue le tecniche. Michael Hirst, nel catalogo della mostra "The Young Michelangelo", giudicò questa tavola come opera della bottega del Ghirlandaio e osservò che, nel caso remoto che questo fosse l'originale di Michelangelo "it would be disappointing" (un'opinione reiterata durante una recente ispezione del quadro in originale). D'altro canto, Everett Fahy, il quale ha avuto varie opportunità per studiare il quadro di prima mano negli ultimi anni (da quando fu sul mercato londinese quasi cinquant'anni fa), lo considera un'opera autografa del giovane Michelangelo. Meritevole di particolare attenzione è il paesaggio che, molto diverso da quello tratto da Schongauer nella sua stampa, ricorda invece il linguaggio pittorico di Ghirlandaio e Fahy ha osservato la somiglianza con il paesaggio nella tavola di *San Giovanni Battista che predica* del Metropolitan Museum of Art, New York (inv. n. 1970.134.2), attribuita ancora oggi poco convincentemente a Francesco Gra-

nacci ma che Fahy considera un'opera giovanile di Michelangelo stesso. Paul Joannides, dopo una recente ispezione del *Sant'Antonio* in originale, ha invece suggerito un'attribuzione al giovane Francesco Granacci, che si trovava presso la bottega di Ghirlandaio allo stesso tempo di Michelangelo.
I raggi infrarossi del Sant'Antonio rivelano la presenza sia di disegni preparatori eseguiti direttamente sulla tavola sia di numerosi pentimenti. Il disegno è caratterizzato da due tecniche distinte e contrastanti: la prima, eseguita attentamente con il pennello (per esempio il ramo tenuto dal demonio in alto a sinistra, il quale era in una posizione più orizzontale), e la seconda, un tratteggio delicato che ricorda la grafica michelangiolesca del periodo giovanile (identificabile sulle rocce in basso a sinistra). I pentimenti si concentrano soprattutto sulle figure principali (per esempio l'abito di Sant'Antonio in centro a sinistra che l'artista ha ridefinito) con il risultato che il gruppo centrale è concepito con maggiore restrizione che nella stampa di Schongauer. Le ali dei demoni sono tarpate allo scopo di raggruppare queste figure in una disposizione più compatta; un fattore che Michelangelo teneva già molto presente sforzandosi di ottenere una maggiore solidità scultorea delle forme.

Riferimenti bibliografici

Eastlake MS libretto per appunti, Archivi della National Gallery, 1859, III, folio 2 v (Michelangelo); Clément 1861, p. 326 (Michelangelo); *Exposition...* 1874, cat. n. 20 (Michelangelo); Delaborde 1875, p. 251, sotto n. 70 (Michelangelo); de Montaiglon 1876, p. 227, nota 1; Mantz 1876, pp. 123-124, nota 1 (attribuzione a Michelangelo incerta); Grimm 1860-63, ed. 1879, I, pp. 90, 542 (senza conoscenza del quadro di prima mano); Symonds 1893, I, p. 11 (si riferisce a Grimm); Frey 1907, p. 19 (senza conoscenza del quadro di prima mano); Thode 1908-1913, I, p. 5 (attribuzione a Michelangelo rifiutata); Crivellari 1920 (versione Bianconi considerata l'originale di Michelangelo); Mackowsky 1908, ed. 1925, p. 387 (attribuzione a Michelangelo rifiutata); Camesasca 1966, p. 5, n. 1, illustrato (probabilmente autografo o almeno una buona copia da Michelangelo); Hirst 1994, p. 128, nota 5 (opera della bottega di Ghirlandaio).
[L.T.]

Desidero ringraziare particolarmente Nicholas Penny ed Everett Fahy per i loro preziosi consigli nella redazione di questa scheda.

Michelangelo Buonarroti

Caprese 1475 - Roma 1564

46. *Madonna col Bambino, san Giovannino e angeli (Madonna di Manchester)*

Prevalentemente a tempera su tre pannelli
di pioppo, cm 104,5 × 77
(spessore cm 3,8 circa)
Londra, National Gallery, inv. NG n. 809

La provenienza di questo dipinto e il dibattito concernente la sua attribuzione attraverso gli ultimi due secoli sono stati illustrati nel mio saggio introduttivo dove vengono anche riportati la discussione relativa alla datazione, il rapporto con le altre opere di Michelangelo e la sua incongrua associazione con un gruppo di dipinti eseguiti da un seguace di Michelangelo, ora comunemente assegnati al "Maestro della Madonna di Manchester". In questa sede mi limiterò dunque a trattare problemi di conservazione, tecnica e trattamento del dipinto.

Le condizioni dell'opera sono decisamente buone. Il pannello è insolitamente spesso per le sue dimensioni, e si è conservato praticamente piatto. Considerata la compattezza della composizione (osservabile specialmente nella maniera in cui è tagliata la parte destra dell'ala dell'angelo) è importante osservare come il dipinto mantenga le dimensioni originali e tutti i bordi presentino ancora il gesso della preparazione originaria della tavola. L'effetto dell'acqua ha prodotto una parziale erosione del gesso nella zona dell'angelo non dipinta, e qualche caduta di materiale dal braccio alzato del Cristo e dal fianco destro della Vergine. Per il resto, il deterioramento o la caduta della materia pittorica sono minimi. Il più significativo cambio di colore si ha nel fastidioso inscurimento del rosso vermiglio che forma un grigio cupo nella fascia dell'angelo sull'estrema destra. L'inscurimento del vermiglio si è inoltre esteso al modellato del piede visibile della Vergine, e anche il verde della fodera del suo mantello si è probabilmente annerito.

Il dipinto è, ovviamente, non terminato. Il mantello della Madonna avrebbe dovuto essere dipinto sulla parte esterna, probabilmente con blu oltremarino o forse con azzurrite. Il rosso del suo vestito e della tunica dell'angelo mancano forse dei ritocchi finali. La tecnica usata è la tempera a uovo, ma è stato usato anche un po' di olio di noce per formare l'emulsione atta ad applicare il rosso. Gli altri dipinti superstiti di Michelangelo sono principalmente, se non del tutto, a olio; ma forse non abbandonò mai la tempera, dal momento che Vasari descrive la *Leda* come un quadro grande dipinto a tempera. Nonostante lo stretto legame con l'opera in marmo della *Madonna col Bambino* (inviato a Bruges nel 1506), il dipinto deve essere stato eseguito molto prima della scultura (che è invece coeva del *Tondo Doni*) e anche molto prima del *Seppellimento*, che ora può essere datato fra il 1500 e il 1501. L'ultima data seriamente argomentata per il dipinto è il 1497: Michael Hirst ha suggerito l'ipotesi che si tratti del pannello acquistato da Michelangelo nel giugno di quell'anno. Potrebbe, tuttavia, essere stato eseguito prima di quella data, e le notevoli connessioni stilistiche con il marmo dell'*Arciere* di recente scoperto a New York, che deve essere ben anteriore all'assai più compiuto *Bacco* del 1496-97, sembrano puntare a una sua precocità. Ci si aspetta comunque che il dipinto sia assai più vicino all'opera del primo maestro di Michelangelo, Domenico Ghirlandaio, di quanto non lo siano il *Tondo Doni* o il *Seppellimento*. E sotto alcuni aspetti, come Jill Dunkerton ha fatto notare, il dipinto rispecchia questa situazione, con il suo meticoloso disegno preparatorio pennellato, e con l'uso di terra verde come colore di base per la pelle (una tecnica tradizionale nella tempera, alla quale piuttosto insolitamente la bottega del Ghirlandaio aderì nel tardo Quattrocento).

Allo stesso tempo vi sono molte più caratteristiche peculiari a questo dipinto, fra le quali dovremmo notare la qualità opalescente della carne, con sottili passaggi tonali (che trovano un corrispettivo nel cielo che prefigurano il *Tondo Doni*). Un'altra caratteristica stilistica è la precisione e la durezza di alcune linee di contorno, specialmente il bordo scuro del mantello della Vergine, quasi del tutto continuo fra il collo di lei fino al piede dondolante: un brano che richiama la straordinaria linea di contorno della tunica grigia di san Giuseppe, nera contro lo sfondo del *Tondo Doni*. Vi sono anche piegoline e arricciamenti sui bordi degli abiti, segnatamente appena sopra la mano sinistra della Vergine, o intorno al polso del Cristo, e appena sopra il suo petto. Questi dettagli non trovano riscontro in nessuna opera dipinta successiva di Michelangelo e sono forse le tracce rivelatrici di una giovanile fascinazione per certa pittura "primitiva" (forse una predilezione per Filippo Lippi). Richiamano a dire il vero alcuni brani di estrema raffinatezza nei piani scavati e nel panneggio della *Pietà* vaticana (specialmente il lino intorno ai fianchi del Cristo).

Il tratteggio parallelo che corre sul trono di roccia della Vergine è pure fortemente scultoreo e anzi sembra di scorgervi il tratto dello scalpello appuntito. Una tale condotta è, ovviamente, caratteristica della pittura a tempera in generale e la si troverebbe anche nella resa della carne a un esame ravvicinato, ma di sicuro nella roccia è intenzionalmente appariscente.

È difficile dire in che misura, o se affatto, l'ombreggiatura scura sarebbe apparsa sotto il blu del vestito della Vergine, ma nella sua condizione di non finito assomiglia in gran misura all'incompiuta scultura del *Tondo Pitti*. Un esame completo della tecnica pittorica della *Madonna di Manchester* realizzato da Jill Dunkerton costituisce il sesto capitolo del testo da lei scritto insieme a Michael Hirst: *The Young Michelangelo*, uscito nel 1994, in coincidenza con la mostra alla National Gallery di Londra. La presente scheda deve molto al suo lavoro.
[N.B.P.]

Nei dipinti, specie in quelli a carattere devozionale, l'impiego di tematiche visive – cioè di raggruppamenti fra personaggi e, in questi, di pose, gesti, costumi, attributi e colori – è la necessaria condizione per rendere riconoscibile il significato religioso della composizione. Questo è vero anche per la *Madonna di Manchester*, i cui elementi si confrontano con le *Madonne* di Botticelli, Filippino e altri, anche se, nella composizione e in certi particolari, il dipinto michelangiolesco diverge dalle aspettative degli spettatori coevi.

Nella *Madonna* di Londra, come del resto in tutte le prime opere figurative, il giovane Michelangelo faticava abbastanza, e non sempre

677

con successo, per indicare le relazioni spaziali tra le figure. Invece lo studio dei gesti, degli sguardi e dei drappeggi delle figure nella *Madonna di Manchester* è tanto preciso da dimostrare che il pittore non li considera semplici motivi pittorici, ma attribuisce loro un codice di significati teologici e culturali.
Questo atteggiamento consapevole nei confronti del dipinto implicherebbe una fonte e un committente con determinate aspettative, ma in questa sede ci limitiamo ad accennare ad alcuni aspetti della "segnaletica visiva" associata al corpo umano nell'arte michelangiolesca.
Come si è già osservato a proposito della *Madonna della Scala* (cat. n. 1), il corpo della Madonna viene di solito identificato come contenitore dell'Incarnazione divina il cui fine è realizzare il sacrificio di Cristo e quindi la salvezza dell'umanità. Le ginocchia della Vergine possono essere l'eufemismo decoroso del grembo materno e, per estensione metaforica, i suoi drappeggi rappresentano la "stoffa" celeste dell'incarnazione, velo di "mortalità".
In questo senso, ogni Madonna rinascimentale col Bambino sulle ginocchia (cioè, in grembo) è un'immagine dell'Incarnazione e, secondo la lunga tradizione esegetica, è anche immagine della Vergine come Chiesa quale sposa e madre di Cristo, suo fondamento e fonte di nutrimento e protezione materna. Questi concetti sono visualizzati in modo particolare nelle tante Madonne di Tre e Quattrocento, dove il Bambino si arrampica in modo energico sulle ginocchia della madre per avvicinarsi al viso, al seno o al libro che legge.
Il libro, attributo molto amato nelle Madonne nel Quattrocento, può contenere il testo e la melodia del *Magnificat* cantato della Vergine (Botticelli, *Madonna del Magnificat*, Firenze, Galleria degli Uffizi), ma molto più frequentemente è il Vecchio Testamento dove sono inscritte le profezie che fanno riferimento all'Incarnazione, al figlio partorito da una Vergine e al sacrificio del Figlio di Dio. San Bernardino da Siena (1380-1444) segue una lunga tradizione patristica quando sostiene il fatto che la Vergine possedesse "l'intera sapienza dei profeti" (Tolnay 1943).

Nella tradizione iconografica di questo tipo di Madonna col Bambino, l'arrampicarsi del bambino è solo in apparenza un gioco vivace: il fanciullo divino rimane infatti fra i confini del giardino chiuso delimitati dal corpo materno o dal suo trono, affinché il suo piede non raggiunga troppo presto la terra mortale. Nella *Madonna* di Londra, invece, il Bambino da terra sale sulle ginocchia della Madre, protetto solo dal più esiguo lembo dei drappi materni. Sembra che quest'idea compositiva provenga da un contesto diverso. La si ritrova nelle rappresentazioni della Caritas, esempio della più alta virtù cristiana, in cui uno dei due bambini s'arrampica dal suolo verso l'alto per essere allattato dalla giovane madre sempre generosa (si pensi alla *Carità* scolpita da Mino da Fiesole (fig. n. 2) che prende il posto normalmente riservato alla Madonna sopra la tomba del conte Ugo di Toscana a San Miniato). La Carità in piedi è il tipo più diffuso. E tale considerazione ci spinge a esaminare più attentamente una *Caritas* seduta nel foglio di un taccuino senese quattrocentesco riferibile all'ambiente di Jacopo della Quercia e attribuito da Degenhart-Schmitt (1982; cfr. cat. n. 47) allo Zacchia. Tutti gli elementi – la disposizione del drappeggio sulle gambe, il nodo del vestito che lascia scoperta una spalla, il seno esposto e il bambino che si arrampica da terra – fanno davvero pensare alla *Madonna di Manchester*. È abbastanza difficile credere che ci sia un legame diretto fra le due immagini e bisognerebbe indagare maggiormente su questa tipologia, ma già il confronto nel contesto di quello che si è scritto sopra ci permette una nuova chiave di lettura del dipinto michelangiolesco.
Fondendo la tipologia della Madonna del Latte col seno scoperto e quella della Caritas cristiana, nella *Madonna di Manchester* Michelangelo adotta la posa del Bambino che si arrampica per rappresentare il Cristo incarnato che, come recitano le profezie, sale incontro al proprio destino prendendo possesso dell'abitazione terrestre, la Maria-Ecclesia, il "tabernaculum dei" delle litanie lauretane.
Osservando ancora il dipinto londinese, sorge subito un'altra domanda: perché il piccolo

1. Maestro della Natività di Castello, *Madonna col Bambino e angeli*. New Haven (Conn.), Yale University, Yarves Collection.

2. Mino da Fiesole, *Carità*. Firenze, Badia Fiorentina, monumento al conte Ugo di Toscana.

5. Michelangelo, *Studi per la Battaglia di Cascina e per la Madonna di Bruges*. Londra, British Museum, inv. n. 1859-6-25-5642.

3. Jacopo della Quercia (attr), *Studio di panneggio*. Oxford, Ashmolean Museum, inv. n. 42 recto.

4. Ambito michelangiolesco, *San Giovannino*. Già Ubeda (Andalusia), San Salvador.

Cristo inserisce l'indice in una pagina diversa da quella dove stava leggendo sua Madre? Se il libro non è scritto in ebraico (e non ha quindi un andamento di lettura da destra verso sinistra), con quel gesto il Bambino indica un testo già letto appena qualche pagina prima: un momento del passato, ma non troppo remoto. Questa circostanza sembra escludere un riferimento all'Immacolata Concezione, ma potrebbe rimandare all'Annunciazione e all'Incarnazione già avvenute.

Il Cristo indicava in origine anche con la mano sinistra, ma in un secondo momento l'artista ha cancellato il dito indice e ha aggiunto lo strano lembo della tunica sopra la mano come un *afterthought* (Dunkerton 1994, p. 102). Quest'osservazione fornisce in primo luogo un dato tecnico e visivo, ma può anche offrire un indizio dell'intento "segnaletico" di Michelangelo. La mano destra doveva riferirsi univocamente al libro. La ripetizione del gesto con la sinistra avrebbe reso il significato meno chiaro. In tante immagini devozionali, con la sinistra la Madonna indica la coscia del Bambino, probabilmente alludendo al corpo e di conseguenza alla sua mortalità. Nel dipinto londinese, invece, il puntare del piccolo Cristo verso la Madre – probabilmente anche in questo caso un ulteriore riferimento all'Incarnazione – apparve forse così inusuale da destare il timore di risultare incomprensibile: tale timore potrebbe quindi aver portato il pittore al "pentimento" pittorico.

L'arrampicarsi del Cristo nel grembo della Madonna evoca anche un altro epiteto mariano familiare: la *scala coeli*. Come si è visto a proposito della *Madonna della Scala* (cat. n. 1), la Vergine è la scala attraverso la quale il Figlio di Dio scende (dall'alto in basso) nella vita terrena per mezzo dell'Incarnazione; invece, il tipo della Caritas trasformata in Madonna che manifesta la sua opera di intercessione con il Figlio nei confronti del fedele presenta la scala per salire dalla terra al Cielo (Tolnay 1943, I). La "bidirezionalità" della *scala coeli* può essere implicita nella tematica dell'Incarnazione celata della *Madonna* della National Gallery, ma non è esplicitamente espressa in termini visivi. La ritroviamo invece in una *Madonna* a Dublino (fig. n. 2 in cat. n. 48) dipinta dal grande amico del giovane Michelangelo, già nella bottega del Ghirlandaio, Francesco Granacci. Le dimensioni e anche le composizioni pittoriche delle due tavole sono così simili che non è stato ancora possibile stabilirne la relativa cronologia. Il fatto che gli altri lavori del Granacci non attingano a una tale sicurezza e vivacità ha incoraggiato l'ipotesi che Michelangelo abbia fornito un disegno a Granacci (Hirst 1994, pp. 46, 77, n. 27 e saggio di N. Penny nel presente catalogo).

Nel Granacci, il bambino che si arrampica non è Gesù ma san Giovannino, come ha notato Hirst (1994, p. 46); si tratta di una giusta osservazione di cui, però, bisogna ricercare il movente. Ora è il san Giovannino che si arrampica sulla prima scala rocciosa, che è comunque già coperta dal mantello della Vergine, per toccare il palmo destro aperto di Cristo col dito indice e che quest'ultimo avvolge nella mano in un tramite vivo fra il vecchio e il nuovo patto solenne con Dio. Il Cristo incarnato è quindi già arrivato (o si trattiene ancora) nel grembo della Vergine, ma sta per scendere verso il Battista e quindi verso la terra (morte, sacrificio, eucaristia), sebbene tenga ancora stretta la mano della madre per protezione (ma anche come segno dell'incarnazione). Lo stesso gesto si ritroverà nella *Madonna di Bruges*, dove il piccolo Cristo ha cominciato veramente la discesa verso l'altare e il sacrificio eucaristico. Infatti la *Madonna* di Dublino è, nel significato, molto più vicina a questa scultura che al dipinto della National Gallery.

Ancora più importante dello scambio fra i bambini che salgono nella *Madonna* di Londra e in quella di Dublino, risulta il fatto che le due figure si rifanno a un unico modello che deve essere stato tridimensionale, dato che uno dei bambini è semplicemente l'altro visto dalla parte opposta.

La preparazione di bozzetti scultorei, spesso di cera o di terra, faceva parte integrante della prassi delle botteghe dei pittori nella Firenze del tardo Quattrocento (Weil-Garris Brandt 1999). I modelli servivano per studiare il flus-

so della luce sulle forme, per stabilirne il finto rilievo. D'altra parte, disegnare un modello scultoreo da varie angolazioni permetteva di ricavarne molte figure di aspetto, posa e illuminazione diversi fra loro.
Si affaccia così l'idea che, nella bottega del Ghirlandaio, il giovane Michelangelo abbia fatto questo modello e, anche se niente prova che il bozzetto del bambino che si arrampica sia stato fatto da lui, una tale ipotesi potrebbe fornire una valida spiegazione alle similitudini e alle divergenze fra i due dipinti.
In questo contesto può diventare interessante confrontare i caratteri del san Giovannino rispettivamente nella *Madonna* del Granacci e in quella di Michelangelo. Nella *Madonna* di Dublino, la Vergine abbraccia il Battista fanciullo e lo include nei contorni del suo corpo e dei suoi drappeggi. Questa disposizione, di impronta strettamente fiorentina (Lavin 1955; Hirst 1994, p. 46) sarà ripresa ed elaborata da Leonardo e Raffaello giovane.
Come tutti gli altri personaggi del dipinto di Dublino, il san Giovannino di Granacci è totalmente assorto nell'incontro sacro. Si tratta di un atteggiamento osservabile anche nella *Madonna* di Londra, ma con un'importante differenza: il Battista del dipinto di Michelangelo rimane ancora nel recinto sacro delimitato dall'orlo del vestito rosso che esce dal manto della Madonna, ma distoglie l'attenzione dalla Sacra Famiglia per guardare "fuori", verso di noi come un vero interlocutore di ascendenza albertiana.
Attribuire un ruolo dimostrativo in senso albertiano al piccolo Battista, permetterebbe anche di capire lo strano atteggiamento del personaggio. Con un doppio gesto, il san Giovannino indica ai fiorentini (?) il Cristo – "ecce Agnus Dei" – e nello stesso tempo, con la mano destra verso se stesso, allude alle proprie parole: "uno viene dopo di me... lui crescerà..."; questo non impedisce al giovane Precursore di avere anche un piccolo crocifisso come, per esempio, nel dipinto di Granacci a Dublino (fig. n. 2, cat. n. 48), dove la tematica teologica è simile ma si presenta con un altro linguaggio visivo.
Nell'opera michelangiolesca, sia i piedi del Battista che la sua mano sinistra sono nascosti da altri elementi. Del resto, vi è un numero notevole di mani parzialmente o totalmente nascoste nel dipinto, come anche nella *Madonna della Scala*, nella *Centauromachia* o nei primi disegni dell'artista. Il giovanissimo Michelangelo tende a schematizzare, scorciare o velare le mani come per evitare la loro rappresentazione. Nondimeno, questa caratteristica nella figura del Battista del quadro londinese risulta appropriata e ha una sua ragione di essere. Per la sua incompiutezza, è rimasta di difficile lettura la zona dove doveva trovarsi il piede sinistro della Madonna. Nonostante ciò, risulta evidente che tale zona nasconde i piedi del Battista come fanno anche le rocce accanto, e altrettanto si osserva nel *Tondo Doni* (dove il san Giovannino è dietro al muro) o si intravede nel *Tondo Pitti*, con una soluzione comune che allude all'appartenenza del Battista al passato e al suo ruolo di tramite col futuro *sub gratia*. In particolare, nascondendo la mano "sinistra", il Battista potrebbe inoltre "nascondere" la morte che aspetta il suo piccolo compagno d'infanzia.
È proprio l'impostazione iconografica del Cristo nel dipinto di Dublino che potrebbe aver impedito al Granacci di ospitare la figura sinuosa di un san Giovannino tipo quello della *Madonna di Manchester*. Invece, l'artista la inserisce nella *Madonna* di Tolone, qualificandola come personaggio a sé stante, accanto a una Madonna col Bambino che molto di più si avvicina ai modelli intorno alla *Madonna Dudley* e alle tante imitazioni didattiche create attorno a questo rilievo. Nell'opera francese, Granacci ribalta la posa del piccolo Precursore per fargli indicare simultaneamente la propria coscia e quella del Bambino; un gesto che, comunque, gli permette di tenere il crocifisso in modo più razionale. Il ribaltamento che abbiamo trovato dappertutto nella prassi del giovanissimo Michelangelo permette al Battista di indicare con la destra piuttosto che con la meno decorosa sinistra. Questa è la versione della posa che viene tante volte rielaborata dal Buonarroti nei disegni della *Madonna di Bruges* e quasi certamente nella statua marmorea di un san Giovannino realizzata per Lorenzo di Pierfrancesco de' Medici (il Popolano) e oggi dispersa (per i vari riflessi in scultura vedi Tolnay 1943). Una tale argomentazione favorisce l'ipotesi che la *Madonna di Manchester* abbia preceduto tutti gli altri esempi in cui compare il san Giovannino.
La figura del san Giovannino è certamente d'invenzione michelangiolesca; ma qual è la relazione fra la tipologia nella *Madonna* londinese e quella nel dipinto di Tolone? Entrambe risalgono ancora una volta a un modello di bottega o sono già riflessi – diretti o indiretti – della statua del *San Giovannino* sopracitato, eseguita per Lorenzo di Pierfrancesco de' Medici? L'esistenza di un modello scultoreo derivato dall'originale forse spiegherebbe perché esistono tanti echi dell'opera oggi smarrita (per gli argomenti e l'iconografia cfr. Barocchi 1962 e Tolnay, 1943, I, pp. 198-201).
Quale effetto hanno queste considerazioni sulla cronologia del giovane Michelangelo? L'appello del Battista allo spettatore indicherebbe almeno una forte identità fiorentina nel dipinto e forse anche un riferimento diretto a una committenza fiorentina.
Si è diffusa nella critica la convinzione che i contatti di Michelangelo con Lorenzo di Pierfrancesco de' Medici (il Popolano) e il *San Giovannino* di marmo per lui eseguito non siano da datarsi prima del ritorno dello scultore da Bologna a Firenze tra la fine del 1495 e l'inizio del 1496.
Concordo con Penny nel ritenere che il *San Procolo* e l'*Angelo* dell'Arca di San Domenico a Bologna, scolpiti nel 1495-96 (cat. n. 37), siano le opere di Michelangelo più strettamente confrontabili con la *Madonna di Manchester*. Non è quindi da escludere che Michelangelo abbia realizzato il *San Giovannino* durante il soggiorno bolognese, forse per celebrare il ritorno dei Popolani a Firenze nel novembre del 1494; si potrebbe persino ritenere l'opera eseguita prima, ai tempi delle frequentazioni del giardino mediceo. Anche chi scrive sarebbe propensa a vedere le analogie fra queste opere, con incluso il *Fanciullo arciere* di New York (cat. n. 39), e di spostarle per quanto possibile vicino al soggiorno bolognese.
[K.W.-G.B.]

Artista senese (Zaccaria Zacchi?)
Secondo quarto del XV secolo

47. *Allegoria della Carità* (?)

Penna e inchiostro marrone, mm 277 × 185
Novara, Biblioteca Civica Carlo Negroni, Ms. E. 107, f. V, c. 264
Iscrizione: in alto a sinistra: "Fecit Zacheria"

Nel codice cartaceo E. 107 della Biblioteca Civica di Novara è rilegato in ultima pagina un disegno a penna raffigurante una *figura muliebre panneggiata con un bambino*. Il manoscritto miscellaneo che lo contiene, insieme alla *Comedia* e alla *Morale* di Dante e alla *Comendazione di Dante* di Saviozzo da Siena, fu redatto in ottima lettera umanistica nel 1465 da Giovanni e Silvio Zacchi, membri di una eminente famiglia volterrana di artisti e umanisti (Borroni Salvadori 1977). Nella parte alta del foglio (mentre a destra vi è un piccolo schizzo con una faccina di profilo non ben interpretabile) a sinistra si legge "Fecit Zacheria", in un inchiostro marrone diverso e più chiaro di quello del disegno, ma ugualmente antico. Più che una firma dell'autore del disegno, la scritta sembra una specie di attribuzione da parte di chi ha composto il manoscritto inserendovi un disegno preesistente, non correlato, di un certo Zaccaria identificabile, secondo la Borroni Salvadori, con uno zio dei due Zacchi firmatari. Dell'attività artistica di questo Zaccaria Zacchi non si ha per il momento alcuna conoscenza, se non che ha firmato, con i fratelli Gaspero (1425-1474), Gabriello e Antonio, un manoscritto ora alla Biblioteca Nazionale di Firenze (Ms. XXIII, 79, Gaddi 769. Cfr. *ibid.*, e Angelini, in *Francesco di Giorgio*... 1993, pp. 428-429). L'inserimento del disegno si spiega forse come un elemento di esaltazione della genealogia familiare, evidente per molti aspetti nel codice.

La figura femminile è abbigliata con una tunica annodata sulla spalla sinistra che lascia scoperto un seno, e con un manto dalle numerose pieghe che copre l'altra spalla; ella siede a gambe incrociate su una base rettangolare (simile quasi a una mensa d'altare) e tende le braccia verso il bambino nudo che, alla sua destra, le sta salendo in grembo. Questi poggia un piedino su un gradino a terra e solleva l'altro per arrampicarsi sul corpo della donna, come per raggiungerne il seno semiscoperto. Il disegno è eseguito a penna e inchiostro marrone su carta bianca vergata, ingiallita e macchiata. La definizione dei corpi nudi è affidata a un rado e corto tratteggio parallelo che determina lievi ombreggiature, mentre il panneggio è reso con un lungo e diffuso tratteggio incrociato. Le pieghe occhiellate invece sono marcate da tratti semicircolari che ne denotano la profondità. Il disegnatore è interessato a definire le masse e la luce che proviene intensa, da sinistra: ne risulta una solida composizione triangolare dove è posta attenzione anche all'elemento architettonico del sedile con raffinati archetti gotici. Va però notato un curioso sbalzo qualitativo all'interno dell'opera, tra la bella costruzione del bambino e del busto della donna, con l'aulico motivo del nodo sulla spalla, e la resa piuttosto debole del panneggio e del corpo sottostante. Infelice è soprattutto il piede sinistro che, pur sembrando le gambe parallele, fuoriesce inaspettatamente incrociato dalla parte opposta. I valori plastici dell'insieme e la debolezza di questo particolare rendono probabile che il disegnatore abbia usato un modello (scultoreo), apportando una modifica alle gambe. Dal punto di vista stilistico il disegno appare eseguito da un artista tardogotico che ha già presenti istanze classiciste protorinascimentali. È soprattutto nelle sculture senesi della *Fonte Gaia* di Jacopo della Quercia (1416-17) che si riconosce il maggior credito. Il bambino corrisponde specularmente a quello della cosiddetta *Acca Laurenzia* (in cui più plausibilmente si è voluto riconoscere una Virtù, la *Carità* o la *Magnanimità*, cfr. Bisogni 1975), mentre la composizione richiama le figure femminili delle nicchie, massime la *Sapienza* (cfr. Carli 1980, figg. 169, 168). Anche dal punto di vista tecnico, il tipo di tratteggio incrociato risulta vicino a quello di certi fogli senesi della prima metà del XV secolo di ambito quercesco, collocandosi ad esempio tra il supposto "modello" per la *Fonte Gaia* (Degenhart - Schmitt 1968, I/1, cat. nn. 112-113) e il foglio più tardo con *San Giovanni Evangelista* a Rotterdam (*ibid.*, I/2, cat. n. 239). Il nostro foglio sembra dunque databile intorno al 1440 (cfr. *ibid.* 1982, III/4, p. 109, dove è riferito genericamente alla prima metà del XV secolo).

La donna dal seno scoperto ha fatto pensare a una rappresentazione della *Madonna del latte* (Mazzatinti - Sorbelli, Borroni Salvadori). Ma per un'immagine della Vergine di quest'epoca risultano inadeguati l'interpretazione fortemente classicheggiante, il tipo di acconciatura con una treccia che contiene i corti capelli ondulati verso l'alto e la mancanza di velo. La sua affinità stilistica e iconografica con le figure allegoriche "all'antica" della *Fonte*, ne suggeriscono invece l'identificazione con la *Carità*. Il bambino che sale da terra tramite un gradino, forse alludente alla "scala coeli", costituisce un elemento iconografico molto raro, che ritroviamo in opere più tarde come la *Madonna di Manchester* di Michelangelo (cat. n. 46) e la *Madonna* del Granacci (cat. n. 48). I disegni di bottega degli scultori, come forse questo, sono serviti da punto di riferimento e fonte di ispirazione iconografica per generazioni di artisti: Michelangelo non inventa un motivo inedito, ma lo interpreta e trasforma per associare, tramite un segno riconoscibile, la sua raffigurazione della Madonna alla simbologia della *Caritas*.

Riferimenti bibliografici
Mazzatinti - Sorbelli 1925, p. 155; Borroni Salvadori 1977, fig. 4; Degenhart - Schmitt 1982, III/4, pp. 10-110, fig. 173.
[L.M.]

Francesco Granacci
Firenze 1469 - 1543

48. *Madonna col Bambino e San Giovannino in un paesaggio*

Tavola, cm 107 × 78,5
Tolone, Musée d'Art et d'Archéologie,
inv. n. 194

Il dipinto, proveniente dalla collezione Campana, quindi dal 1863 di proprietà dello Stato, è entrato nel Museo di Tolone nel 1900. Già attribuito al Sogliani da Berenson (1963, I, p. 202), fu correttamente ricondotto al Granacci da Christian von Holst (1974, pp. 31, 157). Il gruppo della Vergine col Bambino, con la madre dal velo di stoffa pesante tirato sul capo, è una variante della composizione nelle tavole granaccesche di San Francisco e già a Londra (collezione Hardy) (Holst 1974, pp. 141-142, 157); esso fu ripreso piuttosto fedelmente, pur con diversa accezione stilistica, dal Bachiacca nella *Madonna* di Baltimora. Il motivo del rapporto intimo e accostante tra i due volti della madre e del figlio rimanda in prima battuta a prototipi donatelliani, segnatamente alla *Madonna Pazzi* e alla *Madonna Dudley*; questa stava alla fine del Quattrocento in casa di Piero del Pugliese fiancheggiata da due sportellini dipinti da Baccio della Porta (Caglioti, in *Il giardino*... 1992, pp. 72-78), dove supponiamo fu studiata dal Granacci e dal giovanissimo Michelangelo, al tempo in cui elaborava la *Madonna della Scala*, "rivisitazione e congedo dai rilievi stiacciati di Donatello" (Agosti - Farinella, in *Il giardino*... 1992, p. 65). Tuttavia nella pittura del primo Cinquecento fiorentino il motivo dell'intima connessione Vergine-Bambino travalica Granacci ed è ampiamente diffuso anche dall'Albertinelli fino a passare nell'eccentrico Maestro dei paesaggi Kress (Capretti, in *Fra Bartolomeo*...1996, pp. 153-156), ora riconosciuto in Giovanni Larciani, che nei primi due artisti trovò sovente spunti di ispirazione (Waldman 1998, p. 467). Tornando alla tavola di Tolone, ciò che preme in questa sede rimarcare è specialmente il diretto legame, rilevato dallo Holst, fra il san Giovannino e il santo omologo, ma in controparte, della *Madonna di Manchester*. Un modello che dovette essere ben presente al Granacci per lungo tempo, se lo reimpiegò, assai variato e non più rovesciato, anche nella *Madonna col Bambino e san Giovannino* della cappellina del primo piano in San Firenze (Holst 1974, p. 163) (fig. n. 1). Qui del san Giovannino "Manchester" rimangono la testa dolcemente inclinata, la tornita spalla sinistra protesa in avanti e la posa ancheggiante. Osserverei inoltre che nella parte inferiore la figura rimanda anche all'angelo incompiuto all'estrema sinistra della *Madonna di Manchester*, soprattutto nella gamba che fuoriesce dalla veste anche se svolta in controparte. E aggiungerei che il volto della Vergine di San Firenze, nelle forme arrotondate ed espanse pur nella veduta di tre quarti, e nell'aria pensosa è uno dei più pregnanti riecheggiamenti di quello della Vergine michelangiolesca assorta nella lettura del cartiglio sorretto dagli angeli. Si osservino soprattutto la linea diritta del collo a sinistra, l'acconciatura raccolta che lascia scoperto il grande orecchio, la morbidezza del modellato della mandibola. Nel quadretto di San Firenze colpisce il motivo del Gesù che si arrampica con veemenza sul corpo della madre, e che appare il risultato di una esasperata ricerca sviluppata dal Granacci su quanto egli aveva già offerto nella figura protesa del san Giovannino nel *Riposo in Egitto* di Dublino (fig. n. 2), e di quanto più pacatamente Michelangelo aveva indicato nel Gesù della *Madonna di Manchester* (ma su questo motivo e i suoi esiti si veda anche il foglio granaccesco del Gabinetto Disegni e Stampe degli Uffizi, 6351 F; Bartoli, in *L'officina*... 1996, p. 332). Infine nel dipinto di Tolone è sorprendente il panneggio della veste rossa della Vergine, che si frange al suolo in ritmi spezzati, costituendo forse il più puntuale ricordo dell'orlo inferiore della veste della *Madonna di Manchester*.
L'attività giovanile del Granacci, tuttora di impervia ricostruzione, è stata sinteticamente, ma utilmente tracciata da Everett Fahy (in *Il Giardino*... 1992, pp. 49-52). Dopo un precoce contatto col giovane Filippino, per cui Francesco posò come modello nel completamento della Brancacci, egli dovette approdare alla bottega ghirlandaiesca entro la metà degli anni ottanta. Qui, almeno dal 1487 (Cadogan 1993, pp. 30-31), entrò in rapporto con il gio-

1. Francesco Granacci, *Madonna col Bambino e san Giovannino*. Firenze, San Firenze, cappellina del primo piano.

2. Francesco Granacci, *Riposo nella fuga in Egitto*. Dublino, National Gallery of Ireland.

vanissimo Michelangelo, contraendo una lunga amicizia nata sui ponteggi della cappella Tornabuoni e ampiamente testimoniata dalle fonti, in primis Vasari e Condivi. È il Granacci a fornire a Michelangelo disegni e stampe nordiche appartenenti al patrimonio dell'officina ghirlandaiesca, ed è sempre il Granacci a introdurre Michelangelo, verso il 1490, presso il giardino di San Marco, su richiesta di Lorenzo il Magnifico (Hirst - Dunkerton 1994, p. 14). La frequentazione fra i due dovette essere assidua (erano fra l'altro prossimi di abitazione; Agosti - Farinella, in *Il giardino...* 1992, p. 28) fino al tardo 1494. Quando nel novembre di quell'anno Piero de' Medici fuggì da Firenze e Michelangelo aveva già abbandonato la città per Venezia, il Granacci riallacciò i suoi rapporti – forse mai del tutto recisi – con la bottega ghirlandaiesca che in quel momento, guidata da David e Benedetto, era divisa fra i due cantieri del Duomo di Pisa e del Duomo di Pistoia. Il Granacci, documentato a Pisa tra il novembre 1494 e il febbraio 1495 (cfr. Tanfani Centofanti 1897, pp. 436-438, e inoltre Archivio di Stato di Pisa, Opera del Duomo 447, cc. 28r, 40r), rientrò in patria con la cacciata dei fiorentini da quella città nello stesso 1495.

Nel contesto rapidamente delineato è da collocare l'esito più alto della pittura granaccesca, lo splendido *Riposo nella fuga in Egitto* di Dublino (Holst 1974, pp. 21-23, 129-131), giudicato il capolavoro di Francesco a contatto con il genio del più giovane amico. Le fluttuanti datazioni proposte per il *Riposo* (1494 circa per Hirst; 1500 circa per Fahy) e per la *Madonna di Manchester* (forse 1497 per Hirst), non consentono di definire puntualmente le priorità di ideazione, e tuttavia consentono di comprendere il fervido clima di ricerca che accomunava i due artisti nell'aspirazione a superare la formazione quattrocentesca e ghirlandaiesca, approdando a esiti di originalità assoluta pur perseguendo diversi obiettivi, come ben sottolineato da Hirst (in Hirst - Dunkerton 1994, pp. 44-45). In quest'ottica il percorso di Michelangelo pittore adolescente, prima della *Madonna di Manchester*, andrà investigato nella solidale relazione col Granacci, e i suoi esordi, più che nell'inestricabile *koiné* linguistica della cappella Tornabuoni, saranno forse da discernere nelle opere granaccesche dell'ultimo decennio del secolo. In tal senso credo opportuno rimeditare sulla *Madonna in trono fra i santi Giovanni Battista e Michele* oggi a Berlino (ma proveniente da San Salvatore al Monte), che a me pare un'opera di collaborazione quantomeno fra Granacci e Mainardi (Venturini 1994-95, pp. 129, 138), fatto che non necessariamente esclude altre mani, e sul ciclo granaccesco con le *Storie del Battista* (diviso fra New York, Cleveland e Liverpool), in cui sotto la direzione del Granacci sembrano essersi coordinate varie, e non meno valenti, personalità artistiche.

[L.V.]

3. Michelangelo, *Madonna di Bruges*. Bruges, Notre-Dame.

4. Michelangelo a Roma: il giardino dei Galli

Nell'occasione del suo primo viaggio a Roma (1496-1501), Michelangelo godette, grazie alle cure dell'ambiente mediceo fiorentino, di ottimi contatti sia con cardinali che con banchieri. Abitava nella casa di uno di questi ultimi, l'ancora poco nota ma importantissima figura di Jacopo Galli, che diventò il suo mentore. Nel giardino dei Galli era custodita una grande collezione di scultura antica nella quale aveva un posto di rilievo il *Bacco* di Michelangelo oggi al Bargello, inizialmente commissionato dal cardinale Riario. Verso la metà del Cinquecento, lo studioso bolognese Ulisse Aldrovandi descrisse nella collezione, insieme al *Bacco*, un *Apollo* (*Cupido* secondo Vasari e Condivi) di marmo, a grandezza naturale, eseguito ugualmente dal giovane Michelangelo. Era un giovane arciere senza ali con "un vaso ai piedi" (attributo rarissimo sia per Cupido sia per Apollo), come aveva in origine il *Fanciullo arciere* di New York, come vediamo nei disegni dell'Ango.

Kathleen Weil-Garris Brandt

Michelangelo a Roma: il giardino dei Galli

Michelangelo arrivò a Roma nell'estate del 1496 con lettere di presentazione scritte da Lorenzo di Pierfrancesco de' Medici (detto "il Popolano"). Queste gli avrebbero aperto molte porte mettendolo in contatto con personaggi famosi, come il cardinal Raffaele Riario, e altri oggi piu oscuri, che però avrebbero inciso molto sul destino del giovane scultore, come il banchiere Jacopo Galli e il misterioso Baldassare del Milanese.
Grazie a recenti ricerche intraprese con la collaborazione di un'équipe magnifica di giovani studiose (Nicoletta Baldini, Donatella Lodico, Anna Maria Piras), abbiamo ora la possibilità di seguire il giovane Michelangelo una volta varcate le porte romane. Risulta chiaro che la sua visita si inseriva in un preesistente contesto di relazioni complesse e contraddittorie fra le grandi famiglie, soprattutto i Medici, i Riario e gli Sforza. Entro i limiti di un catalogo possiamo soltanto dare un sommario di queste nuove notizie (alcune sono incorporate nella *Cronologia*), che verranno presentate con una base documentaria più ampia in una prossima pubblicazione.
Le relazioni fra i Medici e il cardinale Raffaele Riario, nipote di Sisto IV della Rovere, erano state tutt'altro che facili. Da giovane, il Riario conosceva la città di Firenze e la famiglia medicea ed era amico di Marsilio Ficino. Nello stesso tempo, però, era legato con i nemici dei Medici, la famiglia Pazzi, e fu persino presente nel Duomo di Firenze nel 1478 quando fu assassinato Giuliano de' Medici e ferito Lorenzo il Magnifico – in una congiura che era fortemente sostenuta da Girolamo Riario, zio di Raffaele. Dieci anni più tardi, Lorenzo il Magnifico fece assassinare il conte Girolamo Riario, lasciando vedova Caterina Sforza, figlia naturale del duca di Milano, Lodovico Sforza. Il fratello di questo, il cardinale Ascanio Sforza, zio di Caterina, abitava nell'odierno palazzo Sforza Cesarini, mentre Raffaele Riario stava costruendo il suo magnifico palazzo della Cancelleria con l'aiuto del suo banchiere, Jacopo Galli (cfr. il saggio di C.L. Frommel).
Anche Caterina Sforza aveva avuto nel passato relazioni cordiali con i Medici, ma il fatto determinante era il suo ruolo come signora di Imola e Forlì, territori ricchi e strategicamente importanti, fortemente desiderati sia dai fiorentini che da tutti gli altri protagonisti politici dell'epoca. Caterina conosceva bene Lorenzo e Giovanni di Pierfrancesco de' Medici. Nel 1493-94 era molto corteggiata sia dai fiorentini che dal papa – poteri che si erano schierati in alleanze opposte in risposta alla minacciata invasione della penisola italiana da parte di Carlo VIII di Francia. Dal 1495 in poi, quando incombeva in Toscana la carestia, Lorenzo e Giovanni trattavano con Caterina per prestiti enormi di grano da Forlì e Imola, effettuando così transazioni che garantivano giganteschi profitti a tutti e tre. Pochi anni più tardi, Caterina avrebbe sposato Giovanni di Pierfrancesco divenendo cognata di Lorenzo, che ciò nonostante ne diventò un feroce nemico. Nell'estate del 1496, però, le alleanze erano favorevoli per il giovane Michelangelo.
Tutte le fonti citano Jacopo Galli come mentore del giovane Michelangelo, e diventa sempre più evidente che egli fu il tramite in qualche maniera per tutte le prime commissioni date allo scultore a Roma. Spesso assunse il ruolo senza precedenti di mallevadore

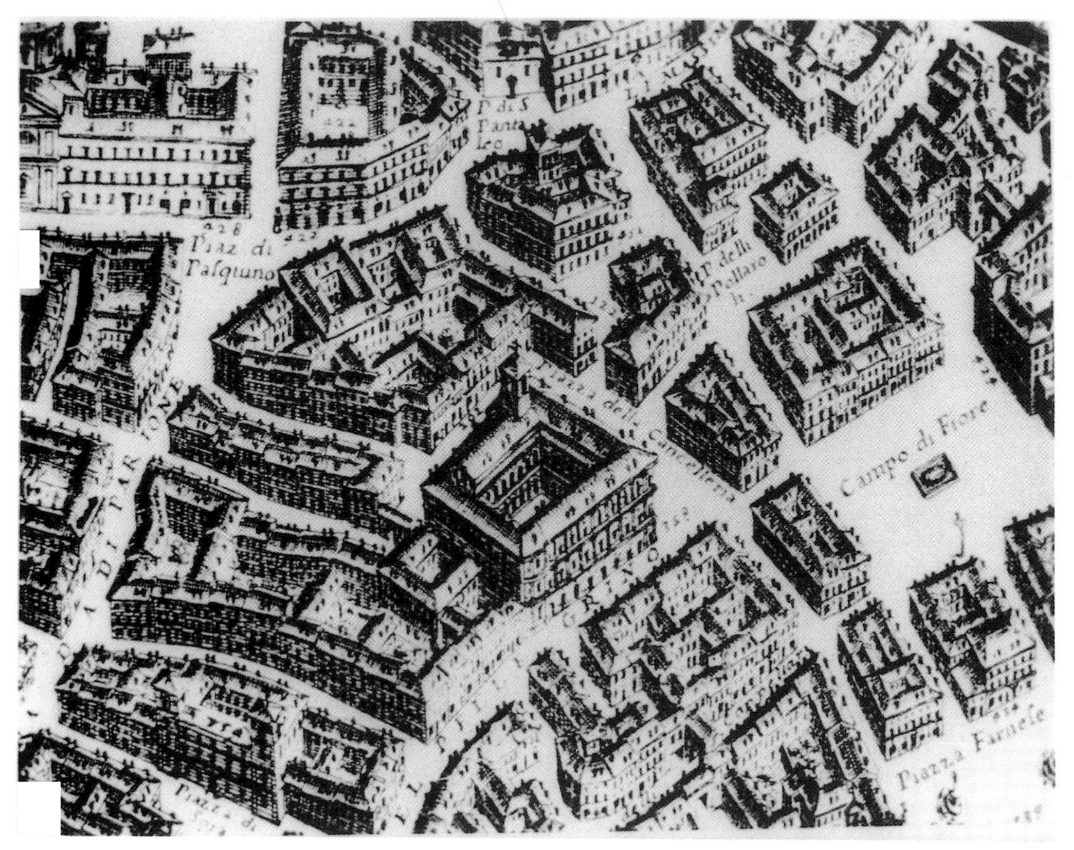

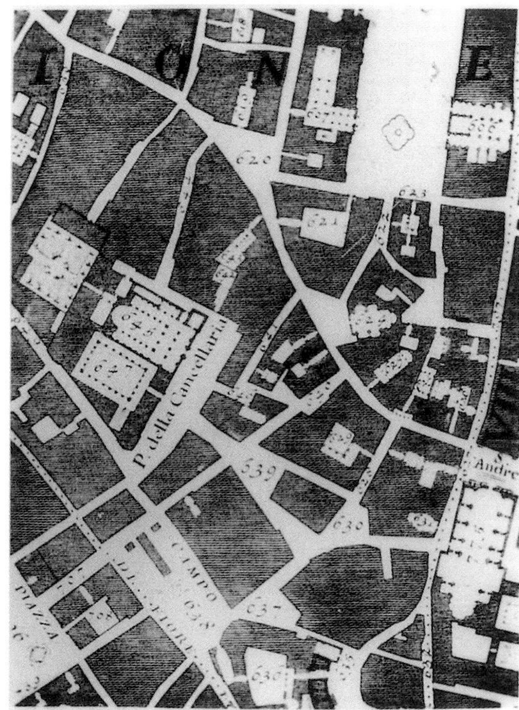

1. *L'area urbana intorno al palazzo della Cancelleria*, particolare della pianta di Roma, da Falda 1676.

2. *Area urbana intorno al palazzo della Cancelleria*, particolare della pianta di Roma, da Nolli 1748.

artistico, garantendo nel contratto di ripagare il committente in pieno se le opere fornite da Michelangelo non fossero risultate le migliori che si potessero acquistare a Roma. Così facendo, artista e mallevadore assicuravano formalmente che Michelangelo avrebbe superato tutte le conquiste dell'arte antica e moderna.

Non a caso, tutti i committenti che il Galli trovava per il giovane artista erano suoi vicini abitanti nel rione Parione, il quartiere fra piazza Navona e Campo dei Fiori, dove risiedevano banchieri, notai, fuorusciti fiorentini, fabbricanti di libri e carte e qualche orefice benestante.

Quando Raffaele Riario, camerlengo della Chiesa, diventò anche cardinale titolare della basilica di San Lorenzo in Damaso (in Parione) affidò al suo banchiere e vicino di casa, Jacopo Galli e alla banca fiorentina associata dei Balducci, il compito di finanziare e costruire il suo nuovo colossale palazzo di ispirazione albertiana sul sito della chiesa titolare. Qui Riario risiedeva al centro di una rete di influenza, come faceva anche il Galli, il cui isolato di case si trovava nella stessa strada direttamente di fronte.

Quando il fiorentino Baldassare del Milanese riuscì a vendere il *Cupido dormiente* al cardinale come opera antica, fu Jacopo Galli l'agente che Riario mandò a Firenze per scoprire l'identità del giovane artista truffatore. Ma il Galli fu anche colui che convinse lo stesso Michelangelo ad andare a Roma ad arrangiarsi con il cardinale e fare la sua fortuna. Il Galli alloggiò il giovane in casa propria, dove Michelangelo rimase e lavorò fino al 1498.

Il cardinale Riario commissionò a Michelangelo il *Bacco* oggi nel Bargello (Hirst 1981, 1994), ma la scultura, per qualche ragione non accettata dal cardinale, era già visibile nel giardino della casa di Galli nel 1506. Fu disegnata lì da Heemskerck negli anni trenta del Cinquecento, descritta da Aldrovandi nel 1556 (cat. nn. 53 e 54). Può darsi persino che Michelangelo l'avesse scolpita in casa Galli e che non sia mai stata spostata. Il marmo di Michelangelo era l'unica opera moderna che Galli esponeva nei due giardini affollati dalla maggior parte degli esemplari appartenenti alla sua imponente collezione di antichità

3. Antico lato settentrionale di piazza della Cancelleria, con le case Galli.
Incisione di A. Specchi, XVIII secolo.

4. Michelangelo, *Pietà*. Città del Vaticano, San Pietro.

iniziata dal padre Giuliano (il? *Apollo/Cupido* di Michelangelo fu visto da Aldrovandi all'interno della casa).

Nel frattempo, il Galli faceva pressione in modo sistematico e su influenti personaggi della sua cerchia affinché diventassero mecenati di Michelangelo. Tutti erano in qualche maniera indebitati con il cardinale Riario o con la banca dei Galli e dei suoi associati. La *Pietà* in Vaticano fu commissionata da uno di questi, il cardinale Bilbères de la Grolaye, nominato governatore di Roma grazie ai suoi legami con Riario. Riario stesso, come generale dell'ordine agostiniano e con Galli patrono della chiesa vicina di Sant'Agostino, assicurò a Michelangelo la sua prima importante commissione di pittura, il *Seppellimento di Cristo*, oggi alla National Gallery di Londra (Hirst 1981, 1994; Nagel 1994). La commissione per le statue dell'altare Piccolomini nel Duomo di Siena venne da un altro residente in Parione (cat. n. 40); la *Madonna di Bruges* fu ordinata dai Mouscheron (fig. a p. 620) fra i più importanti clienti fiamminghi della banca Galli, mercanti di tessuti, che sembrano aver avuto intrecci finanziari con Michelangelo tramite la banca molto prima di quanto si era pensato finora. Più tardi, persino la commissione del *Cristo* in Santa Maria sopra Minerva sembra essere nata nell'ambito dei parenti e colleghi bancari fra i Galli e i Porcari, che avevano già prima delle relazioni con Michelangelo.

Nella seconda metà del Cinquecento le fortune economiche dei Galli declinarono e sembra che già alla metà del secolo, quando l'umanista e naturalista bolognese Ulisse Aldrovandi visitò la loro casa, quasi metà della collezione era già stata venduta. Poté ancora vedere, però, ambedue le sculture di Michelangelo. Il *Bacco* era sopravvissuto al Sacco di Roma e rimase nel giardino dei Galli fino all'acquisto da parte dei Medici nel 1572, quando fu trasportato a Firenze. La statua che Aldrovandi descrive come un *Apollo* era messa al coperto in una camera superiore della casa. La sua esistenza era conosciuta da almeno cinque altre fonti contemporanee (cfr. *Cronologia*).

C'è naturalmente da chiedersi perché i Medici non acquisirono anche la seconda statua michelangiolesca. Era già stata venduta? Non lo sappiamo per ora con sicurezza, ma in una prossima pubblicazione rintracceremo il passaggio di opere d'arte dalla collezione Galli a quella del cardinale Scipione Borghese nel primo Seicento, dove alla metà di quel secolo Manilli (1650) vide e descrisse il *Fanciullo arciere* oggi identificato con la scultura frammentaria New York.

Etienne Dupérac (attribuito a)
Parigi 1525 circa - 1604

49. *Panorama di Roma dal tetto della Cancelleria*

Penna e inchiostro bistro su carta bianca, mm 256 × 428
Città del Vaticano, Biblioteca Apostolica Vaticana, collezione Ashby, inv. n. 131
Sul recto sono incollati due foglietti di carta con le parole "*faict a Roma / au mits d'aout / le 9e Jour / 1567*". Sul verso compare la scritta (XVIII secolo): "E. Perac"

Il disegno, attribuito a Dupérac sin dal Settecento, sarebbe stato eseguito dall'artista francese in occasione del suo soggiorno romano nel 1567.
Thomas Ashby ha identificato l'angolo ottico dove si è posto l'osservatore, permettendo di individuare buona parte degli edifici riprodotti nella veduta. Si tratta infatti di un suggestivo scorcio della città cinquecentesca, visto dalla Cancelleria in direzione nord-est e, in modo specifico, di una testimonianza topografica di uno spicchio del rione Parione, in quel punto mutato in modo determinante alla fine dell'Ottocento. Parione era un quartiere di banchieri e mercanti, abitato da numerosi fiorentini, dove risiedette Michelangelo durante il suo primo periodo a Roma, ovvero dall'estate del 1496 fino al 1499.
Il panorama, oltre a offrire un'interessante rassegna di costruzioni civili e religiose medievali e rinascimentali, mostra con chiarezza l'aspetto "casuale" ed eterogeneo dell'architettura e del tessuto urbanistico del centro della città.
Sullo sfondo si riconoscono le forme labilmente tracciate del "Frontespizio di Nerone", delle Terme di Costantino e del campanile di Santa Maria Maggiore: più nitide appaiono invece le architetture del Pantheon, di palazzo Venezia, della torre delle Milizie e di Santa Maria d'Aracoeli. Vicino al punto di osservazione, partendo da sinistra, si vedono non la casa della famiglia Galli, come si credeva, ma quella parte del corpo di case della cosiddetta "Isola Galli", prospiciente la chiesa di San Lorenzo in Damaso, affittata alla Compagnia della SS. Concezione. Proseguendo si individuano l'inconfondibile *facies* architettonica della cosiddetta Farnesina ai Baullari (già palazzo Regis), il campanile della chiesa di San Pantaleo, quello dell'Oratorio del SS. Sacramento, il palazzo Massimo alle Colonne e nelle vicinanze quello della famiglia della Valle, il palazzetto di Ceccolo Pichi su via dei Baullari e infine i nuclei di case ai lati della stessa via.

Riferimenti bibliografici
Ashby 1924, pp. 449-459; Egger 1931, II, p. 46, tav. 123; Frommel 1973, II, p. 257, tav. 109c; Bodart 1975, p. 43, cat. 131, tav. XLIV; Frommel, in *Raffaello in Vaticano...* 1984, pp. 103-104, cat. 63; Keaveney 1988, pp. 14 e 180, cat. 44; Garms 1995, I, p. 125 e II, p. 33, cat. A36.
[D.L.]

Adriano Di Giovanni De' Maestri detto Adriano Fiorentino (attribuito a)
Firenze 1460 circa - 1499

50. *Medaglia raffigurante il cardinale Raffaele Riario*

Bronzo, diametro mm 80
Brescia, Musei Civici, inv. n. 100
Iscrizione nel dritto, lungo il margine:
"RAPHAEL . DE . RIARIO . S . DNI . NRI . PPE . CAMERARIUS"
Nel rovescio, all'esergo: "LIBERALITAS"
Provenienza: Legato Brozzoni

La medaglia dedicata al cardinale Raffaele Riario mostra nel dritto la sua immagine raffigurata a mezzo busto di profilo e un'iscrizione che, correndo lungo il margine, ricorda la carica di camerario del papa. Il rovescio presenta la figura della *Liberalitas* seduta, con una cornucopia nella mano sinistra, mentre dona una moneta a un uomo rappresentato di fronte a lei, di dimensioni decisamente inferiori. Un'immagine della generosità voluta per esaltare, secondo Bentivoglio (1992), "il significato della missione del suo alto incarico". La carica di cardinale camerario venne ricoperta dal Riario, a 23 anni, nel gennaio 1483, succedendo al cardinale Guglielmo d'Estouteville, del quale occupò anche la residenza nel palazzo di Sant'Apollinare (per i dati biografici del cardinale Riario si veda Frommel 1989, pp. 73-85).
La medaglia presente nel fondamentale studio di Hill (1930), viene da questi attribuita ad Adriano Fiorentino e datata, d'accordo con la precedente analisi di Fabriczy (1904), non molto oltre il 1483 anche per l'aspetto giovanile che mostra il Riario. Sempre Hill puntualizza che la medaglia fu eseguita sicuramente entro il 1488, anno in cui l'artista, al servizio di Virginio Orsini, si trasferì con il suo signore a Napoli.
Anche per Schiavo (1963) l'opera venne realizzata per ricordare proprio l'elevazione del Riario a tale carica e dunque databile a breve distanza dall'evento.

Riferimenti bibliografici
Rizzini 1892, p. 109, n. 776; Fabriczy 1904, pp. 96-97; Habich 1924, p. 74, tav. LII, n. 3; Hill 1930, I, p. 83, II, tav. 53, n. 333; Petrignani 1950, pp. 42-43; Schiavo 1964, pp. 40-41; Bentivoglio 1992, p. 368.
[A.M.P.]

CAMERARIVS · RAPHAEL DE RIARIO · S · DNI NRI PPE ·

Antonio da Sangallo il Giovane
Firenze 1484 - Roma 1546

51. *Progetto per il portale principale del palazzo della Cancelleria a Roma*

Pennino e inchiostro marrone, preparazione con matita e incisioni, punti principali forati, mm 334 × 458
Carta tagliata su tutti i lati, margine inferiore danneggiato, margine superiore restaurato
Iscrizioni: "porta per lo palatio del cardinale di santo giorgio Di roma"; nella finestra a destra del portale scala in palmi; sul verso: "Porta per lo palatio del cardinale di Sto giorgio in roma" e schizzo della pianta
Firenze, Gabinetto Disegni e Stampe degli Uffizi, inv. n. 188 A

Il progetto risale forse agli anni 1513-17, quando Sangallo progettò nella Cancelleria anche il soffitto a cassettoni e possibilmente anche il camino della sala dei Cento Giorni (Schiavo 1964; cfr. GDSU, inv. n. 987 A). È probabile che all'epoca il palazzo non avesse ancora un portale di rappresentanza. Resta aperta la questione se il progetto non venisse realizzato perché rifiutato oppure a seguito della caduta del cardinale. A ogni modo esso prevedeva, in analogia con il sistema del piano superiore, un sistema ad arco di trionfo con nicchie laterali per statue e un balcone protetto da balaustri. La pianta a destra in basso e lo schizzo sul verso rivelano che Sangallo, in un primo momento, aveva previsto quattro colonne di tre quarti. Nella versione definitiva e nell'alzato egli fece proseguire la parete al di là delle colonne esterne, in modo che queste apparissero solo come semicolonne. Nell'alzato riprese tutte le cornici esistenti, orientandosi sull'altezza dei conci per la trabeazione e il cornicione. Tutto sommato è più plausibile una datazione verso il 1513-14 che verso il 1515-17. Questo vale anche per il delicato e sensibile tratteggio e per la sfumatura pittorica o per le statue rapidamente schizzate, probabilmente muse che Riario aveva già o voleva far realizzare. Sangallo però usò simili ordini compositi non solo nel progetto GDSU, inv. n. 1001 A del 1514 circa, per le edicole del palazzo Farnese, ma anche verso il 1518 nella cappella Serra o in Santa Maria di Monserrato (Frommel 1986, pp. 276 sgg.).

Riferimenti bibliografici
Ferri 1885, p. 179; Giovannoni 1959, fig. 24; Schiavo 1964, p. 144, fig. 104; Frommel 1973, I, p. 77; Valtieri 1982, pp. 13 sgg., n. 68; Frommel in Buranelli - Frommel, in c. di s.).
[C.L.F.]

porta p. lo palatio del cardinale di S.to giorgio
Di roma

Antonio da Sangallo il Giovane
Firenze 1484 - Roma 1546

52. *Pianta per il giardino posteriore del palazzo della Cancelleria a Roma* (recto)

Stilo, penna su carta bianca, mm 41 × 565
Carta piegata nel mezzo, bordi incollati
Scala in palmi
Verso: *Schizzo di un vaso in porfido*, 1532-34 (?)
Iscrizioni sul recto (in calligrafia posteriore): "Del giardino del palazzo di s(an) lor(en)zo jndamaso", "pogiolo", "gradi", "andito", "tinello", "tinello", "pogiolo", "pogiolo", "muro"; sul verso (nella calligrafia di Sangallo): "Per lo giardino del palazzo di santo lorenzo in damaso", "di papa Clemente di porfido"
Firenze, Gabinetto Disegni e Stampe degli Uffizi, inv. n. 1010 A recto

La calligrafia di Sangallo sul verso indica una datazione del foglio successiva all'elezione a papa di Clemente VII, cioè dopo il settembre del 1523. Vicecancelliere e quindi signore della Cancelleria divenne fino al 1531 Pompeo Colonna, al quale seguì dal 1532 al 1535 Ippolito de' Medici. Quest'ultimo o il suo successore, il cardinale Alessandro Farnese, potrebbe aver incaricato Sangallo della ristrutturazione del giardino retrostante. A favore di una datazione dopo il 1523 si esprimono non solo l'accenno a un vaso in porfido di Clemente VII, ma anche la forma della loggia sul giardino, chiaramente derivata dalla loggia sul giardino di villa Madama (1518-19). A questa loggia aveva collaborato ancora lo stesso Sangallo (Frommel, in Frommel - Ray - Tafuri 1984, pp. 311 sgg.). Le sue tre campate presentano volte a vela, i cui pennacchi si innalzano organicamente dai pilastri smussati. I pilastri della cupola centrale hanno una smussatura più accentuata, e questo avrebbe portato la campata centrale a dominare. Quest'ultima viene sottolineata anche dalle retrostanti nicchie circolari. Attraverso una variazione appena percettibile della grandezza delle quattro aiuole del giardino, Sangallo riuscì a superare le irregolarità del terreno in senso raffaellesco e a mettere in rapporto assiale con il giardino sia l'andito retrostante del palazzo sia la campata destra della loggia sul giardino. Davanti alle sue quattro mura Sangallo sistemò delle panchine – "pogiolo" – e davanti alla loggia una scala di tre gradini. La sua scala triangolare posteriore fa supporre che sopra la loggia fosse prevista una terrazza. Sia la parete posteriore della campata sinistra della loggia che l'adiacente muro meridionale del giardino si spingono oltre i confini del terreno della Cancelleria e quindi sembra che si facesse affidamento su relative concessioni dei vicini.

Riferimenti bibliografici
Ferri 1885, p. 179; Giovannoni 1959, p. 307; Schiavo 1964, p. 144, fig. 106; Frommel 1973, I, p. 89, fig. 162; Valtieri 1982, p. 13.
[C.L.F.]

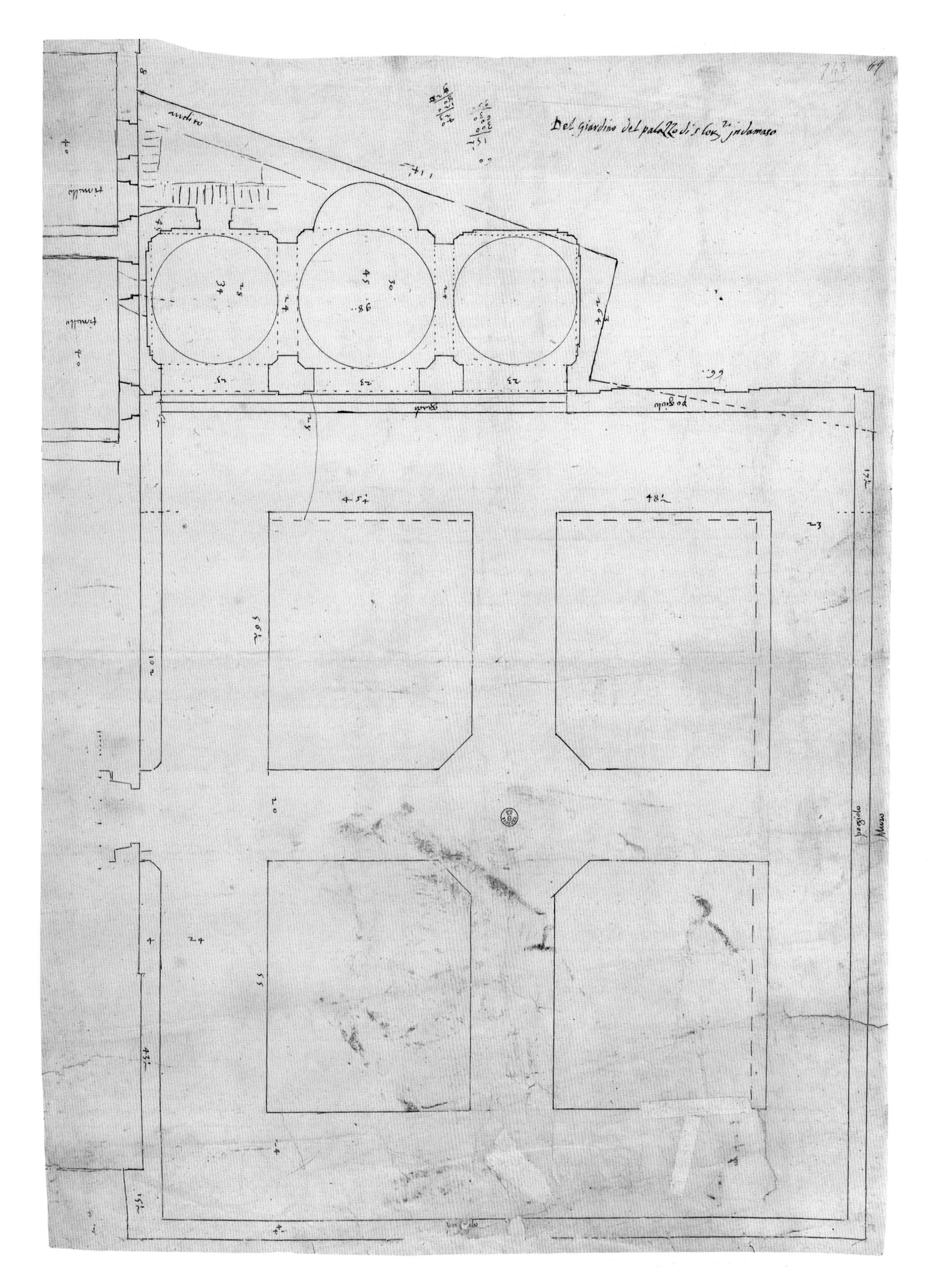
Del giardino del palazzo di s. lorenzo in damaso

Ulisse Aldrovandi
1522 - 1605

53. *Delle statue antiche che per tutta Roma, in diversi luoghi et case si veggono*

in L. Mauro, *Le antichità de la città di Roma*, in Venetia,
Appresso Giordano Ziletti, 1556, pp. 115-316

mm 140 × 90
Firenze, Kunsthistorisches Institut in Florenz

Ulisse Aldrovandi, conoscitore dell'arte antica e figura di grande rilievo per la storia delle scienze naturali, fu parente del Gianfrancesco Aldrovandi, senatore di Bologna che aveva protetto e ospitato in casa sua, il giovane Michelangelo nel 1495 (vedi la *Cronologia ragionata* e il saggio di Luisa Ciammitti in questo catalogo).
Nel volume qui presentato (pp. 172-173), l'Aldrovandi descrive in maniera puntuale una statua realizzata dal giovane Michelangelo che il letterato identifica come *Apollo* (ma che era più probabilmente un Cupido), vista nella casa di Jacopo Galli dove si conservava anche il *Bacco* dello stesso Buonarroti.
Da ragazzo l'Aldrovandi soggiornò a Roma nel 1533, quando fuggì dalla casa paterna a Bologna, e di nuovo nel 1536. Non si sa se, in tali occasioni, abbia conosciuto Michelangelo; certo ebbe stretti contatti con Paolo Giovio che aveva appena scritto un primo medaglione biografico su Michelangelo (1525-1530 circa). Fu dopo un ulteriore soggiorno nell'Urbe nel 1549 che lo scienziato stese il suo itinerario attraverso le statue antiche di Roma, pubblicato in Lucio Mauro, *Le antichità de la Città di Roma*, per la prima volta a Venezia nel 1556 (e non nel 1542 come in Montalenti 1960). Ma secondo quanto riporta l'iscrizione alla fine della copia del volume conservata nella Biblioteca Aldrovandiana presso l'Università di Bologna, Ulisse avrebbe già scritto il testo nell'anno giubilare 1550.
Per una valutazione di questa preziosa fonte in rapporto con le opere michelangiolesche, si rimanda alle schede riguardanti il *Fanciullo arciere* (cat. n. 39) e il *Bacco* (cat. n. 54), nonché al saggio sui "primordi" di Michelangelo scultore in questo catalogo.
[K.W.-G.B.]

1. Marten van Heemskerck, *Veduta del giardino Galli con la collezione delle statue*, da Album. Berlino, Preußicher Kulturbesitz, Kupferstchkabinett.

2. Marten van Heemskerck, *Veduta del giardino Galli con il Bacco di Michelangelo tra le altre sculture della collezione, da Album.* Berlino, Preußicher Kulturbesitz, Kupferstchkabinett.

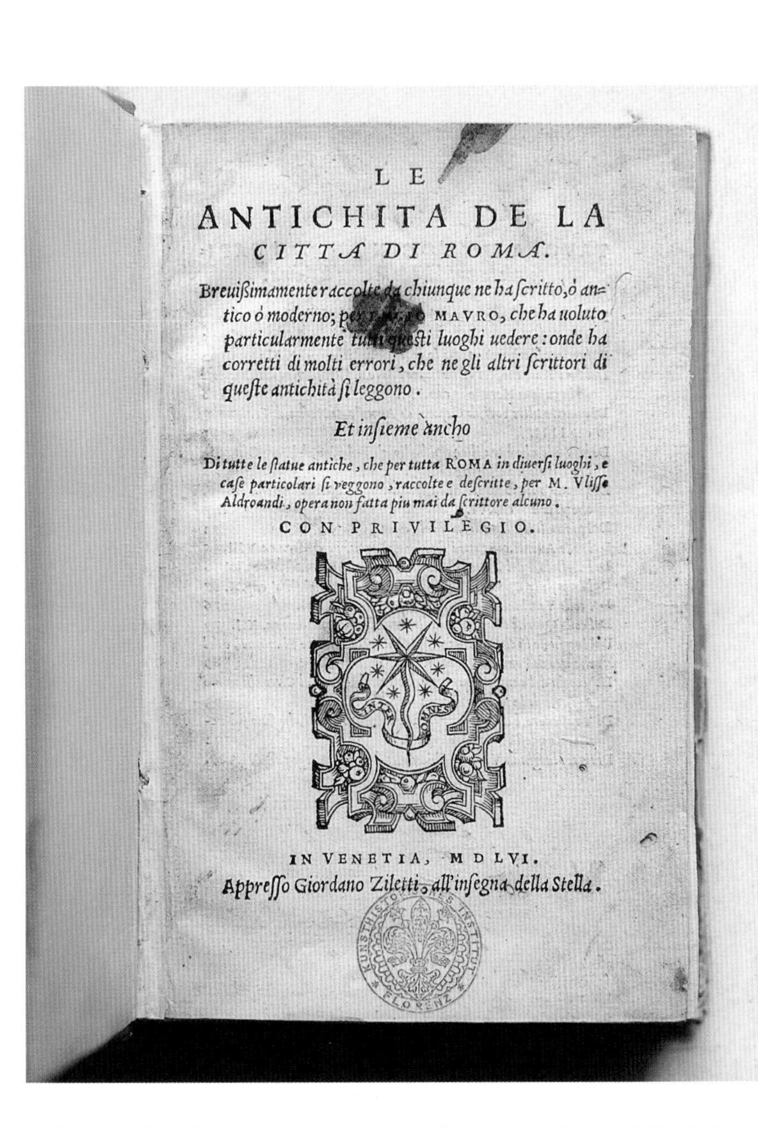
LE

ANTICHITA DE LA

CITTA DI ROMA.

Breuissimamente raccolte da chiunque ne ha scritto, ò antico ò moderno; per [illegible] MAVRO, che ha uoluto particularmente tutti questi luoghi uedere: onde ha corretti di molti errori, che ne gli altri scrittori di queste antichità si leggono.

Et insieme ancho

Di tutte le statue antiche, che per tutta ROMA in diuersi luoghi, e case particolari si veggono, raccolte e descritte, per M. Vlisse Aldroandi, opera non fatta piu mai da scrittore alcuno.

CON PRIVILEGIO.

IN VENETIA, MDLVI.

Appresso Giordano Ziletti, all'insegna della Stella.

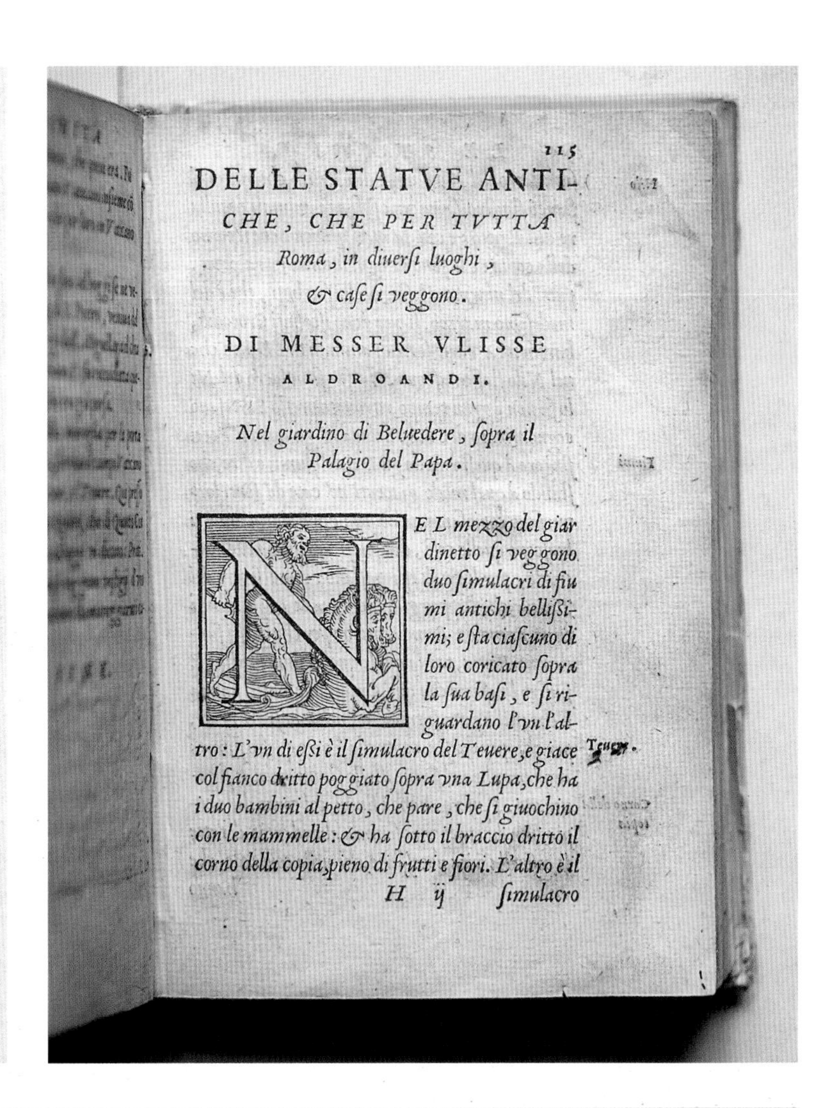
115

DELLE STATVE ANTICHE, CHE PER TVTTA Roma, in diuersi luoghi, & case si veggono.

DI MESSER VLISSE ALDROANDI.

Nel giardino di Beluedere, sopra il Palagio del Papa.

NEL mezzo del giardinetto si veggono duo simulacri di fiumi antichi bellissimi; e sta ciascuno di loro coricato sopra la sua basi, e si riguardano l'vn l'altro: L'vn di essi è il simulacro del Teuere, e giace col fianco dritto poggiato sopra vna Lupa, che ha i duo bambini al petto, che pare, che si giuochino con le mammelle: & ha sotto il braccio dritto il corno della copia, pieno di frutti e fiori. L'altro è il

Teuere.

H ij simulacro

172 LE STATVE

del Reuerendiss. Farnese sono quasi infinite teste antiche.

Vi sono duo garzonetti con due vrne in spalla in atto di versare acqua.

Vi sono tre statue ignude, ma senza braccia, ne gambe: non sanno di chi si fossero.

Ve ne sono due altre vestite, ma imperfette medesimamente.

Vi è vna bella testa grande, con cinquanta altre piu picciole bellissime, e con infiniti torsi e fragmenti antichi; fra i quali vi è ancho una bellissima testa di cauallo di marmo.

In casa di M. Paulo Gallo, presso al palagio di S. Giorgio.

PRIMA che s'entri in casa, si uede su la porta una bella testa di Romolo, che edificò Roma.

Ne la loggietta terrena, che si troua tosto entrando in questa casa, si veggono due statue antiche senza testa: & vna pila bella lauorata di sfollagi à la antica.

Piu à dentro in vn giardinetto si troua vn bel Bacco ignudo in pie con ghirlanda di hellera, ò di vite

DI ROMA 173

vite in capo: ha da man manca vn satirello sopra vn tronco assiso, e con amendue le mani si pone in bocca de' grappi de l'vua, ò hellera, che ha il Bacco in mano: Il Satirello ha i pie di capra, e le orecchie medesimamente; ha le corna ancho e la coda. Questa è opera moderna di Michele Angelo fatta da lui quando era giouane.

In vna camera piu su presso la sala si troua vna testa col busto di M. Aurelio Imp. assai bella: et vno Apollo intiero ignudo con la pharetra e saette à lato: & ha un vaso à i piedi, E' opera medesimamente di Michele Angelo. Vi è ancho vnaltra bella testa antica con altri fragmenti, che non si sa, che cosa si siano.

In casa di M. Angelo di Massimi presso campo di Fiore.

IN capo del cortiglio di questa casa si vede sopra vna basi posta vna statua intiera antica di Pirrho Re di Epiroti. sta armata di corazza e di elmetto à la antica: tiene sopra vn scudo appoggiata la mano sinistra, & ha come vn mantelletto pendente dietro, et auolto in amendue le braccia. E bellissima statua, e fu poco tempo fa, comprata da questo gentilhuomo duo mila scudi. S'è detto di sopra

Michelangelo Buonarroti
Caprese 1475 - Roma 1564

54. *Bacco*

Marmo, altezza con la base cm 209, altezza della sola figura cm 190
Firenze, Museo Nazionale del Bargello, inv. n. 10 S
Provenienza: Casa Gallo, Roma; nel 1572 acquistato da Francesco I de' Medici e *ante* 1591 sistemato nella Galleria degli Uffizi; nel 1871 trasferito nel Museo Nazionale del Bargello
OPERA VISIBILE NELLA PROPRIA SEDE
In mostra è esposto un calco dell'opera appartenente alla Gipsoteca dell'Istituto d'Arte di Firenze

Come risulta da tre registrazioni di pagamenti per 50 scudi (del 23 agosto 1496, dell'8 aprile e del 3 luglio 1497) dal conto del cardinale Raffaele Riario presso la Banca Balducci (l'ultimo inequivocabilmente "per resto di pagamento del bacho"), fu appunto il prelato, primo patrono romano di Michelangelo, a commissionare la statua e precisamente – come si deduce da una lettera dell'artista a Pier Francesco de' Medici – già all'inizio del luglio 1496 (cfr. Hirst 1981, pp. 591-593; Hirst 1994, pp. 29-31; cfr. la cronologia in questo catalogo). Evidentemente l'opera non incontrò i gusti del Riario, dal momento che già nel 1506 si trova citata nell'atrio della casa di Jacopo Gallo, facoltoso banchiere a lui molto legato e da poco defunto: e proprio presso il Gallo Michelangelo aveva dimorato nel primo anno del suo soggiorno romano (cfr. Vasari 1568, ed. 1966-87, VI, p. 15; Condivi 1553, ed. 1998, p. 19). Come ipotizza Hirst, sembra che l'artista in seguito si facesse un dovere di nascondere l'originaria committenza del Riario, tanto che il Vasari e il Condivi – il quale peraltro aggiunge considerazioni poco lusinghiere sulle competenze estetiche del cardinale – menzionano il Gallo quale committente. Spostato dall'atrio al giardino dello stesso palazzo, il *Bacco* fu disegnato fra il 1532 e il 1535 da Marten van Heemskerck (Berlino, Staatliche Museen Preußischer Kulturbesitz, Kupferstichkabinett, inv. n. 79 D 2, fol. 72r) e nel 1556 citato da Ulisse Aldrovandi (ed. 1562, p. 168) (cat. n. 53). Il 22 marzo 1572 (stile comune), a nome di Francesco I de' Medici, venne ordinato il versamento di 280 scudi a "m(es)s(er) Diomede leoni in Roma p(er) pagare alli Galli romani p(er) costo d(i) 1° bacco di marmo di mano di Michel'ag(no)lo comp(erat)o p(er) S(ua) A(ltezza)" (Archivio di Stato di Firenze, Depositeria Generale, Parte Antica, 590, fol. 2r; cfr. Schmidt, in c. di s.). Francesco Bocchi (1591, p. 48) descrive la statua nella Galleria del granduca, dove era stata sistemata accanto a un *Bacco* antico, a esprimere la trionfale superiorità artistica della scultura moderna; e si dilunga a lodarne il "corpo dilicato, ma tuttavia gentilmente svelto, con tanta bellezza in ogni veduta". Con questa collocazione, negli Uffizi si intendeva sviluppare ulteriormente l'idea, insita nella creazione dell'opera stessa, di un'agonistica *aemulatio* nei confronti dell'antico, peraltro già implicita nella collocazione dell'opera fra statue antiche nel giardino di Casa Gallo. Al contrario, il trasferimento della statua, tra il 1792 e il 1798, dal corridoio di levante della Galleria, dove da lungo tempo stazionava accanto a busti antichi, a quello di ponente, dove venne a trovarsi insieme al *Bacco* di Sansovino, alla copia dal *Laocoonte* del Bandinelli e a diverse sculture attribuite a Donatello, è probabilmente da collegare agli aspri giudizi a essa rivolti da parte della critica neoclassicista (cfr. Anglani 1998, pp. 52-56). La separazione della scultura moderna da quella antica fu concettualmente il primo passo verso il trasferimento del blocco (tranne il *Laocoonte*) nel Museo Nazionale del Bargello, dove il *Bacco* giunse nel 1871 e fu collocato insieme al *Bruto*, al *Tondo Pitti* del Buonarroti e ad altre sculture del Quattro e Cinquecento (cfr. Barocchi 1982, pp. 12-13).
È soprattutto l'anatomia androgina del *Bacco* (forse dipendente da fonti letterarie antiche: cfr. Emmerling-Skala 1994, pp. 273-274, 279) ad attirare le lodi del Vasari: "egli ha voluto tenere una certa mistione di membra maravigliose, e particolarmente avergli dato la sveltezza della gioventù del maschio e la carnosità e tondezza della femina" (Vasari 1568, ed. 1966-87, VI, p. 15). La resa dello stato d'ebbrezza tramite il labile equilibrio della

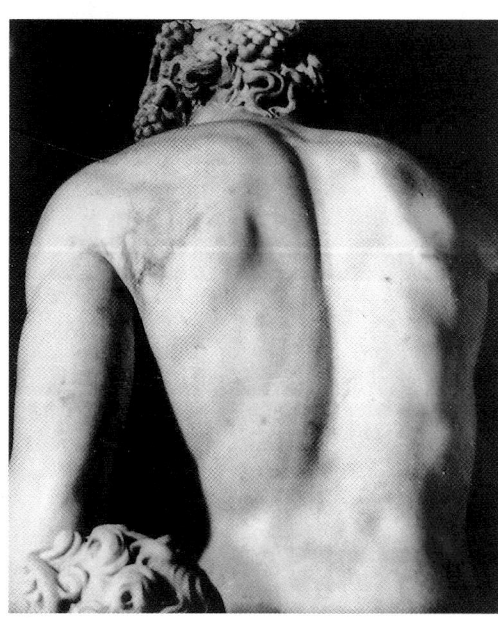

1, 2. Michelangelo, *Bacco*, vedute a tergo. Firenze, Museo Nazionale del Bargello.

posa, mantenuto a gran fatica dal Bacco, fu invece già menzionato da Francisco de Hollanda nel 1548 come indizio rivelatorio, durante la sua visita del giardino dei Gallo dieci anni prima, della modernità della statua (cfr. Francisco de Hollanda 1548, ed. 1921, pp. 76-77). Mentre il passo malfermo è concepito in ragione di una veduta ortogonale al torso lievemente girato della figura, il satiretto immortalato nell'atto di rubare l'uva al dio, introducendo un secondo elemento narrativo nel gruppo statuario, realizza non solo nella sua posa stessa l'idea della "figura serpentinata", ma in virtù della sua posizione dietro la gamba sinistra del Bacco provoca lo spettatore a muoversi intorno al gruppo.

L'esame della statua condotto con Kathleen Weil-Garris Brandt ha indotto la studiosa, con la quale concordo, a una serie di osservazioni sulla tecnica scultorea e sullo stato di conservazione: rispetto alle parti esibite nella veduta principale, il grado di compiutezza delle parti che si scorgono da altri punti di vista rimane inferiore, come mostrano ad esempio le file di buchi a trapano tra il velo e i grappoli sul fianco sinistro del Bacco, e tra le gambe del satiretto, oppure l'occipite meno finito rispetto alle altre parti. Al contrario, se si immagina che tutti i pampini della corona sulla testa così come le ciocche di capelli che ricadevano più libere ai lati del collo sono spezzati, si comprende subito che la testa del Bacco, nell'estremo compimento delle superfici e nella libertà delle forme, dovette a suo tempo produrre un effetto quasi berniniano. Inoltre, l'esame dell'opera rende evidente che i guasti al naso del satiro e ai grappoli a esso vicini, così come le fratture al polso e alle dita della mano destra e alla coppa, infine quella al dito mignolo del piede destro del Bacco sono naturali danni del tempo, mentre l'ordinata estirpazione del sesso e i danneggiamenti a quello del satiretto sono interpretabili come mutilazioni intenzionali delle statue pagane. Le dimensioni minime del blocco della scultura in origine erano approssimativamente di cm 83 (distanza tra la mano destra del Bacco, spezzata ma originariamente dello stesso blocco di marmo, e la maschera felina accanto al satiro) per cm 46 (distanza massima del blocco parallelamente ai piedi).

Oltre alle copie cinquecentesche dal *Bacco* da tempo ben note – come quella già citata di Marten van Heemskerck e i due disegni nel taccuino di Girolamo da Carpi (databile fra il 1549 e il 1553), cui si aggiungono due altri fogli nel *Codex Cantabrigensis* (realizzato fra il 1550 e il 1556) e l'incisione di Cornelis Bos – è stata recentemente resa nota una sua raffigurazione in controparte, ma non dipendente dall'incisione di Bos, in un dipinto di Martin Schermus van Deventer, probabilmente allievo di Jan van Scorel (Basilea, Kunstmuseum; cfr. Dacos 1995, pp. 78-79 con fig. 91). Un'altra raffigurazione del *Bacco*, pure in controparte (e passata finora inosservata) si trova nella *Miniera di diamanti* di Maso di San Friano, nello Studiolo di Francesco I a Palazzo Vecchio, riproposta nelle sembianze dello schiavo nudo, che avanza verso il gruppo dei potenti in primo piano portando in mano un diamante. In posizione più arretrata nello stesso dipinto, un altro schiavo, che solleva un diamante appena trovato, assume quasi la posa del *Bacco* di Sansovino, adombrando nella sede inusitata il paragone fra i due artisti. Sebbene non possa escludersi che al momento della realizzazione del dipinto (eseguito fra il 1570 e la morte del pittore, il 2 ottobre 1571) il principe fosse già in trattative per l'acquisto della scultura, la prossimità cronologica della tavola alla data d'acquisto del *Bacco*, da parte appunto di Francesco I, documenta l'interesse per quest'opera di Michelangelo nell'ambiente dello Studiolo.

[E.D.S.]

Arte romana
età imperiale romana

55. *Ragazzo con vaso*

Marmo pentelico, h cm 62
Roma, Museo Capitolino (Atrio), inv. n. 45

È conservata la parte superiore della statua, dall'attacco delle gambe; nel volto è rotto il naso. Il ragazzo solleva le braccia per reggere un vaso sulla spalla sinistra.
La figura poggiava sulla gamba sinistra, mentre la destra era scarica. La testa è leggermente piegata verso destra ed è incorniciata dal braccio destro che aiuta l'altra mano a reggere il vaso inclinato per versare acqua. La parte posteriore della scultura è trattata grossolanamente per cui non doveva vedersi; la statua era probabilmente collocata in una nicchia.
La figura tiene il vaso nella medesima posizione del *Putto Cesi*, molto noto e copiato nel Rinascimento, scomparso dopo la demolizione del palazzo romano, situato in via di Sant'Uffizio, nel 1938. L'Aldrovandi (p. 126) lo descrive come un putto con un'urna al collo nell'atto di versare giù acqua, è disegnato da Heemskerck, II, f. 62 v (Hülsen 1917, p. 23, n. 76, fig. 14) in una nicchia mentre versa acqua in un bacino rettangolare, senza la clamide ricadente dietro come in altre copie, ad esempio nell'esemplare di Cambridge (Fileri 1985, n. 7, p. 14).
Per altri disegni vedi Bober - Rubinstein 1986, n. 202, p. 235; si aggiunge qui il disegno di Basilea, Prentenkabinet, attribuito a W. Tetrode (Massinelli 1991, fig. 72).
Riferimenti bibliografici
Stuart Jones 1912, p. 43, n. 45.
[P.B.]

2. Michelangelo, *Studio per Mercurio - Apollo e Putto Cesi.* Parigi, Louvre, Département des Arts Graphiques, inv. n. 688 recto (cfr. cat. n. 60).

1. *Putto con vaso (Putto Cesi).*
Disegno dall'Album di Marten van Heemskerck.

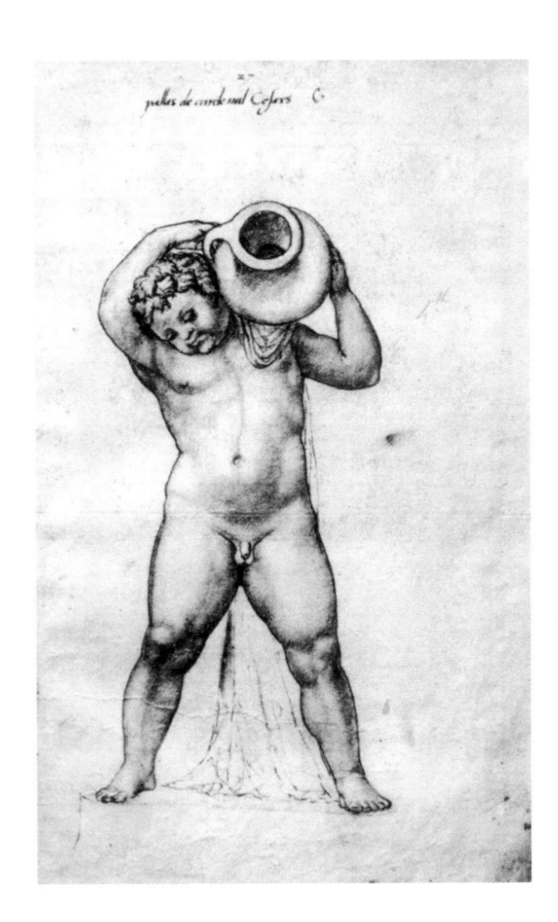

Piero d'Argenta (attribuito a)
attivo 1497-1530

56. *Ercole che uccide il leone di Nemea*

Penna e inchiostro su matita nera,
mm 315 × 277
Parigi, Louvre, Département
des Arts Graphiques, inv. n. 687

Questo disegno è stato generalmente trascurato dai critici fino a quando Tolnay cautamente lo riattribuì a Michelangelo nel 1968. Suggerì che la composizione fosse ispirata da uno schema ripreso dall'antico, conosciuto attraverso i tondi di bronzo del Bargello e del Victoria and Albert Museum; le somiglianze sono sufficienti a rendere l'ipotesi plausibile se non certa; inoltre Tolnay rilevò come Michelangelo certamente conoscesse le tele con questo soggetto dipinte dai fratelli Pollaiolo per palazzo Medici nel 1460. Ad ogni modo, il modello più prossimo di questo disegno è il rilievo di Antonio Federighi di *Sansone e il leone* sul fonte battesimale del Duomo di Siena. Forse ha un significato il fatto che non ci sia alcun riferimento formale all'*Ercole con il leone di Nemea* inciso sulla gemma un tempo posseduta da Lorenzo il Magnifico e ora al Museo Nazionale di Napoli.
Ercole era un eroe popolare a Firenze e specialmente presso i Medici, come gli oggetti d'arte da loro commissionati lasciano intendere. Ercole era inoltre uno dei soggetti preferiti da Michelangelo. Il perduto marmo del 1493, che i biografi affermano fosse opera eseguita fine a se stessa e non su commissione, rappresentava Ercole, forse raffigurato a riposo, e intorno allo stesso periodo, se l'attribuzione di chi scrive è corretta, Michelangelo modellò il bronzo di *Ercole Pomario* ora al Victoria and Albert Museum, opera normalmente attribuita a Bertoldo. Michelangelo progettò nel 1524 il gruppo di *Ercole e Anteo* che doveva stare a fianco del *David*, questo schema indubbiamente riportava in auge un soggetto già scelto dallo scultore e da Piero Soderini nel 1508, come si evince da un disegno frammentario e inedito, più o meno coevo, della National Gallery di Washington (O'Neal Collection, inv. n. 1991.150.3). Il disegno di presentazione, datato intorno al 1530, *Le tre fatiche di Ercole*, (Windsor, Royal Library) mostra anche Ercole che, come Sansone, uccide il leone storcendogli le mascelle. Considerato il fascino che lo studio delle epidermidi umane e animali esercitava su Michelangelo (si vedano la pelle ferina sul *Bacco* del Bargello e la faretra a forma di zampa del *Fanciullo* di Manhattan) risulta difficile pensare che non abbia fatto delle prove e degli studi, all'inizio della propria carriera, con il soggetto di *Ercole e il leone di Nemea*, l'avversario della cui pelle Ercole si riveste.
I disegni sicuramente attribuibili a Michelangelo prima del 1500 sono pochi. Le sue copie da Giotto e Masaccio sono generalmente datate a un periodo precedente, tuttavia anche se questo punto di vista è ragionevole, non vi è certezza che sia sicuro; se si potesse postdatarle, ci sarebbe la possibilità di far rientrare in quello spazio di tempo, prima del 1500, questo e altri disegni eseguiti in uno stile più irregolare e meno volumetrico di quello a cui siamo abituati. C'è una stretta somiglianza nei lineamenti del viso fra questo Ercole e la Maddalena inginocchiata nello studio (Louvre, inv. n. n. 276) per il *Seppellimento di Cristo*. Ma, a un confronto, la maniera di questo disegno è confusa e imprecisa. Non vi è linea che sia incisiva, o che efficacemente evochi la tridimensionalità delle forme: lo sfumato è reso attraverso il tratteggio piuttosto che il modellato. Le braccia di Ercole non presentano quasi segni di fatica e il suo ginocchio sinistro, ritratto in due posizioni, non schiaccia a terra la zampa anteriore, ma sembra essere messo sotto. La struttura compositiva del leone è assolutamente poco convincente. Tuttavia, l'allungamento esasperato della gamba, la linea che scende a zig-zag lungo il polpaccio destro, il tipo facciale, certamente esibiscono una conoscenza dei disegni eseguiti da Michelangelo nei primi dieci anni del Cinquecento, e forse di disegni eseguiti prima. Dunque, per quanto non sia attribuibile a Michelangelo, il presente disegno è altamente michelangiolesco nel soggetto e nello stile.
In ciò è simile a molti altri disegni a penna, databili fra 1500 e 1505: fra questi vanno inclusi il disegno dell'Albertina 139, quello nella collezione di Christ Church 0276 e 0277/Byam Shaw 704 e 705 (un tempo uniti) – entrambi occupati da studi di leoni – il disegno del Louvre, inv. n. 701, il *Satiro torturato*, e inv. n. 846 copia del modello di Casa Buonarroti di Michelangelo, e il disegno all'Ashmolean 412, *Tre nudi femminili*. Questi disegni sono strettamente legati fra di loro e appartengono con probabilità alla stessa mano; alcuni sembrano adattamenti di originali di Michelangelo.
Sappiamo dalla corrispondenza che Piero d'Argenta, il cui nome trae origine dalla città natale vicino a Ferrara, era con Michelangelo almeno dal 1498; rimase in rapporti d'amicizia con il maestro e mantenne un affettuoso scambio epistolare fino al 1530. Hirst (1994-95) ha suggerito che egli possa essere l'esecutore del corpus di dipinti attribuito al Maestro della *Madonna Manchester* – con l'eccezione proprio di quella *Madonna* – e quest'ipotesi è supportata dal fatto che (Agosti e Hirst 1996) Pablo de Cespedes attribuì a Piero le perdute *Stigmate di san Francesco*, su disegno di Michelangelo, per la prima cappella sulla sinistra in San Pietro in Montorio a Roma, ancora *in situ* fino al 1590 quando venne sostituito con l'affresco attuale di Giovanni de' Vecchi. Tutti questi dipinti sembrano dipendere da disegni di Michelangelo, e la loro pronunciata angolosità e la tipologia snella delle figure fu probabilmente il risultato dello sforzo da parte di Michelangelo di adattarsi alle preferenze del suo amico ferrarese (il disegno del Louvre, inv. n. RF 4112 recto potrebbe essere stato fatto da Michelangelo per Piero: la tipologia del Bambino è vicina a quella dei dipinti). Poiché il rapporto fra i due artisti fu a ogni evidenza stretto, è ipotizzabile che Piero abbia eseguito disegni in stile michelangiolesco. Il soggetto di questo gruppo di disegni si accorda con il lavoro di Michelangelo a Roma all'inizio degli anni novanta del Quattrocento.
I disegni dell'Albertina e quelli della Christ Church raffigurano in sostanza gli identici leoni. Il primo, sul quale si trova anche uno schizzo del *Bacco* di Michelangelo, reca l'iscrizione "Sandro di Domenico", forse lo stesso "Alessandro" richiamato nel verso del disegno al Louvre, inv. n. 726. Il disegno della Christ

Church 0276/0277 ha sul verso uno schizzo sommario basato sulla *Pietà* di Michelangelo nella chiesa di San Pietro, insieme a una iscrizione contemporanea che evoca il nome di "Baldassare da Siena". Michelangelo avrebbe potuto, senza difficoltà, incontrare Peruzzi quando visitò Siena intorno al 1501 per esaminare l'altare Piccolomini nel Duomo di Siena, dove dovevano venire collocate le statue che si era impegnato a scolpire. E, ovviamente, il presente disegno è legato al rilievo Federighi nella stessa chiesa. I motivi dei disegni su questi fogli, e le iscrizioni sopra di essi, indicano che chi li eseguì aveva conoscenza del *Bacco* e della *Pietà* in San Pietro, era passato da Siena, e conosceva Baldassare Peruzzi: tutti questi elementi, insieme allo stile michelangiolesco, si concilierebbero assai bene con quanto possiamo ricostruire di Piero d'Argenta.

Riferimenti bibliografici

Tolnay 1968 *passim*; Tolnay 1975-1980, I, n. 12.

[P.J.]

Michelangelo Buonarroti
Caprese 1475 - Roma 1564

57. *Torso di un uomo nudo visto da tergo; due studi della spalla destra visti da tergo*

Disegno a penna e inchiostro, carboncino, mm 238 × 211 in alto; mm 213 alla base
Firenze, Casa Buonarroti, inv. n. 9 F

Questo disegno era preceduto da un altro sul verso del foglio che si trova all'Ashmolean Museum (P. 296) e seguito da uno sul recto; i due fogli potevano essere le pagine successive dello stesso taccuino di schizzi, o anche parti di un unico foglio. Il disegno dell'Ashmolean n. 296 verso, eseguito con carboncino nero, raffigura un uomo che aiuta un altro a montare a cavallo; lo studio preso qui in esame e il disegno dell'Ashmolean n. 296 recto, di scala leggermente più grande, sono incentrati sulla schiena della figura dell'aiutante. Michelangelo potrebbe aver eseguito altri studi, ora perduti, per entrambe le figure. Questi disegni erano indubbiamente studi preparatori per il gruppo della *Battaglia di Cascina*, nella quale si dovevano vedere sia momenti di preparazione alla battaglia, sia scontri di cavalleria e combattimenti di singoli cavalieri e soldati a piedi (cfr. i disegni al British Museum 1895-9-15-496 recto/Wilde 3; e il disegno dell'Ashmolean P.294).
La pronunciata plasticità del disegno dell'Ashmolean n. 296 suggerisce che questo gruppo, piuttosto che essere situato sullo sfondo, avrebbe dovuto occupare parte del primo piano (presumibilmente a sinistra), dal momento che i disegni superstiti lasciano intendere come Michelangelo riservasse gli studi a penna dotati di maggiore finitezza o alle figure nell'area del primo piano o a quelle cardinali dell'intero disegno. La ricca combinazione del carboncino nero e della biacca usata da Michelangelo nel famoso studio del retro di un torso nel disegno all'Albertina (inv. n. 123 verso) è significativamente pensata per una figura nella fila posteriore dei *Bagnanti*.
Il presente studio dimostra la padronanza virtuosistica di Michelangelo della linea. Per quanto abbia usato un tratteggio corto sulla spalla sinistra e sulla scapola, la forma è perlo più evocata semplicemente dall'accentuarsi e spezzarsi della linea di contorno. Questa tecnica fu probabilmente suggerita dai disegni a penna di Antonio Pollaiolo, ma fu sviluppata da Michelangelo fino a raggiungere un insuperabile livello di precisione e vigore. In disegni sinottici come questi, Michelangelo evoca forme in movimento in tutta la loro complessità volumetrica tramite il solo lavoro della linea, con un'economia del segno che nessun altro disegnatore ha eguagliato. Nel caso in questione lo stadio di definizione della struttura complessiva, ritratto nel disegno a penna, fu seguito dallo studio delle superfici, o al carboncino – qui esemplificato dai due schizzi tenuamente delineati della spalla destra – o, nel disegno dell'Ashmolean 296 recto, con un intenso lavoro di penna, pure eseguito su uno schizzo al carboncino. Un'alternanza in successione di tecniche faceva probabilmente parte della pratica di Michelangelo a questo stadio della sua carriera, anche se troppo pochi disegni sono rimasti per dimostrarlo con sicurezza.
Le terga delle figure attraevano particolarmente Michelangelo. La schiena offriva una forma meno dettagliata di quella del petto, e nel trattarla poteva esserci uno slittamento verso l'astrazione. Gli consentiva di semplificare e incarnare energia ed emozione in forma pura. In questo caso, poteva procedere per adattamenti e sviluppare il *Discobolo* di Mirone, un esemplare antico che dovette conoscere in una versione frammentaria. Vi aveva già fatto riferimento per la figura femminile rapita nella *Battaglia dei centauri*, il cui dorso inclinato diagonalmente anima il centro di una composizione che è prevalentemente rettilinea. Qui, Michelangelo ristudiò l'antico dal vivo, e introdusse numerosi cambiamenti. Segnatamente disegnò la colonna vertebrale non come una linea continua, bensì con un'interruzione alla base della cassa toracica, per suggerire il movimento rotatorio della figura. Inoltre estese questo principio alla giuntura della colonna con la fenditura fra le natiche che non sono allineate, ma sono mosse da una curvatura diversamente ritmata. Tale espediente sottolinea l'arrendevolezza, conferisce un accento energico alla zona, potenzialmente statica, del fondo schiena, e dà movimento alla figura: lo si ritrova sia nel *Bacco* che nel *Fanciullo arciere* di New York.
Questa figura, probabilmente conosciuta da Tiziano tramite un disegno perduto eseguito da Michelangelo o copiato da Michelangelo, ispirò la posa dell'assassino nell'*Uccisione di San Pietro martire*, un dipinto in cui il frate fuggitivo era basato sulla figura del profeta Haman della Sistina.

Riferimenti bibliografici
Barocchi 1962-1964, I, 1962, n. 5; Tolnay 1975-1980, 1975, n. 40.
[P.J.]

Michelangelo Buonarroti
Caprese 1475 - Roma 1564

58. *Nudo maschile a figura intera visto frontalmente* (recto); *contorno della medesima figura* (verso)

Disegno a penna e inchiostro su carboncino nero (recto); disegno a sanguigna (verso), mm 248 × 95
Parigi, Louvre, Département des Arts Graphiques, inv. n. 712 recto

La figura fu disegnata come studio preparatorio del guerriero in piedi sull'estremità destra del gruppo dei *Bagnanti*, aiutato da un compagno a indossare la corazza. L'esibita plasticità era intenzionale: essendo una delle figure che articolano il segno in senso verticale all'interno di una complicata composizione, crea un momento di stasi per controbilanciare l'effervescente massa progettata da Michelangelo nella parte destra dell'insieme, che può essere vista nel disegno dello *Scontro fra un cavaliere e un soldato a piedi* all'Ashmolean (P. 294).
Gli incisivi tratti di penna che definiscono la figura differiscono radicalmente dal carboncino nero, usato con relativa morbidezza, nel disegno ad Haarlem (A18 recto), nel quale Michelangelo studiò il compagno del soldato in questione. Il contrasto serve a illustrare il diversificarsi dell'attenzione e degli obiettivi di Michelangelo in composizioni pittoriche, e allo stesso tempo invita a cogliere distinzioni di intensità tra le figure su uno stesso piano come anche tra le figure messe a profondità diverse. Il disegno esemplifica ulteriormente l'interazione fra la pittura e la scultura nell'opera di Michelangelo, in quanto ne fece uso per la realizzazione di una statua, probabilmente una *Vittoria*, conosciuta attraverso un doppio foglio del Louvre (inv. n. 694) che deve essere una copia di un perduto originale. Inoltre, ovviamente, il disegno riflette la sua prima attività scultoria: il capo girato e il braccio sinistro alzato provengono dallo stesso mondo di idee e immagini da cui proviene l'*Arciere* di Manhattan.
Il contorno tracciato sul verso del foglio è di difficile attribuzione, ma non c'è ragione per non ritenerlo autografo. Il rovesciamento delle figure fu una componente importante nel processo creativo durante tutta la vita di Michelangelo. Risulta assai evidente nelle coppie di putti nei bracci dei troni delle *Sibille* e dei *Profeti* sul soffitto della Sistina e nei nudi bronzei che occupano gli interstizi dell'architettura dipinta. Lo si ritrova in fogli casuali di disegni: il *Mercurio*, databile circa al 1505, che pure si trova al Louvre (inv. n. 688), mostra la medesima figura sul recto e sul verso; ma il più noto e sorprendente uso di tale espediente è nel *Tizio* di Windsor (Windsor, Royal Library), dove la traccia approssimativa della figura reclina del verso trasforma, nel recto, il peccatore messo a supplizio nel Cristo risorto. Michelangelo continuò quest'esercizio: il suo schizzo per *Enea che lascia Didone* (eseguito a metà degli anni cinquanta del Cinquecento) e ora nella Prince's Gate Collection del Courtauld Institute mostra le figure del recto tracciate a contorno sul verso.

Riferimenti bibliografici
Tolnay 1975-1980, I, n. 42.
[P.J.]

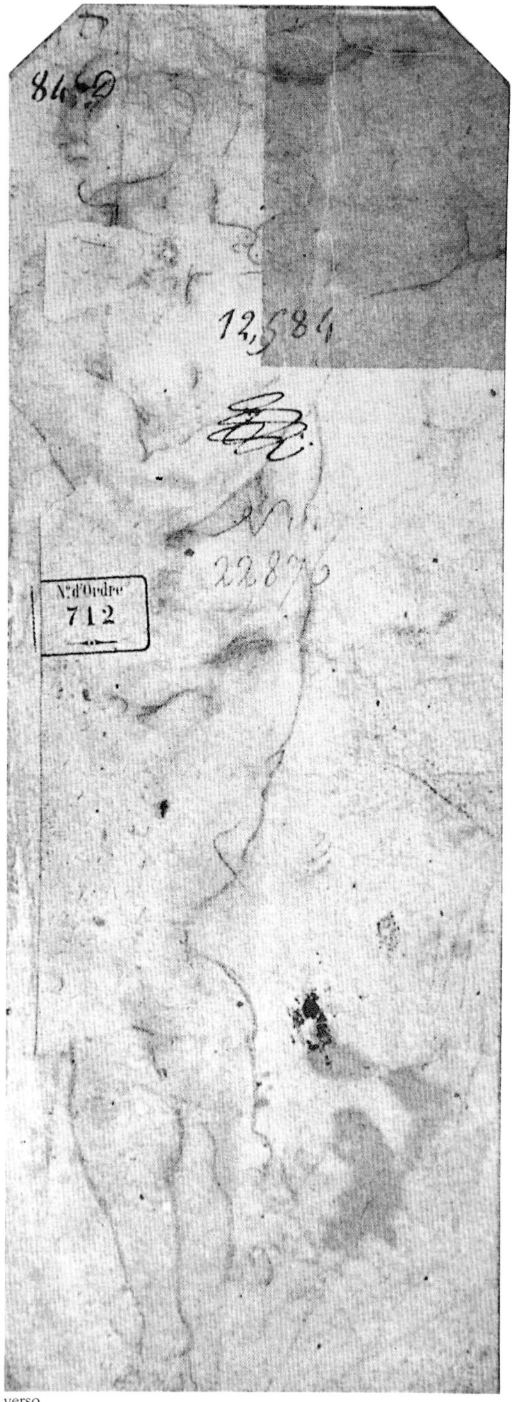

verso

recto

Michelangelo Buonarroti
Caprese 1475 - Roma 1564

59. *Schizzo per un David con la frombola* (recto); *due schizzi per una Madonna seduta, a destra col Bambino* (verso)

Penna con tre inchiostri diversi (recto); penna con due inchiostri diversi (verso),
mm 377 × 196
Parigi, Louvre, Département des Arts Graphiques, inv. n. 689 recto e verso

Se si fosse potuto identificare con maggior facilità il soggetto, attribuzione e datazione di questo disegno a penna di giovinetto ritratto in enigmatico movimento non sarebbero risultate probabilmente così controverse. Fino ad ora sono state proposte le più diverse congetture: il progetto per una Vittoria, o per un Prigione del sepolcro di Giulio II oppure anche uno studio per il san Giovanni del seppellimento di Cristo della National Gallery. A mio avviso, invece, questa figura regge con il pollice e l'indice della mano sinistra la sottile impugnatura di una fionda, che solleva al di sopra della schiena, per collocarvi sulla larga banda la pietra che regge nella mano destra sollevata; così come Michelangelo realizzerà nel suo *David* marmoreo (fig. n. 1). Due rilievi sul dorso della mano della figura disegnata, possono essere interpretati come le parti terminali della fionda di morbido cuoio (Echinger-Maurach 1998a, pp. 326-338, con bibliografia completa). Che di tale azione si tratti, pare attestato dall'attento sguardo del giovane e dalla sua posizione lievemente incurvata, che esprime una leggiadria sorprendente in un corpo così vigoroso. La posa di vistosa instabilità, che rammenta il *Bacco* di Michelangelo, induce l'osservatore a riconoscere che nel concepire il suo monumento per la Signoria di Firenze, l'autore abbia inteso principalmente realizzare una nuova invenzione figurativa, anziché eseguire semplicemente un'opera monumentale nel senso consueto. Raffigurare David *prima* di attaccare Golia, lo esonerava anche dallo spiacevole compito di dover aggiungere a una figura già di per sé colossale, anche il capo mozzato di un gigante in proporzioni sovradimensionate. La soluzione presentata dalla statua in marmo risultò grandiosa e semplice nel momento in cui all'insieme della figura fu correlato il nuovo motivo della fionda: il giovane eroe, ritto dinanzi a noi nello splendore del suo fisico ancora efebico, pronto al combattimento, come non avesse alcun dubbio di conseguire la vittoria.
Già lo studio corretto due volte con diverso bistro nel motivo della posizione eretta, e ancor più la stessa scultura, attestano l'intenso studio della natura a cui si dedica Michelangelo al rientro da Roma nel 1501. La resa di tutte le sporgenze e rientranze della superficie corporea mediante l'uso della penna, induce l'artista a sviluppare un ricco e versatile vocabolario del tratteggio, che il giovane scultore non riesce ancora a dominare appieno in questi primi studi. Possiamo pertanto senz'altro datare il disegno, fino a oggi misconosciuto, ai mesi dell'estate del 1501, quando la Signoria muta la propria costituzione (4 agosto) e consegna per contratto (16 agosto) al giovane scultore il blocco per la nuova "insegna di Palazzo". Nella figura di questo svelto giovane possiamo a ragion veduta ravvisare la personificazione dell'ideale del nuovo governo pronto alla difesa.
Sul verso Michelangelo si propose di rappresentare un insolito gruppo di *Madonne col Bambino* (Tolnay 1975-1980, I, n. 23 verso, con bibl.), che avrebbe dovuto probabilmente includere anche altri personaggi. Sulla sinistra, l'artista schizza una figura muscolosa, fissata in un movimento molto contrastato, che poi solo nel secondo disegno a fianco è riconoscibile come donna rivestita ora da un mantello. Il bambino è seduto sulla sua coscia e volge indietro il capo verso il seno della madre. Indicativa dell'arte del Rinascimento è la duplice orientazione della Madonna, che si volge a destra verso il Bambino e al contempo è rivolta con braccio e volto all'indietro, come se stesse facendo segno o parlando a qualcuno. Una Madonna che si volge in quieto atteggiamento espressivo è raffigurata da Michelangelo anche al centro del *Tondo Doni* e del *Tondo Pitti* (cfr. Echinger-Maurach 1996 e 1998b). Sorprendentemente l'artista si impegna una terza volta nella rappresentazione del motivo della Madonna assisa obliquamente in un disegno viennese (Graphische Sammlung Albertina, inv. n. 118): in una decisa correzione la madre guarda ora amorosa in basso verso il neonato. Eppure, anche se entrambe le figure si serrano in un gruppo compatto, intercorrono ulteriori tentativi prima che l'autore riesca a realizzare questo concetto nell'incomparabile *Madonna* della cappella Medici. È probabile che questi progetti stiano in qualche modo in rapporto con alcuni schizzi per una *Madonna del Latte* in un foglio agli Uffizi inv. n. 233F recto (cat. n. 2), da interpretarsi come studi preparatori per la *Madonna di Bruges*. Tutte queste considerazioni spostano anche la datazione degli schizzi del verso del Louvre al 1503-04.
[C.E.-M.]

1. Michelangelo, *David.*
Firenze, Galleria dell'Accademia.
Foto Archivio Hirmer.

verso

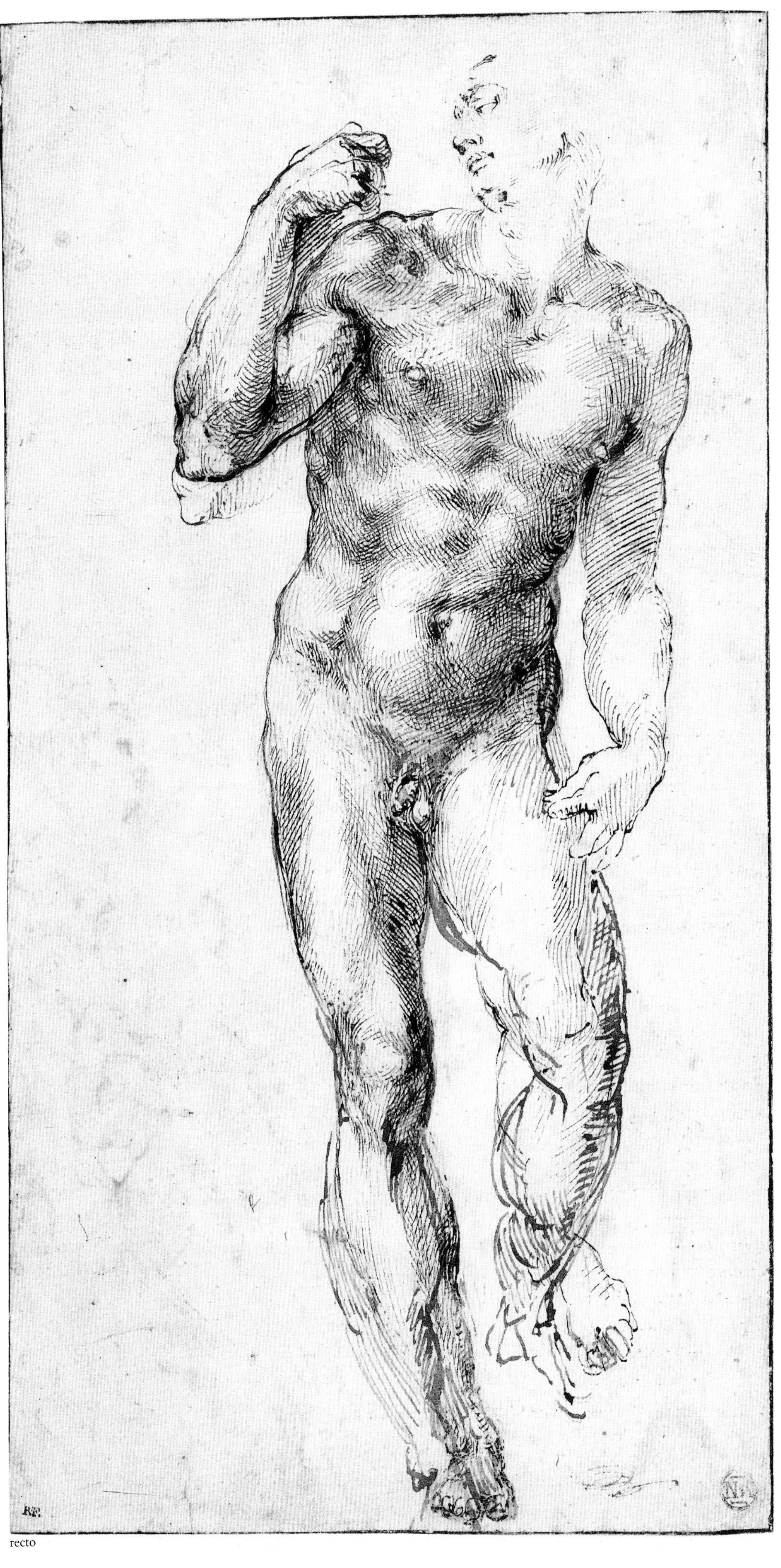
recto

Michelangelo Buonarroti
Caprese 1475 - Roma 1564

60. *Mercurio con lira da braccio, un ignudo che porta sulla spalla un oggetto* (recto)*; ricalco della figura principale del recto, studi di nudi e di teste, un prigione e un putto* (verso)

Penna con due inchiostri diversi (recto); lapis nero, penna con due inchiostri diversi (verso), mm 387 × 205 circa
Parigi, Louvre, Département des Arts Graphiques, inv. n. 688 recto e verso
OPERA NON IN MOSTRA

In questo foglio si evidenzia la creatività di Michelangelo nello studio delle sculture antiche e il modo in cui, già nel disegnarle, ne modifica atteggiamento e iconografia, così da farle apparire come di nuova ideazione (Tolnay 1975-1989, I, n. 20 recto e verso, con bibl.). In questa sede vorrei proporre di considerare il *Mercurio* sul lato destro come uno studio di Michelangelo di una statua di Ermes, del genere di quella conservata a palazzo Pitti, replica ritoccata a più riprese (fig. n. 1). Amico Aspertini registra un *Mercurio* di questo tipo nel cortile delle statue della collezione Valle (fig. n. 2, terza figura da sinistra; British Museum, inv. n. 1898-11-23-3, fol. 4v; Bober 1955, p. 52, c). Con bistro grigio-verde Michelangelo coglie innanzitutto la scultura nel suo contrapposto classico, ma la configura con più sostanziale pienezza, accentuandone i motivi di animazione transitoria. Con vivace movimento il suo capo si volge a sinistra, come fosse stato interrotto nel suonare lo strumento che regge ora in mano in sostituzione del caduceo (Echinger-Maurach 1998a, pp. 326-329). Michelangelo riprende il caratteristico bordo ondulato del manto antico sul lato della gamba portante, avvolgendo in tal modo anche generosamente la spalla nella parte opposta.
Corregge quindi con bistro rossobruno la ponderazione della figura: il braccio sul lato della gamba flessa, in un primo tempo disteso verso il basso, ora è piegato al gomito, come se tenesse nella sua destra un archetto. La fantasia di Michelangelo trasforma una statua in atteggiamento statico in una figura mossa, colta nell'istante in cui viene interrotta mentre sta suonando la sua lira. Essa non raffigura pertanto un *numen mixtum* fra Mercurio e Apollo, ma ricorda invece l'omerico inno a Ermes, in cui questi è celebrato come inventore della lira. Il guscio di tartaruga con le corde tese in seguito verrà offerto ad Apollo come dono di scambio. Nell'edizione d'Anversa del 1566 dei suoi *Emblemata*, J. Sambucus aveva corredato l'immagine di un Mercurio assiso che pizzica il suo strumento, con un motto assai pertinente: "Industria naturam corrigit" (*Emblemata*... ed. 1996, p. 1 774). Fino ad ora non era noto che Lorenzo Ridolfi possedesse la scultura moderna di un *Mercurio con cetra* (Aldrovandi 1562, ed. 1975, p. 292).
Con lo stesso bistro rossobruno e uguale tratto animato, Michelangelo ha poi disegnato nell'angolo inferiore di sinistra una figura che regge un peso. In atto di avanzare verso sinistra come l'antico *Putto Cesi*, il giovinetto tende le braccia verso l'alto per caricarsi un oggetto sulle spalle. Però, al posto del fanciullo vediamo invece un robusto giovane, nel quale l'artista ha fissato con esattezza il movimento spaziale rotatorio della parte superiore del suo corpo e la protensione verso l'alto del suo braccio destro per afferrare il carico. A questo motivo della mobilità della figura ritornerà poi Michelangelo nella figura del *Giovane Prigione* dell'Accademia fiorentina.
Sul verso v'è il debole ricalco del *Mercurio*, incrociato da due studi di gamba e dallo studio di un torso maschile a penna su lapis nero. In alto a sinistra, con bistro più chiaro, il maestro schizza un uomo barbuto con copricapo piumato e ancor sotto a sinistra un *Prigione*, probabilmente per il sepolcro di Giulio II (Echinger-Maurach 1991, pp. 239-240). A fianco cita gli ardenti versi iniziali del sonetto di Petrarca n. CCXXX, vergati al bordo inferiore delle ali di una testa di putto. Particolare delicatezza esprime il bel profilo femminile all'altezza dell'anca del Mercurio ricalcato; il fine tratteggio ricorda il profilo di *Madonna* del foglio di studio di Berlino (inv. n. K d Z 1363). Agli schizzi di Berlino può anche compararsi il putto, con capelli scompigliati e nell'atto di scendere un gradino, disegnato con bistro più scuro. Si tratta forse di un piccolo Giovanni Battista che regge in mano un cartiglio con le parole profetiche "Ecce agnus dei" e guarda verso l'alto il Cristo assiso in grembo a sua madre? Per corporatura e atteggiamento ricorda il fanciullo della *Madonna di Bruges*.
In base a queste considerazioni possiamo datare i disegni del recto ancora agli anni del primo soggiorno romano; gli schizzi del verso fino al 1505. [C.E.-M.]

1. *Mercurio*. Firenze, Palazzo Pitti.
Foto Alinari.

2. Amico Aspertini, *Studi di sculture antiche*.
Londra, British Museum.
Foto British Museum.

recto

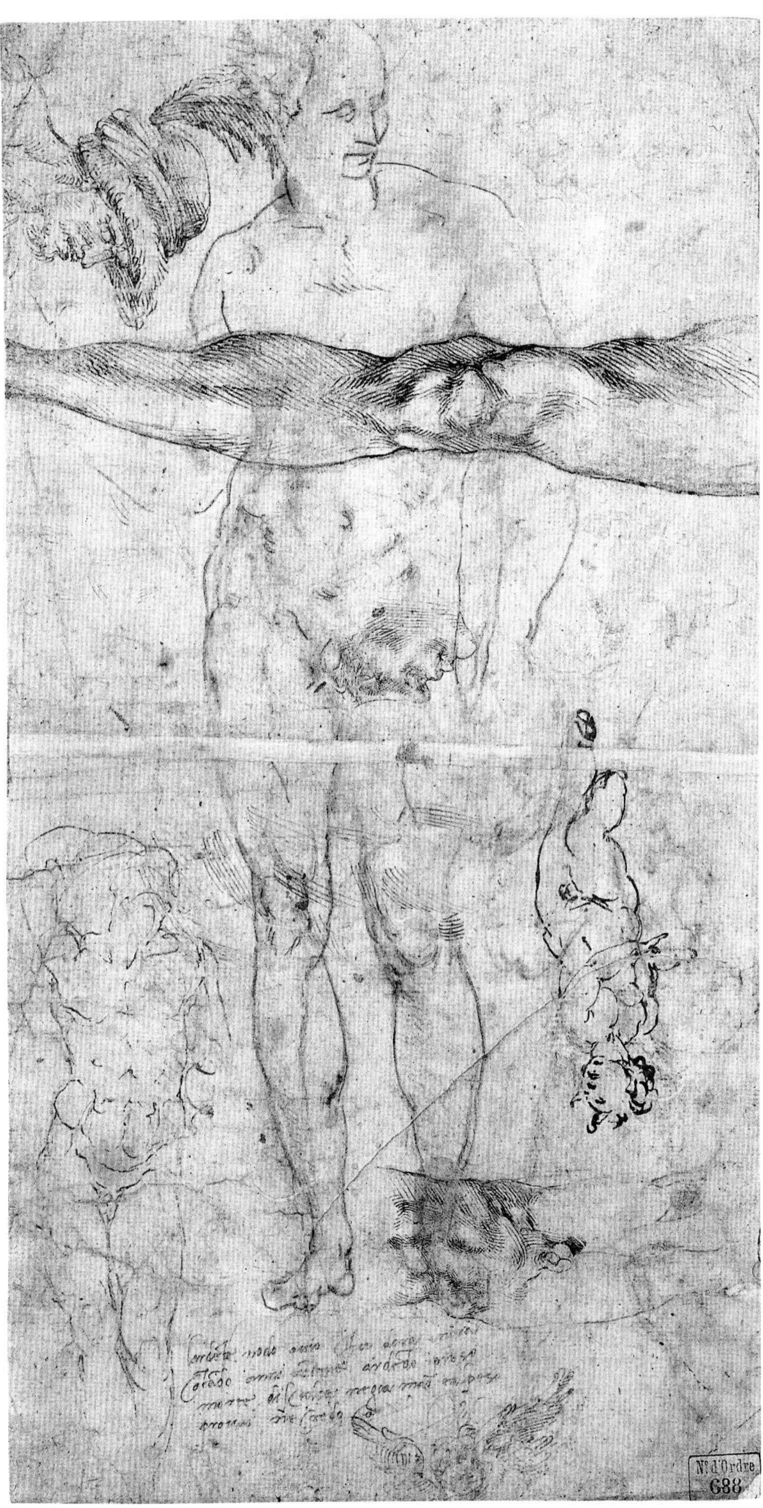

verso

C. Intorno al *Fanciullo arciere*

1. Annunci e riflessi del *Fanciullo arciere*: il linguaggio del corpo

Testi, disegni e stampe ci permettono di documentare la lunga permanenza della statua newyorkese (cat. n. 39) nelle collezioni Borghese. Disegni del tardo Settecento, eseguiti a Roma da Jean-Robert Ango, seguace francese di Fragonard, rappresentano il *Fanciullo arciere* quando possedeva ancora tutte le membra e gli attributi.
Queste immagini offrono la possibilità di riunire un piccolo nucleo di disegni, stampe, bronzetti, gemme e marmi antichi, che presentano la tipologia di oggetti che potrebbero essere serviti come spunto di motivi formali per il *Fanciullo*, così inconsueto nella posa e nelle proporzioni. Tale aspetto della scultura è di cruciale importanza per determinarne la genesi, indipendentemente dall'identità dell'autore.
Il *Fanciullo* passò nelle collezioni Borghese come una statua antica anonima. Infatti i confronti più significativi tra il *Fanciullo* e le opere d'arte antica sono quelli di solito citati in relazione a Bertoldo e a Michelangelo.
Il tipo morfologico delicato e le pose instabili che vediamo in opere come la *Madonna di Manchester* e il *Fanciullo arciere* sembrano a prima vista estranei rispetto al Michelangelo che conosciamo attraverso le sue opere mature. Ma questi tipi efebici, tratti per certi aspetti dalla scultura antica, si inseriscono bene nel contesto delle aspettative quattrocentesche e della formazione culturale del giovane artista.
La posa del *Fanciullo*, molto diversa dal contrapposto antico, è caratterizzata da un movimento unilaterale verso l'alto a sinistra. Questa instabilità ardente e bramosa, collegata con quella degli spiritelli quattrocenteschi (cfr. la sezione "Maestri antichi e moderni") sembra concepita come una dimostrazione dell'arte e nello stesso tempo come un'espressione del significato poetico della scultura.

Jean-Robert Ango
attivo a Roma 1756-1773

61. *Fanciullo arciere* (da Michelangelo)

Disegno a matita rossa, mm 217 × 150
New York, Smithsonian Institution,
Cooper-Hewitt, National Design Museum,
inv. n. 1977-110-1-4

Jean-Robert Ango fu un prolifico per quanto sconosciuto disegnatore francese a Roma, dove eseguì disegni dall'antico e da capolavori del Rinascimento e del barocco, spesso su richiesta di ricchi viaggiatori in visita alla città eterna. La sua attività a Roma può essere, al momento attuale, retrodatata al 1756, visto che molti dei suoi fogli si ritrovano nell'album di disegni che lo scultore Pajou mise insieme prima di partire per l'Italia nel giugno di quell'anno (Draper - Scherf 1997, nn. P405, P409, P411, P424; Marianne Roland Michel ha correttamente individuato l'autografia di Ango in numerosi disegni degli album di Pajou, per cui si veda Roland Michel, in c. di s. I quattro album di disegni al Museo Cooper-Hewitt furono eseguiti, o almeno per certo messi insieme, per Bailli de Breteuil, ambasciatore dei Cavalieri di Malta alla Santa Sede fra il 1758 e il 1777. Uno degli album contiene motivi dalla Cappella Sistina; tutti i disegni furono montati o rimontati nell'Ottocento, talché non emerge alcun tipo di ordine delle varie peregrinazioni di Ango mentre disegnava (per questo si veda ora Dearborn Massar, 1999, pp. 35-46). Nella sua mancanza di finitezza, e con una tipica accentuazione della parte carnosa della figura dovuta alla sua abitudine di mettere in prospettiva una statua, il disegno rappresenta senza ombra di dubbio il *Fanciullo arciere* (cat. n. 39). La testa ritratta dal punto di vista di Ango è inclinata indietro, in modo tale che ci si avvede meno dei riccioli. La faretra, per quanto risulti visibile nello sfumato di Ango, è come in ombra, forse intravista contro l'annerito muro della nicchia. Ma la tracolla è chiaramente visibile e ci si dovrebbe solo abbassare o inginocchiare per scoprire che le gambe hanno esattamente la stessa posizione. Ma soprattutto, ai fini del nostro discorso, il gesto delle sue braccia che si alzano all'indietro come per scegliere una freccia, e il vaso sul fianco sinistro del fanciullo richiamano distintamente alla memoria il passaggio di Aldrovandi che descrive l'Apollo (o Cupido) di Michelangelo in possesso di Jacopo Galli (cat. n. 53). In mancanza di alcun tipo di annotazione, è perfettamente plausibile che Ango stesse pensando a un'opera antica e non a Michelangelo, specialmente se, come pare probabile, vide il *Fanciullo* a villa Borghese, che era largamente popolata di marmi antichi. L'immagine lo colpì tanto da indurlo a farne uno schizzo in uno dei suoi disegni al Louvre (Guiffrey - Marcel 1921, n. 8881 del gruppo che allora era ancora attribuito a Anicet-Charles-Gabriel Lemonnier. La scoperta del secondo disegno di Ango conferma la lettura del foglio di New York.

Riferimenti bibliografici
Draper 1997, pp. 398-400; Weil-Garris Brandt 1997, pp. 400-404.
[J.D.D.]

1. Jean-Robert Ango, *Disegno del fanciullo arciere a Roma*. Parigi, Louvre.

Michelangelo Buonarroti
Caprese 1475 - Roma 1564

62. *Studio di vasi e di una figura* (recto); *frammenti di versi* (verso)

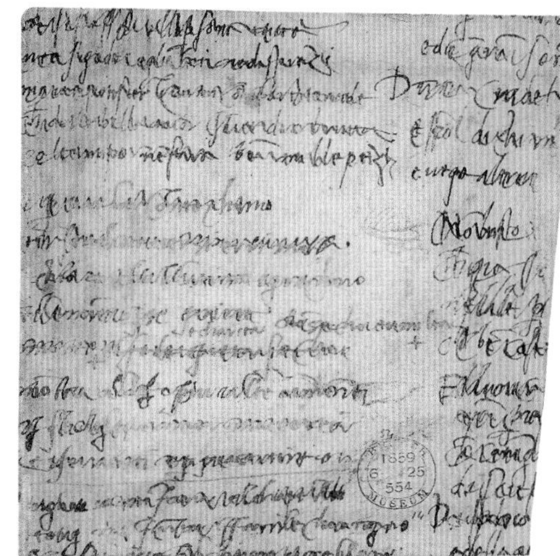
verso

Disegno a matita, penna e inchiostro (recto);
penna e inchiostro (verso), mm 297 × 210
Londra, British Museum, Department
of Prints and Drawings, inv. n. 859-6-25-554

L'attività di Michelangelo come disegnatore di motivi decorativi è scarsamente studiata, tuttavia il suo esempio risultò di estrema importanza sia per i contemporanei sia per gli artisti delle generazioni successive. Alcune delle sue idee per la decorazione svilupparono esempi introdotti da Leonardo, ma molte delle sue soluzioni erano altamente originali. Ad esempio, i copricapo biomorfi che coronano alcune delle sue teste ideali – la cui specie indefinibile sconfina in un'inquietante prefigurazione di mutazioni genetiche – colpì i contemporanei ed ebbe una larghissima influenza. Ci sono pochi disegni superstiti per oggetti decorativi eseguiti da Michelangelo; la *Saliera* per il duca d'Urbino (British Museum, inv. n. 1947-4-12-161/Wilde 66) – che, fra l'altro, è sormontata da un Cupido che scaglia una freccia – e lo studio per una lucerna da appendere a imitazione dell'antico – e di Riccio – al Fogg Art Museum (inv. n. 1932-152) sono fra gli esempi più ovvii. Tuttavia, come rivelano le vicende dell'arredo scultoreo della sacrestia nuova, Michelangelo col procedere delle opere ebbe la tendenza a eliminare gli orpelli decorativi. Esiste una sostanziale tensione nell'opera di Michelangelo fra una passione istintiva per i motivi decorativi e la consapevolezza che l'indulgere verso questi avrebbe potuto pregiudicare l'intensità espressiva delle sue figure. Invecchiando, la sua fascinazione per il decoro diminuì, ma era forte nella prima metà della sua carriera.
Vasi o brocche rappresentavano un particolare interesse. Michelangelo disegnò otto paia di vasi recanti gli emblemi medicei che dovevano essere scolpiti a rilievo nelle basi dei tabernacoli nella sacrestia nuova, e il presente schizzo, e due altri sul verso del famoso studio per una tomba ducale, anch'essi conservati al British Museum (Wilde 27), potrebbero essere alla base delle prime idee per quelli. Uno di questi assomiglia di più a un'urna, con un ampio collo: questo si accompagna con una forma a brocca, con una larga base e un collo cilindrico. Questo schizzo mostra un vaso con un largo ventre e un collo alto a forma di imbuto. Questa convergenza suggerisce che furono tutti eseguiti fra 1520 e 1521. Su entrambi i fogli si trovano anche schizzi associabili al *Genio della Vittoria*, che Michelangelo deve avere iniziato a progettare intorno a quegli anni. Così come sono stati eseguiti, i vasi in rilievo assomigliano di più al vaso a forma di urna, con lungo collo e doppi manici del disegno Wilde 30 piuttosto che ad alcuno di quelli sul foglio Wilde 27 verso, ma sono più snelli dei disegni su tutti i fogli e dunque Michelangelo deve aver fatto ulteriori studi per quelli.
Brocche più rudimentali e d'uso pratico si trovano illustrate anche nello sfondo a sinistra del *Satiro danzante* al Louvre (inv.n. 697), probabilmente eseguito come preparazione al *Baccanale* mai realizzato per Alfonso I d'Este, e ovviamente nel suo *Menu* (ABX, fol. 578). Sappiamo dalla descrizione di Aldrovandi del *Cupido-Apollo* in casa Galli che la figura era accompagnata da un vaso e dal disegno di Ango dell'*Arciere* di Manhattan (dal punto di vista di chi scrive queste due statue sono la stessa opera) che il vaso messo al suo fianco era grande, con largo collo, e probabilmente con un solo manico. Nessun disegno noto di Michelangelo corrisponde precisamente a questo, ma una famosa pagina al Louvre (inv. n. 685 verso), che postdata l'*Arciere* di circa una decade, insieme a uno schizzo per una Giuditta o Salomè, presenta un disegno finemente eseguito di un vaso sottile con due manici (un'osservazione che devo a Michaël Amy) studiato in dettaglio.

Riferimenti bibliografici

Wilde 1953, n. 30; Tolnay 1975-1980, II, n. 198.

[P.J.]

recto

Arte greca
fine del IV sec. a.C.

63. *Satiro danzante*

Bronzo, h cm 20,1
New York, The Metropolitan Museum of Art, Department of Greek and Roman Art, inv. 1972 n. 118.94

Il bronzo manca del braccio destro rotto poco dopo l'attacco della spalla e della parte inferiore delle gambe. La superficie è di colore verde con qualche abrasione.
La figura è nuda, eccetto la pesante corona di rosacee e lunghe foglie lanceolate, che forma un cercine sopra i capelli pettinati piatti.
Il giovane satiro è colto in un movimento violento di danza con il busto piegato a sinistra e il bacino, le gambe flesse al ginocchio, volte a destra, in contrapposto. Il braccio sinistro è posato sopra la testa con la palma rivolta verso l'alto; la testa è piegata verso destra: il satiro guarda verso il basso sicché la figura snella e longilinea si tende in un movimento a spirale.
Il satiro trova confronto nelle figure del grande cratere di Derveni, al Museo di Salonicco.
Riferimenti bibliografici
Mertens 1985-86, p. 46, n. 31.
[P.B.]

64. *Torso di Apollo Sauroctonos* (da Prassitele)

Marmo lunense, h massima cm 39
Pisa, Opera della Primaziale, Loggetta,
inv. 1963 n. 57 (12)

Il torso è conservato fino all'attacco delle cosce; ha una lunga scheggiatura presso la spalla destra. Nell'inventario del 1833 si ricorda che "il torso di marmo assai bello" donato dal Lasinio era già "nella Galleria Riccardi di Firenze"; questa famiglia si era costituita una collezione sul mercato antiquario di Roma, collezione che Francesco Riccardi aveva trasferito nel palazzo Medici di via Larga nel 1648.
Nonostante il cattivo stato di conservazione si può notare come la gamba sinistra, scarica, sia leggermente discosta e avanzata. L'anca destra sporgente corrisponde alla spalla sinistra rialzata dal braccio sollevato.
Il tipo è una replica in piccole dimensioni dell'*Apollo Sauroctonos* di Prassitele, che fu identificato da Winckelmann nel 1760 grazie alla descrizione di Plinio confrontata con una gemma Stosch. Si può ricordare come un torsetto (cm 85) di marmo lunense di un simile Apollo esistesse nelle collezioni medicee e sia stato completato da G. Caccini in un *Apollo musico* in una posizione assai vicina al prototipo, allora ignoto.
Riferimenti bibliografici
Faedo, in *Camposanto...* 1984, n. 78.
[P.B.]

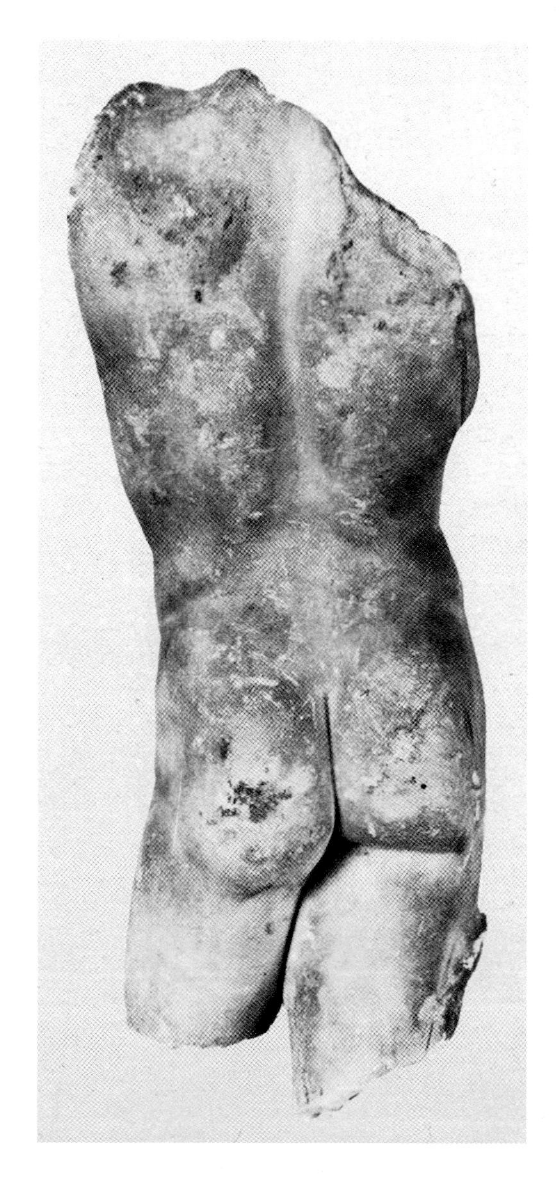

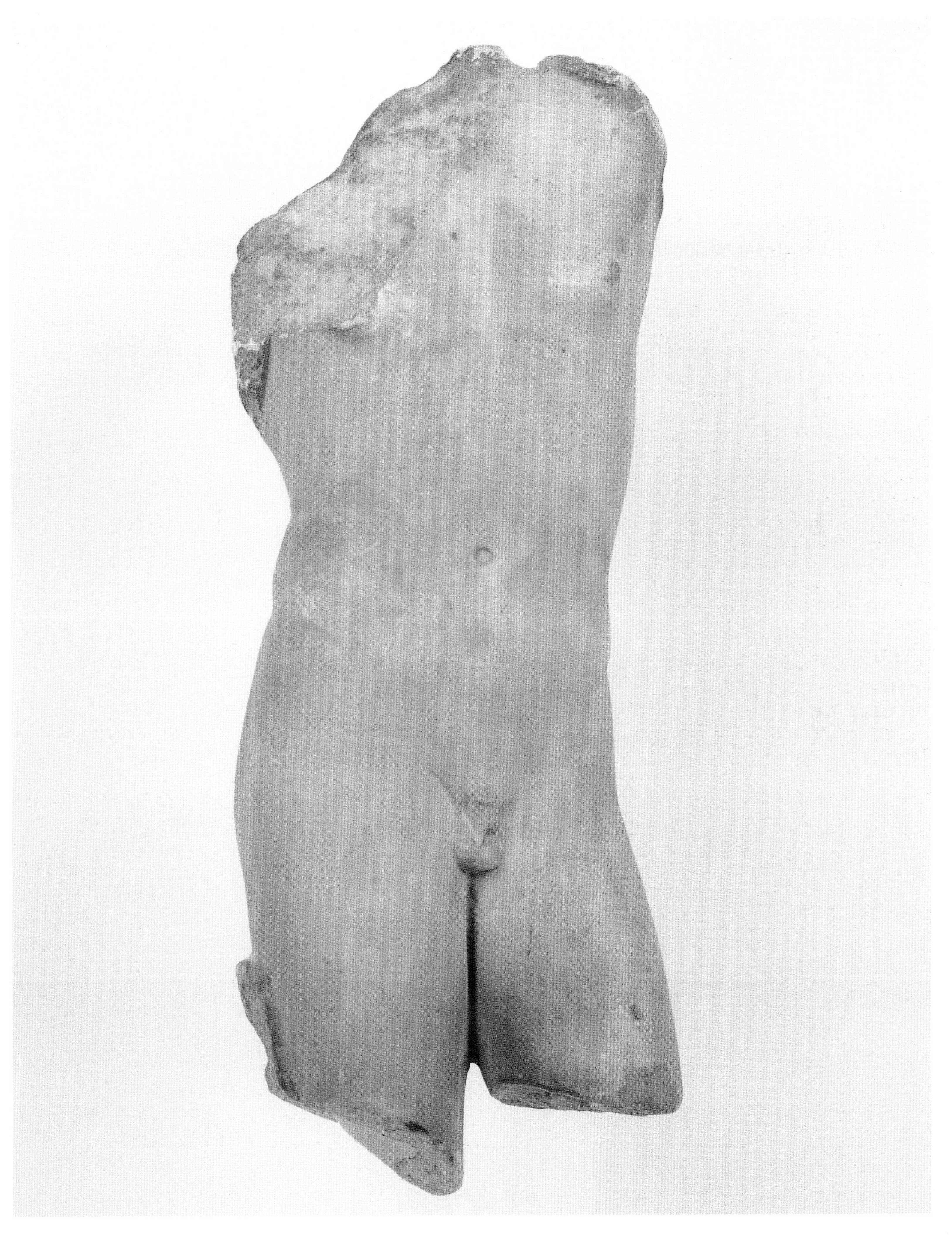

65. *Erote che tiene un delfino sulla spalla destra*
(da opera tardo ellenistica)

Bronzo, h cm 60
Napoli, Museo Nazionale, inv. n. 11701
(da Pompei)

L'erote, che doveva servire come ornamento di una fontana, sostiene un delfino sulla spalla destra con le mani; dietro alla sua testa si vede guizzare la coda del delfino.
Ricorda da vicino i due puttini bronzei con delfino dell'atrio della villa dei Papiri a Ercolano. Quando un erote tiene un delfino, gioca un ruolo nella nascita di Venere: delfini ed eroti fanno parte del corteggio di Afrodite e si trovano nell'arte greca già dal IV secolo a.C.; in età ellenistica sono presenti anche nella scultura a tutto tondo, oltre che nelle arti minori, come specchi, monete e lucerne.
In età romana eroti e delfini sono ugualmente presenti nella toreutica, nella glittica e sui mosaici; avranno la più ampia diffusione in ambito funerario e particolarmente sui sarcofagi, in quanto il delfino fin dall'età più antica aveva il ruolo di condurre le anime alle isole dei beati alleviando il percorso con la sua musicalità e, guizzando sopra le onde del mare, esso è anche simbolo della vita oltre la morte.
Riferimenti bibliografici
Sogliano 1880, p. 488, n. 818; *Le Collezioni...* 1989, p. 146, n. 245.
[P.B.]

Artista fiorentino
attivo nel secondo quarto del XV secolo
(già attribuito a Paolo Uccello, Firenze 1397 - 1474)

66. *Un putto con arco (Amore) e un putto reggifestoni*

Penna e inchiostro marrone, acquerellature marroni, tracce di stilo, carta bianca,
mm 149 × 187
Stoccolma, Nationalmuseum,
inv. n. 45c /1863

Questo foglio faceva parte in origine di un taccuino di modelli di cui si conservano altri quattro fogli a Stoccolma, Digione e Vienna (Degenhart - Schmitt 1968, I/2, cat. nn. 303-306, 310-311). Essi sono passati attraverso la collezione di Giorgio Vasari il quale, ritenendoli di Paolo Uccello, li ha sontuosamente incastonati nel suo "Libro de' disegni". Nel presente disegno, ancora incorniciato nel frontone della ormai parziale pagina vasariana, sono raffigurati due puttini nudi alati: a sinistra un *arciere*, con la faretra al fianco e l'arco teso tra le mani, sta eretto su una sfera appena accennata; a destra un *reggifestoni*, con un manto sulle spalle, stringe le estremità di due ghirlande stando in piedi su una valva di conchiglia decorata da volute. Entrambe le figure sono disegnate a penna e inchiostro marrone con un corto tratteggio parallelo, ma solo nella seconda si osservano tracce di stilo nei contorni. Inoltre, all'estremità superiore di quest'ultima si intersecano delle linee rette incise che hanno avuto una probabile funzione costruttiva e che si ripresentano anche sul verso del foglio dove però non è stato eseguito alcun disegno. Tra i due disegni si rilevano ulteriori differenze esecutive: mentre l'arciere è reso con tratti veloci, il reggighirlande risulta plasticamente più accurato, il modellato unito dall'acquerello e la luce distribuita coerentemente; solo le ali sono appena abbozzate. Sembra dunque che il primo sia piuttosto uno schizzo o uno studio, mentre il secondo un disegno finito o un "modello", entrambi comunque eseguiti dalla stessa mano. Alcuni elementi codicologici che compaiono anche nei fogli compagni (cfr. Elen 1995, cat. n. 17) ne attestano la provenienza da un "libro di disegni": sul verso sono presenti un'antica numerazione occhiellata (in questo caso doppia, in alto al centro "17", a destra "14") e una leggera tinteggiatura rossa (forse posteriore). Inoltre sul recto, in prossimità del bordo destro, si osservano dei piccoli fori probabilmente causati da un'antica rilegatura, certamente prevasariana.
Il taccuino da cui proviene il nostro disegno si caratterizzava, rispetto alla tradizione toscana rappresentata dal *Taccuino Rothschild* del Louvre (Scheller 1963, cat. n. 28; id. 1995, cat. n. 32), per la varietà di soggetti in esso rappresentati, non solo zoologici, ma anche compositivi e tratti dall'antico e da modelli scultorei. Il disegno dell'arciere propone una figura derivata dall'antico: nel giovane adolescente, con le proporzioni dell'adulto e la muscolatura ancora tenue e allungata, si può individuare un Amore che, per il fatto di star ritto su una sfera, era forse destinato a un "Trionfo". Il tema classico del saettatore faceva dunque parte dei repertori di bottega: notiamo fra l'altro che la tipologia fisica, la posa e la ponderazione eccentrica (braccio alzato e gamba avanzante dalla stessa parte) corrispondono a quelle del *Fanciullo arciere* di New York (cat. n. 39).
Anche il disegno con il putto reggifestoni deriva dalla scultura antica, in questo caso da sarcofagi romani. La tipica figura del puttino alato, un fanciullo dalla grande testa e dagli arti ancora minuti, non sembra avere una relazione diretta con il precedente per mancanza di rapporto proporzionale tra i due. Esso rappresenta un motivo molto diffuso nel Quattrocento, spesso impiegato per le fasce decorative sia in pittura, ad esempio da Andrea del Castagno, sia in scultura, da Donatello, Maso di Bartolomeo e Luca della Robbia.
L'attribuzione vasariana a Paolo Uccello (riproposta da Degenhart - Schmitt 1968, seguiti da Bjurström 1970), non è stata generalmente accolta dalla critica recente che ha preferito mantenere il riferimento a un anonimo artista fiorentino della prima metà del Quattrocento (per esempio, Scheller 1963, pp. 119, 201; Oberhuber - Knab 1975, p. 22, al cat. n. 3; Elen 1995). Infatti il foglio in questione non mostra un'esplicita connessione né tecnica, né stilistica con i disegni conosciuti di Paolo Uccello (cfr. Melli 1998), anche se, da rinomato pittore di animali, egli deve aver fatto uso di analoghi repertori. La possibilità che Uccello sia stato non tanto l'autore, quanto piuttosto il possessore del taccuino, è data dalla presenza di alcune teste d'aquila in scorcio aggiunte da un'altra mano sui fogli di Vienna e Digione (cfr. Koreny 1985, cat. n. 2, pp. 31-33), che corrispondono all'eccezionale interesse prospettico manifestato dal pittore fin dai suoi esordi.

Riferimenti bibliografici
Degenhart - Schmitt 1968, I/2, cat. n. 303 (con bibl.); Bjurström 1970, cat. n. 2 (con bibl.); Elen 1995, cat. n. 17.
[L.M.]

2. Enigmi e giochi di identità

Non è facile identificare il *Fanciullo arciere* con un specifico dio, eroe o figura mitologica antica sulla base degli attributi tradizionali codificati della trattatistica della seconda metà del Cinquecento. Però siamo inclini a identificarlo come un Cupido, forse con qualche riferimento ad Apollo. Del resto, questo problema già di per sé apre nuove prospettive di indagine sul pensiero mitografico tardo quattrocentesco, come si vede qui in un gruppo di disegni e stampe.

Lo Scheggia, Giovanni di Ser Giovanni detto
San Giovanni Valdarno 1406 - 1486

67. *Trionfo d'Amore*

Tempera su tavola, cm 92 × 46
Firenze, Museo di Palazzo Davanzati,
inv. 1890 n. 1611

Il pannello fa parte di una serie di *Trionfi* ispirati al poemetto del Petrarca, raffiguranti anche il carro trionfale della Fama, quello della Morte e infine quello dell'Eternità conservati nel medesimo museo, dipinti dallo Scheggia intorno alla metà del secolo (per l'intera serie cfr. Sframeli, in *L'età di*... 1990, pp. 214-215; *ibid.* in *Le tems* ...1992, pp. 154-155, con bibl.; cfr. anche Landolfi 1993, pp. 5-15 e Bellosi, in Bellosi - Haines 1999, p. 81). Provenienti dalla Guardaroba medicea (ove sono menzionati nel 1715 come "targhe"), sono stati per tale motivo ipoteticamente identificati con due forzieri raffiguranti i *Trionfi* ricordati nell'inventario laurenziano del 1492 (Cavazzini 1999, pp. 14-15), ma l'inusuale forma bombata sembrerebbe piuttosto indicare una destinazione alternativa, fors'anche un "mobile da centro stanza" (opinione di Trionfi Honorati riportata da Sframeli, in *L'età di*... 1990, p. 214 e in *Le tems*...1992, p. 155).
La raffigurazione del carro d'Amore segue piuttosto fedelmente la descrizione del Petrarca ([II metà XV sec.], ed. cons. 1891): "Quattro destrieri vie piu che neve bianchi / sopra un carro a foco un garzon crudo / con arco in mano / et con saette a fianchi/ nulla temea pero / non maglia o scudo: ma insu gli homeri havea sol due grandi ali / di color mille: e tutto l'altro ignudo".
Cupido è raffigurato fanciullo e bendato, un motivo quest'ultimo assente nelle rime petrarchesche così come nell'arte classica, ma tuttavia assai diffuso in un certo filone di letteratura moraleggiante che intendeva in tal modo sottolineare il carattere irrazionale e ottundente dell'amore, per quanto l'estrema diffusione e divulgazione del Cupido cieco fece sì che tale iconografia perdesse pian piano il primitivo significato (Panofsky 1939, ed. 1972, pp. 95-128 e in part. p. 121).
L'iconografia del *Trionfo d'Amore* trovò inizialmente espressione nelle miniature (cfr. Carandente 1963, p. 69 e Garzelli 1985, I, pp. 119-129) e anzi proprio "all'epoca dello Scheggia [...] tali iconografie potevano dirsi bene attestate grazie soprattutto al tramite della illustrazione miniata dei manoscritti recanti il testo petrarchesco" (Cavazzini 1999, p. 86) per poi arricchirsi sempre più di motivi tratti dalle feste cittadine, dalle rappresentazioni teatrali, dalle armeggerie che prestavano forme e colori ai Trionfi letterari (a questo proposito si veda il catalogo *Le tems* ...1992).
È stato inoltre notato che il corteo d'Amore mostra delle analogie con la tradizione cortese: infatti "il tema del convegno degli amanti radunati in un verziere era già stato sviluppato e variamente declinato dalla pittura di matrice gotico cortese, con esiti sostanzialmente affini a quelli conseguiti dall'autore del pannello di palazzo Davanzati e da molti altri 'dipintori' di forzieri, i quali evidentemente non ritennero di dover elaborare una tipologia illustrativa ad hoc per il 'Trionfo' petrarchesco, preferendo piuttosto reimpiegare una soluzione illustrativa preesistente" (Landolfi 1993, p. 7).
[N.P.]

Jacopo di Arcangelo detto Jacopo del Sellaio
Firenze 1442 - 1493

68. *Trionfo d'Amore*

Tempera su tavola, cm 75,5 × 89,5
Fiesole, Museo Bandini, inv. n. 96/100

La tavola appartiene a una serie di *Trionfi* petrarcheschi comprendenti anche il *Trionfo della Pudicizia, del Tempo e dell'Eternità* (per l'intera serie cfr. Sframeli, in *Il Museo*...1993, pp. 135-142, con bibl.).
Come il recente restauro ha confermato, i quattro pannelli – databili nei primi anni ottanta – erano originariamente uniti a due a due, e costituivano una coppia di spalliere destinate all'arredo di una camera nuziale (per un'ipotesi di possibile occasione di committenza cfr. Sframeli, in *Il Museo*..., 1993, p. 142), oggetti che ritornano con frequenza nella produzione artistica del pittore (cfr. Barriault 1994, pp. 146-147; Callmann 1998, pp. 143-158).
La raffigurazione del carro e di Cupido si attiene sostanzialmene al testo letterario (cat. n. 67). Lo stesso paesaggio marino che si distende fino all'orizzonte, peraltro un leitmotiv nelle opere del Sellaio, sembra qui voler alludere alla petrarchesca isola di Citera. Con l'aiuto del Petrarca è possibile identificare – crediamo correttamente – anche le figure sedute intorno ai piedi del braciere: Marte e Venere ("vedi Venere bella / e con lei Marte cinto di ferro i pie', le braccia el collo" – Petrarca [II metà XV sec.], ed. cons. 1891); al centro Giove che, per quanto sia ricordato "et di lacciuoli innumerabil carcho / [...] cathenato innanzi el carro" (Petrarca [II metà XV sec.], ed. cons. 1891), è talora raffigurato sopra il carro stesso anche in alcune pagine miniate. Abbiamo già accennato (cat. n. 67) al ruolo importantissimo che ebbe la miniatura nella creazione di un'iconografia dei Trionfi: e non a caso è proprio il confronto con la miniatura a fornirci la chiave d'interpretazione delle due figure nello sfondo, a sinistra, mai correttamente identificate. Già la Garzelli (1985, I, pp. 119 sgg.) aveva evidenziato in molte edizioni miniate dei *Trionfi* petrarcheschi la presenza di personaggi estranei all'originario testo letterario, in particolare coppie famose tratte dal mondo classico o dalla mitologia e frutto di contaminazioni con altri scritti letterari. Fra queste coppie ricorrono con frequenza Piramo e Tisbe (dalle *Metamorfosi* di Ovidio), sfortunati amanti babilonesi entrambi suicidi, il primo per aver erroneamente creduto morta l'amata, l'altra gettandosi sulla stessa spada con la quale si era trafitto Piramo, dopo averne scoperto il cadavere. È questo, infatti, l'episodio che compare nello sfondo del pannello fiesolano, collocato in secondo piano così come nella pagina miniata era spesso destinato ai soli medaglioni della cornice, raffigurato a monito delle eccessive passioni d'amore che possono condurre alla morte. Da notare che lo stesso Landino in questi stessi anni (1484) riservò una nota particolare al mito di Piramo e Tisbe nel suo *Commento* alla *Divina Commedia* (Garzelli 1985, I, p. 120).
La tipologia del Carro d'Amore, diversa da quella della più antica tavoletta dello Scheggia precedentemente esaminata, senz'altro si ispirò al celeberrimo primo Carro di Cupido che nell'aprile del 1459 attraversò le strade di Firenze in occasione della Giostra organizzata per la visita di Pio II sotto il patrocinio del sedicenne Lorenzo che guidava il solenne corteo (Eisenbichler 1990, pp. 370-371 e 375; Pacciani 1992, pp. 121 e 134, nota 14): Carro che probabilmente inaugurò una tipologia utilizzata successivamente anche per festeggiamenti di forma più privata (Pacciani 1992, pp. 119-121). Le descrizioni del 1459 (Volpi, 1902, p. XXX; Bessi 1992, pp. 108-109) parlano di "cavalli sfrenati" che tirano un carro a "quattro facce" e "in sulla sommità d'i quattro canti / son quattro spiritelli peregrini": ognuno di loro ha "in mano una lumera, / et sono innudi, con l'ale alla spalla". Essi sono forse identificabili con quegli stessi "ardenti spiritelli" che il Poliziano celebrerà nelle *Stanze per la Giostra* del 1478 i quali "van correndo per l'ossa e pel sangue" sicché "'l foco cresce" (Poliziano 1975-78, ed. 1459, p. 254). Queste immagini ben coincidono con la rappresentazione del Carro d'Amore che ci fornisce il Sellaio, mentre differisce totalmente la descrizione di "colui il quale a ccui Venere e' mamma", Cupido, che nel *Trionfo* del 1459 aveva "la benda agli occhi". Nel nostro pannello infatti – a differenza anche della tavola dello Scheggia precedentemente esaminata – il giovane dio d'Amore non ha alcun bendaggio. Il Panofsky (1939, ed. 1972, p. 121) notava che il Cupido cieco e il Cupido vedente compaiono indiscriminatamente nelle illustrazioni dei *Trionfi* del Petrarca. Avvertiva tuttavia che l'ambiente neoplatonico, così sensibile al fascino degli occhi e dello sguardo ("solo adunque l'occhio fruisce la corporale Bellezza"; "l'Amore [...] piglia origine dal vedere" – Ficino 1475, ed. 1934, pp. 41 e 105), rifiutò in certo qual modo l'immagine di un Amore cieco e dunque condizionò in tal senso gran parte della cultura figurativa fiorentina.
Il dio d'Amore non è più, in questa tavola, il bambino paffuto visto nella tavola dello Scheggia, ma piuttosto un giovane adolescente, agile e snello. Anche in questo caso la contemporanea cultura letteraria deve aver giocato un ruolo importante nella creazione di una nuova tipologia di Eros. Poliziano (1475-78, ed. 1959, p. 247) lo descrive "dolce in sembianti, in atti acerbo e fallo / giovene nudo, faretrato augello". Ficino poi nel *Convito di Platone* (1475) dedica un intero capitolo "De la dipintura d'amore": commentando le parole del poeta Agatone, Marsilio concorda che Amore deve essere "giovane, tenero, flessibile ovvero agile, attamente composto, e nitido [splendido]" (Ficino 1475, ed. 1934, p. 74). Ribadisce inoltre alcuni concetti già presenti nella descrizione petrarchesca ed evidentemente derivati dal mondo classico: "Amore ha i piedi ignudi" ed è "senza letto né coprimento alcuno" (Ficino 1475, ed. 1934, pp. 102-103); ma soprattutto Ficino esalta la figura maschile dell'adolescente, quale oggetto di un amore più elevato, perché in lui "molto più vigoreggia lo acume dello intelletto" (Ficino 1475, ed. 1934, p. 117), così come sosteneva l'Amore socratico, cioè la "cura de' fanciulletti" (Ficino 1475, ed. 1934, p. 153; cfr. anche Chastel 1959, ed. 1964, p. 296). Infatti Chastel (1959, ed. 1964, p. 299) sottolineava l'atteggiamento dei "ceti elevati del Quattrocento, per i quali la grazia e la perfezione dell'adolescente avevano un valore co-

sì rilevante da ispirare le tre indimenticabili versioni del giovane *David* nudo, che rappresentano i tre capolavori della scultura fiorentina". Da queste premesse la fortuna figurativa di Amore adolescente e senza bendaggi protagonista del *Trionfo d'Amore* del Sellaio, un'iconografia che accolse lo stesso Scheggia nel *Trionfo d'Amore* della Pinacoteca di Siena, più tardo rispetto alla precedente versione, sopra esaminata, di palazzo Davanzati che ancora recava Eros fanciullo e bendato.
[N.P.]

Arte romana

69. *Apollo nudo saettante*

Bronzo, h cm 14
Firenze, Museo Archeologico, inv. n. 2513

Il bronzo proviene dalla Galleria degli Uffizi dove risulta attestato fin dall'inventario del 1589 in Tribuna (Gaeta Bertelà 1997, p. 23): [241] "Un figurina intera di bronzo, antica, con un carcasso da freccie dreto alle spalle e una mano tesa". È ancora in Tribuna nel 1635 (n. 301): "Una figura di giovinetto alta 1/4 con turchasso dietro alle spalle"; è presente negli inventari di Galleria del 1704 (n. 2996), del 1735 (n. 2800), del 1769 (n. 3139), del 1784 (n. 424) e del 1825 (n. 103). È segnalato anche nel Catalogo dei Bronzi di L. Lanzi, in manoscritto presso la Galleria degli Uffizi (coll. N. 61 A). Passa al Museo Archeologico col n. di Galleria 887.
Il bronzo è coperto da una spessa patina nerastra che appare sfogliata nel fondo della faretra e sul piede destro, all'attacco con la caviglia. Sul piede sinistro si nota la borchia di un chiodo; un altro chiodo più grosso a destra del piede doveva fissare la base di bronzo al supporto.
Resta solo un frammento dell'arco nella mano destra del dio.
Apollo, incoronato di alloro, ha i lunghi capelle a onde che si piegano fino alla base del collo. Egli sta estraendo con la mano destra una freccia dalla faretra posta sulla spalla, mancante tuttavia del balteo che doveva sostenerla. Il braccio sinistro disteso, leggermente flesso al gomito, doveva impugnare l'arco.
Il volto ha una fronte arcuata, grandi occhi e la bocca semiaperta. Il corpo è reso senza dettagli anatomici, come una massa liscia e unitaria, con un'unica accentuazione dei pettorali e l'indicazione dell'ombelico.
Nel bronzetto si cerca di dare un'immagine "classica" del dio, rappresentato con i lunghi capelli, all'antica. Si accentuano poi certi manierismi, come il gesto sinuoso con cui la mano estrae la freccia e il passo danzante sulle punte dei piedi in una affettazione arcaistica.
[P.B.]

Jacopo de' Barbari

Venezia 1460 circa - Malines (?) entro il 1516

70. *Apollo e Diana*

Incisione, mm 158 × 99
Firenze, Gabinetto Disegni e Stampe
degli Uffizi, inv. n. 231 St. sc.

L'origine veneziana dell'incisore-pittore Jacopo de' Barbari, operoso tra il 1500 e il 1516 presso varie corti in Germania e nei Paesi Bassi, è stata lungamente discussa (sull'artista cfr. Hind 1938-1948, V, 1948, pp. 141-158; Levenson 1973, pp. 341-380; Strauss 1981, pp. 257-278). Soprattutto focale per lo studio della sua opera incisoria è il rapporto con Dürer, di cui la stampa con *Apollo e Diana* costituisce un caso emblematico. A partire infatti da un intervento di Panofsky (1920) si è dibattuto sulla priorità di invenzione fra le due incisioni con lo stesso soggetto eseguite da Barbari e Dürer in un periodo molto ravvicinato. La critica ha generalmente accolto le conclusioni di Panofsky, che riteneva l'opera dell'italiano (1503-05) precedente a quella del tedesco (1504-05), sebbene quest'ultimo avesse già concepito indipendentemente, in un disegno al British Museum, una rappresentazione del Sole e della Luna modificata per influsso del Barbari.

Il soggetto, solitamente descritto come "Apollo e Diana", è stato di recente indagato per il suo significato astrologico in rapporto a una serie di carte düreriane con i *Pianeti* (Bach 1996). Anche se le interpretazioni proposte non sono risultate conclusive (i due personaggi sarebbero da identificare con Mercurio e la sua "casa" Vergine, oppure con i due pianeti consecutivi Sole e Venere), esse indicano che la tematica contenuta nella stampa ha un preciso carattere astrologico. Qui infatti, a nostro parere, le divinità mitologiche di Apollo, con arco e faretra, e di Diana, con il cervo, sono chiaramente presentate come divinità planetarie: il Sole-Apollo, splendente ed eretto sulla sua "sfera" (orbita), emana la luce che la Luna-Diana riceve voltando la schiena e lasciando intravedere il suo simbolico profilo tra i capelli. Anche l'elemento narrativo partecipa alla definizione dell'immagine. L'attività solare e la passività lunare corrispondono alle qualità astrologiche, maschile e creativa, femminile e contemplativa, dei due pianeti. Inoltre lo scomparire graduale della "Luna" nelle trasparenze del cielo cristallino di fronte al dominare del "Sole", potrebbe alludere a una specifica fase lunare o a un preciso giorno dell'anno astronomico. Dal punto di vista iconografico la posa di Apollo, nell'atto di scoccare la freccia, simbolo della sua forza creativa, è fortemente legata alla tipologia antica di Diana, e sembra in qualche modo ispirata anche all'*Apollo del Belvedere*. L'artista può avere avuto conoscenza di questi modelli classici se non direttamente, almeno attraverso i disegni dall'antico presenti nei taccuini (v. cat. n. 60). Non sappiamo molto della formazione di Jacopo de' Barbari, personaggio enigmatico come molti dei suoi colleghi incisori, ma il mondo mitologico e simbolico rappresentato in questa immagine denuncia un raffinato interprete della temperie culturale del suo tempo. Egli, sia pittore che incisore, forse non a caso siglava le sue opere con il caduceo (in alto a sinistra nella stampa) simbolo di Mercurio, protettore delle arti, dell'astrologia, dell'alchimia (cat. n. 4).

Riferimenti bibliografici

Panofsky 1920; De Witt 1938, p. 20, n. 231; Hind 1938-1948, V, 1948, p. 153, n. 14 (con bibl.); Levenson 1973, pp. 368-369, n. 141 (con bibl.); Strauss 1981, p. 270; Landau, in Landau - Parshall 1994, p. 77; Bach 1996, pp. 74-75, fig. 71.

[L.M.]

Marcantonio Raimondi
Bologna 1480 - entro il 1534
71. *L'Apollo del Belvedere*

Incisione, mm 291 × 163
New York, The Metropolitan Museum of Art
Iscrizione: sul piedistallo "SIC ROMAE EX MARMORE SCULPTO"

L'incisione del Raimondi raffigura quella statua di *Apollo,* copia romana di un'opera ellenistica perduta, che fu rinvenuta alla fine del Quattrocento probabilmente ad Anzio e da Giulio II collocata prima nella sua abitazione, poi nel cortile del Belvedere in Vaticano. Nella stampa di New York la statua risulta ancora priva dell'integrazione della mano destra restaurata nel 1532. Questa immagine è generalmente riconosciuta come la seconda versione di un'incisione di Marcantonio rappresentata dall'esemplare di Vienna databile al 1510-11 (Gnamm 1999, cat. n. 30, p. 90). Le modifiche rispetto alla prima versione appaiono minime (ad esempio la "S" di "SIC" nell'iscrizione è rovesciata) e la raffinatezza incisoria è così alta da poter esser considerata opera autografa del Raimondi del primo periodo romano (Davidson 1954, p. 168).
La statua è raffigurata di profilo, da un'angolatura che mette in evidenza l'esuberante muscolatura del corpo. Questa è inoltre accentuata da giochi di luce sapientemente orchestrati grazie a un fondo scuro che allude alla nicchia in corrispondenza delle zone più illuminate. A Marcantonio è stato attribuito anche un disegno dell'*Apollo del Belvedere* (Gnamm 1999, cat. n. 132, p. 198) tratto però da un punto di vista diverso che privilegia la parte sinistra del corpo. Esso corrisponde sia a un'altra serie di incisioni eseguite da Marcantonio probabilmente in epoca più tarda (Oberhuber 1978, cat. nn. 328-329), sia a un disegno recentemente riferito a Raffaello (Albertina, inv. n. 22449, vedi Gnamm 1999, cat. n. 29a, p. 89). Numerosi sono le repliche e gli studi che tra la fine del Quattrocento e il primo Cinquecento hanno per oggetto l'eminente opera plastica romana, ormai il modello antico privilegiato per la rappresentazione di Apollo. Esso compare nelle esercitazioni grafiche di vari artisti, e soprattutto nelle stampe che da questo periodo, surclassando per efficacia e velocità la secolare tradizione del taccuino, diventano il tramite principale per la diffusione dei modelli.

Riferimenti bibliografici
Thode 1881, pp. 1-2, n. 1; Davidson 1954, p. 168; Oberhuber 1978, p. 25, n. 331; Gnamm 1999, n. 30, p. 90, con bibl.
[L.M.]

SIC·ROMAE·EX·MARMORE·SCVLPTO

Michelangelo Buonarroti
Caprese 1475 - Roma 1564

72. *Figura virile in movimento, ispirato all'Apollo del Belvedere, studi di nudo* (recto)*; studi di una Madonna e di putti* (verso)

Lapis nero, penna con inchiostro bruno (recto e verso), mm 375 × 230
London, British Museum,
inv. n. 1887-5-2-117 recto e verso

Al di sopra di due studi di nudo in lapis nero è sospesa una figura maschile, uno dei disegni più belli del primo Michelangelo (Wilde 1953, n. 4 recto). Come di consuetudine, il maestro ha schizzato i contorni in leggerissimi tratti a penna con bistro un poco più chiaro, eseguendo i pentimenti al braccio sinistro e le ombreggiature con bistro più scuro e con un tratto energico. Senza dubbio questo disegno rappresenta uno dei più splendidi echi dell'*Apollo del Belvedere*; ciò non vuol dire che sia stato eseguito a Roma (Hartt 1971, n. 4). La compostezza dell'incedere dell'antica figura di divinità si trasforma in Michelangelo in impeto dinamico. Il braccio sinistro, liberato dal manto, si protende con graziosa torsione, verso l'alto, come Adamo sul soffitto della Sistina, sollevando il braccio verso Dio padre. I lunghi riccioli del giovanetto brillano come una aureola intorno al suo capo. La luce accarezza la guancia rilevata alla maniera antica, l'ampio petto e la morbida rotondità della coscia. Ombre racchiudono la forte muscolatura del torso, configurato assai dettagliatamente come centro dal quale si organizzano tutti i movimenti, come negli schiavi dell'Accademia. Senz'altro corretto è aver supposto per questo studio una correlazione con il gruppo dei tre uomini, due dei quali particolarmente robusti sollevano il terzo, che sembra essere un comandante in una battaglia (Wilde 1953, n. 5 recto). Non solo il soggetto, ma anche lo stile grafico attestano una sua datazione all'epoca della battaglia di Cascina, quindi al 1503-04 (Tolnay 1975-1980, I, n. 48r; Echinger-Maurach 1998a, pp. 331 sgg).
Sul verso l'artista esegue numerosi studi preparatori per il *Tondo Taddei* e probabilmente anche per il gruppo della *Madonna di Bruges*, a cui si riferisce anche la doppia iscrizione di mano diversa "chosse di bruges" (Wilde 1953, n. 4 verso). Nei due terzi inferiori del verso, cinque schizzi a penna sono senz'altro preparatori per il piccolo Giovanni fanciullo del *Tondo* di Londra, dalla severa espressione e dalla complicata gestualità: vivendo da eremita nel bosco, ha catturato un uccellino da regalare al piccolo Gesù e lo fa volare legato a una funicella, che tira con la mano destra, mentre con la sinistra trattiene il capo dell'uccellino che vola in avanti. Negli schizzi l'artista sviluppa soprattutto il lieve passo della figura e le mani incrociate, un motivo leggiadro che non solo ritornerà nella Delphica della Sistina ma anche nella Galatea di Raffaello. Lo schizzo di un bambino seduto e benedicente nell'angolo superiore destro del foglio e quello del nudo di schiena magnificamente curvato, di un lattante, tracciato nell'angolo inferiore destro, potrebbero appartenere anche alla serie di studi per la *Madonna Mouscron*: si confrontino gli schizzi, poco leggibili, perché disegnati solo con punta di piombo, per una *Madonna con Bambino* in grembo a sinistra in alto e per una *Madonna del Latte* con Bambino di spalle che si trovano sul margine sinistro del foglio di studi degli Uffizi inv. n. 233 F recto (cat. n. 2). I riferimenti con il rilievo marmoreo di Londra come pure con la *Madonna di Bruges* situano gli schizzi nel 1503.
[C.E.-M.]

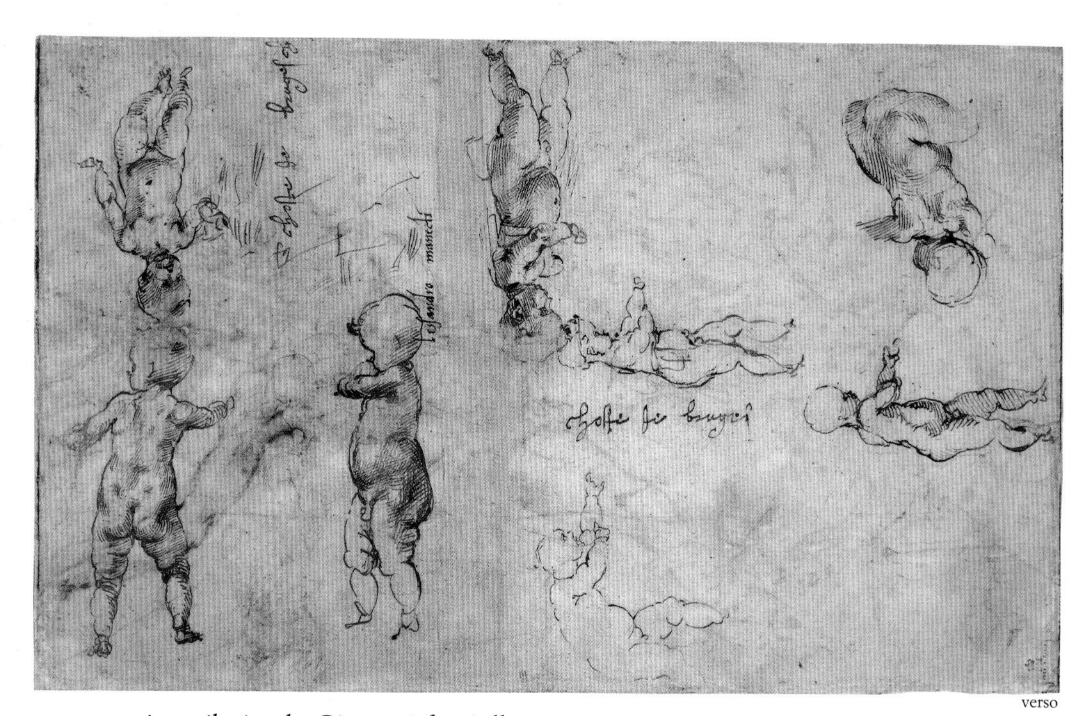
verso

recto

Francesco de' Rossi detto Cecchino Salviati
Firenze 1510 - Roma 1563

73. *Apollo*

Matita rossa, mm 291 × 155
Firenze, Gabinetto Disegni e Stampe degli Uffizi, inv. n. 17762 F recto

Già ascritto talvolta a Rosso, talvolta a Primaticcio, questo *Apollo* (prima identificato con *Cupido*, nonostante la mancanza delle ali, attributo fondamentale del figlio di Venere) è stato definitivamente restituito a Salviati da Carrol (1971, pp. 17-22). Sul verso dello stesso foglio, alcuni schizzi di figure, a penna, appartengono tuttavia a una mano diversa. Si tratta di un disegno databile al primo soggiorno romano dell'artista, tra il 1531 e il 1538, caratteristico della sua importante produzione grafica giovanile.
In questo foglio Salviati sembra comporre la figura assemblando le pose di diversi modelli studiati precedentemente. La torsione simultanea del busto e delle gambe certo ispirata all'antico, interessava particolarmente i pittori fiorentini che seguivano la strada indicata da Leonardo nella seconda versione (perduta) della *Leda*. Andrea del Sarto, che ebbe l'occasione di studiare di nuovo il quadro di Leonardo nel castello di Cloux durante il suo soggiorno in Francia, giocò un ruolo fondamentale al suo ritorno a Firenze nel 1519, per una migliore comprensione della figura (cfr. Costamagna 1999, pp. 106-108). Sensibilizzato a tali ricerche sin dalla sua prima formazione nella bottega di Andrea, Salviati fu ancora più ricettivo alle esperienze romane. Gli artisti della bottega di Raffaello, sempre attenti ai modelli classici, avevano ugualmente studiato questo movimento di figura, come attestano per esempio gli stucchi delle Logge Vaticane (cfr. Dacos 1977, tavv. CIV, CV), o un disegno a matita rossa attribuito a Perin del Vaga in cui è rappresentata una coppia avvinghiata (Louvre, Département des Arts Graphiques, inv. n. 10383 bis) che presenta analogie formali con il foglio in esame. Sembra pure evidente, vista l'estrema similitudine delle pose, che Cecchino a Roma abbia studiato anche il *Fanciullo arciere* ora a Manhattan (cat. n. 39) come ha già notato Joannides (1997, p. 20, nota 39): è stato del resto più volte riconosciuto l'interesse del Salviati per la scultura coeva e in particolare per quella di Michelangelo (cfr. *Francesco Salviati* 1998, nn. 8, 11, 17).
Per quanto riguarda la posa del braccio destro e della testa dell'*Apollo*, relativamente male integrata al resto della figura, si tratta di una citazione pressoché letterale della Madonna del *Tondo Doni* (Firenze, Galleria degli Uffizi). Anche ciò non può sorprendere sapendo quanto tutta l'arte di Michelangelo affascinasse particolarmente Salviati, che copiò e interpretò sistematicamente le sue creazioni (cfr. Joannides 1998, pp. 53-55).
Salviati era rimasto colpito soprattutto dall'aspetto scultoreo della posa. Quando riportò in affresco la figura schizzata sul foglio, la adattò alla scultura dipinta in fondo a sinistra all'affresco rappresentante *Camillo fa cessare la pesa dell'oro stabilita fra Galli e Romani* nella Sala delle Udienze in Palazzo Vecchio a Firenze (Mortari 1992, ill. col., p. 23). Per quest'ultimo, Salviati riprese ugualmente, invertendola, la posizione del braccio ripiegato sulla testa che già era stata studiata precedentemente nel disegno attribuito a Perin del Vaga, conferendogli un'*allure* prossima alle sculture di Cellini.

Riferimenti bibliografici
Mortari 1992, p. 195 (con bibl.).
[P.C.]

Cristofano di Michele Martini detto il Robetta
Firenze 1462 - dopo il 1535

74. *La scelta d'Ercole*

Incisione, mm 259 × 190
Vienna, Graphische Sammlung Albertina, inv. n. 1935, 457

L'orafo fiorentino Cristofano Martini è stato da tempo identificato con l'autore di numerose stampe firmate RBTA o ROBETA, ricordato dal Vasari come l'orafo Robetta. La sua opera incisoria (Hind 1938-1948, I, 1938, pp. 197-209) si caratterizza per una evidente eclетticità: dai maestri nordici, quali Martin Schongauer e Albrecht Dürer, egli ha ripreso la tecnica e si è ispirato per la resa degli sfondi naturali e dei paesaggi; per le figurazioni e le fisionomie si è rifatto piuttosto a modelli italiani, attingendo variamente alle opere, dal 1460 al 1500, di Filippino Lippi, Pollaiolo, Verrocchio, Signorelli e Perugino. Sebbene non vi sia una datazione precisa per le sue stampe, esse risalgono ai primi tre decenni del Cinquecento e sono state raggruppate per sequenza di esecuzione (Levenson 1973, pp. 289-304; Zucker 1984, pp. 527-570).
La presente incisione si inserisce in un gruppo di opere a soggetto mitologico e allegorico che appartengono a un periodo maturo della sua produzione. Il tema raffigurato, la cui interpretazione rimane piuttosto discussa, è solitamente definito come *La scelta di Ercole* (sull'argomento cfr. Panofsky 1930). Secondo Zucker il Robetta, dimostrando di non saper maneggiare molto bene i temi classici, ha rappresentato un femmineo Ercole che si volge incerto nella scelta verso le due donne (sebbene quella di spalle sembri piuttosto maschile) che simboleggiano la Virtù e il Vizio, mentre le Grazie e gli amorini accompagnano la personificazione del Vizio. Tra le varie letture possibili a livelli diversi, si può alternativamente interpretare le tre Grazie come un'allegoria della Virtù, e le figure di destra come una coppia di amanti che rappresenta invece l'allegoria della Voluptas (Levenson 1973, p. 300). Anche secondo Panofsky infatti (1930, p. 104), la capigliatura della donna con le trecce annodate sul petto sarebbe tipica per la rappresentazione della Voluptas nelle scene di Ercole al bivio. Certo il gesto di difesa di questa suscita una certa perplessità in una tale interpretazione. La difficoltà di interpretare la scena è in parte dovuta anche al modo in cui l'incisore operava. Il Robetta infatti era solito utilizzare figure prese in prestito da altri artisti, e non create appositamente per le sue composizioni. Il riadattamento delle figure ha determinato spesso una relazione non chiara tra di loro e un effetto sproporzionato e posticcio. In questo caso è evidente che Ercole è ripreso da una scultura antica: effetti del riadattamento sono forse l'ambiguità della direzione dello sguardo e della collocazione nello spazio (per esempio la clava va dal braccio sinistro avanzato al piede corrispondente passando dietro l'anca); o la sproporzione delle gambe troppo allungate rispetto alle dimensioni del busto, dovuta al tentativo di equiparare i personaggi in primo piano. Nelle altre figure sono individuabili citazioni da artisti coevi, soprattutto da Filippino per quelle femminili, e da Luca Signorelli. Ad esempio la figura maschile di spalle corrisponde nella posa (escluse le gambe), nella tipologia anatomica e nell'effetto plastico al suonatore di flauto dell'*Allegoria di Pan* di Signorelli già a Berlino (1488 circa): la difficoltà di articolazione del braccio sinistro nella figura del Robetta potrebbe essere un sintomo della modifica del modello signorelliano.
Se da una parte le singole figure del Robetta sono per lo più imprestate, dall'altra le sue composizioni risultano originali e significative per varietà d'invenzioni e profondità di simbologie, e appaiono come diretta emanazione dell'ambiente umanistico mediceo dell'ultimo decennio del Quattrocento. Anche la pratica di "comporre insieme" i modelli era in quell'epoca una pratica comune che troviamo in Signorelli e Pollaiolo, e ancora in Michelangelo: importanti erano l'invenzione e l'azione. Il riprendere modelli aulici era un pregio e una garanzia per la propria creazione.

Riferimenti bibliografici

Hind 1938-1948, I, 1938, p. 207, n. 33 (con bibl.); Oberhuber 1966, n. 100; Bellini 1973, n. 35; Levenson 1973, pp. 298, 300; Zucker 1984, n. 2521.038 (con bibl.).

[L.M.]

1. Arte romana, sarcofago con *Fatiche di Ercole*, particolare. Firenze, Galleria degli Uffizi.

1. Antonio e Piero Pollaiolo,
Martirio di san Sebastiano, intero e particolari.
Londra, National Gallery.

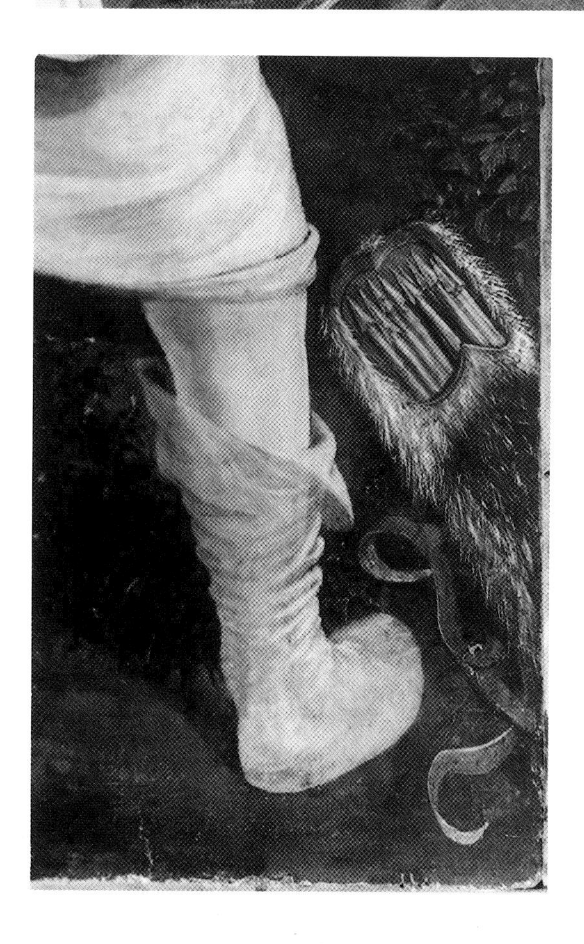

3. Arcieri e archi nell'immaginazione del giovane Michelangelo

Come dimostrano i disegni e le poesie del giovane Michelangelo, l'ideale del bell'arciere rintracciabile nel *Fanciullo* di New York aveva un profondo significato per l'artista. Le opere esposte in questa sezione includono disegni fra i più famosi del giovane Michelangelo. Nel disegno del Louvre con frammenti di poesia, il confronto fatto dall'artista fra "Davicte cholla frombola, et io choll'archo" sembra fare riferimento sia agli strumenti dello scultore come il trapano ad arco e la "saettuzza" – uno dei ferri preferiti dal giovane Michelangelo – sia all'idea del tiro con l'arco come metafora della visione artistica. Nel famoso foglio col sonetto accompagnato dall'autoritratto di Michelangelo sul ponteggio della Cappella Sistina, l'artista stesso diventa l'arco. Va notato anche che la borsa nella quale venivano portati gli strumenti dello scultore somigliava, sia per forma che per uso, alla faretra dell'arciere. È da chiedersi come dobbiamo interpretare la strana faretra "involta in pelle di fiera" del *Fanciullo arciere* di New York. Gli inventari laurenziani ci insegnano che il Magnifico riceveva regolarmente come tributo un certo numero di archi soriani, ed esponiamo qui un esempio di arco e faretra orientale a forma di gamba d'animale conservata presso il Museo Stibbert. Faretre ricavate da zampe di leoni si trovano nel *Martirio di san Sebastiano* (1475) di Antonio e Piero del Pollaiuolo alla National Gallery di Londra, ma non abbiamo trovato esempi ancora esistenti di questo strano tipo.

Michelangelo Buonarroti
Caprese 1475 - Roma 1564

75. *Studio per un David con la testa di Golia, studio di un braccio* (recto); *studio di un uomo che scava, cinque studi di particolari anatomici* (verso)

Penna con inchiostro bruno, mm 262 × 185;
Iscrizioni: in alto a destra con la calligrafia di Michelangelo: "Davicte cholla Fromba/ e io chollarcho/ Michelagniol(o)"; a destra in basso: "Rocte lalta cholonna elverd"
Parigi, Louvre, Département des Arts Graphiques, inv. n. 714 recto e verso
OPERA NON IN MOSTRA

Il progetto michelangiolesco di una statua di *David* vittorioso è il risultato del nobile rivaleggiare con l'incantevole bronzo di Donatello, che un tempo ornava il cortile di palazzo Medici. Per assicurarsi il favore del maresciallo di Gié, Pierre de Rohan, e con ciò anche la protezione militare delle truppe francesi, la Signoria fiorentina non badò a spese nel decidere di donare al favorito del re di Francia una variante del *David* di Donatello, della cui esecuzione fu incaricato Michelangelo il 12 agosto 1502 (Echinger-Maurach 1998a, pp. 302-323, con bibl. completa). L'artista si attenne in tutto al celebre modello e al pari tempo lo superò nella rappresentazione dell'eroica nudità del vincitore che, compiaciuto della vittoria, si curva all'indietro posando lievemente il piede sul capo mozzato dell'avversario. Per poter mantenere questa posizione, punta la mano sinistra al di sopra della sacca da pastore cadente verso il basso, mentre la mano destra si stende in avanti per impugnare una spada o una frombola: nello studio particolare di un braccio eseguito accanto, sulla mano è riconoscibile il dito indice ripiegato nel quale potrebbe inserirsi una frombola. Osservando il nobile volto del giovane appare evidente che i suoi pensieri non sono più rivolti alla battaglia, ma si proiettano nel futuro, quando assumerà la guida del suo popolo, proteggendolo e governandolo con giustizia. Le enigmatiche parole "Davicte cholla Fromba/ e io chollarcho/ Michelagniol(o)" riportate a destra accanto allo studio del braccio, possono essere interpretate come una riflessione sulle conseguenze dell'abile e ben calibrato colpo di frombola. Non è certo errato riconoscere nelle svariate interpretazioni di queste parole che la freccia e l'arco con i quali Michelangelo cerca, come David con la sua fionda, di tirare e colpire, siano da interpretare come un riferimento al suo operato artistico: anch'esso riesce solo se il "tiro" è assestato, cioè quando lo sguardo esaminatore dell'occhio esercitato dell'artista è in grado di valutare la riuscita o il fallimento della propria opera (Echinger-Maurach 1998a, pp. 309, 336-338, con bibl. completa).
Negli studi di nudo del verso, eseguiti con accuratezza, l'artista cerca di raffigurare la correlazione tra muscolatura e articolazione, come appaiono sotto la pelle nel corso di particolari attività. Senz'altro corretto è il riferimento all'*Adamo* di Jacopo della Quercia sulla facciata di San Petronio a Bologna e rispettivamente al *Noè* dello stesso Michelangelo sul soffitto della cappella Sistina, a proposito della figura dello scavatore, proposto da Tolnay (Tolnay 1975-1980, I, 1975, n. 19 verso). In una serie di altri fogli l'autore si pone, come qui, il problema di raffigurare correttamente una schiena maschile (cfr. Tolnay 1975-1980, I, n. 17 verso, n. 18 verso, n. 47 verso). Gli studi, che non hanno ancora raggiunto piena maturità, si possono facilmente datare alla stessa epoca di quelli del recto, vale a dire al 1502, poiché è probabilmente da ignorare la datazione all'autunno 1501 dello studio di braccio sul recto (Echinger-Maurach 1998a, p. 310).
[C.E.-M.]

Su questo foglio, generalmente datato 1502 circa, che contiene schizzi per il perduto David di bronzo e probabilmente anche per il braccio del David (cat. n. 59) di marmo, Michelangelo ha scritto qualche frammento di poesia. Le due prime righe (non prendiamo in considerazione qui la terza) sono generalmente interpretate così: Quello che David ha fatto con la fromba (cioè uccidere il gigante), io, Michelangelo, farò con l'arco. La più parte dei critici ritiene che con quest'arco Michelangelo volesse alludere al tipo di trapano caricato su un arco usato dagli scultori dell'epoca (Seymour 1974; Summers 1981; Lavin 1992; Kliemann 1996). Lavin e Kliemann hanno notato che l'idea dell'arco deriva inoltre da una vec-

1. Donatello, *David*. Firenze, Museo Nazionale del Bargello.

recto

verso

chia tradizione emblematica e poetica, secondo la quale il tiro con l'arco diventa la metafora dello sguardo e di molti concetti annessi, così le saette di Cupido, la visione, la comprensione, l'ingegno, il giudizio ecc. – soprattutto per quanto riguarda le arti del disegno.

Nel disegno del Louvre, David è già molto più muscoloso e sicuro di sé rispetto al modello delicato del *David* bronzeo di Donatello, anche se quest'ultimo è già più avanzato negli anni in confronto con la tradizione iconografica secondo la quale David era un bambino o fanciullo di debole forza fisica, che non avrebbe potuto sconfiggere il gigante senza l'aiuto divino. Il braccio schizzato per il *David* marmoreo di Michelangelo è ancora snello nel disegno del Louvre e la critica ha sempre visto un riferimento all'adolescenza nella testa, nelle mani e nei piedi grandi. Nondimeno, nella stessa scultura colossale, il potere divino dato a David si rivela ora in modo opposto. David è già più adulto, e così riflette ancor più pienamente la forza della volontà di Dio, nella sua propria forza e perfezione umana, che gli permette di vincere.

Paragonandosi a David, Michelangelo si descrive in effetti come un altro David, fanciullo che riesce a trionfare sostenuto dalla forza divina, ma facendo uso dell'arco invece che della fromba. Un tale parallelo crea subito una facilissima associazione mentale con l'altro tenero fanciullo vincitore con l'arco, cioè Cupido. Il suo potere divino è così grande che trionfa sugli esseri umani, gli dei, e la natura stessa. *Amor vincit omnia*.

Non voglio dire che Michelangelo, con il suo senso di personale bruttezza, ritenga di essere vincitore come Cupido, dio d'amore in senso stretto. Ma il dio d'amore, come anche un'Apollo saettatore, vince con i suoi inevitabili strali che furono capiti come metafora dello sguardo e allo stesso tempo come causa dell'innamoramento e come strumento dell'acutezza visiva e intellettuale. Per questo argomento servirebbe anche un giovane dio delle arti e della musica, un Apollo saettatore.

In ogni modo, come il suo David vince anche per la sua bellezza come scultura, così anche la sua giovane creatura vince per il potere attraente della bellezza visiva.

Per confronti suggestivi con la statua newyorkese del *Fanciullo arciere*, vedi cat. n. 39.

[K.W.-G.B.]

Michelangelo Buonarroti
Caprese 1475 - Roma 1564

76. *Sonetto con autoritratto dell'artista che dipinge la Volta Sistina*

Penna e inchiostro, mm 283 × 200
Firenze, Casa Buonarroti, Archivio,
inv. n. XIII/ 111

Iscrizione sul recto: "I'ò già facto u[n] gozo i[n] questo ste[n]to, / chome fa l'aqua a' gacti i[n] Lonbardia / over d'altro paese ch[e] essi (ch(e) essi, canc.) che si sia / ch'a forza 'l ve[n]tre apicha socto 'l me[n]to. / La barba al cielo, e lla memoria sento / i[n] sullo scrignio, e 'l pecto fo d'arpia, / e 'l pennel sopra 'l viso tuctavia / mel fa, gocciando, u[n] richo pavime[n]to. / È lo[m]bi entrati mi so[n] nella peccia, / e fo del cul p[er] cho[n]trapeso groppa, / e' passi se[n]za gli ochi muovo i[n]vano. / Dina[n]zi mi s'allung[n]ga la chorteccia, / e p[er] piegarsi adietro si ragroppa, / e te[n]domi com'archo soriano. / Pero' fallace e strano / surgie il iuditio ch[e] la me[n]te porta, / ch[è] mal si tra' p[er] cerboctana torta. / La mia pictura morta / dife[n]di orma', Giovanni, e 'l mio onore, / no[n] se[n]do i[n] loco bo[n], né io pictore" (di mano di Michelangelo; trascrizione tratta da Barocchi 1962-64, II, 1964, n. 176)
Iscrizione sul verso: "A Giovanni, a quel / proprio da Pistoia" (di mano di Michelangelo)

Nel foglio, accanto al sonetto, l'artista ha buttato giù un rapido schizzo che lo ritrae mentre dipinge *La Creazione del sole e della luna* nella volta sistina. Quindi i versi si possono datare negli anni in cui Michelangelo affrescava la seconda parte della volta della cappella Pontificia (1511-12).
Lo schizzo fornisce una documentazione preziosa riguardo la posizione tenuta dall'artista affrescando. Se la critica popolare fraintendendo il ricordo di Paolo Giovio ha sempre immaginato Michelangelo disteso sul ponteggio in atto di dipingere, invece il foglio di Casa Buonarroti documenta in maniera inequivocabile che l'artista lavorava in posizione eretta. In più, le poche tracce indicando una scaletta inclinata sotto i piedi, offre un'indicazione precisa – spesso negletta – della struttura del ponteggio, un argomento ancora molto dibattutto (vedi *La Cappella Sistina*.... 1994, III).
In un gioco composto di parole e immagini simultanee, volutamente impostate in modo caricaturale, Michelangelo descrive se stesso con vocaboli e similitudini ridicoli e brutti. Si lamenta come il lavoro sui palchi sospesi nel vuoto dell'aula provochi una sempre crescente distorsione, perché deve tendersi "com'arco soriano" (ovvero siriano), sia sul proprio fisico che nel proprio giudizio che finisce per tradire la realizzazione di quest'opera – e forse di qualsiasi opera almeno di pittura.
L'artista ha cura di ritrarsi con il corpo teso all'indietro come un arco esattamente a fianco dei versi che fanno riferimento a tale tema.
Michelangelo conosceva bene l'arco soriano, la cui esistenza nella Firenze di tardo Quattrocento è documentata dall'inventario dei beni del Magnifico del 1492 (*Libro d'inventario...* 1492, ed. 1992). Questo tipo di arco ha la particolarità di dover essere incurvato all'indietro quando viene armato e messo in tensione cosicché l'impugnatura fuoriesce in avanti proprio come il ventre dell'artista nel disegno (cfr. cat. nn. 78a-78b).
Come hanno notato gli studiosi, sotto questo primo livello burlesco e scherzoso sono percepibili altri registri di diverso significato (vedi a questo riguardo Lavin 1993; Kliemann 1996; inoltre sugli affreschi sistini cfr. Weil-Garris Brandt 1994 con bibl.). Divenuto una imperfetta immagine di Dio a causa del peccato originale l'artista-uomo non può sperare di avere o di rappresentare altro che un'immagine distorta e ridicola della bellezza divina e del suo Creatore. Traspare il forte senso della propria bruttezza e incapacità che sembra ossessionare Michelangelo dalla giovinezza sino alla fine dei suoi giorni.
L'impiego della forma del "sonetto caudato", l'intonazione nello stesso tempo scherzosa e amara, a cui mira la scelta del vocabolario e delle immagini "basse", imitano la poesia burlesca. Portato poi alla notorietà dall'opera di Francesco Berni (1513-1574), questo genere letterario era già stato promosso e personalmente praticato da Lorenzo il Magnifico e dalla sua cerchia (Saslow 1991, pp. 70-72).
L'immagine stessa dell'arco soriano come similitudine per il corpo umano "torto", risale al Berni e sarà di nuovo ricordata da Michelangelo in versi "grotteschi" ritenuti databili intorno al 1523 (ed. Girardi 1962, n. 20, cit. in Saslow 1991, p. 92: "Torte piu c'in arco di Sori'a"). Per il tema dell'arco e degli arcieri nel pensiero dell'artista si veda in questa sezione la scheda riguardante lo studio per il *David* bronzeo al Louvre e il saggio *Primordi di Michelangelo scultore*.
I versi burleschi del disegno di Casa Buonarroti potrebbero sembrare nient'altro che uno scherzo letterario indirizzato a un amico. Tuttavia la scelta stessa di tale genere poetico trova di per sé corrispondenza con il contenuto espresso dai versi .
In questo sonetto si trovano anche altre immagini poetiche che diventeranno successivamente topoi michelangioleschi. Per esempio, emerge la propria "chorteccia" o pelle come una veste "superficiale" spregevole. Questo concetto si svilupperà nell'autoritratto dell'artista celato nella pelle del san Bartolomeo rappresentato nel Giudizio sistino.
[K.W.-G.B.]

Io gia facto ūgozo · ī questo · stēto
chome fa laqua agacti i lonbardia
over daltro paese ~~che essi~~ che si sia
cha forza luētre apicha socto lmēto

La barba · al cielo · ella memoria sento
i sullo scrignio el pecto fo darpia
el pennel sopra luiso tuctavia
mel fa gocciando ū richo pavimēto

E lōbi entrati miso nella peccia
e fo del cul p chōtrapeso groppa
e passi seza gliochi muovo ī vano

Dinazi misallūga la chorteccia
e p piegarsi adietro si ragroppa
e tēdomi chomarcho soriano

p̄o fallaci e strano
surgie il indictio che la mēte porta
chi mal si tra p cerboctana torta

la mia pictura morta
di fedi orma giovanni el mio onore
nō sedo ī loco bō ne io pictore

s. 5.

Anonimo

77. *Gli arcieri* (da Michelangelo)

Matita rossa, mm 206 × 315
Firenze, Gabinetto Disegni e Stampe degli Uffizi, inv. n. 1269 S

Questa copia riproduce un disegno di presentazione che si trova nella Royal Collection di Windsor. Eseguito da Michelangelo per un amico a noi sconosciuto intorno al 1530, si ha l'impressione che l'originale fosse già passato in possesso dei Farnese entro il 1550, quando un particolare di questo venne riutilizzato come impresa dal cardinal Alessandro. La presente copia, come già notato da Barocchi, sembra essere stata tratta dall'originale quando questi era già stato ridotto, e probabilmente postdata il disegno di Bernardino Cesari collocato intorno al 1600, pure conservato a Windsor, poiché quest'ultimo mostra il disegno di Michelangelo nella sua interezza.
Michelangelo raffigura una gara di tiro all'arco che si svolge, apparentemente, fra umani e divinità: la dea Diana entra in scena da sinistra. Nella gara, che trae spunto dalle esercitazioni militari romane, le frecce sono scagliate contro uno scudo sospeso e solo quelle che lo colpiscono in pieno si conficcano. Mentre il significato complessivo della scena rimane elusivo, l'idea sembra essere quella che le frecce dell'amore raramente colpiscono il loro obiettivo e che, in aggiunta alle loro difficoltà, gli arcieri dovranno contrastare con le strategie dei maliziosi putti che si trovano in basso a sinistra, e che sono in procinto di sollevare una cortina di fumo. Non è chiaro se Cupido, rannicchiato nel sonno in basso a destra, abbia perso tutte le speranze di riuscire a insegnare ai suoi seguaci a colpire nel segno, abbandonandoli ai loro espedienti, o se l'intera scena sia la materializzazione del suo sogno.
I pensieri di Michelangelo intorno al 1530 erano assai occupati dai dardi d'amore: più o meno intorno allo stesso periodo fece un altro disegno di presentazione conosciuto attraverso uno schizzo preparatorio autografo (Uffizi inv. n. 251 F, Barocchi 243) e una copia eseguita da Salviati (Uffizi inv. n. 14673F); stranamente identificato come un'*Allegoria della Prudenza*, il soggetto di fatto è una *Venere*, che, dopo aver messo da parte una delle sue maschere ingannevoli, contempla il proprio viso in uno specchio mentre Cupido, di nascosto, lancia frecce.
Strettamente collegato è un famoso disegno per un dipinto – che doveva essere eseguito da Pontormo – per l'amico Bartolomeo Bettini. La maniera di Michelangelo di affrontare il tema di *Venere che disarma Cupido* è complessa e ironica. Con l'arco che giace da una parte, appoggiato su uno scrigno che contiene le maschere di Venere, Cupido si alza sulla punta dei piedi verso la madre in una soluzione molto simile a quella che Michelangelo aveva impiegato un po' prima in un disegno di *Dalila vincitrice su Sansone* (Ashmolean 319). Venere permette a Cupido quest'ingannevole libertà solo per strappargli una freccia che potrebbe risultare pericolosa per lei. Ma mentre gliela sfila dalle dita, e Cupido cerca di trattenerla, la sua contorsione sbilancia a tal punto la faretra che questa si capovolge e, senza che i due se ne accorgano, le frecce raccoltevi – con le punte verso l'alto, contro tutti i principi dell'arte del tiro con l'arco – cadono in avanti e le gambe di Venere rischiano di essere colpite in più punti. Michelangelo pertanto costruisce un fitto discorso poetico sulle delusioni d'amore e produce allegorie sull'impossibilità di evitare le sue ferite. E i pericoli non sono finiti: le frecce ammonticchiate sulla sinistra sono rivolte all'interno, come una batteria di munizioni.

Riferimenti bibliografici

Barocchi 1962, n. 280.

[P.J.]

1. Michelangelo, *Gli arcieri*. Windsor Castle, Royal Library, inv. n. 12778 recto.

Arte anatolica
prima metà del XVII secolo

78a. *Yayin, arco soriano*
Legno, corno, tendini, vernice, seta, lunghezza cm 100
Firenze, Museo Stibbert, inv. n. 6383
L'arco, in legno a sezione variabile, è listato di corno e rivestito di tendini. La superficie è decorata con motivi floreali su fondo dorato. L'arco è armato da una corda di tendini rivestita di fili di seta bianca, verde, rossa e dorata

78b. *Kirban, turcasso da arco soriano*
Pelle, argento, filo d'argento, corallo, lunghezza cm 55 circa
Firenze, Museo Stibbert, inv. n. 6411
Il turcasso è di pelle bruna e ha il lato destro sagomato. La parte esterna è ricamata con filo d'argento a motivi floreali e arabeschi. Quella interna è di cuoio grezzo. Al centro un fiore ricamato reca incastonato un piccolo corallo. In alto, a destra, c'è una piccola borchia in argento intagliato a giorno.
Una trentina di frecce (*oki*), mancanti di turcasso (*kerkesch*)

L'arco soriano, detto anche arco di Siria, rappresentò nell'Occidente per secoli l'arma per eccellenza del guerriero islamico, in particolare quello ottomano. Originario della Siria, con il tempo la denominazione "arco soriano" fu usata generalmente per tutti gli archi compositi di provenienza medio-orientale (per la terminologia "arco soriano" vedi la scheda introduttiva alla tipologia nel catalogo di Boccia 1991, pp. 221-222, scheda n. 509).
Archi compositi sono documentati tra reperti archeologici provenienti dai dintorni del lago Baikal fin dal neolitico. Diffuso su tutto il territorio asiatico, soprattutto in Cina e in Mongolia, il suo trasferimento in Occidente avvenne tramite l'espansione romana. Nel 53 a.C., l'esercito romano del console Crasso subì a Carre una tragica disfatta a opera dei Parti, armati con archi leggerissimi e di estrema precisione. Successivamente anche i Romani usarono quel tipo di arma per le loro truppe assoldate tra i popoli sconfitti su territori asiatici (*Die Türken vor Wien*... 1983, pp. 197-202). Più tardi l'arco fu adoperato soprattutto dai popoli barbari come gli Unni, gli Avari e i Magiari. Con l'avvento dell'Islam l'arma arrivò alla sua perfezione tecnica e la sua grande validità come arma da getto fu una delle ragioni della rapida espansione musulmana. Nel Vicino Oriente si distinse soprattutto la produzione siriana da cui la tipologia prese poi il nome. Questi archi divennero un ricercato articolo d'esportazione, ma successivamente la stessa tecnica venne adottata per gli oggetti prodotti su tutta la penisola arabica e sui territori di dominio ottomano. Molto apprezzato anche in Occidente, soprattutto per la caccia, dalla metà del Quattrocento in Italia l'arco fu surclassato dalla balestra, e non solo in guerra dove ormai quest'arma si era affermata da un secolo, ma anche nelle attività venatorie. (Per la storia relativa agli archi compositi, in particolare quelli soriani, vedi il trattato turco del 1847, tradotto e rivisto da Hein 1925, pp. 289-360, e 1926, pp. 1-78 e 233-294. Vedi anche. Stone 1934, ed. 1961, pp. 130-137.
La particolarità di questi archi consiste nella loro massima efficienza, legata al rapporto tra una straordinaria resistenza del materiale e un peso e ingombro minimi. Rispetto agli archi inglesi, altra arma di grandissima fortuna sia militare che venatoria, gli archi soriani misuravano soltanto circa un terzo in lunghezza e peso. Questi risultati venivano raggiunti grazie a una tecnica elaboratissima e a una lunga lavorazione da parte di artigiani espertissimi che poteva durare anche un anno. Gli archi soriani fanno parte della tipologia degli archi compositi, chiamati così per la varietà di materiali con cui sono fabbricati. L'anima era composta di un legno molto elastico, rinforzato alle convessità con pezzi di corno di bufalo. Il tutto era rivestito con tendini di cammello o di bufalo per rendere più elastico l'insieme, che veniva incollato con colle animali. Il rapporto tra i vari materiali non era fisso, ma cambiava in proporzione al clima del territorio e alla stagione. L'arco, ancora non armato o in posizione di riposo tra un uso e l'altro, ha la forma di una C con le parti terminali piuttosto chiuse. Per mettere l'arma in tensione, il tutto veniva riscaldato e, con l'aiuto della corda, fatta di tendini o di seta grezza, incurvato all'indietro. Sotto lo sforzo della corda, l'arco acquistava la sua caratteristica forma. La tensione dell'arco soriano, necessaria per raggiungere la potenza del getto, era talmente alta che non poteva essere teso a mani nude, ma solo con l'aiuto di un particolare anello per proteggere il pollice destro e di una piastrina metallica per il dorso della mano sinistra, piastrina sulla quale era scavato un solco per dare alla freccia stabilità nella direzione. La corda doveva essere tesa fino a dietro l'orecchio dell'arciere e non soltanto fino al mento come nel caso dell'arco europeo. Il Museo Stibbert conserva un interessante nucleo di anelli da arciere che potevano essere di corno, pietre dure, bronzo o avorio. A completare l'attrezzatura dell'arciere veniva usato un turcasso per l'arco, che doveva proteggere la preziosa arma contro l'umidità e lo sporco e renderne meno ingombrante il trasporto, e un secondo turcasso, più piccolo, per le frecce. Secondo il loro impiego da caccia, da allenamento da tiro a segno o da guerra, le frecce presentavano punte metalliche, lunghezze e legni diversi (*Die Türken vor Wien*... 1983, pp. 197-202). Ambedue i turcassi si portavano legati intorno alla vita. L'arco, i turcassi e perfino le frecce erano decorati *en suite*. In Italia fornimenti completi da arciere, provenienti dalla collezione Cospi o Marsigli, ambedue combattenti contro i Turchi, sono conservati al Museo Civico Medievale di Bologna. Accanto alle collezioni di Vienna, il Badisches Landesmuseum di Karlsruhe in Germania possiede una delle raccolte più ricche di questo genere, frutto di un bottino da parte del conte palatino Ludovico Guglielmo di Baden Baden. Il suo successo contro i Turchi durante la battaglia di Slankamen a nord-ovest di Belgrado con la conquista di uno dei più ricchi bottini bellici della storia militare gli valse il soprannome "Luigi dei Turchi" (cfr. Boccia 1991, pp. 221-227; *Die Karlsruher Türkenbeute*... 1991). La decorazione dell'arco consisteva in raffinati arabeschi a motivi floreali, laccati e dorati. Spesso sulle superfici si presentano iscrizioni con indicazioni del proprietario o

versi del Corano. Anche se i modelli da guerra e da caccia non presentano differenze tecniche, dal Cinquecento gli archi da caccia si distinsero per le preziose decorazioni rappresentanti scene di caccia. I turcassi e le frecce erano riccamente ornati per rendere l'insieme un prezioso corredo del cavaliere. Nei ranghi militari il titolo "arciere" era fino al secolo scorso una delle maggiori onorificenze. L'esercizio con l'arco era una pratica religiosa. Secondo la fede islamica, Dio donò ad Adamo l'arco e la freccia.
Le straordinarie prestazioni, insieme alla grande qualità di esecuzione di queste armi, contribuirono alla loro fama, documentata anche dall'iconografia artistica. L'arco soriano fu molto apprezzato a Venezia per l'ovvio motivo dello stretto contatto della repubblica marinara con la cultura ottomana, e il Carpaccio illustra quest'arma nelle *Storie di sant'Orsola*. A Ferrara, nel ciclo dei *Mesi* di palazzo Schifanoia, gli archi soriani, completi di turcassi e frecce, sono le armi dei Gemelli, del Leone e della Bilancia (Boccia 1992, pp. 223-227). Uno studio del Pisanello a matita e inchiostro (Chicago Art Institute, Margaret Day Blake Collection) offre forse una delle testimonianze più precise di questa tipologia. In questo caso l'arco, di cui si riconosce bene la tipica curvatura, è completo del suo turcasso e del secondo turcasso contenente le frecce. Ancora nel Seicento l'arco soriano faceva parte dell'armamento di un cavaliere polacco in passato attribuito a Rembrandt (New York, Frick Collection).
Fin dal Quattrocento abbiamo la testimonianza di archi soriani di origine ottomana in Italia. Gli inventari delle armerie dei principi di Acaia in Piemonte, redatti tra il 1418 e il 1438, citano alcuni archi ornati con pennacchi e seta bianca, di cui "uno di Turquia" (Conta 1977, pp. 410-427). Dopo la conquista di Costantinopoli e la cacciata dei patriarchi nel 1453 da parte degli ottomani, il contatto con il mondo turco fu sempre più stabile e gli scambi culturali ed economici si intensificarono. Questo si rispecchia anche nel collezionismo artistico. I motivi per possedere queste armi erano il valore sociale e religioso riconosciutogli dalla cultura islamica, il valore tecnico e artistico degli oggetti stessi, nonché la curiosità per quello esotico e anche esoterico (vedi il pugnale ottomano magico in Legati 1677). Le raccolte di signori e principi furono arricchite da bellissimi archi completi di fornimenti, giunti come doni diplomatici da ambascerie turche. Un'altra fonte erano i bottini di guerra. La basilica di San Marco e più tardi anche la chiesa dell'ordine di Santo Stefano a Pisa conservavano bottini e trofei ottenuti dopo incursioni saracene e ottomane (Von Schlosser 1908, pp. 1-21).
La presenza di archi orientali nelle collezioni medicee è documentata fin dalla fine del Quattrocento. Nell'inventario dell'armeria di Lorenzo de' Medici nel palazzo di via Larga, redatto nel 1492 e di cui ci è pervenuta una copia del 1512, sono elencati "XVI archi turcheschi belli" (De Cosson 1914, pp. 387-392. L'inventario è stato pubblicato da Scalini 1983, pp. 24-39). L'interesse per le "turcherie" continuò anche con gli ultimi Medici. In una sala negli Uffizi, accanto alla famosa armatura dello scià di Persia, si conservavano anche armi turche, poi disperse con la riorganizzazione di questi ambienti sotto Pietro Leopoldo di Lorena (Heikamp 1966, pp. 66-73). Una delle poche testimonianze salvatesi dalle dispersioni delle collezioni medicee ci è offerta da un turcasso sontuosamente decorato, e conservato al Museo Nazionale del Bargello. Questo esemplare probabilmente faceva parte di un dono di un'ambasceria turca inviato a Cosimo III de' Medici (*Eredità dell'Islam...* 1993, p. 404, n. 255).
[S.E.L.P.]

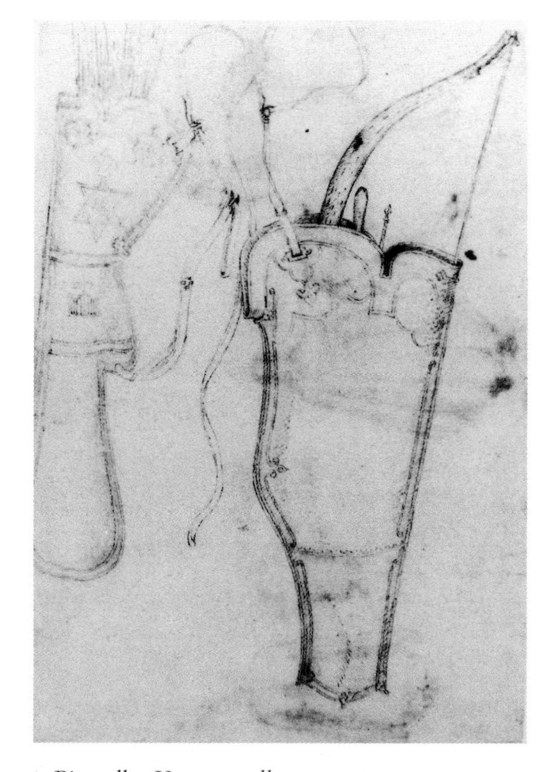

1. Pisanello, *Un arco nella sua guaina e un turcasso*. Chicago, The Art Institute, M.D. Beake Collection, inv. n. 1961. 331 verso.

Sulle tracce di un *Apollo* perduto e di un *Fanciullo* ritrovato: Firenze, Roma, New York

Questa sezione riunisce alcune immagini che illustrano le tappe della ricerca che ha riportato alla luce il *Fanciullo* newyorkese; dopo il libro di Ulisse Aldrovandi che descrive l'*Apollo* di marmo di Michelangelo nella collezione Galli (cat. n. 53), piante e vedute della villa Borghese dove l'opera si trovava nel Seicento, e fotografie del *Fanciullo* nella casa dell'antiquario Stefano Bardini, che comprò la statua dalle collezioni Borghese e la vendette all'architetto Stanford White. Questi la collocò nel cortile del nuovo palazzo di Payne Whitney in Fifth Avenue, New York.

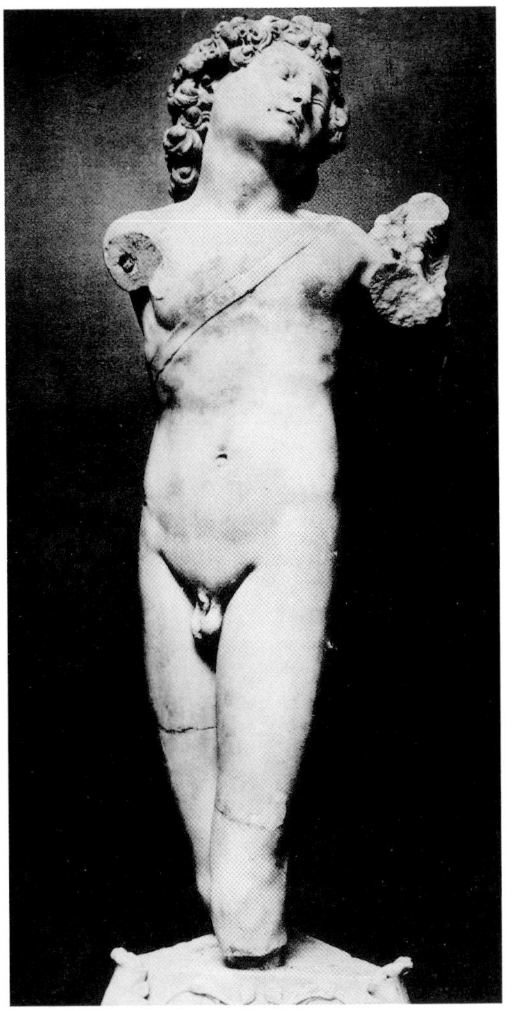

Il *Fanciullo Arciere*, nella collezione Bardini.

Simon Felice Delino
XVII secolo
79. *Pianta del giardino di villa Borghese*

Incisione su carta, cm 43 × 58,5
Stampata a Roma per Gio. Jacopo Rossi, prima edizione nel volume di Faldi, *Li Giardini di Roma*, Roma 1667, tav. 16, tiratura inizio secolo XX.
Iscrizioni: "Simon Felice delino. delin.'et sculp: G. Iac. Rossi le stampa alla pace con Priv. Del S. Pont. 16"; nel cartiglio: "PIANTA DEL GIARDINO DELL'ECCELL.MO SIGNOR PRENCIPE BORGHESE FUORI DI PORTA PINCIANA"
Roma, Galleria Borghese, inv. n. 415

La pianta prospettica della villa Borghese del 1670, disegnata e incisa da Simon Felice Delino, introduce nella forma e funzione del giardino della villa pinciana a Roma. Non essendo intervenute modifiche essenziali alla struttura del giardino all'epoca, l'incisione riveste un ruolo significativo per documentare le originarie intenzioni dell'impianto della villa del cardinale Scipione Borghese che ne fu ispiratore.
L'incisione è di particolare interesse nel contesto di questa mostra, poiché la pianta prospettica illustra anche il contesto della posizione della statua del *Fanciullo arciere* di Manhattan: questa infatti fu collocata nel muro perimetrale della villa non lontano dal fianco destro del teatro (numero 12 nella pianta), vicino all'angolo del muro, come precisato da Weil-Garris Brandt (1997) che fa riferimento alla descrizione del Manilli risalente al 1650: "Cupido senz'ali, coll'arco à i piedi, appoggiato ad un vaso, e con le saette involte in una pelle di fiera". Questa descrizione è corrispondente alla statua di Manhattan, distinta da una rara iconografia per tre elementi: la mancanza delle ali di Cupido, le saette in una pelle di fiera, quindi non nella faretra consueta, e l'appoggio a un vaso. Viene pertanto confermata la provenienza "Borghese" dichiarata dalla casa d'aste Christie's, che era venuta in possesso della statua marmorea attraverso l'antiquario fiorentino Stefano Bardini nel 1902.
Dei tratti distintivi del *Cupido* descritto dal Manilli, il vaso ai piedi non è più visibile per la rottura e la perdita della parte inferiore delle gambe, della base e del vaso di appoggio, tuttavia la presenza orginaria è resa evidente dal residuo dell'attacco del sostegno alla parte posteriore della gamba sinistra (segnalato da Weil-Garris Brandt 1997) in relazione a un disegno di analoga figura intera, recentemente scoperto da Draper (1997), che, eseguito da Jean-Robert Ango tra il 1759 e il 1773 durante il suo soggiorno romano, ora viene conservato nel Cooper, Hewitt Museum di New York (cat. n. 61 per in questo catalogo n. 61 per un secondo disegno della scultura). Tra il disegno e la statua le strette somiglianze appaiono evidenti, ma, nella veduta frontale, le frecce non appaiono nello scorcio visto dalle punte come nella scultura, bensì sono visibili nella parte delle aste. Secondo gli autori antichi, per esempio Ovidio nelle *Metamorfosi*, le frecce di Cupido potevano essere di diversa natura e materia, oro o argento, sia per infiammare all'amore, sia per provocare sentimenti opposti (cfr. per esempio il mito di Apollo e Dafne), quindi, oltre all'estrazione manuale come nella maggior parte delle figure della tradizione iconografica che prendono una freccia dalla faretra, a Cupido occorre un particolare esame visivo della qualità delle frecce.
Un'altra differenza tra scultura e disegno, già osservata da Draper (1997), è data dalla diversa proporzione delle rispettive figure, infatti il corpo disegnato è meno longilineo rispetto a quello del marmo; e infine, quanto all'arco ai piedi del *Cupido* Borghese descritto dal Manilli, il disegnatore non lo registra, come notato anche da Weil-Garris Brandt (1997, p. 403, nota 14).
Le differenze descritte, se non soltanto imputabili al modesto livello del disegnatore, includono anche il problema se il disegno di Jean-Robert Ango tratti della medesima statua (il *Cupido* Borghese di Manhattan) o piuttosto di una simile figura con variazioni sul tema, anch'essa correlata a un'invenzione di Michelangelo. Infatti, esisteva un notevole *Apollo-Cupido* di Michelangelo nella collezione Jacopo Galli a Roma, descritto da Ulisse Aldrovandi tra *Le antichità della Città di Roma* del 1556: "In casa di Messer Paolo Gallo... uno Apollo intiero ignudo con la faretra e saette al lato, e ha un vaso a piedi: è opera medesima di Michel'Angelo" (cfr. Manilli 1650). Per il confronto fra il testo dell'Aldrovandi e la statua Borghese, vedi Brandt 1996, p. 658 e nel saggio sul *Fanciullo* in questo catalogo. Il testo di Ulisse Aldrovandi fu collegato alla scultura di Manhattan da Parronchi (1968, pp. 131-148), questione proposta come problema da Weil-Garris Brandt e Draper (1996, p. 658 e nota 38, e 1997). Senza voler entrare nel merito dell'attribuzione del *Cupido* marmoreo a Michelangelo – avanzata nel 1968 da Parronchi soltanto sulla base di una fotografia, ma riproposta da Weil-Garris Brandt nel 1996 con conoscenza dell'originale a Manhattan, seguita da Draper che in un primo momento aveva datato la scultura alla fine del secolo XVI, mentre Hirst ipotizza in Bertoldo di Giovanni l'autore (cfr. Hirst 1999, p. 7) – va sottolineata l'importanza della nuova precisazione di Weil-Garris Brandt che fu questo il *Cupido* Borghese già inserito nel muro esterno del secondo recinto del giardino della Vigna del cardinale Borghese.
Non è stato ancora chiarito da quale collezione il cardinale Borghese avesse acquistato il *Cupido* per la genericità delle descrizioni negli inventari pervenuti. Nel 1607 il cardinale Borghese aveva comprato la ricca collezione dei marmi di Celio Ceoli (già a palazzo Ceoli, oggi Sacchetti), nel 1609 arricchì la sua collezione con le statue del lascito di Tommaso della Porta (Weil-Garris Brandt 1997, pp. 403-404 per suggerimenti specifici) e altre sculture antiche e moderne provenivano al cardinale dai vari scavi archeologici e da San Pietro (Moreno 1975-76, pp. 125-143, e in *Le collezioni...* 1981, pp. 6-7; Panofsky 1993, p. 119; Kalveram 1995, con inventari, pp. 143-154).
Nella collezione del cardinale Borghese, il *Fanciullo arciere* di Manhattan non risulta all'epoca collegato al nome di Michelangelo, nonostante la fama del suo ipotetico autore. Invece altri due rilievi cinquecenteschi, tratti da disegni di Michelangelo, si trovano nella collezione (ora inseriti tra i marmi nel portico della Villa): *Prometeo incatenato mentre l'aquila gli strappa il fegato* e la *Leda col cigno* anche la *Madonna di Manchester* entrò nella collezione Borghese

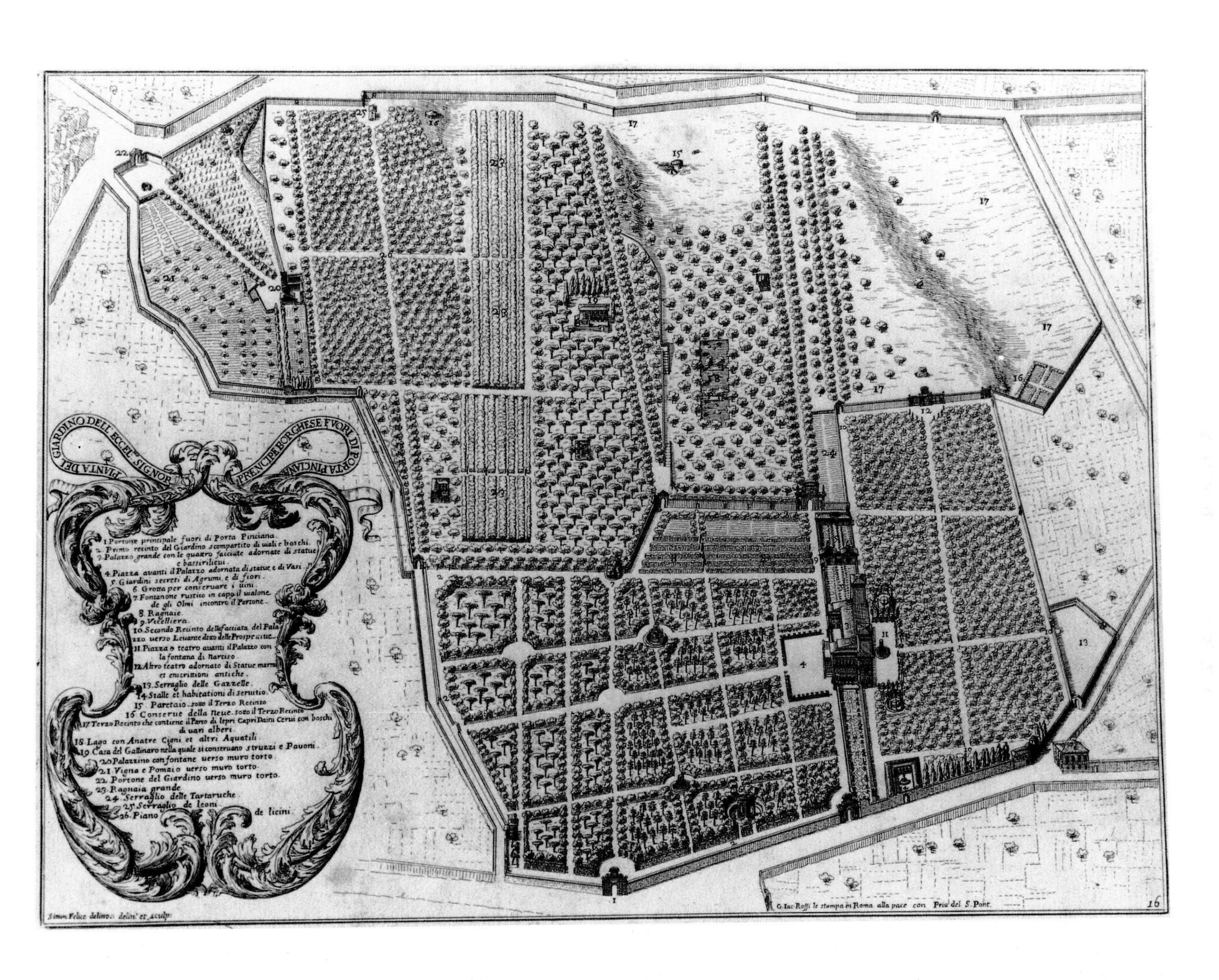

1. Portone principale fuori di Porta Pinciana. 2. Primo recinto del Giardino scompartito di viali e boschi. 3. Palazzo grande con le quattro facciate adornate di statue e bassirilievi. 4. Piazza avanti il Palazzo adornata di statue e di Vasi. 5. Giardini secreti di Agrumi e di fiori. 6. Grotta per conservare i vini. 7. Fontanone rustico in capo il vialone de gli Olmi incontro il Portone. 8. Ragnaie. 9. Uccelliera. 10. Secondo Recinto della facciata del Palazzo verso Levante detto delle Prospettive. 11. Piazza o teatro avanti il Palazzo con la fontana di Narciso. 12. Altro teatro adornato di Statue, marmi et enscrittioni antiche. 13. Serraglio delle Gazzelle. 14. Stalle et habitationi di servitio. 15. Paretaio sotto il Terzo Recinto. 16. Conserve della neve sotto il Terzo Recinto. 17. Terzo Recinto che contiene il Parco di lepri Capri Daini Cervi con boschi di vari alberi. 18. Lago con Anatre Cigni et altri Aquatili. 19. Casa del Gallinaro nella quale si conservano struzzi e Pavoni. 20. Palazzina con fontane verso muro torto. 21.Vigna e Pomaio verso muro torto. 22. Portone del Giardino verso muro torto. 23. Ragnaia grande. 24. Serraglio delle Tartaruche. 25. Serraglio de Leoni. 26. Piano de licini.

come opera di Michelangelo (Della Pergola, 1954, pp. 47-48; Hirst 1994, p. 75, n. 4). Degli scultori della Porta, vicini seguaci di Michelangelo, invece sono conservati in Galleria Borghese la serie dei busti dei dodici Cesari nel salone dell'ingresso eseguiti da Giovanni Battista della Porta, mentre il suo parente Guglielmo della Porta aveva creato uno straordinario rilievo della crocifissione, eseguito in cera e già previsto per un rilievo in bronzo non realizzato per una porta di San Pietro (Faldi 1954, nn. 48, 49). Il moto e le proporzioni delicate delle figure michelangiolesche del rilievo sembrano di interesse stilistico per il gusto del cardinale che apprezzò anche il garbato *Fanciullo arciere* di Manhattan. Quanto alla scelta dei dipinti della collezione del cardinale Borghese risulta altresì un consistente gruppo di opere degli stretti seguaci di Michelangelo pittore (cfr. Della Pergola 1959).

Il cardinale Scipione Borghese fece quindi inglobare la statua di Cupido tra le sculture della sua villa, destinando il Cupido come accento finale al muro decorativo del suo Teatro all'aperto, ad ornamento del suo "parco delle Statue antiche e moderne".

L'incisione di Simon Felice Delino faceva parte di un volume del Falda, dedicato ai magnifici *Giardini di Roma*, pubblicato nel 1670, in cui la veduta prospettica costituiva la sedicesima delle grandi illustrazioni; successivamente fu ripubblicata da J.v. Sandrart a Norimberga come incisione singola nel 1683.

Di particolare interesse storico per le funzioni dei diversi scompartimenti del giardino del cardinale Scipione Borghese è la didascalia dettagliata nel cartiglio. Le mura esterne e interne includevano in questa "cittadella" di villa Borghese, per usare il termine della descrizione di John Evelyn (1644), tre recinti differenziati. Il primo recinto dell'architettura del giardino, con viali e boschi geometrici, ornato di statue e fontane, comprendeva la vasta area davanti al prospetto principale della villa, era confinante con via Pinciana per continuare nella via Sgambati. In questo primo recinto, per chi veniva dalla città di Roma, si trovava il portone principale (tuttora a via Pinciana) che immetteva sull'asse trasversale che si concluse nella prospettiva con la grande fontana del Mascherone. Quest'ultimo, un'enorme testa grottesca nel passaggio tra la forma umana e quella delle rocce del teatro d'acqua, faceva da contrappunto rustico a un'altra veduta; girando a metà strada a destra sull'asse centrale, appariva oltre la luminosa piazza, circondata da balaustrate e statue, banchine e fontanelle, la nobile magnificenza del palazzo del cardinale, nell'eleganza delle candide forme architettoniche, ornata di statue e rilievi e distinta dalle superfici e stucchi bianchi all'antica. Nel primo recinto si trovava inoltre la grotta del Vino, oggi in prossimità di via Pinciana, ma all'epoca circondata dal verde.

Tra il primo e il secondo recinto emergeva la villa del cardinale ancora provvista di lunghe mura laterali, che, parte integrante dell'architettura del palazzo, abbracciavano simmetricamente dei giardini segreti: da una parte il giardino dei melangoli, e dall'altra quello di altri agrumi e dei fiori rari, come tulipani, giacinti, anemoni; quest'area era delimitata dall'uccelliera, e successivamente dalla meridiana.

Il secondo recinto comprendeva la vasta area boschiva confinante con la parte posteriore della villa, accompagnata dal piazzale con la grande fontana rotonda di Narciso (oggi di Venere), circondata dal verde delle piante, dalle olpe rosse di terracotta e dalle statue marmoree, per poi continuare nella ricca vegetazione del bosco. Ai margini di questo secondo recinto erano sistemate le gazzelle nel serraglio, i cavalli nelle stalle, e vi si trovavano le abitazioni del personale di servizio, le cucine, la pasticceria e simili. In questa parte del giardino un viale a novanta gradi rispetto all'asse trasversale dell'edificio portava a una parete lontana, particolarmente ricca di rilievi, iscrizioni, nicchie e statue, una specie di fronte di teatro nel verde con platea emiciclica. Nella stessa parete, di controversa attribuzione a Rainaldi (1613-16) o Ponzio (Weil-Garris Brandt 1997, p. 41, n. 6), a destra del teatro vicino all'angolo del muro vi era una porta, oggi murata, accompagnata tuttora da due nicchie, con iscrizioni sepolcrali antiche, rilievi e statue, descritte accuratamente dal Manilli nel 1650. Secondo lo studioso, la statua di Cupido attribuita a Michelangelo si trovava nella nicchia a destra della porta murata. Questa parte del muro è stata immortalata da Donadoni in un acquerello dell'inizio di questo secolo, esposto in questa mostra, dipinto in un'epoca quando le spoliazioni delle statue e dei rilievi antichi e moderni avevano reso vuoti i vani del prospetto e quando la porta verso il parco era stata murata. La stessa porta immetteva nel grande terzo recinto del parco che aveva un carattere più naturale tra aree campestri e boschive, ricco di lepri, daini e cervi. Comprendeva anche una riserva di ghiaccio e un lago per anatre e cigni, e una "casa del gallinaro", area che servì anche alla cultura dei bachi da seta e all'allevamento di struzzi e pavoni.

Riferimenti bibliografici

Pietrangeli 1967, p. 43; Della Pergola 1962, pp. 10-12; Heilmann, 1973, pp. 97-158; Moreno, 1975-76, pp. 125-143; *Le collezioni della Galleria Borghese...* 1981, p. 7; Di Gaddo 1997, p. 26; Campitelli 1993, pp. 8-17, con bibl.; Brandt 1997, pp. 400-404; Kalveram, 1995, p. 51 s, fig. 40.

[K.H.F.]

17
16
12
10
24

Stefano Donadoni
Bergamo 1844 - Roma 1911

80. *Prospetto architettonico nel Parco dei Daini della villa Borghese*

Disegno a matita e acquerello su cartoncino, mm 192 × 110
Iscrizioni in basso a destra: Villa Umberto I già Borg. / S. Donadoni Roma // Sul verso: DM / CLAUDIAE TERTYLLA / CONIUG / OPTIMAE / BENE. MERENTI / PAELIUS. AUG.LIB / E PICTETUS / FECIT"
Roma, Gabinetto Comunale delle Stampe, inv. n. MR. 2870

Nella raccolta del Gabinetto Comunale delle Stampe di palazzo Braschi a Roma si conserva un fondo di acquerelli del pittore bergamasco Stefano Donadoni: si tratta di circa 400 esemplari, tutti eseguiti tra il 1891 e il 1911, che mostrano come principale caratteristica il documentare angoli e particolari architettonici della città che andavano scomparendo. Il nucleo offre una preziosa e dettagliata testimonianza sui mutamenti urbanistici e architettonici che la città andava vivendo in anni decisivi per la definizione del suo assetto urbanistico. Presso il Museo di Roma, anch'esso con sede a palazzo Braschi, si conserva un dipinto a olio del Donadoni: una veduta della chiesa dei Santi Quattro Coronati che risulta essere un deposito della Galleria Nazionale di Arte Antica (inv. FN 15368 e 1551).
Il fondo del Donadoni entrò a far parte delle raccolte comunali nel 1951 quando fu acquistato da Andreina Sanjust di Teulada, nata Suardi, figlia della contessa Antonia Ponti che era stata una delle principali committenti del pittore, nella cui produzione non erano infrequenti opere nate per soddisfare una specifica e mirata richiesta. Per promuovere la conoscenza del Donadoni e delle sue opere, nel 1972, fu allestita a palazzo Braschi una mostra curata da Giovanni Incisa della Rocchetta per conto dell'Associazione degli "Amici dei Musei di Roma".
Stefano Donadoni aveva compiuto la sua formazione artistica nella città natale alla scuola di Andrea Marenzi, pittore d'accademia, e aveva partecipato all'Esposizione nazionale di Milano del 1881 con tre dipinti tutti improntati a un grande senso di realismo; il trasferimento a Roma, dove resterà per tutta la vita, risale al 1882; l'anno seguente all'arrivo nella città il Donadoni prende parte all'Esposizione di Belle Arti con tre dipinti: la chiesa di San Salvatore, la chiesa di Santa Maria Maggiore e la Cappella di Bartolomeo Colleoni di Bergamo, riscuotendo un certo successo di critica e di pubblico.
La produzione del Donadoni risulta essere veramente molto vasta: infatti, oltre alle opere del Gabinetto Comunale delle Stampe, vanno menzionati i circa trecento disegni a matita, e in qualche caso a inchiostro, oltre a tre oli su tela di piccole dimensioni, depositati presso l'Istituto Nazionale per la Grafica di Roma, nella sede del Gabinetto delle Stampe di via della Lungara: si tratta di vedute molto simili a quelle della raccolta comunale, anche queste documentano particolari angoli della città destinati a mutare rapidamente.
Il disegno riproduce con grande esattezza una nicchia, inserita in uno dei muri perimetrali del Parco dei Daini in villa Borghese, dalle misure di circa cm 210 × 88 × 50, che ospitava la statua di un giovane arciere attribuita da alcuni studiosi alla produzione degli anni giovanili di Michelangelo; a sinistra della nicchia compare un'iscrizione in latino che il Donadoni riporta sul verso dell'acquerello.
La scultura faceva parte della collezione Borghese come apprendiamo dalle citazioni dell'Aldrovandi prima e del Manilli poi; in particolare, la guida di Giacomo Manilli, realizzata per l'anno Giubilare 1650, ci parla di una statua di un Cupido senza ali, collocata nel guardaroba della villa; soltanto successivamente, per decisione di Scipione Borghese, fu inglobata nella decorazione del giardino dove sembra essere rimasta fino al 1700. Non ci sono quindi notizie sull'opera per un lungo periodo, tanto che Ennio Quirino Visconti nella sua pubblicazione dedicata alle sculture della villa, datata 1796, non ne fa cenno; unica eccezione il disegno di Jean-Robert Ango oggi al Cooper-Hewitt Museum di New York, pubblicato da James David Draper nel "Burlington Magazine" del giugno 1997, databile tra il 1759 e il 1773, anni del soggiorno romano del disegnatore francese. Si giunge così al 1831, quando, a seguito dell'istituzione del fidecommisso sulle collezioni Borghese, Camillo avrebbe deciso l'alienazione di questa scultura.
Per altre notizie sulla statua, oggi conservata a New York, bisognerà attendere il 1902, quando la Casa Christie's acquista la scultura dalla collezione dell'antiquario Bardini.

Riferimenti bibliografici
Esposizione nazionale... 1881, p. 63, I, nn. 12-14; *Esposizione di Belle Arti...* 1883, pp. 43 e 76; De Gubernatis 1889, ed. 1906, p. 184; *Elenco dei quadri...* 1912, p. 38, n. 682; Thieme- Becker 1913, IX, p. 418; Comanducci 1934, p. 206; Conversari 1939, p. 140; Russoli 1967, p. 103, n. 1660; Parronchi 1968; Pietrangeli 1971, pp. 19 e 251; *Dizionario Bolaffi* 1972, IV, p. 183; Incisa della Rocchetta, 1972, nn. 1-4, pp. 1-6; Bénézit 1976, III, p. 622; Incisa della Rocchetta, 1976, 24, p. 29; Rossi 1979, p. 424; Pietrangeli 1986, p. 254, n. 212; *La vasca...* 1987, pp. 47-49, n. 54; Tozzi 1991, pp. 806-807; Weil-Garris Brandt 1996, pp. 644-659; Draper 1997, pp. 398-400; Weil-Garris Brandt 1997, pp. 400-404.
[S.T.]

Villa Umberto I° già Borg.
S. Donazioni Roma

... e un "arrivederci" al mito di Michelangelo

Emilio Zocchi
Firenze 1835 - 1913

81. *Michelangelo fanciullo*

Marmo, h cm 60
Firenze, Galleria Palatina inv. OA (1911) n. 453

Poco dopo la sua formazione accademica e un breve tirocinio nello studio di Aristodemo Costoli, scultore già incline alla natura e al bello relativo, Emilio Zocchi scolpiva il *Michelangelo fanciullo* che, nel 1862, desterà l'ammirazione di Vittorio Emanuele II in visita allo studio del giovane artista, ove avrebbe esclamato, rivolto a Marco Minghetti che con lui si era soffermato dinanzi alla statua: "Non le manca che di parlare!". Il sovrano, poco armato criticamente nei confronti delle manifestazioni dell'arte contemporanea, espresse in quel frangente la propensione di molti a interpretare in chiave sentimentale i soggetti di genere che, nelle Esposizioni, cominciavano a contendere ai temi accademici le preferenze della borghesia, facendo prevalere le particolarità accattivanti dei contenuti sull'unità formale che era stata sino a quel momento la meta dei maestri del neoclassicismo e del purismo.
La stessa pittura di storia aveva deposto, intorno alla metà del secolo, l'aspirazione a un organico equilibrio di forma e di contenuti esemplari per ammettere le suggestioni del vero, l'urgenza di affetti anche quotidiani, la libertà di trasferire nei fatti del passato concetti e passioni del tempo presente. Nel ritrarre il suo *Michelangelo fanciullo* intento a scolpire la testa di un fauno nel giardino di San Marco – al quale sembrano alludere realisticamente i cespi di vegetazione che crescono intorno al frammento di colonna antica, e, con più evidenza, lo stemma mediceo collocato in primo piano – Emilio Zocchi interveniva originalmente nella tradizione romantica di raffigurare gli uomini illustri della patria scegliendo di uno dei massimi protagonisti dell'arte italiana l'età formativa, l'origine di un'espressione geniale che Vasari colloca appunto nel giardino di Lorenzo, dove Michelangelo "d'età d'anni quindici in sedici" poté dimostrare la sua forza creativa e il dominio formidabile della tecnica e della materia.
A ben vedere, il fanciullo dello Zocchi, molto più giovane dell'adolescente descritto dalla tradizione letteraria, è intento alla scultura con la diligenza dell'allievo di bottega impegnato nella sua prima importante prova, e per questo ben rappresenta l'evoluzione di un genere ufficiale in direzione del particolare e del "grazioso", che avrà un apice all'Esposizione di Milano del 1870 quando, sulla scorta del *Cristoforo Colombo giovinetto* di Giulio Monteverde, la Galleria di Brera "apparve conversa in una specie di giardino froebeliano, nel quale si vedevano riprodotti fanciulli... i più illustri tra gli antichi artisti e letterati italiani, con inciso sotto il nome rispettivo, senza del quale sarebbe tornato impossibile riconoscerli".
Prevale infatti nella figura del fanciullo Michelangelo quella grazia che si riscontra assai frequentemente, poco dopo la metà del secolo, nella rappresentazione dell'adolescenza dei grandi della storia fino ad allora riservata esclusivamente a quella di Giotto (si veda il celebre dipinto di Gaetano Sabatelli *Cimabue e Giotto*, del 1847), e incentivata in quegli anni dalle attenzioni estetico-psicologiche introdotte dalla cultura vittoriana e dalle sempre più frequenti richieste di soggetti disimpegnati provenienti, come abbiamo detto, dalla borghesia che frequentava le Esposizioni. Nella scultura dello Zocchi rispecchiano queste esigenze di evasione sentimentale e di mercato artistico sia il brulicare della natura alla base del macigno, particolare degno dell'illustrazione di un libro di fiabe anglosassone, sia la meticolosa imitazione dei diversi tessuti dell'abito: manifestazione di virtuosismo molto gradita in anni che vedevano, da una parte, gli straordinari progressi delle tecniche di riproduzione fotografica, dall'altra, la resurrezione dei cantieri medievali e rinascimentali, come quello allestito per la nuova facciata di Santa Croce; e, in essi, dell'artefice capace di evocare nel marmo, nel legno, nei metalli, nelle stoffe, il grande "stile fiorentino" che si avviava a diventare mito moderno dell'artigianato artistico.
Vien quasi da pensare, una volta verificato l'esaurimento degli impulsi etici ed esemplari contenuti nell'arte del romanticismo e, più specificatamente, nell'agiografia degli uomini illustri, che Zocchi trasferisse nella sua opera – replicata in decine di esemplari, fra cui quelli della collezione della Banca Toscana e del cimitero di Soffiano, o variata con inclinazioni ulteriormente illustrative ed estetizzanti dal cugino Cesare nella statua di Casa Buonarroti (Sisi, in *Michelangelo nell'Ottocento...* 1994, pp. 70-72) – l'immagine di sé fanciullo allogato a bottega d'uno zio marmista ove, tramanda il De Gubernatis (1889, pp. 560-561), "gli consegnarono in mano un mazzuolo e qualche ferro smesso, perché il ragazzo non lo sciupasse". Fresca istantanea, dunque, dell'artista fanciullo al lavoro pervasa di sentimenti autobiografici, che sarebbero certo piaciuti al Ruskin dei *Mornings in Florence* e, più tardi, ai trasognati cantori della moderna rinascita di Firenze, che sentì vicino il passato nell'oscura officina di un fabbro, nel fascio di verde portato a spalla dai facchini per una festa sacra, nel mazzo di anemoni o di gigli ambientati nel quartiere ove "il Ghirlandaio fanciullo giocava un giorno fra le ghirlande d'oro e d'argento fabbricate da suo padre per le giovani teste del Rinascimento".

Riferimenti bibliografici
De Gubernatis 1889, pp. 560-561; Gentilini, in *Omaggio a Donatello...* 1985, pp. 428-429; Gentilini 1989, pp. 155-176; Sisi, in *Michelangelo nell'Ottocento...* 1994, pp. 70-72.
[C.S.]

K. Weil-Garris Brandt e Nicoletta Baldini

Cronologia ragionata del periodo giovanile di Michelangelo (1475-1504) con particolare riguardo al primo soggiorno romano

(con il contributo di Rab Hatfield, Donatella Lodico, Anna Maria Piras)

Questa cronologia, frutto di un lavoro altamente collaborativo, si basa su una ossatura da me predefinita comprendente un nucleo di dati fondamentali, al quale vari studiosi hanno collegato il materiale derivato dalla propria ricerca (siglato con le iniziali dell'autore). Essa comprende notizie conosciute e sconosciute, edite e inedite, per dare una visione complessiva e il più possibile completa dei fatti, dei tempi in cui si sono svolti, dei protagonisti, e delle relazioni di questi con le vicende e i personaggi contemporanei. È doveroso ricordare, in questa sede, il debito di tutti gli studiosi di Michelangelo (il nostro, ma anche quello degli altri che in varie occasioni hanno pubblicato i risultati di ricerche di archivio riguardanti l'artista) nei confronti delle Carte Poggi conservate presso l'Istituto Nazionale del Rinascimento di Firenze, un fondo preziosissimo con una messe inesauribile di notizie e di riferimenti documentari.

La cronologia qui presentata ci permette di comprendere più chiaramente come gli esordi di Michelangelo siano strettamente correlati con gli eventi e con le persone. Inoltre, nella elaborazione dell'ordine cronologico sono emersi risultati importanti. Ora, per esempio, comprendiamo che il giovane Michelangelo intraprese un numero più elevato di opere di quanto si poteva pensare; che egli lavorava spesso a molte cose contemporaneamente piuttosto che in una sequenza temporale lineare come invece lascerebbero credere le biografie di Condivi e Vasari, secondo le interpretazioni nel corso dei secoli. Nello stesso tempo, diventa improvvisamente chiaro, per esempio, perché fu Lorenzo di Pierfrancesco a scrivere a Michelangelo le lettere di presentazione in occasione del primo viaggio dell'artista a Roma: come si spiega il fatto che un Medici riteneva una buona idea chiedere un favore, fra tutti, proprio al cardinale Raffaele Riario che, come era ben noto, aveva assistito a Firenze all'assassinio del cugino di Lorenzo di Pierfrancesco, Giuliano de' Medici, e a quello fallito di Lorenzo il Magnifico, organizzati dalla famiglia Pazzi con il sostegno entusiasta di Girolamo Riario, zio di Raffaele? Le lettere di raccomandazione di Lorenzo di Pierfrancesco indirizzate alla comunità di banchieri fiorentini a Roma non sembrano più – alla luce delle ricerche effettuate in occasione della presente mostra – una semplice raccomandazione presso concittadini influenti: l'esame complessivo di tali lettere rende sempre più attendibile l'ipotesi che il Medici abbia costruito una precisa tattica per finanziare a Roma la riacquisizione da parte di Michelangelo del famoso *Cupido dormiente*, venduto per truffa come pezzo antico dall'ambiguo Baldassarre del Milanese allo stesso cardinale Riario. Il del Milanese si rivela, ora, un personaggio di primo rango e tutt'altro che marginale, come invece si era sinora ritenuto: era una figura ben integrata nella comunità fiorentina a Roma e proprio con i banchieri, quali i Riario. Del resto, lo stesso Vasari lo ricorda senza alcuna spiegazione dando quindi per scontato che fosse un personaggio noto ai lettori.

Va detto anche che questa cronologia ragionata, come i testi del catalogo, riflette il ruolo che le biografie di Michelangelo effettivamente hanno come fonti. Come hanno ribadito chi scrive e altri, bisogna tenere presente che i racconti di Giovio, Condivi, Vasari, Varchi e degli altri biografi contemporanei all'artista, non possono servire come prove oggettive come voleva Ranke "wie es eigentlich war".

Michelangelo stesso e i suoi biografi avevano precisi scopi celebrativi raccontando la vita e l'attività artistica del Buonarroti (per molti preziosi accenni ai problemi relativi alla cosiddetta "narratologia" – anche se, a mio parere, troppo condizionati dalla critica letteraria degli anni settanta – si veda Barolsky).

Nella prima edizione del 1550, la torrentina, Giorgio Vasari includeva la *Vita* di Michelangelo come quella dell'unico artista ancora in vita per farne il culmine assoluto del progresso delle arti figurative in Toscana "da Cimabue in qua".

Subito dopo, invece, Michelangelo a Roma si servì di Ascanio Condivi – pittore mediocre ma scrittore leale che si avvaleva dell'aiuto dello studioso Annibal Caro – per redigere una nuova *Vita*. Come ha ribadito più recentemente Hirst, il movente principale della biografia condiviana era quello di giustificare il comportamento dell'artista nella lunga tragedia della tomba di Giulio II, essendo stata scritta meno di una decade dopo l'allestimento definitivo del monumento in San Pietro in Vincoli (Hirst 1998, in Condivi 1553, ed. 1998), quando l'artista si sentiva ancora accusato dagli eredi Della Rovere di aver trafugato i marmi e i soldi ricevuti nel corso della lunga eleborazione. Per altri versi, però, la *Vita* di Condivi era una "correzione" della biografia vasariana intrapresa sotto l'egida di Michelangelo stesso.

Procacci (1966), per primo, ha preso in considerazione le postille da una copia della vita del Condivi. Di recente, la Elam – che ha offerto di tali inserti una rilettura cruciale – ha potuto identificare l'autore come lo scultore Tiberio Calcagni, amico molto vicino al Buonarroti, colto e sensibile. Con questa identificazione possiamo datare le postille ai primi anni sessanta del Cinquecento e confermarne l'attendibilità in quanto da indicazioni dirette di Michelangelo.

A questo proposito, è affascinante considerare il fatto che il grande artista, al termine della propria vita, abbia sentito ancora la necessità di ripercorrere la propria biografia e di perfezionare l'immagine di se stesso. Tale atteggiamento è l'equivalente del suo continuo ritornare a perfezionare le proprie opere d'arte. Sono due facce della medesima personalità, espressioni di un unico sentire.

Innanzitutto, va notato che non è stata aggiunta alcuna postilla alla parte della biografia del Condivi riguardante la giovinezza di Michelangelo. Se non altro, questo silenzio indica che l'artista approvava le omissioni delle opere giovanili, forse richieste da lui stesso. Significativamente, Michelangelo fa inserire la prima postilla proprio a proposito della *Battaglia dei centauri*, dimostrando che ancora negli anni sessanta la sceglieva come la sua prima opera d'arte, che potesse ritenersi tale.

La seconda *Vita* michelangiolesca pubblicata del Vasari nel 1568, quattro anni dopo la morte dell'artista, assorbe le informazioni presentate dal Condivi e ne aggiunge di nuove. Ma l'impostazione fondamentale della nuova biografia va capita nel contesto della corte ducale, dove l'artista-cortigiano Vasari cerca di stumentalizzare il prestigio eccelso del "divino" artista facendo così un servizio al prestigio dei Medici e degli artisti fiorentini.

Inoltre, le biografie non possono servire come prove dirette e inoppugnabili degli avvenimenti e della loro sequenza cronologica, come invece succedeva, "faut de mieux", nella letteratura critica tradizionale su Michelangelo. Le biografie nella loro sequenza narrativa hanno, invece, una struttura retorica che non le rende necessariamente lineari.

Con questi "caveat", dobbiamo aggiungere che la nostra cronologia rimane, e deve rimanere, strettamente selettiva (soprattutto per gli anni successivi alla commissione del *David*, del 1501). Nello spirito michelangiolesco, si tratta comunque di un lavoro – certo non un'opera d'arte – "non finito" che richiede un continuo e instancabile perfezionamento. È l'acme della grande piramide di documentazione che finora abbiamo reperito e che sarà prossimamente pubblicata.
[K. W.-G. B.]

Nota al lettore
Per rendere più agevole la lettura si è provveduto a mettere in corsivo le notizie strettamente relative a Michelangelo, in tondo quelle riguardanti fatti e/o personaggi coinvolti nelle sue vicende umane ed artistiche.
Per le abbreviazioni adottate riguardo agli archivi consultati si veda l'elenco delle abbreviazioni a p. 16.

1475 marzo 6 *M. nasce a Caprese (Michelangelo) presso Arezzo da Leonardo di Buonarroti Simoni e da Francesca di Neri di Miniato del Sera (Frey 1907a, I, p. 3)*

1478 aprile 26 a Firenze si consuma la congiura dei Pazzi in cui viene ucciso Giuliano de' Medici e ferito suo fratello, Lorenzo il Magnifico, ordita con il sostegno di Girolamo Riario e alla presenza di Raffaele Riario (1460-1521), poi cardinale di San Giorgio e futuro interlocutore di M. nella sua prima visita a Roma (Landucci 1450-1542, ed. 1883, pp. 17-20)
1480 Baldassarre di Giovanni Balducci (1459 ca-1514) fiorentino, futuro cassiere di Jacopo Galli mentore a Roma di M. di cui sarà il banchiere per le transazioni di denaro fra l'Urbe e la città toscana, almeno fino a questa data abitava a Firenze nel quartiere di Santa Croce, nel popolo di San Pier Maggiore, al canto alle Rose, vicino all'abitazione della famiglia di Michelangelo (ASF, Catasto 1005, c. 417r-v; NB)
1483 dicembre 7 si iscrive all'Arte dei Mercatanti del Cambio (ASF, Manoscritti 542, s.c.; NB) Baldassarre di Giovambattista del Milanese (1464-dopo il 1528 ASF, Tratte 80, c. 177; NB), il mercante fiorentino che venderà a Roma al cardinale Raffaele Riario il *Cupido dormiente* di M. Nel 1480 egli era già presente a Roma in affari con il banco dei del Milanese, suoi parenti di Prato, proprietari di due case nell'Urbe (ASP, Patrimonio ecclesiastico 2469, cc. XLV, XLVIII, XLVIIII; NB). Dal Catasto dello stesso anno apprendiamo che la sua famiglia abitava nel quartiere di San Giovanni in via Larga davanti a palazzo Medici (ASF, Monte Comune, Copie del Catasto, 92, cc. 598-99; NB)
1484 agosto 12 muore papa Sisto IV (Pastor 1866-1938, ed. it. 1908-1934, III, 1912, p. 169)
1484 agosto 29 viene eletto pontefice Innocenzo VIII, Giovan Battista Cybo (Pastor 1866-1938, ed. it. 1908-1934, III, 1912, p. 175)

1485 *secondo il Tolnay, che segue i ricordi dei maggiori biografi di M. Ascanio Condivi (1553, ed. Nencioni, p. 9) e Giorgio Vasari (1568, ed. Barocchi, I, p. 5) lo scultore inizia gli studi a Firenze presso Francesco da Urbino, maestro di grammatica, dal quale forse apprese qualche nozione di latino (Tolnay 1947-1960, I, 1947, pp. 11, 50 n. 43)*

1486 Giuliano Galli (1436-1488) "nobilis vir" banchiere e mercante a Roma nel rione Parione, padre di Jacopo futuro mentore di M., possiede una vigna fuori Porta Castello (Castel Sant'Angelo) e ne acquisisce un'altra ad essa confinante (BAV, Codice Ottoboniano Latino, 2550, c. 82; AMP)

1487 giugno 28 *M. è già presso una delle più prestigiose botteghe fiorentine, quella dei Ghirlandaio (i fratelli Bigordi: Domenico 1449-94; Davide 1452-1525; e Benedetto 1458-1525) quale collettore di credito per conto di Domenico, che a quel momento lavora all'altare dell'ospedale degli Innocenti (Cadogan 1993, pp. 30-31)*
1488 aprile 1° *Vasari data l'apprendistato di M. con Domenico e Davide Ghirlandaio a Firenze (Vasari 1568, ed. Barocchi, I, pp. 6-7)*

1488 aprile 16 per vendicarsi della morte del fratello Giuliano nella congiura dei Pazzi, istigata da Girolamo Riario con il probabile consenso di papa Innocenzo VIII, Lorenzo il Magnifico fa assassinare il Riario (Landucci 1450-1542, ed. 1883, p. 54: per la notizia della morte; inoltre Frommel 1989, pp. 75, 80)
1488 Giovan Francesco Aldrovandi (nobile bolognese, notizie 1470, che ospiterà a Bologna Michelangelo nel 1494-95) è podestà di Firenze (Elam, 1992a, p.165; già in Tolnay 1947-1960, I, 1947, pp. 22, 139)
1488 Giuliano da Sangallo (1445-1516) scultore e architetto mediceo, più tardi mentore di M., porta da Napoli a Firenze un *Cupido dormiente* antico come dono di Ferdinando d'Aragona a Lorenzo il Magnifico

---

1489-1490 ca *M. insieme ad altri dello studio del Ghirlandaio frequenta il giardino delle sculture di piazza San Marco, fondazione laurenziana già in essere prima del 1477, dove si studiano le opere antiche e moderne sotto la tutela di Bertoldo di Giovanni (scultore, custode delle anticaglie, 1440 ca-1491), (Vasari 1550, ed. Barocchi, I, pp. 9-12; Condivi 1553, ed. Nencioni, pp. 10-11; Vasari 1568, ed. Barocchi, I, pp. 9-11); egli sempre secondo le fonti vi è introdotto dal pittore Francesco Granacci (1469-1543) (Elam 1992a, p. 159).*
Per "molti mesi" M. copia gli affreschi di Masaccio al Carmine, l'"amico" Pietro Torrigiano (1472-1528) mosso dall'invidia "gli percosse d'un pugno il naso" e venne pertanto bandito da Firenze (Vasari 1550, ed. Barocchi, I, p. 12; Vasari 1568, ed. Barocchi, I, p. 12). Questo episodio appartiene al contesto di bottega del Ghirlandaio o alle consuetudini didattiche del giardino?
Da questo momento e forse fino al 1492 M., oltre a frequentare le collezioni artistiche medicee, abitò presso Lorenzo il Magnifico in palazzo Medici (Condivi 1550, ed. Nencioni, pp. 12-13; Vasari 1568, ed. Barocchi, p. 11)
1490 *ca datazione generalmente assegnata al rilievo della* Madonna della Scala *(Firenze, Casa Buonarroti) menzionata per la prima volta dal Vasari nel 1568 (Vasari 1568, ed. Barocchi, I, p. 12); vedi cat. n. 1.*

1490 giugno 28 Agnolo Poliziano poeta e letterato (1454-1494) tutore dei giovani Medici e mentore di M. visita a Roma, per conto di Lorenzo il Magnifico, la casa dell'antiquario – e grande collezionista di antichità – Giovanni Ciampolini, al n. 37 dell'attuale via dei Balestrari presso Campo de' Fiori, vicino alle case Galli e al palazzo della Cancelleria in fase di edificazione (Corti - Fusco 1991, pp. 7, 43 n. 6)

1490-1491 *secondo le fonti M. comincia la* Battaglia dei centauri *(Firenze, Casa Buonarroti) su consiglio di Agnolo Poliziano. Il lavoro di scultura sarebbe stato interrotto per la morte di Lorenzo l'8 aprile 1492 (Condivi 1553, ed. Nencioni, p. 13; Vasari 1568, ed. Barocchi, I, p. 11); però si veda in questo catalogo il saggio di K. Weil-Garris Brandt.*

1491 novembre 28 Nofri Tornabuoni, che gestisce il banco Medici a Roma, scrive a suo cognato Lorenzo il Magnifico che Pier Maria Serbaldi, un artista dell'ambiente mediceo, ha

scolpito una gemma "more antico" al fine di provare se fosse stata di qualità sufficientemente alta per essere creduta antica dai conoscitori. La gemma fu offerta come tale al banco mediceo di Roma, ma l'antiquario Giovanni Ciampolini aveva già avvertito Nofri Tornabuoni (Corti - Fusco 1991, p. 10)
1491 dicembre 3 a Poggio a Caiano presso Firenze Bertoldo di Giovanni "el quale col Magnifico Lorenzo faceva cose degne, al Poggio s'è morto in dua dì. Che n'è danno assai e a lui [Lorenzo il Magnifico] è molto doluto" (Draper 1992, doc. 12, p. 278)
1492 aprile 8 muore a Firenze Lorenzo il Magnifico (Landucci 1450-1542, ed. 1883, p. 64)
1492 luglio 25 muore papa Innocenzo VIII Cybo (Pastor 1866-1938, ed. it. 1908-1934, III, 1912, p. 232)
1492 agosto 11 viene eletto al soglio pontificio Rodrigo Borgia che prende il nome di Alessandro VI (Pastor 1866-1938, ed. it. 1908-1934, III, 1912, p. 283)
1492 settembre dopo questa data gli atti notarili per il cardinale Raffaele Riario vengono stipulati in un suo palazzo "apud ecclesiam Sancti Apollinaris" (Frommel 1985, p. 84 n. 331), probabilmente il palazzo già del cardinale d'Estoutville
1492 dicembre 15 Andrea Sansovino (1471 ca-1529) scultore, compagno di M. al giardino di San Marco, accetta di recarsi in Portogallo presso il re João II (Höfler 1992, pp. 234-238)
1492 Pietro Torrigiano, uno dei compagni di M. al giardino mediceo, si trova a Bologna (*Il giardino di San Marco...* 1992, pp. 102, 118) dove esegue la prima commissione documentata in quella città: "unam imaginem videlicet caput" in terracotta desunta da una maschera mortuaria del medico Stefano della Torre (Ciardi Duprè Dal Poggetto 1971, p. 323 n. 6)
1492 il cardinale Ascanio Sforza prende possesso del palazzo oggi Sforza Cesarini (riassuntivamente Gavallotti Cavallero 1989, pp. 192-193) dove verrà esposto il *Cupido dormiente* di M.

1492-1493 *M. intaglia il* Crocifisso *(ora Firenze, Casa Buonarroti) di legno per il priore di Santo Spirito, maestro Nicholaio di Giovanni di Lapo Bichiellini (Frey 1970a, I, 1907, pp. 106-109) che gli concede di compiere studi di anatomia sulle salme. Secondo il Vasari il* Crocifisso *(Vasari 1550, ed. Barocchi, I, p. 13) venne eseguito prima dell'*Ercole *in marmo smarrito, mentre il Condivi (Condivi 1553, ed. Nencioni, pp. 14-15) e il Vasari nella seconda edizione de* Le Vite *(Vasari 1568, ed. Barocchi 1962, I, p. 13) lo situano dopo l'*Ercole *(si veda anche Barocchi 1962, in Vasari 1550 e 1568, II, pp. 118-120 n.108)*

1493-1494 Pietro Torrigiano si trova a Roma dove esegue per il Pinturicchio una serie di stucchi non identificati, nella Torre Borgia (*Il giardino di San Marco...* 1992, pp. 102, 118)
1493 ottobre 1°-1494 aprile Baldassarre del Milanese a Firenze è fra i "Superstites Stincarum", ossia fra coloro che curavano gli approvvigionamenti dei carcerati delle Stinche (ASF, Tratte 905, c. 21; NB), carcere sul lato opposto della strada dove risiedeva la famiglia di M.

1493 fine *acquisto di un blocco di marmo (dell'altezza di 4 braccia) per il grande* Ercole *– oggi perduto – "che sté molti anni nel palazzo degli Strozzi" a Firenze e che poi fu "mandato l'anno dello assedio in Francia al re Francesco da Giovambatista della Palla" (Vasari 1550, ed. Barocchi, I, p. 13; Condivi 1553, ed. Nencioni, p. 14; Vasari 1568, ed. Barocchi, I, p. 13). Michael Hirst ne suggerisce la committenza di Piero de' Medici (1471-1503) figlio di Lorenzo il Magnifico (Hirst - Dunkerton 1994, ed. it. 1997, p. 16. Sulla vicenda si veda Elam 1993, pp. 59-61)*

1494 gennaio 11 muore a Firenze Domenico di Tommaso Bigordi, detto il Ghirlandaio (Milanesi, in Vasari 1878-1906, III, 1879, p. 281)

1494 gennaio 20 *grande nevicata a Firenze; Piero de' Medici fa realizzare* una statua di neve *a M. che in seguito torna ad abitare a palazzo Medici, che forse aveva lasciato dopo la morte del Magnifico (Condivi 1553, ed. Nencioni, p. 14; Vasari 1563, ed. Barocchi, I, p. 13; la nevicata è confermata da Luca Landucci 1450-1542, ed. 1883, pp. 66-67)*

1494 marzo 2 muore Niccolò dell'Arca (da Bari, doc. 1463-1494) lo scultore dell'Arca di San Domenico di Bologna alla cui decorazione M. lavorerà l'anno successivo (Dodsworth 1992, pp. 283-90)
1494 aprile 10 Jacopo Galli (?-1505) in veste di "merchator" agisce nella compravendita di una casa posta a Roma nel rione di Parione. Fra i testimoni viene ricordato Baldassarre Balducci di Firenze come "residente" nel Banco Galli (ASR, Coll. dei Notai Capitolini, Notaio Laurentius Paluzzelli de Rubeis, vol. 1228, cc. 142r-147v; DL)
1494 maggio 14 Piero de' Medici manda "al confine" Lorenzo (1463-1503) e Giovanni (1467-1498) di Pierfrancesco de' Medici, detti "Popolani" di un ramo della famiglia collaterale a quello di Lorenzo il Magnifico (Landucci, 1450-1542, ed. 1883, p. 68; Pieraccini 1924-25, I, pp. 345, 353; e inoltre *Il carteggio...* 1965-1983, I, 1965, p. 353)
1494 agosto prima dell' Pietro Torrigiano si trova sempre a Roma dove si fa strada negli ambienti di corte fino a ritrarre papa Alessandro VI (Ferrajoli 1915, p. 184 sgg.; smentito da Ciardi Duprè Dal Poggetto 1971, pp. 308, 324 n. 31)
1494 settembre 29 muore a Firenze Agnolo Poliziano, in prossimità del giardino di San Marco, nella casa contigua al cosiddetto "giardino di Clarice" (Elam 1992a, p. 164; ead. 1992b, p. 70, già ricordato in Chiaroni 1939, pp. 476-477)

1494 ottobre terminus ante quem *per la partenza di M. da Firenze: Ser Amadeo, giovane chierico, scrivendo a suo fratello, lo scultore Adriano Fiorentino (Adriano di Giovanni de' Maestri 1440/50 ca-1499), identifica ancora M. come "ischultore dal giardino" asserendo inoltre che Piero de' Medici "abia auto molto male" della partenza del Buonarroti da Firenze (Elam 1992a, p. 169; ead. 1992b, pp. 58, 73)*
1494 ottobre (10-14) *M. lascia palazzo Medici*

*e abbandona Firenze per recarsi a Venezia e successivamente a Bologna (*Il carteggio... *1965-1983, I, 1965, p. 353) ospite in casa di Giovanfrancesco Aldrovandi "uomo di fiducia" di Giovanni Bentivoglio; questi, signore di Bologna, proteggerà i Medici dopo la loro cacciata da Firenze. (Elam 1992a, p. 165 si domanda se lo stesso M. non "abbia avuto un ruolo nel persuadere il signore bolognese ad acquistare il giardino che era stato il suo primo luogo di lavoro", vedi* infra, *1495).*
Dalle incongruenze narrative dei biografi si può ipotizzare che le sculture di M.: un San Giovannino *eseguito per Lorenzo di Pierfrancesco de' Medici, e "un fanciullo di marmo" eseguito in "una stanza", presumibilmente nel giardino di San Marco, da identificarsi forse con il* Cupido dormiente, *(Vasari 1550, ed. Barocchi, I, p. 13), fossero state già iniziate prima della fuga a Bologna, e completate dopo il ritorno a Firenze (già in Frey 1907a, pp. 122-123)*

1494 ottobre (14-17) *M. dovette arrivare a Bologna proveniente da Firenze (Tolnay 1947-1960, I, 1947, p. 53)*

1494 ottobre (19-23) *M. da Bologna arriva a Venezia dove soggiornò "per pochi giorni" (Condivi 1553, ed. Nencioni, p. 16) per poi recarsi di nuovo a Bologna (Tolnay 1947-1960, I, 1947, p. 53)*

1494 ottobre 22 Piero de' Medici scrive nuovamente a Giovanni Bentivoglio a Bologna per richiedere aiuti militari contro i francesi. La decisione di M. di recarsi a Bologna è da mettere in relazione con i disegni dei sostenitori medicei? (Elam 1992a, p. 165) o forse anche con il sostegno che poteva avere dai buoni uffici della famiglia del Milanese in quella città? (vedi Baldini, in questo catalogo)

1494 ottobre fine *M. è a Bologna in casa di Giovan Francesco Aldrovandi (Elam 1992a, p. 165; ead. 1992b, p. 52; già in Tolnay 1947-1960, I, 1947, pp. 22, 139) in via Galliera (Ghirardacci, seconda metà del XVI secolo, ed. 1932, p. 284). Nell'anno in cui egli risiederà in città vi eseguirà il* San Procolo, *il* San Petronio, *e un* Angelo reggicandelabro *per l'Arca di San Domenico (su queste opere si veda cat. n. 37)*

1494 novembre 9 Piero de' Medici e la sua famiglia sono cacciati da Firenze (*Il Carteggio...* 1965-1983, I, 1965, p. 353; Landucci 1450-1542, ed. 1883, pp. 73-76); nei giorni seguenti il popolo fiorentino, inferocito, saccheggia il giardino di San Marco (Elam 1992a, p. 164), come pure le altre proprietà di Piero di Lorenzo e degli altri Medici (Heikamp, in *Il tesoro...* 1974, pp. 9-15)

1494 novembre 10 Piero de' Medici e i suoi fratelli si recano a Bologna dove già si trova M. e dove, secondo il cronista bolognese Cherubino Ghirardacci, ottengono asilo per pochi giorni ospiti del signore di Bologna a palazzo Bentivoglio; successivamente i Medici partono alla volta di Venezia (Elam 1992b, pp. 52, 70; Ghirardacci, seconda metà del XVI secolo, ed. 1932, p. 284)

1494 novembre 17 Carlo VIII entra a Firenze e sostiene un nuovo governo repubblicano (*Il Carteggio...* 1965-1983, I, 1965, p. 353). Il re conduce con sé quali suoi protetti: i fratelli Lorenzo di Pierfrancesco e Giovanni di Pierfrancesco de' Medici, detti Popolani (Landucci 1450-1542, ed. 1883, p. 80)

1494 novembre 17 Giovanni Bentivoglio, signore di Bologna, manda Giovan Francesco Aldrovandi, insieme "con altri cittadini honorati" a Milano per "condolersi" della morte del nipote Galeazzo Sforza, e felicitarsi della nomina a duca di Ludovico Sforza, padre di Caterina, cognata del cardinale Raffaele Riario (Ghirardacci, seconda metà del XVI secolo, ed. 1932, p. 283)

1494 novembre 24 in occasione del rinnovamento del governo della Repubblica fiorentina, Lorenzo di Pierfrancesco il Popolano de' Medici viene nominato per il quartiere di San Giovanni, uno dei venti accoppiatori e riformatori (Pieraccini 1924-1925, I, p. 383)

1494 novembre con la fuga dei Medici il patrimonio del palazzo di via Larga (attuale via Cavour) fu sequestrato e le sculture antiche trasferite in Palazzo Vecchio (Beschi 1983, p. 169)

1494 dicembre 31 Carlo VIII entra a Roma con le truppe francesi, in questo momento lui è in rapporti di amicizia con la famiglia Medici (Ghirardacci, seconda metà del XVI secolo, ed. 1932, p. 284); in questo momento alcuni francesi si stanziano in casa di Jacopo Galli dove un ospite muore di peste (Burckardus 1483-1506, ed. 1906, 2 voll., I, pp. 560-562)

1494-1495 Baccio da Montelupo (1469-1535), scultore compagno di M. al giardino, si trova contemporaneamente a questi a Bologna, dove esegue come prima opera il *Compianto sul Cristo morto* già nella cappella della famiglia Bolognini in San Domenico (i resti dell'opera si trovano nel Museo di San Domenico) (*Il giardino di San Marco...* 1992, p. 119)

1495 gennaio 1° convenzione fra i sindaci della Repubblica fiorentina per "sistemare l'eredità finanziaria del regime mediceo", il compito di essi fu reso meno facile dal fatto che fra coloro che furono coinvolti nelle operazioni – per esempio Lorenzo Tornabuoni – c'erano "agenti dei Medici fuoriusciti" (*Le collezioni...* 1999, pp. XI-XIII)

1495 gennaio 1° Baldassarre del Milanese è iscritto alla Compagnia della Pietà di San Giovanni dei Fiorentini a Roma, istituzione che riuniva anche banchieri della città toscana. Egli vi è registrato continuativamente fino al 1502 (AASGFR, 382, cc. 15-XVI; NB)

1495 gennaio 1° Baldassarre di Giovanni Balducci è iscritto alla Compagnia della Pietà di San Giovanni dei Fiorentini di Roma, dove è registrato ancora nel 1508 (AASGFR, 382, cc. 16-XVI; NB)

1495 gennaio 3 "dopo l'incorporazione dei beni mobili ed immobili, e di tutti gli effetti di Piero di Lorenzo e degli eredi di Lorenzo" gli ufficiali cominciarono a pagare i debiti dei Medici in Italia e all'estero (*Le collezioni...* 1999, p. 49). Non sappiamo se fra questi beni ci fossero opere di M.

1495 febbraio 14 Lorenzo e Giovanni "Popolani" de' Medici concludono con successo le trattative con Caterina Sforza circa la vendita di un'ingente quantità di grano. In quest'epoca i rapporti fra i fratelli Medici e la Sforza, signora di Imola e Forlì, diventano ancora più stretti (Breisach 1967, p. 321 n. 107)

1495 marzo 5 Paolo di Pandolfo Rucellai (banchiere e parente di secondo grado di M.), Lorenzo di Pierfranesco de' Medici, Guidantonio Soderini, Lorenzo Morelli e Bernardo Rucellai, quali ambasciatori della Repubblica fiorentina si recano a Napoli presso il re Carlo VIII (Del Badia, in Landucci 1450-1542, ed. 1883, p. 102 n. 1; *Il Carteggio*... 1965-1983, I, 1965, p. 356 n. 7)
1495 marzo 16 amnistia, entro certi limiti, per i sostenitori dei Medici, M. resta comunque a Bologna (Landucci 1450-1542, ed. 1883, p. 102)
1495 giugno 11 torna a Firenze Lorenzo di Pierfrancesco de' Medici che era stato ambasciatore presso il re di Francia a Napoli (Landucci 1450-1542, ed. 1883, p. 107)
1495 giugno 16 circa quindici giorni prima (30 maggio) si era prevista la data per la vendita dei beni immobili dei Medici (*Le collezioni*... 1999, p. 43)
1495 giugno 26 insediamento a Firenze della nuova Signoria costituita secondo i dettami di fra' Girolamo Savonarola (Landucci 1450-1542, ed. 1883, p. 102)
1495 agosto 11 i beni sequestrati a Piero de' Medici nel novembre del 1494 vengono messi all'asta a Firenze in Orsanmichele (Landucci 1450-1542, ed. 1883, p. 114). In questa data gli "ofiziali sopra i fatti e negozii di Piero de Medici" deliberarono di restituire al figlio di Francesco Buonarroti, cugino di M., il quale era assente da Firenze e impegnato a Bologna, un'immagine marmorea "denotante la figura de Reolo" (*Le collezioni*... 1999, p. 60: erroneamente riferita come proprietà di Davide Ghirlandaio). Trattandosi di una figura antica forse di Attilio Regolo sarebbe la prima testimonianza di una collezione di antichità dei Buonarroti; oppure si tratta di un'opera eseguita da M. per i Medici?
1495 dopo l'agosto Piero de' Medici impegna pietre preziose e arazzi presso Agostino Chigi a Roma (Bartalini 1996, p. 69, riferisce che gli oggetti vi confluirono nel maggio 1496)
1495 settembre 20 Piero de' Medici è a Siena dove viene raggiunto dalla moglie Alfonsina Orsini (Landucci 1450-1542, ed. 1883, p. 116)
1495 ottobre 3-novembre Piero de' Medici, ancora al bando, fallisce nel tentativo di riprendersi Firenze (*Il Carteggio*... 1965-1983, I, 1965, p. 353); secondo il diarista Luca Landucci ci sono in città fermenti dietro i quali si nascondevano le manovre di Piero de' Medici (Landucci 1450-1542, ed. 1883, pp. 117-118)
1495 novembre 6 il giardino delle sculture di Lorenzo il Magnifico in piazza San Marco viene confiscato ufficialmente e venduto a un acquirente forestiero amico dei Medici, Giovanni Bentivoglio, signore di Bologna, (Elam 1992b, pp. 51, 76)
1495 novembre 14 mandati da Piero de' Medici, i suoi fratelli, il cardinale Giovanni (poi Leone X) e Giuliano, sostano per un giorno a Bologna – dove si trova M., durante il viaggio verso Milano; qui essi speravano di ottenere, in seguito alla partenza dall'Italia di Carlo VIII, l'aiuto del duca di Milano per essere rimpatriati a Firenze (Elam 1992a, p. 165; già in Ghirardacci, seconda metà del XVI secolo, ed. 1932, p. 287)
1495 novembre 14 Piero de' Medici è a Perugia con "molta giente" armandosi per riprendere Firenze (Landucci 1450-1542, ed. 1883, p. 118)

1495 ca Natale-1496 gennaio (Il Carteggio... *1965-1983, I, 1965, p. 353) M. ritorna a Firenze [per il Vasari nella* Vita *del Cronaca, sarebbe tornato a Firenze nel giugno-luglio 1495 (Vasari 1568, in* Le opere... *1878-1906, IV, 1879, pp. 448-449); già Frey (1907a, p. 122), ne sostiene l'inattendibilità]. Secondo il Condivi (Condivi 1553, ed. Nencioni, p. 17) e il Vasari (Vasari 1568, ed. Barocchi, I, p. 15) Lorenzo di Pierfrancesco de' Medici commissiona a M. un* San Giovannino, *ora perduto (si veda anche* supra*), e Frey ritiene che al ritorno da Bologna M. fosse ospitato dal "Popolano" nella propria casa (Frey 1907b, pp. 223 sgg.)*
1495 Natale-1496 gennaio dopo *per il Condivi (1553, ed. Nencioni, p. 17) e il Vasari (1568, ed. Barocchi, I, p. 15) soltanto adesso M. scolpisce, a Firenze, il* Cupido dormiente *comprato da Baldassarre del Milanese, e da lui o da un suo agente venduto come antico – su suggerimento di Lorenzo di Pierfrancesco de' Medici (Condivi, 1553, ed. Nencioni p. 17; Vasari 1568, ed. Barocchi, I, p. 15) – al cardinale Raffaele Riario (Giovio, 1523-27, ed. 1971, I, p. 11; Condivi 1553, ed. Nencioni, pp. 17-18; Vasari 1568, ed. Barocchi, I, pp. 15-16)*

1495 un altro dei tanti esempi della pratica di contraffare gli oggetti, come prova delle capacità degli artisti moderni: un vaso di porfido nascosto a Roma e venduto come antico (Hirst - Dunkerton 1994, ed. it. 1997, pp. 21, 28 n. 33). Nella stessa città l'antiquario Giovanni Ciampolini, cliente del banco Balducci, e pertanto forse in rapporti con M. e Baldassarre del Milanese, possedeva come quest'ultimo una vigna, dove sarebbe stato facile sotterrare il *Cupido dormiente* di M. (Corti - Fusco 1991, pp. 7, 44 n. 7)
1495 la facciata principale del palazzo della Cancelleria fatto edificare dal cardinale Raffaele Riario è eretta ma il cortile non viene realizzato probabilmente fino al 1496 (vedi Frommel, in questo catalogo)
1495-1498 Jacopo Ripanda, artista bolognese (documentato 1490-1530) di impostazione fortemente classicheggiante, che lavora anche per il Riario nella Cancelleria nuova, dipinge gli affreschi perduti nella loggia di Castel Sant'Angelo a Roma (Farinella 1992, p. 99 n. 43). Avrà frequentato M. a Bologna?

1496 prima metà *M. si trattiene a Firenze*
1496 Carnevale *M. probabilmente assiste alle prediche del Savonarola (*Il Carteggio... *1965-1983, I, 1965, p. 353)*

1496 marzo 12-maggio 1° Baldassarre del Milanese è a Roma il 12 marzo, come uno dei XII festaioli per la Settimana Santa della Compagnia della Pietà (AASGFR, 337, c. 15; NB), probabilmente solo dopo questa data avrebbe potuto recarsi a Firenze dove, avuto da M. il *Cupido dormiente*, lo poté vendere a Roma al cardinale Raffaele Riario; infatti il mercante fiorentino il 1° maggio è di nuovo nella Compagnia dei Fiorentini a Roma (AASGFR, 382, c. 15; NB)

1496 maggio 5 *"Lo Reverendissimo Cardinale di San Giorgio [Riario] de'avere a dì 5 di maggio ducati 200 di charlini 10 per ducato avvuti da..." (Hirst - Dunkerton 1994, ed. it. 1997, pp. 19, 27 n. 25). Il personaggio che versa la cifra, il cui nome è omesso nel documento è evidentemente Baldassarre del Milanese, e il denaro è quello che il cardinale Riario ricevette indietro dopo la scoperta che il* Cupido dormiente *non era un'opera antica*

1496 prima di giugno 25 *M. è a Firenze dove disegna una "mano" per convincere l'emissario del Riario, il "suo gentiluomo", cioè il banchiere Jacopo Galli, di essere l'autore del* Cupido dormiente *(Condivi 1553, ed. Nencioni, p. 18; Hirst - Dunkerton 1994, ed. it. 1997, p. 19)*

1496 giugno 25, sabato *M. arriva a Roma. Nella lettera inviata a Lorenzo di Pierfrancesco il 2 luglio (*Il Carteggio... *1965-1983, I, 1965, p. 355) M. ricorda di essersi recato "in compagnia" a consegnare la lettera di introduzione fornitagli dal medesimo Lorenzo per il cardinale Riario. Questi "e volle inchontinente ch'io andasse a vedere certe figure, dove i' ochupai tutto quello g[i]orno, e però non detti l'altre vostre lettere". In questo momento il Riario abitava in casa della cognata Caterina Sforza (vedova di Girolamo, fratello del cardinale e in seguito moglie di Giovanni di Pierfrancesco de' Medici) nell'odierno palazzo Altemps (vedi* 1496 dicembre 24*), davanti al palazzo di Sant'Apollinare, ex residenza del cardinale d'Estoutville, pervenuto al Riario in quanto suo successore dal 1483, non solo nella carica di Camarlengo papale, ma anche come protettore generale dell'ordine agostiniano. M. vede già in questo giorno o in casa Sforza-Riario o nel prospiciente palazzo d'Estoutville "certe figure" antiche*

1496 giugno 25 *M., impegnato presso il Riario, non riesce a consegnare quel giorno altre lettere che Lorenzo di Pierfrancesco de' Medici gli aveva fornite per i banchieri fiorentini a Roma e una di monito per Baldassarre del Milanese (*Il Carteggio... *1965-1983, I, 1965, p. 335)*

1496 giugno 26, domenica *"el Chardinal venne nella chasa nuova (palazzo della Cancelleria nuova)* effecemi domandare: andai dallui*"; l'uso del verbo venire indica che il cardinale non ci abitava ancora, mentre Michelangelo aveva già preso residenza in casa Galli. Quel giorno M. vede per la prima volta le antichità poste nella Cancelleria (*Il Carteggio..., *1965-1983, I, 1965, p. 355 n. 3). Sebbene il palazzo fosse ben lontano dall'essere edificato le parole di M. testimoniano che la collezione di sculture vi era già collocata. Le antichità più tardi documentate da Aldrovandi: statue colossali di* Hera *o* Demetra *della Rotonda Vaticana e di Melpomene: avranno già fatto parte della collezione?*

1496 giugno tra 26, domenica (o più ragionevolmente 27, lunedì) e luglio 2, sabato *M. ricorda "abbiamo comprato un pezo di marmo"; il plurale implicando la presenza di altre persone portò la Barocchi a chiedersi se si trattasse già dell'assistente di M., Piero d'Argenta (*Il Carteggio... *1965-1983, I, 1965, p. 335 n. 2), tuttavia il Galli che non molto dopo acquisterà marmi di M. potrebbe essere un altro possibile accompagnatore. Piero d'Argenta che si trova descritto nei libri della banca Balducci come "garzone" di M., è forse da identificare con il cosiddetto "Maestro della Madonna di Manchester" (vedi Hirst - Dunkerton 1994, ed. it. 1997, p. 43 sgg.; e Agosti - Hirst 1996, pp. 683-684) (RH)*

1496 giugno 26 *il* Cupido dormiente *di M. arriva nel palazzo del cardinale Ascanio Sforza, zio di Caterina, cognata di Raffaele Riario*

1496 giugno 27, lunedì *lettera del conte Antonio Pico della Mirandola alla cognata Isabella d'Este a Mantova, egli come suo agente frequenta il mercato d'arte a Roma in cerca di sculture antiche (Barocchi 1962, in Vasari 1550-1568, II, pp. 152-55 n. 131). Egli la informa che il* Cupido dormiente *è posto "in vendita nella casa del Cardinal Ascanio [Sforza] (cancelleria vecchia odierno palazzo Sforza Cesarini) et e' un puto, cioe' uno Cupido, che si ghiace et dorme posato in su una sua mano; et e' integro et e' lungo circa IIII spanne , quale e' bellissimo...lo patrone ne vole ducento" (Frey 1907a, p. 137) in questo momento la scultura appartiene a Baldassarre del Milanese, non più al Riario e non allo Sforza il quale disse che "nol volea" "che sel ne volea fare tempo qualche mese li daria li CC ducati, et che lo volea donare al duca de Milano" (Frey 1907a, p. 137)*

1496 giugno 27, lunedì *M. ricorda di aver incontrato a Roma "Pagolo Rucellai, el quale mi proferse que' danari mi bisogniassi, e'l simile que' de' Chavalchanti" (*Il Carteggio... *1965-1983, I, 1965, pp. 354-355). Sembra che Lorenzo di Pierfrancesco indirizzasse proprio al Riario, a Baldassarre del Milanese e ai banchieri fiorentini a Roma delle lettere perché M. potesse ottenerne un prestito che gli avrebbe consentito di riacquistare* il Cupido dormiente *(sui rapporti di M. con i banchieri fiorentini si veda la lettera del fratello Buonarroto allo scultore in data 24 dicembre 1507, in* Il Carteggio... *1965-1983, I, 1965, p. 58) Rimane incerto che M. volesse riacquistare il* Cupido *per rivenderlo, come sostiene Frommel (1992)*

1496 tra giugno 27, lunedì *e* **prima del luglio 2, sabato** *M. incontra a Roma Baldassarre del Milanese, gli consegna la lettera a lui indirizzata da Lorenzo di Pierfrancesco de' Medici. M. ricorda di avergli domandato "el banbino" e di avergli detto "chio gli renderia e sua danari", Baldassarre si rifiuta "molto aspramente", asserisce di averlo (ri)comprato e di esserne il possessore e piuttosto di restituirla a M. ne farebbe "prima cento pezi". Inoltre M. ricorda che Baldassarre "emmolto si lamentò" di Lorenzo di Pierfrancesco, asserendo che costui lo aveva screditato, il che ci dice evidentemente che il Medici aveva "sparlato di Baldassarre" del Milanese nella lettera indirizzata al cardinale Riario e ai banchieri fiorentini (*Il Carteggio... *1965-1983, I, 1965, pp. 354-355)*

Perché nel giorno stesso in cui Baldassarre nega a M. il riacquisto del Cupido dormiente, *la statua risulta già in vendita in casa di Ascanio Sforza (odierno palazzo Sforza Cesarini), come testimoniato da Antonio Pico della Mirandola (si veda* supra*)?*

1496 tra giugno 27 e prima del 2 luglio, sabato *M. sempre nella lettera a Lorenzo di Pierfrancesco de' Medici ricorda come, nel diverbio sorto fra lui e Baldassarre del Milanese, "èccisi messo qualcuno de' nostri fiorentini [i banchieri] per achordarci, ennon ànno fatto niente". Per il futuro prossimo spera di risolvere la questione* *"per via del chardinale [Riario], chè chosì sono chonsigliato da Baldassarre Balducci" (Il Carteggio... 1965-1983, I, 1965, pp. 354-355)*

1496 luglio 2, sabato *data della lettera che M. scrive da Roma a Lorenzo di Pierfrancesco de' Medici a Firenze. La lettera gli è fatta probabilmente recapitare a Firenze presso Sandro Botticelli, artista che aveva lavorato intensamente per il Medici (*Il Carteggio... *1965-1983, I, 1965, p. 355 n. 1). Sabato è il giorno in cui M. normalmente si dedica alla corrispondenza (*Il Carteggio..., *1965-1983, I, 1965,* passim*)*

1496 luglio 4, lunedì *M. annuncia nella lettera a Lorenzo di Pierfrancesco de' Medici l'intenzione di cominciare a lavorare quel giorno il pezzo di marmo che avevano comprato presumibilmente per il Bacco (Firenze, Museo Nazionale del Bargello) (Il Carteggio... 1965-1983, I, 1965, p. 354; Hirst 1981, pp. 590-591)*

1496 luglio *da questo momento, e per un anno, le lettere di M. sono perdute (Il Carteggio... 1965-1983, I, 1965, p. 354)*

1496 luglio 18 *al conto del cardinale Raffaele Riario presso la banca di Giovanni e Baldassare Balducci e compagni di Firenze, in rapporti con messer Jacopo Galli; vengono addebitati 10 ducati di carlini "per lo marmo che si fa la figura per mano di Michelagnolo", presumibilmente quella del* Bacco *(Firenze, Museo Nazionale del Bargello) (ASF, ELB, 2, c. 17v; Hirst - Dunkerton 1994, ed. it. 1997, pp. 27 n. 24-38 n. 8). Chi avrà anticipato questi 10 ducati per il marmo? È stato spesso notato che la somma è piuttosto esigua per un blocco di marmo così grande. Di che tipo di marmo si tratta e qual è la sua altezza?*

1496 luglio 18 *nei conti del Banco Balducci di Firenze "Lo R.mo Cardinale di San Giorgio (Raffaele Riario)" "e de' dare carlini 3 per la pastura del chavallo di Michelagnolo e le spese per lavoro" (Hirst 1981, p. 593)*

1496 luglio 23 *M. è menzionato a Roma come autore del* Cupido dormiente *dal conte Antonio Pico della Mirandola in una lettera a Isabella d'Este a Mantova, in cui le comunica che l'opera non è antica, ma così perfetta che tutti la considerano come tale (Frey 1907a, p. 137). La duchessa a quel momento non aveva ancora preso una decisione circa l'acquisto dell'opera tuttavia non trattandosi di un'antichità è sottinteso che ella non avesse più alcun interesse (Frey, 1907a, p. 137; Hirst - Dunkerton 1994, ed. it. 1997, p. 27 n. 27)*

1496 agosto 8 nuova vendita di grano a Caterina Sforza da parte di Giovanni il Popolano de' Medici. A questa data comincia anche la loro relazione sentimentale (Breisach 1967, pp. 175, 322 n. 110)

1496 agosto 23 *mediante il suo conto presso la banca Balducci, il cardinale Riario paga 50 fiorini larghi d'oro a M. quale acconto per il suo lavoro, presumibilmente la statua del* Bacco *(Firenze, Museo Nazionale del Bargello) (ASF, ELB, 2, c. 21v; Hirst 1981, p. 593)*

1496 agosto 24 4 *ducati pagati a M. "in chasa di messer Jacobo" [Galli] (Frommel 1992, p. 454 n. 31)*

1496 settembre 19 *al conto del cardinale Riario vengono addebitati 4 ducati di carlini per due barili di vino "rimesso in chasa messer Jachopo [Gallo] per Michelagnolo" (ASF, ELB, 2, c. 27v; Hirst - Dunkerton 1994, ed. it. 1997, p. 39 n. 15)*

1496 novembre 25 alla morte di Giovanni Ebu, vescovo di Crotone che aveva destinato 500 ducati all'abbellimento della cappella in Sant'Agostino a Roma, per l'esecuzione della cui tavola M. fu pagato nel 1500, Jacopo Galli – insieme a un altro personaggio in stretta relazione con il cardinale Riario, l'avvocato Gianbartolommeo de' Dossis, grande collezionista di antichità – viene nominato esecutore testamentario (Hirst 1981, p. 583)

1496 dicembre 24 il palazzo romano – l'odierno palazzo Altemps – edificato da Girolamo Riario e al momento di proprietà della sua vedova Caterina Sforza (*Palazzo Altemps*, 987, pp. 241-307) viene dato in affitto da un suo procuratore; l'edificio è ormai libero: infatti il cardinale Raffaele Riario, già cognato della Sforza, lo stava lasciando in quel torno di tempo (Rodocanachi 1912, p. 389)

1496 fine *il* Cupido dormiente *di M. è già stato donato da Cesare Borgia ai Montefeltro (Barocchi, in* Il Carteggio... *1965-1983, II 1965, p. 152 n. 131); l'opera attraversa questi vari passaggi di proprietà: da Cesare Borgia passa a Guidobaldo da Montefeltro, duca d'Urbino, poi di nuovo a Cesare Borgia, che torna in possesso dell'opera nel 1502 quando si impossessa del ducato urbinate;, giungerà a Mantova nello stesso 1502 (su questi passaggi di proprietà si veda* Michelangelo e l'arte classica *1987, p. 43; ed* infra*)*

1496-1502 Pietro Torrigiano ("Petro scarpellino fiorentino") lavora a Roma in San Giacomo degli Spagnoli (in tale torno di tempo si pensa che abbia effettuato alcuni viaggi in Toscana e nelle Marche) (*Il Giardino di San Marco...* 1992, p. 118)

1497 gennaio 1° il cardinale Raffaele Riario abita nella Cancelleria come si desume dal fatto che egli abbia abbandonato il palazzo della cognata Caterina Sforza, l'attuale palazzo Altemps (Rodocanachi 1912, p. 389)

1497 marzo 23 *prima menzione di M. quale cliente della banca Balducci di Roma. M. manda 9 fiorini larghi d'oro a suo padre a Firenze tramite questa banca e quella di Francesco Strozzi sempre a Firenze. (ASF, ELB, 2, c. 48v; RH)*

1497 aprile 8 *cinquanta fiorini larghi d'oro a M. versati presso la banca Balducci dal conto del cardinale Riario (ASF, ELB, 2, cc. 46r e 50v; Hirst 1981, p. 593). Per Michael Hirst questo pagamento è da mettere in relazione con l'esecuzione del* Bacco *(Firenze, Museo Nazionale del Bargello) (anche in Hirst - Dunkerton 1994, ed. it. 1997, p. 32)*

1497 aprile 28 tentativo fallito di Piero de' Medici di rientrare a Firenze e riprenderne il potere (*Le collezioni...* 1999, p. XIII n. 12)

1497 maggio 12 fra' Girolamo Savonarola viene scomunicato, alle ripercussioni politiche su Firenze si unirono la mancanza di cibo, la disoccupazione e la peste (Weinstein 1976, pp. 302-303)

1497 giugno 27 *sul conto di M. vengono addebitati 3 carlini "per j° chuadro di legno per dipingnerlo" (ASF, ELB, 2, c. 63v; Hirst - Dunkerton 1994, ed. it. 1997, pp. 41, 48 n. 1). Data la cifra esigua (un quarto di un ducato di Camera) non sembra possa trattarsi della tavola sulla quale è dipinta la* Madonna di Manchester *(Londra, National Gallery): potrebbe trattarsi, invece, di quella usata per un* San Francesco *menzionato sia dall'Anonimo Magliabechiano (1537- 1542 ca, in* Il codice magliabechiano... *1892, p. 129) che dal Vasari (Vasari 1568, ed. Barocchi, I, p. 16). (RH) Sul* San Francesco *si veda Agosti - Hirst, 1996, pp. 683-684; e inoltre Hirst - Dunkerton 1994, Appendice all'ed. it. 1997, pp. 81-83*

1497 luglio 1° *in una lettera – la prima superstite dal luglio 1496 – da Roma a suo padre a Firenze M. afferma che non può tornare in patria perché "non ho potuto ancora achonciare e' fatti mia col Cardinale, e partir no mi voglio, se prima io non son sodisfatto e remunerato della fatica mia": a questa data dunque il* Bacco *(Firenze, Museo Nazionale del Bargello) doveva essere completato (*Il Carteggio... *1965-1983, I, 1965 p. 357)*

1497 luglio 3 *terzo e ultimo pagamento di 50 fiorini larghi d'oro da parte del cardinale Riario a M., per saldare il prezzo del* Bacco *(Firenze, Museo Nazionale del Bargello) che, in questa occasione, viene nominato come tale (ASF, ELB, 2, cc. 50v e 63r; Hirst 1981, p. 593)*

1497 luglio 9 (prima del) muore a Firenze Lucrezia degli Ubaldini da Gagliano, matrigna di M. (Tolnay 1947-60, I, 1947, p. 7)

1497 luglio 28 *M. preleva 8 ducati di Camera dal proprio conto corrente per un motivo non precisato (ASF, ELB, 2, c. 70v; RH)*

1497 agosto 11 o 18, venerdì Buonarroto, fratello di M., giunge a Roma per una visita a M. medesimo (*Il Carteggio...* 1965-1983, I, 1965 p. 358). Questa data diventa il *terminus post quem* per la presenza a Roma con M. di Piero d'Argenta (pittore ferrarese, già aiuto di M. nel *San Francesco*) che tuttavia "veniva" già a Roma con il Buonarroti (Agosti - Hirst 1996, pp. 683-684)

1497 agosto 19, sabato: *in una lettera da Roma indirizzata al padre a Firenze, M. ricorda l'acquisto di un blocco di marmo per una figura che deve essere scolpita per Piero de' Medici, non ancora cominciata, e poi rammenta "e comperai un pezzo di marmo ducati cinque e non fu buono: ebbi buttati via que' danari; poi ne ricomperai un altro pezzo altri cinque ducati, e questo lavoro per mio piacere" (Barocchi, in Vasari, 1962, II, pp. 159-161 n. 137;* Il Carteggio... *1965-1983, I, 1965, pp. 358-59). L'uno o l'altro potrebbero essere l'*Apollo *Galli – perduto – e/o il* Fanciullo arciere *di New York (Payne Whitney House, sede dei Services culturels de l'Ambassade de France, New York)*

1497 settembre Buonarroto, fratello di M., si trova (dall'11 o dal 18 di agosto) ancora a Roma, egli vi riceve infatti, presso M., una lettera da Firenze (*Il Carteggio...* 1965-1983, I, 1965, p. 368); egli poté vedere Piero d'Argenta che risiedeva presso M.

1497 novembre [prima del 18] *M. versa 133 fiorini di Reno (corrispondenti a 100 ducati di Camera) ricevuti dal cardinale Jean de Bilhères-Lagraulas, presumibilmente quale acconto per la* Pietà *di San Pietro (ASF, ELB, 2, cc. 50v e 97v; Hirst 1985, p. 156). Il contratto sarà firmato solo dieci mesi più tardi al momento in cui il marmo giunge integro a Roma*

1497 novembre 18 *lettera di salvacondotto del cardinale Jean de Bilhères-Lagraulas agli Anziani di Lucca per raccomandare M. e facilitare il suo lavoro a Carrara dove si reca a cercare marmo per la* Pietà *(*Le lettere... *1875, p. 613 n. 1)*

1497 novembre 18 *M. preleva 12 ducati di Camera e 3 carlini per "j° chavallo leardo per andare a Charrara". Inoltre prende 5 fiorini larghi d'oro "in moneta per spendere per la via" (ASF, ELB, 2, c. 97v; Hirst 1985, p. 156): è in partenza per Carrara, dove farà cavare, tra l'altro, il marmo per la* Pietà *vaticana (vedi* infra*: 1498 giugno 18, luglio 28 e agosto 30) (RH)*

1497 dicembre 29 *sul conto corrente di M. vengono accreditati 150 fiorini larghi d'oro, dei quali 20 pagati all'artista a Firenze dalla banca di Francesco Strozzi e 130 a Lucca da quella di Benedetto Bonvisi (ASF, ELB, 2, c. 97v; Hirst 1985, p. 156): non sappiamo a quale opera si riferiscano questi pagamenti*

1497 (data ipotetica dedotta dalle fonti) *il Condivi (Condivi 1553, ed. Nencioni, p. 19) e il Vasari (Vasari 1568, ed. Barocchi, I, p. 16) ricordano che M. fece o dette un "cupido di marmo quanto il vivo" a Jacopo Galli a Roma*

1498 gennaio 13 Piero d'Argenta scrive da Roma a Buonarroto, fratello di M. a Firenze, lamentantandosi che dalla sua partenza dall'Urbe M. non ha più scritto, il suo comportamento ha meravigliato tutti, anche Jacopo Galli (*Il Carteggio indiretto...*, 1988, I, p. 1)

1498 marzo 10 Piero d'Argenta da Roma scrive di nuovo a Buonaroto, fratello di M., a Firenze (*Le Lettere...* 1875, p. 59)

1498 marzo 22 *M. preleva 2 fiorini d'oro dal proprio conto per spenderli: evidentemente è tornato da poco a Roma (ASF, ELB, 2, c. 97v; Hirst 1985, p. 156)*

1498 marzo 26 *M. preleva 30 ducati di Camera dal proprio conto corrente: "Volse per rendere a Piero de' Medici" (ASF, ELB, 2, c. 97v; Hirst - Dunkerton 1994, ed. it. 1997, pp. 37, 40 n. 30). Si tratta evidentemente della restituzione di un acconto per un'opera che M. non fece più*

1498 aprile *il blocco per la* Pietà *vaticana da Carrara viene mandato a Roma (Frey 1907a, p. 140)*

1498 maggio 23 morte a Firenze di fra' Girolamo Savonarola (Weinstein 1976, p. 309)

1498 giugno 18 *un pagamento di M. di un ducato di carlini dal proprio conto corrente a Simone marinaio "per parte del nolito di marmj" (ASF, ELB, 2, cc. 136v e 143r; Hirst 1985, p. 156). È il primo di una serie di pagamenti per i marmi acquistati a Carrara durante l'inverno del 1497-98 e ora arrivati a Roma (RH)*

1498 giugno 19-luglio 26 *M. preleva varie som-*

me per i marmi acquistati a Carrara (Hirst 1985, p. 156). Per quali opere egli acquisisce questi marmi? Questi acquisti implicano molte più committenze di quante possiamo pensare

---

1498 luglio 2 Ricciardo di Giovambattista del Milanese (1469-1542), religioso, fratello di Baldassarre entra come novizio, nel periodo in cui Baldassarre Balducci ne era consigliere, nella Compagnia della Pietà di San Giovanni dei Fiorentini (AASGFR, 337, c. 56v; NB). Anch'egli in rapporti con M. fino dai tempi del Magnifico sarà a Roma con incarichi presso la Curia per quasi tutto il corso della sua esistenza (Frenz 1986, pp. 438, 470, 475)

1498 luglio 28 *M. paga ancora 41 fiorini larghi d'oro e 9 carlini a Simone marinaio per saldare un conto di 45 fiorini larghi d'oro e 9 carlini, di cui 35 fiorini "per nolo d'una barchata di marmj" e 10 fiorini e 9 carlini per danari prestò a maestro Michele [da Cuccherello] a Charrara". E inoltre 46 fiorini larghi d'oro a Centurino di Plasio da Lavagna, di cui 35 "per 1ª barchata di marmj" e 11 per 15 fiorini prestati a maestro Michele a Carrara, di cui 4 sono stati restituiti (ASF, ELB, 2, c. 143r; Hirst 1985, p. 156 [incompleto]). È evidente che i noli erano più d'uno e che si trattava di diversi blocchi di marmo (RH)*

1498 agosto 4 *a un certo Binci vengono pagati 12 carlini dal conto di M. "per li opere" (ASF, ELB, 2, c. 143r). Con la parola "opere" si intendono le giornate di lavoro presumibilmente in relazione con i marmi (RH)*

1498 agosto 21 *M. paga a un certo Renzo la pigione – da dare a Fabrizio Puligato – di sei mesi a un ducato e mezzo al mese della casa presa in affitto dall'artista (ASF, ELB, 2, c. 143r; RH): non abita più nella casa di messer Jacopo Galli, né presso altri. Sembrerebbe che il cambiamento di casa corrisponda alla necessità di trovare un ambiente più adatto per lavorare il grande blocco di marmo per la* Pietà

1498 agosto 22 *M. manda a suo padre in Firenze tramite la banca di Francesco Strozzi 5 fiorini larghi d'oro da pagare a un maestro Michele scarpellino "per resto di suo salario per lo servito a Charrara" (ASF, ELB, 2, c. 143r; Hirst 1985, p. 156)*

1498 agosto 27 *soltanto a questa data è stipulato il contratto per la* Pietà *di San Pietro a Roma. M. deve finirla entro un anno. Il prezzo pattuito per l'opera è di 450 fiorini larghi d'oro; le spese sono a carico dell'artista. Messer Jacopo Galli promette che sarà la statua più bella di Roma (*Le lettere... *1875, pp. 613-614; ripubblicato da Weil-Garris Brandt 1987, pp. 105-106)*

1498 agosto 27 *M. versa sul proprio conto corrente 50 fiorini larghi d'oro ricevuti dal cardinale Bilhères-Lagraulas, presumibilmente per la* Pietà *vaticana (ASF, ELB, 2, c. 149r; Hirst 1985, p. 156)*

1498 agosto 30 *M. paga 10 fiorini larghi d'oro "per fare portare e marmj a chasa sua", e non presso i Galli (ASF, ELB, 2, c. 149r; Hirst 1985, p. 156). È l'ultimo della serie di pagamenti per i marmi acquistati a Carrara durante l'inverno 1497-98*

1498 settembre 6 *quattro fiorini, e poi ancora altri 4 fiorini, prelevati dal conto di M. da un suo "chompare", probabilmente il fratello Buonarroto a Roma (ASF, ELB, 2, c. 149r; RH)*

1498 settembre 7 *otto fiorini vengono prelevati dal proprio conto da M. stesso a Roma (ASF, ELB, 2, c. 149r; RH)*

1498 settembre 18 *quattro fiorini prelevati dal conto di M. nuovamente dal fratello Buonarroto a Roma (ASF, ELB, 2, c. 149r; RH)*

1498 ottobre 16 *ancora 4 fiorini prelevati dal fratello Buonarroto dal conto di M. (ASF, ELB, 2, c. 149r; RH), durante la visita del fratello M. spende molto più del solito*

1498 ottobre 29 *M. a Roma versa 25 fiorini larghi d'oro ricevuti dal cardinale Bilhères-Lagraulas "per parte del lavoro fa a Sua Reverendissima Signoria", cioè la* Pietà *vaticana (ASF, ELB, 2, c. 160r; Hirst 1985, p. 156; vedi anche Hirst - Dunkerton 1994, ed. it. 1997, pp. 57, 61 n. 33)*

1498 novembre 9 *M. preleva 4 fiorini larghi d'oro "per spese e pagare a' Moscheroni" (ASF, ELB, 2, c. 149r). I Moscheroni, cioè i Mouscron, mercanti di stoffe, fiaminghi, operanti a Roma e clienti anch'essi della banca Balducci, saranno i committenti della* Madonna di Bruggia *(la* Madonna, *Bruges, Notre-Dame) (RH). Dunque M. era in contatto con loro molto tempo prima della committenza; e come mai in questa occasione lui li paga, per che cosa?*

1498 dicembre 21 *M. versa sul proprio conto corrente altri 25 fiorini larghi d'oro avuti dal cardinale Bilhères-Lagraulas per la* Pietà *vaticana (ASF, ELB, 2, c. 160r; Hirst 1985, p. 156)*

1498 Baldassare Crasso dedica a Jacopo Galli degli esametri premessi alle *Epistole familiari* di Matteo Bosso. Proprio nel giardino della villa suburbana dei Galli fuori Porta Castello (attuale Castel Sant'Angelo), Jacopo Sadoleto da Ferrara, giunto a Roma in quel torno di tempo (*Raffaello in Vaticano...* 1984, p. 58), ambientava il dialogo *Phaidra*. Inoltre Jacopo Galli doveva figurare fra gli amici romani del giovane Pietro Bembo molto coinvolto a Firenze con la famiglia Medici, Agnolo Poliziano e Marsilio Ficino (Agosti 1992, p. 19)

1498 Pietro Torrigiano fa testamento a Roma (*Il giardino di San Marco...* 1992, p. 118)

1499 gennaio 20 *sul conto corrente di M. vengono accreditati 4 fiorini larghi d'oro per un motivo non precisato. Nella stessa giornata gli vengono addebitati 22 carlini per "channe 50 1/2 di tela per chamicie" (ASF, ELB, 3, c. 2r; R. H.), in una differente lettura (da parte di Louis Waldman) non si tratterebbe di "chamicie" bensì di "chamera": suggerendo in questo caso la tela per le impannate il cui uso inciderebbe sull'illuminazione della stanza*

1499 febbraio il cardinale Riario affida molti incarichi a Jacopo Ripanda, a Roma, che inizia a dipingere in via Alessandrina (Farinella 1992, pp. 92 99 n. 39)

1499 aprile 16 *a Roma, Piero d'Argenta preleva 58 carlini dal conto corrente di M. (ASF, ELB, 3, c. 14v; RH); egli continuerà a prelevare e depositare alcune somme di denaro per conto di M. fino al 20 dicembre dello stesso anno (ASF, ELB, 3, cc. 32v 35r, RH; Mancusi Ungaro jr. 1971, p. 148)*

1499 giugno 17 *15 ducati di carlini vengono*

prelevati dal conto corrente di M. per essere pagati a un certo Zara (Domenico scarpellino che ricompare nel settembre del 1501), probabilmente un istriano (ASF, ELB, 3, c. 27r; RH)

1499 luglio 16 *un versamento a favore di M. di 25 ducati di carlini, forse per la* Pietà *vaticana, mentre Piero d'Argenta preleva 30 carlini per un motivo non precisato (ASF, ELB, 3, c. 32v; RH)*

1499 agosto 6 *dal conto corrente di M. vengono pagati 3 ducati di carlini e 11 bolognini a un Sandro muratore. Inoltre, servendosi del conto, M. rimborsa un prestito di 6 ducati di carlini fattogli dalla banca il 16 luglio (ASF, ELB, 3, c. 32v; RH). Seguendo Giovanni Poggi, Hirst pone il quesito se il pagamento a Sandro muratore non possa essere "in l'avere questi murato la* Pietà" *vaticana che in tal caso sarebbe stata compiuta entro questa data (vedi Hirst - Dunkerton 1994, ed. it. 1997, pp. 58, 61 n. 36)*

1499 settembre 23 *M. stesso prende altri 40 carlini in contanti dal proprio conto (ASF, ELB, 3, c. 35r; RH). Da una serie di prelevamenti come questo (cfr. 1499 agosto 9* e *ss.) possiamo formarci un'idea di quanto gli costi vivere (e lavorare. Non molto)*

1499 novembre 21 *M. versa 100 ducati di Camera sul proprio conto corrente in contanti (ASF, ELB, 3, c. 51v; Mancusi-Ungaro jr. 1971, p. 148 [con errori]). Questo cospicuo versamento non sembra collegabile né con la* Pietà *vaticana né con il* Cupido *(o* Apollo*) fatto per messer Jacopo Galli. Si potrebbe trattare di un'opera sulla quale non siamo informati (RH)*

1499 novembre 21 il cardinale Riario lascia Roma per andare in esilio (Farinella 1992, p. 99 n. 39). Secondo Giovanni Agosti (Agosti 1992, p. 34 n. 5) sarebbe il momento probabile in cui il *Bacco* (Firenze, Museo Nazionale del Bargello) fu trasferito ai Galli, se addirittura non era sempre stato presso di loro. Infatti il marmo comprato con denari forse anticipati da Jacopo poteva ben essere lavorato in casa del banchiere, in quanto il palazzo della Cancelleria non era ancora abitabile. L'opera è erroneamente ricordata come commissionata da Jacopo Galli dalle fonti antiche (Condivi 1553, ed. Nencioni, p. 19; Vasari 1568, ed. Barocchi, p. 17)

1499 il cardinale Ascanio Sforza viene esiliato da Roma (Frommel 1992, p. 456)

---

estate 1499-autunno 1500 *non sappiamo quasi niente riguardo all'attività di M. durante questi mesi. Possiamo ipotizzare la committenza della* Madonna di Bruges *(Notre-Dame)? (Frommel 1992)*

1500 gennaio 2-giugno 25 *continuano i movimenti di denaro effettuati da M. presso il Banco di Giovanni e Baldassarre Balducci (Mancusi-Ungaro jr. 1971, pp. 148-150)*

1500 febbraio 21 *M. paga la pigione per sei mesi anticipati (Mancusi-Ungaro jr. 1971, p. 148), ciò indica la sua intenzione di restare a Roma fino all'agosto dello stesso anno*

1500 marzo *[senza il giorno] "Item recevei de marmori venduti, presente el priore (non ricordato) e maestro Michelangelo, ducati quindici" (Hirst 1981, p. 590)*

1500 marzo 9 *"Da Michelagnolo Bonarroti duchati sessanta d'oro in oro larghi contanti": questo pagamento testimonia le operazioni bancarie di Michelangelo presso il Banco di Giovanni e Baldassarre Balducci (Mancusi-Ungaro jr. 1971, p. 148)*

1500 giugno 30 *"a Moscheroni duchati dugiento d'oro in oro papali portò Giovanni Moscheroni": è la menzione nei documenti del Banco Balducci delle operazione fatte dai mercanti fiamminghi per i quali M. eseguirà la* Madonna di Bruges *(Notre-Dame) (Mancusi-Ungaro jr. 1971, p. 150)*

1500 luglio 3-luglio 27 *altri movimenti di denaro di Michelangelo presso il Banco di Giovanni e Baldassarre Balducci: uno di questi depositi di denaro – il più esiguo – fu fatto da Piero d'Argenta (Mancusi-Ungaro jr. 1971, p. 150)*

1500 luglio 30 *è ipotizzabile che il cardinale Riario fosse incaricato della vendita della proprietà del vescovo di Crotone Giovanni Ebu; il denaro che venne ricavato dalla vendita della casa dell'ecclesiastico doveva servire ai lavori per la cappella dell'Ebu, per la quale M. doveva eseguire il dipinto, presumibilmente il* Seppellimento di Cristo *(Londra, National Gallery) (Hirst 1981,* passim*)*

1500 agosto 7-settembre 22 *continuano i conti di M. presso il Banco Balducci, fra questi troviamo il ricordo di "carlini 12 paghati a messer Jacopo [Galli] per 1 barile di chorso" (Mancusi-Ungaro jr. 1971, pp. 150-152)*

1500 settembre 2 *"ducati sesanta doro di chamera, paghati a Michelagnolo schultore per 1ª tavola di Pittura fa in Santo Agostino" (Mancusi-Ungaro jr. 1971, p. 152; Hirst 1981, p. 589); si apprende anche che M. "e de' avere duchati 60 d'oro larghi auti per lui da' frati di Santo Aghostino per 1ª tavola di pittura debitori detti frati"; nello stesso giorno "Michelagnolo di Lodovicho Bonarroti de' avere duchati dugiento trenta doro larghi" (Mancusi-Ungaro jr. 1971, p. 152)*

1500 dicembre 19 *lettera a M. a Roma da parte di suo padre, Lodovico a Firenze, in cui viene ricordato che "anchora Bonarroto m'à detto chome chote[sto] giovane che.ttu ài chostì con techo, cioe[e'] Piero di Giannotto, mi dicie che gli è buono giovane e chegli ti porta fede e amore. Io te lo racchomando, e fa' inverso lui quello fa inverso di te. Per quanto Bonarroto m'à detto, mi pare avergli posto amore chome a figli(uo)lo"* (Il Carteggio... *1965-1983, I, 1965, pp. 9-10). Nelle carte Poggi Piero è ricordato come figlio di Vincenzo e non di Giannotto (ISRF, Carte Poggi, Bastardello B, c. 68): un problema da chiarire*

1500-1503 distruzione a Roma della vecchia chiesa di San Lorenzo in Damaso inglobata nel palazzo Riario (Cancelleria nuova) (Valtieri 1984, p. 10)

1501 febbraio 27 *nel conto di M. presso il Banco Balducci, troviamo "ducati ottanta d'oro in oro larghi fattoli buoni per messer Jacopo Ghalle per li marmi sua cholegnati chome fra loro d'achordo" (Mancusi-Ungaro jr. 1971, p. 154). Jacopo Galli acquista da M. i marmi, per opere a noi sconosciute, che stavano probabilmente nella casa del banchiere*

1501 marzo 18 *"ducati 260 d'oro in oro larghi li faremo paghare a Firenze a Bonifazio Fazi", spedalingo di Santa Maria Nuova di Firenze; di poi "Baldassarri Balducci de' avere ... duchati*

260 d'oro larghi per Michelagnolo Bonaroti" (Mancusi-Ungaro jr. 1971, p. 154): per Michael Hirst questo spostamento di denaro segnerebbe il trasferimento di M. a Firenze (Hirst - Dunkerton 1994, ed. it. 1997, pp. 65, 74 n. 14)

1501 marzo 2-aprile 30 Baldassarre del Milanese, nuovamente a Roma, è ufficiale della Compagnia della Pietà di San Giovanni dei Fiorentini di Roma (nello stesso periodo appare con la carica di "apuntatore") (AASGFR, 337, cc. 128v, 133; NB)

1501 maggio 19 *M. rende 60 ducati anticipati dai frati di Sant'Agostino di Roma come pagamento per la pala d'altare della cappella funeraria del già ricordato Giovanni Ebu, vescovo di Crotone (Hirst 1981, p. 590). Per Robert Hatfield ciò significa che M. non aveva neppure dato inizio al dipinto avendo interamente restituito la somma ricevuta*

1501 maggio 22 *M. è a Firenze dove accetta la committenza da parte del cardinale Todeschini-Piccolomini per le quindici statue dell'altare Piccolomini nel Duomo di Siena (Mancusi-Ungaro jr. 1971, p. 62). Andrea Bregno e il Solari lavorarono entrambi per il Piccolomini (Frommel 1992, p. 457 n. 60)*

1501 giugno 13-dicembre 19 Baldassarre del Milanese è assente da Roma; alla prima menzione dopo il rientro viene ricordato "primo consiglieri" della Compagnia della Pietà di San Giovanni dei Fiorentini, ovvero ricopre una delle cariche più alte (AASGFR, 337, cc. 133, 154; NB), egli resterà nella Compagnia fino al 2 febbraio del 1502 (AASGFR, 337, c. 158v; NB) e poi vi ricomparirà più tardi, l'8 luglio del 1505 (AASGFR, 382, c. CLXXXXVII; NB)

1501 giugno 5 *contratto stipulato fra M. e il cardinale Francesco Todeschini-Piccolomini per le quindici statue mancanti all'altare di Siena, da scolpire entro tre anni a Firenze e per un totale di cinquecento ducati d'oro, comprese le spese per i marmi; Jacopo Galli risulta anche in questa occasione garante per M. ed infatti promette al "R.mo Cardinale di Siena paghare li cento ducati d'oro larghi quali presta allo sopradicto Michaelagnolo" (Mancusi Ungaro jr. 1971, pp. 64-72). Pietro Torrigiano vi aveva già completato una statua di* San Francesco*: lo scultore poteva aver lavorato precedentemente per Andrea Bregno che gli avrebbe assicurato la partecipazione anche all'altare Piccolomini (*Il giardino di San Marco... *1992, p. 118; inoltre Darr 1992, p. 130).*

1501 giugno 30 *Piero Tosinghi e Lorenzo di Pierfrancesco de' Medici ambasciatori della Repubblica fiorentina in Francia scrivono da Lione a Firenze alla magistratura dei Dieci di Balìa per conto di Pierre de Rohan, maresciallo di Giè (1451-1513), venuto in Italia al seguito di Carlo VIII, il quale li ha pregati di rivolgersi alla Signoria di Firenze affinché questa faccia eseguire per lui "una fighura di bronzo" di un* David*, che lui è disposto a pagare sebbene gli ambasciatori sottolineino che nell'animo del francese c'è che gliene sia "fatto uno presente" (già in Gaye 1839-40, II, 1840, p. 52, tuttavia i documenti nuovamente trascritti e con le nuove segnature in Caglioti 1996, pp. 110-132). Una ricca documentazione sulle trattative fra il Giè, gli ambasciatori fiorentini e la Repubblica (Gaye 1839-1840, II, 1840, pp. 54-55) arriva fino al momento in cui l'opera (perduta) verrà allogata a M. il 12 agosto 1502*

1501 agosto 16 *i consoli dell'Arte della Lana e gli Operai del Duomo di Firenze commissionano a M. "quendam hominem, vocatum gigantem" già abbozzato e conservato nella sede dell'Opera e iniziato da "magistrum Augustinum" che lo aveva "male abozatum": il* David *marmoreo (Firenze, Galleria dell'Accademia) che lo scultore avrebbe dovuto cominciare a partire dal seguente mese di settembre e che avrebbe dovuto essere terminato in due anni. M. ne avrebbe guadagnato 6 fiorini d'oro al mese (Gaye 1839-1840, II, 1840, p. 454)*

1501 agosto 21 *"Bonifazio Fazi che di Firenze de' dare.... ducati 6 d'oro" "in Michelagnolo Bonaroti in Domenico scharpellino detto el Zaro" già ricordato (Mancusi-Ungaro jr. 1971, p. 156)*

1501 settembre 13 *in margine al documento di allogagione (vedi* supra *1501 agosto 16) viene riportato che in questo giorno M. ha iniziato a lavorare al* David *marmoreo (Firenze, Galleria dell'Accademia) (Gaye 1839-1840, II, 1840, p. 454)*

1501 ottobre 14 *è riportata nei registri dell'Opera del Duomo di Firenze una spesa sostenuta per l'esecuzione del* David *marmoreo di M. ricordato come il "gigante" (Frey 1909, p. 107)*

1501 novembre 13 "ducati cinque di carlini a m° Andrea pittore per parte di manufatti della tavola a' tolta a fare in Santo Aghostino"; questi, maestro Andrea da Venezia, è colui al quale verrà assegnata l'esecuzione di un dipinto per la chiesa di Sant'Agostino, per la quale M. aveva iniziato il *Seppellimento di Cristo* (Londra, National Gallery, riassuntivamente si veda Hirst - Dunkerton 1994, ed. it. 1997, pp. 65, 75, nn. 15, 17)

1501 dicembre 11 *"Michelagnolo Bonaroti de' avere ducati 53 bolognini 0 di carlini X per ducato"; e "ducati cinque di carlini X posto a m° Ciniori in spese per la tavola fatta in Santo Aghostino": i pagamenti, iniziati nel novembre del 1501 proseguono fino all'estate del 1502 e sono discussi da Michael Hirst (Hirst 1981, p. 590)*

1501 dicembre 20 *sono annotate nei libri dell'Opera del Duomo di Firenze alcune spese sostenute per l'esecuzione del* David *marmoreo di M. (Frey 1909, p. 107)*

1501 dicembre Bartolomeo de Dossis e Jacopo Galli vengono citati come finanziatori dei lavori nella chiesa di Sant'Agostino di Roma: "Item recevei da missere Jacobo Gallo ducati vinti dello relicto della bona memoria del vescovo de coltrone, e questi sonno delli sxanta ducati d'oro che erano reservati della tavola della cappella: mo' la tavola se fa per cinquantasei, li restavano vintidoi ducati; ne avemo recevutj vinti, li doi li tene se bisognasse alcuna cosa alla dicta tavola" (Hirst 1981, p. 501)

1501 *"per 1/2 Giacomo Galli" fornisce "mattoni e* quadrucci*" per un importo di "23.57 ducati": il materiale viene impiegato per la costruzione del palazzo della Cancelleria nuova* *edificato dal cardinale Riario (Bentivoglio 1982, p. 29)*

1502 febbraio 25 *i Consoli dell'Arte della Lana committenti di M. per l'esecuzione del* David *marmoreo (Firenze, Galleria dell'Accademia) dichiarano che il prezzo che l'artista percepirà per esso a quel momento già "*semifactum*" sarà di quattrocento fiorini d'oro, corrispondente al salario di sei fiorini al mese (Gaye 1839-1840, II, 1840, p. 454)*

1502 marzo 5 *M. riceve 30 fiorini d'oro dall'Opera del Duomo di Firenze "per parte del suo credito": per l'esecuzione del* David *marmoreo (Frey 1909, p. 107)*

1502 maggio 14 Jacopo Galli e Vittorio di messer Celano banchiere fiorentino, entrambi del rione Parione in Roma, sono presenti a un atto con messer J(...) di Guglielmo di Aloisio de' Moscaronibus (Mouscron) (ASR, Coll. Notai Capitolini, not. De Jaijs, vol. 929, c. 233; AMP): un esponente della famiglia fiamminga per cui M. esegue la *Madonna di Bruges* (Notre-Dame)

1502 giugno *Cesare Borgia sconfiggendo Guidobaldo da Montefeltro conquista il ducato di Urbino tornando in possesso del* Cupido dormiente *che egli stesso verso la fine del 1496 aveva donato allo sconfitto duca (per le vicende storiche Gilbet 1970, p. 703; sul* Cupido dormiente, Michelangelo e l'arte classica... *1987, p. 43)*

1502 giugno 28 *M. riceve 36 fiorini dall'Opera del Duomo di Firenze per l'esecuzione del* David *marmoreo (Frey 1909, p. 107)*

1502 luglio 21 *il* Cupido dormiente *di M. arriva a Mantova e viene collocato nella "grotta" di Isabella d'Este nel castello di San Giorgio insieme con una* Venere *antica (Venturi 1888, p. 7; poi in Barocchi 1962, in Vasari 1550-1568, II, p. 153 n. 130)*

1502 luglio 22 *Isabella d'Este scrive a suo marito il marchese Francesco Gonzaga assente da Mantova – il quale ha gia' visto la Venere –, che il* Cupido *di M. "per cosa moderna non ha pari" (già in Gaye 1839-1840, II, 1840, p. 54; per le vicende successive si veda riassuntivamente* Michelangelo e l'arte classica, *1987, p. 43; Hirst - Dunkerton 1994, ed. it. 1997, pp. 20-23)*

1502 agosto 12 *la Signoria della Repubblica fiorentina commissiona a M. il* David *in bronzo, alto due braccia e un quarto (131 cm e 1/2), da eseguire nei sei mesi successivi: l'opera verrà giudicata da due "amicos communes" i quali stabiliranno il prezzo del manufatto, tuttavia i committenti forniranno allo scultore il materiale e gli anticiperanno la somma di cinquanta fiorini d'oro. Nei giorni successivi, il 27 e il 31 agosto si verserà allo scultore la somma promessa (di nuovo in Caglioti 1996, pp. 98 e 111); poi in seguito gli ambasciatori fiorentini continueranno a sollecitarne l'esecuzione (Gaye 1839-1840, II, 1840, pp. 58-59). L'opera (perduta) era stata richiesta dal "Marischali de Gie", il francese Pierre de Rohan, maresciallo di Giè e rientrava nell'azione diplomatica della Repubblica fiorentina nei confronti della Francia al fine di riprendere sotto il proprio dominio la città di Pisa (Gatti 1994, pp. 431-443).*

1502 settembre 22 a Firenze per arginare la difficile situazione politica prodottasi dopo la morte del Savonarola viene istituita la carica a vita di Gonfaloniere di Giustizia. Per le sue virtù e la sua equidistanza dalle varie fazioni venne chiamato a questo incarico Pier Soderini (Landucci 1450-1542, ed. 1883, p. 250). Egli "impossibilitato a svolgere un'efficace azione di governo per gli scarsi poteri conferitigli" "decise di legare al proprio nome una serie di grandi imprese artistiche" fra le quali alcune vennero affidate a M. (*L'Officina...* 1996, pp. 72-73)

1502 ottobre 12 da una lettera di Francesco Cicco Simonetta, Baldassarre del Milanese risulta coinvolto nella liberazione di Caterina Sforza, vedova di Giovanni di Pierfrancesco de' Medici, dalle prigioni di Cesare Borgia (Pasolini 1893, II, p. 303)

1502 novembre *in relazione alla realizzazione delle quindici statue commissionategli per il Duomo di Siena dal cardinale Francesco Todeschini Piccolomini, M. rivela il bisogno di acquistare marmi (Hirst - Dunkerton 1994, ed. it. 1997, p. 85, doc. di cui non vengono pubblicati i riferimenti archivistici)*

1503 aprile 24 *i consoli dell'Arte della Lana di Firenze e gli operai del Duomo della stessa città allogano a M., presente all'atto, l'esecuzione delle statue marmoree dei dodici apostoli, alte 4 braccia e 1/2 da collocare nella cattedrale fiorentina. Il contratto prevede fra le altre clausole che lo scultore le debba eseguire nel termine di dodici anni, con la sequenza di almeno una per anno; lo scultore: si recherà a Carrara a procurarsi il marmo, e riceverà di compenso due fiorini d'oro l'anno per dodici anni. Inoltre eseguirà le opere in un "situm" posto all'angolo dell'attule Borgo Pinti davanti al monastero di Cestello; e inoltre "supra quo solo, prefati Consules et Operaii predicti teneatur murare unam domum pro habitatione dicti Michelangeli", la quale casa deve essere fatta secondo un modello di Simone del Pollaiolo capomaestro dell'Opera del Duomo e di Michelangelo, il quale acquisterà diritti su di essa man mano che consegnerà le statue commisionategli. Al momento del contratto tuttavia Simone aveva già fatto il modello (Gaye 1839-1840, II, 1840, p. 437; per i documenti sulla casa si veda Frey 1909, pp. 110-111)*

1503 aprile 29 *un pagamento a M. per il* David *commissionatogli dalla Signoria di Firenze per conto di Pierre de Rohan, maresciallo di Giè, di lì a breve fatto duca di Nemours. Lo scultore – che ancora nell'agosto non avrà completato l'opera (Gaye 1839-1840, II, 1840, pp. 59-60) – riceve altri 20 fiorini d'oro, la somma definitiva stanziata sarà di 70 fiorini d'oro: cifra piuttosto esigua (Vasari 1568, ed. 1846-70, XII, 1856, p. 342; adesso in Caglioti 1996, pp. 99, 112)*

1503 aprile 30 *il cardinale senese Francesco Todeschini Piccolomini, committente di M. per le quindici statue da eseguire per l'altare del Duomo di Siena, fa testamento. In esso ribadisce l'impegno sottoscritto dall'artista con il quale aveva convenuto che le sculture dovessero essere fatte "cum omni pulchritudine et perfectione" (Mancusi-Ungaro jr. 1971, pp. 74-78)*

1503 maggio 20 morte di Lorenzo di Pierfrancesco il "Popolano" de' Medici (Pieraccini 1924-25, I, p. 356)

1503 agosto 18 muore papa Alessandro VI Borgia (Pastor 1866-1938, ed. it. 1908-1934, III, 1912, p. 475)
1503 estate il cardinale Riario, rientrato a Roma dopo l'esilio, abita per la prima volta nella Cancelleria nuova (Frommel 1989, p. 76)
1503 settembre 22 viene eletto papa Francesco Todeschini Piccolomini, già committente di M. a Siena, col nome di Pio III (Pastor, 1866-1938, ed. it. 1908-1934, III, 1912, p. 531)
1503 ottobre 18 muore papa Pio III Todeschini Piccolomini (Pastor 1866-1938, ed. it. 1908-1934, III, 1912, pp. 536-537)

1503 ottobre 23 *viene concessa a Leonardo da Vinci la Sala del papa in Santa Maria Novella a Firenze nella quale egli potrà eseguire il cartone preparatorio all'affresco della* Battaglia di Anghiari *per la sala del Gran Consiglio di Palazzo Vecchio (Gaye 1839-1840, II, 1840, pp. 89-90). All'episodio rappresentante un fatto di grande rilievo della storia della Repubblica: la vittoria dei Fiorentini contro il duca di Milano nel 1440, avrebbe fatto da* pendant *un altro brano di storia repubblicana quello della* Battaglia di Cascina, *la cui esecuzione sarebbe stata affidata l'anno successivo a M. (vedi* infra*)*

1503 ottobre 31 viene eletto papa Giuliano della Rovere, Giulio II (Pastor 1866-1938, ed. it. 1908-1934, III, 1912, p. 539)

1503 dicembre 2 *"da Moscheroni ... ducati 50 larghi per tanti fattoli parte a Firenze a Michelagnolo Bonaroti per 1ª statua": la* Madonna di Bruges *(Bruges, Notre-Dame), per la cui esecuzione M. riceverà altri 50 ducati nell'ottobre del 1504 (Mancusi-Ungaro jr. 1971, pp. 160, 168, 170); un'ulteriore notizia dell'agosto del 1505 riporta "a Moscheroni ducati 1 bolognini 6 per inchassatura di 1ª figura a Firenze" (Mancusi-Ungaro jr. 1971, p. 170). L'anno successivo, il 20 aprile troviamo che "[Moscheroni] e deono dare ducati 1 bolognini 55 di camera per l'anchassatura della nostra donna a Firenze" (Mancusi-Ungaro jr. 1971, p. 172)*

1504 gennaio 5 Piero di Lorenzo de' Medici muore annegato a Gaeta nella battaglia sul fiume Garigliano (Landucci 1450-1542, ed. 1883, p. 263)

1504 gennaio 25 *una commissione composta di artisti è incaricata dall'Opera del Duomo di Firenze di dare il proprio parere circa la collocazione del* David *di marmo. La commissione e il Gran Consiglio deliberarono di collocare il "gigante" di M., allora terminato, davanti a Palazzo Vecchio (Gaye 1839-1840, II, 1840, p. 454-456; seguono i pareri pp. 456-463)*
1504 febbraio 23 *Niccolò Valori, ambasciatore in Francia per la Repubblica fiorentina scrive in patria alla magistratura dei Dieci di Balìa che il committente del* David *bronzeo di M., Pierre de Rohan, continua a chiedere della sua statua (Gaye 1839-1840, II, 1840, pp. 60-61). Probabilmente a questa data M. non vi lavorava già più (Caglioti 1996, p. 103)*
1504 aprile 1° *alla presenza di M. i consoli dell'Arte della Lana, committenti di M. per il* David, *incaricano Simone del Pollaiolo, detto il Cronaca, di condurre la statua in Palazzo Vecchio il giorno 25 dello stesso mese di aprile (Gaye 1839-1840, II, 1840, p. 462)*
1504 aprile 1° *da una lettera indirizzata dall'ambasciatore fiorentino alla magistratura dei Dieci di Balìa in patria, si apprende che l'"amico del Davit", ovvero Pierre de Rohan, signore di Nemours, che aveva commissionato la scultura bronzea a M. è caduto in disgrazia del re di Francia, Luigi XII: da quel momento egli esce, e definitivamente, dalle vicende dell'opera non ancora terminata, e di cui la stessa Signoria fiorentina si disinteresserà (Gaye 1839-1840, II, 1840, p. 61)*
1504 aprile 1° *nei registri dell'Opera del Duomo di Firenze si delibera che un muro fatto "in curia Opere" intorno al* David *marmoreo di M. venga abbattuto il giorno successivo (Frey 1909, p. 107). La scultura si prepara così a lasciare il luogo dove è stata eseguita per raggiungere quello in cui verrà esposta*
1504 aprile 28 *la Signoria della Repubblica di Firenze comanda agli operai del Duomo di dare a Simone del Pollaiolo, Antonio da Sangallo, Bartolomeo legnaiolo e Bernardo della Ciecha – "architectori" – l'incarico di trasportare entro il mese di maggio il* David, *che è presso l'Opera del Duomo, alla loggia di piazza della Signoria, e di fornire loro tutto ciò che sarà necessario (Frey 1909, pp. 107-108)*
1504 aprile 30 *in seguito alla deliberazione della Signoria della Repubblica fiorentina gli operai del Duomo incaricano Simone del Pollaiolo, Antonio da Sangallo, Bartolomeo legnaiolo e Bernardo della Ciecha di trasportare il* David *in piazza della Signoria (Gaye 1839-1840, II, 1840, p. 463)*
1504 maggio 2 *gli operai del Duomo di Firenze deliberano che Simone del Pollaiolo "posse rumpere" il muro fatto intorno al* David *marmoreo di M. affinché possa essere condotto in piazza della Signoria (Frey 1909, p. 108)*

1504 maggio 4 contratto fra gli operai di Palazzo e Leonardo da Vinci a cui viene affidata ufficialmente l'esecuzione dell'episodio della *Battaglia di Anghiari* da affrescare nella sala del Gran Consiglio in Palazzo Vecchio a Firenze. L'artista ne stava approntando lentamente il cartone (Milanesi, in Vasari 1878-1906, IV, 1879, p. 44)

1504 maggio 14 *secondo ricordi contemporanei in quel giorno "si trasse dall'Opera il Gigante di marmo (il* David *di M.) uscì fuori alle 24 hore, e ruppono il muro sopra la porta tanto che ne potesse uscire, e in questa notte fu gittato certi sassi al Gigante per far male; bisognò fare la guardia la notte, e andava molto adagio e così ritto legato, che ispenzolava (barcollava) che non toccava co' piedi ... e penò quattro dì a giugnere in piazza: giunse a dì 18 in su la piazza a hore 12, haveva più di 40 huomini a farlo andare" (Gaye 1839-1840, II, 1840, p. 464)*
1504 maggio 18 *il* David *di M. arriva in piazza della Signoria (vedi 1504 maggio 14) (Gaye 1839-1840, II, 1840, p. 464)*
1504 maggio 29 *i Signori della Repubblica fiorentina comandano agli operai del Duomo di provvedere con maestri e manovali al fine di collocare il* David *di M., già in piazza della Signoria, nel luogo dove deve essere definitivamente collocato (vedi 1504 giugno 8) (Gaye 1839-1840, II, 1840, p. 463)*

1504 giugno 8 *il* David *di M. viene collocato alla "ringhiera" di piazza della Signoria (Gaye 1839-40, II, 1840, p. 464)*
1504 giugno 11 *la base marmorea per il* David *di M. sarà fatta a spese degli operai dell'Opera del Duomo secondo il disegno di Simone del Pollaiolo e Antonio da Sangallo (Gaye 1839-1840, II, 1840, p. 463)*
1504 agosto 22-settembre 22 *presumibilmente in questo torno di tempo a M. viene commissionata l'esecuzione dell'episodio della* Battaglia di Cascina *da affrescare nella sala del Gran Consiglio in Palazzo Vecchio. Fu forse la lentezza di Leonardo da Vinci nel portare avanti l'episodio assegnatogli con la* Battaglia di Anghiari *a convincere gli operai di Palazzo ad affidare a M. l'intervento sull'altra faccia. L'episodio raffigurato dal Buonarroti, l'allerta che precedette la vittoria dei fiorentini contro Pisa nel 1364, risultava assai attuale a causa della lotta in corso fra Firenze e Pisa (Morozzi 1988-1989, p. 320)*
1504 settembre 5 *M. riceve lire 720 per il resto dei 400 fiorini a lui spettanti per l'esecuzione del* David *marmoreo (Gaye 1839-1840, II, 1840, p. 464)*
1504 settembre 15 *a Siena in seguito alla morte di papa Pio III Todeschini Piccolomini il contratto precedentemene stipulato da questi e da M. viene ratificato fra Andrea Piccolomini e lo stesso Buonarroti (Mancusi-Ungaro jr. 1971, pp. 80-84)*
1504 settembre 22 *M. a Firenze ottiene dalla Signoria di poter lavorare al cartone della* Battaglia di Cascina *in un vasto ambiente situato nello Spedale dei Tintori a Sant'Onofrio; presumibilmente il contratto fra l'artista e gli operai di Palazzo venne stipulato entro questa data (Morozzi 1988-89, p. 320)*
1504 ottobre 11 *a Firenze viene stipulato un nuovo contratto fra i fratelli Jacopo e Andrea di Vanni Todeschini Piccolomini, nipoti del defunto papa Pio III – e per essi da Filippo di Niccolò d'Antonio – e M. per l'esecuzione delle quindici statue per l'altare del Duomo di Siena. Viene dichiarato che "dictos heredes dictas quatuor statuas et figuras habuisse et acceptasse a dicto Michelangelo" il quale viene pagato cento ducati. Le quattro statue eseguite raffigurano i* Santi Pietro *e* Paolo, *il* vescovo Pio *e il* pontefice Gregorio *(si veda cat. n 40), lo scultore avrebbe dovuto fare altre undici statue, secondo i patti precedentemente stipulati (Mancusi-Ungaro jr. 1971, pp. 86-92; già in Manni 1774, pp. 7-11).*
1504 ottobre 31 *M. viene fornito di "fogli reali bolognesi" per l'esecuzione del cartone della* Battaglia di Cascina*; viene pagato un cartolaio per "mectere insieme el cartone"; un altro che "impasta le carte" per impastarne il cartone (Frey 1909, p. 133); e inoltre gli viene ratificata la concessione del locale presso lo Spedale dei Tintori di Sant'Onofrio (Morozzi 1988-89, p. 320)*
1504 dicembre 23 *l'Opera del Duomo di Firenze paga Giannozzo Salviati perché si è recato nella sede dell'Opera del Duomo fiorentino a vedere certi marmi che sono arrivati da Carrara, e soprattutto una statua di un* Apostolo *(il* San Matteo, *Firenze, Museo dell'Accademia: l'unico degli Apostoli portato avanti da M.) affinché possa definirne il valore e così valutare quanto M. potrà essere pagato per le altre undici statue degli Apostoli (Frey 1909, p. 112)*
1504 dicembre 24 *gli operai del Duomo fiorentino concedono a Sandro di Giovanni "de Ureti" una stanza posta nell'Opera che a quel momento è ancora tenuta da M. È il luogo dove lo scultore ha eseguito il* David *marmoreo (Frey 1909, p. 109)*
1504 *Pomponio Gaurico ricorda fra i maggiori scultori del tempo "Michelangelus Bonarotus etiam pictor, Andreas Sovinius, Franciscus Rusticus" (Pomponius Gauricus,* De Sculptura, *1504, ed. 1969, p. 257)*
1505 marzo *M. torna a Roma su invito di papa Giulio II secondo il suggerimento fornitogli da Giuliano da Sangallo (*Il Carteggio... *1965-1983, I, 1965, p. 360): per questo suo trasferimento nell'Urbe M. differentemente da Leonardo da Vinci non iniziò nemmeno a trasporre il cartone della* Battaglia di Cascina *in affresco (*L'Officina... *1996, p. 112), per cui aveva riscosso un acconto di 40 fiorini il 28 febbraio (Frey 1909, p. 133 n. 205)*
1505 giugno 8 *testamento di Jacopo Galli (giunto non in originale ma in copia). Il cardinale Raffaele Riario è uno degli esecutori testamentari. Fra le notizie di rilievo: il testatore, morto nel medesimo anno, lasciò il Banco, intestato a "Eredi di Giuliano Galli", a Baldassarre Balducci. Jacopo Galli, sepolto nella chiesa di San Lorenzo in Damaso, ricorda nel testamento l'erezione di una cappella "nondum perfecta" (ASR, Coll. Notai Capitolini, Not. L. Paluzzelli, vol. 1228, cc. 225-232v; in Schiavo 1964, p. 91 n. 1 e poi AMP; i codicilli al testamento not. Paluzzelli: ASVR, Arciconfraternita della SS. Concezione, Tomo 25, Istromenti Eredità Galli, cc. 1r-2v; tomo 27, Istrumenti 1505-1517, cc. 3-4; DL), un successivo pagamento a M. (il 27 novembre del 1507) per un "telaio d'altare" da parte degli eredi di Jacopo Galli (Mancusi-Ungaro jr. 1971, p. 174) ha fatto ritenere che si potesse trattare di uno stanziamento relativo alla pala d'altare, tale congettura tuttavia viene esclusa da Michael Hirst (1981, p. 583 n. 1, 33) in ragione dell'esiguità della somma corrisposta, ma non completamente accantonata da Giovanni Agosti (Agosti 1992, p. 34 n. 5)*
1505 settembre 27 *l'ambasciatore fiorentino in Francia, Filippo Pandolfini, scrivendo in patria alla magistratura dei Dieci di Balìa, ricorda che il tesoriere di Francia Florimond Robertet si è espresso in modo molto critico nei confronti dei fiorentini per il disinteresse da essi mostrato nei confronti delle vicende della statua bronzea del* David *di M., dopo l'uscita di scena del suo committente, Pierre de Rohan; infatti con la sua caduta in disgrazia i fiorentini, non potendone trarre più profitto, si disinteressarono, dell'esecuzione dell'opera, che, rinettata da Benedetto da Rovezzano, fu inviata in Francia nel 1508 (Gaye 1839-1840, II, 1840, pp. 77-79; sulle vicende e i documenti relativi al* David *bronzeo successivi al 1505 si veda Caglioti 1996, pp. 103-109)*
1505 dicembre 18 *M. è a Firenze dove scioglie il contratto stipulato (il 24 aprile 1503) con gli operai dell'Opera del Duomo di Firenze e i consoli dell'Arte della Lana della stessa città per l'esecuzione delle statue dei dodici apostoli da collocare nel Duomo fiorentino. L'atto comporta che la casa concessa a M. per eseguire le sculture venga locata ad altri poiché gli Apostoli non*

sono stati scolpiti né pare lo possano essere in seguito (Gaye 1839-1840, II, 1840, p. 477). Apprendiamo (Frey 1909, p. 112) che tuttavia la casa continuerà a essere definita "la casa di Michelagniolo"

1505 dicembre-1506 gennaio: *M. torna a Roma (*Il Carteggio... *1965-1983, I, 1965, p. 360)*

1506 gennaio 14 *a Roma viene scoperto in una vigna presso la chiesa di Santa Maria Maggiore il gruppo scultoreo del* Laocoonte. *Come ricordato da Francesco da Sangallo, il padre Giuliano avvertito "subito s'andò. E perché Michelangelo Bonarroti si trovava continuamente in casa, che mio padre l'aveva fatto venire, e gli aveva allogata la sepoltura del Papa: volle che ancor lui andasse"(riassuntivamente in Prandi 1954, pp. 79-80)*

1506 gennaio 26 *"da rede di messer Jacopo Ghalli ducati settanta dua de(ine) larghi avemo da Michelagnolo Bonaroti per resto di ducati 80 larghi per li marmi auti da detta rede"; e inoltre "ducati settanta duo deine(?) larghi avemo per loro da Michelagnolo Buonaroti per resto di ducati 80 larghi per li marmi aveva chomperati messer Jacopo dal detto Michelagnolo che ducati 8 aveva auto messer Jacopo per duo pezzi di marmo venduti a Piero Torigiani a entrata" (Mancusi-Ungaro jr. 1971, pp. 162, 166, 172): si tratta sempre di marmi comprati da Michelangelo da Jacopo Galli. Dobbiamo ripensare il ruolo dei Galli come mercanti di marmi?*

1506 gennaio 31, sabato *da una lettera scritta da M. a Roma al padre a Firenze si può presumere che "Piero d'Argento" fosse tornato nella sua terra ad Argenta, vicino a Ferrara, forse M. cercava di riaverlo con sé a Roma, come poi a Bologna (*Il Carteggio..., *1965-1983, I, 1965, pp. 11-12, 364 n. 8)*

1506 agosto 14, venerdì *in una lettera inviata da Giovanni Balducci a Roma a M. a Firenze si apprende che la* Madonna di Bruges *doveva essere spedita in Fiandra "cioè a Bruggia, a rede di Giovanni e Alexandro Moscheroni e comp., come cosa loro". Secondo Paola Barocchi si potrebbe pensare che la vendita del gruppo ai mercanti Mouscron fosse stata trattata in Roma dal banco di Jacopo Galli nel marzo-aprile 1505, allorché non solo Jacopo era ancora in vita ma M. era a Roma per la tomba di Giulio II. M. tornato a Firenze infatti il 17 di aprile avrebbe potuto far incassare il gruppo per tenerlo pronto all'ordine del Balducci: ordine differito sino all'agosto del 1506 (*Il Carteggio... *1965-1983, I, 1965, pp. 366-367)*

1506 *Raffaello Maffei (Raphaelis Volterrani) nel suo* Commentariorum Urbanorum Libri XXXVIII *(Romae) ricorda a Roma quali opere di M.: la* Pietà, *il* David, *e il* Bacco

1510 *Francesco Albertini che scrive il suo* Memoriale di molte statue et Picture sono nella inclyta cyptà di Florentia *ricorda delle opere della prima giovinezza di M. "nel palazzo maiore" (Palazzo Vecchio) "el gigante di marmo è di Michelangelo", sempre all'interno del palazzo della Signoria "li disegni di Michelangelo", mentre nella chiesa di Santo Spirito è conservato "il crucifixo del choro" (Albertini* Memoriale... *1510, s.p.)*

1517 *Fra' Mariano da Firenze nel* Tractatus de origine, nobilitate et de escellentia Tusciae, *(in APTFM, Mariano Opere Autografe, I, 334, cc. 137r-v, 138v, già parzialmente pubblicato in Fra' Mariano, 1518, ed. 1931, p. V nota) ricorda "Michael Archangelus [sic] de Bonisatotis inter scultores modernos precipuus cum prioribus certat", e aggiunge alla lista delle opere a Roma la* Pietà *e il "Bacchi signum in atrio domus Jacobi Galli"; a Firenze invece ne ricorda il* David *marmoreo. Lo menziona fra i pittori "quoque primus sine invidia ab omnibus deputatus", legando il suo nome a quello di Leonardo.*

1523-27 *Paolo Giovio nel breve* Michaelis Angeli vita *(in* Scritti d'arte del '500, *I, 1971 pp. 10-13) ricorda per primo l'episodio della contraffazione del* Cupido dormiente, *infatti riporta: "contigit ei porro laus eximia altera in arte, quum forte marmoreum fecisset Cupidinem, eumque defossum aliquamdiu ac postea erutum, ut ex concepto situ minutisque iniuriis ultro inflectis, antiquitatem mentiretur, insigni pretio per alium Riario Cardinali vendidisset" [conseguì d'altro canto alta fama nella scultura quando fece un Cupido di marmo e, dopo averlo tenuto sepolto per un certo tempo e poi riportato alla luce, in modo che la ruggine ed altre piccole offese appositamente inflittegli ne simulassero l'antichità, lo vendè per un gran prezzo, attraverso un intermediario, al cardinale Riario]*

1550 *Giorgio Vasari* Le Vite de' più eccellenti architetti, pittori, et scultori italiani, da Cimabue, insino a' tempi nostri, *Firenze per i tipi di Lorenzo Torrentino, 2 voll.*

1553 luglio 16 Vita di Michelagnolo Buonarroti *raccolta per Ascanio Condivi da la Ripa Transone, in Roma appresso Antonio Blado Stampatore Camerale nel M.D.LIII alli XVI di Luglio*

1556 *Ulisse Aldrovandi (in M. Lucio,* Le antichità de la città di Roma. Brevissimamente raccolte da chiunque ne ha scritto o antico moderno. Et insieme ancho di tutte le statue antiche che per tutta Roma in diversi luoghi e case particolari si veggono, raccolte e descritte per m. Ulisse Aldrovandi, *Roma, p. 131) ricorda che nel giardino di casa Galli presso San Lorenzo in Damaso si trova "uno Apollo intiero ignudo, con pharetra e saette a lato: et ha vaso ai piedi" oltre al* Bacco

1564 febbraio 18 *M. muore a Roma*

1564 *Benedetto Varchi,* Orazione funerale fatta e recitata nell'essequie di Michelagnolo Buonarroti, *Firenze, apresso i Giunti*

1568 *Giorgio Vasari* Le vite de' più eccellenti pittori scultori ed architettori, *Firenze, appresso i Giunti, 3 voll.*

1597-1602 *J. J. Boissard che aveva soggiornato a Roma nel 1555-1561 scrive il* Romanae Urbis topographiae et antiquitatum, *(Francfordii, 3 voll.) in cui menziona il* Bacco *e ricorda l'altra figura di casa Galli: l'*Apollo *(I, p. 35)*

Bibliografia citata

A cura di Elena Capretti

La bibliografia fa riferimento alle schede e alla cronologia in catalogo. Si rimanda ai saggi per ulteriori approfondimenti.

Acidini Luchinat 1991a: C. Acidini Luchinat, *Il mecenatismo familiare – La "santa antichità", la scuola, il giardino – Gli artisti di Lorenzo de' Medici*, in *"per bellezza, per studio, per piacere". Lorenzo il Magnifico e gli spazi dell'arte*, a cura di F. Borsi, Firenze 1991, pp. 101-124, 143-160, 161-192.

Acidini Luchinat 1991b: C. Acidini Luchinat, *La scelta dell'anima: le vite dell'iniquo e del giusto nel fregio di Poggio a Caiano*, in "Artista. Critica dell'arte in Toscana", 1991, pp. 16-25.

Acidini Luchinat 1998: C. Acidini Luchinat, *Di Bertoldo e di altri artisti*, in *La casa del cancelliere. Documenti e studi sul palazzo di Bartolomeo della Scala a Firenze*, a cura di A. Bellinazzi, Firenze 1998, pp. 91-120.

Adorno 1991: P. Adorno, *Il Verrocchio. Nuove proposte nella civiltà artistica del tempo di Lorenzo il Magnifico*, Firenze 1991.

Agosti 1987: G. Agosti, *Sul gusto per l'antico a Milano tra regime sforzesco e dominazione francese*, in "Prospettiva", 49, 1987, pp. 33-46.

Agosti 1992: G. Agosti, *Michelangelo e i lombardi a Roma, attorno al 1500*, in "Studies in the History of Art. National Gallery of Art, Washington", 33 (*Symposium Papers XVII: Michelangelo Drawings*, Washington 1988), 1992, pp. 19-32.

Agosti - Farinella 1987: G. Agosti - V. Farinella, *Michelangelo. Studi di antichità dal Codice Coner*, Torino 1987.

Agosti - Farinella 1992: G. Agosti - V. Farinella, *Stanza della Battaglia dei Centauri*, in *Il giardino di San Marco. Maestri e compagni del giovane Michelangelo*, catalogo della mostra (Firenze), Cinisello Balsamo (Milano) 1992, pp. 21-32.

Agosti - Hirst 1996: G. Agosti - M. Hirst, *Michelangelo, Piero d'Argenta and the "Stigmatization of St. Francis"*, in "The Burlington Magazine", CXXXVIII, 1996, pp. 683-684.

Alberti 1435, ed. 1547: L.B. Alberti, *De Pictura*, [1435], Basileae 1540; ed. tradotta da L. Domenichi, Venezia 1547 di cui ed. anast. Bologna 1988.

Alberti 1436, ed. 1973: L.B. Alberti, *Della pittura*, [1436], ed. in L.B.A., *Opere volgari*, a cura di C. Grayson, Roma-Bari 1960-1973, 3 voll., III, 1973, pp. 5-107.

Alberti 1485: L.B. Alberti, *De re aedificatoria libri decem*, Firenze 1485; ed. a cura di G. Orlandi e P. Portoghesi, Milano 1966, 2 voll.

Alberti 1535: L. Alberti, *De Divi Dominici Calaguritani Obitu et Sepultura*, Bologna 1535.

Albertini 1510: F. Albertini, *Memoriale di molte Statue et picture sono nella inclyta cyptà di Florentia Per mano di Sculptori & Pictori excellenti Moderni & Antiqui*, Firenze 1510; ed. in fac-simile Firenze 1932.

Albertini 1510: F. Albertini, *Opusculum de mirabilibus novae et veteris urbis Romae*; Roma 1510; ed. a cura di A. Schmarsow, Heilbronn 1886; ripubbl. in R. Valentini - A. Zucchetti, *Codice Topografico della città di Roma*, Roma 1940-1953, 4 voll., IV, pp. 457-546.

Alciati 1618: A. Alciati, *Emblemata*, Roma 1618.

Aldrovandi 1556: U. Aldrovandi, *Delle statue antiche che per tutta Roma, in diversi luoghi et case si veggono*, Venezia 1556, in L. Mauro, *Le antichità della città di Roma. Brevissimamente raccolte da chiunque ne ha scritto, ò antico ò moderno... Et insieme ancho di tutte le statue antiche che per tutta Roma in diversi luoghi e case particolari si veggono, raccolte e descritte per M. Ulisse Aldrovandi*, Venezia 1556, pp. 115-316; ed. Venezia 1562, di cui ristampa anast. Hildesheim-New York 1975.

All'ombra... 1992: *All'ombra del Lauro. Documenti librari della cultura in età laurenziana*, catalogo della mostra a cura di A. Lenzuni (Firenze), Cinisello Balsamo (Milano) 1992.

Andrea Mantegna 1992: *Andrea Mantegna*, catalogo della mostra (London - New York), London - Milano 1992.

Angelini 1986: A. Angelini, *Disegni italiani del tempo di Donatello*, catalogo della mostra a cura di L. Bellosi, Firenze 1986.

Anglani 1998: M. Anglani, *Michelangelo e la Reale Galleria degli Uffizi nei primi decenni dell'Ottocento. Note di museografia*, in "Bollettino della Società di Studi Fiorentini", II, 3, 1998, pp. 51-64.

Archi - Piccinini 1973: A. Archi - M.T. Piccinini, *Faenza com'era*, Faenza 1973.

Arias - Cristiani - Gabba 1977: P.E. Arias - E. Cristiani - E. Gabba, *Camposanto Monumentale di Pisa. Le Antichità*, Pisa 1977.

Armostrong Anderson 1968: L. Armostrong Anderson, *Copies of Pollaiuolo's "Battling Nudes"*, in "Art Quarterly", XXXI, 1968, pp. 155- 167.

Armstrong 1976: L. Armstrong, *The Paintings and Drawings of Marco Zoppo*, New York-London 1976.

Armstrong 1981: L. Armstrong, *Renaissance Miniature Painters and Classical Imagery. The Master of the Putti and his Venetian Workshop*, London 1981.

Ashby 1924: T. Ashby, *Due vedute di Roma attribuite a Stefano Du Pérac*, in *Miscellanea Francesco Ehrle. II: Scritti di Storia e Paleografia*, Roma 1924 ("Studi e Testi", 38).

Atti... 1966: *Atti del Convegno di Studi Michelangioleschi* (Firenze-Roma 1964), a cura del Comitato nazionale per le onoranze a Michelangiolo, Roma 1966.

Bacci 1929: P. Bacci, *Jacopo della Quercia. Nuovi documenti e commenti*, Siena 1929.

Bacci 1939: P. Bacci, *L'elenco delle pitture, sculture e architetture di Siena compilato nel 1625-26 da Mons. Fabio Chigi, poi Alessandro VII, secondo il ms. Chigiano I.I.11*, in "Bullettino senese di Storia Patria", X, 3-4, 1939, pp. 197-213, 297-337.

Bach 1996: F.T. Bach, *Strukture und Erscheinung. Untersuchungen zu Dürers graphisches Werk*, Berlin 1996.

Bailey 1994: M. Bailey, *The rediscovery of Michelangelo's "Entombment". The rescuing of a masterpiece*, in "Apollo", CXL, 392, 1994, pp. 30-33.

Baker - Henry 1995: C. Baker - T. Henry, *The National Gallery. Complete Illustrated Catalogue*, London 1995.

Baldini 1973: U. Baldini, *L'opera completa di Michelangelo scultore*, Milano 1973.

Baldini 1981: U. Baldini, *La scultura di Michelangelo*, Firenze 1981.

Baldinucci 1681-1728: F. Baldinucci, *Notizie dei Professori del Disegno da Cimabue in qua*, Firenze 1681-1728, 6 voll.; ed. a cura di F. Ranalli, Firenze 1845-47, 5 voll.; ed. anast. a cura di P. Barocchi, Firenze 1974-75, con 2 voll. di appendici.

Bardazzi - Castellani 1981: S. Bardazzi - E. Castellani, *La villa medicea di Poggio a Caiano*, Prato 1981, 2 voll.

Barocchi 1962: P. Barocchi in G. Vasari, *La Vita di Michelangelo nelle redazioni del 1550 e del 1568*, a cura di P. Barocchi, Milano - Napoli 1962, 5 voll.

Barocchi 1962-64: P. Barocchi, *Michelangelo e la sua scuola. I disegni di Casa Buonarroti e degli Uffizi*, Firenze 1962-64, 2 voll. (I: *I disegni di casa Buonarroti e degli Uffizi*; II: *I disegni dell'Archivio Buonarroti*). ("Accademia Toscana di Scienze e Lettere 'La Colombaria'. Studi"; VIII).

Barocchi 1982: P. Barocchi, *Il Bacco di Michelangelo*, Firenze 1982 ('Lo specchio del Bargello'; 8).

Barolsky 1990: P. Barolsky, *Michelangelo's Nose. A Myth and its Maker*, University Park - London 1990.

Barolsky 1994: P. Barolsky, *The Faun in the Garden: Michelangelo and the Poetic Origins of Italian Renaissance Art*, University Park (Penns.) 1994.

Baroni 1875: G. Baroni, *La Parrocchia di S. Martino a Majano*, Firenze 1875.

Barriault 1985: A.B. Barriault, *Florentine Paintings for "Spalliere"*, Ph. D. diss., University of Virginia, Ann Arbor 1985.

Barriault 1994: A.B. Barriault, *Spalliera Paintings of Renaissance Tuscany. Fables of Poets for Patrician Homes*, University Park (Penns.) 1994.

Bartalini 1996: R. Bartalini, *Le occasioni del Sodoma. Dalla Milano di Leonardo alla Roma di Raffaello*, Roma 1996.

Beau (Le) Martin... 1991: *Le beau Martin. Gravures et dessins de Martin Schongauer (vers 1450-1491)*, catalogo della mostra, Colmar 1991.

Beck 1996: J. Beck, *Is Michelangelo's Entombment in the National Gallery, Michelangelo's?*, in "Gazette des Beaux-Arts", CXXVII, 1996, pp. 181-188.

Beck 1998: J. Beck, *Connoisseurship: A Lost or a Found Art? The Example of a Michelangelo Attribution: "The Fifth Avenue Cupid"*, in "Artibus et Historiae", 37, 1998, pp. 9-42.

Béguin 1979: S. Béguin, *Thème et dérivations*, in *La Madone de Lorette*, catalogo della mostra (Chantilly) a cura di S. Béguin *et al.*, Paris 1979, pp. 38-45.

Bellini 1973: P. Bellini, *Catalogo dell'opera grafica del Robetta*, Milano 1973.

Bellosi - Haines 1999: L. Bellosi - M. Haines, *Lo Scheggia*, Firenze-Siena 1999.

Bénezit 1976: E. Bénezit, *Donadoni, Stefano*, in E.B., *Dictionnaire des Peintres, Sculpteurs, Dessinateurs et Graveurs*, ed. Paris 1976, III, p. 622 *ad vocem*.

Benkard 1933: E. Benkard, *Michelangelos Madonna an der Treppe*, Berlin 1933.

Bentivoglio 1982: E. Bentivoglio, *Nel cantiere del Palazzo del Card. Raffaele Riario (la Cancelleria). Organizzazione, materiali, maestranze, personaggi*, in "Quaderni dell'Istituto di Storia dell'Architettura. Facoltà di Architettura Università di Roma", XXVII, 1982, pp. 27-34.

Bentivoglio 1992: E. Bentivoglio, *Per la conoscenza del Palazzo della Cancelleria: la personalità e l'ambiente culturale del cardinale Raffaele Sansoni Riario*, in *Saggi in onore di Renato Bonelli*, a cura di C. Bozzoni, G. Carbonara, G. Villetti, Roma 1992, pp. 367-373.

Berenson 1963: B. Berenson, *Italian Pictures of the Renaissance. Florentine School*, London 1963, 2 voll.

Berliner (Das) Kupferstichkabinett.... 1994: *Das Berliner Kupferstichkabinett: ein Handbuch zur Sammlung*, a cura di A. Dückers, Berlin 1994.

Bernabò - Mocali 1998: M. Bernabò - C. Mocali, *"Spasso di Principi e ingegno di artigiani"*, Firenze 1998.

Berti 1965: L. Berti, *I disegni*, in *Michelangelo artista, pensatore, scrittore*, Novara 1965, 2 voll., II, pp. 389-507; ed. ingl. L. Berti, *Drawings*, in *The complete work of Michelangelo*, London 1965, 2 voll., II, pp. 377-495.

Berti 1985: L. Berti, *Michelangelo. I disegni di Casa Buonarroti*, Firenze 1985.

Berti 1993: L. Berti, *Pontormo e il suo tempo*, Firenze 1993.

Bertoni 1978: F. Bertoni, *Faenza: la città e l'architettura*, Faenza 1978.
Beschi 1983: L. Beschi, *Le antichità di Lorenzo il Magnifico: caratteri e vicende*, in *Gli Uffizi. Quattro secoli di una galleria*, Atti del Convegno internazionale di studi (Firenze 1982) a cura di P. Barocchi e P. Ragionieri, Firenze 1983, 2 voll, I, pp. 161-176.
Beschi 1994: L. Beschi, *Le sculture antiche di Lorenzo*, in *Lorenzo il Magnifico e il suo mondo*, Atti del Convegno internazionale di studi (Firenze 1992), a cura di G. Garfagnini, Firenze, 1994, pp. 291-317.
Bessi 1992: R. Bessi, *Lo spettacolo e la scrittura*, in *Le temps revient. Il tempo si rinnova. Feste e spettacoli nella Firenze di Lorenzo il Magnifico*, catalogo della mostra (Firenze) a cura di P. Ventrone, Cinisello Balsamo (Milano) 1992, pp. 103-118.
Bietti Favi - Gentilini - Nicolai 1981: M. Bietti Favi - G. Gentilini - F. Nicolai, *La Misericordia di Firenze: archivio e raccolta d'arte*, Firenze 1981.
Birke - Kertész 1992: V. Birke - J. Kertész, *Die italienische Zeichnungen der Albertina. Generalverzeichnis*, Wien-Köln-Weimar 1992-97, 4 voll.
Bisogni 1975: F. Bisogni, *Sull'iconografia della Fonte Gaia*, in *Jacopo della Quercia fra Gotico e Rinascimento*, atti del convegno (Siena 1975) a cura di G. Chelazzi Dini, Firenze 1977, pp. 109-118.
Bjurström 1970: P. Bjurström, *Dessins du Nationalmuseum de Stockholm. Collection du Compte Tessin, 1695-1770*, catalogo della mostra (Paris-Bruxelles-Amsterdam 1970-71), Paris 1970.
Bober 1957: P. P. Bober, *Drawings after the Antique by Amico Aspertini. Sketchbooks in the British Museum*, London 1957 ("Studies of the Warburg Institute"; XXI).
Bober 1989: P. P. Bober, *The Census of Antiquities Known to the Renaissance: Retrospective and Prospective*, in *Roma, centro ideale della cultura dell'Antico nei secoli XV e XVI: da Martino V al Sacco di Roma 1417-1527*, atti del convegno internazionale di studi su Umanesimo e Rinascimento (Roma 1985) a cura di S. Danesi Squarzina, Milano 1989, pp. 372-381.
Bober - Rubinstein 1986: P.P. Bober - R. Rubinstein, *Renaissance Artists and Antique Sculpture. A Handbook of Sources*, Oxford-New York 1986.
Bocchi 1591: F. Bocchi, *Le bellezze della città di Fiorenza*, Firenze 1591.
Boccia 1991: L.G. Boccia, *L'Armeria del Museo Civico Medievale di Bologna*, Busto Arsizio 1991.
Boccia 1992: L.G. Boccia, *Trionfi, corteggi e tornei: l'armamentaria del buon Governo*, in *Atlante di Schifanoia*, Modena 1992, pp. 223-227.
Bocci Pacini 1994: P. Bocci Pacini, *Per una storia visiva della Galleria fiorentina. "Il Catalogo Dimostrativo" di Giuseppe Bianchi del 1768*, in "Annali della Scuola Normale Superiore di Pisa", serie terza, XXIV, 1, 1994, pp. 397-437, tavv. XCVI-CXXI.
Bodart 1975: D. Bodart, *Dessins de la collection Thomas Ashby à la Bibliothèque Vaticane*, Città del Vaticano 1975.
Bode 1895: W. von Bode, *Bertoldo di Giovanni und seine Bronzebildwerke*, in "Jahrbuch der Königlich-Preussischen Kunstsammlungen", XVI, 1895, pp.143-159.
Bode 1921: W. von Bode, *Sandro Botticelli*, Berlin 1921.
Bode 1908-1912, ed. 1980: W. von Bode, *The Italian Bronze Statuettes of the Renaissance*, London 1908-1912, 3 voll.; ed. rivista a cura di J.D. Draper, New York 1980.
Boissard 1597-1602: J. J. Boissard *Romanae Urbis topographiae et antiquitatum*, Francfordii 1597-1602, 3 voll.
Bonsanti 1982: G. Bonsanti, *The Mural Drawings in Michelangelo's New Sacristy*, in "The Burlington Magazine", CXXIV, 1982, p. 159.
Bonsanti 1992: G. Bonsanti, *Michelangelo as a Painter before the Sistine Ceiling*, in *The Genius of the Sculptor in Michelangelo's Work*, catalogo della mostra, Montreal 1992, pp. 279-305.
Borghini 1584: R. Borghini, *Il Riposo*, Firenze 1584.
Borroni Salvadori 1977: F. Borroni Salvadori, *Deianira, San Sebastiano e il guerriero contro il Marzocco. Disegni inediti provenienti da Volterra*, in "Mitteilungen des Kunsthistorischen Institutes in Florenz", XXI, 3, 1977, pp. 307-314.
Borsook 1970: E. Borsook, *Documents for Filippo Strozzi's Chapel in Santa Maria Novella and Other Related Papers*, in "The Burlington Magazine", CXII, 1970, pp. 737-745, 800-804.
Borsook - Offerhaus: E. Borsook - J. Offerhaus, *Francesco Sassetti and Ghirlandaio at Santa Trinita. History and Legend in a Renaissance Chapel*, Doornspijk 1981.
Boselli 1650: O. Boselli, *Osservazioni della Scoltura Antica*, [1650], ms. presso Biblioteca Corsiniana, Vetus, n. 1391; ed. a cura di P. Dent Weil, Firenze 1978.
Bottari 1759-1760: G. Bottari, in G. Vasari, *Vite de' più Eccellenti Pittori Scultori e Architetti...*, Firenze 1568; ed. a cura di G. Bottari, Roma 1759-1760, 3 voll.
Bottari 1964: S. Bottari, *L'Arca di San Domenico in Bologna*, Bologna 1964.
Bottari - Ticozzi 1822-25: G. Bottari - S. Ticozzi, *Raccolta di lettere sulla pittura, scultura ed architettura scritte da' più celebri personaggi dei secoli XV, XVI e XVII*, Milano 1822-25, 8 voll.
Botto 1931-32: C. Botto, *L'edificazione della chiesa di Santo Spirito in Firenze*, in "Rivista d'Arte", XIII, 1931, pp. 477-511, XIV, pp. 24-53.
Boucher 1989: B. Boucher, *The St. Jerome in Faenza, a Case for a Restitution*, in *Donatello-Studien*, München 1989, pp. 186-193.
Breisach 1967: E. Breisach, *Caterina Sforza. A Renaissance virago*, Chicago-London 1967.
Brinckmann 1919: A.E. Brinckmann, *Barock Skulptur. Erster Teil*, Berlin 1919.
Briquet 1968: C. M. Briquet, *Les filigranes*, a cura di J. S. G. Simmons, Amsterdam 1968, 4 voll.
Brown 1981: C.M. Brown, *"Une Nostre-Dame de Pitié... de la main du grand Michel-Ange". A Lost Painting attributed to Michelangelo in the 1532 Inventory of the Chateau de Bury*, in "Bibliothèque d'Humanisme et Renaissance", XLIII, 1981, pp. 159-163.

Brown 1986: D. Brown, *The Apollo Belvedere and the garden of Giuliano della Rovere at SS. Apostoli*, in "Journal of the Warburg and Courtauld Institutes", XLIX, 1986 pp. 235-238.

Brown 1976: C.M. Brown, *"Lo insaciabile desiderio nostro de cose antique": New Documents for Isabella d'Este's Collection of Antiquities*, in *Studies in Honour of Paul Oskar Kristeller*, a cura di C.H. Clough, Manchester-New York 1976, pp. 424-453.

Brown 1989: C.M. Brown, *Lorenzo de' Medici and the dispersal of the antiquarian collections of Cardinal Francesco Gonzaga*, in "Arte Lombarda", 90/91, 1989, pp. 86-103.

Brown 1993: C.M. Brown, *The Erstwhile Michelangelo Sleeping Cupid in the Turin Museo de Antichità and drawings after antiquities in the collection of Tommaso della Porta*, in "Journal of the History of Collections", III, 1, 1993, pp. 59-63.

Brown 1995: C.M. Brown, *"Purché la sia cosa che representi antiquità", Isabella d'Este Gonzaga e il mondo greco-romano*, in *Isabella d'Este, i luoghi del collezionismo,* Mantova- Palazzo Ducale, Appartamenti isabelliani, introduzione di L. Ventura, Modena, 1995, pp. 71-89.

Brown 1996: B.L. Brown, *Mars's Hot Minion or Tintoretto's Fractured Fable*, in *Jacopo Tintoretto nel quarto centenario della morte*, atti del convegno internazionale di studi (Venezia 1994) a cura di P. Rossi e L. Puppi, Padova 1996 ("Quaderni di Venezia. Arti"; 3), pp. 199-205.

Brunetti 1966: G. Brunetti, *Benedetto da Maiano*, in *Dizionario biografico degli italiani*, Roma, VIII, 1966, pp. 434-437 *ad vocem*.

Bullard 1987: M.M. Bullard, *The Magnificent Lorenzo de' Medici: between Mith and History*, in P. Mark e M.C. Jacob, *Politics and Culture in Early Modern Europe: Essays in Honour of H. G. Koenigsberger*, Cambridge e New York, 1987, pp. 25-58.

Bullard 1991: M.M. Bullard, *Middle Managers and Middlemen in Renaissance Banking*, in C. Dolan, *Travail et travilleurs en Europe au moyen âge et au début des temps modernes*, Toronto 1991 ("Papers in Mediaeval Studies"; 13), pp. 271-90.

Bullard 1994: M.M. Bullard, *Lorenzo il Magnifico. Image and Anxienty, Politics and Finance*, , Firenze 1994 ("Istituto Nazionale di Studi sul Rinascimento, Studi e testi", XXXIV).

Buranelli - Frommel, in corso di stampa: F. Buranelli, Ch. L. Frommel, *Il Palazzo della Cancelleria*, in corso di stampa.

Burckardus 1483-1506: J. Burckardus, *Liber Notarum ab anno MCCCCLXXXIII usque ad annum MDVI*, [1483-1506], ed. a cura di E. Celani, Città di Castello 1906, 2 voll. ('Rerum Italicarum Scriptores'; XXXII).

Burckhardt 1855: J. Burckhardt, *Der Cicerone, Eine Anleitung zum Genuss der Kunstwerke Italiens*, Basel 1855, ed. it. a cura di P. Mingazzini e F. Pfister, Firenze 1952.

Butterfield 1989: A. Butterfield, *A Source for Michelangelo's National Gallery "Entombment'*, in "Mitteilungen des Kunsthistorischen Institutes in Florenz", XXXIII, 1989, pp. 390-393.

Butterfield 1997: A. Butterfield, *The Sculptures of Andrea del Verrocchio*, New Haven-London 1997.

Butters 1996: S.B. Butters, *The Triumph of Vulcan: Sculptors' Tools, Porphyry, and the Prince in Ducal Florence*, Florence 1996.

Byam Shaw 1976: J. Byam Shaw, *Drawings by Old Masters at Christ Church*, Oxford 1976, 2 voll.

Cadogan 1993: J.K. Cadogan, *Michelangelo in the Workshop of Domenico Ghirlandaio*, in "The Burlington Magazine", CXXXV, 1993, pp. 30-31.

Cadogan 1994: J.K. Cadogan, *Domenico Ghirlandaio in Santa Maria Novella: Invention and Execution*, in *Florentine Drawing at the Time of Lorenzo the Magnificent*, atti del colloquio (Firenze 1992) a cura di E. Cropper, Bologna 1994, 4 voll., IV, pp. 63-82.

Caglioti 1993 e 1994: F. Caglioti, *Due "restoratori" per le antichità dei primi Medici: Mino da Fiesole, Andrea del Verrocchio e il "Marsia rosso" degli Uffizi*. I and II, in "Prospettiva", 72 e 73/4, ottobre 1993 e gennaio-aprile 1994, pp. 17-42 e 74-96.

Caglioti 1996: F. Caglioti, *Il David bronzeo di Michelangelo (e Benedetto da Rovezzano): il problema dei pagamenti*, in *Ad Alessandro Conti (1946-1994)*, a cura di F. Caglioti, M. Fileti Mazza, U. Parrini, Pisa 1996, pp. 87-132 ("Quaderni del Seminario di Storia della Critica d'Arte"; 6).

Calì 1989: M. Calì, *La "Calunnia" del Botticelli e il Savonarola*, in "Arte Documento", 3, 1989, pp. 88-99.

Callmann 1998: E. Callmann, *Jacopo del Sellaio, the Orpheus Myth, and Painting for the Private Citizen*, in "Folia Historiae Artium", nuova serie, 4, 1998, pp. 143-158.

Camesasca 1966: E. Camesasca, *L'opera completa di Michelangelo pittore*, Milano 1966.

Campbell Hutchison 1996: J. Campbell Hutchison, *The Illustrated Bartsch: 8, Commentary, Part I (Le Peintre-Graveur, 6, part 1). Early German Artists: Martin Schongauer, Ludwig Schongauer, and Coyists*, New York 1996.

Campitelli 1993: A. Campitelli, *Il parco di Villa Borghese dal Giardino Privato al Parco Pubblico*, Roma 1993.

Camposanto... 1984: *Camposanto monumentale di Pisa. Le Antichità, II*, a cura di S. Settis, Modena 1984.

Caneva 1990: C. Caneva, *Botticelli. Catalogo completo*, Firenze 1990.

Cappella (La) Sistina 1994: *Michelangelo: La Cappella Sistina*, Città del Vaticano-Tokyo-Novara 1994, 3 voll. (I: *Documentazione e interpretazioni*, con prefazione di C. Pietrangeli; II: *Rapporto sul restauro degli affreschi della volta*, a cura di F. Mancinelli; III: *Atti del Convegno Internazionale di Studi, Roma, marzo 1990*, a cura di K. Weil-Garris Brandt).

Capretti 1996: E. Capretti, *Piero di Cosimo. Catalogo completo*, Firenze 1996.

Carandente 1963: G. Carandente, *I Trionfi nel primo Rinascimento*, Napoli 1963.

Carl 1983: D. Carl, *Documenti inediti su Maso Finiguerra e la sua famiglia*, in "Annali della Scuola Normale Superiore di Pisa", XIII, 2, 1983, pp. 507-544.

Carl 1990: D. Carl, *La casa vecchia dei Medici e il suo giardino*, in *Il Palazzo Medici Riccardi*

di Firenze, a cura di G. Cherubini e G. Fanelli, Firenze 1990, pp. 38-43.
Carl 1996: D. Carl, *New Documents for Antonio Rossellino's Altar in the S. Anna dei Lombardi, Naples*, in "The Burlington Magazine", CXXXVIII, 1996, pp. 318-320.
Carl 1997: D. Carl, *Die Madonna von Nicotera und Kopien: vier unerkannte Madonnenstatuen des Benedetto da Maiano in Kalabrien und Sizilien*, in "Mitteilungen des Kunsthistorischen Institutes in Florenz", XLI, 1997 (1998), pp. 93-118.
Carli 1964: E. Carli, *Michelangelo e Siena*, Siena 1964.
Carli 1980: E. Carli, *Gli scultori senesi*, Milano 1980.
Carroll 1971: E.A. Carroll, *Some Drawings by Salviati Formerly Attributed to Rosso Fiorentino*, in "Master Drawings", IX, 1971, pp. 15-37.
Cartari 1556: V. Cartari, *Le immagini con la spositione de i dei de gli antichi*, Per Francesco Marcolini, In Venetia 1556.
Cartari 1571: V. Cartari, V., *Le imagini de i dei de gl'antichi*, I ed. illustrata, In Venetia 1571.
Cartari 1647: V. Cartari, V., *Imagini delli dei de gl'antichi*, ed. a cura di L. Pignoria, Presso il Tommasini, In Venetia 1647; di cui ed. anastatica a cura di M. e M. Bussagli, Nuova Stile Regina ed., Genova 1987.
Carteggio (Il)... 1965-1983: *Il Carteggio di Michelangelo*, a cura di P. Barocchi e R. Ristori, Firenze 1965-83, 5 voll.
Carteggio (Il) indiretto... 1988: *Il Carteggio indiretto di Michelangelo*, a cura di P. Barocchi, K. Loach Bramanti, R. Ristori, Firenze 1988.
Casamassina - Rubinstein 1993: E. Casamassina - R. Rubinstein, *Antiquarian Drawings from Dosio's Roman Workshop. Biblioteca Nazionale Centrale di Firenze N.A. 1159*, Firenze-Milano 1993 ("Inventari e Cataloghi Toscani"; 45).
Castaldi 1909: E. Castaldi, *Scritta di locazione della Sepoltura di S. Bartolo in S. Agostino di S. Gimignano a Benedetto di Lionardo d'Antonio da Maiano*, Poggibonsi (Siena) 1909.
Castaldi 1921: E. Castaldi, *Scritta per la costruzione della Cappella di S. Bartolo*, Colle Val d'Elsa 1921.
Catalogue... 1851: *Catalogue of the Bridgewater Collection of Pictures, belonging to the Earl of Ellesmere at Bridgewater House, Cleveland Square, St. James's*, 7ª ed., London 1851.
Catalogue... 1902: *Catalogue des Objets d'art, antiques, du Moyen Age et de la Renaissance, provenant de la Collection Bardini de Florence*, London 1902.
Cavallaro 1984: A. Cavallaro, *Aspetti e protagonisti della pittura del Quattrocento romano in coincidenza dei giubilei*, in *Roma 1300-1875. L'arte degli anni santi*, catalogo della mostra (Roma) a cura di M. Fagiolo e M.L. Madonna, Milano 1984, pp. 334-346.
Cavazzini 1999: L. Cavazzini, *Il fratello di Masaccio: Giovanni di Ser Giovanni detto lo Scheggia*, catalogo della mostra (San Giovanni Valdarno), Firenze- Siena 1999.
Cellini 1559-1562: B. Cellini, *La Vita*, [1559-1562], Napoli 1728; ed. a cura di P. D'Ancona, Milano s.d.
Cendalì 1926: L. Cendalì, *Giuliano e Benedetto da Maiano*, San Casciano in Val di Pesa (Firenze) 1926.
Cennini, fine XIV sec.: C. Cennini, *Il libro dell'Arte*, [fine XIV secolo]; ed. a cura di F. Brunello, Vicenza 1971.
Chastel 1959: A. Chastel, *Art et Humanisme à Florence au Temps de Laurent le Magnifique*, Paris 1959; 3ª ed. Paris 1982; ed. it. A.C., *Arte e umanesimo al tempo di Lorenzo il Magnifico*, Torino 1964.
Chiaroni 1939: V. Chiaroni, *Le ossa del Poliziano*, in "Rinascita", II, 1939, pp. 32-33.
Chiesa (La) e il convento... 1996: *La chiesa e il convento di Santo Spirito a Firenze*, a cura di C. Acidini Luchinat con la collaborazione di E. Capretti, Firenze 1996.
Ciardi Duprè Dal Poggetto 1967: M.G. Ciardi Duprè Dal Poggetto, *Un'ipotesi su Niccolò Spinelli fiorentino*, in "Antichità Viva", VI, 1, 1967, pp. 22-34.
Ciardi Duprè Dal Poggetto 1971: M.G. Ciardi Duprè Dal Poggetto, *Pietro Torrigiani e le sue opere italiane*, in "Commentari", XXII, 1971, pp. 305-325.
Cicognara 1813-1818: L. Cicognara, *Storia della scultura dal suo risorgimento in Italia sino al secolo XIX, per servire di continuazione alle opere di Winckelmann e di d'Agincourt*, Venezia 1813-18, 3 voll.
Circa 1492... 1991: *Circa 1492. Art in the Age of Exploration*, catalogo della mostra (Washington) a cura di J.A. Levenson, New Haven-London 1991.
Clément 1861: C. Clément, *Michel-Ange, Léonard de Vinci, Raphael*, Paris 1861.
Codice (Il)... 1537-1542 ca.: *Il codice Magliabechiano* [1537-1542 ca.], ed. a cura di C. Frey, Berlin 1892.
Colalucci 1995: G. Colalucci, *Il pennello di Michelangelo tra scalpello e compasso*, in *Florilegium. Scritti di Storia dell'Arte in onore di Carlo Bertelli*, Milano 1995, pp. 134-137.
Collareta 1982: M. Collareta, *Considerazioni in margine al "De Statua" e alla sua fortuna*, in "Annali della Scuola Normale Superiore di Pisa. Classe di Lettere e Filosofia", serie terza, XII, 1, 1982, pp. 171-188.
Collareta 1992: M. Collareta, *Intorno ai disegni murali della Sagrestia Nuova*, in "Studies in the History of Art. National Gallery of Art, Washington", 33 (*Symposium Papers XVII: Michelangelo Drawings*, Washington 1988), 1992, pp. 163-177.
Collezioni (Le) ... 1981: *Le collezioni della Galleria Borghese a Roma*, a cura di S. Staccioli e P. Moreno, Roma-Milano (T.C.I.) 1981.
Collezioni (Le)... 1989: *Le collezioni del Museo Nazionale di Napoli. Vol. I, 2: La scultura greco-romana, le sculture antiche della collezione Farnese, le collezioni monetali, le oreficerie, la collezione glittica*, Roma-Milano 1989.
Collezioni (Le)... 1999: *Le collezioni medicee nel 1495. Deliberazioni degli ufficiali dei ribelli*, a cura di O. Merisalo, Firenze 1999.
Comanducci 1934: A.M. Comanducci, *I pittori italiani dell'Ottocento*, Milano 1934.
Condivi 1553, ed. 1746: A. Condivi, *Vita di Michelagnolo Buonarroti*, Roma 1553; II ed. con note di A.F. Gori, P.J. Mariette e F. Buonarroti, Firenze 1746.
Condivi 1553, ed. 1998: A. Condivi, *Vita di Michelagnolo Buonarroti*, Roma 1553; ed. a cura di G. Nencioni, con saggi di M. Hirst e C. Elam, Firenze 1998 ("Tabulae Artium. Testi

letterari e figurati ad uso di esercitazione"; 2).
Conta 1977: M.R. Conta, *Armi e armature in Piemonte nella prima metà del secolo XV*, in "Studi piemontesi", VI, 1977, pp. 410-427.
Conversari 1939: C. Conversari in C. Conversari e R. Perlini, *Pittori paesistici bergamaschi dell'800*, in "Bergonum", XXXIII (XVII, vol. XIII), 3, 1939, pp. 140-146.
Cordellier 1991: D. Cordellier, *Fragments de jeunesse: deux feuilles inédites de Michel-Ange au Louvre*, in "La Revue du Louvre et des Musées de France", XLI, 2, 1991, pp. 43-55.
Corti - Fusco 1991: G. Corti - L. Fusco, *Giovanni Ciampolini (d. 1505) a Renaissance dealer in Rome and his collection of antiquities*, in "Xenia", 21, 1991, pp. 7-46.
Costamagna 1999: Ph. Costamagna, *L'influence de Léonard de Vinci sur les artistes Toscans et ses apports à la "maniera". Le rôle du séjour français d'Andrea del Sarto*, in *Léonard de Vinci entre France et Italie. Colloque international de Caen*, atti a cura di S. Fabrizio Costa e J.-P. Le Goff, Caen 1999, pp. 99-116.
Cox-Rearick 1982: J. Cox-Rearick, *Themes of the Time and Rule at Poggio a Caiano: The Portico Frieze of Lorenzo il Magnifico*, in "Mitteilungen des Kunsthistorischen Institutes in Florenz", XXVI, 1982, pp. 167-210.
Cox-Rearick 1984: J. Cox-Rearick, *Dynasty and Destiny in Medici Art. Pontormo, Leo X, and the Two Cosimos*, Princeton 1984.
Cristofani 1985: M. Cristofani, *I bronzi degli Etruschi*, Novara 1985.
Crivellari 1920: G. Crivellari, *Altre notizie e chiarimenti sul quadro di Michelangelo Buonarroti "La tentazione di S. Antonio"*, in "La Nazione", 3 agosto 1920.
Dacos 1973: N. Dacos, *Le collezioni di gemme e le ragioni del loro successo* e *Saggio di inventario delle opere ispirate da gemme Medici nel Rinascimento*, in *Il tesoro di Lorenzo il Magnifico. Le gemme*, catalogo della mostra (1972), Firenze 1973, pp. 133- 156 e 157-162.
Dacos 1977: N. Dacos, *Le Logge di Raffaello*, Roma 1977.
Dacos 1980: N. Dacos, *La fortuna delle gemme medicee nel Rinascimento*, in *Il tesoro di Lorenzo il Magnifico*, Firenze 1980, pp. 84-119.
Dacos 1993: N. Dacos, *Il "Criado" portoghese di Michelangelo: il Maestro della Madonna di Manchester, ossia Pedro Nunyes*, in "Bollettino d'Arte", serie sesta, LXXVIII, 77, 1993, pp. 29-46.
Dacos 1995: N. Dacos, *Roma quanta fuit. Tre pittori nella Domus Aurea*, Roma 1995.
Daly Davis 1989: M. Daly Davis, *"Opus isodomum" at the Palazzo della Cancelleria: Vitruvian Studies and Archaelogical and Antiquarian Interests at the Court of Raffaele Riario*, in *Roma, centro ideale della cultura dell'antico nei secoli XV e XVI: da Martino V al Sacco di Roma, 1417-1527*, atti del convegno internazionale di studi su Umanesimo e Rinascimento (Roma 1985) a cura di S. Danesi Squarzina, Milano 1989, pp. 442-457.
D'Ancona 1891: A. D'Ancona, *Origini del Teatro italiano*, Torino 1891, 3 voll.
Davidson 1954: B. Davidson, *Marcantonio Raimondi. The Engravings of his Roman Period*, Ph. D. Harvard University, Cambridge (Mass.) 1954.
Davies 1961: M. Davies, *National Gallery Catalogues. The Earlier Italian Schools*, London 1961.
De Cosson 1914: C.A. De Cosson, *Notizie su diversi pezzi d'armatura provenienti dall'antica Armeria Medicea esistenti nel Museo Nazionale di Firenze*, in "L'Arte", XVII, 1914, pp. 387-392.
De Gubernatis 1889: A. De Gubernatis, *Dizionario degli artisti viventi. Pittori, scultori e architetti*, Firenze 1889; ed. Firenze 1906.
De Witt 1938: A. De Witt, *La collezione delle Stampe*, Roma 1938.
Deaborn Massar 1999: P. Deaborn Massar, *Drawings by Jean-Robert Ango after Paintings and Sculptures in Rome*, in "Master Drawings", XXXVII, 1999, pp. 35-46.
Dean 1988: N.E. Dean, *Geochemistry and Archaeological Geology of the Carrara Marble, Carrara, Italy, in Classical Marble: Geochemistry, Technology, Trade*, Dordrecht 1988, pp. 315-323.
Degenhart - Schmitt 1968: B. Degenhart - A. Schmitt, *Corpus der italienischen Zeichnungen, 1300-1450. I: Süd- und Mittelitalien*, Berlin 1968.
Degenhart - Schmitt 1982: B. Degenhart - A. Schmitt, *Corpus der italienischen Zeichnungen, 1300-1450. II/4: Mariano Taccola*, Berlin 1982.
Del Lungo 1867a: I. Del Lungo, *Letterine di un bambino fiorentino*, Firenze 1867.
Del Lungo 1867b: I. Del Lungo, *Prose volgari inedite e poesie latine e greche edite ed inedite di Angelo Ambrogini Poliziano, raccolte e illustrate da Isidoro del Lungo*, Firenze 1867.
Delaborde 1875: H. Delaborde, *Le Département des Estampes à la Bibliothèque Nationale*, Paris 1875.
Della Pergola 1954: P. Della Pergola, *La Madonna di Manchester nella Galleria Borghese*, in "Paragone", V, 1954, pp. 47-48.
Della Pergola 1955-59: P. Della Pergola, *Galleria Borghese. I dipinti*, Roma 1955-59, 2 voll.
Della Pergola 1962: P. Della Pergola, *Villa Borghese*, Roma 1962.
Della Valle 1791-94: G. Della Valle, in G. Vasari, *Le Vite de' più Eccellenti Pittori Scultori e Architetti...*, Firenze 1568; ed. a cura di G. Della Valle, Siena 1791-94, 11 voll.
Di Gaddo 1997: B. Di Gaddo, *L'architettura di Villa Borghese dal Giardino Privato al Parco Pubblico*, Roma 1997 ("GROMA quaderni"; 5).
Di Giampaolo 1997: M. Di Giampaolo, *Girolamo Bedoli, 1500-1569*, Firenze 1997.
Dillon 1992: G. Dillon, in *Il disegno fiorentino del tempo di Lorenzo il Magnifico*, catalogo della mostra (Firenze) a cura di A.M. Petrioli Tofani, Milano 1992, pp. 120-125.
Dillon 1994: G. Dillon, *Una serie di figure grottesche*, in *Florentine Drawing at the Time of Lorenzo the Magnificent*, atti del colloquio (Firenze 1992), Bologna 1994, pp. 217-230.
Disegno (Il) fiorentino... 1992: *Il disegno fiorentino del tempo di Lorenzo il Magnifico*, catalogo della mostra a cura di A.M. Petrioli Tofani, Cinisello Balsamo (Milano) 1992.
Disegno... 1990: *Disegno: les Dessins Italiens du Musée de Rennes*, catalogo della mostra (Modena - Rennes) a cura di P. Ramade, Rennes 1990.
Dizionario Bolaffi... 1972: *Dizionario enciclopedico Bolaffi dei pittori e degli incisori italiani*, Torino, IV, 1972, p. 183 (voce: *Donadoni Stefano*).

Documenti inediti... 1878-1880: *Documenti inediti per servire alla storia dei Musei d'Italia, pubblicati per cura del Ministero della Pubblica Istruzione*, Firenze-Roma 1878-1880, 4 voll.
Dodsworth 1992: B. Dodsworth, *Domenican patronage and the Arca di San Domenico*, in *Verrocchio and the late Quattrocento Italian Sculpture*, a cura di S. Bule, A. P. Darr, F. Superbi Gioffredi, Firenze 1992, pp. 283-293.
Domenico... 1996: *Domenico Ghirlandaio: 1449-1494*, atti del convegno internazionale (Firenze 1994) a cura di W. Prinz e M. Seidel, Firenze 1996.
Donatello e i Suoi... 1986: *Donatello e i Suoi. Scultura fiorentina del primo Rinascimento*, catalogo della mostra (Firenze) a cura di A.P. Darr e G. Bonsanti, Milano-Firenze 1986.
Draper 1984: J.D. Draper, *Winged Infant: A Fountain Figure*, in *The Metropolitan Museum of Art. Notable Acquisition: 1983-1984*, a cura di P. de Montebello, New York 1984, pp. 26-27.
Draper 1992: J.D. Draper, *Bertoldo di Giovanni sculptor of the Medici household*, Columbia (Miss.)-London 1992.
Draper 1997: J.D. Draper, *Ango After Michelangelo*, in "The Burlington Magazine", CXXXIX, 1997, pp. 398-400.
Draper - Scherf 1997: J.D. Draper - G. Scherf, *Augustin Pajou dessinateur en Italie 1752-1756*, in "Archives de l'art français", nuova serie, XXXIII, 1997, pp. 9-101.
Dunkelman 1979-1980: M. Dunkelman, *Michelangelo's Earliest Drawing Style*, in "Drawing", I, 1979-1980 (1980), pp. 121-127.
Dunkerton 1994: J. Dunkerton, *Michelangelo as a Painter on Panel*, in M. Hirst - J. Dunkerton, *Making and Meaning. The Young Michelangelo*, catalogo della mostra, London 1994, pp. 81-133; ed. it. M.H. - D.J., *Michelangelo giovane. Scultore e pittore a Roma, 1496-1501*, Modena 1997, pp. 87-139.
Dussler 1924: L. Dussler, *Benedetto da Maiano. Ein Bildhauer des späten Quattrocento*, München 1924.
Echinger-Maurach 1991: C. Echinger-Maurach, *Studien zu Michelangelos Juliusgrabmal*, Hildesheim- New York 1991, 2 voll.
Echinger-Maurach 1998a: C. Echinger-Maurach, *Zu Michelangelos Skizze für den verlorenen Bronzedavid und zum Beginn der "gran maniera degli ignudi" in seinem Entwurf für den Marmordavid*, in "Zeitschrift für Kunstgeschichte", LXI, 1998, pp. 301-338.
Echinger-Maurach 1998b: C. Echinger-Maurach, *Ein Entwurf Michelangelos für den Tondo Pitti und seine Beziehungen zu Leonardo da Vinci, zu antiken Werken und zu Raffael*, in "Mitteilungen des Kunsthistorischen Institutes in Florenz", XLII, 1998, pp. 274-310.
Echinger-Maurach, in corso di stampa: C. Echinger-Maurach, *"Gli occhi fissi nella somma bellezza del Figliuolo" - Michelangelo im Wettstreit mit Leonardos Madonnen - concetti der zweiten Florentiner Periode*, in *Michelangelo - Ein Kolloquium des Institutes für Kunstgeschichte der Universität* (Köln 1996), atti a cura di M.Rohlmann e A.Thielemann, in corso di stampa.
Egger 1931: H. Egger, *Römische Veduten*, Wien 1931, 2 voll.
Eisenbichler 1990: K. Eisenbichler, *Political Posturing in some "Triumphs of Love" in Quattrocento Florence, in Petrarch's Triumphs: Allegory and Spectacle*, atti del convegno a cura di K. Eisenbichl e A.A. Iannucci, Ottawa 1990 ("University of Toronto Studies"; 4), pp. 369-381.
Eisler 1961: C. Eisler, *The Athlete of Virtue: The Iconography of Ascetism*, in *De Artibus Opuscula XL: Essays in Honour of Erwin Panofsky*, a cura di M. Meiss, New York 1961, pp. 82-99.
Eisler 1967: C. Eisler, *The Madonna of the Steps. Problems of Date and Style*, in *Stil und Überlieferung in der Kunst des Abendlandes*, atti del convegno (Bonn 1964), Berlin 1967, 3 voll., pp. 115-121.
Eisler 1996: C. Eisler, *Michelangelo and the Payne Whitney Marble. His development by imitation and deception*, in "Apollo", CXLIV, 416, 1996, pp. 7-13.
Elam 1981: C. Elam, *The Mural Drawings in Michelangelo's New Sacresty*, in "The Burlington Magazine", CXIII, 1981, pp. 593-602.
Elam 1988: C. Elam, *Art and Diplomacy in Renaissance Florence*, in "Journal of the Royal Society of Arts", 136, 1988, pp. 813-826.
Elam 1992a: C. Elam, *Il giardino delle sculture di Lorenzo de' Medici*, in *Il giardino d San Marco. Maestri e compagni del giovane Michelangelo*, catalogo della mostra (Firenze) a cura di P. Barocchi, Cinisello Balsamo (Milano) 1992, pp. 157-172.
Elam 1992b: C. Elam, *Lorenzo de' Medici's sculpture garden*, in "Mitteilungen des Kunsthistorischen Institutes in Florenz", XXXVI, 1992, pp. 41-84.
Elam 1993: C. Elam, *Art in the Service of the Liberty. Battista della Palla Art Agent for Francis I*, in "Tatti Studies. Essays in the Renaissance", V, 1993, pp. 33-109.
Elam - Hughes 1996: C. Elam - A. Hughes, *Michelangelo (Buonarroti)*, in *The Dictionary of Art*, a cura di J. Turner, London, XXI, 1996, pp. 431-460.
Elen 1995: A.J. Elen, *Italian Late-Medieval and Renaissance Drawing-Books from Giovannino de' Grassi to Palma il Giovane: a codicological approach*, Leiden 1995.
Elenco dei quadri... 1912: *Elenco dei quadri dell'Accademia Carrara in Bergamo*, Bergamo 1912.
Emblemata... 1996: *Emblemata. Handbuch zur Sinnbildkunst des XVI. und XVII. Jahrhunderts*, a cura di A. Henkel e A. Schöne, Stuttgart-Weimar 1996.
Emmerling-Skala 1994: A. Emmerling-Skala, *Bacchus in der Renaissance*, Hildesheim-Zürich-New York 1994, 2 voll.
Eredità del Magnifico... 1992: *Eredità del Magnifico 1492-1992*, catalogo della mostra, Firenze 1992.
Eredità dell'Islam... 1993: *Eredità dell'Islam. Arte islamica in Italia*, catalogo della mostra (Venezia) a cura di G. Curatola, Cinisello Balsamo (Milano) 1993.
Esposizione di Belle Arti... 1883: *Esposizione di Belle Arti in Roma. Catalogo Generale Ufficiale*, Roma 1883.
Esposizione Nazionale... 1881: *Esposizione Nazionale in Milano nel 1881. Catalogo Ufficiale Illustrato*, Milano 1881.
Età (L') di Masaccio... 1990: *L'età di Masac-*

cio. Il primo Quattrocento a Firenze, catalogo della mostra (Firenze) a cura di L. Berti e A. Paolucci, Milano 1990.

Exposition... 1874: *Exposition des Peintures au Profit des Alsaciens et Lorrains*, Paris 1874.

Fabriczy (von) 1904: C. von Fabriczy, *Italian Medals*, London 1904.

Faldi 1954: I. Faldi, *Galleria Borghese. Le sculture dal secolo XVI al XIX*, Roma 1954.

Farinella 1992: V. Farinella, *Archeologia e pittura a Roma tra Quattrocento e Cinquecento. Il caso di Jacopo Ripanda*, Torino 1992.

Fermor 1993: S. Fermor, *Piero di Cosimo. Fiction, Invention and "Fantasia'*, London 1993.

Ferrajoli 1915: A. Ferrajoli, *Un testamento dello scultore Pietro Torrigiani e le ricerche sopra alcune sue opere*, in "Bollettino d'arte", IX, 1915, pp. 181-192.

Ferrando Spagnolo... 1998: *Ferrando Spagnolo e altri maestri iberici nell'Italia di Leonardo e Michelangelo*, catalogo della mostra (Firenze) a cura di F.B. Doménech e F. Sricchia Santoro, Firenze-Valencia 1998.

Ferri 1885: P.N. Ferri, *Indice geografico-analitico dei disegni di architettura civile e militare, esistenti nella R. Galleria degli Uffizi in Firenze*, Roma 1885.

Ficino 1475: M. Ficino, *Sopra lo Amore ovvero Convito di Platone*, [1475], ed. a cura di G. Rensi, Lanciano 1934.

Fidanza 1996: G.B. Fidanza, *Vincenzo Danti 1530-1576*, Firenze 1996.

Filangieri 1938: R. Filangieri, *Rassegna critica delle fonti della storia di Castel Nuovo*, in "Archivio Storico per le Provincie Napoletane", LXIII, 1938, p. 73.

Fileri 1985: E. Fileri, *Giovanni Bologna e il taccuino di Cambridge*, in "Xenia", 10, 1985, pp. 5-54.

Filippini 1992: C. Filippini, *Il re Nabuccodonosor e il profeta Daniele: una storia biblica illustrata dal Maestro di Marradi*, in "Paragone", 503, 1992, pp. 31-37.

Firenze restaura... 1972: *Firenze restaura. Il laboratorio nel suo quarantennio*, catalogo della mostra a cura di U. Baldini e P. Dal Poggetto, Firenze 1972.

Firenze... 1991: *Firenze: Arte del Rinascimento e Restauro*, catalogo della mostra (Kyoto; Tokyo; Nagoya), s.l. (NHK Enterprises) 1991.

Fischer 1990: C. Fischer, *Fra Bartolomeo. Master Draughtsman of the High Renaissance*, catalogo della mostra, Rotterdam 1990.

Fischer 1994: C. Fischer, *Ghirlandaio and the Origins of Cross-hatching*, in *Florentine Drawing at the Time of Lorenzo the Magnificent*, atti del colloquio (Firenze 1992) a cura di E. Cropper, Bologna 1994, 4 voll., IV, pp. 245-254.

Forlani Tempesti 1994: A. Forlani Tempesti, *Studiare dal naturale nella Firenze di fine '400*, in *Florentine Drawing at the Time of Lorenzo the Magnificent*, atti del colloquio (Firenze, giugno 1992) a cura di E. Cropper, Bologna 1994, pp. 1-15.

Forlani Tempesti - Capretti 1996: A. Forlani Tempesti - E. Capretti, *Piero di Cosimo. Catalogo completo*, Firenze 1996.

Foster 1978: P.E. Foster, *A Study of Lorenzo de' Medici's Villa at Poggio a Caiano*, Ph. D. diss. Yale University (New Haven, Conn., 1974), New York-London 1978; ed. it. P.E. F., *La villa di Poggio a Caiano*, Poggio a Caiano (Firenze) 1992.

Fra' Bartolomeo... 1996: *Fra' Bartolomeo e la scuola di San Marco*, catalogo della mostra (Firenze) a cura di S. Padovani, Venezia 1996.

Fra' Mariano 1517: Fra' Mariano da Firenze, *Tractatus de origine, nobilitate et excellentia Tusciae*, [1517], c. 96v, in Fra' Mariano da Firenze, *Itinerarium Urbis Romae*, Romae 1518; ed. a cura di E. Bulletti, Roma 1931.

Fra' Mariano 1518: Fra' Mariano da Firenze, *Itinerarium Urbis Romae*, Romae 1518; ed. a cura di E. Bulletti, Roma 1931.

Francesco di Giorgio... 1993: *Francesco di Giorgio Martini*, catalogo della mostra (Siena) a cura di L. Bellosi, Milano 1993, pp. 428-429.

Francesco Salviati... 1998: *Francesco Salviati o la Bella Maniera (1510-1563)*, catalogo della mostra (Roma; Paris) a cura di C. Monbeig Goguel, Paris-Milano 1998.

Francisco de Hollanda 1548: Francisco de Hollanda, *Della Pintura Antigua*, [1548], ed. a cura di M. Denis, Madrid 1921.

Francucci 1647: [S. Francucci], *La Galleria dell'Illustrissimo e Reverendissimo Signor Scipione Cardinale Borghese cantata da Scipione Francucci di Roma il dì XVI di luglio 1613* (Archivio Stato Vaticano, Fondo Borghese, serie IV, 103 ms.), Arezzo 1647.

Frenz 1986: T. Frenz, *Die Kanzlei der Päpste der Hochrenaissance (1471-1527)*, Tübingen 1986.

Frey 1907a: K. Frey, *Michelagniolo Buonarroti. Quellen und Forschungen zu seiner Geschichte und Kunst*, Berlin 1907.

Frey 1907b: K. Frey, *Michelagniolo Buonarroti. Sein Leiben und seine werke*, Berlin 1907.

Frey 1909: K. Frey, *Studien zu Michelagniolo Buonarroti und zur Kunst seiner Zeit*, in "Jahrbuch der Königlich Preußischen Kunstsammlungen", XXX (supplemento), 1909, pp. 103-180.

Freyhan 1948: R. Freyhan, *The evolution of the Caritas-Figure in the 13th and 14th Centuries*, in "Journal of the Warburg and Courtauld Institutes", XI, 1948, pp. 68-86.

Frimmel 1887: T. Frimmel, *Die Bellerephongruppe des Bertoldo*, in "Jahrbuch der Kunsthistorischen Sammlungen des allerhöchsten Kaiserhauses", V, 1887, pp. 90-96.

Frommel 1973a: Ch.L. Frommel, *I chiostri di S. Ambrogio e il cortile della Cancelleria a Roma: un confronto stilistico*, in "Arte Lombarda", 79, 1986, pp. 9-18.

Frommel 1973b: Ch.L. Frommel, *Der Römische Palastbau der Hochrenaissance*, Tübingen 1973, 3 voll. ("Römische Forschungen des Bibliotheca Hertziana"; 31).

Frommel 1989: Ch.L. Frommel, *Il cardinale Raffaello Riario ed il Palazzo della Cancelleria*, in *Sisto IV e Giulio II mecenati e promotori di cultura*, atti del convegno di studi (Savona 1985) a cura di S. Bottaro *et al.*, Savona 1989, pp. 73-84.

Frommel 1992: Ch.L. Frommel, *Jacobo Gallo als Förderer der Künste: Das Grabmal seines Vaters in S. Lorenzo in Damaso und Michelangelos erste römische Jahre*, in *Kotinos. Festschrift für Erika Simon*, a cura di H. Froning, T. Hoelscher e H. Mielsch, Mainz 1992, pp. 450-460.

Frommel 1994: Ch.L. Frommel, *St.Peter's: The Early History*, in *The Renaissance from Brunelleschi to Michelangelo. The Representation of Architecture*, a cura di H.A. Millon e V. Magnago Lampugnani, London 1994, pp. 399-423.
Fusco 1977-78: L. Fusco, *The Nude as Protagonist: Pollaiolo's Figural Style Explicated by Leonardo's Study of Static Anatomy, Movement, and Functional Anatomy [Summary of Dissertation]*, in "Marsyas", 19, 1977-1978, p. 67.
Fusco 1982: L. Fusco, *The Use of Sculptural Models by Painters in Fifteenth Century Italy*, in "The Art Bulletin", LXIV, 1982, pp. 175-194.
Fusco 1984: L. Fusco, *Pollaiuolo's "Battle of the Nudes": a suggestion for an ancient source and a new dating*, in *Scritti di Storia dell'Arte in onore di Federico Zevi*, a cura di M. Natale, Milano 1984, 2 voll., I, pp. 196-199.
Fusco 1992: L. Fusco, *Lorenzo de' Medici's Collection of Antiquities*, in "Studi italiani di filologia classica", serie terza, X, 1992, pp. 1116-1130.
Fusco - Corti 1991: L. Fusco - G. Corti, *Giovanni Ciampolini (d. 1505), a Renaissance Dealer in Rome and his Collection of Antiquities*, in "Xenia", 21, 1991, pp. 7- 46.
Gaeta Bertelà 1997: G. Gaeta Bertelà, *La Tribuna di Ferdinando I dei Medici. Inventari 1589-1631*, Modena 1997.
Garms 1995: J. Garms, *Vedute di Roma. Dal Medioevo all'Ottocento*, Napoli 1995, 2 voll.
Garzelli 1985: A. Garzelli, *Miniatura fiorentina del Rinascimento (1440-1525). Un primo censimento*, Firenze 1985, 2 voll.
Garzelli 1996: A. Garzelli, *L'antico nelle miniature dell'età di Lorenzo*, in *La Toscana al tempo di Lorenzo il Magnifico. Politica, Economia, Cultura, Arte*, atti del convegno di studi (Firenze-Pisa-Siena 1992), Pisa 1996, 3 voll., I, pp. 173-171.
Gatteschi 1993: R. Gatteschi, *Baccio da Montelupo: Scultore e architetto del Cinquecento*, Firenze 1993.
Gatti 1994: L. Gatti, *"Delle cose de' pittori et sculptori si può mal promettere cosa certa": la diplomazia fiorentina presso la corte del re di Francia e il Davide bronzeo di Michelangelo Buonarroti*, in "Mélanges de l'École française de Rome. Italie et Méditerranée", 106 (2), 1994, pp. 433-472.
Gauricus 1504: Pomponius Gauricus, *De Sculptura*, Firenze 1504; ed. a cura di A. Chastel e R. Klein, Paris 1969.
Gavallotti Cavallero 1989: D. Gavallotti Cavallero *Palazzi di Roma dal XIV al XX secolo*, Roma 1989.
Gaye 1839-1840: G. Gaye, *Carteggio inedito d'artisti dei secoli XIV-XV-XVI*, Firenze 1839-1840, 3 voll.
Gelli 1896: G. B. Gelli, *Vite d'Artisti*, in "Archivio storico italiano", XVII, 201, 1896, pp. 32-62.
Gengaro 1961: M.L.Gengaro, *Maestro e scolaro, Bertoldo di Giovanni e Michelangelo*, in "Commentari", XII, 1961, pp. 52 sgg.
Genius (The)... 1992: *The Genius of the Sculptor in Michelangelo's Work*, catalogo della mostra, Montréal 1992.
Gentilini 1989: G. Gentilini, *Arti applicate, tradizione artistica fiorentina e committenti stranieri*, in *L'idea di Firenze. Temi e interpretazioni nell'arte straniera dell'Ottocento*, Firenze 1989, pp. 155-176.
Gentilini 1994: G. Gentilini, *Fonti e tabernacoli... pile, pilastri e sepolture: arredi marmorei della bottega dei da Maiano*, in *Giuliano e la bottega dei Da Maiano*, atti del convegno (Fiesole 1992) a cura di D. Lamberini, M. Lotti, R. Lunardi, Firenze 1994, pp. 182-195.
Ghirardacci, II metà del sec. XVI, ed. 1932: C. Ghirardacci, *Della Historia di Bologna. Parte terza*, [seconda metà del sec. XVI], ed. a cura di A. Sorelli, Città di Castello 1932, 2 voll. ('Rerum italicarum Scriptores'; XXXIII).
Ghirardi 1990: A. Ghirardi, *Bartolomeo Passarotti pittore (1529-1592). Catalogo generale*, Rimini 1990.
Giardino (Il) di San Marco... 1992: *Il giardino di San Marco. Maestri e compagni del giovane Michelangelo*, catalogo della mostra (Firenze) a cura di P. Barocchi, Cinisello Balsamo (Milano) 1992.
Gilbert 1970: F. Gilbert, *Borgia Cesare*, in *Dizionario Biografico degli Italiani*, Roma, XII, 1970, pp. 696-708 *ad vocem*.
Giovannini 1998: P. Giovannini, *Il "San Matteo" di Michelangelo: analisi delle tracce di lavorazione, studio degli strumenti e osservazioni sulla tecnica di scultura*, in "OPD Restauro: Rivista dell'Opificio delle Pietre Dure e Laboratori di Restauro di Firenze", 10, 1998, pp. 205-228.
Giovannoni 1959: G. Giovannoni, *Antonio da Sangallo il Giovane*, Roma 1959.
Giovio 1523-27, ed. 1971: P. Giovio, *Michaelis Angeli Vita*, [1523-27], in *Scritti d'arte del Cinquecento*, a cura di P. Barocchi, Milano-Napoli 1971-77, 3 voll., I, 1971, pp. 10-13.
Girardi 1960: E.N. Girardi, *Michelangiolo Buonarroti. Rime*, Bari 1960.
Giuliano 1980: A. Giuliano, *Catalogo delle gemme che recano l'iscrizione LAU.R.MED.*, in *Il tesoro di Lorenzo il Magnifico. Repertorio di gemme e di vasi*, Firenze 1980, pp. 38-81.
Giuliano... 1994: *Giuliano e la bottega dei da Maiano*, atti del convegno (Fiesole 1992) a cura di D. Lamberini, M. Lotti, R. Lunardi, Firenze 1994.
Gnamm 1999: A. Gnamm, *Roma e lo Stile classico di Raffaello, 1515-1527*, catalogo della mostra (Mantova-Wien) a cura di K. Oberhuber, Milano 1999.
Gnudi 1942: C. Gnudi, *Niccolò dell'Arca*, Torino 1942.
Gnudi 1948: C. Gnudi, *Nicola Arnolfo Lapo*, Firenze 1948.
Goldsmith Phillips 1955: J. Goldsmith Phillips, *Early Florentine Designers and Engravers*, Cambridge 1955.
Gombrich 1942: E.H. Gombrich, *The style "all'antica": Imitation and Assimilation*, in *Studies in Western Art. Acts of the Twentieth International Congress of the History of Art. II*, Princeton 1963, pp. 31-41; ried. in E.H. Gombrich, *Norm and Form. Studies in the Art of the Renaissance*, London 1966, pp. 120-128; ed. it. E.H. G., *Norma e Forma. Studi sull'arte del Rinascimento*, Torino 1973, pp. 178-188.
Gombrich 1945: E.H. Gombrich, *Botticelli's Mytologies. A Study in the Neoplatonic Symbolism of his Circle*, in "Journal of the Warburg

and Courtauld Institutes", VIII, 1945, pp. 7-60; ried. in E.H. G., *Symbolic Images. Studies in the Art of the Renaissance*, London 1972, pp. 31-81; ed. it. E.H. G., *Immagini simboliche*, Torino 1978, pp. 47-116.

Gori 1746: A.F. Gori, in A. Condivi, *Vita di Michelagnolo Buonarroti*, Roma 1553, II ed. con note di A.F. Gori, P.J. Mariette e F. Buonarroti, Firenze 1746.

Gori 1749: A.F. Gori, *Storia antiquaria etrusca del principio e de' progresso fatti finora nello studio sopra l'antichità etrusche scritte e figurate*, Firenze 1749.

Gould 1962: C. Gould, *National Gallery Catalogues. The Sixteenth Century Italian Schools*, London 1962; ed. London 1975.

Gould 1974: C. Gould, *Michelangelo's "Entombment". A Further Addendum*, in "The Burlington Magazine", CVI, 1974, pp. 31-32.

Graeven 1893: H. Graeven, *La raccolta di antichità di Giovanni Battista della Porta*, in "Mitteilungen des Deutschen Archäologischen Institutes, Römische Abteilung", VIII, 1893, pp. 236-245.

Gregori 1983: M. Gregori, *Presentazione*, in *Rubens a Firenze*, atti del convegno (Firenze 1977) a cura di M. Gregori, Firenze 1983, pp. VII-X.

Gregorius (Master/Magister) 1226-1236 circa: Magister Gregorius, *Narracio de Mirabilibus Urbis Romae* [1226-1236 circa]; ed. Master Gregorius, *The Marvels of Rome*, a cura di J. Osborne, Toronto 1987.

Grimm 1860-1863: H. Grimm, *Leben Michelangelos*, Hannover 1860-1863, 2 voll.; 5ª ed. Berlin 1879, 2 voll.

Grote 1972: A. Grote, *I Medici collezionisti nel Quattrocento - La cacciata, il saccheggio e Carlo VIII a Firenze - Notizie sui vasi e sulle gemme medicee dal 1495 al 1502 - Appendice documentaria. I vasi medicei dal 1456 al 1502*, in *Il Tesoro di Lorenzo il Magnifico. I vasi*, catalogo della mostra (Firenze 1972), Firenze 1974, pp. 3-22, 165-181.

Guiffrey - Marcel 1921: J. Guiffrey - P. Marcel, *Inventaire général des dessins du Musée du Louvre et du Musée de Versailles. École française*, Paris, IX, 1921.

Habich 1924: G. Habich, *Die Medaillen der Italienischen Renaissance*, Stuttgart-Berlin 1924.

Haines 1983: M. Haines, *La Sacrestia delle Messe del duomo di Firenze*, Firenze 1983.

Haines 1994: M. Haines, *Il principio di "mirabilissime cose": i mosaici per la volta della Cappella di San Zanobi in Santa Maria del Fiore*, in *La difficile eredità. Architettura a Firenze dalla repubblica all'assedio*, catalogo della mostra a cura di M. Dezzi Bardeschi, Firenze 1994, pp. 38-55.

Hartt 1971: F. Hartt, *The Drawings of Michelangelo*, London 1971.

Hasselt (van) 1972: C. van Hasselt, *Dessins flamands du dix-septiéme siécle. Collection Fritz Lugt. Institut Néerlandais*, catalogo della mostra (London-Paris-Bern-Bruxelles), Gand 1972.

Haverkamp Begemann 1973: E. Haverkamp Begemann, recensione a *Flemish Drawings of Seventeenth Century from the Collection of Fritz Lugt*, Institut Néerlandais, Paris, in "Master Drawings", XI, 1973, pp. 49-52.

Heawood 1950: E. Heawood, *Watermarks*, Hilversum 1950.

Heikamp 1966: D. Heikamp, *La Medusa del Caravaggio e l'armatura dello Scià di Persia*, in "Paragone", 199, 1966, pp. 66-73.

Heilmann 1973: C. Heilmann, *Die Entstehungsgeschichte der Villa Borghese in Rom*, in "Münchner Jahrbuch für Bildende Kunst", III, 24, 1973, pp. 97-158.

Hein 1925: J. Hein, *Bogenhandwerk und Bogensport bei den Osmanen nach dem "Auszug der Abhandlungen der Bogenschützen" des Mustafa Kani. Ein Beitrag zur Kenntnis des türkischen Handwerkes und Vereinswesens*, in "Der Islam", XIV, 1925, pp. 1-78, 233-294.

Heinecken (von) 1778-1790: C.H. von Heinecken, *Dictionnaire des artistes dont nous avons des estampes, avec une notice detaillée de leur ouvrages gravés*, Leipzig 1778-1790; ed. New York 1970.

Hersey 1964-65: G. Hersey, *Alfonso II, Benedetto e Giuliano da Maiano e la Porta Reale*, in "Napoli Nobilissima", IV, 1964-65 (1964), pp. 77-95.

Hersey 1969: G. Hersey, *Alfons II and Artistic Renewal of Naples, 1485-1495*, New Haven-London 1969.

Hill 1930: G.F. Hill, *A Corpus of Italian Medals of the Renaissance before Cellini*, London 1930, 2 voll.

Hind 1910: A.M. Hind, *Catalogue of Early Italian Engravings preserved in the British Museum*, a cura di S. Colvin, London 1910.

Hind 1938-1948: A.M. Hind, *Early Italian Engraving*, London 1938-1948, 7 voll.

Hirst 1976: M. Hirst, *A project of Michelangelo's for the Tomb of Julius II*, in "Master Drawings", XIV, 1976, pp. 375-382.

Hirst 1981: M. Hirst, *Michelangelo in Rome: an Altar-piece and the "Bacchus"*, in "The Burlington Magazine", CXXIII, 1981, pp. 581-593.

Hirst 1985: M. Hirst, *Michelangelo, Carrara and the Marble for the Cardinal's Pietà*, in "The Burlington Magazine", CXXVII, 1985, pp. 154-159.

Hirst 1988: M. Hirst, *Michelangelo and His Drawings*, New Haven-London 1988.

Hirst 1989: M. Hirst, *Michel-Ange Dessinateur*, catalogo della mostra, Paris 1989.

Hirst 1991: M. Hirst, *Michelangelo in 1505*, in "The Burlington Magazine", CXXXIII, 1991, pp. 760-766.

Hirst 1994: M. Hirst, *The Artist in Rome, 1496-1501*, in M. Hirst - J. Dunkerton, *Making and Meaning. The Young Michelangelo*, catalogo della mostra, London 1994, pp. 13-80; ed. it. M.H. - D.J., *Michelangelo giovane. Scultore e pittore a Roma, 1496-1501*, Modena 1997, pp. 13-85.

Hirst 1996: M. Hirst, *The New York "Michelangelo": a different view*, in "The Art Newspaper", VII, 61, 1996, p. 3.

Hirst 1997: M. Hirst, *Michelangelo in Florence. David in 1503 and Hercules in 1506*, estratto da *Scritti per Paola Barocchi* (in corso di stampa), Milano-Napoli 1997.

Hirst 1999: M. Hirst, *Il Cupido di New York sta per arrivare a Firenze*, in "Il Giornale dell'Arte", XVII, 179, luglio-agosto, 1999, p. 1.

Hirst - Dunkerton 1994: M. Hirst - J. Dunkerton, *Making and Meaning. The Young Miche-*

langelo, catalogo della mostra, London 1994; ed. it. H.M. - D.J., *Michelangelo giovane. Scultore e pittore a Roma, 1496-1501*, Modena 1997.

Höfler 1992: J. Höfler, *New light on Andrea Sansovino's journey to Portugal*, in "The Burlington Magazine", CXXXIV, 1992, pp. 234-238.

Höper 1987: C. Höper, *Bartolomeo Passarotti (1529-1592)*, Worms 1987, 2 voll.

Holroyd 1903: C. Holroyd, *Michael Angelo Buonarroti*, London-New York 1903.

Holst (von) 1974: C. von Holst, *Francesco Granacci*, München 1974.

Hook 1984: J. Hook, *Lorenzo de' Medici. An Historical Biography*, London 1984.

Horne 1908: H.P. Horne, *Alessandro Filipepi commonly called Sandro Botticelli, painter of Florence*, London 1908; ed. a cura di C. Caneva con appendici inedite, Firenze 1986.

Hülsen 1917: C. Hülsen, *Römische Antikengärten des XVI Jahrhunderts*, Heidelberg 1917, 4 voll.

Hülsen - Egger 1913-16: C. Hülsen - Egger, *Die römischen Skizzenbücher von Marten van Heemskerck*, Berlin 1913-16, 2 voll.

Incisa Della Rocchetta 1972a: G. Incisa Della Rocchetta, *La mostra di vedute romane di Stefano Donadoni*, in "Bollettino dei Musei Comunali di Roma", XIX, 1972, pp. 1-6.

Incisa Della Rocchetta 1972b: G. Incisa Della Rocchetta, *Vedute romane di Stefano Donadoni (1844-1911)*, catalogo della mostra, Roma 1972.

Incisa Della Rocchetta 1976: G. Incisa Della Rocchetta, *Visita alla mostra di vedute romane di Stefano Donadoni*, in "Bollettino del Centro Studi per la Storia dell'Architettura", 24, 1976, p. 29.

Itinerario laurenziano 1992: *Itinerario laurenziano*, in "Gli Uffizi. Studi e Ricerche", 10, 1992.

Jaffé 1956: M. Jaffé, *Rubens' Drawing at Antwerp*, in "The Burlington Magazine", XCVIII, 1956, pp. 314-32.

Jaffé 1977: M. Jaffé, *Rubens and Italy*, Oxford 1977.

Jandolo 1938: A. Jandolo, *Le memorie di un antiquario*, Milano 1938.

Janson 1957: H.W. Janson, *The Sculpture of Donatello*, Princeton 1957, 2 voll.

Jestaz 1969: B. Jestaz, *Travaux récents sur les bronzes. I: Renaissance italienne*, in "Revue de l'art", 5, 1969, pp. 79-81.

Joannides 1991: P. Joannides, *La chronologie du Tombeau de Jules II a propos d'un dessin de Michel-Ange découvert*, in "Revue du Louvre et des Musées de France", XLI, 2, 1991, pp. 32-42.

Joannides 1996: P. Joannides, *Michelangelo and the Medici Garden,* in *La Toscana al tempo di Lorenzo il Magnifico. Politica, Economia, Cultura, Arte*, atti del convegno di studi (Firenze, Pisa-Siena 1992), Pisa 1996, 3 voll., I, pp. 23-36.

Joannides 1996: P. Joannides, *Michelangelo and his Influence. Drawings from Windsor Castle*, catalogo della mostra (Washington e altrove), London 1996.

Joannides 1997: P. Joannides, *Michelangelo bronzista: Reflections on his mettle*, in "Apollo", CXLV, 424, 1997, pp. 11-20.

Joannides 1998: P. Joannides, *Salviati e Michelangelo*, in *Francesco Salviati o la Bella Maniera (1510-1563)*, catalogo della mostra (Roma-Paris) a cura di C. Monbeig Goguel, Paris-Milano 1998, pp. 53-55.

Jolly 1998: A. Jolly, *Madonnas by Donatello and his circle*, Frankfurt am Main 1998.

Kalveram 1995: K. Kalveram, *Die Antikensammlung des Kardinals Scipione Borghese*, Worms-Rhein 1995 ("Römische Studien der Bibliotheca Hertziana"; 11).

Karlsruher (Die) Türkenbeute... 1991: *Die Karlsruher Türkenbeute die "Türckische Kammer" des Markgrafen Ludwig Wilhelm von Baden Baden; die "Türkische Curiositäten" von Baden-Durlach*, catalogo della mostra a cura di E. Petrasch, München 1991.

Kauffmann 1935: H. Kauffmann, *Donatello: eine Einführung in sein Bilden und Denken*, Berlin 1935.

Kaufmann 1984: L.F. Kaufmann, *The Noble Savage: Satyrs and Satyr Families in Renaissance Art*, Ann Arbor (Michigan) 1984.

Keaveney 1988: R. Keaveney, *Vedute di Roma: uno straordinario ritratto della Città Eterna attraverso i disegni e gli acquarelli della collezione Ashby della Biblioteca Vaticana*, Washington-Roma 1988.

Kemp 1989: M. Kemp, *The Super-Artist as Genius: The Sixteenth-Century View*, in *Genius: The History of an Idea*, a cura di P. Murray, London 1989, pp. 32-53.

Kemp - Roberts 1989: M. Kemp - J. Roberts, *Leonardo da Vinci*, catalogo della mostra, London 1989.

Kliemann 1996: J. Kliemann, *Kunst als Bogenschiessen, Domenichinos "Jagd der Diana" in der Galleria Borghese*, in "Römisches Jahrbuch der Bibliotheca Hertziana", 31, 1996, pp. 273-312.

Koortbojian 1997: M. Koortbojian, *Poliziano's Role in the History of Antiquarianism and the Rise of Archeological Methods*, in *Poliziano e il suo mondo*, Firenze 1997, pp. 265-273.

Koreny 1985: F. Koreny, *Albrecht Dürer und die Tier- und Pflanzenstudien der Renaissance*, catalogo della mostra, Wien 1985.

Kriegbaum 1940: F. Kriegbaum, *Le statue di Michelangelo nell'altare dei Piccolomini a Siena*, in *Michelangelo Buonarroti nel IV Centenario del Giudizio Universale*, Roma 1940; ed. F. K., *Michelangelos Statuen am Piccolomini-Altar im Dom zu Siena*, in "Jahrbuch der Preußischen Kunstsammlungen", LXIII, 1942, pp. 57-78.

Lachenal 1982: L. de Lachenal, *La collezione di sculture antiche della famiglia Borghese e il palazzo in Campo Marzio*, in "Xenia", 4, 1982, pp. 49-117.

Lanciani 1902-07: R. Lanciani, *Storia degli scavi di Roma e notizie intorno le collezioni romane di antichità*, Roma 1902-07, 4 voll.

Landau 1994: D. Landau, *Printmaking in the Age of Lorenzo*, in *Florentine Drawing at the time of Lorenzo the Magnificent*, atti del colloquio (Firenze 1992) a cura di E. Cropper, Bologna 1994, pp. 175-180.

Landau - Parshall 1994: D. Landau - P. Parshall, *The Renaissance Print, 1470-1550*, New Haven-London 1994.

Landi 1986: F. Landi, *Le tems revient: il fregio di Poggio a Caiano*, Firenze 1986.

Landolfi 1993: G. Landolfi, *I "Trionfi" petrar-*

cheschi di Palazzo Davanzati: un esercizio di lettura iconografica, in "Antichità Viva", XXXII, 1, 1993, pp. 5-17.

Landucci 1450-1542: L. Landucci, *Diario fiorentino dal 1450 al 1516 continuato da un anonimo fino al 1542*, [1450-1542], ed. a cura di I. Del Badia, Firenze 1883.

Langedijk 1981-87: K. Langedijk, *The Portraits of the Medici. 15th - 18th Centuries*, Firenze 1981-87, 3 voll.

Lavin 1955: M.A. Lavin, *Giovannino Battista: A Study in Religious Symbolism*, in "The Art Bulletin", XXXVII, 1955, pp. 85-101.

Lavin 1961: M.A. Lavin, *Giovannino Battista: A Supplement*, in "The Art Bulletin", XLIII, 1961, pp. 319-326.

Lavin 1992: I. Lavin, *David's Sling and Michelangelo's Bow*, in *Der Künstler über sich in seinen Werk. Internationales Symposium der Biblioteca Hertziana* (Roma 1989), Weinheim 1992, pp. 161-190.

Lavin 1993: I. Lavin, *Past-present. Essays on Historicism in Art from Donatello to Picasso*, Berkeley-Los Angeles-Oxford 1993; ed. it. I.L., *Passato e presente nella storia dell'arte*, Torino 1994 (di cui in part.: *La fionda di Davide e l'arco di Michelangelo: un segno di libertà*, pp. 45-92).

Lazzarini - Moschetti 1908: V. Lazzarini - A. Moschetti, *Documenti relativi alla pittura padovana del secolo XV*, in "Nuovo Archivio Veneto", XV, 1908, pp. 110-111 e 295-296.

Legati 1677: L. Legati, *Il Museo Cospiano*, Bologna 1677.

Lein 1988: E. Lein, *Benedetto da Maiano*, Frankfurt a. M. 1988 ("Bochumer Schriften zur Kunstgeschichte"; XII).

Leithe-Jasper 1986: M. Leithe-Jasper, *Renaissance Master Bronzes from the collection of the Kunsthistorisches Museum, Vienna*, catalogo della mostra (Washington-Chicago-Los Angeles), London-Washington 1986.

Lettere (Le)... 1875: *Le lettere di Michelangelo Buonarroti edite ed inedite coi ricordi ed i contratti artistici*, a cura di G. Milanesi, Firenze 1875.

Levenson - Oberhuber - Sheehan 1973: J.A. Levenson - K. Oberhuber - J.I. Sheehan, *Early Italian Engravings from the National Gallery of Art*, Washington 1973.

Levenson 1973: J.A. Levenson *Cristofano di Michele Martini detto il Robetta* e *Jacopo de' Barbari*, in J.A. Levenson - K. Oberhuber - J.L. Sheehan, *Early Italian Engravings from the National Gallery of Art, Washington*, catalogo della mostra, Washington 1973, pp. 289-304 e 341-380.

Levi D'Ancona 1968: M. Levi D'Ancona, *The Doni "Madonna" by Michelangelo. An Iconography Study*, in "The Art Bulletin", I, 1968, pp. 43-50.

Libro (Il) di Antonio Billi 1481-1530: *Il libro di Antonio Billi*, [1481-1530], ed. a cura di C. Frey, Berlin 1892.

Libro d'inventario... 1492: *Libro d'inventario dei beni di Lorenzo il Magnifico*, [1492], a cura di M. Spallanzani, e G. Gaeta Bertelà, Firenze 1992.

Lightbown 1978: R. Lightbown, *Sandro Botticelli. Complete Catalogue*, London 1978, 2 voll.

Lippmann 1895: F. Lippmann, *The Seven Planets*, London 1895.

Lisner 1958: M. Lisner, *Zu Benedetto da Maiano und Michelangelo*, in "Zeitschrift für Kunstgeschichte", XII, 1958, pp. 141-156.

Lisner 1963: M. Lisner, *Der Kruzifixus Michelangelos im Kloster S. Spirito in Florenz*, in "Kunstchronik", XVI, 1963, pp. 1-2.

Lisner 1964: M. Lisner, *Il Crocifisso di Michelangelo in Santo Spirito*, München 1964.

Lisner 1966: M. Lisner, *Il Crocifisso di Santo Spirito*, in *Atti del Convegno di Studi Michelangioleschi* (Firenze-Roma 1964), Roma 1966, pp. 295-316.

Lisner 1967: M. Lisner, *Das Quattrocento und Michelangelo*, in *Stil und Überlieferung in der Kunst des Abendlandes. Akten des 21. Internationalen Kongresses für Kunstgeschichte* (Bonn 1964), Berlin 1967, 3 voll., II (*Michelangelo*), pp. 78-89.

Lisner 1970: M. Lisner, *Holzkruzifixe in Florenz und in der Toskana*, München 1970.

Lisner 1980: M. Lisner, *Form und Sinngehalt von Michelangelos Kentaurenschlacht mit Notizen zu Bertoldo di Giovanni*, in "Mitteilungen des Kunsthistorischen Institutes in Florenz", XXIV, 1980, pp. 299-344.

Logan 1978: A.-M. Logan, *Rubens Exhibition, 1977-1978*, in "Master Drawings", XVI, 1978, pp. 419-450.

Longhi 1934: R. Longhi, *Officina Ferrarese*, Roma 1934; ed. in *Opere complete di Roberto Longhi. V: Officina Ferrarese*, Firenze 1980.

Longhi 1958: R. Longhi, *Due proposte per Michelangelo giovine*, in "Paragone", 101, 1958, pp. 59-64; ried. in R.L., *Opere complete, vol. VIII/2. Cinquecento classico e Cinquecento manieristico. 1951-1970*, Firenze 1976, pp. 5-9.

Luchs 1978: A. Luchs, *Michelangelo's Bologna Angel: Counterfeiting the Tuscan Duecento*, in "The Burlington Magazine", CXX, 1978, pp. 225-228.

Mackowsky 1908: H. Mackowsky, *Michelangelo*, Berlin 1908; 4ª ed. Berlin 1925.

Maestri e botteghe... 1992: *Maestri e botteghe. Pittura a Firenze alla fine del Quattrocento*, catalogo della mostra (Firenze) a cura di M. Gregori, A. Paolucci, C. Acidini Luchinat, Cinisello Balsamo (Milano) 1992.

Maestri fiorentini... 1989: *Maestri fiorentini nei cantieri romani del Quattrocento*, a cura di S. Danesi Squarzina, Roma 1989.

Maffei 1506: Raffaello Maffei (Raphaelis Volterrani), *Commentariorum Urbanorum Libri XXXVIII*, Romae 1506.

Manca 1994: J. Manca, *Martin Schongauer et l'Italie*, in *Le beau Martin. Etudes et mises au point. Actes du colloque organisé par le musée d'Unterlinden à Colmar les 30 septembre, 1er et 2 octobre 1991*, Colmar 1994, pp. 223-228.

Mancinelli - Bellini 1992: F. Mancinelli - R. Bellini, *Michelangelo*, Firenze 1992.

Mancusi-Ungaro 1971: H.R. Mancusi-Ungaro jr., *Michelangelo: The Bruges Madonna and the Piccolomini Altar*, New Haven-London 1971.

Manilli 1650: I. Manilli, *Villa Borghese fuori di Porta Pinciana*, Roma 1650.

Manni 1774: D.M. Manni, *Addizioni necessarie alle vite de' due celebri statuari Michelangelo Buonarroti e Pietro Tacca*, Firenze 1774.

Mansuelli 1958-1961: G.A. Mansuelli, *Galleria degli Uffizi. Le sculture*, Roma 1958-1961, 2 voll.,

Mantz 1876: P. Mantz, *Michel-Ange, Peintre*, in "Gazette des Beaux-Arts", XVIII, serie seconda, XIII, pp. 119-186.
Marchese - Milanesi - Pini 1846-1870: V. Marchese - C. e G. Milanesi - C. Pini, in G. Vasari, *Le Vite de' più eccellenti pittori, scultori e architetti*, Firenze 1568, ed. a cura di V. Marchese, C. e G. Milanesi, C. Pini, Firenze 1846-70, 14 voll.
Mariette 1746: P. J. Mariette, in A. Condivi, *Vita di Michelagnolo Buonarroti*, Roma 1553, II ed. con note di A.F. Gori, P.J. Mariette e F. Buonarroti, Firenze 1746.
Maroni Lumbroso - Martini 1963: M. Maroni Lumbroso - A. Martini, *Le Confraternite Romane nelle loro Chiese*, Roma 1963.
Martin Schongauer... 1991: *Martin Schongauer. Das Kupferstichwerk*, catalogo della mostra a cura di T. Falk e T. Hirthe, München 1991.
Massinelli 1991a: A.M. Massinelli, *Bronzetti e anticaglie dalla Guardaroba di Cosimo I*, catalogo della mostra, Firenze 1991.
Massinelli 1991b: A.M. Massinelli, *Intorno a una statua di Ercole dell'Anfiteatro di Boboli*, in *Boboli 90*, atti del convegno internazionale di studi (Firenze 1989), Firenze 1991, I, pp. 71-81.
Massing 1984: J.M. Massing, *Schongauer's "Tribulations of St. Antony". Its Iconography and Influence on German Art*, in "Print Quarterly", I, 1984, pp. 220-236.
Matz - von Duhn 1968: F. Matz - F. von Duhn, *Antike Bildwerke in Rom mit Ausschluss der Grosseren Sammlungen beschrieben von Friedrich Matz*, Roma 1968, 3 voll. (I: *Statuen, Hermen, Busten, Köpfe*; II: *Sarkophagreliefs*; III: *Reliefs und Sonstiges, mit Registern und Karten*).
Mazzatinti - Sorbelli 1925: *Inventario dei manoscritti delle Biblioteche d'Italia*, Firenze, XXX, 1925, pp. 154-155.
McCrory 1980: M. McCrory, *An Antique Cameo of Francesco I de' Medici: An Episode from the Story of the Grand-ducal Cabinet of "Anticaglie'*, in *Le Arti nel Principato Mediceo*, Firenze 1980, pp. 301-316.
Medici (The) Aesop 1989: *The Medici Aesop*, New York 1989.
Meij, in corso di stampa: A.F.W.M. Meij, *Rubens, Jordaens, v. Dyck e altri maestri fiamminghi nati dal 1575 al 1640. Disegni del Museo Boymans-van Beuningen di Rotterdam*, in corso di stampa.
Melli 1995: L. Melli, *Maso Finiguerra. I disegni*, Firenze 1995.
Melli 1998: L. Melli, *Nuove indagini sui disegni di Paolo Uccello agli Uffizi: disegno sottostante, tecnica, funzione*, in "Mitteilungen des Kunsthistorischen Institutes in Florenz", XLII, 1998, pp. 1-39.
Meltzoff 1957: S. Meltzoff, *Botticelli, Signorelli and Savonarola. "Theologia Poetica" and Painting from Boccaccio to Poliziano*, Firenze 1957.
Mertens 1985-86: J.R. Mertens, *Greek Bronzes in the Metropolitan Museum of Art*, in "The Metropolitan Museum of Art Bulletin", XLIII, 1985-86, n. 2, pp. 4-65.
Meulen (van der) 1994-1995: M. van der Meulen, *Rubens' Copies after Antique*, a cura di A. Bolis, London 1994-95, 3 voll. ("Corpus Rubenianum Ludwig Buchard"; XXIII).
Meyer zur Capellen 1996: J. Meyer zur Capellen, *Raffael in Florenz*, London-München 1996.
Michelangelo e i maestri... 1985: *Michelangelo e i maestri del Quattrocento*, catalogo della mostra a cura di C. Sisi, Firenze 1985.
Michelangelo e l'arte classica 1987: *Michelangelo e l'arte classica*, catalogo della mostra a cura di G. Agosti e V. Farinella, Firenze 1987.
Michelangelo e la Sistina... 1991: *Michelangelo e la Sistina. La tecnica, il restauro, il mito*, catalogo della mostra, Venezia 1991.
Michelangelo nell'Ottocento... 1994: *Michelangelo nell'Ottocento. Il centenario del 1875*, catalogo della mostra (Firenze) a cura di C. Sisi con la collaborazione di S. Corsi, Milano 1994.
Micheli 1989: M.E. Micheli, *Storia della Collezione* e *Regesto*, in A. Giuliano, *I cammei della Collezione medicea nel Museo Archeologico di Firenze*, Roma 1989, pp. 114-133, 135-194.
Michiel 1521-1543: M. Michiel, *Notizia d'Opere di Disegno*, [1521-1543], ed. a cura di J. Lermolieff (G. Morelli), Bassano 1800.
Middeldorf 1934: U. Middeldorf, *Giuliano da Sangallo and Andrea Sansovino*, in "The Art Bulletin", XVI, 1934, pp. 112-114.
Middeldorf 1978: U. Middeldorf, *The Crucifixes of Taddeo Curradi*, in "The Burlington Magazine", CXX, 1978, pp. 806-810.
Migeon 1904: G. Migeon, *Musée National du Louvre. Catalogue des bronzes et cuivres*, Paris 1904.
Milanesi 1878-1885: G. Milanesi, in *Le opere di Giorgio Vasari*, a cura di G. Milanesi, Firenze 1878-1885, 9 voll.
Milanesi 1901: G. Milanesi, *Nuovi documenti per la storia dell'arte toscana dal XII al XV secolo*, Firenze 1901.
Montaiglon (de) 1876: A. de Montaiglon, *La Vie de Michel-Ange, Peintre*, in "Gazette des Beaux-Arts", XVIII, serie seconda, XIII, 1876, pp. 222-300
Montalenti 1960: E. Montalenti, *Ulisse Aldrovandi*, in *Dizionario biografico degli Italiani*, 1960, pp. 118-124, *ad vocem*.
Moreno 1975-76: P. Moreno, *Formazione della raccolta di antichità del Museo e della Galleria Borghese*, in "Colloqui del Sodalizio tra gli Studiosi d'Arte", serie seconda, 5, 1975-76, pp. 125-143.
Morozzi 1988-89: L. Morozzi, *La "Battaglia di Cascina" di Michelangelo: nuova ipotesi sulla data di commissione*, in "Prospettiva", 53-56, 1988-89, pp. 320-324.
Morricone Matini 1989: M.L. Morricone Matini, *Giorgio Vasari e le "anticaglie": storia del "putto in pietra nera che dorme" alla Galleria degli Uffizi*, in "Atti dell'Accademia dei Lincei. Rendiconti Morali", XLIV, 1989, pp. 259-277.
Mortari 1992: L. Mortari, *Francesco Salviati*, Roma 1992.
Möseneder 1993: K. Möseneder, *Der junge Michelangelo und Schongauer*, in *Italienische Frührenaissance und nordeuropäisches Spätmittelalter. Kunst der frühen Neuzeit im europäischen Zusammenhang*, a cura di J. Poeschke, München 1993, pp. 259-278.
Mostra del Poliziano... 1954: *Mostra del Poliziano nella Biblioteca Medicea Laurenziana. Manoscritti, libri rari, autografi e documenti*,

catalogo della mostra a cura di A. Perosa, Firenze 1954.
Müntz 1882: E. Müntz, *Le Musée du Capitole et les autres collections romaines à la fin du XV siècle et au commencement du XVI siècle*, in "Revue archéologique", serie seconda, XLIII, 1882, pp. 24-36.
Museo (Il) Bandini 1993: *Il Museo Bandini a Fiesole*, Firenze 1993.
Museo (Il) Bardini... 1984: *Il Museo Bardini a Firenze*, a cura di F. Scalia e C. De Benedictis, Milano 1984.
Nagel 1994: A. Nagel, *Michelangelo's London "Entombment" and the church of S. Agostino in Rome*, in "The Burlington Magazine", CXXXVI, 1994, pp. 164-167.
Natali 1995: A. Natali, *La piscina di Betsaida. Movimenti nell'arte fiorentina del Cinquecento*, Firenze-Siena 1995.
Natur und Antike... 1985: *Natur und Antike in der Renaissance*, catalogo della mostra (Liebieghaus) a cura di H. Beck e D. Blume, Frankfurt am Main 1985.
Nelson 1994: J. Nelson, *Filippino Lippi at Medici Villa of Poggio a Caiano*, in *Florentine Drawing at the Time of Lorenzo the Magnificent*, atti del colloquio (Firenze 1992) a cura di E. Cropper, Bologna 1994, pp. 159-174.
Niehaus 1998: A. Niehaus, *Florentiner Reliefkunst von Brunelleschi bis Michelangelo*, München-Berlin 1998.
Norton 1957: P.F. Norton, *The Lost "Sleeping Cupid" of Michelangelo*, in "The Art Bulletin", XXXIX, 1957, pp. 251-257.
Noszlopy 1994-95: G.T. Noszlopy, *Botticelli's "Pallas and the Centaur". An aspect of the revival of late-antique and Trecento exegetic allegory in the Medici circle*, in "Acta Historiae Artium Academiae Scientiarum Hungaricae", XXXVII, 1994-95 (1995), pp. 113-133.
Oberhuber 1966: K. Oberhuber, *Graphishe Sammlung Albertina. Renaissance in Italien*, Wien 1966 ("Die Kunst der Graphik"; 3).
Oberhuber 1973: K. Oberhuber, *Maso Finiguerra e Baccio Baldini*, in J.A. Levenson - K. Oberhuber - J.I. Sheehan, *Early Italian Engravings from the National Gallery of Art*, Washington 1973, pp. 1-12, 13-21.
Oberhuber 1978: K. Oberhuber, *The Illustrated Bartsch, 26-27. Formerly Volume 14 (Part 1 - Part 2). The Works of Marcantonio Raimondi and his School*, New York 1978.
Oberhuber - Knab 1975: K. Oberhuber - E. Knab, *Dessins Italiens de l'Albertina de Vienne*, catalogo della mostra, Paris 1975.
Officina (L')... 1996: *L'officina della maniera. Varietà e fierezza nell'arte fiorentina del Cinquecento fra le due repubbliche 1494-1530*, catalogo della mostra (Firenze) a cura di A. Cecchi e A. Natali, Venezia 1996.
Omaggio a Donatello... 1985: *Omaggio a Donatello, 1336-1986. Donatello e la storia del Museo*, catalogo della mostra, Firenze 1985.
Pacciani 1992: R. Pacciani, *Immagini, arti e architetture nelle feste di età laurenziana,* in *Le temps revient. Il tempo si rinnova. Feste e spettacoli nella Firenze di Lorenzo il Magnifico*, catalogo della mostra (Firenze) a cura di P. Ventrone, Cinisello Balsamo (Milano) 1992, pp. 119-137.
Palazzo Altemps 1987: *Palazzo Altemps. Indagini per il restauro della fabbrica Riario, Soderini, Altemps*, a cura di F. Scoppola, Roma 1987.
Palazzo Vecchio... 1980: *Palazzo Vecchio: committenza e collezionismo medicei, 1537-1610*, catalogo della mostra a cura di P. Barocchi, Firenze 1980.
Panofsky 1920: E. Panofsky, *Dürer Darstellungen des Apollo und ihr Verhältnis zu Barbari*, in "Jahrbuch der Preußischen Kunstsammlungen", 41, 1920, pp. 371-373.
Panofsky 1930: E. Panofsky, *Hercules am Scheidewege, und andere antike Bildstoffe in der neuren Kunst*, Leipzig 1930 ("Studien der Bibliothek Warburg"; 18).
Panofsky 1939: E. Panofsky, *Studies in Iconology*, New York 1939; ed. it. E. Panofsky, *Studi di iconologia*, Torino 1975.
Panofsky 1993: G. Panofsky, *Tommaso della Porta's "Castles in the Air"* in "Journal of the Warburg and Courtauld Institutes", LVI, 1993, pp. 119-167.
Paolucci 1975: A. Paolucci, *I musici di Benedetto da Maiano e il monumento di Ferdinando d'Aragona*, in "Paragone", 303, 1975, pp. 3-11.
Parker 1956: K.T. Parker, *Catalogue of the Collection of Drawings in the Ashmolean Museum. Volume II: Italian Schools*, Oxford 1956.
Parronchi 1964: A. Parronchi, *The Language of Humanism and the Language of Sculpture*, in "Journal of the Warburg and Courtland Institutes", XXVII, 1964, pp. 108-136.
Parronchi 1967: A. Parronchi, *Il "Cupido dormiente" di Michelangelo* in *Stil und Überlieferung in der Kunst des Abendlandes*, atti del XXI congresso internazionale di studi di Storia dell'arte di Bonn (1964), Berlin 1967, 3 voll., II, pp. 121-125.
Parronchi 1968: A. Parronchi, *Opere giovanili di Michelangelo [I]*, Firenze 1968 ("Accademia Toscana di Scienze e Lettere 'La Colombaria'. Studi"; X).
Parronchi 1975: A. Parronchi, *Opere giovanili di Michelangelo. Vol. II: Il paragone con l'antico*, Firenze 1975 ("Accademia Toscana di Scienze e Lettere 'La Colombaria'. Studi"; XXXVI).
Parronchi 1981: A. Parronchi, *Opere giovanili di Michelangelo. III: Miscellanea michelangiolesca*, Firenze 1981.
Parronchi 1983: A. Parronchi, *Che fine avrà fatto l'Apollo di Michelangelo?*, in " La Nazione", 1983, 20 aprile, p. 3.
Parronchi 1992: A. Parronchi, *Opere giovanili di Michelangelo. IV: Palinodia Michelangiolesca*, Firenze 1992 ('Accademia Toscana di Scienze e Lettere "La Colombaria". Studi'; XXXVI).
Parronchi 1996: A. Parronchi, *Opere giovanili di Michelangelo. V: Revisioni e aggiornamenti*, Firenze 1996 ('Accademia Toscana di Scienze e Lettere "La Colombaria". Studi'; CLIII).
Pasolini 1893: P.D. Pasolini, *Caterina Sforza*, Roma 1893, 3 voll.
Passavant 1969: G. Passavant, *Verrocchio*, London 1969.
Passavant 1989: G. Passavant, *Überlegungen zur Rotationsmechanik von Verrocchios Delphinputto*, in "Mitteilungen des Kunsthistorischen Institutes in Florenz", XXXIII, 1989, pp. 105-112.
Pastor 1866-1938: L. von Pastor, *Geschichte der Päpste seit dem Ausgang Mittelalters*, Freiburg 1866-1938, 16 voll.; ed. it. L.v.P., *Storia*

dei Papi dalla fine del Medioevo, a cura di A. Mercati, Roma 1908-1934, 16 voll.
per (') bellezza, per studio, per piacere'... 1991: *"per bellezza, per studio, per piacere". Lorenzo il Magnifico e gli spazi dell'arte*, a cura di F. Borsi, Firenze 1991.
Peter Paul Rubens... 1977: *Peter Paul Rubens, 1577-1640*, catalogo della mostra, Köln 1977, 2 voll., I (*Rubens in Italien, Gemälde, Ölskizzen, Zeichnungen. Triumph der Eucharestie. Wandteppiche aus dem Kölner Dom*).
Petrarca, II metà XIV sec.: F. Petrarca, *I Trionfi*, [seconda metà del XIV secolo], Firenze 1499; ed. fac-simile Roma 1891.
Petrignani 1950: A. Petrignani, *Le medaglie del Cardinale Raffaele Sansoni-Riario (1460-1521)*, in "Annuario Numismatico 'Rinaldi'", 1950, pp. 40-45.
Petrioli Tofani 1986: A. Petrioli Tofani, *Gabinetto Disegni e Stampe degli Uffizi. Inventario - Disegni Esposti, 1*, Firenze 1986.
Pfisterer 1996: U. Pfisterer, *Künstlerische "Potestas Audendi" und "Licentia" im Quattrocento. Benozzo Gozzoli, Andrea Mantegna, Bertoldo di Giovanni*, in "Römisches Jahrbuch der Bibliotheca Hertziana", 31, 1996, pp. 109-147.
Picotti 1915: G.B. Picotti, *Tra il poeta e il lauro. Pagine della vita di Agnolo Poliziano*, in "Giornale Storico della letteratura italiana", LXV-LXVI, 1915, pp. 1- 94; ripubbl. in *Ricerche umanistiche*, Firenze 1955, pp. 3-86.
Pictures and Other Works of Art... 1902: *Pictures and Other Works of Art, Chiefly Italian, of Medieaeval and Renaissance Times, the Property of Signor Stephano Bardini of Florence*, London, Christie, Manson & Woods, 1902, 26-30 maggio.
Pieraccini 1924-25: G. Pieraccini, *La stirpe dei Medici di Cafaggiolo*, Firenze 1924-25, 3 voll.
Pietrangeli 1967: C. Pietrangeli, *Villa Borghese*, catalogo della mostra, Roma 1967.
Pietrangeli 1971: C. Pietrangeli, *Il Museo di Roma. Documenti e iconografia*, Bologna 1971.
Pietrangeli 1986: C. Pietrangeli, *Palazzo Sciarra*, Roma 1986.
Pini - Milanesi 1876: C. Pini - G. Milanesi, *La scrittura di artisti italiani (sec. XIV- XVIII)*, Firenze 1876, 3 voll.
Piò 1620: G.M. Piò, *Uomini illustri domenicani*, Bologna 1620.
Planiscig 1923: L. Planiscig, *Sammlung Camillo Castiglioni. Bronzestatuetten und Geräte*, Wien 1923.
Poeschke 1980: J. Poeschke, *Donatello: Figur und Quadro*, München 1980.
Poeschke 1990-92: J. Poeschke, *Die Skulptur der Renaissance in Italien*, München 1990-92, 2 voll (I: *Donatello und seine Zeit*; II: *Michelangelo und seine Zeit*).
Poggi 1906: G. Poggi, *Della prima partenza di Michelangelo da Firenze*, in "Rivista d'Arte", IV, 1906, pp. 33- 37.
Poggi 1908: G. Poggi, *Un tondo di Benedetto da Maiano*, in "Bollettino d'Arte", II, 1908, pp. 1-7.
Poliziano 1475-78: A. Poliziano, *Stanze per la giostra del Magnifico Giuliano de' Medici*, [1475-78], Bologna 1494; ed. in *Poesia del Quattrocento e del Cinquecento*, a cura di C. Muscetta e D. Ponduroli, Torino 1959, pp. 215-261.
Pollard 1984-85: J.G. Pollard, *Medaglie italiane del Rinascimento nel Museo Nazionale del Bargello*, Firenze 1984-85, 3 voll.
Pons 1994: N. Pons, *I Pollaiolo*, Firenze 1994.
Pope-Hennessy 1956: J. Pope-Hennessy, *Michaelangelo's Cupid: the end of a chapter*, in "The Burlington Magazine", XCVIII, 1956, pp. 403-411.
Pope-Hennessy 1958: J. Pope-Hennessy, *Italian Renaissance Sculpture*, London 1958; 2ª ed. London-New York 1971; 3ª ed. New York 1985; 4ª ed. London-New York 1996; ed. it. J. P.-H., *La scultura italiana. Il Quattrocento*, Milano 1964.
Pope-Hennessy 1963: J. Pope-Hennessy, *Italian High Renaissance and Baroque Sculpture*, London 1963, 3 voll.; 2ª ed. London-New York 1970; 3ª ed. New York 1985; 4ª ed. London-New York 1996; ed. it. J. P.-H., *La scultura italiana. Il Cinquecento e il Barocco*, Milano 1966, 2 voll.
Pope-Hennessy 1964: J. Pope-Hennessy, *Catalogue of Italian Sculpture in the Victoria and Albert Museum*, Londra 1964, 3 voll..
Pope-Hennessy 1985: J. Pope-Hennessy, *Donatello*, Firenze 1985.
Popham - Pouncey 1950: A.E. Popham - P. Pouncey, *Italian Drawings in the Department of Prints and Drawings in the British Museum. The Fourteenth and Fifteenth Centuries*, London 1950, 2 voll.
Popham - Wilde 1949: A.E. Popham - J. Wilde, *The Italian Drawings of the XV and XVI Centuries in the Collection of His Majesty the King at Windsor Castle*, London 1949.
Prandi 1954: A. Prandi, *La fortuna del Laocoonte dalla sua scoperta nelle Terme di Tito*, in "Rivista dell'Istituto Nazionale d'archeologia e storia dell'arte", III, 1954, pp. 78-107.
Prater 1977: A. Prater, *Der Triton von Settignano und Michelangelos Stilwandel von 1501-1504*, in *Festschrift Wolfgang Braunfels*, a cura di F. Piel e J. Traeger, Tübingen 1977, pp. 297-313.
Pressouyre 1984: S. Pressouyre, *Nicolas Cordier: recherches sur la sculpture à Rome autour de 1600*, Roma 1984, 2 voll.
Primato (Il)... 1980: *Il primato del disegno*, catalogo della mostra a cura di L. Berti, Firenze 1980.
Procacci 1966: U. Procacci, *Postille contemporaneee in un esemplare della vita di Michelangelo del Condivi*, in *Atti del Convegno di studi Michelangioleschi* (Firenze-Roma 1964), Roma 1966, pp. 279-294.
Procacci 1967: U. Procacci, *La Casa Buonarroti a Firenze*, Milano 1967.
Procacci 1986: U. Procacci, *Del "Memoriale di molte Statue Picture sono nella inclyta cyptà di Florentia" di Francesco Albertini*, in "Antichità Viva", XXV, 4, 1986, pp. 5-11.
Procacci - Baldini 1966: U. Procacci - U. Baldini, *Il restauro del crocifisso di Santo Spirito*, in *Atti del Convegno di Studi Michelangioleschi* (Firenze-Roma 1964), Roma 1966, pp. 317-321.
Radke 1992: G.M. Radke, *Benedetto da Maiano and the Use of Full Scale Preparatory Models in the Quattrocento*, in *Verrocchio and Late Quattrocento Italian Sculpture*, atti del convegno a cura di S. Bule, A. P. Darr, F. Superbi Gioffredi, Florence 1992, pp. 217-224.
Raffaello architetto 1984: *Raffaello architetto*, catalogo della mostra (Roma) a cura di Ch.L. Frommel, S. Ray, M. Tafuri, Milano 1984.

Raffaello in Vaticano 1984: *Raffaello in Vaticano*, catalogo della mostra (Città del Vaticano), Milano 1984.
Ragghianti 1974: C.L. Ragghianti, *Arte, fare e vedere*, Firenze 1974.
Ramsden 1963: E.H. Ramsden, *The Letters of Michelangelo. I: 1496-1534*, Stanford 1963.
Reinach 1904: S. Reinach, *Répertoire de la Statuaire Grècque et Romaine*, Paris 1897-1930, 6 voll.
Reiss 1992: S.E. Reiss, *Cardinal Giulio de' Medici as a patron of art, 1513-1523*, Ph.D. diss., Princeton University 1992.
Rensi 1914: G. Rensi, *Marsilio Ficino: Sopra lo Amore ovvero Convito di Platone*, [1475 circa]; ed. Firenze 1914.
Ricordi... 1970: *Ricordi (I) di Michelangelo*, a cura di L. Bardeschi Ciulich e P. Barocchi, Firenze 1970.
Ridolfi 1895: E. Ridolfi, *La Pallade di Sandro Botticelli*, in "Archivio Storico dell'Arte", II, 1, 1895, pp. 1-5.
Ripa 1593: C. Ripa, *Iconologia overo descrittione dell'imagini universali cavate dall'antichità et da altri luoghi*, Roma 1593.
Rizzini 1892: P. Rizzini, *Illustrazione dei Civici Musei di Brescia. Parte II: Medaglie dai secoli XV a XVIII*, Brescia 1892.
Rocke 1996: M. Rocke, *Forbidden Friendships: Homosexuality and Male Culture in Renaissance Florence*, New York and Oxford 1996.
Rodin... 1997: *Rodin and Michelangel: A Study in Artistic Inspiration*, catalogo della mostra, Philadelphia 1997.
Rodonachi 1912: E. Rodocanachi, *La Première Renaissance. Rome au temps de Jules II et de Léon X*, Paris 1912.
Roland Michel, in corso di stampa: M. Roland Michel, in *Dessiner à Rome au temps de Pajou*, atti del colloquio (Paris 1997), in corso di stampa.
Romualdi - de Marinis 1992: A. Romualdi - G. de Marinis, *Itinerario Laurenziano nel Museo Archeologico di Firenze*, Firenze 1992.
Rosenberg, in corso di stampa: R. Rosenberg, *Beschreiben und Nachzeichnen. Eine Betrachtungsgeschichte der Skulpturen Michelangelos*, München, in corso di stampa.
Rossi 1979: F. Rossi, *Accademia Carrara di Bergamo. Catalogo dei dipinti*, Bergamo 1979.
Rubenstentoonstelling... 1933: *Rubenstentoonstelling ten bate von de Vereeniging Rembrandt, Kunsthandel J. Goudstikker N.V.*, catalogo della mostra, Amsterdam 1933.
Rubin 1994: P.L. Rubin, *Vasari, Lorenzo and the Myth of Magnificence*, in *Lorenzo il Magnifico e il suo mondo*, atti del convegno internazionale di studi (Firenze 1992) a cura di G. Garfagnini, Firenze 1994, pp. 427-442.
Rubin 1995: P.L. Rubin, *Giorgio Vasari. Art and History*, New Haven-London 1995.
Rubinstein 1986: R. Rubinstein, *Michelangelo's Lost Sleeping Cupid and Fetti's Vertumnus and Pomona*, in "Journal of the Warburg and Courtauld Institutes", XLIX, 1986, pp. 257-259.
Rubinstein 1998: P. Rubinstein, *Lorenzo de Medici's sculpture of Apollo and Marsyas; Lorenzo and Bacchic imagery; The Triumph of Bacchus and Ariadne*, in *With or Without the Medici. Art and Patronage in Florence 1450-1530*, a cura di E. Marihand e A. Wright, London 1998.
Russoli 1967: F. Russoli, *Catalogo ufficiale dell'Accademia Carrara di Bergamo*, Bergamo 1967.
Saladino 1983: V. Saladino, *Musei e Gallerie. Firenze. Gli Uffizi. Sculture Antiche*, Firenze 1983.
Salerno - Spezzaferro - Tafuri 1975: L. Salerno - L. Spezzaferro - M. Tafuri, *Via Giulia: una utopia urbanistica del '500*, Roma 1975.
Santarelli 1870: E. Santarelli, *Catalogo della raccolta di disegni autografi antichi e moderni donata dal prof. E. Santarelli alla R. Galleria di Firenze*, Firenze 1870.
Sanudo 1883: M. Sanudo, *La spedizione di Carlo VIII in Italia*, R. Fulin, Venezia 1883.
Saslow 1986: J.M. Saslow, *Ganymede in the Renaissance: Homosexuality in Art and Society*, New Haven-London 1986.
Saslow 1991: J.M. Saslow, *The Poetry of Michelangelo: An Annotated Translation*, New Haven-London 1991.
Saxl 1911: F. Saxl, *Le fonti letterarie dei "pianeti Finiguerra'* [1911], in F.S., *La fede negli astri, dall'antichità al Rinascimento*, a cura di S. Settis, Torino 1985, pp. 287-291.
Scalia 1982: F. Scalia, *Il Carteggio inedito di Stefano Bardini*, in *San Nicolò Oltrarno, la chiesa, una famiglia di antiquari*, Firenze 1982, pp. 99-102.
Scalini 1983: M. Scalini, *L'armeria di Lorenzo de' Medici. L'inventario di Palazzo Medici redatto nel 1492 alla morte del Magnifico*, in *Oplologia italiana*, I, Firenze 1983, pp. 24-39.
Scheller 1963: R.W. Scheller, *A Survey of Medieval Model Books*, Haarlem 1963.
Scheller 1995: R.W. Scheller, *Exemplum. Model-Book Drawings and the Practice of Artistic Transmission in the Middle Ages (ca. 900 - ca. 1470)*, Amsterdam 1995.
Schiavo 1964: A. Schiavo, *Il Palazzo della Cancelleria*, Roma 1964.
Schlosser (von) 1908: J. Von Schlosser, *Die Kunst und Wunderkammer der Spätrenaissance*, Leipzig 1908.
Schmidt 1996: E.D. Schmidt, *Die Überlieferung von Michelangelos verlorenem Samson-Modell*, in "Mitteilungen des Kunsthistorischen Institutes in Florenz", XL, 1996, pp. 78-147.
Schmidt, in corso di stampa: E.D. Schmidt, *Diomede Leoni und sein Garten in San Quirico d'Orcia. Zur Geschichte von Michelangelos Brutus und von Daniele da Volterras Michelangelo-Büste im Cinquecento*, in "Mitteilungen des Kunsthistorischen Institutes in Florenz", XLIII, 1999, in corso di stampa.
Schottmüller 1904: F. Schottmüller, *Donatello*, München 1904.
Schweickhart 1986: G. Schweikhart, *Der Codex Wolfegg: Zeichnungen nach der Antike von Amico Aspertini*, London 1986.
Schweikhart 1989: G. Schweikhart, *Studio e reinvenzione dell'Antico nell'opera di Amico Aspertini*, in *Roma, centro ideale della cultura dell'Antico nei secoli XV e XVI: da Martino V al Sacco di Roma 1417-1527*, atti del convegno internazionale di studi su Umanesimo e Rinascimento (Roma 1985) a cura di S. Danesi Squarzina, Milano 1989, pp. 401-409.

Scultura (La) italiana... 1989: *La scultura italiana dal XV al XX secolo nei calchi della Gipsoteca*, a cura di L. Bernardini, A. Caputo Calloud, M. Mastrorocco, Firenze 1989.
Seidel 1977: M. Seidel, *"Ubera Matris". Die vielschichtige Bedeutung eines Symbols in der Mittelalterlichen Kunst*, in "Städel - Jahrbuch", nuova serie, 6, 1977, pp. 41-98.
Selected letters... 1975: *Selected Letters of St. Jerome*, Cambridge (Mass.) 1975.
Settis 1971: S. Settis, *Citarea "su un'impresa di bronconi"*, in "Journal of the Warburg and Courtauld Institutes", XXXIV, 1971, pp. 135-177.
Seymour 1967: C. Seymour, *Michelangelo's David: A Search for Identity*, University of Pittsburgh 1967.
Seymour 1971: C. Seymour, *The Sculpture of Andrea Verrocchio*, Greenwich (Conn.) 1971.
Sheard 1979: W. Steadman Sheard, *Antiquity in the Renaissance*, catalogo della mostra (1978), Northamptom (Mass.) 1979.
Shearman 1975: J. Shearman, *The Collection of the Younger Branch of the Medici*, in "The Burlington Magazine", CXVII, 1975, pp. 12-27.
Shearman 1992: J. Shearman, *Only Connect: Art and Spectator in the Italian Renaissance*, Washington 1992.
Smart 1967: A. Smart, *Michelangelo, the Taddei "Madonna" and the National Gallery "Entombment"*, in "Journal Royal Society of Art", CXV, 1967, pp. 835-862.
Smith 1975: W. Smith, *On the Original Location of the Primavera*, in "The Art Bulletin", LVII, 1975, pp. 31-40.
Smyth 1979: C.H. Smyth, *Venice and the emergence of the High Renaissance in Florence: Observations and Question*, in *Florence and Venice: Comparisons and Relations*, a cura di S. Bertelli, N. Rubinstein, C.H. Smyth, Firenze 1979-1980, 2 voll. I, 1979, pp. 209-249.
Smyth 1985: C.H. Smyth, *Osservazioni intorno a "Il carteggio di Michelangelo"*, in "Rinascimento. Rivista dell'Istituto Nazionale di Studi sul Rinascimento", serie seconda, XXV, 1985, pp. 3-17.
Smyth 1992: C.H. Smyth, *Michelangelo Drawings*, Washington 1992.
Sogliano 1880: A. Sogliano, in "Notizie degli scavi", 1880, p. 488.
Söldner 1986: M. Söldner, *Untersuchungen zu ligendenden Eroten in der hellenistischen und römischen Kunst*, Frankfurt am Main-Bern-New York 1986.
Stebbins 1989: T.E. Stebbins - C. Zahn, *Weston's Westons: Portraits and Nudes*, catalogo della mostra, Boston 1989.
Steinmann - Wittkover 1927: E. Steinmann - R. Wittkover, *Michelangelo Bibliographie, 1510-1926*, Leipzig 1927; ed. Hildesheim 1967 ("Römische Forschungen der Bibliotheca Hertziana"; 1).
Stone 1961: G.G. Stone, *A Glossary of the Construction, Decoration and Use of Arms and Armor, in All Countries and in All Times*, New York 1934, New York 1961.
Strauss 1981: W.L. Strauss, *The Illustrated Bartsch, 13. Formerly Volume 7 (Part 4). Sixteenth Century Artists*, New York 1981.
Strzygowski 1891: J. Strzygowski, *Studien zu Michelangelo's Jugendentwicklung*, in "Jahrbuch der Königlich Preußischen Kunstsammlungen", XII, 1891, pp. 207-219.
Stuart Jones 1912: H. Stuart Jones, *A Catalogue of the Ancient Sculptures preserved in the Municipal Collections of Rome. I: The Sculptures of the Museo Capitolino*, Oxford 1912.
Summers 1981: D. Summers, *Michelangelo and the Language of Art*, Princeton 1981.
Supino 1904: I. Supino, *L'incoronazione di Ferdinando d'Aragona*, Firenze 1904.
Symonds 1893: J.A. Symonds, *The Life of Michelangelo Buonarroti, based on studies in the archives of the Buonarroti family at Florence*, London 1893, 2 voll.
Tanfani Centofanti 1897: L. Tanfani Centofanti, *Notizie di artisti tratte dai documenti pisani*, Pisa 1897.
Tanoulas 1997: T. Tanoulas, *Through the Broken Looking Glass: The Acciaiuoli Palace in the Propylaea reflected in the Villa of Lorenzo il Magnifico at Poggio a Caiano*, in "Bollettino d'Arte", serie sesta, LXXXII, 100, 1997, pp. 1-32.
Tempestini 1992: A. Tempestini, *Giovanni Bellini. Catalogo completo dei dipinti*, Firenze 1992.
Temps (Le) revient... 1992: *Le temps revient: il tempo si rinnova. Feste e spettacoli nella Firenze di Lorenzo il Magnifico*, catalogo della mostra (Firenze) a cura di P. Ventrone, Cinisello Balsamo (Milano) 1992.
Tervarent 1960: G. de Tervarent, *Sur deux frises d'inspiration antique*, in "Gazette des Beaux-Arts", serie sesta, LV, 1960, pp. 307-316.
Tesoro (Il)... 1974: *Il tesoro di Lorenzo il Magnifico. II. I vasi*, catalogo della mostra (Firenze 1972), a cura di D. Heikamp, Firenze 1974.
Tesoro (Il)... 1974a: *Il tesoro di Lorenzo il Magnifico. Le gemme*, catalogo della mostra (Firenze 1972) a cura di N. Dacos, A. Giuliano, U. Pannuti, Firenze 1974.
Tesoro (Il)... 1980: *Il tesoro di Lorenzo il Magnifico. Repertorio di gemme e di vasi*, Firenze 1980.
Thieme - Becker 1913: U. Thieme - F. Becker, *Donadoni Stefano*, in *Allgemeines Lexikon der Bildenden Künstler*, vol. IX, Leipzig 1913, p. 418 *ad vocem*.
Thode 1881: H. Thode, *Die Antiken in den Stichen Marcanton's, Agostino Veneziano's und Marco Dente's*, Leipzig 1881.
Thode 1908-1913: H. Thode, *Michelangelo Kritische Untersuchungen über seine Werk* Berlin 1908-1913, 3 voll.
Thomas 1995: A. Thomas, *The Painter's Practice in Renaissance Tuscany*, Cambridge 1995.
Tietze-Conrat 1925: E. Tietze-Conrat, *Botticelli and the Antique*, in "The Burlington Magazine", XLVII, pp. 124-129.
Tolnay 1933: Ch. de Tolnay, *Michelangelostudien. Jugendwerke*, in "Jahrbuch der Preußischen Kunstsammlungen", LIV, 1933, pp. 95-122.
Tolnay 1943: Ch. de Tolnay, *The Youth of Michelangelo*, Princeton 1943; 2ª ed. rivista Princeton 1947; ristampa Princeton 1969.
Tolnay 1947-1960: Ch. de Tolnay, *Michelangelo*, Princeton 1947-1960, 5 voll. (di cui I: *The youth of Michelangelo*, 1947).
Tolnay 1968: C. de Tolnay, *Une composition de la jeunesse de Michel-Ange. "Hercule étouffant le lion de Némée", dessin au Musée du Louvre*, in "Gazette des Beaux-Arts", serie se-

sta, LXXII, 1968, pp. 205-212.

Tolnay 1975-1980: C. de Tolnay, *Corpus dei disegni di Michelangelo*, Novara 1975-1980, 4 voll.

Tozzi 1991: S. Tozzi, *Donadoni Stefano*, in *Dizionario Biografico degli Italiani*, vol. XL, Roma 1991, *ad vocem*.

Tre artisti... 1985: *Tre artisti nella Bologna dei Bentivoglio*, catalogo della mostra, Bologna 1985.

Türken (Die) vor Wien... 1983: *Die Türken vor Wien. Europa und die Entscheidung an der Donau 1683*, Wien 1683.

Uffizi (Gli)... 1983: *Gli Uffizi: quattro secoli di una galleria*, atti del convegno internazionale di studi (Firenze 1982) a cura di P. Barocchi e G. Ragionieri, Firenze 1983, 2 voll.

Valentiner 1942: W.R. Valentiner, *Michelangelo's Statuettes of the Piccolomini Altar in Siena*, in "The Art Quarterly", V, 1942, pp. 3-44; ed. W.R. V., *Michelangelo's Statuettes and the Madonna in Bruges*, in W.R. V., *Studies of Italian Renaissance Sculpture,* New York 1950, pp. 193-223.

Valeriano 1556: G.P. Valeriano, *Hieroglyphica sive de sacris aegyptiorum literis commentarii*, Basileae 1556.

Valori, inizi XVI sec.: N. Valori, *Vita di Lorenzo il Magnifico*, versione in volgare [inizi del XVI secolo], ed. Palermo 1992.

Valtieri 1982: S. Valtieri, *La fabbrica del cardinale Raffaele Riario (la Cancelleria). Organizzazione, maestranze, personaggi*, in "Quaderni dell'Istituto di Storia dell'Architettura", XXVII, 1982, pp. 3-25.

Valtieri 1984: S. Valtieri, *La basilica di San Lorenzo in Damaso nel Palazzo della Cancelleria a Roma attraverso il suo archivio ritenuto scomparso*, Roma 1984.

Varchi 1564: B. Varchi, *Orazione funerale di Benedetto Varchi fatta e recitata da Lui pubblicamente nell'essequie di Michelagnolo Buonarroti in Firenze, nella Chiesa di San Lorenzo*, Firenze 1564.

Vasari 1550 e/o 1568, ed. Barocchi 1962: G. Vasari, *La Vita di Michelangelo nelle redazioni del 1550 e del 1568*, a cura di P. Barocchi, Milano-Napoli 1962, 5 voll.

Vasari 1550 e/o 1568, ed. Bettarini - Barocchi 1966-1987: G. Vasari, *Le vite de' più eccellenti pittori, scultori e architettori nelle redazioni del 1550 e 1568*, Firenze 1550 e 1568; ed. a cura di R. Bettarini e P. Barocchi, Firenze 1966-1987, 6 voll. (solo delle *Vite*).

Vasari 1550, ed. Bellosi - Rossi 1986: G. Vasari, *Le vite de' più eccellenti architetti, pittori et scultori italiani, da Cimabue insino a' tempi nostri*, Firenze 1550; ed. a cura di L. Bellosi e A. Rossi, Torino 1986.

Vasari 1568, ed. Milanesi 1878-1885: G. Vasari, *Le vite de' più eccellenti pittori, scultori ed architettori... di nuovo ampliate*, Firenze 1568; ed. in *Le opere di Giorgio Vasari*, a cura di G. Milanesi, Firenze 1878-1885, 9 voll., I-VII, 1878-1881.

Vasca (La) del Pincio... 1987: *La vasca del Pincio da Corot a Maurice Denis*, catalogo della mostra, Roma 1987.

Venturi 1888: A. Venturi, *Il "Cupido" di Michelangelo*, in "Archivio Storico dell'Arte", I, 1888, pp. 1-13.

Venturi 1908: A.Venturi, *Storia dell'Arte Italiana*, Milano 1901-1940, 11 voll., VI (*La scultura del Quattrocento*), 1908.

Venturini 1994-95: L. Venturini, *Il Maestro del 1506: la tarda attività di Bastiano Mainardi*, in "Studi di Storia dell'Arte", 5-6, 1994-95 (1995), pp. 123-183.

Viti 1996: P. Viti, *Su alcune poesie encomiastiche del Poliziano per Lorenzo il Magnifico*, in *Poliziano nel suo tempo*, atti del convegno (Chianciano-Montepulciano 1994), Firenze 1996, pp. 55-72.

Vliegenthart 1976: A.W. Vliegenthart, *La Galleria Buonarroti: Michelangelo e Michelangelo il giovane*, Firenze 1976.

Volpi 1902: G. Volpi, *Le feste di Firenze del 1459. Notizia di un poemetto del secolo XV*, Pistoia 1902.

"Von allen Seiten schön"... 1995: *"Von allen Seiten schön". Bronzen der Renaissance und des Barock*, catalogo della mostra a cura di V. Krahn, Berlin 1995.

Waldman 1998: L.A. Waldman, *The "Master of the Kress Landscapes" unmasked: Giovanni Lanciarini and the Fucecchio altar-piece*, in "The Burlington Magazine", CXL, 1998, pp. 457-469.

Walker 1933: J. Walker, *Ricostruzione di un'incisione pollaiolesca*, in "Dedalo", XIII, 1933, pp. 229-237.

Wallace 1987: W.E. Wallace, *Michelangelo's Assistants in the Sistine Chapel*, in "Gazette des Beaux-Arts", CX, 1987, pp. 203-216.

Wallace 1992: W.E. Wallace, *How did Michelangelo become a Sculptor*, in *The Genius of the Sculptor in Michelangelo's Work*, catalogo della mostra, Montreal 1992, pp. 151-167.

Wallace 1992a: W.E. Wallace, *Michelangelo's Vatican "Pietà": Altarpiece or Grave Memorial?*, in *Verrocchio and Late Quattrocento Italian Sculpture*, a cura di S. Bule, A.P. Darr e F.S. Gioffredi, Florence 1992, pp. 243-255.

Wallace 1992b: W.E. Wallace, *A Summary View of Michelangelo's Practice*, in *Verrocchio and Late Quattrocento Italian Sculpture*, a cura di S. Bule, A.P. Darr e F.S. Gioffredi, Firenze 1992, pp. 365-367.

Weihrauch 1967: H.R. Weihrauch, *Europäische Bronzestatuetten*, Braunschweig 1967.

Weil 1967: P. Weil, Dent, *Contributions toward a History of Sculpture Techniques: I. Orfeo Boselli on the Restoration of Antique Sculpture*, in "Studies in Conservation", XII, 1967, pp. 81-85.

Weil-Garris Brandt 1981: K. Weil-Garris Brandt, *Bandinelli and Michelangelo: A Problem of Artistic Identity*, in *Art, the Ape of Nature: Studies in Honor of H.W. Janson*, New York 1981, pp. 223-251.

Weil-Garris Brandt 1983a: K. Weil-Garris Brandt, *On Pedestals: Michelangelo's "David", Bandinelli's "Hercules and Cacus" and the Sculptures of the Piazza della Signoria*, in "Römische Jahrbuch für Kunstgeschichte", XX, 1983, pp. 372-415.

Weil-Garris Brandt 1983b: K. Weil-Garris Brandt, *"Were this Clay but Marble", a Reassessment of Emilian Terracotta Group Sculpture*, in *Le arti a Bologna e in Emilia dal XVI al XVII secolo. Atti del Congresso Internazionale di Storia dell'Arte* (Bologna 1979), Bologna 1983, 4 voll., IV, pp. 61-79.

Weil-Garris Brandt 1987: K. Weil-Garris

Brandt, *Michelangelo's Pietà for the Cappella del re di Francia*, in *"Il se rendit en Italie". Études offertes à André Chastel*, Paris-Rome 1987, pp. 77-108.

Weil-Garris Brandt 1992: K. Weil-Garris Brandt, *The Nurse of Settignano: Michelangelo's Beginnings as a Sculptor*, in *The Genius of the Sculptor in Michelangelo's Work*, catalogo della mostra, Montréal 1992, pp. 21-43.

Weil-Garris Brandt 1993: K. Weil-Garris Brandt, *Michelangelo's Early Projects for the Sistine Ceiling: Practical and Artistic Consequences*, in "Studies in the History of Art. National Gallery of Art, Washington", 33 (*Symposium Papers XVII: Michelangelo Drawings*, Washington 1988), 1992, pp. 57-88.

Weil-Garris Brandt 1994: K. Weil-Garris Brandt, *Cangianti e cambiamenti nei colori di Michelangelo sulla volta della cappella Sistina*, in *Michelangelo: La Cappella Sistina*, Città del Vaticano-Tokyo-Novara 1994, 3 voll., III (*Atti del Convegno Internazionale di Studi, Roma, marzo 1990*) a cura di K. Weil-Garris Brandt, pp. 167-188.

Weil-Garris Brandt 1996: K. Weil-Garris Brandt, *A Marble in Manhattan attributed to Michelangelo*, in "The Burlington Magazine", CXXXVIII, 1996, pp. 644- 659.

Weil-Garris Brandt 1997: K. Weil-Garris Brandt, *More on Michelangelo and the Manhattan Marble*, in "The Burlington Magazine", CXXXIX, 1997, pp. 400-404.

Weil-Garris Brandt 1999: K. Weil-Garris Brandt, *Leonardo e la scultura*, Firenze-Vinci 1999 ("Lettura vinciana", XXXVIII, 18 aprile 1998).

Weil-Garris Brandt e D'Amico 1980: K. Weil-Garris e J.F. D'Amico, *The Renaissance Cardinal's Ideal Palace: A Chapter from Cortesi's "De Cardinalatu'*, Rome 1980.

Weinstein 1976: D. Weinstein, *Savonarola and Florence, Prophecy and Patriotism in the Renaissance*, Princeton 1970, ed. it. *Savonarola e Firenze. Profezia e patriottismo nel Rinascimento*, Bologna 1976.

Weiss 1969: R. Weiss, *The Renaissance Discvery of Classical Antiquity*, Oxford 1969 [2ª ed. a cura di R. Rubinstein, 1988].

Welliver 1957: W. Welliver, *L'impero fiorentino*, Firenze 1957.

Wentzel 1956: H. Wentzel, *Mittelalterliche Gemmen in den Sammlungen Italiens*, in "Mitteilungen des Kunsthistorischen Institutes in Florenz", VII, 3-4, 1956, pp; 239-279.

Whitaker 1994: L. Whitaker, *Maso Finiguerra, Baccio Baldini and the "Florentine Picture Chronicle'*, in *Florentine Drawing at the Time of Lorenzo the Magnificent*, atti del colloquio (Firenze 1992) a cura di E. Cropper, Bologna 1994, pp. 181-196.

Whitaker 1998: L. Whitaker, *Maso Finiguerra and early Florentine printmaking*, in *Drawing, 1400-1600: invention and innovation*, a cura di S. Currie, Aldershot 1998, pp. 45-71.

White 1968: J. White, *Paragone: Aspects of the relationship between Sculpture and Painting*, in *Art, Science and History in the Renaissance*, a cura di C. S. Singleton, Baltimora 1968, pp. 43-108.

Wilde 1932-34: J. Wilde, *Eine Studie Michelangelos nach der Antike*, in "Mitteilungen des Kunsthistorischen Institutes in Florenz", IV, 1932-34, pp. 41-46.

Wilde 1953: J. Wilde, *Italian Drawings in the Department of Prints and Drawings in the British Museum. Michelangelo and his Studio*, London 1953.

Wind 1958: E. Wind, *Pagan Mysteries in the Renaissance*, London 1958; ed. London 1968.

Wittkover 1938-39: R. Wittkover, *Transformation of Minerva in Renaissance Imagery*, in "Journal of the Warburg and Courtauld Institutes", II, 1938-39, pp. 194-205.

Wittkover 1977: R. Wittkover, *Sculpture. Processes and Principles*, London 1977.

Wohl 1991a: H. Wohl, recensione a [*Donatello-Studien*, München 1989], in "The Art Bulletin", LXXIII, 1991, pp. 315-323.

Wohl 1991b: H. Wohl, *Two Cinquecento Puzzles*, in "Antichità Viva", XXX, 6, 1991, pp. 42-48.

Wright 1994: A. Wright, *Antonio Pollaiuolo, "Maestro di disegno"*, in *Florentine Drawing at the time of Lorenzo the Magnificent*, atti del colloquio (Firenze 1992) a cura di E. Cropper, Bologna 1994, 4 voll., pp. 131-146.

Zambotti 1476-1504: B. Zambotti, *Diario Ferrarese dell'anno 1476 al 1504*, [1476-1504 ca.], ed. a cura di L. Muratori, Bologna 1937 (*'Rerum Italicarum Scriptores'*, XXIV, parte 7, supplemento).

Zeri 1953: F. Zeri, *Il Maestro della Madonna di Manchester*, in "Paragone", 43, 1953, pp. 15-27.

Zeri - Gardner 1971: F. Zeri - E. Gardner, *Italian Paintings. A Catalogue of the Collection of the Metropolitan Museum of Art. Florentine School*, New York 1971.

Zervas - Hirst 1987: D. Zervas - M. Hirst, *Florence: the Donatello year*, in "The Burlington Magazine", CXXIX, 1987, p. 208.

Ziegler 1995: I. Ziegler, *Michelangelo and the Medieval Pietà: The Sculpture of Devotion or the Art of Sculpture?*, in "Gesta", XXXIV, 1, 1995, pp. 28-36.

Zimmerman 1976: T.C. Price Zimmerman, *Paolo Giovio and the Evolution of Renaissance Art Criticism*, in *Cultural Aspects of the Italian Renaissance: Essays in Honour of Paul Oskar Kristeller*, Manchester 1976, pp. 406-424.

Zucker 1984: M.J. Zucker, *The Illustrated Bartsch, 25. Early Italian Masters*, New York 1984.

Zucker 1993: M.J. Zucker, *Baccio Baldini*, in *The Illustrated Bartsch, 24. Formerly Volume 13 (Part 1). Early Italian Masters*, New York 1993.